dtv-Lexikon
Ein Konversationslexikon in 20 Bänden

D0324750

dtv-Lexikon
Ein Konversationslexikon in 20 Bänden

Band 11: Kri–Mace

Deutscher
Taschenbuch
Verlag

In diesem Lexikon werden, wie in allgemeinen Nachschlagewerken üblich, etwa bestehende Patente, Gebrauchsmuster oder Warenzeichen nicht erwähnt. Wenn ein solcher Hinweis fehlt, heißt das also nicht, daß eine Ware oder ein Warenname frei ist.

Februar 1975
Copyright 1966 by Deutscher Taschenbuch Verlag GmbH & Co. KG, München
Mit Genehmigung erarbeitet nach Unterlagen der Lexikon-Redaktion
des Verlages F. A. Brockhaus, Wiesbaden
Umschlaggestaltung: Celestino Piatti
Gesamtherstellung: C. H. Beck'sche Buchdruckerei, Nördlingen
Printed in Germany · ISBN 3-423-03061-5

Hinweise für den Gebrauch des dtv-Lexikons

Reihenfolge im Abc

Die Stichwörter folgen einander nach dem Abc. Für das Einordnen gelten alle fett gedruckten Buchstaben, auch wenn das Stichwort aus mehreren Wörtern besteht; die Umlaute ä, ö, ü und die wie Umlaute gesprochenen Doppelbuchstaben ae, oe, ue werden behandelt wie die einfachen Buchstaben a, o, u; also folgen z. B. aufeinander: Bockhuf, Bockkäfer, Böckler, Böcklin, Bockmühle. Die Doppellaute ai, au, äu, ei, eu werden wie getrennte Buchstaben behandelt, ebenso sch, st, sp usw., ferner ae, oe, ue, wenn sie nicht wie ä, ö, ü gesprochen werden; also folgen z. B. aufeinander: Bodoni, Boer, Boeslunde, Boethius, bofen. Wörter, die man unter C vermißt, suche man unter K oder Tsch oder Z, bei Dsch vermißte Wörter unter Tsch, bei J vermißte unter Dsch oder I; ebenso im umgekehrten Fall. Wird ein Stichwort in zwei Formen oder Schreibungen angeführt, so ist die erste die gebräuchlichere.

Trennstrich

Um bei zusammengesetzten Wörtern die Bestandteile zu verdeutlichen, wird ein dünner senkrechter Strich verwendet. Er bedeutet also nicht ohne weiteres die Silbentrennung.

Betonung und Aussprache

Die Betonung ist durch einen Strich (′) vor dem betonten Selbstlaut angegeben, z. B. B′andung. Die Aussprache seltener Wörter und Namen wird nach dem Internationalen Lautschriftsystem bezeichnet, z. B. Courage [kuraʒə]. Die Lautzeichen bedeuten:

a = vorderes a: matt	ɛ̃ = nasales ɛ: frz. bassin	z = stimmhaftes s: leise
ɑ = hinteres a: war	λ = mouilliertes l: ital. degli	ʃ = stimmloses sch: Tasche
ɑ̃ = nasales ɑ: frz. centime	ŋ = nasales n: lange	ʒ = stimmhaftes sch: frz.
ʌ = dumpfes a: engl. but	ɲ = mouilliertes n: frz.	Etage
γ = niederländ. g, wie	Boulogne	θ = stimmloses th: engl.
sächs. Wagen	ɔ = offenes o: Kopf	thing
ç = stimmloses ch: ich	o = geschlossenes o: Sohn	ð = stimmhaftes th: engl.
x = stimmloses ch: Bach	ɔ̃ = nasales o: frz. salon	the
æ = breites ä: engl. hat	œ = offenes ö: Hölle	v = wie w in: wo, Wiese
ɛ = offenes e: fett	ø = geschlossenes ö: Höhle	w = halbvokalisches w:
e = geschlossenes e: Beet	œ̃ = nasales œ: frz. un	engl. well
ə = dumpfes e: alle	s = stimmloses s: was	y = ü: Rübe

Langer Vokal wird durch nachfolgenden Doppelpunkt bezeichnet (z. B. ɑ: in Haar); b d f g h i j k l m n p r u geben etwa den deutschen Lautwert wieder.

Herkunft der Wörter (Etymologie)

Die Herkunftsangaben stehen in eckiger Klammer hinter dem Stichwort. Die Zeitangaben beziehen sich auf das erste Auftreten eines Wortes im Deutschen, z. B. ›Lutherzeit‹, ›Goethezeit‹. Fremdwörter werden durch Angabe der Herkunftssprache gekennzeichnet: anim′oso [ital.]; das fremdsprachige Herkunftswort wird gebracht, wenn es wichtig ist: Am′ause [mhd. aus franz. émail]. Wo die wörtliche deutsche Entsprechung des fremden Begriffs von Bedeutung ist, wird sie angegeben: allons [alɔ̃, franz. ›gehen wir!‹].

Zeichen

Die Zugehörigkeit zu einer besonderen Sprachschicht machen folgende Zeichen kenntlich:

† = veralteter Ausdruck	K = Kanzleistil, geschraubter Ausdruck	
B = Bibel- und Kanzleisprache	M = Mundartwort oder nur landschaftlich verbreitetes Wort	
D = dichterische und gehobene Sprache		
G = gemeiner oder Gaunerausdruck	S = schlechter Stil	
H = scherzhafter Ausdruck	U = Umgangssprache	

Weitere Zeichen: * geboren (zu . . . am . . .), † gestorben (zu . . . am . . .). Der Pfeil → fordert auf, das dahinterstehende Wort nachzuschlagen. BILD bedeutet: die zugehörige Abbildung suche man an der hier genannten Stelle; ähnlich: ÜBERSICHT, TAFEL, KARTE.

Anregungen und Verbesserungsvorschläge

aus dem Kreise der Benutzer sind stets willkommen und werden genau geprüft; da der Verlag nicht auf jeden Hinweis antworten kann, spricht er seinen Dank für jede Hilfe schon hier aus.

Abkürzungen

Häufig sind Endungen oder Wortteile weggelassen, die man ohne Schwierigkeit ergänzen kann, z. B. span. für spanisch; abgek. für abgekürzt; Abt. für Abteilung; in den eckigen Klammern d. für deutsch in: niederd.; oberd. Weitere Abkürzungen →Maße und Gewichte, physikalische →Maßeinheiten, →mathematische Zeichen, →chemische Elemente u. a.

Abg.	Abgeordneter	MdB	Mitglied des Bundestags
ABGB	Allgemeines Bürgerliches Gesetzbuch (Österr.)	MdR	Mitglied des Reichstags
AG	Aktiengesellschaft	mhd.	mittelhochdeutsch
AGer.	Amtsgericht	Mill.	Million
ahd.	althochdeutsch	Min.	Minister
Arr.	Arrondissement	MinPräs.	Ministerpräsident
Art.	Artikel	Mitt.	Mitteilung(en)
a. St.	alten Stils	mlat.	mittellateinisch
A. T.	Altes Testament	mnd.	mittelniederdeutsch
Bd., Bde.	Band, Bände	Mz.	Mehrzahl
Bez.	Bezirk, Bezeichnung	N	Nord(en)
BezA.	Bezirksamt	n. Br.	nördliche(r) Breite
BezGer.	Bezirksgericht	n. Chr.	nach Christi Geburt
BGB	Bürgerliches Gesetzbuch	nhd.	neuhochdeutsch
BRT	Bruttoregistertonne	nlat.	neulateinisch
d. Ä.	der (die) Ältere	n. St.	neuen Stils
das.	daselbst	N. T.	Neues Testament
Dep.	Departement	O	Ost(en)
Distr.	Distrikt	o. J.	ohne Jahr
d. J.	der (die) Jüngere	ö. L.	östliche(r) Länge
dt.	deutsch	OLdGer.	Oberlandesgericht
Dtl.	Deutschland	OR	Obligationenrecht (Schweiz)
DurchfVO.	Durchführungs-Verordnung	Präs.	Präsident
Eigw.	Eigenschaftswort	Prof.	Professor
Einw., Ew.	Einwohner	Prov.	Provinz
EStG	Einkommensteuergesetz	Ps.	Psalm
e. V.	eingetragener Verein	ref.	reformiert
Ez.	Einzahl	RegBez.	Regierungsbezirk
Gem.	Gemeinde	RegPräs.	Regierungspräsident
Ges.	Gesetz; Gesellschaft	RT	Registertonne
GewO	Gewerbeordnung	Rep.	Republik
Gfsch.	Grafschaft	S	Süd(en)
GG	Grundgesetz	s. Br.	südliche(r) Breite
Gouv.	Gouvernement, Gouverneur	StGB	Strafgesetzbuch
grch., griech.	griechisch	StPO	Strafprozeßordnung
GVG	Gerichtsverfassungsgesetz	Stw.	Stammwort
Hb.	Handbuch	svw.	soviel wie
hd.	hochdeutsch	TH	Technische Hochschule
HGB	Handelsgesetzbuch	u. d. T.	unter dem Titel
hg. v.	herausgegeben von	ü. M., u. M.	über (unter) dem Meeresspiegel
Hptw.	Hauptwort	urspr.	ursprünglich
Hwb.	Handwörterbuch	v. Chr.	vor Christi Geburt
Hzgt.	Herzogtum	Verf.	Verfassung; Verfasser
i. J.	im Jahre	VerwBez.	Verwaltungsbezirk
Jb.	Jahrbuch	vgl.	vergleiche
Jh., Jhs.	Jahrhundert(s)	Vfg. v.	Verfügung vom
Kap.	Kapital	v. Gr.	von Greenwich
Kgr.	Königreich	v. H.	vom Hundert
KO	Konkursordnung	Vors.	Vorsitzender
Kr.	Kreis	VO. v.	Verordnung vom
Kw.	Kunstwort	W	West(en)
lat.	lateinisch	Wb.	Wörterbuch
LdGer.	Landgericht	w. L.	westliche(r) Länge
Lit.	Literatur	WO	Wechselordnung
Lw.	Lehnwort	ZGB	Zivilgesetzbuch (Schweiz)
MA.	Mittelalter	ZPO	Zivilprozeßordnung
md.	mitteldeutsch	³1950	3. Auflage 1950

Verzeichnis der Tafeln am Schluß des Bandes.

Kr'ick|ente [niederd. Schallwort; Lutherzeit], eine →Ente.

Kr'ickerhäu, slowak. **Handlová,** Stadt in der mittleren Slowakei, mit (1963) 15 300 Ew., an einem Zufluß der Neutra, 416 m ü.M.; Braunkohlenbergbau.

Kr'icket [engl.], engl. Schlagballspiel. Spielgeräte sind der mit Leder umspannte Ball und das Kricketschlagholz (Keule). K. wird auf einem Rasen (60 × 80 m) von 2 Parteien (je 11 Spieler) gespielt. Von der Schlägerpartei gehen 2 Spieler an die Tore, um mit ihren Keulen den Ball abzuwehren. Die angreifende Ballpartei (Werfer, Bowlers) »ballt«, d. h. versucht, mit dem Ball das Tor so zu treffen, daß die darüberliegenden Querstäbe herabfallen. Der Schläger (Batter) hat den Ball vom Tor möglichst weit wegzuschlagen. In dieser Zeitspanne wechseln beide Schläger schnell ihre Plätze. Kann die Werferpartei während des Wechsels den zurückgeschlagenen Ball nicht fangen oder mit dem Ball die Tore treffen, wird der Wechsel als *Lauf* gezählt. Gelingt es der Werferpartei, den Ball abzufangen und das Tor zu treffen, muß der Schläger ausgewechselt werden. Die höchste Zahl der Läufe entscheidet den Sieg.

Kr'ida [ital.], *in Österreich:* Konkursverbrechen und -vergehen.

Kr'iebelmücke, Kribbelmücke, wenige Millimeter großer fliegenähnlicher Zweiflügler, dessen Larven und Puppen am Grunde rasch fließender Gewässer festsitzen. Die Weibchen stechen Menschen und Tiere.

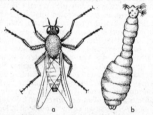

Kriebelmücke: a *Simulium hirtipes* (etwa 4 mm groß), b Larve (etwa 9 mm groß)

Kr'iebelnuß, kleine Walnußsorte.

Kriechblume, Krabbe, in der Gotik ein blattartig gebildetes Bauornament an den schräg ansteigenden Kanten von Wimpergen, Turmhelmen und Fialen.

Krieche [mhd., vielleicht ›Griechenpflaume‹], **Kriechenpflaume,** eine kleinfrüchtige Pflaumenform.

Kriechstrom, unerwünschter Stromübergang entlang der Oberfläche eines Isolierstoffkörpers, auf dem spannungführende Teile befestigt sind; entsteht, wenn das Isolationsvermögen des Isolierstoffes, z. B. durch Feuchtigkeit, herabgesetzt wird.

Kriechtiere, *Reptilien,* eine Klasse der Wirbeltiere mit den Ordnungen der *Schildkröten, Brückenechsen, Panzerechsen* (mit Alligatoren, Krokodilen, Gavialen) und *Schuppenkriechtiere* (mit Echsen, Wurmzünglern, Schlangen). Die drüsenarme, trockene Haut ist mit hornigen Schuppen oder größeren Schildern bedeckt. Die K. sind wechselwarme, lungenatmende Tiere ohne Verwandlung (Metamorphose); sie entwickeln sich aus Eiern, die frei abgelegt werden oder im Muttertier ausreifen und von den Jungen vor oder bei der Geburt

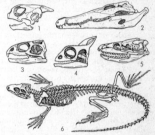

Kriechtiere: Skelettbau bei verschiedenen Kriechtiergruppen; 1 *Schädel einer Meeresschildkröte* ($\frac{1}{20}$ *nat. Größe*), 2 *eines Krokodils* ($\frac{1}{20}$), 3 *der Brückenechse* ($\frac{1}{7}$), 4 *eines Chamäleons* ($\frac{1}{7}$), 5 *einer Pythonschlange* ($\frac{2}{11}$), 6 *Skelett der Teju-Echse* ($\frac{1}{13}$)

gesprengt werden. Die K. sind hauptsächlich Land- und Süßwasserbewohner wärmerer Erdgebiete; wenige Arten leben im Meer. Zur Nahrung dient meist tierische, bei vielen Schildkröten und einigen Echsen auch pflanzl. Kost. Die Stammesgeschichte der K. reicht bis in das obere Karbon zurück und erlebte im Mittelalter der Erde (Mesozoikum) ihre höchste Blüte (→Dinosaurier). Neuere Ergebnisse haben erwiesen, daß sich einige asiatische u. südamerikanische Eidechsen durch Parthenogenese (Jungfernzeugung) fortpflanzen. LIT.: K. P. Schmidt u. R. F. Inger: Reptilien (dt. v. H. Wermuth, 1957); R. Mertens u. H. Wermuth: Die Amphibien u. Reptilien Europas (³1960).

Krieck, Ernst, Pädagoge, * Vögisheim (Baden) 6. 7. 1882, † Moosburg (Internierungslager) 19. 3. 1947, seit 1928 Prof. an der Pädagog. Akademie in Frankfurt a. M., seit 1934 in Heidelberg. Nach 1932 suchte er den Nationalsozialismus philosophisch zu unterbauen.

Krieg [mhd. ›Anstrengung‹; heutige Bedeutung erst Lutherzeit], die gewaltsame Austragung von Streitigkeiten zwischen Staaten (→Kriegsrecht, →Kriegszustand). K. ist auf primitiven Stufen der Zivilisation das gewöhnliche Mittel zum Austragen von Gruppenkonflikten, der Friede dagegen ein Ausnahmezustand, der stets eigens vertraglich gestiftet werden muß. Augustinus erlaubte den **gerechten Krieg** als Mittel zur Wiederherstellung verletzten

Rechts, mit einem gerechten Ziel und unter Anwendung rechtmäßiger Methoden. Diese Lehre des *bellum justum* blieb seit dem MA. (Thomas von Aquin) maßgebend; sie wurde auch von dem entstehenden Völkerrecht (Vitoria, Grotius) aufgenommen. Im Zeitalter der »Kabinettskriege« (17./18. Jh.) wurde der »gerechte Krieg« zur bloßen Formel. Die Lehre vom Gleichgewicht der Macht folgerte daraus die Berechtigung eines Präventivkriegs zur Verhinderung der Übermacht eines einzelnen Staates. Das nationalstaatlich denkende 19. Jh. sah im K. das letzte Mittel der Machtbewährung des Staates und die Gestaltungsmacht der Geschichte (Treitschke); es erkennte dem Staat eine Befugnis zum K. ohne rechtliche Beschränkung zu, dagegen nicht ohne sittliche. Den die K. grundsätzlich verwerfenden Theorien behaupten entweder, er werde auf höheren Stufen der gesellschaftl. und staatl. Organisation entwicklungsnotwendig überwunden werden (z. B. H. Spencer), oder sie entwerfen überstaatliche Ordnungen, die ihn ausschalten sollen. Die entgegengesetzten Theorien halten den K. für ein geschichtliches Urphänomen, das je nach Größe und Art der polit. Gebilde sowie nach dem Stand der techn. Mittel verschiedene Gestalt annimmt; in der neuzeitl. Lehre vom Machtstaat (seit Machiavelli) wurde der Kriegsfall und die beständige K.-Bereitschaft in den Begriff des Staates selbst aufgenommen. Während in früheren Jahrhunderten meist Heere von Berufskriegern kämpften, greift der K. seit der Einführung der allgem. Wehrpflicht ins allgem. Gesellschaftsleben ein. Die im industriellen Zeitalter stark gesteigerte, in ihrer zukünft. Entwicklung kaum abzusehende Kriegstechnik (Atomwaffen u. a.) bringt Kriegsverheerungen mit sich, die den Fortbestand der Kultur überhaupt gefährden. Hieraus entsprangen Bestrebungen, den K. als Werkzeug der nat. Politik zu »ächten« (z. B. Kellogg-Pakt) und alle Mittel zur Verhütung von K. auszubauen (→Schiedsgerichtsbarkeit, →Vereinte Nationen). Die Grundlagen dafür bilden die Bemühungen, in Anknüpfung an Gedankengänge des älteren Völkerrechts je nach dem Kriegsgrund (Angriffskrieg, Verteidigungskrieg, K. aus vertraglicher Pflicht) verbotene, erlaubte und gebotene K. eindeutig zu unterscheiden. Bestrebungen, durch Einflußnahme auf die öffentl. Meinung den K. aus dem Völkerleben auszuschalten, traten seit Anfang des 19. Jhs. hervor und wurden durch die Entwicklung zum »totalen« K. stark belebt (→Pazifismus, →Kalter Krieg).

Krieger, 1) Adam, Komponist, * Driesen (Neumark) 7. 1. 1634, † Dresden 30. 6. 1666, schuf selbstgedichtete ›Arien‹ für Singstimmen mit Instrumentalbegleitung.

2) Arnold, Schriftsteller, * Dirschau (Weichsel) 1. 12. 1904, † Frankfurt a. M. 9. 8. 1965, schrieb Gedichte, Dramen (Fjodor und Anna, 1941), Romane (Mann ohne Volk, 1934, verfilmt als Ohm Krüger), Das Haus der Versöhnung (1956).

3) Johann Philipp, Komponist, * Nürnberg 25. 2. 1649, † Weißenfels 7. 2. 1725, hat das. als Hofkapellmeister die deutsche Oper vorbildlich gepflegt. Erhaltene Werke sind: 12 Triosonaten, 12 Sonaten für Violine und Gambe, ›Lustige Feldmusik‹ (6 Ouvertüren, 1704), ›Musikal. Seelenfriede‹ (20 geistl. Arien, 1697), Arien aus verschiedenen Opern.

Kriegerdenkmal, →Denkmal, →Gefallenendenkmal.

Kriegervereine, →Soldatenverbände.

Kriegführung gliedert sich in Strategie (operative Maßnahmen) und Truppenführung (→Taktik). Als Aufgabe des militär. Führers setzt sie Verantwortung, Können und wissenschaftl. Einsichten voraus. Bestimmte Grundsätze (Flankenstoß, Überflügelung, Einkreisung) treten in der K. aller Zeiten hervor; gewandelt hat sich die K. vor allem infolge der Einführung neuer Waffen und neuer technischer Hilfsmittel (Verkehrs-, Nachrichtenmittel). Wesentliche Veränderungen der Kriegstechnik haben die K. jeweils umgestaltet, so die Erfindung der Feuerwaffen, bes. der Artillerie, die seit dem 17. Jh. neben dem Einsatz geschlossener Infanterie- und Kavallerieformationen den Ausgang der Schlachten zu entscheiden begann; dann die weitere Steigerung der Feuerwirkung, bes. infolge Einführung gezogener Waffen, die im 19. Jh. zur Auflösung der Infanterie in Schützenlinien zwang und die Kavallerie als Kampftruppe zurücktreten ließ; gleichzeitig die Einführung gepanzerter Schiffe, die der Seeschlacht ein neues Gesicht gaben; im 20. Jh. die Entwicklung der Luftwaffe, die Motorisierung der Truppe und des Nachschubs, die Verwendung der Panzerkampfwagen, die der K. eine schnellere Beweglichkeit gab, und insbes. die Einführung der Atomwaffen. Der hohe Grad der Technisierung moderner Kriege hat zur Folge, daß ein großer Teil der wirtschaftl. Erzeugung für Kriegszwecke verwendet wird. Der Krieg wird nicht mehr ausschließlich gegen die feindl. Streitkräfte, sondern gegen die Produktionsstätten, gegen das gesamte wirtschaftl. Gefüge des Landes, damit auch gegen die Zivilbevölkerung geführt (»totaler Krieg«).

Lit. K. v. Clausewitz: Vom Kriege (¹⁷1966); E. Middeldorf: Führung und Gefecht. Grundriß d. Taktik (²1968).

Kriegs|ächtung, das Verbot von Angriffskriegen, wurde im Kellogg-Pakt (→Kellogg) völkerrechtlich vereinbart.

Kriegs|akademie, in der Bundesrep. Dtl. **Führungsakademie der Bundeswehr,** hohe Schule zur militärisch-wissenschaftl. Ausbildung der Offiziere für den Generalstabsdienst und der Truppenkommandeure der mittleren Führung.

Kriegs|anleihe, im 1. Weltkrieg die zur Bestreitung der Kriegskosten aufgenommenen langfristigen Anleihen, die unmittelbar von der Bevölkerung gezeichnet wurden. Die 9 K. erbrachten 1914–18 rd. 98 Mrd. Mark. Durch das Ges. über die Ablösung öffentl. Anleihen v. 16. 7. 1925 wurden auch die K. in die Anleiheablösungsschuld des Dt. Reiches einbezogen und dabei im Verhältnis 1000 : 25 umgetauscht. An die Stelle der K. trat im 2. Weltkrieg die »geräuschlose Kriegsfinanzierung« durch Schatzwechsel und -anweisungen sowie verschiedene neuartige Finanzierungsmittel. Die gesamte Reichsschuld stieg von 47,9 Mrd. RM (1939) auf 379,8 Mrd. (1944/45). Die Schulden des Reiches wurden in der Währungsreform am 21. 6. 1948 ersatzlos gestrichen. →Kriegsfinanzierung.

Kriegs|artikel, † kurze Pflichtenlehre für den Soldaten. Die für das dt. Heer bis zum 1. Weltkrieg geltenden K. stammen von 1902; sie wurden 1922 in der Reichswehr durch die »Berufspflichten des dt. Soldaten« ersetzt.

Kriegsbeschädigte, Personen, die während des Krieges durch Kriegshandlungen leiblich geschädigt worden sind. Über ihre Versorgung →Kriegsopferversorgung.

Kriegsbrauchbarkeit, in Deutschland 1915 für *Militärtauglichkeit* eingeführter Begriff. Seit 1935 wurden die Wehrpflichtigen eingeteilt in: *A = tauglich, B = bedingt tauglich, Z = zeitlich untauglich, U = untauglich, v. U = völlig untauglich.* Der große Bedarf des 2. Weltkriegs zwang zur Erfassung bisher Untauglicher als *g. v. (garnisonsverwendungsfähig)* und *a. v. (arbeitsverwendungs-fähig),* die in ihrem Beruf für die Wehrmacht verwendbar waren. Ende des 2. Weltkriegs unterschied man nur noch zwischen *k. v. (kriegsverwendungsfähig)* und *k. u. (kriegsunbrauchbar).* Im Wehrpflichtgesetz (§ 8a) sind für die Bundeswehr als Tauglichkeitsgrade festgesetzt: *wehrdienstfähig, vorübergehend nicht wehrdienstfähig, nicht wehrdienstfähig.*

Kriegsbrücke, eine von der Truppe hergestellte militär. Brücke. Von den Pionieren werden aus mitgeführtem Brückengerät *Schwimmbrücken* gebaut, bei denen Pontons oder Hohlkörper (Hohlplatten), die zunächst zu Fähren zusammengesetzt werden, als Brückenträger dienen. Die Infanterie ist im Bau von *Schnellbrücken* mit Hilfe von Stegen und Floßsäcken ausgebildet. *Behelfsbrücken* werden von den Pionieren hergestellt, meist als Pfahljochbrücken.

Kriegsdichtung, Dichtung, die den Krieg zum Anlaß und Thema hat. *Schlachtgesang* und *Kriegslied* nehmen als Aufruf oder Totenklage Bezug auf bestimmte Kriegsgeschehnisse. Häufig rufen sie göttl. Mächte um Beistand an. Das Kriegslied berührt sich mit dem →Soldatenlied. – Tyrtaios spornte die Spartaner durch Elegien an. Tacitus berichtet von Kriegsliedern der Germanen (→Barditus). Der Troubadour Bertran de Born dichtete Schlachtenlieder. Die Landsknechte des 16.–17. Jhs. hatten ihre Lieder,

Opitz steuerte ›Auff, auff wer Teutsche Freyheit liebet‹ bei, J. Vogels ›Kein sel'ger Tod ist in der Welt‹ wurde Volkslied. Der Siebenjähr. Krieg fand bei Ewald v. Kleist (›Ode an die preuß. Armee‹) hymnische, bei Gleim (›Kriegslieder eines preuß. Grenadiers‹) volkstüml. Gestaltung. Schillers ›Wohl auf, Kameraden‹ wirkte in der Zeit der Freiheitskriege; mit Kleist, Arndt und Körner rückte die K. in den Vordergrund der Literatur. 1870/71 ist Schneckenburgers ›Wacht am Rhein‹ von Wirkung gewesen. Im 1. Weltkrieg verstummte die Kriegslyrik bald vor der Tragik der Ereignisse. Selten haben Epos und Drama (Kleists ›Hermannsschlacht‹) dem Aufruf zum Kampf gedient.

Neben dem Schlachtgesang steht das rückschauende *Preislied.* Auch Epos und Drama dienten dieser Aufgabe. So verherrlichen Äschylus' ›Perser‹ den Sieg Athens, Simonides' Preislied die Thermopylenkämpfer. Die →Heldenlieder aller Völker gestalteten das Erlebnis eines Krieges. Neuere Kriege spiegeln sich in vaterländ. Geschichtsepen, so des Elisabethaners Drayton, des Deutschen Scherenberg (›Leuthen‹, 1852), in vielen geschichtl. Romanen und Novellen in der Nachfolge Walter Scotts.

Solange der Krieg wesentlich von einer Kriegerschicht geführt wurde, die seine Formen bejahte, und die nur leidend beteiligten Schichten in der Literatur nicht zu Worte kamen, hat es kaum K. gegen den Krieg gegeben. Aristophanes' ›Lysistrata‹ steht vereinzelt. Noch bei Shakespeare und in der klassizist. Tragödie geht es um die Tragödie großer Menschen auf dem Hintergrund kriegerischer Ereignisse; die Tragik des Krieges selbst wird nicht gesehen oder gestaltet. Der Krieg wurde erst dann als negative Macht dargestellt, als sich eine kulturtragende bürgerl. Schicht in den Religionskriegen dem Untergang ausgesetzt sah. Der Krieg als Feind von Sitte und Kultur hat nicht nur in Agrippa d'Aubigné's Epos ›Les Tragiques‹ (1616), Opitz' ›Trostgedichten in Widerwärtigkeiten des Krieges‹, Rists ›Friedewünschendem Teutschland‹, Moscheroschs ›Gesichten Philanders von Sittewald‹ und Grimmelshausens ›Simplicissimus‹ Gestalt gewonnen, sondern die gesamte Literatur damals einen pessimist. Grundton mitgegeben, der noch in Schillers ›Wallenstein‹ und Huchs ›Der große Krieg in Deutschland‹ nachklingt.

Die realist. und naturalist. Literatur des 19. Jhs. unter Grabbes Dramen bis zu ›Krieg und Frieden‹ von Tolstoi und bis zu W. Raabe, Maupassant, Zola u. a., stellt Krieg und Schlachten elegisch-pessimist. bis krit.-satirisch dar. Vor dem 1. Weltkrieg nahmen bes. der Amerikaner St. Crane (›The Red Badge of Courage‹, 1895) und B. Shaw dem Krieg die heldische Verklärung, warnten die Gedichte G. Heyms. Dann drückten die Lyrik der Expressionisten Stramm, Becher,

9

Werfel, die Gedichte von Bröger, Lersch, Engelke, die Dramatik (Schickele, Kaiser, Goering, Unruh, Hasenclever, Toller) und die erzählende Dichtung (Unruh, L. Frank) das Leid und die Angst aus. Dahinter traten die Stimmen, die dem Krieg eine erzieherische oder richtende Aufgabe zusprachen, zurück (Stadler, Flex, Binding, George). In den zwanziger Jahren erschienen viele Kriegserinnerungsbücher und -romane, von denen die einen den krieger. Geist bejahten (E. Jünger, Beumelburg), die anderen die Schrecken des Krieges malten (Remarque, Renn). – In Frankreich schrieb H. Barbusse den Antikriegsroman ›Le Feu‹ (1916); Ankläger des Krieges waren auch R. Rolland, Duhamel (›Vie des martyrs‹, 1917). Von der Tragik des Kriegserlebnisses geprägt sind die Tragödie ›Le tombeau sous l'arc de triomphe‹ (1924) von P. Raynal und der Roman ›Les croix de bois‹ (1919) von R. Dorgelès. – In England drückten in der Lyrik S. Sassoon und W. Owen die Auflehnung gegen den Krieg und seine Opfer, R. Brooke die Todesahnung aus. Roman und Drama stellten früh das Soldatenleben im 1. Weltkrieg sachlich-nüchtern dar (R. H. Mottram: ›The Spanish Farm Trilogy‹, 1927; Sherriff: ›Journey's end‹, 1929); Erbitterung und Enttäuschung sprechen aus den Kriegsromanen von R. Aldington (›Death of a Hero‹, 1929), der Amerikaner Dos Passos, E. Hemingway (›A Farewell to Arms‹, 1929). Der Tscheche Hašek schilderte humorist.-satirisch den ›braven Soldaten Schwejk‹ (1921). Die russ. Kriegsliteratur beschreibt meist die bolschewist. Revolution (L. Andrejew, I. Ehrenburg). Während im Ausland die Stimmen gegen den Krieg (Giraudoux: ›La guerre de Troie n'aura pas lieu‹, 1935; dt. Emigrantenliteratur: Kaiser; Brecht: ›Mutter Courage‹, 1941) bis in den 2. Weltkrieg hinein anhielten, wurden sie im nationalsozialist. Dtl. unterdrückt zugunsten nationalistisch-heroischer Kriegsverklärung. Der Span. Bürgerkrieg fand ein starkes literar. Echo (Hemingway: ›For whom the bell tolls‹, 1940). Nach dem 2. Weltkrieg zeichnete der Amerikaner N. Mailer (›The Naked and the Dead‹, 1948) das Bild des modernen Krieges (auf dem pazif. Schauplatz), der Franzose Saint-Exupéry beschrieb Kriegserlebnisse als Flieger. In Dtl. haben Th. Plievier, H. Hartung, K. Hohoff, H. W. Richter, W. Borchert, A. Andersch, H. Böll u. a. Not und Elend der Kriegs- und Nachkriegszeit in z. T. reportagehaften Arbeiten, meist Romanen, festzuhalten versucht.

Kriegsdienst, der →Wehrdienst im Verteidigungsfall.

Kriegsdienstverweigerung, die Weigerung, am Kriegsdienst mit der Waffe teilzunehmen. Sie ist in der Bundesrep. Dtl. nur gestattet, wenn der Dienst mit der Waffe aus Gewissensgründen verweigert wird (Art. 4 GG). Kriegsdienstverweigerer haben einen *zivilen Ersatzdienst* außerhalb der Bundeswehr zu leisten (Ges. über den zivilen Ersatzdienst i.d.F. vom 16.7. 1965, zuletzt geänd. durch Ges. z. Neuordnung d. Wehrdisziplinarrechts v. 21. 8. 1972); sie können auch auf Antrag zum waffenlosen Dienst in der Bundeswehr herangezogen werden. In Österreich ist die K. ähnlich geschützt, in der DDR nicht; in der Schweiz wird K. bestraft.

Kriegsentschädigung, der Ersatz der Kriegskosten durch den im Krieg unterlegenen Teil; sie wird meist in Friedensverträgen festgelegt und kann in Entschädigungen mit Land, Geld und Vermögenswerten, Arbeits- und Dienstleistungen bestehen. 1919 verlangten die Alliierten von Deutschland und seinen Verbündeten vor allem →Reparationen, die nach 1945 durch →Demontage, Bevorzugung des eigenen Handels und Zerstörung der Wirtschaftskraft des besiegten Landes ergänzt wurden (Morgenthau-Plan).

Kriegserklärung, die förmliche Ankündigung der Kriegseröffnung an den Gegner, im Haager Abkommen von 1907 als rechtlich erforderlich angesehen. In neuer Zeit wurden Kriege häufig ohne K. begonnen: Überfall der Japaner auf die amerikan. Flotte in Pearl Harbor (Dez. 1941); Angriff Hitlers auf die Sowjetunion (Juni 1941); Angriff Frankreichs, Englands und Israels auf Ägypten (Okt. 1956).

Kriegsfinanzierung, die Beschaffung der im Kriegsfall benötigten Gelder. Das Aufkommen aus einer verschärften Besteuerung (Kriegsgewinnsteuern, Zuschläge zu einzelnen Steuern) ist bei der Höhe des Finanzbedarfs selten ausreichend (→Kriegsanleihen). In den alliierten Staaten wurden die Kriegskosten weitgehend durch Auslandsanleihen, bes. aus den USA, gedeckt (→Leih-Pacht-System). Die K. führte zu →Inflationen, z. T. auch zu Währungszusammenbrüchen.

Kriegsflagge, in der Bundesrep. Dtl. **Dienstflagge,** staatl. Hoheitszeichen auf Kriegsschiffen und militär. Dienstgebäuden (TAFELN Flaggen).

Kriegsflugzeug, ein zum militärischen Einsatz bestimmtes Flugzeug. Zur Luftkriegsführung dienen Bomber, bes. zur Zerstörung kriegswichtiger Anlagen. Sie sind große Flugzeuge mit bis zu 8 →Strahltriebwerken; auch wichtige Atomwaffenträger. Als Fernaufklärer werden möglichst schnelle Flugzeuge (mit Hochleistungskameras und elektron. Geräten zur Bildübermittlung) eingesetzt. Überwiegend der *taktischen Verwendung* dienen: Jagdbomber, in der Regel K. mit 2 Strahltriebwerken, bes. zur Bekämpfung von Truppen und Kriegsgerät aus mittleren Höhen, und Jagdflugzeuge. Als Nahaufklärer im Frontbereich der Bodentruppen dienen kleine Flugzeuge. Transporter haben einen geräumigen Rumpf zum Befördern von Truppen und Gerät sowie zum Absetzen von Fallschirmtruppen. Sanitätsflugzeuge sind entsprechend ausgestattete Transporter oder Hubschrauber. *K. der Seestreitkräfte* werden z.T. von Flugzeugträgern aus eingesetzt. Hierfür gibt es besondere Gattungen mit Sondereinrichtungen und -eigenschaften. Sonderflugzeuge der Kriegsmarine sind außerdem U-Boot-Jäger, Minenleger und Torpedoflugzeuge.

Kriegsfreiwilliger, Ungedienter, der bei der Mobilmachung freiwillig in die Wehrmacht auf Kriegsdauer eintritt.

Kriegsgebiet, ein Gebiet, das von Kriegshandlungen betroffen wird. Es wird eingeteilt in Operationsgebiete, diese in Kampfzone und Verbindungszone.

Kriegsgefangener, ein während des Krieges in Feindeshand geratener Soldat. Im Unterschied zur früheren harten Behandlung wurden in der Haager Landkriegsordnung vom 29. 7. 1899 erstmals Bestimmungen über die Behandlung von K. getroffen und auf Grund der Erfahrungen beider Weltkriege in den →Genfer Vereinbarungen verbessert und erweitert. Danach sind K. in hygienisch einwandfreien Lagern unterzubringen und ausreichend zu versorgen, persönliche Sachen und Gebrauchsgegenstände der K. außer Waffen bleiben in ihrem Besitz, ein Zwang gegen K. zur Aussage über die Lage ihres Heeres und Landes ist unzulässig, Brief- und Paketverkehr mit der Heimat soll ihnen gestattet sein. Gesunde K. (nicht Offiziere) können zu Arbeiten, für die sie tauglich sind, verwandt werden, nicht jedoch zu unmittelbaren Militär- oder gefährlichen Arbeiten. Die K. unterstehen der Disziplinargewalt des Gewahrsamsstaats; bei Verstößen sollen sie vor Militärgerichte gestellt und nicht schwerer bestraft werden als die eigenen Heeresangehörigen (mißlungene Fluchtversuche nur disziplinarisch); Kollektivstrafen sind verboten, Repressalien gegen K. untersagt. Die Kriegführenden können sich über den Austausch kranker oder verwundeter K. verständigen und sich dabei humanitärer Organisationen bedienen (Rotes Kreuz). Nach dem Ende der Feindseligkeiten sollen K. ohne Verzug entlassen werden. Entgegen diesen Bestimmungen wurde die Entlassung von K. von den Westmächten bis 1948, von der Sowjetunion bis 1956 verzögert.

In der Bundesrep. Dtl. wird den Angehörigen von K. eine Unterhaltshilfe gewährt (Ges. v. 13. 6. 1950 i.d. F. v. 18. 3. 1964); nach dem 31. 12. 1946 entlassene K. erhalten eine K.-Entschädigung (Ges. v. 3. 2. 1954 i. d. F. v. 1. 9. 1964; →Spätheimkehrer).

Kriegsgericht, früher das erstinstanzl. Gericht im Militärstrafverfahren.

Kriegsgeschichte, die Erforschung und Darstellung vergangener Kriegshandlungen, als Zweig der allgemeinen Geschichtsschreibung oder zu dem praktischen Zweck, militärische Lehren für künftige Kriege zu gewinnen; im letzteren Fall ein Teil der Kriegswissenschaft. Die Entwicklung des Kriegswesens im Zusammenhang mit dem gesamten staatl., wirtschaftl. und kulturellen Leben stellte H. →Delbrück dar. Amtl. Bearbeitungen der K. sind die General-

stabswerke; die deutschen über die Kriege 1864, 1866, 1870/71 wurden unter Leitung von Moltke abgefaßt, die deutsche Darstellung des 1. Weltkriegs war das Werk des Reichsarchivs (1925 ff.).

Kriegsgesellschaften, in Österreich **Kriegszentralen,** Unternehmen, die während des 1. Weltkriegs bes. zur Durchführung der Kriegswirtschaft, vom Staat oder unter staatl. Beteiligung errichtet wurden.

Kriegsgewinnsteuern, besondere Steuern auf die infolge eines Krieges und der öffentl. Rüstungsaufträge erzielten hohen Gewinne. Während des 1. Weltkriegs wurde in Dtl. 1916 bis 1919 der Versuch einer Wegsteuerung der Kriegsgewinne unternommen. Im 2. Weltkrieg wurde 1939 an Stelle der Mehreinkommensteuer ein **Kriegszuschlag** zur Einkommensteuer in Höhe von 50 % eingeführt, ferner ein Kriegszuschlag zur Körperschaftsteuer von 25 %, 1942 ein weiterer Zuschlag für Körperschaften mit mehr als 500000 RM Gewinn in 1 1/2facher Höhe des bisherigen Kriegszuschlages. Gleichzeitig trat die **Gewinnabführung** in Kraft, die das gegenüber 1938 mehr erzielte Einkommen mit 25 % für Personen und Personalgesellschaften und mit 30 % für Körperschaften besteuerte.

Kriegsgliederung, die Zusammensetzung und die Befehlsverhältnisse von Streitkräften einschl. ihrer personellen und materiellen Soll-Stärke, niedergelegt in den »Stärke- und Ausrüstungsnachweisungen«, abgek. STAN.

Kriegsgräberfürsorge, die Sorge für die Gräber und Friedhöfe für die im Krieg Gefallenen (Deutschland: etwa 6 Mill. in 80 Ländern). Der *Volksbund deutsche Kriegsgräberfürsorge,* Kassel, der seit 1919 neben den amtl. Stellen tätig war, ist der Träger der K. Er verwaltet die *Zentralkartei,* führt den *Gräbernachweis* durch, vermittelt Kranz- und Blumenspenden, veranstaltet Gemeinschaftsreisen und wirkt maßgeblich beim Aufbau und Gestaltung in Deutschland mit. In den europ. und überseeischen Ländern bemüht er sich um die Zusammenbettung der Gefallenen und die würdige Ausstattung der Kriegsgräber und -friedhöfe. In der DDR ist der Volksbund nicht zugelassen; die K. übernahmen hier die Kirchen.

Kriegshinterbliebene, Witwen, Witwer, Waisen und Eltern der in den beiden Weltkriegen durch Kriegshandlungen Umgekommenen; →Kriegsopferversorgung.

Kriegshund, † ein Hund, der im militär. Nachrichtenübermittlungsdienst *(Meldehund)* oder Sanitätsdienst *(Sanitätshund)* verwendet wird.

Kriegsindustrie, →Rüstungsindustrie.

Kriegslazarett, Lazarett im rückwärtigen Gebiet zur stationären Behandlung Verwundeter und Kranker.

Kriegsmarine, in der Bundesrep. Dtl. **Marine,** Teilstreitkraft eines Staates, die der Rüstung zur See umfaßt. Dazu gehören vor allem die Kriegsschiffe, Kriegshäfen und Küstenbefestigungen, Behörden und Einrichtungen zur Erhaltung und Verwaltung der Seeausrüstung.

Kriegsmaschinen, im Altertum und Mittelalter bei Belagerung verwendete Maschinen: bewegliche Schirme und Schutzdächer, Sturm- oder Fallbrücken, Widder oder Mauerbrecher, Wurfmaschinen (Katapulte, Onager).

Kriegsministerium, die höchste Verwaltungsbehörde für die Streitkräfte eines Staats, im Dt. Reich 1919–34 *Reichswehrministerium,* 1934–38 *Reichs-K.* (danach bis 1945 Oberkommando der Wehrmacht); in der Bundesrep. Dtl. das aus dem »Amt Blank« hervorgegangene *Bundesmin. der Verteidigung,* in der DDR *Min. für nationale Verteidigung,* in Österreich *Bundesmin. für Landesverteidigung.* In der Schweiz entspricht dem K. das *Militärdepartement.*

Kriegsopferversorgung, die den Kriegsopfern beider Weltkriege und ihren Hinterbliebenen in der Bundesrep. Dtl. zustehenden Leistungen. Die K. einschl. Kriegsopferfürsorge ist geregelt im Bundesversorgungsgesetz i. d. F. v. 20. 1. 1967 (mit späteren Änderungen).

Die Versorgung umfaßt insbesondere *Heilund Krankenbehandlung* (im wesentlichen entsprechend den Leistungen der Krankenversicherung), Leistungen der *Kriegsopferfürsorge* und *Kriegsopferrenten.* Im Rahmen der Kriegsopferfürsorge werden besondere Leistungen für alle Lebenslagen gewährt: Erziehungsbeihilfen für Kinder von Beschädigten und Kriegswaisen, Erholungsfürsorge für Kriegsopfer zur Erhaltung ihrer Gesundheit oder der Arbeitsfähigkeit und Sonderfürsorge für besonders schwer betroffene Schwerbeschädigte (Beschädigte mit einer Minderung der Erwerbsfähigkeit – MdE – um 50% oder mehr), Maßnahmen und Leistungen zur beruflichen →Rehabilitation. Ergänzende Hilfen zur Beschaffung und Erhaltung eines ausbildungsadäquaten, behindertengerechten Arbeitsplatzes sieht wie das bisherige Schwerbeschädigtengesetz auch das neue Schwerbehindertengesetz vor (in Kraft getreten am 1. 5. 1974).

Beschädigtenrente steht in Form von Grundrente, gestaffelt nach dem Grad der MdE allen Beschädigten ab einer MdE von 25% unabhängig vom ihrem Einkommen zu, unter Umständen ergänzt um eine Schwerbeschädigtenzulage. Daneben kann bei schädigungsbedingtem Einkommensverlust ein Anspruch auf Berufsschadensausgleich bestehen. Ist der Beschädigte wegen der anerkannten Schädigungsfolgen dauernd auf fremde Pflege angewiesen, erhält er eine Pflegezulage. Schwerbeschädigte erhalten außerdem eine Ausgleichsrente, wenn ihr Lebensunterhalt nicht auf andere Weise sichergestellt ist. Grund- und Ausgleichsrente sind auch für Witwen und Waisen vorgesehen, für Witwen zusätzlich unter bestimmten Voraussetzungen ein Schadensausgleich. Alle diese Rentenleistungen werden in ihrer Höhe laufend an die allgemeine wirtschaftliche Entwicklung angepaßt (Dynamisierung).

Bezieher einer Grundrente können sich zum Bau oder Erwerb eines Eigenheimes, einer Eigentumswohnung u. ä. mit einem einmaligen Kapitalbetrag in Höhe des 9fachen Jahresgrundrentenbetrages abfinden lassen, müssen jedoch 10 Jahre auf die Grundrente verzichten.

Zuständig für die Kriegsopferversorgung (ausschließlich der Kriegsopferfürsorge durch die Hauptfürsorgestellen und örtlichen Fürsorgestellen für Kriegsopfer) sind die Versorgungsämter. Die Kosten der Kriegsopferversorgung, die der Bund trägt, beliefen sich 1974 auf rd. 10 Mrd. DM.

Kriegsranglisten und **Kriegsstammrollen** wurden in der dt. Wehrmacht im Krieg von allen Dienststellen und Truppen geführt, erstere für Offiziere, letztere für Unteroffiziere und Mannschaften. Sie enthielten Angaben über die persönl. und dienstl. Verhältnisse und dienten als Grundlagen für Beförderungen, Versorgungsansprüche, Beurkundungen u. a.

Kriegsrecht, lat. *ius belli,* französ. *droit de guerre,* **1)** das völkerrechtl. Regeln *(Kriegsvölkerrecht),* die für kriegführende Staaten untereinander und gegenüber Neutralen gelten.

Das K. besteht aus einer Anzahl bei verschiedenen Anlässen entstandener und von jeweils verschiedenen Staatengruppierungen ratifizierter multilateraler Verträge, unter denen die →Haager Landkriegsordnung vom 18. 10. 1907 und die vier Genfer Konventionen zum Schutz der Verwundeten, der Kriegsgefangenen und der Zivilbevölkerung in Kriegszeiten vom 12. 8. 1949 (→Genfer Vereinbarungen) die bedeutsamsten sind, und aus vielfach umstrittenen und in ihrer Geltung häufig unsicheren Regeln des Gewohnheitsrechts.

Die Vorschriften des K. unterwerfen die Kriegshandlungen bestimmten räumlichen, persönl. und sachl. Grenzen, legen den Kriegführenden bestimmte Verpflichtungen zum Schutz der Kriegsopfer (Verwundete, Kriegsgefangene, Zivilbevölkerung) und befriedeter Objekte (Lazarette, Kulturdenkmäler) auf und beschränken den Zugriff des erfolgreich Kriegführenden auf feindl. Gebiet und Eigentum. Kriegshandlungen sind nur im *Kriegsgebiet* erlaubt, das vom Kriegsschauplatz, dem Ort, wo tatsächlich Kampfhandlungen stattfinden, zu unterscheiden ist. Ein fundamentaler Grundsatz des K. ist die Unterscheidung der bewaffneten Streitkräfte, mit denen die Kriegführenden die Feindseligkeiten austragen, von der Zivilbevölkerung, gegen die unmittelbar Kriegshandlungen nicht gerichtet werden dürfen. Die Geltung dieses Grundsatzes wird durch die neuart. Massenvernichtungsmittel (ABC-Waffen) und die Methoden des Wirtschaftskrieges und der psycholog. Kriegführung in Frage gestellt. Der *totale Krieg* ist durch die Preisgabe der persönlichen Schranke der

Kriegführung, die sich nicht nur gegen das militär. Kontingent des Gegners, sondern auch gegen die Zivilbevölkerung richtet, und die Einbeziehung der gesamten Bevölkerung und Wirtschaftskraft der beteiligten Staaten in das Kriegsgeschehen gekennzeichnet. Die wesentliche sachliche Schranke der Kriegführung besteht darin, daß nur solche Kriegshandlungen erlaubt sind, die nach Art und Umfang angesichts einer gegebenen Kampflage militärisch notwendig sind (Verbot des unbeschränkten Luftkriegs, des Flächenbombardements von Wohngebieten u. a.). Das bedeutet vor allem eine Beschränkung der *Kriegsmittel*.

Kriegshandlungen, die die Regeln des K. nicht einhalten, stellen eine Verletzung des Völkerrechts dar und führen zu einer Haftung der beteiligten Staates. Einzelpersonen, die die Regeln des K. verletzen, können wegen Kriegsverbrechen zur Verantwortung gezogen werden.

2) innerstaatlich die Veränderungen des für normale Zeiten geltenden Rechts im Kriege. →Staatsnotrecht.

Kriegsschäden, die dem einzelnen durch Kriegseinwirkungen unmittelbar (Beschießung, Luftangriffe, Schiffsversenkung, Plünderung) oder mittelbar (Evakuierung, Vertreibung, Besetzung) entstandenen Personen- und Sachschäden. In Deutschland wurden nach 1918 Teilabfindungen gewährt (abgeschlossen im *K.-Schlußgesetz* v. 30. 3. 1928). Für die K. des 2. Weltkriegs ist in der Bundesrep. Dtl. für Personenschäden das Bundesversorgungs-Ges., Neufassung vom 24. 7. 1972, maßgebend (→Kriegsopferversorgung), für Schäden und Verluste aus der Vertreibungen und Zerstörungen (auch der Nachkriegszeit) das Gesetz über den →Lastenausgleich. Die Regelung der Reparations- und Restitutionsschäden erfolgte im Reparationsschadengesetz vom 12. 2. 1969; für Härtefälle wurden im *Allgem. Kriegsfolgen-Ges.* vom 5. 11. 1957 Leistungen vorgesehen.

Kriegsschadenrente, eine Ausgleichsleistung des →Lastenausgleichs, die an Geschädigte gewährt wird, die wegen ihres Alters oder aus sonstigen Gründen dauernd erwerbsunfähig sind und deren Einkommen oder Vermögen zur Bestreitung des Lebensunterhalts nicht ausreicht. Sie wird als *Unterhaltshilfe* oder *Entschädigungsrente* gewährt.

Kriegsschiff, ein staatl. Schiff unter militärischem Befehl, dessen Besatzung zur Wehrmacht des betr. Staates gehört. Als äußeres Kennzeichen hat es die →Kriegsflagge zu führen. Man unterscheidet: Schlachtschiffe, Flugzeugträger, Kreuzer, Zerstörer, Fregatten, Unterseeboote, Minenleger, Minensuchboote, Räumboote, Schnellboote, Kanonenboote, Landungsschiffe (Amphibienfahrzeuge), Hafenschutzboote, Hafenschlepper, Geleitboote. K. sind auch die Handelsschiffe, die als Hilfsschiffe oder Hilfskreuzer im Krieg verwendet werden und die Kriegsflagge führen.

Kriegsschuldfrage, allgemein die Frage nach der Schuld an der Entstehung von Kriegen, die meist nachträglich dem Besiegten zugeschoben wird; im *besonderen* die Frage nach der Schuld am Ausbruch des Ersten Weltkriegs, deren polit. Auswirkungen der über Deutschland verhängte Schuldspruch des Versailler Friedensvertrags von 1919 (bes. § 213) verursachte.

Die K. entfachte eine riesige *Kriegsschuldforschung*; da in Dtl. die Linksparteien einer Mitschuld der kaiserl. Regierung und des monarch. Obrigkeitsstaats mehr zuneigten als die Rechtskreise, trug die K. auch zur innenpol. Zersetzung der Weimarer Rep. und zum Aufkommen des Nationalsozialismus bei.

Kriegsschule, militär. Schule für Offiziersanwärter zur Ausbildung als Führer, Erzieher und Ausbilder (→Waffenschulen). In der Bundesrep. Dtl. ist an die Stelle der K. die Heeresoffizierschule (bzw. Luftwaffenoffizierschule, Marineoffizierschule) getreten.

Kriegsspiel, Planspiel, Planübung in zwei Parteien zur Ausbildung der Offiziere, wobei im Rahmen einer angenommenen Kriegslage auf der Karte gegeneinander gespielt wird. Das Ende des 18. Jhs. aufgekommene K. wurde 1824 von dem preuß. Leutnant von Reißwitz weiterentwickelt und von dem preuß. General Verdy du Vernois in die heutige Form gebracht.

Kriegsstammrollen, →Kriegsranglisten.

Kriegsstärke, Kriegsstand, die planmäßige Höchstkopfzahl einer Truppe, im Unterschied zur Friedensstärke.

Kriegstagebuch, ein im Kriege von allen Truppenteilen und Kommandobehörden geführtes Buch, in das mit genauen Zeitangaben die Tagesgeschehnisse, Lagebeurteilungen, Entschlüsse, ein- und ausgehenden Befehle und Meldungen einzutragen sind.

Kriegstanz, →Waffentanz.

Kriegsverbrechen, Verbrechen, die unter Verletzung des →Kriegsrechts begangen werden, z. B. Ermordung und Mißhandlung von Kriegsgefangenen, Verschleppung von Zivilpersonen aus besetzten Gebieten, rechtswidrige Geiselerschießung, Plünderungen, Niederbrennungen. Die K. sind regelmäßig nach den allgem. oder militär. Strafrecht der einzelnen Staaten strafbar, z. B. als Mord, Körperverletzung, Freiheitsberaubung, Diebstahl, Raub. Der Gewahrsamstaat kann Kriegsgefangene wegen K. bestrafen, die vor der Gefangennahme begangen wurden (→Völkermord).

Nach dem 2. Weltkrieg wurde von den Siegermächten auf Grund des Londoner Abkommens vom 8. 8. 1945 eine größere Zahl von Prozessen gegen Deutsche wegen K. geführt:

1) Das Verfahren vor dem Internat. Militärgerichtshof in Nürnberg 1945/46 gegen die »Hauptkriegsverbrecher«. Anklage und Urteil hatten als Rechtsgrundlage das Statut des Gerichtshofs, das Kriegsverbrechen, Verbrechen gegen den Frieden und

Krie

Menschlichkeitsverbrechen unter Strafe stellte. Die Anklage richtete sich gegen 24 führende Angehörige des NSDAP, des Staats und der Wehrmacht und gegen 6 als verbrecherisch bezeichnete Organisationen. Von 12 Todesurteilen (30. 9./1. 10. 1946) wurden 10 vollstreckt: Ribbentrop, Sauckel, Kaltenbrunner, Frick, Frank, Streicher, Seyß-Inquart, Rosenberg, Keitel und Jodl; Ley beging vor, Göring nach dem Urteil Selbstmord, Bormann wurde in Abwesenheit zum Tode verurteilt. Die zu Freiheitsstrafen Verurteilten (v. Neurath, Raeder, Dönitz, Funk, Heß, v. Schirach und Speer) wurden in Spandau interniert; sie waren (Sept. 1973) bis auf Heß entlassen. Schacht, v. Papen und Fritzsche wurden freigesprochen.

2) 12 weitere Prozesse, die 1947–49 vor amerikanischen, als Internationale Militärgerichtshöfe bezeichneten Gerichten in Nürnberg stattfanden. Grundlage war das Kontrollratsgesetz Nr. 10:

Fall 1: Ärzte-Prozeß (Urteil v. 19./20. 8. 1947)
Fall 2: Milch-Prozeß (Urteil v. 16.4.1947)
Fall 3: Juristen-Prozeß (Urteil v. 3./4. 12. 1947)
Fall 4: Pohl-Prozeß gegen Angehörige des Wirtschafts- und Verwaltungshauptamts der SS (Urteil v. 3. 11. 1947)
Fall 5: Flick-Prozeß (Urteil v. 22. 12. 1947)
Fall 6: IG-Farben-Prozeß (Urteil v. 29./30. 7. 1948)
Fall 7: Generals-Prozeß gegen die Südost-Generäle (Urteil v. 9. 2. 1948)
Fall 8: RuSHA-Prozeß gegen Angehörige des Rasse- und Siedlungshauptamtes der SS (Urteil v. 10. 3. 1948)
Fall 9: Ohlendorf-Prozeß gegen Angehörige der Einsatzgruppen der SS (Urteil v. 8.–10. 4. 1948)
Fall 10: Krupp-Prozeß (Urteil v. 31. 7. 1948)
Fall 11: Wilhelmstraßen-Prozeß gegen Angehörige des Auswärt. Amts und anderer oberster Reichsbehörden (Urteil v. 11.–14. 4. 1949)
Fall 12: OKW-Prozeß (Urteil v. 27./28. 10. 1948).

3) Zahlreiche weitere Kriegsverbrecherprozesse wurden von Militärgerichten der Besatzungsmächte und in den Ländern der früheren Kriegsgegner durchgeführt.
4) In Japan fanden 1946 Kriegsverbrecherprozesse vor dem amerikan. Militärgerichtshof in Tokio statt.

Die Prozesse haben im In- und Ausland vielfach Kritik gefunden, die sich gegen die rechtl. Grundlagen richtete (ad hoc geschaffene, rückwirkend angewandte Rechtsnormen) und gegen die Durchführung (Verletzung der rechtsstaatl. Garantien). Die Vollversammlung der Verein. Nationen lehnte es am 9. 12. 1948 ab, die Grundsätze des Nürnberger Militärgerichtshofs als ver-

bindl. Völkerrecht anzusehen. Seitdem bemühen sich die Verein. Nationen und internat. Rechtskommissionen um Ausarbeitung eines internat. Strafrechts gegen K.

LIT. W. Grewe: Nürnberg als Rechtsfrage (1947); A. v. Knieriem: Nürnberg. Rechtl. und menschl. Probleme (1953); P. Boissier: Völkerrecht und Militärbefehl (dt. 1953); E.-W. Hanack: Zur Problematik der gerechten Bestrafung nationalsozialist. Gewaltverbrecher (1967).

Kriegsverluste, →Weltkrieg I und II.

Kriegsversehrter, der →Kriegsbeschädigte.

Kriegsversicherung, Versicherung gegen die besonderen Gefahren und Schäden eines Krieges. Sie sind gewöhnlich vom normalen Versicherungsschutz ausgeschlossen, können aber durch besondere Abmachung einbegriffen werden.

Kriegswirtschaft, die auf die Bedürfnisse des Krieges eingestellte Volkswirtschaft, bes. die bevorzugte Deckung des militär. Bedarfs. Sie tritt meist als Zwangswirtschaft auf und hat Minderung des zivilen Bedarfs zur Folge, oft bis zur Grenze des Lebensnotwendigen. Zur K. gehören auch Maßnahmen und Einrichtungen zur Abwehr wirtschaftl. und sozialer Schäden im Kriege. Vorbereitungen für die K. erstrecken sich bes. auf den Aufbau einer →Rüstungsindustrie und die Lenkung der wirtschaftl. Erzeugung.

LIT. E. Welter: Falsch und richtig planen. Eine krit. Studie über die dt. Wirtschaftslenkung im 2. Weltkrieg (1954).

Kriegswissenschaften, die Gesamtheit der Wissenszweige, die dem militärischen Führer die Grundlage zur Erfüllung seines Berufs vermitteln. Die K. umfassen in erster Linie Strategie und Taktik, Kriegs- und Heeresgeschichte, Innere Führung, Logistik, Wehrtechnik, ferner Militärgeographie.

LIT. A. Krauss: Theorie und Praxis in der Kriegskunst (1936); B. H. Liddell Hart: Strategie (1959).

Kriegszeitungen, Feldzeitungen, während der beiden Weltkriege aus den Truppenteilen heraus entstandene oder von den Armeen herausgegebene Zeitungen. Druckorte waren meist besetzte Städte, die Truppe hatte die Schriftleitung inne. Im 2. Weltkrieg war die Bezeichnung K. nicht mehr üblich. Sie wurden als Armee-, Feld- oder Soldatenzeitungen hergestellt, in der dt. Wehrmacht von Propaganda-Kompanien.

Kriegszuschlag, im 2. Weltkrieg erhobene Zuschläge zur Tabak-, Bier-, Branntwein- und Schaumweinsteuer; ferner zur Einkommen- und Körperschaftsteuer, →Kriegsgewinnsteuern.

Kriegszustand, der durch Krieg herbeigeführte Zustand zwischen kriegführenden Staaten, der mit einer →Kriegserklärung, mit Erklärung des K. oder mit dem Einmarsch von Truppen einsetzt und mit einem Friedensschluß oder mit der Erklärung der Beendigung des K. aufhört. Die Vertretung der Interessen wird einem neutralen Staat übergeben. Privatpersonen eines feindl. Staates werden ausgewiesen oder interniert, die zwischen Privatpersonen der Kriegführenden bestehenden Rechtsverhältnisse aufgehoben. →Belagerungszustand.

Kr'iehuber, Josef, Maler und Lithograph, * Wien 1800, † das. 30. 5. 1876, bekannt durch seine Aquarellbildnisse und auf mehr als 3000 geschätzten Bildnislithographien. Lit. W. v. Wurzbach: J. K., Katalog der lithographierten Porträts (1902).

Kr'iemhild, Chriemhild, Hauptgestalt der dt. Nibelungendichtung. Nach der Ermordung ihres Gatten Siegfried durch Hagen suchte K. Rache, der nicht nur der Mörder Hagen, sondern ihre ganze Sippe, das burgund. Königsgeschlecht, zum Opfer fiel.

Kriens, Gem. im Kanton Luzern, Schweiz, am Nordfuß des Pilatus, 520 m ü. M., mit (1970) 20 400 Ew.; Maschinen-, Textil-, Holzindustrie, Gondelbahn.

Krim, russ. **Krym,** Halbinsel an der N-Küste des Schwarzen Meeres mit etwa 25 500 qkm, trennt dieses vom Asowschen Meer. Im N ist sie durch die Landenge von Perekop mit dem Festland verbunden. Der größere N-Teil der K. ist Flachland, eine Fortsetzung der südruss. Steppe. Nach S zu steigt das Land zum Jailagebirge bis 1545 m an. Entlang der Südküste sind Klima und Pflanzenwelt mittelmeerisch. Im N herrschen Viehzucht, Weizen-, Baumwollanbau vor, durch künstl. Bewässerung erweitert (Ukraine-Krim-Kanal im Bau), auf dem Gebirge Schafweide, an den S-Hängen und im Küstengebiet Wein-, Obst-, Tabakbau, Feigen, Citrus-, Maulbeerbäume. Bei Kertsch Eisenerzlager und Erdöl; bei Jewpatoria und Feodosia Salzgewinnung. Bedeutendste Stadt: Sewastopol; zahlreiche Kurorte, darunter Jalta.

Geschichte. 480 v. Chr. entstand auf der K. das Bosporanische Reich, das später in das Oströmische Reich überging. Während der Völkerwanderung drangen hunnische Stämme und Goten in die K. ein. Im 13. Jh. eroberten die Tataren die K.; sie standen seit 1472 unter türk. Oberhoheit. 1783 kam die Halbinsel an Rußland; sie war 1854/55 Kriegsschauplatz im →Krimkrieg, 1918–21 nach dt. Besetzung (Apr. bis Nov. 1918) im Bürgerkrieg. 1921 wurde die K. eine *Autonome Sozialistische Sowjetrepublik* (ASSR) in der Russ. SFSR mit der Hauptstadt Simferopol. 1941–43 war die K. wiederum von den Deutschen besetzt. Im Juni 1945 wurde die ASSR nach Austreibung der 200 000 →Krimtataren aufgelöst und als Gebiet zunächst der Russ. SFSR, ab Juni 1954 der Ukrain. SSR angegliedert.

Krimgoten, Reste der Goten auf der Krim; ihr Siedlungsgebiet lag an der Südküste (dort auch das bedeutende Gräberfeld von Suuk-Su). Die Hauptstadt war zuerst Doros (Eski-Kermen), später Mankup. Ghislain de Busbecq hat um 1560 krimgot. Wörter und Sätzchen sowie die Zahlwörter 1–7 aufge-

zeichnet, das einzige Zeugnis, das man von der Sprache der K. besitzt.

Kriminalbeamter, ein Polizeibeamter mit Sonderausbildung für die →Kriminalpolizei. Einstellung und Ausbildung der K. ist vorwiegend Sache der Länder, daher nicht einheitlich geregelt.

Kriminalgeschichte, →Kriminalroman.

Kriminalistik, Lehre von den besonderen Erscheinungsformen, Ursachen und Zielen des Verbrechens, den Mitteln seiner Erforschung, Bekämpfung und Verhütung. Sie umfaßt die **Kriminaltaktik,** die Lehre, wie bei der Aufklärung strafbarer Handlungen und bei der Verbrechensbekämpfung vorzugehen ist, und die **Kriminaltechnik,** die Lehre von der Verwendung technischer Hilfsmittel bei der Untersuchung von Verbrechen, z. B. Sicherung und Identifizierung von Spuren, u. a. Fingerabdrücken (→Fingerabdruckverfahren).

Lit. E. Seelig: Hb. der Kriminalistik, 2 Bde. (1954); Grundfragen der Kriminaltechnik, hg. v. Bundeskriminalamt (1958); Kriminaltechn. Leitfaden, hg. v. dems. (1965); F. Meixner: Kriminaltaktik in Einzeldarstellungen, 2 (²1965).

Kriminalität [lat.], 1) Straffälligkeit. 2) Art und Häufigkeit von Verbrechen in einem Volk, einer Bevölkerungsgruppe oder bei einem einzelnen (→Kriminalstatistik).

Kriminalmuseum, eine polizeil. Lehrzwecken dienende, dem Publikum meist nicht zugängl. Sammlung der bei Straftaten gebrauchten Werkzeuge und Hilfsmittel sowie der durch Straftaten hergestellten Gegenstände (z. B. falsche Banknoten).

Kriminalpädagogik, Pädagogik an Straffälligen, die im Freiheitsentzug angewandten Maßnahmen zur Resozialisierung.

Kriminalpolitik, die Lehre von der zweckmäßigen Bekämpfung des Verbrechens durch strafrechtliche und außerstrafrechtliche Maßregeln.

Kriminalpolizei, ein Spezialzweig der Polizei zur Aufklärung begangener und Verhinderung beabsichtigter Straftaten. Die K. hat das Recht zum »ersten Zugriff«, muß aber dem Staatsanwalt berichten, der »Herr des Ermittlungsverfahrens« bleibt. K. und Staatsanwaltschaft sind voneinander unabhängige Behörden. In der Bundesrep. Dtl. steht an der Spitze der K. eines jeden Landes ein *Landeskriminalamt*; zur Zusammenarbeit zwischen Bund und Ländern wurde das →Bundeskriminalamt errichtet. Dem Bundeskriminalamt ist eine *Sicherungsgruppe* angegliedert. Aufgabe: Schutz des Staatsoberhauptes, des Bundeskanzlers und von Staatsbesuchern; Hilfsorgan des Generalbundesanwalts beim Bundesgerichtshof in Staatsschutzdelikten. Für die internat. Zusammenarbeit besteht die →Interpol.

Kriminalroman, Kriminalgeschichte, Erzählung, die das Begehen und die Entdeckung eines Verbrechens zum Thema hat. Vorläufer der K. sind die →Räuberromane. – Zur Kunstgattung erhoben wurde die Kriminal-

Krim

geschichte durch Schiller (›Verbrecher aus verlorener Ehre‹, 1786), H. v. Kleist (›Michael Kohlhaas‹, 1810), E. Th. A. Hoffmann (›Das Fräulein von Scudéry‹, 1820), Annette von Droste-Hülshoff (›Die Judenbuche‹, 1842), Wilhelm Raabe (›Stopfkuchen‹, 1891), Dickens und besonders auch von Dostojewski. Seither sind verbrecherische Handlungen im realistischen und naturalistischen Roman aller Länder bis zur Gegenwart (Graham Greene, G. K. Chesterton) ein beliebtes Motiv zur psycholog. Erschließung der menschl. Natur in ihren Abgründen und Irrwegen.

Der häufigste Sonderfall des K. ist die *Detektivgeschichte*, in der es um die Aufhellung eines Verbrechens durch scharfsinnige Kombinationen geht. Den Grund legte E. A. Poe mit einigen Kurzgeschichten, vor allem mit ›Der Doppelmord in der Rue Morgue‹ (1841). Conan Doyle schuf 1887 die erste moderne Detektivgeschichte (Detektiv: Sherlock Holmes). Seitdem ist die Detektivgeschichte im wesentlichen eine Domäne der angelsächsischen Literatur geblieben. Neuere Vertreter sind: E. Wallace, Agatha Christie, Dorothy Sayers, E. St. Gardner, D. Hammet, R. Chandler, I. Fle-

1

4

2

5

3

Kriminalistik: 1–3 Altersbestimmung einer Tintenschrift an Hand des im Papier festgestellten Auswanderungsgrades gewisser Tintensalze: 1 frische Schrift, 2 einen Monat alt, 3 ein Jahr alt. 4 und 5 Rückschluß auf Tatwerkzeug aus der Form der Gewebezerstörung: 4 Gewebedurchtrennung in Doppel-T-Form am Kopftuch der Ermordeten, 5 vermutl. Tatwerkzeug, mit dem bei Vergleichshieb gleichartige Gewebezerstörung erzielt wurde. 6 links Schartenspur eines Brecheisens am Türschloß, rechts die damit übereinstimmende Vergleichsspur mit dem Tatwerkzeug

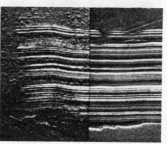

6

16

ming, E. Queen, der Belgier G. Simenon, der Schwede Frank Heller, die Österreicher E. Finke, O. Soyka u. a.

Lɪᴛ. O. Eckert: Der K. als Gattung (1951); F. Wölcken: Der literar. Mord (1953); W. Gerteis: Detektive (1953); P. Boileau und T. Narcejac: Der Detektivroman (dt. 1967).

Kriminalstatistik, die Statistik für bekanntgewordene Straftaten, ermittelte Täter und rechtskräftig Verurteilte.

kriminell [franz.], strafbar, verbrecherisch.

Kriminologie [lat.-griech. Kw.], die Wissenschaft vom Verbrechen als einer Erscheinung im Leben der Völker und des einzelnen Menschen. Im Unterschied zur Strafrechtswissenschaft behandelt sie das Verbrechen nicht unter juristisch-wertenden Gesichtspunkten, sondern untersucht Ursachen und Verhütungsmöglichkeiten. Die K. umfaßt die *Kriminalbiologie* und *-anthropologie,* die sich mit den somatischen, physiolog. und erbbiolog. Seiten des Verbrechens befassen (Begründer: C. Lombroso), die *Kriminalpsychologie,* die das Verbrechen als seelischen Vorgang zu erfassen sucht, und die *Kriminalsoziolcgie,* die das Verbrechen in seiner Bedingtheit durch das menschl. Gemeinschaftsleben betrachtet.

Lɪᴛ. J. Pinatel: La criminologie (1960); A. Mergen: Die Wissenschaft vom Verbrechen (1961; neu: Die K., 1967); E. Seelig: Lb. der K. (³1963); Handwörterbuch der K., neu hg. v. R. Sieverts, 3 Bde. (²1963); H. Mannheim: K. (dt. 1974).

Krimkrieg, wurde durch die türkenfeindliche Politik des russ. Zaren Nikolaus I. herbeigeführt, der im Sommer 1853 seine Truppen in die Donaufürstentümer (Moldau und Walachei) einrücken ließ. Aber Frankreich (Napoleon III.) und England traten auf die Seite der Türkei und erklärten im März 1854 an Rußland den Krieg. Als auch Österreich eine drohende Haltung einnahm, räumten die Russen die Donaufürstentümer. Die Westmächte dagegen landeten ein starkes Heer auf der Krim, um die Festung Sewastopol, den Kriegshafen der russ. Schwarzmeerflotte, zu erobern. Nach fast einjähriger Belagerung fiel Sewastopol am 10. 9. 1855. Der neue Zar Alexander II. verzichtete im Pariser Frieden vom 30. 3. 1856 auf eine russ. Kriegsflotte im Schwarzen Meer und trat die Donaumündungen und das südl. Bessarabien an Rumänien ab.

Krimmer [von der Halbinsel Krim], 1) Fell des in der Krim, der Ukraine und Bessarabien gezüchteten Fettschwanzschafes. 2) ein diesem ähnliches Wollgewebe.

Krimmler Tauern, Paß (2634 m) zwischen dem Oberpinzgau (Krimml) und dem Ahrntal. Die *Krimmler Ache* bildet oberhalb ihrer Mündung in die Salzach in drei Stufen die 380 m hohen *Krimmler Fälle.*

krimpen, die Änderung der Windrichtung entgegen dem Uhrzeiger; Gegensatz: Ausschießen des Windes.

Krimschild, in der Bundesrep. Dtl. zugelassenes Kampfabzeichen der dt. Wehrmacht (Ärmelschild, seit 1942).

Krimstecher [aus der Zeit des Krimkrieges], † Feldstecher, Fernglas.

Krimtataren, türkisch-tatar. Volksstamm, bis 1944/45 auf der Krim, Nachkommen der mongol. Eindringlinge, mit Kumanen und anderen Türken, mit Genuesen und Krimgoten vermischt. Bauern, Viehzüchter; sunnit. Mohammedaner. Die K., seit 1783 unter russ. Herrschaft, wurden nach dem 2. Weltkrieg als »Kollaborateure« dezimiert, die meisten verschleppt.

Krings, Hermann, Philosoph, * Aachen 25. 9. 1913, 1960 Prof. in Saarbrücken, 1968 in München.

Wᴇʀᴋᴇ. Fragen und Aufgaben der Ontologie (1954), Meditation des Denkens (1956), Transzendentale Logik (1964).

Krinkberg bei Pöschendorf, Kr. Steinburg (Schlesw.-Holstein), Turmhügel mit Wall und Graben, wahrscheinl. fränk. Wegewarte, Fundort eines bedeutenden karoling. Münzschatzes.

Krino̍iden, Haarsterne, →Seelilien.

Krinol̍ine [franz. von crin ›Roßhaar‹], Reifrock, der weite, glockigfallende Frauenrock seit 1839, der zunächst auf 5–6 Unterröcken getragen wurde, bis 1856 ein Gestell aus Stahlrippen, K. genannt, diese ersetzte. Die K. erreichte 1860 mit 6–8 m Umfang (etwa 1,80 m Durchmesser) die größte Weite. 1865 wurde sie durch das Prinzeßkleid und 1868 durch den Cul de Paris er-

KRIMINALSTATISTIK: VERURTEILUNGEN IN DER BUNDESREP. DTL. (1971)

Verbrechen und Vergehen nach Hauptdelikten	insgesamt	davon waren	
		14–17 J.	18–20 J.
gegen den Staat, die öffentl. Ordnung (außer Flucht nach Verkehrsunfall) und im Amte	15 806	808	1 868
wider die Sittlichkeit	7 679	833	815
sonstige V. gegen die Person (außer im Straßenverkehr) .	49 182	3 290	6 065
Diebstahl und Unterschlagung	143 881	33 227	22 381
Raub und Erpressung	3 346	823	875
andere Vermögensdelikte	51 859	4 772	5 815
gemeingefährliche V. (außer im Straßenverkehr)	10 607	401	1 231
im Straßenverkehr	322 166	10 927	40 637
nach anderen Bundes- und Landesgesetzen (außer Straßenverkehrsgesetz u. StGB)	64 038	3 897	8 255
Verbrechen und Vergehen insgesamt	668 564	58 978	87 942

setzt. In den mittleren Ständen hielt sie sich dennoch bis 1870. FARBTAFEL Mode II, 5.

Krippe [westgerman. Stw., ›Geflecht‹, verwandt mit Korb], 1) ein Futtertrog. 2) *Weihnachtskrippe*, Darstellung der Heil. Familie im Stall zu Bethlehem mit dem Jesuskind in der K., den Hirten, den Weisen aus dem Morgenland u. a., bestehend aus kleinen plast. Figuren, die zur Weihnachtszeit in Kirchen und Wohnungen aufgebaut werden. Anregend wirkten die geistlichen Schauspiele des Mittelalters. Reich ausgestaltete K. entstanden bes. im 18. Jh. in Italien (Neapel, Sizilien), Tirol und Bayern. Bedeutende Sammlungen von K. befinden sich im Bayr. Nationalmuseum München, in Brixen und Neapel. **Krippenspiel**, →Weihnachtsspiel.
LIT. R. Berliner: Die Weihnachtskrippe (1955); W. Döderlein: Alte Krippen (1960). 3) Kindertagesheim. 4) Lat. *Praesepe*, Sternhaufen im Sternbild Krebs.

Krips, Josef, Dirigent, * Wien 8. 4. 1902, † Genf 12. 10. 1974, Schüler von F. Weingartner u. a., 1933–38 und 1945–50 an der Wiener Staatsoper, 1950–54 Leiter des Symphony Orchestra London, 1954–63 des Buffalo Philh. Orch.; 1970 Hauptdir. der Wiener Symphoniker.

Kris, *der*, eine dolchartige Waffe der Malaien mit einer 30–40 cm langen doppelschneidigen Klinge.

Krisa, Krissa, altgriech. Stadt in der Nähe von Delphi, beim heutigen Dorf Xeropigadi; beherrschte einst das Heiligtum von Delphi, wurde im 1. Hl. Krieg um 590 v. Chr. zerstört, seine Stätte dem Apollon geweiht. Der Name K. ging als *Kirrha* auf den späteren Hafenort von Delphi über.

Kr'ischna [Sanskrit ›der Schwarze‹], ein mythischer ind. König, 8. irdische Erscheinungsform (awatara) des Gottes →Wischnu. Viele Legenden erzählen von seinen Heldentaten und Liebesabenteuern.

Kr'ischna, ind. Fluß, →Kistna.

Krischna Menon, Vengalil Krischnan, ind. Politiker, * Calicut 3. 5. 1897, † Delhi 6. 10. 1974, Rechtsanwalt, seit 1924 in England; 1946 als Parteigänger Nehrus ind. Sonderbotschafter, 1947 erster ind. Hochkommissar in London; 1952–63 Vertreter Indiens bei den Vereinten Nationen, 1957 Verteidigungsmin. Nach dem Einfall chines. Truppen auf ind. Gebiet im Herbst 1962 wurde er entlassen.

Krischnam'urti, Jiddu, südind. Brahmane, * Madanapelle (Madras) 25. 5. 1897. Die Theosophin A. Besant verkündete ihn 1910 als neuen Weltlehrer und stiftete für ihn den »Orden des Sterns im Osten« (Hauptquartier in Ommen, Holland). 1929 löste K. den Orden auf, da er die Wahrheit für unorganisierbar hält. Seine aus ind. und europ. Quellen gespeiste Lehre predigt den Seelenfrieden, der durch intuitive Erfassung der Harmonie von All und Ich erreicht werden kann.

Krise [griech.], 1) *Wirtschaft:* Teilabschnitt im Ablauf der →Konjunktur, in dem

eine Hochkonjunktur plötzlich abbricht und in einen Tiefstand (Depression) übergeht; auch dieser Tiefstand selbst. Äußere Kennzeichen sind vor allem die Häufung von Konkursen, starkes Wachsen der Arbeitslosigkeit als Folge von Absatzstockung und Einschränkung der Erzeugung, Erschütterung des Kreditmarkts. Von einer K. können einzelne Wirtschaftszweige (z. B. Agrarkrise) wie eine ganze Volkswirtschaft oder die Weltwirtschaft überhaupt betroffen werden. Die Ursachen der K. können in einer spekulativen Überschätzung der Nachfrage am Warenmarkt oder in einer spekulativen Überschätzung des Angebots von Finanzierungsmitteln liegen. Große K. gab es bes. 1637 (holländ. Tulpenkrise), 1720 (John →Law), 1873 (Ende der Gründerjahre), 1907, ferner die *Weltwirtschaftskrise* von 1929, die Ölkrise 1973. 2) *Kr'isis*, Entscheidung, Wendepunkt; bei fieberhaften Krankheiten der rasche Abfall des Fiebers in wenigen Stunden.

krispeln, Leder geschmeidig machen, ohne sein Ansehen zu verändern.

Krisp'in [von ›Crispinus], männl. Vorname.

Krist'all [griech.], von ebenen Flächen begrenzter fester Körper, wie er aus erstarrenden Schmelzen, sich abkühlenden oder verdampfenden Lösungen oder durch Sublimation unbehindert wächst (→Kristallisation).
Die K. sind feste Körper, in denen die Atome, Ionen, Moleküle räumlich-periodisch angeordnet sind. Zur Einteilung der K. denkt man sich, daß jedem K. 3 (oder 4) Geraden zugeschrieben sind, die sich in dem Kristallmittelpunkt schneiden (Achsen des K.). Nach diesen Achsenkreuzen unterscheidet man sechs *Kristallsysteme:* 1) *kubisches Kristallsystem* mit 3 gleich langen, senkrecht aufeinanderstehenden Achsen; 2) *tetragonales Kristallsystem* mit zwei gleichen, sich rechtwinklig schneidenden Achsen (Nebenachsen), auf denen eine dritte, verschieden lange Hauptachse senkrecht steht; 3) *hexagonales Kristallsystem* mit 3 gleich langen, sich unter 60° schneidenden Nebenachsen, auf denen eine vierte, abweichend große senkrecht steht; 4) *rhombisches System* mit drei sich rechtwinklig schneidenden, aber verschieden langen Achsen; 5) *monoklines Kristallsystem* mit 2 ungleichen, sich schiefwinklig kreuzenden und einer darauf senkrechten Achse; 6) *triklines Kristallsystem* mit 3 ungleichen, sich schiefwinklig kreuzenden Achsen. Vom hexagonalen System wird gewöhnlich entweder eine *rhomboedrische* oder eine *trigonale* Abteilung abgetrennt. Eine andere, auf der Symmetrie der K. beruhende Einteilung faßt diejenigen K. zu einer Klasse zusammen, die gleiche Symmetrie besitzen; in dieser Weise gelangt man zu 32 *Kristallklassen*.
Zur Bestimmung der *Kristallstruktur (Strukturanalyse)* benutzt man die Beugung und Interferenz von Röntgenstrahlen an K. nach der →Drehkristall-Methode, dem →Debye-Scherrer-Verfahren, dem →Laue-

Verfahren. Röntgenstrahlen werden an den Atomen des Kristallgitters ähnlich abgelenkt wie Lichtstrahlen an einem künstl. Beugungsgitter; die Interferenz kann aufgefaßt werden als Spiegelung von Strahlen an Netzebenen. Als Bilder entstehen regelmäßige Anordnungen von Flecken oder zusammenhängende Kurven, aus deren Abständen sich die Atomabstände im Kristallgitter und weitere Einzelheiten berechnen lassen.

Die Strukturanalyse an vielen Tausenden von K. hat ergeben, daß es vier Typen von Strukturen gibt: 1) die meisten anorgan. K. sind aus positiven Kationen und negativen Anionen zusammengesetzt *(Ionengitter)*; 2) einige, z. B. der Diamant, bestehen aus Atomen, die durch gemeinsame Elektronen verbunden sind *(Atomgitter)*; 3) in den Metallen und vielen Sulfiden werden die positiven Metallionen durch frei bewegliche Elektronen zusammengehalten *(Metallgitter)*; 4) die organischen K. sind aus Molekülen aufgebaut *(Molekülgitter)*. Zwischen den vier Typen gibt es Übergänge. Hierzu gehören die *Schichtgitter*, z. B. von MoS_2 und von Glimmer; sie bestehen aus dünnsten Schichten, die wie Moleküle nur schwach miteinander verbunden sind.

LIT. W. F. de Jong: Kompendium der Kristallkunde (1959); W. Kleber: Einführung in die Kristallographie ([4]1961).

Kristalldi'ode, Kristall mit zwei Elektroden und Gleichrichtereigenschaft, z. B. →Detektor.

Krist'allglas, farbloses Weißglas für bessere, meist geschliffene Gebrauchs- und Luxuswaren, stark glänzend, mit hoher Lichtbrechung. Man unterscheidet nach der chem. Zusammensetzung *bleifreies böhmisches Kristall* (reines Kalikalksilikat) und *Bleikristallglas* (Kalibleisilikat).

Krist'allgummi, ein →Dextrin, das sich durch Einwirkung von Säure auf Stärke bei 100° C bildet.

kristall'in, kristallinisch, den Kristallen ähnlich in der bestimmten, regelmäßigen Anordnung der kleinsten Teile; Gegensatz: amorph.

kristalline Schiefer, Gesteine, die unter Druck und erhöhter Temperatur aus Eruptiv- und Sedimentgesteinen entstanden sind, z. B. Gneis, Glimmerschiefer.

Kristallisati'on [griech.-lat. Kw.], der Vorgang der Kristallbildung, ein wichtiges Verfahren der Chemie zur Herstellung reiner Stoffe. Kristalle bilden sich aus Dämpfen (z. B. Schwefel), aus Schmelzflüssen (Me-

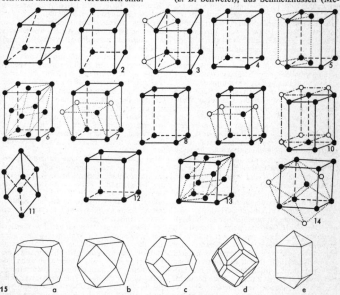

Kristall: Einfache Translationsgitter. 1 *triklines,* 2–3 *monokline,* 4–7 *rhombische,* 8–9 *tetragonale,* 10 *hexagonales,* 11 *rhomboedrisches,* 12–14 *kubische Gitter,* 15 *Kombinationsformen:* a–c *Würfel und Oktaeder (Bleiglanz),* d *Rhombendodekaeder und Ikositetraeder (Granat),* e *tetragonales Prisma und Bipyramide (Zirkon)*

Kris

talle) oder aus Lösungen (Kochsalz) durch Verdunsten oder Erkalten des Lösungsmittels. Langsame K. aus Lösungen ergibt große Kristalle, rasches Abkühlen kleine, aber meist reinere Kristalle. Zur Züchtung größerer Kristalle, z. B. synthet. Edelsteine, werden Kunstgriffe angewandt; beim Kyropoulos-Verfahren z. B. wird der wachsende Kristall an einem gekühlten Stab langsam aus der Schmelze gezogen.

Kristall'it [griech. Kw.] *der*, einzelnes Kristallkorn, das durch die Nachbarn am Wachsen gehindert wird.

Krist'allkraut, →Mittagsblume.

Krist'allnacht, die von den Nationalsozialisten in Deutschland in der Nacht vom 9./10. 11. 1938 organisierten Pogrome gegen →Juden.

Kristall'ode, gemeinsame Bezeichnung für Kristalldioden und Transistoren.

Kristallograph'ie [griech. Kw.], die Lehre von den Kristallen. **Kristallometr'ie**, die Berechnung von Formen und Achsenverhältnissen aus den Kristallwinkeln.

Krist'all|optik, die Lehre von dem Verhalten der Kristalle gegenüber dem Licht. In dieser Hinsicht werden 3 Gruppen von Kristallen unterschieden: die regulären Kristalle, die die gewöhnlichen Gesetze der Brechung und Lichtfortpflanzung erfüllen, und die optisch einachsigen und optisch zweiachsigen Kristalle, die ein auftreffendes Lichtstrahlbündel in zwei verschieden brechbare Strahlbündel zerlegen, einen ordentlichen und einen außerordentlichen Strahl; diese Kristalle zeigen daher Doppelbrechung. Bei den optisch zweiachsigen Kristallen haben beide Strahlen eine von der Richtung abhängige Geschwindigkeit.

Krist'allpalast, engl. Crystal Palace, von Sir Joseph Paxton für die Londoner Weltausstellung 1851 im Hyde Park errichtet, eines der ersten Werke reiner Eisen- und Glasarchitektur, 1854 nach Sydenham versetzt, 1936 durch einen Brand zerstört.

Krist'allviolett, ein Triphenylmethanfarbstoff, der aus Dimethylanilin und Phosgen hergestellt wird. Verwendung für Stempelfarben, Durchschreibepapiere, Schreibmaschinenbänder u. dgl. Mit Tonerden ergeben sich Farblacke, z. B. für Tapeten.

Krist'allwasser, die Wassermenge, mit der sich chem. Verbindungen zu festen kristallisierten Körpern vereinigen (→Hydrat).

Krist'allzähler, im wesentlichen ein Kristall in einem elektr. Feld, der beim Aufprall von Strahlungen verschiedener Art schwache Stromimpulse zwischen den Feldelektroden entstehen läßt, die nach Verstärkung leicht nachweisbar sind. Durch die auftreffenden Teilchen oder Lichtquanten werden Kristallelektronen angeregt und beweglich gemacht, die die Stromstöße verursachen. Der K. wird ähnlich benutzt wie das Geiger-Müller-Zählrohr, hat aber ein höheres Auflösungsvermögen.

Kristensen, Aage Tom, dän. Schriftsteller, * London 4. 8. 1893, war lange Literatur-

kritiker der dän. Zeitung ›Politiken‹, schrieb expressionist. Gedichte und Romane, auch Übersetzer.

Kristi'ania, ehemal. Name von →Oslo.

Kristi'aniaschwung, Querschwung, ein Schwung beim Skilauf, um die Richtung in der Abfahrt zu ändern (heute kaum noch gebräuchlich).

Kr'istiansand [-san], bedeutendste Hafenstadt S-Norwegens, mit (1970) 56200 Ew., am Skagerrak gegenüber Kap Skagen, Fährverbindung nach Dänemark, Endpunkt der Sörlandbahn; Holzausfuhr, Nickelwerk.

Kristianstad [kr'istʃansta], Bezirkshauptstadt in S-Schweden, in fruchtbarer Landschaft, mit (1972) 56000 Ew., 1614 von Christian IV. von Dänemark als Grenzfestung gegen Schweden gegründet, seit 1658 schwed., hat versch. Fabriken.

Kr'istiansund [-sun], Stadt an der W-Küste Norwegens, mit (1970) 18600 Ew., liegt auf 3 Inseln, die neuerdings durch Brücken verbunden sind; Hauptort für den Klippfisch-Handel.

Kristineh'amn, Stadt im schwed. VerwBez. Värmland, mit (1970) 27800 Ew.; 1642 gegr. als Eisenausfuhrhafen des Bergbaubezirks Bergslagen; Turbinenwerk, Gießereien, Holzverarbeitung, Flachsröste.

Krit'erium [griech.-lat.], Beurteilungsmittel, Unterscheidungsgrund, Prüfstein.

Kr'itias, griech. Schriftsteller, einer der →Dreißig Tyrannen. 415 v. Chr. wurde er in den Hermokopidenprozeß verwickelt und gehörte 411 der oligarch. Regierung der Vierhundert an. Er war ein Freund des Alkibiades, dessen Rückberufung er beantragte. Später wurde K. verbannt. Nach der Kapitulation Athens (404) kehrte er zurück und machte sich als Haupt der radikalen Gruppe der Dreißig verhaßt. Er fiel 403 v. Chr. im Kampf gegen Thrasybulos. In polit. Schriften und Dichtungen vertrat K. extreme sophist. Lehren. Er begegnet in mehreren Dialogen seines Verwandten Platon; schrieb Elegien, Tragödien und Satyrspiele.

Krit'ik [griech.], 1) Unterscheidungsvermögen, Urteilswille, gewissenhafte Prüfung. Im klass. Altertum bezeichnete K. ungefähr die Tätigkeit des Philologen. Bes. nannte sich Krates von Mallos (2. Jh. v. Chr.), das Haupt der stoisch-pergamenischen Schule, mit Vorliebe *kritikos* zum Unterschied von alexandrinischen *grammatikoi*, deren Arbeitsweise er als wissenschaftlich minderwertig hinstellte. In Wahrheit waren aber alle diese Bezeichnungen (kritikos, grammatikos, philologos) gleichbedeutend; die erste ist später ganz außer Gebrauch gekommen. 2) Besprechung, Beurteilung, z. B. eines Buches, Theaterstückes. Die *Buch-, Theater-* und *Kunstkritik* nahm seit Ende des 18. Jhs. im Zusammenhang mit der Entwicklung des Zeitungs- und Zeitschriftenwesens einen gewaltigen Aufschwung. Bedeutende deutsche Kritiker waren Lessing, Kleist, F. und A. W. Schle-

Kroa

gel, Tieck, Fontane, Gustav Freytag, F. Kürnberger, J. Hofmiller, A. Kerr, E. R. Curtius u. a.
Lɪᴛ. Meister der dt. Kritik, 2 Bde., hg. v. G. F. Hering (1961/63); Meisterwerke deutscher Literaturkritik, hg. v. H. Mayer (1962).

Kritik'aster, kleinlicher Kritiker.

Krit'ik der reinen Vernunft, das Hauptwerk →Kants, die Grundlegung der krit. Philosophie.

Kr'itios, athen. Bildhauer der 1. Hälfte des 5. Jhs. v. Chr., schuf zusammen mit Nesiotes die Bronzegruppe von Harmodios und Aristogeiton. Ein originales Marmorwerk seiner Hand ist wohl der im »Perserschutt« der Akropolis gefundene Kritiosknabe (480 v. Chr.).

kr'itisch, 1) prüfend, richtend, wählend. 2) entscheidend, bedrohlich. 3) *Kernphysik:* ein Reaktor wird k., wenn die Anzahl der durch Spaltung entstehenden Neutronen so groß wird wie die der absorbierten und nach außen entweichenden.

kritische Drehzahl, eine Drehzahl, die mit einer Eigenfrequenz einer Welle, eines Läufers oder anderen rotierenden Teils übereinstimmt. Beim Betrieb einer Maschine mit einer dieser Drehzahlen tritt Resonanz auf, d. h. die Welle wird zu starken Dreh- oder Querschwingungen angeregt, wobei oft so große Kräfte entstehen, daß das System zu Bruch kommt.

kritischer Apparat, in wissenschaftl. Ausgaben von Schriftwerken die Sammlung der verschiedenen handschriftl. Lesarten (Varianten) und Verbesserungen der Kritiker (Emendation, Konjektur), entweder in einem Anhang oder unter dem Text. Als selbständiger Teil der Editionstechnik ist der k. A. erst seit dem 18. Jh. in Gebrauch.

kritische Temperatur, höchster möglicher Siedepunkt einer Flüssigkeit, oberhalb dessen selbst bei Verwendung stärkster Drucke die Verflüssigung eines Gases nicht möglich ist. Der niedrigste Druck, bei dem die Gasverflüssigung gerade noch möglich ist, heißt **kritischer Druck**; der Rauminhalt, den 1 g des Stoffes bei kritischer Temperatur und kritischem Druck einnimmt, heißt **kritisches Volumen.**

Kritiz'ismus [grch.-lat. Kw.], im engeren Sinn die Kantische Erkenntnistheorie (→Kant) und, an sie anschließend, der Neukantianismus; dann jede Erkenntnislehre, die die Möglichkeit und Grenzen des Erkennens kritisch untersucht im Gegensatz zum Dogmatismus (Rationalismus) und Skeptizismus.
Lɪᴛ. A. Riehl: Der philosoph. K., 3 Bde. (³1924 ff.).

Kr'iton, Schüler und Freund des Sokrates, bekannt aus dem nach ihm benannten Dialog Platos.

Kriw'oj Rog, Bergwerks- und Industriestadt in der mittleren Ukraine, Sowjetunion, mit (1972) 600000 Ew.; Erzgewinnung zur Versorgung des Donez-Gebiets,

Hüttenwerke, Eisengießerei, Bekleidungsindustrie, Maschinenbau, chemische, Elektroindustrie und Verarbeitung landwirtschaftlicher Erzeugnisse.

Križanić [kr'iȥanitȼ], Juraj, kroat. Schriftsteller, * Obrh 1618, † vor Wien 12. 9. 1683, Dominikaner, im Dienst der Gegenreformation in Rußland, 15 Jahre in sibir. Verbannung; trat für *ein* Slawenreich unter Führung des Zaren ein; daher als »Vater des Panslawismus« bezeichnet.

Krk, ital. Veglia, nördlichste und größte Insel im Quarnero in Jugoslawien, 408 qkm groß, bis 569 m hoch, mit rd. 20000 Ew. An einer Bucht der Südküste die Hauptstadt K. mit rd. 3000 Ew. K. ist von venezian. Befestigungen umgeben und hat Domkirche aus dem 13. Jh. Die Insel, zur Römerzeit *Curicum,* wurde um 600 n. Chr. von Kroaten besiedelt, von 1000–1797 gehörte sie zu Venedig, 1797–1809 und 1813–1918 zu Österreich. 1920 kam sie an Jugoslawien. Im MA. war K. Zentrum der nationalen Kirchenbewegung (→Glagolismus).

K'rka, Fluß in Dalmatien, →Kerka.

Krleža [k'rleȥa], Miroslav, kroat. Dichter, * Agram 7. 7. 1893, Vizepräsident der Jugoslaw. Akademie der Wiss., schrieb Essays, mundartliche Bauernballaden und sozialkrit. Dramen und Romane.
Wᴇʀᴋᴇ. Die Rückkehr des Filip Latinovicz (dt. 1961), Bankett in Blitwien (dt. 1963), Beisetzung in Theresienburg (dt. 1964), Der kroat. Gott Mars (dt. 1964), Tausend und ein Tod (dt. 1966).

K'rnov, tschech. für →Jägerndorf.

Kroat *die,* die gemeine →Garnele.

Kro'aten, südslav. Volk in Jugoslawien (Kroatien, Slawonien, Syrmien, Dalmatien, Herzegowina, in Teilen von Bosnien), etwa 4–5 Mill. Menschen. Die K. erschienen im 7. Jh. im dinar. Binnenland und wanderten dann in das kroat.-slawon. Tiefland ein.

Kro'atien, serbokroat. **Hrvatska,** amtl. Narodna Republika Hrvatska, Volksrepublik Jugoslawiens mit 56553 qkm und (1971) 4,42 Mill. Ew. Hauptstadt ist Agram (Zagreb). Landschaftlich bestehen 2 Hauptteile: *Niederkroatien* und *Slawonien,* dem Zwischenstromland zwischen Drau, Save und Kulpa und *Hochkroatien,* einem rauhen Karstgebirgsland, das landseitig vom Waldgürtel des Kapelagebirges, seeseitig vom kahlen Velebit begrenzt wird. Vor der wenig gegliederten Küste liegen einige Inseln (darunter Krk, Rab, Pag). Klimatisch sind zu unterscheiden: 1) das Tiefland zwischen Una-Save und Drau mit warmem Klima; 2) das rauhe Karstgebiet Hochkroatiens mit tiefen Wintertemperaturen; 3) der sehr kleine Anteil am Mittelmeergebiet. Die *Bevölkerung* besteht größtenteils aus röm.-katholischen Kroaten, daneben aus orthodoxen Serben.
Gᴇsᴄʜɪᴄʜᴛᴇ. Von Illyrern bewohnt, kam K. unter Augustus zur röm. Prov. Pannonien. Anfang des 7. Jhs. wanderten die Kroaten ein, die schließlich unter byzantin.

21

Kroa

Hoheit kamen. Die einheim. Fürsten K.s dehnten im 10. Jh. ihre Herrschaft über Slawonien und Dalmatien aus und nahmen zuletzt den Königstitel an. Als sie 1091 ausstarben, eroberten die ungar. Könige das Land, doch behielt es unter der Verwaltung eines Banus eine gewisse Selbständigkeit. Der größte Teil ging im Lauf des 16. Jhs. an die Türken verloren. Es entstand die Kroatisch-Slawon. Militärgrenze (bis 1881). K. kam 1699 an das von den Habsburgern beherrschte Ungarn zurück, bald darauf auch das Gebiet zwischen Drau und Save als Kgr. Slawonien. 1809–14 gehörte Kroatien südlich der Save zu den Illyr. Provinzen Napoleons. Seit 1814 wurden die beiden Kgr. als Nebenländer der ungar. Krone behandelt, behielten aber ihren Banus und ihren Landtag. In den Revolutionsjahren 1848/49 kämpften die Kroaten unter dem Banus Jelačić auf kaiserl. Seite gegen die Ungarn. Darauf wurden K. und Slawonien ein eigenes österreich. Kronland, jedoch 1867 wieder mit Ungarn vereinigt; die Sonderstellung des Landes legte der ungarisch-kroat. Ausgleich von 1868 fest. Trotzdem wurde der Gegensatz zwischen den kroat. Selbständigkeitswünschen und der ungar. Herrschaft immer schärfer. Im 1. Weltkrieg schlossen sich die Kroaten den Bestrebungen nach Schaffung eines südslaw. Nationalstaats an (Nov. 1918). Doch traten sie bald in die entschiedenste Gegnerschaft zu der großserbisch-zentralist. Politik in Jugoslawien. 1941–45 bestand unter Pavelić der von den Achsenmächten gestützte Staat K. 1946 entstand aus K., Slawonien und Dalmatien die Volksrepublik K., einer der Bundesstaaten Jugoslawiens.

LIT. F. v. Sišić: Gesch. d. Kroaten, Bd. 1 (1917); R. Kiszling: Die Kroaten (1956); I. Omrčanin: Diplomat. u. polit. Gesch. K. (1968).

kro′atische Literatur und Sprache, →serbokroatische Literatur und Sprache.

Krochmal, Nachman, jüd. Gelehrter, * Brody 17. 2. 1785, † Tarnopol 31. 7. 1840, war Führer der galiz. Aufklärung, Religionsphilosoph. Sein hebr. Werk ›More Nebuche ha-zeman‹ (Führer der Irrenden in der Zeit; hg. v. L. Zunz, 1851) enthält eine jüdische Geschichtsphilosophie.

Kr′ocket [engl.; Bismarckzeit], Rasenspiel, bei dem Holzkugeln mit Holzhämmern durch zehn Tore vor einem Anschlagstab aus um einen Wendestab bis zu einem Zielstab zu treiben sind. Wird in zwei Parteien gespielt, schlagen beide nach gleichzeitigem Start abwechselnd; am Schlag bleibt, wer einen Punkt erhält oder eine gegnerische Kugel trifft, die er abseits schlagen *(krockieren)* kann. Wer zuerst 14 Punkte erzielt, ist der Sieger.

Kroeber [kr′ouɓə], Alfred Louis, amerikan. Ethnologe, * Hoboken (N.J.) 11. 6. 1876, † Paris 5. 10. 1961, bekannt durch seine grundlegenden Arbeiten über die Indianer; stellte den Begriff des Kulturraumes auf.

Kr′öger, Timm, niederdt. Erzähler, * Haale (Kr. Rendsburg) 29. 11. 1844, † Kiel 29. 3. 1918, war Rechtsanwalt.

WERKE. Der Schulmeister von Handewitt (1894), Der Einzige und seine Liebe (1905), Novellen (1918).

Krogh, Schack August Steenberg, dän. Physiologe, * Grenaa 15. 11. 1874, † Kopenhagen 13. 9. 1949, Arbeitsgebiete: Gaswechsel bei der Atmung und Physiologie der Kapillaren. 1920 Nobelpreis für Medizin.

Krogmann, Willy, Germanist, * Wismar 13. 9. 1905, † Hamburg 20. 3. 1967, seit 1948 Direktor des Fries. Instituts, Hamburg, befaßt sich bes. mit altfries., althochdt. und frühneuhochdt. Literatur.

Kroh, Oswald, Psychologe und Pädagoge, * Beddelhausen (Westf.) 15. 12. 1887, † Berlin 11. 9. 1955, Prof. in Tübingen, München und (seit 1942) Berlin, begründete eine Phasenlehre der Jugendentwicklung.

Krohg, Christian, norweg. Maler und Schriftsteller, * Vestre Aker 13. 8. 1852, † Oslo 16. 10. 1925, wirkte in Norwegen als Vorkämpfer des Impressionismus. Seine Gemälde behandeln vor allem soziale Themen.

Krohn, 1) Julius Leopold Fredrik, finn. Sprachforscher und Dichter, * Wiborg 19. 5. 1835, † bei Wiborg 28. 8. 1888, wurde 1885 Prof. in Helsinki. K.s Untersuchungen der finn. Volksdichtung haben durch die in ihnen zuerst angewandte »geographische« Methode Bedeutung gewonnen. Er veröffentlichte unter dem Pseudonym *Suonio* Gedichte und Erzählungen.
2) Kaarle Leopold, finn. Folklorist, Sohn von 1), * Helsinki 10. 5. 1863, † Sammatti 19. 7. 1933, war 1898–1928 Prof. in Helsinki; setzte die Forschungen seines Vaters über das ›Kalevala‹ fort und veröffentlichte vergleichende Märchenstudien.

Krok′ant [franz. ›Kracher‹], gebackene Mandelkruste.

Krok′ette [franz.], **Krustel,** gebackene Fleisch-, Fisch-, Reis- oder Kartoffelklößchen, ein Zwischengericht.

Krok′i *das,* franz. *Croquis,* mit einfachen Hilfsmitteln entworfene Geländeskizze.

Krokod′il, sowjetische satir. Zeitschrift, gegr. 1919, erscheint dreimal monatlich im Verlag der ›Prawda‹.

Krokod′ile [griech.], *Crocodyliden,* vorwiegend altweltl., meist Süßwasser bewohnende Familie der Panzerechsen. Das westafrikan. *Stumpf-K.* ist kurzschnauzig. Eine stark verlängerte Schnauze besitzt der *Sunda-Gavial.* Zu den eigentl. K. (Gattung *Crocodylus*) gehören das indische *Sumpf-K.,* das afrikan. *Nil-K.* und das bis 10 m lange, Brack- und Seewasser bewohnende, indoaustralische *Leisten-K.* Auffallend langschnauzig sind die amerikanischen *Spitz-K.* Die Haut der K. ergibt wertvolles Leder.

Krokod′ilwächter, Watvogel Nordostafrikas, sandfarben, schwarz, grau und weiß. Er sucht Krokodilen das Ungeziefer vom Zahnfleisch.

Kroko′it [griech.-lat. Kw.], das Rotbleierz.

Kr′okus [griech.-lat.], *Crocus*, Gattung der Schwertliliengewächse mit grasähnlichen Blättern, zwiebelförmiger Knolle und langhalsiger, grundständiger Blüte. Der *weißblütige K.* (*Frühlingssafran*, C. vernus) blüht im Vorfrühling auf feuchten Wiesen der Alpen, Pyrenäen, des Schweizer Juras und des Schwarzwalds. Violett, gelb und weiß blühende Arten des Mittelmeergebietes und Vorderasiens sind Gartenblumen. Der wohl orientalische, hellviolettblühende *echte Safran* (C. sativus), dessen dreiästige, orangerote Blütennarbe seit alten Zeiten gedörrt *(Safran)* als Speisenwürze und krampfstillendes Mittel dient, wird in Südeuropa, im Orient und in Ostasien angebaut.

Kroll, Hans, Diplomat, * Deutsch-Pikar (Oberschlesien) 18. 5. 1898, † Starnberg 8. 8. 1967, war Konsul, Botschafter, zuletzt in Moskau (1958–62).

Krolow [-lo:], Karl, Lyriker, * Hannover 11. 3. 1915.

WERKE. Die Zeichen der Welt (1952), Tage und Nächte (1956), Ges. Gedichte (1965), Poetisches Tagebuch (1966).

Krokodilwächter (etwa 22 cm lang)

Kroměříž [krˈɔmjɛrɜi:], tschech. für →Kremsier.

Kr′omlech, →Cromlech.

Kr′onach, Kreisstadt im RegBez. Oberfranken, Bayern, im Frankenwald, 310 bis 370 m ü. M., mit (1974) 11400 Ew.; AGer., höhere und Landwirtschaftsschule, Diakonissenhaus; Industrie: Porzellan, Fernsehapparate, Maschinen, Holz, Chemikalien, Druckereien, K. hat alte Stadtbefestigung (13.-16. Jh.), got. Stadtpfarrkirche (14.–16. Jh.), Rathaus (1583), Kloster (1671) und schöne Bürgerhäuser (16.–18. Jh.). Über K. die *Feste Rosenberg* (Museum, Jugendherberge), K. ist Geburtsort von Lukas Cranach d. Ä.

Kr′onacher, Carl, Genetiker, * Landshut 8. 3. 1871, † München 9. 4. 1938, Prof. in Weihenstephan, Hannover, Berlin, mit Adametz Begründer der modernen Tierzuchtlehre; schrieb ›Allgem. Tierzucht‹, 6 Bde. (1916–27).

Kr′on|anwalt, 1) früher in Hannover der Staatsanwalt. **2)** im engl. Recht: →Attorney.

Kronberg, Stadt (seit 1330) im Hochtaunuskreis, Hessen, Luftkurort am S-Hang des Hochtaunus, mit (1974) 17100 Ew.; Elektro-, Schuhindustrie, Apparatebau; Mineralquellen; Burg (13. Jh.), Schloß (jetzt Hotel) Friedrichshof (1891–94), Kastanienhaine, Erdbeerkulturen, Freigehege für Tierforschung (Stiftung G. v. Opels).

Kronberg [krˈu:nbærj], Julius, schwed. Maler, * Karlskrona 11. 12. 1850, † Stockholm 17. 10. 1921, malte Porträts, histor. und bibl. Darstellungen.

Kronberger Malerkolonie wurde nach 1860 durch J. Dielmann und A. Burger, zu denen sich P. Burnitz geselle, gegründet. Sie stand unter dem Einfluß der Schule von →Barbizon und von Courbet.

Krondomäne, Krongut, die dem Landesherrn zur freien Verfügung überlassenen Domänen und sonstigen Vermögenswerte, im Unterschied zu Staatsgut.

Krone [ahd. Lw. aus lat. corona ›Kranz‹], **1)** im Abendland das Sinnbild der Würde und Macht des Herrschers, ein Goldreif mit Perlenzinken und anderen Verzierungen; auch als K. der verschiedenen Adelsränge (Freiherrn-, Grafenkrone u. a., →Rangkrone). Vorläufer der K. waren die antike Corona, das Diadem u. a. **2)** Geäst und Gezweig des Baumes. **3) Blumenkrone**, nichtgrüne Blütenhüllblätter. **4)** oberer Teil an Werkzeugen, an Brillanten, am Zahn, an Bauteilen. **5)** Münze und Währungseinheit. 1857–71 wurden in den größeren dt. Staaten und Österreich ganze und halbe K. als Goldmünzen geprägt. Der Name wurde dann im Deutschen Reich nach 1871 für die goldenen 10-Mark-Stücke (20 Mark = Doppelkrone) beibehalten. In *Österreich* und *Ungarn* war die K. 1892–1924 die Währungseinheit (1 K. = 100 Heller). In *Dänemark* und *Norwegen* (Krone, *Mz.* Kroner) sowie in Schweden (Krona, *Mz.* Kronor) ist

Krokodile: Nilkrokodil (Länge bis 6 m)

Kron

die K. noch jetzt Währungseinheit (1 K. = 100 Öre), ebenso in Island (Króna, *Mz.* Kronur; 1 K. = 100 Aurar) und der Tschechoslowakei (Koruna, *Mz.* Koruny). Über die K. in Großbritannien →Crown. 6) Rehgehörn; Gipfel des Hirschgeweihs. 7) bei Huf- und Klauentieren ein flacher Ringwulst am Oberrand (**Kronenrand**) des Hufes oder der Klaue, ausgesteift vom **Kronbein (Kronenbein)**, dem zweiten Zehenknochen; das Kronbein reicht ins Hufinnere und bildet am Oberende mit dem Fesselbein das **Krongelenk (Kronengelenk)**. 8) Sternbilder: die **Nördliche K.** und die **Südliche Krone.**

Kr´one, Heinrich, Politiker (CDU), * Hessisch-Oldendorf (Niedersachsen) 1. 12. 1895, Neuphilologe; 1922–33 stellv. Generalsekretär der Dt. Zentrumspartei, 1925–33 MdR; 1945 wurde K. Mitbegründer der CDU, 1949 MdB; 1955–61 war er Fraktionsvors. der CDU/CSU im Bundestag. 1961 wurde K. Bundesminister für bes. Aufgaben; 1964–66 führte er die Amtsbezeichnung Bundesmin. und Vors. des Bundesverteidigungsrates.

Kr´onenorden, 1) *Bayerischer K., Verdienstorden der bayerischen Krone,* gestiftet 1808 von Maximilian I. mit vier Klassen (bis 1919). **2)** *Preußischer K.,* gestiftet 1861 von Wilhelm I., mit vier Klassen. **3)** *Württembergischer K., Orden der württembergischen Krone,* gestiftet 1818–1919, mit ursprünglich drei, seit 1892 fünf Klassen.

Kroner, Richard, Philosoph, * Breslau 8. 3. 1884, wurde 1928 Prof. in Kiel, emigrierte 1938 nach England, 1940 nach den USA, befaßte sich mit Religionsphilosophie und dem Deutschen Idealismus (›Von Kant bis Hegel‹, ²1961). K.s spätere Schriften entwickeln eine Kulturphilosophie auf religiöser Grundlage.

Kr´öner, Adolf von (seit 1905), Verlagsbuchhändler, * Stuttgart 26. 5. 1836, † das. 29. 1. 1911, gründete einen Verlag in Stuttgart, der 1890 in der »Union Deutsche Verlagsgesellschaft« aufging, und übernahm 1889 zusammen mit seinem Bruder Paul die *J. G. Cottasche Buchhandlung* in Stuttgart (ÜBERSICHT Verlage). K. war 1882–87 und 1889–91 erster Vorsteher des Börsenvereins der Deutschen Buchhändler. Sein Sohn *Alfred K.* (* 1861, † 1922) gründete den *Alfred Kröner Verlag,* Stuttgart (ÜBERSICHT Verlage).

Kr´onglas, ein mit Pottasche an Stelle von Soda erschmolzenes optisches Glas, hat meist geringere Brechung und geringeres Farbenzerstreuungsvermögen als Flintglas.

Krongut, →Krondomäne.

Kron´ide [Sohn des Kronos], Beiname des Zeus.

Kronisches Meer, lat. **Mare Cronium,** antiker Name eines Teiles des nördl. Ozeans, als Eismeer charakterisiert. Es ist identisch mit dem »Geronnenen Meer« oder »Lebermeer« der dt. Sage.

Krone: 1–5 *Kaiserkronen;* **1** *römisch-deutsche,* **2** *deutsche 1888,* **3** *österreichische,* **4** *russische,* **5** *napoleonische 1804.* 6–12 *Königskronen;* **6** *Normalschema,* **7** *preußische 1889,* **8** *englische (heraldisch),* **9** *französische (des Hauses Bourbon),* **10** *italienische (des Hauses Savoyen) 1890;* **11** *ungarische (Stephanskrone) 1000,* **12** *böhmische (Wenzelskrone) 1347*

Kronkardinal, ein auf Empfehlung eines kath. Herrschers (bes. Österreich, Frankreich, Spanien) ernannter Kardinal. K. gab es vom Spätmittelalter bis ins 20. Jahrhundert.

Kronkolonie, engl. Crown Colony, im Brit. Reich früher eine Kolonie, die durch einen von der Krone ernannten, dem brit. Kolonialminister verantwortl. Gouverneur verwaltet wurde.

Kronland, Erbland eines fürstl. Hauses, im bes. die 1867–1918 im zisleithan. Reichsteil →Österreich-Ungarns liegenden Königreiche und Länder.

Krönlein, Rudolph Ulrich, schweizer. Chirurg, * Stein a. Rh. (Kt. Schaffhausen) 19. 2. 1847, † Zürich 26. 10. 1910 als Prof., arbeitete auf den Grenzgebieten zwischen innerer Medizin und Chirurgie.

Kronoberg [kr'unubærj], VerwBez. (Län) im S Schwedens, 9913 km² mit (1972) 167 600 Ew.; Hauptstadt Växjö.

Kr'onos, in der griech. Mythologie der jüngste Sohn des Uranos und der Gäa, einer der Titanen, war vermählt mit seiner Schwester Rhea. Da ihm geweissagt war, daß sein Sohn ihn stürzen werde, verschlang er alle seine Kinder (Hestia, Demeter, Hera, Hades, Poseidon) bis auf Zeus, den Rhea vor ihm verbarg. Zeus entthronte ihn, zwang ihn, die verschlungenen Kinder wieder auszuspeien und warf ihn in den Tartaros.

Kronprinz, in Monarchien der zukünftige Thronerbe, sofern er Sohn oder Enkel oder der nächste Verwandte des Herrschers ist. In Großbritannien heißt er *Prince of Wales,* in Frankreich hieß er *Dauphin,* in Rußland *Zarewitsch.*

Kronrat, in monarch. Staaten eine Sitzung des Kabinetts unter Vorsitz des Monarchen.

Kronsbeere, die Preiselbeere.

Kronschnepfe, der große →Brachvogel.

Kronshagen, Gemeinde im Kr. Rendsburg-Eckernförde, Schleswig-Holstein, mit (1974) 12 600 Ew., Wohn- und Industrievorort von Kiel (Textil-, Maschinenind).

Kronstadt, 1) rumän. *Brasov,* Gebietshauptstadt in Rumänien, bedeutendste Handels- und Industriestadt Siebenbürgens und Mittelpunkt des Burzenlandes, mit (1970) 182 100 Ew. K. liegt im Kronstädter Gebirge (Südkarpaten), 592 m ü. M., am Fuß der Hohen Zinne (960 m). Der beherrschende Mittelpunkt ist die evang. spätgotische Schwarze Kirche (1477 vollendet); Erwähnung verdienen ferner das Rathaus (15. Jh.; im 18. Jh. erneuert), das Kaufhaus (16. Jh.), die Bartholomäuskirche (13. bis 15. Jh.) und die griech.-orthod. Nikolauskirche (1392 ff., 1751 erneuert). Vielseitige Industrie: Textilien, Maschinen, Fahrzeuge, Baustoffe, Lebensmittel, Seife. Dank seiner günst. Verkehrslage hat K. schon früh Bedeutung erlangt. Schon seit dem 14. Jh. wurden »Kronstädter Waren« bis in den Vorderen Orient gehandelt.

K., zu Anfang des 13. Jhs. vom Deutschen Orden gegründet, wurde die Hauptstadt des Burzenlandes und durch Honterus der Mit

telpunkt der Reformation in Siebenbürgen. 1920/21 kam es von Ungarn an Rumänien.

2) Kriegshafen der sowjetischen Flotte, auf der Insel Kotlin im O des Finnischen Meerbusens, vor Leningrad, mit (1965) 45 000 Ew.; Werften, Schwimmdocks.

Kronstädter Gebirge, landschaftlich schöne Gebirgsgruppe der Südkarpaten bei Kronstadt, im Butschetsch (Bucegi) 2513 m hoch.

Kronstädter Matrosenaufstand, 7.–18. 3. 1921, gegen den leninistischen Zentralismus gerichtet (»Sowjets ohne Bolschewisten«), durch die Rote Armee unter Tuchatschewski niedergeworfen.

Krontaube, Gattung entengroßer Tauben mit fächerförmiger Federkrone, auf Neuguinea und Nachbarinseln.

Krönung, feierliche Einsetzung des Herrschers, meist unter Verwendung der *Krönungsinsignien* (→Reichskleinodien). Im Fränk. Reich war die Königs-K. seit Pippin mit der krönl. Salbung (751 durch Bonifatius) verbunden. In Deutschland hat noch Heinrich I. die Salbung abgelehnt. Seit Otto I. (936) setzte sie sich als Bestandteil der K. durch. Die K. stand ursprünglich dem Erzbischof von Mainz, seit 1024 dem von Köln zu. Als K.-Ort setzte sich Aachen durch, wo die letzte K. 1531 vollzogen wurde. Seit 1562 wurde in Frankfurt gekrönt, und zwar wieder vom Erzbischof von Mainz. Von der Königs-K. ist zu unterscheiden die Kaiser-K. (→Kaiser).

Kronvasall, im mittelalterl. Lehnswesen ein unmittelbarer Lehnsträger des Königs.

Kronwerk, Außenwerk älterer Festungen.

Kronwicke, Peltsche, *Coronilla,* Gattung der Schmetterlingsblütler, meist im Mittelmeergebiet, Kräuter und Sträucher. Die **bunte K.** (C. varia, *bunte Peltsche, Schaflinse, Gift-, Steinwicke, bunte Vogelwicke*) ist eine liegende Staude mit rosa-weiß-violetten Blüten und gegliederten Hülsen; giftverdächtig. Sie wächst auf trockenem, kalkigem Grasland Mittel-, Südeuropas und Westasiens.

Kronzeuge, Hauptzeuge; in England und Amerika ein Mittäter, dem gegen Zusicherung der Straflosigkeit als Belastungszeuge auftritt.

Kröpel'in, Landstadt im Kr. Bad D▸beran, Bez. Rostock, im Moränenhügelland der Kühlung, 81 m ü. M., mit (1964) 4600 Ew.; Marktort, Töpferei.

Kropf [german. Stw.], 1) sackartige Erweiterung der Speiseröhre bei Vögeln, bes. Hühnern, Tauben, Papageien, Tagraubvögeln und vielen Finkenvögeln. Im K. erweicht das Futter, bevor es in den Magen gelangt. 2) lat. *Struma,* Vergrößerung der Schilddrüse. Die normalen Steigerungen des Schilddrüsenwachstums kurz nach der Geburt und in der Entwicklungsjahren (Pubertät) sind in Kropfgegenden (Gebirgsländern) bes. ausgeprägt (*Neugeborenenkropf* und *Pubertätskropf*); krankhaft gibt es bei Erwachsenen *Balg-, Knotenkropf* (mit knotigen Bildungen) und *diffusen K.* (gleichmäßig ver-

Krop

größerte Schilddrüse). In den am stärksten befallenen K.-Gegenden kommt auch →Kretinismus vor. Die Ursachen des K. sind noch nicht völlig geklärt; Jodmangel, Mangel an Vitamin A, vielleicht auch bestimmte Ernährungsweisen (wenig Eiweiß, viel Kohlarten) spielen eine Rolle, Folgen des K.: Blutstauung, Atembehinderung durch Druck auf die Luftröhre, Störung der Tätigkeit der →Schilddrüse. Jodhaltige Mittel können in Kropfgegenden das Auftreten des K. verhindern; sie sind jedoch nur unter ärztl.Aufsicht anzuwenden. Der K. kann operativ entfernt werden, wobei stets ein Teil der lebenswichtigen Schilddrüse zurückgelassen werden muß. 3) *Pflanzenkrankheiten:* die →Kohlhernie, der →Wurzelkropf. 4) *Orgel:* recht- oder stumpfwinklig geknickter Abschnitt der Windwege.

kröpfen, 1) das Umbiegen (Umschmieden) von Stabeisen und Achsen (**Kropfachse**). **gekröpfte Welle,** eine aus mehreren Kropfungen bestehende Welle. →Kurbelwelle. **2)** das Herumführen eines profilierten Baugliedes um eine vorspringende Ecke. **3)** Nahrungsaufnahme der Raubvögel.

Kröpfer, Kropftaube, Bläser, Haustaube, die ihren Kropf busenförmig aufblasen kann.

Kropfstorch, der →Marabu.

Krop′otkin, auch **Krapotkin,** Peter, Fürst, russ. Schriftsteller und Anarchist, * Moskau 9. 12. 1842, † Dmitrow (bei Moskau) 8. 2. 1921, Kosakenoffizier, wurde 1872 in der Schweiz Sozialist und lebte 1876–1917 meist im Ausland. K. war der bedeutendste Vertreter des kommunistischen Anarchismus.
WERKE. Memoiren eines Revolutionärs (London 1899; dt. [13]1922, neu 1969).

Krop′otkin, bis 1924 **Romanowskij Chutor,** Stadt am Kuban im Gau Krasnodar, Russ. SFSR, mit (1972) 70000 Ew.; Nahrungsmittelindustrie.

Kr′ösling, Speisepilz, ein →Schwindling.

Krosno, dt. **Krossen, 1)** poln. Kreisstadt in Galizien, am Wislok, mit (1966) 24000 Ew. **2)** K. **Odrzańskie,** poln. Name für →Crossen.

Krossopter′ygier [griech.], Fische, die →Quastenflosser.

Kr′ösus, sehr reicher Mann; nach dem letzten König von Lydien, dessen Reichtum sprichwörtlich war. Die Weissagung des delphischen Orakels, er werde, wenn er den Halys überschreite, ein großes Reich zerstören, erfüllte sich an ihm selbst: 546 v.Chr. wurde er von dem Perserkönig Kyros II. besiegt und unterworfen.

Kröten, Familie der Froschlurche, zahnlos, meist plump, mit fast gleichlangen Beinen und warzig-drüsiger Haut, deren Sekret das giftige *Bufotalin* enthält. Fast alle K. leben als hüpfende oder kriechende, feuchtigkeitsbedürftige Nachttiere auf dem Lande; sie sind meist Ungeziefervertilger. Die Eier entwickeln sich im Wasser. Die in Europa, im gemäßigten Asien und Nordwestafrika an schattigfeuchten Orten und in selbstgegrabenen Löchern wohnende, etwa 12 cm

lange *Erdkröte* (Bufo bufo) ist dunkelfarbig. Die in Mittel- und Osteuropa bis Mittelasien, Nordafrika heimische *Wechselkröte* hat grüne Flecke auf grauem Grund und zeigt Farbwechsel. Die europ. *Kreuzkröte* hat einen schwefelgelben Rückenlängsstrich. Die südamerikan. *Riesen-K.* oder *Aga* wird über 20 cm lang. Volkstümlich werden auch andere Froschlurche als K. bezeichnet, so die Familie *Krötenfrösche* mit der europ.-asiat. gelbbraunen, rötlich gefleckten *Knoblauchkröte,* mit kaum 8 cm langem Körper, die knoblauchduftendes Hautsekret absondert und als Kaulquappe bis 17 cm lang wird, ferner →Geburtshelferkröte und →Pipa.

Kröten: Erdkröte

Kröten|echsen, Leguane, mit krötenartig flachem, dornigem Körper, in Texas und Mittelamerika; in der Erregung spritzen sie einen feinen Blutstrahl aus den oberen Augenlidern.

Krötenechse: Phrynosoma cornutum (etwa 12 cm lang)

Krötenmaul, unregelmäßige pigmentlose rötl. Flecken an den Lippen bei Pferden.

Krötentest, eine →Schwangerschaftsreaktion.

Kr′oton [griech.] *der,* **Croton,** Gattung der Wolfsmilchgewächse, meist Sträucher in wärmeren Erdgebieten. Das fette Öl der Samen (Purgierkörner) des südasiat. *Tiglibaums* ist ein starkes Abführmittel *(Krotonöl).* Eine auf Kuba und den Bahama-Inseln heimische K.-Art liefert die als Ersatz für Chinarinde gebräuchl. *Cascarillarinde.*

Kr′oton, das heutige **Crotone** (bis 1928 *Cotrone*), griech. Kolonie in Unteritalien, gegr. im 8. Jh. v. Chr., war bis 460 v. Chr. Sitz der Pythagoreischen Philosophenschule. K. hatte ein Heiligtum der Hera Lakinia; im 2. Pun. Krieg war es Hannibals Hauptquartier, seit 194 v. Chr. röm. Kolonie; Reste 1571 zerstört.

Kroetz, Franz Xaver, Dramatiker, * München 1946; sozialkrit. Dialekt-Stücke.
WERKE. Wildwechsel (1971), Stallerhof (1972), Michis Blut (1972), Wunschkonzert (1972).

Kröv, Weinbaugem. an der Mosel, im Kr. Bernkastel-Wittlich, Rheinland-Pfalz, mit (1974) 2600 Ew.

Kr'oyer, Theodor, Musikgelehrter, * München 9. 9. 1873, † Köln 12. 1. 1945, Prof. in Heidelberg, Leipzig, Köln, schuf grundlegende Arbeiten auf dem Gebiet der mittelalterl. Musik.

Krøyer [krɶˈojar], Peter Severin, dän. Maler, * Stavanger (Norwegen) 24. 6. 1851, † Skagen 20. 11. 1909, malte vor allem figürl. Bilder im impressionist. Stil.

Kroz'in [Kw.] *das,* Karotinoid-Farbstoff des Safrans, geschlechtsbestimmender Befruchtungsstoff bestimmter Grünalgen.

Krozingen, Bad K., Gemeinde im Kreis Breisgau-Hochschwarzwald, Baden-Württemberg, mit (1973) 7500 Ew., Mineralbad mit kohlensäurereichen Warmquellen in der Rheinebene, 223 m ü. M.

Kru, afrik. Völkergruppe in Liberia.

Krucke, Krickel, Kriekel, Horn der Gemse.

Kr'uckenberg, Franz, Ingenieur, * Uetersen (Schleswig-Holstein) 21. 8. 1882, † Heidelberg 19. 7. 1965, baute den *Kruckenbergwagen,* einen Propellertriebwagen (→Triebwagen), der 1931 230 km/h erreichte.

Kr'uckenkreuz, Kr'ückenkreuz, ein griech. Kreuz, dessen Balkenenden in Querbalken auslaufen (BILD Kreuz, 10).

Kruczkowski [kruʃkˈɔfski], Leon, poln. marxist. Schriftsteller, * Krakau 28. 6. 1900, † Warschau 1. 8. 1962, war 1949–56 Vors. des poln. Schriftstellerverbandes; seit 1957 war er Mitgl. des Staatsrates.

krud [lat.], roh, unverdaulich. **Krudität, 1)** roher Zustand (von Speisen), Unverdaulichkeit. **2)** Roheit (im Verhalten).

Krüdener, Barbara Juliane, Freifrau von, geb. v. Vietinghoff, pietistische Schriftstellerin, * Riga 22. 11. 1764, † Karasubasar (Krim) 25. 12. 1824, gab sich seit 1804 unter dem Einfluß von Herrnhutern und Chiliasten religiöser Schwärmerei hin. 1815 stand sie in Paris dem Zaren Alexander I. in der Zeit der Begründung der »Heil. Allianz« nahe. Sie schrieb den Briefroman ›Valérie‹ (2 Bde., 1803; dt. 1804).
LIT. Hedwig v. Redern: Zwei Welten. Das Leben der J. v. K. (²1927).

Krug [niederd., 13. Jh.], Schenke, Wirtshaus. **Krüger,** Schenkwirt.

Krüger, 1) Bartholomäus, Dramatiker, * Sperenberg um 1540, † Trebbin nach 1597, evang. Schuldramatiker und Schwankdichter der Reformationszeit.

2) Franz, Maler, * Großbadegast (bei Köthen) 3. 9. 1797, † Berlin 21. 1. 1857, dort Akademieprof. und Hofmaler, malte Pferde- und Kavalleriebilder (»Pferde-Krüger«), Paradebilder, Bildnisse des

Franz Krüger: Ausritt des Prinzen Wilhelm mit dem Künstler, 1836 (ehemal. Staatl. Mus. Berlin)

preuß. und russ. Hofs, der Adelsgesellschaft und des Berliner Bürgertums (BILD W. v. Humboldt).

3) Gerhard, Philosoph, * Berlin 30. 1. 1902, Prof. in Münster (1940), Tübingen (1946) und Frankfurt (1952).
WERKE. Grundfragen der Philosophie (1958), Freiheit und Weltverantwortung (1958), Einsicht u. Leidenschaft. Das Wesen des platon. Denkens (³1963).

4) Hermann Anders, Schriftsteller, *Dorpat 11. 8. 1871, † Neudietendorf (Thür.) 10. 12. 1945, Germanist, Bibliotheksdirektor, schrieb den Erziehungsroman ›Gottfried Kämpfer‹ (2 Bde., 1904/05).

5) Paulus (genannt *Ohm Krüger*), südafr. Politiker, * bei Colesberg (Kapkolonie) 10. 10. 1825, † Clarens (Schweiz) 14. 7. 1904, einer der Führer der Transvaalburen in dem erfolgreichen Freiheitskrieg gegen die engl. Herrschaft 1880/81, seit 1883 Präsident der Südafrikan. Republik (Transvaal). Die *Krügerdepesche* ist das Glückwunschtelegramm, das Kaiser Wilhelm II. am 3. 1. 1896 an K. anläßlich der siegreichen Abwehr eines engl. Einfalls (Jameson Raid) richtete. Sie rief in England starke Entrüstung hervor. Nach Ausbruch des Burenkriegs ging K. im Herbst 1900 nach Europa, wo er vergebens um die Hilfe der Großmächte warb. – ›Lebenserinnerungen‹ (dt. 1902).

Krueger, Felix, Psychologe, * Posen 10. 8. 1874, † Basel 25. 2. 1948, war Prof. in Buenos Aires, Leipzig, Halle und wieder in Leipzig (1917–38), begründete die Ganzheitspsychologie.
WERKE. Lehre von dem Ganzen (1948),

Krug

Zur Philosophie u. Psychologie der Ganzheit (1953. mit Bibliogr.).
Lɪᴛ. A. Wellek: Die genetische Ganzheitspsychologie der Leipziger Schule (1954).

Krüger-National-Park, 20 700 qkm großes Naturschutzgebiet und Wildreservat in Transvaal, Südafrika, 1898 von Paulus →Krüger gegründet.

Krugersdorp [krʹy-], Stadt in der Prov. Transvaal, Rep. Südafrika, 1740 m ü. M., mit (1970) 91 200 Ew.; Goldbergbau, Maschinenbau.

Krʹuggerechtigkeit, Schankgerechtigkeit, Schankerlaubnis.

Kruif [krœjf], Paul, de, amerikan. Bakteriologe und Schriftsteller, * Zeeland (Mich.) 2. 3. 1890, † Holland (Mich.) 10. 3. 1971.

Krukowiecki [krukovjʹetski], Johann, Graf von, poln. General, * 1772, † Popienie (Prov. Posen) 17. 4. 1850, österr. Offizier, seit 1806 in der poln. Armee, wurde während der poln. Revolution 1830/31 Generalgouverneur von Warschau, dann Präs. der Nationalregierung. Nach der Kapitulation Warschaus (6. 9. 1831) vor den Russen mußte er abdanken.

Krulle, eine Halskrause aus gesteiftem Leinen mit Spitze, zum norddt. und holländ. Frauenkostüm des 17. Jhs. getragen.

Krullfarn, Farnkrautgatt., →Adiantum.

Krʹumau, tschech. Český Krumlov, Bezirksstadt im südl. Böhmen, Tschechoslowakei, (1970) 10 700 Ew., an der Moldau und am Fuß des Böhmerwaldes, 509 m ü. M.; große Papier- und Holzstoffabriken, Flachsspinnerei, Tuchfabrik. – Die Herrschaft K. kam 1719 an die Fürsten zu Schwarzenberg.

Krumbach, Stadt im Kreis Günzburg, Reg.-Bez. Schwaben, Bayern, (1970) 10 800 Ew.; Landwirtschaftsschule, Textil-, Wachs- und Silberwarenindustrie. In der Nähe das Heilbad *Krumbad*.

Krumbacher, Karl, Byzantinist, * Kürnach (Kr. Kempten) 23. 9. 1856, † München 12. 12. 1909, Prof. in München (1892), Begründer der modernen dt. Byzantinistik, des Byzantin. Instituts der Univ. München und der ›Byzantin. Zeitschrift‹ (seit 1892).

Krʹümeldarmstruktur, Krümelgefüge, →Boden.

Krummdarm, der unterste Teil des Dünndarms.

Krʹummenau, Gemeinde im Kanton St. Gallen, Schweiz, 723 m ü. M., mit (1970) 1900 Ew.; Stickerei, Baumwollweberei.

Krümmer, 1) Bodenbearbeitungsgerät, ein Mittelding zwischen Egge und Grubber. 2) rechtwinklig abgebogenes Rohrstück *(Rohrkrümmer)*.

Krummhals, Wolfsauge, *Lycopsis arvensis*, vergißmeinnichtähnliches, einjähriges Borretschgewächs; Unkraut auf kalkarmem Boden.

Krummholz, 1) das →Kniehholz. **2)** gebogenes Holz, das beim osteurop. Scherengespann die Scherenenden unter sich und mit dem Kumt federnd verbindet.

Krummhorn, 1) Holzblasinstrument des 16./17. Jhs., mit doppeltem Rohrblatt (in besonderer Windkapsel) und am unteren Ende aufgebogener Schallröhre; in verschiedenen Größen von der Diskant- bis zur Baßlage hergestellt. **2)** sanft klingendes Orgelregister.

Krʹummhübel, Gemeinde im Kreis Hirschberg, Niederschlesien, unter der Schneekoppe, 550–813 m ü. M., hatte (1939) 2200 Ew., bekannter Luftkurort und Wintersportplatz; seit 1945 unter poln. Verwaltung *(Karpacz)*.

Krummstab, der →Bischofsstab.

Krümmung, Biegung, Kurve; *Geometrie:* die Abweichung einer Linie vom geradlinigen oder einer Fläche vom ebenen Verlauf. *Krümmungskreis* ist derjenige Kreis, der sich in dem betrachteten Punkt der Kurve am besten anschmiegt; man findet seinen Mittelpunkt, den *Krümmungsmittelpunkt*, als Schnittpunkt von zwei Loten, die in unmittelbarer Nachbarschaft des betrachteten Punktes auf der Kurve errichtet werden. – Auch für dreidimensionale und höherdimensionale Räume, die im Sinne der →Riemannschen Geometrie erklärt sind, läßt sich eine K. definieren.

Krümper [von krumm], die, 1808–12 in die preuß. Armee eingestellten, kurzfristig ausgebildeten Rekruten. Dieses *Krümpersystem* Scharnhorsts schuf über die nach dem Tilsiter Frieden durch den Pariser Vertrag vom 8. 9. 1808 zugelassene Höchststärke des preuß. Heeres von 42 000 Mann hinaus in kurzer Ausbildung eine Reserve.

Krumper, Krumpper, Hans, Bildhauer und Baumeister, * Weilheim um 1570, † München Mai 1634, Schüler H. Gerhards, dann in Italien, seit 1592 im Dienst des bayr. Hofs in München. Das vollkümlichste seiner an die Spätgotik anknüpfenden und zum Frühbarock überleitenden Bildwerke ist die monumentale Bronzefigur der Muttergottes (»Patrona Bavariae«) an der Münchener Residenzfassade (1615).

krumpfen, einlaufen (Gewebe); **krumpfecht machen**, Gewebe durch besondere Verfahren der →Appretur (dekatieren, shrinken, monforisieren, sanforisieren, quellfest machen) so behandeln, daß sie nicht einlaufen (krumpfen).

Krumpfmaß, Bodenabgang, Speicherverlust, der Schwundverlust von Getreide, Hülsen-, Ölfrüchten u. dgl. auf dem Schüttboden.

Krupbohne, buschige Abart der Gartenbohne (Buschbohne).

Krupeiche, Eiche mit durchbrochenem Stamm; nach dem Volksglauben soll das Hindurchkriechen Krankheiten heilen.

Krupjagd, Wilddieberei.

Krupp [Lw. aus engl.] *der*, die Diphtherie des Kehlkopfes; **falscher K.**, nicht diphtherische entzündl. Anschwellung der Rachenschleimhaut.

Krupp, Fried. Krupp, führendes Unternehmen der dt. Montanindustrie, Essen, gegr. 1811 (Gußstahlfabrik) von *Friedrich K.* (* Essen 17. 7. 1787, † das. 8. 10. 1826), dessen Sohn *Alfred* (* Essen 26. 4. 1812, † das.

14. 7. 1887) es zu einem der bedeutendsten Werke seiner Art entwickelte (Eisenbahnachsen, nahtlose Radreifen). Alfred K. begründete das Sozialwerk der Firma in einer Zeit, in der gesetzliche Vorschriften zur sozialen Sicherung der Arbeiterschaft unbekannt waren. Die Satzungen seiner bereits 1836 gegründeten Betriebskrankenkasse dienten als Vorbild für die Sozialversicherungsgesetzgebung. Nach dem Tod Alfreds ging das Unternehmen auf seinen Sohn *Friedrich Alfred* (* Essen 17. 2. 1854, † das. 22. 11. 1902) über. 1893 wurde das Grusonwerk (Fried. K. Grusonwerk AG, Magdeburg-Buckau), 1902 die Germaniawerft (Fried. K. Germaniawerft AG, Kiel) erworben, 1897 ein modernes Hüttenwerk in Rheinhausen (Friedrich-Alfred-Hütte) errichtet. 1903 wurde die Firma in eine Familien-AG umgewandelt (Grundkap. 160 Mill. M). 1909 übernahm die Leitung Friedrich Alfreds Schwiegersohn *Gustav von Bohlen und Halbach* (* Den Haag 7. 8. 1870, † Blühnbach b. Salzburg 16. 1. 1950), dem der Name *Krupp von Bohlen und Halbach* verliehen wurde. Nach einer mächtigen Entwicklung während des 1. Weltkriegs (Essener Werk 1918: 115000 Beschäftigte) wurde zwischen 1919 und 1933 die Erzeugung umgestellt (Beschäftigte 1929: 70000), wobei die Selbständigkeit durch die Gründung der Vereinigten Stahlwerke erhalten blieb. 1930 umfaßten die K.-Werke die Gußstahlfabrik Essen mit 9 Stahl-, 7 Walzwerken; der Friedrich-Alfred-Hütte Rheinhausen mit 10 Hochöfen; die Mühlhofener Hütte in Engers; 5 Kohlenbergwerke. Jahreskapazität: Roheisen 2, Rohstahl 2,3, Kohlen 7, Koks 2,5 Mill. t. Produziert wurden neben Roheisen Roh-, Edelstahl (Sonderstahl) und Halbzeug, Eisenbahnoberbaumaterial, Brücken, Hochofengerüste, Fabrik- und Schachtanlagen, Lokomotiven, Industrie- und Feldbahnen, Güterwagen, Bagger, Kraftwagen, Landmaschinen, Zahnräder, Registrierkassen, Getriebe und Kleinmaschinen, Maschinen für die Textil- und Papierindustrie, ärztl. Instrumente. Ein neuer Aufschwung trat durch die Wiederaufrüstung und den 2. Weltkrieg ein (Errichtung des Bertha-Werkes in Oberschlesien). Seit 1943 war K. wieder Einzelfirma. Viele Werksanlagen wurden durch Kriegseinwirkungen und nach 1945 durch Demontage zerstört: das Hütten-(Edelstahl-)Werk Essen-Borbeck, die Gußstahlfabrik Essen, die Norddt. Hütte Bremen, die Germaniawerft sowie andere Werke; das Grusonwerk wurde enteignet, der Krupp-Konzern unter alliierte Kontrolle gestellt, 1951 wurde das Vermögen zurückgegeben, jedoch mußte sich der Alleininhaber *Alfried K. von Bohlen und Halbach* (* Essen 13. 6. 1907, † das. 30. 7. 1967) 1953 verpflichten, seine Montanbeteiligungen zu verkaufen; die Verkaufsauflage wurde 1968 aufgehoben. Der Stahlbereich ist in der *Fried. Krupp Hüttenwerke AG*, Bochum/Rheinhausen, zusammengefaßt, die

1965 aus der Fusion der Hütten- und Bergwerke Rheinhausen AG (gegr. 1952) mit der Bochumer Verein für Gußstahlfabrikation AG, Bochum (gegr. 1842), hervorging. Der Kohlebereich wurde 1969 auf die *Ruhrkohle AG* (Beteiligung: 5,8%) übertragen.
Das Produktionsprogramm des K.-Konzerns (zahlreiche Beteiligungen) umfaßt u. a. Lokomotiven, Schwermaschinen und Stahlbau, Industrieanlagen, Kernreaktoren. Finanzierungsschwierigkeiten machten im Frühjahr 1967 eine staatl. Intervention erforderlich. An die staatl. Exportbürgschaft war die Auflage geknüpft, die Einzelfirma Fried. K. bis Ende 1967 in eine Kapitalgesellschaft umzuwandeln. Zunächst wurde die Form einer GmbH mit den Satzungen einer AG angenommen und die Firma in eine Stiftung eingebracht, die Alfried K. in seinem Testament als Alleinerbin seines Vermögens einsetzte. Die Stiftung (seit 1968) dient philanthropischen Zwecken. 1974 erwarb der Iran eine Beteiligung (rd. 25%) am K.-Konzern.

Krupp′ade [franz.], *Reitkunst:* ein Sprung der Hohen Schule.

Kruppe [german. Stw. über franz.; 30jähr. Krieg] *die,* das Kreuz des Pferdes.

Krupp′in, eine dem →Invar ähnl. Legierung aus 70% Eisen und 30% Nickel mit hohem elektr. Widerstand und geringem Ausdehnungskoeffizienten.

Krupp-Renn-Verfahren, →Eisen.

Krupsk′aja, Nadeschda, die Frau →Lenins, * Petersburg 26. 2. 1869, † Moskau 27. 2. 1939, war seit 1896 mit Lenin in der Verbannung, seit 1900 in der Emigration, wurde 1927 Mitglied des ZK der Partei und war seit Lenins Tod im Volkskommissariat für Volksbildung tätig.

Kr′üschkrankheit, die *Kleiekrankheit* der Pferde (→Kieferkrankheit).

Kruse, 1) Käthe, Kunsthandwerkerin, verh. mit 2), * Breslau 17. 9. 1883, † Murnau 19. 7. 1968, bekannt durch ihre Puppen aus Stoff. Selbstbiogr.: Lebensgeschichte, das große Puppenspiel (1951).

2) Max, Bildhauer, * Berlin 14. 4. 1854, † Berlin 26. 10. 1942, schuf Einzelfiguren (Siegesbote von Marathon vor der National-Galerie, Berlin) und Bildnisbüsten. Für die Bühne erfand er den Rundhorizont.

3) Walther, Hygieniker, * Berlin 8. 9. 1864, † Leipzig 1. 9. 1943, Prof. in Königsberg (1898), Bonn (1911) und Leipzig (1913). K. beschäftigte sich bes. mit der Bakteriologie der Darmerkrankungen.

Krüseler (Kruseler) *der,* Rüschenhaube zwischen 1340 und 1540; BILD Haube).

Krusenstern, eine der →Diomedes-Inseln.

Krusenstern, Adam Johann von, Admiral in russ. Dienst, * Haggud (Estland) 19. 11. 1770, † Aß (bei Reval) 24. 8. 1846, führte die erste russ. Erdumsegelung durch, bei der die Westküste von Hokkaido, die Ostküste von Kamtschatka und Sachalin, die Kurilen und Aleuten erforscht wurden (Reise um die Welt 1803–06, 3 Bde., 1810–12).

Krus

Krusenstjerna, Agnes von, schwed. Erzählerin, * Växjö 9. 10. 1894, † Stockholm 10. 3. 1940. Ihre Prosaepik ist neben der Selma Lagerlöfs der wichtigste Beitrag Schwedens zur Erzählkunst. Sie übt scharfe Kritik an der zeitgenöss. Aristokratie und dem Großbürgertum Schwedens (Pahlen-Zyklus, 7 Bde., 1930–35). Samlade skrifter, 19 Bde. (1944–46).
Lɪᴛ. O. Lagercrantz: A. v. K. (schwed.1952).

Kruševac [kr'uʃevats], Stadt in der Volksrep. Serbien, Jugoslawien, an der Mündung der Rasina in die westl. Morava gelegen, mit rd. 27000 Ew., wichtiger Handelsplatz für Obst und Vieh, Waggonfabrik mit Eisenkonstruktionsbau; K. war im MA. vorübergehend serb. Hauptstadt.

Krüss, James, Pseudonym für Markus *Polder,* Jugendschriftsteller, * Helgoland 31. 5. 1926, schreibt Bilderbuchverse, Nonsense-Gedichte, moderne Tierfabeln, sozialkrit. Kindererzählungen.

Krust'ade, franz. **croustade** *die,* Krustenpastete, leere, aber scharf gebackene, zylindr. oder viereckige Teigpastete für verschiedenartige Füllungen.

Krustaz'een [lat. Kw.], die →Krebstiere.

Krustentier, →Krebstiere.

Kr'usten|echse, *Heloderma,* Echsengattung mit dem giftigen, bunten *Gila-Tier* des südl. Nordamerikas, dessen Rücken mit höckerigen Schuppen bedeckt ist.

Kruzif'eren [lat. Kw.], die Pflanzenfamilie →Kreuzblüter.

Kruzifix [lat. crucifixus ›der ans Kreuz Geschlagene‹] *das,* Darstellung Christi am Kreuz, →Kreuzigung Christi.

Kryl'enko, Nikolai Wassiljewitsch, sowjet. Jurist, * Sytschewskoje (Gouv. Smolensk) 14. 5. 1885, † 1938 (vermutlich bei einer »Säuberung«), war im Winter 1917/18 der erste Kriegskommissar der Bolschewiki, 1918 Ankläger bei den Revolutionsgerichten, 1922–38 Volkskommissar der Justiz der RSFSR (seit 1936 der UdSSR).

Kryl'ow, Iwan Andrejewitsch, russ. Fabeldichter, * Moskau 13. 2. 1768, † Petersburg 21. 11. 1844. Seine Fabeln, von denen er etwa ein Drittel von La Fontaine und Äsop entlehnt hat, sind durch ihre volkstümliche, witzige und farbenreiche Sprache zu einem unvergängl. Bestandteil der russ. Literatur geworden (Fabeln, dt. 1874, 1881, Sämtl. Fabeln 1960).

Kryo . . . [griech.], *an Fremdwörtern:* Eis. . ., Kälte. . .

Kr'yohydrate [griech. Kw.], Kältemischungen solcher Zusammensetzung, daß ihre Temperatur beim Gefrieren und Schmelzen konstant bleibt.

Kryol'ith [griech. Kw.], ›Eisstein‹ *der,* farbloses, leicht schmelzbares Mineral in monoklinen, würfelähnl. Kristallen, chemisch Natrium-Aluminiumfluorid. K. dient zur Herstellung von Milchglas und Emaille. Einziges bedeutendes Vorkommen auf Grönland.

Kryoph'or [griech. ›Eisträger‹] *der,* ein Gerät, das die Abkühlung von Wasser durch Verdampfung zeigt. Es besteht aus zwei durch eine Glasröhre verbundenen evakuierten Kugeln A und B, deren eine (B) Wasser enthält. Taucht man die Kugel A in eine Kältemischung, so schlägt sich der in ihr vorhandene Dampf nieder; aus B verdampft weiteres Wasser, das sich wieder niederschlägt, usw. Durch das ständige Verdampfen wird dem Wasser so lange Wärme entzogen, bis es gefriert (Bɪʟᴅ Bd. 10, S. 307).

Kryopumpen, ein Verfahren zur Erzeugung hohen Vakuums, bei dem die Restgase durch Kühlen mit flüssigem Helium kondensiert werden.

Kryoskop'ie [griech. Kw.], Molekulargewichtsbestimmung durch Messung der Gefrierpunktserniedrigung. Das Molekulargewicht eines gelösten Stoffes ist der Gefrierpunktserniedrigung der Lösung umgekehrt proportional.

Kr'yotron [griech. Kw.] *das,* Schaltelement aus zwei verschiedenen Supraleitern (Steuerleiter und Sperrleiter). Fließt im Steuerleiter ein Strom, so schaltet das entstehende Magnetfeld den Sperrleiter von Supra- auf Normalleitung um. Verwendung für Rechenautomaten.

Kr'ypta [griech.] *die,* in frühchristl. Zeit unterirdische Grabkammer eines Märtyrers in den Katakomben, dann unter dem Altar der ihm geweihten Kirche; später Grabstätte auch geistlicher und weltlicher Wür-

Krypta von Saint-Paul in Jouarre (Seine-et-Marne), 7. Jh.

denträger, die in der Romanik als mehrschiffiger Hallenraum unter dem erhöht über ihr liegenden Chor errichtet wurde. In der Gotik wurden die Kirchen ohne K. gebaut, so wie schon in roman. Zeit die Kirchen der Hirsauer (→Hirsau). Im Barock wurden K. gelegentlich als Fürstengruft angelegt.

krypto . . . [griech.], *an Fremdwörtern:* geheim . . ., verborgen . . .

Kr´yptocalvinisten [Kw.], Philippisten, die unter Führung von Melanchthons Schwiegersohn K. Peucer stehende einflußreiche Hofpartei in Kursachsen, die insgeheim in der Abendmahlsfrage eine Verständigung zwischen Luthertum und Calvinismus erstrebte. Der *Kryptocalvinismus* wurde seit 1574 durch Einkerkerung und teilweise durch Hinrichtung der Hauptvertreter ausgerottet.

Kryptog´amen [griech. Kw.], die →Sporenpflanzen.

Kryptogr´amm [grch. Kw.], ein Text, aus dessen Worten sich durch bes. bezeichnete oder als bedeutsam verabredete Buchstaben (→Geheimschrift) eine weitere Bedeutung ergibt (→Akrostichon).

Kryptogr´amma [grch. Kw.], Rollfarn, Roßfarn, ein auf kalkarmem Gestein, bes. auf Urgestein der Zentralalpen häufiger Farn. Der bis zu 30 cm hoch werdende *krause Rollfarn (Allosorus crispus)* hat 2–4fach gefiederte, verschieden gestaltete Blätter.

Kryptom´erie, japanische Zeder, *Cryptomeria japonica*, japanisch-chinesischer Nadelbaum mit zimmertannenähnlicher Benadelung.

Kr´ypton [griech. Kw.] *das*, chem. Element, Zeichen **Kr**, Ordnungszahl 36, Massenzahlen 84, 86, 83, 82, 80, 78, Atomgewicht 83,80, in sehr geringer Menge in der Luft vorhandenes Edelgas, kann aus flüssiger Luft dargestellt werden, dient zur Füllung leuchtstarker Glühlampen und von Gasentladungsröhren.

Kryptorch´ismus [griech. Kw.], das Steckenbleiben beider Hoden im Leistenkanal (*Leistenhoden*) oder in der Bauchhöhle (*Bauchhoden*). Behandlung: während man früher mit der Operation bis zur Pubertät wartete, operiert man jetzt möglichst vor dem 6. Lebensjahr.

Kryptovulkanismus [grch. Kw.], vulkan. Vorgänge im Erdinnern ohne Förderung von Magma an die Erdoberfläche.

Ksar el-Keb´ir, span. Alcázarquivir, Stadt im westl. Marokko, an der Bahn Tanger–Fès, mit (1971) 48 300 Ew., in fruchtbarer Landschaft.

Ksch´atrija [Sanskrit ›Krieger‹], die adlige, landbesitzende Kriegerkaste der altindischen Kastenordnung.

Ksyl-Ord´a, Gebietshauptstadt in der Kasach. SSR, am Syr-darja, mit (1972) 129 000 Ew.; Eisen- und Gummiwaren.

Ktenoph´oren →Rippenquallen.

Kt´esias, griech. Geschichtsschreiber aus Knidos, Leibarzt der Parysatis und des Perserkönigs Artaxerxes II. bis 398 v. Chr. K. schrieb 23 Bücher ›Persika‹, eine in Bruchstücken erhaltene Geschichte der assyr. und pers. Monarchie.

Ktes´ibios, griech. Mechaniker, wirkte von etwa 300–260 v. Chr. in Alexandria und erfand u. a. eine doppelwirkende Pumpe mit Windkessel und ein Preßluftgeschütz; er konstruierte auch Wasseruhren und Wasserorgeln.

Kt´esiphon, alte Stadt am Tigris, Hauptsitz der Partherkönige und nach deren Fall (224 n. Chr.) der Sassaniden. Diese bauten prächtige Paläste, von denen noch eine große Gewölbehalle steht. Nach der Eroberung durch die Araber (637 n. Chr.) und der Gründung von Bagdad, das 40 km nördlicher erbaut wurde, verfiel K. allmählich.

Ktesiphon: Palastfassade

Ku´ala L´umpur, Kwala Lampur, Hauptstadt von Malaysia, des Malaiischen Bundes und des Staates Selangor, mit (1970) 451 700 Ew.; Handel mit Kautschuk und Zinn.

Ku´ango, Nebenfluß des Kassai in Afrika, 1000 km lang, im Mittellauf Grenze zwischen Angola und Kongo.

Kuangsi-Tschuang, postamtlich **Kwangsi-Chuang,** autonomes Gebiet in S-China, 220 400 qkm mit (1967) 24 Mill. Ew. Hauptstadt: Nanning. Der Westfluß (Sikiang) erschließt K. nach Kanton hin. Anbau von Reis, Rohrzucker, Zimt, Anis.

Kuang-tschou, chines. Stadt, →Kanton.

Kuangtschouwan, franz. **Kouang-Tscheou-Wan,** von 1898–1943 franz. Pachtgebiet auf der Ostseite der chines. Halbinsel Leitschou. Verwaltungssitz war Fort-Bayard.

Kuangtung, postamtl. **Kwangtung,** südlichste Provinz Chinas, einschl. der Insel Hainan, 231 400 qkm groß mit (1967) 40 Mill. Ew., im Südchines. Bergland. Hauptstadt ist Kanton. Das Klima ist subtropisch, in den Niederungen fast tropisch. Die Landwirtschaft liefert Reis, Zuckerrohr, Tabak, Tee, Ramie, Erdnußöl, Palmblätter, Ingwer, Bananen.

Kuan-jin [chines.], japan. **Kwannon,** buddhistische Gottheit der Barmherzigkeit, in China und Japan als meist weibl. Gottheit verehrt; sie beschirmt die Gläubigen, die unschuldig Verfolgten, die Schiffbrüchigen und verleiht Kindersegen.

Kuantung, japan. **Kwanto,** von 1905–45 japan. Pachtgebiet auf der Halbinsel Liautung der Mandschurei; Verwaltungssitz war Dairen.

K´uba, span. **Cuba,** Republik in Westindien, die größte Insel der Großen Antillen,

Kuba

114524 qkm mit (1973) 8,87 Mill. Ew.; Hauptstadt ist Habana.

Natur. Die 1200 km lange, im Mittel 110 km breite Insel K. liegt zwischen dem Golf von Mexiko und dem Karibischen Meer. Zur Republik gehören die Fichteninsel (Isla de Pinos) und einige kleinere Inseln. Die Küsten sind reich an Korallenriffen. Das Innere ist vorwiegend Hügelland; höchstes Gebirge die Sierra Maestra (2560 m) an der SO-Küste. Größter Fluß ist der Rio Cauto (440 km). Trop. Wälder sind auf die feuchten Gebirgsteile beschränkt; in den trockeneren Gebieten Kiefernwälder und weite Savannen mit der K. eigentüml. Königspalme (Oreodoxa regia).

Von der fast ganz röm.-kathol. *Bevölkerung (Kubaner)* sind 70% Weiße, 12% Neger, der Rest Mischlinge.

Wirtschaft: Nach Agrarreform (1959) unterstehen der Regierung rd. 80% der landwirtschaftl. Betriebsfläche. Die Zuckererzeugung bildet weiterhin die Grundlage der Landwirtschaft, jedoch wird die Nahrungsmittelerzeugung verstärkt durch Anbau von Reis, Bohnen, Mais. Viehzucht und Fischerei wurden ausgebaut. Die Wälder (intensive Aufforstung) liefern wertvolle Hölzer.

An Bodenschätzen werden bes. Eisen, Kupfer, Mangan, Kobalt, Erdöl und Nickel gewonnen. Die Industrie (Zucker-, Tabak-, Textil- u. a.) ist größtenteils verstaatlicht.

Verkehr: 1970 gab es rd. 14800 km Bahnlinien und rd. 19000 km Straßen.

Staat. Die Verfassung wurde 1959 von F. Castro durch das *Grundgesetz* abgelöst. Staatsoberhaupt ist der Präsident. Die Macht übt faktisch MinPräs. Castro aus. Der Kongreß (Parlament) wurde 1959 aufgelöst. Im Okt. 1974 wurde ein Verfassungsausschuß gegründet zur Ausarbeitung einer Verfassung.

Verwaltungseinteilung in 6 Provinzen. Landessprache ist Spanisch. Wappen: FARBTAFEL Wappen II, Flagge: FARBTAFEL Flaggen II. Maße und Gewichte metrisch. Währungseinheit: Peso zu 100 Centavos.

Die Kirche ist vom Staat getrennt. Die kath. Kirche hat zwei Kirchenprovinzen (Habana, Santiago).

Bildungswesen: allgem. Schulpflicht vom 6.–15. Lebensjahr; Universitäten in Habana, Santiago, Santa Clara.

Streitkräfte: Allgem. Wehrpflicht (3 Jahre) für Männer (18.–45. Lebensjahr); für Frauen freiwillige Dienstzeit (2 Jahre). Heer und Sicherheitstruppen zählen etwa 90000 Mann, daneben eine Volksmiliz von mehr als 200000 Mann.

GESCHICHTE. K. wurde am 28. 10. 1492 von Kolumbus entdeckt. Die Spanier nahmen die Insel 1511 in Besitz und nannten sie *Fernandina.* Da die indian. Einwohner bald ausgerottet waren, wurden afrikan. Negersklaven als Arbeitskräfte eingeführt. Nach Erlangung der Unabhängigkeit des festländ. Lateinamerika (Anfang des 19. Jhs.) blieb K. die wichtigste Kolonie Spaniens. 1868–78 verheerte ein großer Aufstand der unzufriedenen Kreolen das Land. 1880 wurde die Sklaverei aufgehoben. Ein neuer Aufstand (1895) mündete 1898 in den für Spanien unglückl. Krieg mit den USA; Spanien mußte auf K. verzichten, das 1901/02 als Republik unter der Schutzherrschaft der USA unabhängig wurde; das Wirtschaftsleben geriet ganz in Abhängigkeit von nordamerikan. Kapital. 1917/18 nahm K. am 1. Weltkrieg gegen das Dt. Reich teil. Präsident Machado (1925–34) konnte die schwere Notlage des Landes infolge der Weltwirtschaftskrise nicht abwenden. 1934 gaben die USA ihre Schutzherrschaft förmlich auf. Der eigentl. Machthaber wurde seit 1934 General Batista, der als Präsident (1940–44, wieder seit 1952/54) diktatorisch regierte. Führer der Opposition wurde Fidel Castro, der seit 1956 einen Guerillakrieg gegen Batista führte. Batista mußte am 1. 1. 1959 ins Ausland fliehen. Seit 13. 2. 1959 ist Castro MinPräs., sein Bruder Raoul Castro militär. Befehlshaber. Die Politik Castros neigte immer deutlicher zum Marxismus, sie führte am 4. 1. 1961 zum Abbruch der diplomat. Beziehungen mit den USA. Ein Landeversuch von Exil-Kubanern auf K. (in der »Schweinebucht«) im April 1961 mißglückte. Im Okt. 1962 kam es zur →Kuba-Krise.

Unter dem Einfluß der kuban. Revolution verstärkten sich auch revolutionäre Strömungen in Lateinamerika. Der Tod E. »Che« →Guevaras (1967) war ein schwerer Rückschlag für die Pläne, die einzelnen lateinamerikan. Staaten durch Guerillaaktionen zu erschüttern und dadurch gleichzeitig den Ring um K. von außen zu sprengen. Zu den Staaten des Ostblocks, insbes. zur Sowjetunion bestehen enge Beziehungen. Im Juni 1974 fanden (in der Provinz Matanzas) die ersten Wahlen seit der Machtübernahme durch Castro statt.

K. ist Gründermitgl. der UN (1945).

Kuba, eigentl. Kurt *Bartel,* Lyriker, * Garnsdorf (b. Chemnitz) 8. 6. 1914, † Frankfurt a. M. 12. 2. 1967; schrieb Gedichte, Reisebücher.

Kuba-Krise, Höhepunkt der Auseinandersetzung zwischen den Verein. Staaten und Kuba und zugleich schwerer Konflikt zwischen den Verein. Staaten und der Sowjetunion. Die Krise wurde ausgelöst durch die Lieferung weitreichender sowjet. Raketen an Kuba und den Bau von Abschußrampen auf der Insel im Okt. 1962. Chruschtschow erklärte sich am 28. 10. 1962 zum Abbau der Abschußrampen und Rücktransport der Raketen bereit. Anfang Jan. 1963 wurde der Konflikt offiziell beigelegt.

Kub'an, im Altertum *Hypanis,* Fluß in Nordkaukasien, 941 km lang, kommt vom Elbrus, mündet ins Asowsche Meer.

Kub'ango, Fluß in Angola, entspringt auf dem Bihé-Hochland, verliert sich (als *Okawango)* im Ngamisee (Botswana); 1800 km lang.

K'ubany, tschech. Boubín, Berg im südöstl. Böhmerwald, 1362 m hoch, mit Urwald (Naturschutzgebiet).

Kubat'ur [lat. Kw.], Bestimmung des Rauminhalts eines von krummen Flächen begrenzten Körpers.

K'ubba [arab.] *die, islam. Baukunst:* Gewölbe, Kuppel; auch ein mit einer Kuppel überwölbter Grabbau.

Kübbung [niederd.], Seitenteil des niedersächsischen Bauernhauses.

K'ubelik, Rafael, Dirigent und Komponist, * Bychorie 29. 6. 1914, wurde 1936 Leiter der tschech. Philharmonie in Prag, seit 1950 Dirigent in Chicago, 1955–58 musikal. Direktor der Covent Garden Opera (London), 1961 Chefdirigent am Bayerischen Rundfunk in München.

kubieren [lat. Kw.], 1) *Mathematik:* in die 3. Potenz erheben. 2) den Rauminhalt eines Körpers berechnen. 3) den Festgehalt von Baumstämmen und Abschnitten berechnen.

kub'ik ... [zu kubieren], 1) Raum... : das Kubikmeter, Raummeter. 2) Würfel... 3) die 3. Potenz: Kubikzahl, z. B. $8 = 2^3$, $27 = 3^3$ usw.; Kubikwurzel, die 3. Wurzel aus einer Zahl, z. B. $\sqrt[3]{64} = 4$.

Kubilai, Chubilai, Kublai Chan, mongol. Groß-Chan (seit 1259), * 23. 9. 1215, † Peking 18. 2. 1294, Enkel Tschingis Chans, folgte seinem Bruder Möngkä, vollendete die Unterwerfung Chinas und einigte es unter der Mongolen-(Yüan-)Dynastie, unter der das Land wirtschaftlich aufblühte. An seinem Hof weilte Marco Polo.

Kub'in, Alfred, Zeichner, * Leitmeritz (Böhmen) 10. 4. 1877, † 20. 8. 1959 in Zwickledt bei Wernstein am Inn, wo er seit 1906 lebte. K. schuf vor allem Federzeichnungen und Lithographien. Als Illustrator bevorzugte er das Romantische und die Nachtseiten des Lebens behandelnde Werke von Schriftstellern wie E. T. A. Hoffmann,

Kubin: Hengst und Schlange (Lithographie, 1920)

Poe und Dostojewski. Er schrieb den Roman ›Die andere Seite‹ (1908, 1928).

Lit. A. K., im Auftr. des K.-Archivs, Hamburg, hg. v. P. Raabe (1957); H. Horodisch: A. K., Taschenbibliographie (1962).

kubisch, 1) in der 3. Potenz. 2) würfelförmig; räumlich.

kubische Gleichung, Gleichung 3. Grades.

Kub'ismus, eine von Picasso und Braque begründete Richtung der Malerei, die mit

Kubismus: Geige und Krug von Georges Braque, 1910 (Basel, Kunstmuseum)

ihren seit 1908 (die Bezeichnung geht auf den Kritiker Vauxcelles zurück) entstandenen Bildern nicht mehr einen optischen Eindruck wiedergab, sondern, ausgehend vom Spätstil Cézannes, das Gegenständliche auf stereometrische Grundformen (Zylinder, Kugel, Kegel) zurückführte. Indem ihre Anhänger mehrere Ansichten zugleich zu erfassen suchten und in facettenartigen Brechungen in die Fläche übersetzten, schufen sie Bildkompositionen, meist Stilleben in grauen und braunen Tönen. Der K. wurde bald von vielen Malern aufgenommen und war in mannigfachen, später abstrakter werdenden, auch von der Farbe ausgehenden Abwandlungen (J. Gris, R. Delaunay, A. Gleizes u. a.) von nachhaltiger Wirkung auf die moderne Malerei, in Deutschland bes. auf →Feininger, die Künstler des →Blauen Reiters und das Bauhaus.

Lit. G. Apollinaire: Les peintres cubistes (1913); P. E. Küppers: Der K. (1920); A. Gleizes: Du cubisme (1920; dt. 1928); G. Habasque: K. (Genf 1959); P. Cabanne: Die heroische Zeit des K. (dt. 1964); E. Fry: Der K. (1966).

Kubi

Kubitschek de Oliveira, Juscelino, brasilian. Politiker, * Diamantina (Minas Gerais) 12. 9. 1902, Arzt, wurde 1934 Abg. von Minas Gerais, 1946 Gouv. dieses Staates, 1956–61 Staatspräs. K. betrieb die Gründung der Hauptstadt Brasilia. Seit 1964 lebt K. im Exil in Paris, seit 1966 in Portugal.

Kublai Chan, →Kubilai.

K´ubu, vormalaiischer, den Wedda ähnlicher Volksstamm auf S-Sumatra, z. T. noch nicht seßhafte Jäger.

K´ubus [lat.] *der,* der Würfel.

Kuby, Erich, Schriftsteller, * Baden-Baden 28. 6. 1910, schrieb Erzählungen, Dramen, Hörspiele; Zeitkritiken bundesdeutscher Verhältnisse.

WERKE. Das ist des Deutschen Vaterland (1956), Rosemarie (1958), Alles im Eimer (1959), Sieg! Sieg! (1961), Die Russen in Berlin (1965).

Kucharzewski [kuxaȝ´ɛfski], Jan, poln. Politiker und Historiker, * Wysokie Mazowieckie 27. 5. 1876, † New York 4. 7. 1952, wirkte während des 1. Weltkriegs in der Schweiz mit Paderewski für die poln. Sache und war Nov. 1917 bis Febr. 1918 der erste MinPräs. der vom Regentschaftsrat berufenen Regierung. Er verfaßte u. a. ein Werk über Rußland ›Vom weißen zum roten Zarentum‹ (7 Bde., poln. 1923–39).

Küche [lat. Lw.; Völkerwanderungszeit], der Wirtschaftsraum der Wohnung. Als selbständiger zweckgebunder Raum ist die K. erst in fortgeschrittenen Kulturen nachweisbar, so in mesopotamischen Stadthäusern schon um 2000 v. Chr., im Abendland erst etwa seit dem 5. vorchristl. Jahrhundert (griech. Häuser von Olynthos, Delos u. a.). Im röm. Haus ist eine eigene K. regelmäßig vorhanden, aber meist klein und primitiv, vor allem ohne eigentl. Rauchabzug. Dagegen hatten die Klöster und Burgen des MA.s oft sehr große K. mit gewaltigen, auf Pfeilern und Bogen aufgemauerten Schloten (Rauchfängen); sie wurden vielfach als selbständige zentrale Steinbauten errichtet, so bes. in Frankreich und stets im mittelalterl. England, aber auch schon auf dem Klosterplan von St. Gallen (um 820). Im Bauern- und Bürgerhaus wurde die Absonderung der Küche durchweg auch schon im späteren MA. vollzogen; auch hier war sie mit einem großen Rauchfang ausgestattet. Die materielle Kultur des 16.–18. Jhs. machte wiederum geräumige K. mit großen Herden und Rauchfängen notwendig, bes. in Schlössern und vornehmen Stadthäusern. Die Rauchfänge verschwanden erst nach 1800 mit dem Aufkommen von geschlossenen Herden, die an Rauchrohre angeschlossen werden konnten. – Zur festen Einrichtung der K. gehörte schon im MA. außer dem Herd ein Spül- und Ausgußstein, manchmal auch ein Brunnen oder ein Backofen. In größeren K. gab es fest eingebaute Tische mit schweren Holz- oder Steinplatten; auch hierfür scheint der St. Gallener Klosterplan ein frühes Beispiel zu bieten.

LIT. M. Heyne: Das dt. Wohnungswesen von den älteren Zeiten bis zum 16. Jh. (1899).

Küchenkräuter, →Gewürzpflanzen (TAFELN Bd. 7, S. 258/59).

K´üchenlatein, schlechtes Latein, besonders das verderbte Mönchs- und Universitätslatein des späten Mittelalters, das durch den Spott der italien. Humanisten und namentlich durch die Veröffentlichung der Epistolae obscurorum virorum (→Dunkelmännerbriefe) verdrängt wurde.

Küchenschabe, Insekt, →Schaben.

Küchenschelle [d. h. ›Kühchenglocke‹], die Pflanzensippe →Pulsatille.

Küchenstück, in der Malerei die Darstellung von Motiven und Gegenständen aus der Küche, bei den Niederländern des späten 16. Jhs. aufgekommen (P. Aertsen), von den Italienern als kunstunwürdig abgelehnt (Ausnahme: B. Strozzi).

Kuching [k´u:tʃiŋ], Hauptstadt von Sarawak, Malaysia, mit (1970) 64000 Ew.

K´üchler, Georg von, Generalfeldmarschall (1942), * Philippsruh (bei Hanau) 30. 5. 1881, † Garmisch-Partenkirchen 25. 5. 1968, führte im 2. Weltkrieg eine Armee im Polen-, Frankreich- und Rußlandfeldzug, dann die Heeresgruppe Nord. 1944 enthob ihn Hitler seines Kommandos. K. wurde Ende Okt. 1948 in Nürnberg zu 20 Jahren Haft verurteilt, 1953 freigelassen.

Kuči [kutʃi], alban. Volksstamm im südöstl. ehem. Montenegro.

K´uckucke [nach dem Ruf], Cuculi, eine vielgestaltige Vogelordnung. Die meisten K. legen weiße Eier in selbstgebaute Nester. Zu den K., die Brutparasiten geworden sind, gehört der *gemeine K.* (C. canorus). Das Weibchen die etwa 8–15 Eier auf ebenso viele fremde, möglichst von Paaren der gleichen Singvogelart herrührende Nester verteilt. Die Eier eines K. gleichen den Eiern der von ihm bevorzugten Wirtsvogelart oft täuschend. Der nach 12½tägiger Bebrütung etwa gleichzeitig mit seinen Stiefgeschwistern ausschlüpfende K. wirft diese in den ersten Lebenstagen über den Nestrand hin-

junger Kuckuck

aus; daher wächst er ohne Mitbewerber auf. Mitte April trifft der K. in Mitteleuropa ein, seinen Ruf hört man bis Juli; im Herbst zieht er nach Afrika.

Volkskundliches. Der in *(Gutz-)Gauch* erhaltene german. Name des K. wird vom Niederdt. her seit dem 13. Jh. durch das schallnachahmende K. ersetzt, das die meisten indogerman. Sprachen kennen. Die auffallenden Lebensformen des K. haben die Volksphantasie im Kinderlied, Sprichwort und in der Natursage beschäftigt. Im Volksglauben hat die Anzahl seiner Rufe Bedeutung für Lebensdauer, Geld, Heirat, Wetter. Fliegt der scheue Vogel ins Dorf, so bedeutet das Unheil. Teilweise gilt er als überirdisch, seit dem 16. Jh. auch als Teufel. Als Symbol für Minderwertiges ist der K. Gegenbild des Adlers in polit. Spottliedern; auch der Adler auf Pfändungssiegeln wird scherzhaft K. genannt.

Kuckucksblume, Sumpfdotterblume, Waldhyazinthe u. a.

Kuckucksei, etwas Untergeschobenes, z. B. untergeschobenes Kind; zweifelhaftes Geschenk, Anspielung darauf, daß der Kukkuck seine Eier zum Ausbrüten in fremde Nester legt.

Kuckucksklee, →Sauerklee.

Kuckucksnelke, eine →Lichtnelke.

Kuckucksspeichel, Schaum der →Schaumzikade.

Küddow [kˈydo:], rechter Nebenfluß der Netze, entspringt an der Pommerschen Seenplatte, fließt durch den Vilmsee und mündet, 105 km lang, südöstl. von Schneidemühl (Pila).

Kˈudlich, Hans, österreich. Politiker, * Lobenstein (Österreichisch-Schlesien) 23. 10. 1823, † Hoboken (bei New York) 11. 11. 1917, war 1848 Mitglied des österreich. Reichstags. K.s Antrag auf Aufhebung der bäuerl. Untertänigkeit und Lasten wurde am 7. 9. 1848 Gesetz. Infolge seiner Teilnahme am Wiener Oktoberaufstand und am pfälz. Aufstand von 1849 wurde er in Abwesenheit zum Tode verurteilt und ging nach Amerika. – ›Rückblicke und Erinnerungen‹, 3 Bde. (1873, Neudr. 1924).

Kudˈowa, Bad K., Gemeinde im ehemal. Kr. Glatz, Niederschlesien, 400 m ü. M., in einem geschützten Talkessel, nahe dem Heuscheuergebirge, hatte (1939) 2000 Ew. Die kohlensäurehaltigen Stahlquellen (→Heilquellen, ÜBERSICHT) waren schon 1580 bekannt. K. steht seit 1945 unter poln. Verwaltung *(Kudowa Zdrój).*

Kudrun, Gudrun, Heldin des kleineren und jüngeren der beiden großen mittelhochdt. Heldenepen des 13. Jhs. (um 1230). Das Gedicht umfaßt drei Generationen (Hagen von Irland, seine schöne Tochter Hilde und Hildes Tochter K.). Es stellt zweimal das Motiv räuberischer Entführung über See in den Mittelpunkt des Geschehens. Den Kern der Sage findet bereits wohl ein dänisches Lied. Der Stoff erfuhr um 1230 in Österreich die erhaltene Umdichtung (Ambraser

Handschr. d. 16. Jhs., jetzt in Wien) ins Höfische in der Kudrunstrophe, die der Nibelungenstrophe ähnelt. Ausgaben: K. Bartsch (Neudr. 1921, [5]1965), E. Sievers ([2]1930); Übers. K. Simrock (n. Ausg. 1934), H. A. Junghans (n. Ausg. 1938), B. Symons ([3]1954).

LIT. M. Kübel: Das Fortleben des Kudrunepos (1929); F. Neumann in Stammlers Verfasserlexikon, 2 (1936); R. Wisniewski: K. (1963); H. Stiefken: Überindividuelle Formen und der Aufbau des K.-Epos (1966).

Kudrun: Anfang der Ambraser Handschrift

Kuds, el-K., Quds, arab. Name für Jerusalem.

Kˈudu, Paarhufer, →Waldböcke.

Kudˈymkar, die Hauptstadt des Nationalbezirks der Komi-Permjaken im Gebiet Perm, Russ. SFSR, mit (1972) 26000 Ew.; Holzkombinat, Eisengießerei.

Kueijang, postamtl. **Kweiyang,** Hauptstadt der Prov. Kueitschou, China, mit rund 505000 Ew.; in der Nähe Quecksilbergewinnung.

Kueilin, postamtl. **Kweilin,** Stadt in dem autonomen Gebiet Kuangsi-Tschuang, China, mit rd. 200000 Ew.; bis 1914 (und 1936) Hauptstadt von Kuangsi.

Kueisui, jetzt Huhehot, seit 1954 Hauptstadt der Inn. Mongolei, China, mit etwa 300000 Ew., in fruchtbarer Steppenlandschaft; bedeutender Markt für Wolle, Rinder- u. Hammeltalg; hat mongol. Univ.

Kueitschou, postamtl. **Kweichow,** Prov. in SW-China, 174000 qkm groß, mit rund 17 Mill. Ew. Hauptstadt ist Kueijang. An Bodenschätzen finden sich Kohlen, Quecksilber, Steinsalz, Eisen.

Kuenlun [kun-], asiatischer Gebirge, →Kunlun.

Kues [kuːs], Stadtteil von →Bernkastel-Kues.

Kues, Nikolaus von, →Nikolaus.

Kˈufa, Ruinenstadt am Euphrat im Irak, ehemal. Kalifenresidenz, unter dem Kalifen Omar 638 als Militärlager gegr., mit berühmter Schule der arab. Sprachwissenschaft.

Kufe

Kufe [ahd., Lw. aus dem Lat.], früheres dt. Biermaß, in einigen dt. Staaten, z. B. in Preußen 1 Gebräude = 9 K. = 18 Faß = 36 Tonnen = 3600 Quart = 41,221 hl.

K'ufe [aus ahd. choha ›Schlittenschnabel‹], Laufschiene des Schlittens.

Küfer, Kelleraufseher, auch →Böttcher.

Kuff die, flachgehendes ostfries. Küstenfrachtsegelschiff mit runden Schiffsenden.

kufische Schrift [nach der Stadt Kufa], die eckige Monumentalform der →arabischen Schrift; aus ihr entstand seit dem 10. Jh. die noch heute in ganz Nordafrika gebräuchliche maghrebinische Schrift.

Küfou, postamtl. Küfow, Stadt in der Provinz Schantung, China, Geburts- und Begräbnisort des Konfuzius, mit Gedächtnistempel und Grabhain seiner Nachkommen.

K'ufra, Oasengruppe in der Libyschen Wüste, von Dünenlandschaft umgeben, mit etwa 9000 Ew., einst Hochburg der →Senussi.

K'ufstein, Bezirksstadt in Tirol, Österreich, 503 m ü. M., mit (1971) 12 500 Ew., im Inntal gelegen, überragt von einem 120 m hohen Felsen mit der Festung, die ehemals den bayer. Herzögen gehörte, 1504 von Kaiser Maximilian erobert und ausgebaut (Kaiserturm) und später viel umkämpft wurde. K. ist Zugang zum Kaisergebirge; Fremdenverkehr.

Kuge, der alte japan. Hofadel in Kioto; nach der Reform von 1869 in dem neuen Adel (→Kwazoku) aufgegangen (→Adel).

Kugel [german. Stw.]. Geometrie: eine gekrümmte geschlossene Fläche, deren Punkte von einem festen Punkt (Mittelpunkt) einen festen Abstand (Radius, Halbmesser) haben. In der Umgangssprache ist K. auch der von dieser Fläche (Oberfläche) umschlossene Körper. Die gerade Verbindungslinie zweier Kugelpunkte heißt Sehne und, wenn sie durch den Mittelpunkt geht, Durchmesser. Durch den Mittelpunkt gelegte Ebenen schneiden die K. in größten Kreisen (Großkreisen). Eine Ebene teilt die Kugeloberfläche in zwei Kugelhauben (Kugelkappen, Kalotten), den Kugelraum in zwei Kugelabschnitte (Kugelsegmente). Zwischen zwei

Kugel, Kugeldreieck

parallelen Ebenen liegt auf der Kugelfläche eine Kugelzone (Gürtel); beide Ebenen begrenzen eine Kugelschicht. Ein Kegel, dessen Spitze im Kugelmittelpunkt liegt, begrenzt mit dem dazugehörigen Kugelabschnitt einen Kugelausschnitt (Kugelsektor). Der Rauminhalt einer K. mit Halbmesser r ist $\frac{4}{3}\pi r^3$, die Oberfläche $4\pi r^2$.

Kugelamphoren, Kugelflaschen, Tongefäße mit gewölbtem Boden und reicher Verzierung an Hals und Schulter, Haupttyp einer Untergruppe des jungsteinzeitl. nordischen Kreises mit Zentrum in der östl. und nördl. Harzvorland.

Kugelblume, 1) Globularia, Pflanzengattung der Kugelblumengewächse (Globulariaceen), staudige Pflanzen mit Köpfchen aus vielen schmalzipfligen Blütchen, so die gemeine K. (blaue Gänseblume, blaues Maßlieb, G. vulgaris), mit blauen Köpfchen, auf trockenem Grasboden des wärmeren Europas. 2) eine →Trollblume.

Kugelbogen, ein in Vorder- und Hinterindien, China und in nachkolumb. Zeit auch in Teilen Südamerikas benutzter Bogen zum Schießen von Vögeln mit Tonkugeln, für die ein Widerlager zwischen zwei parallel laufenden Sehnen angebracht ist.

Kugeldistel, Echinops, Korbblütergattung, distelförmige Stauden mit nur einblütigen Blütenkörbchen, die in großer Zahl zu kugeligen Blütenständen vereinigt sind: gemeine K. (Speerdistel, E. sphaerocephalus), bis 2 m hoch, mit filzigem Stengel, unterseits wolligen Blättern und 3 cm dicken bläulichweißen oder stahlblauen Kugelköpfen, in Südeuropa, Sibirien und im Kaukasusgebiet, in Mitteleuropa verwildert; blaue K. (E. ritro), aus Südeuropa und dem Orient stammend, mit fein gefiederten Blättern.

K'ugeldreieck, sphärisches Dreieck, ein (nicht ebenes) Dreieck auf einer Kugel, entsteht, wenn drei Punkte einer Kugeloberfläche durch Bogen größter Kreise verbunden werden. Das K. ist wichtig für Berechnungen in der Astronomie und Nautik. Die Beziehungen zwischen den Längen der Dreieckseiten (Kreisbögen) und den von ihnen eingeschlossenen Winkeln α, β, γ erfaßt die sphärische Trigonometrie.

Kugel|endmaße sind →Endmaße mit kugelförm. Meßflächen und zylindr. Querschnitt, die vorzugsweise als →Lehren zur Messung von Bohrungen benutzt werden.

Kugelfang, Geschoßfang, auf Schießständen hinter der Scheibe aufgeworfener 5–10 m hoher Erdwall, der die Geschosse auffangen soll.

Kugelfisch, der →Igelfisch.

K'ügelgen, 1) Gerhard von, Maler, * Bacharach 6. 2. 1772, † (ermordet) bei Dresden 27. 3. 1820, tätig in Rom, Petersburg, Dresden, malte religiöse und mytholog. Bilder klassizist. Art und Bildnisse (Goethe, Schiller, C. D. Friedrich u. a.). Lit. L. v. K.: G. v. K. und die anderen 7 Künstler der Familie (³1924).

2) Wilhelm von, Maler und Schriftsteller, Sohn von 1), * Petersburg 20. 11. 1802, † Ballenstedt 25. 5. 1867, wo er Hofmaler, später Kammerherr war, malte Bildnisse (Goethe, Wieland u. a.) und religiöse Bilder; bekannt vor allem durch seine gemütvoll geschriebenen ›Jugenderinnerungen eines alten Mannes‹ (1870).

Kugellager, ein Maschinenlager, →Lager.

Kugelmühle, Maschine zum Zerkleinern von hartem Gut: eine innen gepanzerte und mit Löchern versehene drehbare Trommel, mit Stahl-, Porzellankugeln, Flintsteinen od. dgl. und Mahlgut gefüllt; beim Drehen der Trommel wird das Mahlgut zerkleinert.

Kugelpackung, räuml. Anordnung aus sich berührenden, gleichen oder verschieden großen Kugeln. Für die Kristallkunde sind die dichtesten K. gleicher Kugeln bes. wichtig.

Kugelschale, der zwischen zwei konzentrischen Kugeln liegende Teil des Raumes.

Kugelschaufler, Gerät zum Fördern von Schüttgütern mit schwenkbarem Tragrohr und kugelförm. Schaufelkopf.

Kugelschreiber, Sonderform des Füllfederhalters mit einer etwa 1 mm starken Kugel als Schreibspitze. Die Kugel sitzt am Ende eines mit Farbpaste gefüllten Röhrchens (Patrone, Mine).

Kugelstoßen, *Leichtathletik:* das Stoßen einer Kugel aus Eisen von 7,25 kg (für Männer) oder 4 kg Gewicht (für Frauen) aus einem Kreis von 2,13 m Durchmesser heraus.

Kugelzellenanämie, eine erbliche Gelbsucht mit Fehlbildung der roten Blutkörperchen (Kugelzellen).

Kugelzweieck, von zwei Großkreisen gebildete Figur auf einer Kugeloberfläche.

Kugler, Franz, Kunsthistoriker, * Stettin 19. 1. 1808, † Berlin 13. 3. 1858, dort Dozent für Kunstgeschichte, die er in später z. T. von J. Burckhardt und W. Lübke bearbeiteten Handbüchern als einer der ersten wissenschaftlich behandelte; seit 1849 Kunstdezernent im Preuß. Kultusministerium, auch Geschichtsschreiber (Geschichte Friedrichs d. Gr., mit Holzschnitten von A. Menzel, 1841), Dichter (An der Saale hellem Strande u. a.) und Maler (Eichendorff). In seinem ›Handbuch der Kunstgeschichte‹ (2 Bde., 1841/42) wird erstmals der Stoff in Verbindung mit den historischen Epochen dargestellt.

Kuh [german. Stw.], weibliches →Rind; auch kurz für: Elefantenkuh, Hirschkuh und weitere Tierweibchen.

K'uh\|antilopen, kuhähnliche Antilopen mit Quastenschwanz, in Afrika und Arabien: das *Hartebeest* (die *Kaama* oder *Kama*), mit scharfwinklig gebogenen Hörnern; die Gattung *Leierantilope* mit dem *Buntbock,* die 2 m Länge und 1,2 m Schulterhöhe erreicht, sowie dem kleineren *Bleßbock*; die Gattung *Gnu,* mähnentragend, mit dem *Weißschwanz-Gnu (Wildebeest),* dem *Streifen-Gnu (blaues Gnu)* und dem *Weißbart-Gnu.*

Kuh\|auge, ein →Augenfalter.

Kuhbaum, ein →Brotnußbaum.

Kuhblume, Sumpfdotterblume, Trollblume, Hahnenfußarten u. a.

Kuhfuß, Geißfuß (Brechstange).

Kuhhandel, übler Tauschhandel, bes. im parlamentar. Leben.

k'uh\|hessig, mit x-förmiger Stellung der Hinterfüße (Tier).

Kuehl, Gotthardt, Maler, * Lübeck 28. 11. 1850, † Dresden 10. 1. 1915, seit 1894 Prof. der Akademie das., malte Stadtansichten, bes. von Dresden, auch Innenraumbilder und Bildnisse in impressionist. Stil.

Kuhl, Hermann von (1913), preuß. General und Militärschriftsteller, * Koblenz 2. 11. 1856, † Frankfurt a. M. 4. 11. 1958, war im 1. Weltkrieg Chef des Generalstabes verschiedener Armeen. Pour le mérite (Kriegsund Friedensklasse, 1905).

WERKE. Bonapartes erster Feldzug 1796 (1902); Der deutsche Generalstab in Vorbereitung u. Durchführung d. Weltkriegs (1920), Der Marnefeldzug 1914 (1921), Der Weltkrieg 1914–18, 2 Bde. (1929).

K'uhländchen, Landschaft in N-Mähren, Tschechoslowakei, an der oberen Oder um Fulnek, war seit dem 11. Jh. dt. Sprachgebiet.

Kühl\|anlage, Anlage zum Kühlen von Räumen oder Lebensmitteln unter Anwendung von →Kältemaschinen. Bei *direkter Kühlung* befindet sich der Verdampfer der K. in dem zu kühlenden Raum selbst; bei *mittelbarer Kühlung* wird im Verdampfer eine Salzlösung (Sole) herabgekühlt, die dann, durch eine Pumpe dem Kühlraum zugeführt, dessen Kühlung übernimmt. Bei *Tief-K.* wird in mehreren Stufen bis –100° C gekühlt (→Tiefkühlung).

Kuhantilopen:
Weißbart-Gnu (2,80 m lang, 1,35 m hoch)

K'uhlau, Friedrich, Komponist, * Uelzen 11. 9. 1786, † Lyngbye bei Kopenhagen 12. 3. 1832. Bekannt sind seine für den Unterricht beliebten zwei- und vierhändigen Sonaten und Sonatinen für Klavier.

Kühler, 1) *Chemie:* Gerät zum Abkühlen und Verdichten von Dämpfen bei der →Destillation. **2)** beim Kraftwagen und Flugzeug eine Vorrichtung zum Rückkühlen der im Motor erwärmten Kühlflüssigkeit oder des Schmieröls. Es gibt *Röhrchen-K.* mit wasser- oder öldurchflossenen Röhrchen und um diese geführter Kühlluft, sowie *Lamellen-K.* aus geeignet geformten Blechen.

Kühlflasche, mit Äthylchlorid gefüllte Glasflasche mit einem Hebelventil. Der Dampfdruck des Äthylchlorids liegt bei Zimmertemperatur ein wenig über dem normalen Luftdruck, so daß beim Öffnen des Ventils die Flüssigkeit ausgespritzt wird und durch sofortige Verdunstung die getroffene Fläche abkühlt. K. werden in der Heilkunde zum örtl. Einfrieren, im chem. Laboratorium u. a. verwendet.

Kuhlmann, Quirinus, * Breslau 25. 2. 1651, † (verbrannt) Moskau 4. 10. 1689, brach unter dem Einfluß der mystischen Gedankenwelt der Barockzeit mit dem offiziellen Kirchentum und wurde zum revolutionären Apokalyptiker. Er zog als »Prinz Gottes« und »Jesueliter« nach Konstantinopel, um den Sultan zur Vollstreckung des Gottesgerichts an den Kirchen und Staaten des Abendlandes zu bewegen und warb schließlich für seine Ideen in Moskau, wo er hingerichtet wurde. Er schrieb geistl. Lyrik des Barock (Kühlpsalter 1684–86, Neudruck 2 Bde., 1967 ff.).

Lit. C. V. Bock: Q. K. als Dichter (1957); W. Dietze; Q. K., Ketzer und Poet (1963).

Kühlmann, 1) Knut von, Frh. von **Stumm-Ramholz,** Politiker, Sohn von 2), * München 17. 10. 1916, seit 1960 MdB (Mandat niedergelegt 30. 5. 1972), 1963 Fraktionsvors., 1968 stellvertr. Fraktionsvors. der FDP; seit Juli 1972 Mitgl. der CDU (MdB).

2) Richard von, Diplomat und Schriftsteller, * Konstantinopel 3. 5. 1873, † Ohlstadt bei Murnau 16. 2. 1948, schloß als Staatssekretär des Ausw. Amts (Aug. 1917 bis Juli 1918) die Friedensverträge von Brest Litowsk mit Sowjetrußland und von Bukarest mit Rumänien ab, geriet aber in Gegensatz zur Obersten Heeresleitung (Ludendorff).

Werke. Gedanken über Deutschland (1931), Entwicklung der Großmächte (1935), Die Diplomaten (1939), Erinnerungen (1948); Romane.

Kuhlmann-Konzern, Paris, *Etablissements K.,* bedeutendstes Unternehmen der franz. chem. Industrie, gegr. 1825 in Lille; AG seit 1870; nach 1918 rasche Entwicklung bes. durch Produktion von Farbstoffen.

Kühlmann-Stumm, →Kuhlmann.

Kühlschlange, gewundenes Rohr, durch das ein Kälteträger fließt und dabei die Umgebung kühlt.

Kühlschmierung, eine Schmierung durch dünnflüssige Schmiermittel, die die Wärme abführt und die Reibung vermindert, bes. bei der spanenden Formung.

Kühlschrank, Haushaltgerät mit einer kleinen →Kältemaschine zum Kühlhalten von Lebensmitteln. *Kompressions-K.* werden elektr. betrieben, der Nutzraum beträgt 60 bis 240 *l,* der Energieverbrauch in 24 Stunden etwa 0,5–1 kWh. *Absorptions-K.* werden mit Gas oder elektr. Strom geheizt. Der Kühlraum beträgt 30–120 *l,* der Energieverbrauch für 24 Stunden 3,0–4,5 kWh.

K'ühlte [von kühl] *die,* **Kühle,** schwacher bis mittelstarker Wind, z. B. *Bramsegelkühlte,* Wind, bei dem ein vor dem Wind segelndes Schiff die Bramsegel noch führen kann.

Kühlturm, Gerüst aus Holz, Stahl oder Stahlbeton, meist mit Holzverschalung, zur Abkühlung von Warmwasser. Das Warmwasser rieselt nach unten, während Luft im Gegenstrom nach oben zieht und hierbei Wärme aufnimmt.

Kühlungsborn, bis 1938 **Brunshaupten-Arendsee,** Stadt im Kr. Bad Doberan, Bez. Rostock, mit (1964) 8100 Ew., Ostseebad in waldiger Landschaft am Fuße der *Kühlung,* eines Moränenhügellandes.

Kühlwagen, durch Isolierstoffe wie Korkplatten wärmegeschützter und meist durch Eis gekühlter Eisenbahn- oder Lastkraftwagen, in dem leichtverderbl. Lebensmittel befördert werden. Reflektierender Anstrich schützt vor starker Wärmeaufnahme durch Sonnenstrahlung.

Kuhn, 1) Adalbert, Sprachforscher, * Königsberg (Neumark) 19. 11. 1812, † Berlin 5. 5. 1881, begründete mit seiner Schrift ›Zur ältesten Geschichte der indogerman. Völker‹ (1845) die *linguistische Paläontologie,* aus der die indogermän. Altertumskunde hervorging.

2) Helmut, Philosoph, * Lüben (Schles.) 22. 3. 1899, seit 1953 Prof. in München.

Werke. Sokrates (*²1959), Das Sein und das Gute (1962), Der Staat (1967).

3) Hugo, Germanist, * Thaleischweiler 20. 7. 1909, seit 1954 Prof. in München.

Werke. Minnesangs Wende (1952), Dichtung und Welt im MA. (1959).

4) Richard, Chemiker, * Wien 3. 12. 1900, † Heidelberg 31. 7. 1967, seit 1926 Prof. der Chemie in Zürich, seit 1929 in Heidelberg, erhielt (1939) für seine Arbeiten über die Carotinoide und Vitamine den Nobelpreis 1938 für Chemie.

Kühn, 1) Alfred, Zoologe, * Baden-Baden 22. 4. 1885, † Tübingen 21. 11. 1968, arbeitete bes. auf den Gebieten der Entwicklungsphysiologie und Genetik.

Werke. Grundriß der allgem. Zoologie (1922, ¹⁷1969), Grundriß der Vererbungslehre (1939, ⁴1965), Vorlesungen über Entwicklungsphysiologie (²1965).

2) Heinz, Politiker (SPD), * Köln 18. 2. 1912, seit 1966 Min.Präs. von Nordrhein-Westf.; seit 1973 stellvertr. Vors. der SPD.

K'uhnau, Johann, Komponist, * Geising (Erzgebirge) 6. 4. 1660, † Leipzig 5. 6. 1722, war als unmittelbarer Vorgänger Joh. Seb. Bachs Kantor der Thomaskirche in Leipzig. K. hat die mehrsätzige Klaviersonate aus der italien. Triosonate entwickelt.

Werke. Neue Klavierübung (2 Tle., 1689 bis 1692; als Schlußstück die erste Sonate), Frische Klavierfrüchte oder 7 Sonaten

(1696), Bibl. Historien in 6 Sonaten auf dem Klavier (1700); Kirchenmusik, vor allem Kantaten.

K´ühne, Gustav, Schriftsteller, * Magdeburg 27. 12. 1806, † Dresden 22. 4. 1888, redigierte in Leipzig die ›Zeitung für die elegante Welt‹, 1846–59 die Wochenschrift ›Europa‹, zählt zu den Schriftstellern des »Jungen Deutschland«.
WERKE. Klosternovellen, 2 Bde. (1838). Gesammelte Schriften, 12 Bde. (1862–67).

Kühnemann, Eugen, Philosoph, * Hannover 28. 7. 1868, † Fischbach (Riesengeb.) 21. 8. 1946, war Prof. in Marburg (1901), Bonn (1903), Posen (1903), und Breslau (1906), mehrfach Gastprof. in den USA. Vom Standpunkt des Spätidealismus aus schrieb er philosoph. Literaturbetrachtungen und Biographien.

Kuhpilz, Speisepilz, →Röhrling.

K´uhreihen, Kühreigen, französ. *Ranz des Vaches,* alte schweizer. Volksmelodie, wird von den Alphirten gesungen oder auf dem Alphorn geblasen. Eigentümlich ist der Melodie die erhöhte vierte Stufe, die zwischen reiner und übermäßiger Quarte steht. Der Hauptteil des K. ist der Zuruf an die Kühe, dem sich andere melodisch-lyr. Teile anschließen.

Kuhschelle, Pflanzen: Pulsatille, Glockenblume, Nelkenwurz.

K´uibyschew, bis 1935 **Samara,** Hauptstadt des Gebiets K. in der Russ. SFSR, am linken Außenrand der großen Wolgaschleife, bei (1973) 1,117 Mill. Ew., Kulturmittelpunkt (Museen, Bibliotheken, Universität seit 1967), Industrieplatz (Waffen, Maschinen, Textilien, Sägewerke, Ölraffinerie u. a.); war 1941/42 Sitz der Sowjetregierung.

K´uibyschew [-ɛf], Walerian Wladimirowitsch, sowjet. Politiker, * Omsk 1888, † (angebl. vergiftet) 1935, seit 1922 im ZK der Kommunist. Partei, 1928 Mitgl. des Politbüros, einer der nächsten Mitarbeiter Stalins; hatte als Vors. des Obersten Volkswirtschaftsrates (1926–30) und der Staatl. Plankommission Anteil am Aufbau der Planwirtschaft.

K´uibyschewer Meer, Stausee von 600 km Länge, bis 45 km Breite, 52 Mrd. cbm Stauraum, im Wolgalauf zwischen Kuibyschew und Kasan; das große Kraftwerk (jährl. 11 Mrd. kWh) wurde 1958 in Betrieb genommen.

Kuj´awien, geschichtl. Landschaft links der unteren Weichsel, etwa zwischen Bromberg und Gnesen. K. war bis ins 14. Jh. ein selbständiges poln. Teilfürstentum (Herzogtum). Der westl. Teil (um Hohensalza) gehörte 1772–1920 zu Preußen (Prov. Posen).

kuj´awische Gräber, jungsteinzeitl. Hügelgräber, bes. in Kujawien, mit Steinumsetzung in Form eines Dreiecks, an dessen Basis das Grab liegt.

Kuj´on [franz. Lw.; Lutherzeit], Schuft, Kerl. **kujonieren,** schinden, niederträchtig behandeln.

k. u. k., Abk. für kaiserlich und königlich,

d. h. amtlich die ganze österreichisch-ungarische Monarchie (1867–1918) betreffend.

Kukai, mit dem postumen Ehrennamen **Kobo Daishi,** * 774, † 835. Nach zweijähr. Studien in China begründete K. in Japan die buddhist. Shingon-Sekte und verhalf dem Buddhismus zum endgültigen Sieg. Er errichtete 816 ein Kloster, das Hauptsitz seiner Sekte war.

Ku Kai-tschi, chines. Maler, * 321, † 379, am Hof in Nanking tätig, errang hohen Ruhm mit seinen Figurenbildern. Er ist der bekannteste unter den ältesten namentlich genannten chines. Malern.

Kükelhaus, Heinz, Schriftsteller, * Essen 12. 2. 1902, † Bad Berka 3. 5. 1946, schrieb abenteuerliche Geschichten (Thomas der Perlenfischer, 1941).

Küken [niederd. Form von Küchlein] 1) **Kücken, Küchel, Küchlein,** das junge Geflügel mit Ausnahme der Tauben. 2) kegeliger, drehbarer Teil eines Hahns, z. B. eines Gashahns.

Kuki-Tschin-Völker, vorwiegend mongolide, sprachlich und kulturell eng verwandte Großgruppe tibeto-burmanischer Bergbauernstämme.

Ku Klux Klan [kʼjuː klʼʌks klʼæn], polit. Geheimbund im S der USA; er entstand 1865 unmittelbar nach dem Sezessionskrieg in Tennessee, um die befreiten Neger politisch niederzuhalten, und gab sich eine den Freimaurern nachgebildete Organisation mit besonderer Tracht und besonderen Gebräuchen. Wegen des rücksichtslosen Terrors wurde er seit 1871 unterdrückt, lebte jedoch im 1. und bes. nach dem 2. Weltkrieg vor allem im Zusammenhang mit den Bürgerrechtsgesetzen wieder auf.

Ku Klux Klan

Kuk´ulle [lat.], griech. *Kukulion,* im morgenländ. Mönchtum die kapuzenartige Kopfbedeckung der obersten Mönchsklasse, im abendländ. zunächst das benediktinische Ordenskleid, heute das bei mehreren Mönchsorden übliche weite Obergewand der Profesen beim feierl. Chorgebet und der Predigt.

Kuku

Kuku-nor [mongol. ›blauer See‹], chines. Tsinghai, abflußloser See in NW-China, 3205 m ü. M., etwa 5000 qkm groß, mit mehreren Inseln.

K'ukuruz [türk. Lw.] *der, österr., ostmitteld.* Mais.

Kul'ak [russ. ›Faust‹, ›Geizhals‹], Schlagwort für den russ. Großbauern, nach bolschewist. Terminologie der »Dorfkapitalist«. Die K. wurden durch die Kollektivierung der Landwirtschaft vernichtet.

Kul'an [türk.], Wildesel, →Pferde.

kul'ant [franz.], entgegenkommend (in Geldfragen, geschäftlichen Dingen).

Külbel *das*, der an der Glasbläserpfeife hängende, innen hohle Glasposten.

Kuld'eer, engl. *Culdees*, keltische Mönche und Kleriker des 9.–12. Jhs., die einer eigenen, zwischen weltgeistl. und klösterl. Ordnung stehenden kirchl. Lebensform folgten.

Kuldoskop'ie [Kw.], die →Douglasskopie.

K'ulenkampff, Georg, Geiger, * Bremen 23. 1. 1898, † Schaffhausen 4. 10. 1948, war ein bedeutender Interpret klass. und romantischer Violinmusik.

K'uli [ind.], chines., japan., ind. und malaiischer Tagelöhner, Lastträger, seit als billige Arbeitskraft, auch als Pflanzungsarbeiter in Südamerika und Westindien verwendet. Gegen den Zustrom von K. erließen Einwanderungsländer z. T. gesetzl. Bestimmungen.

Kul'ierware, flach oder rund gewirkte oder gestrickte Maschenware (Trikotarten, Damenstrümpfe), bei der ein einziges oder mehrere Fadensysteme in der Querrichtung verarbeitet werden.

K'ulin, südaustral. Volksstamm in Victoria, eine der ältesten austral. Stammes- und Kulturgruppen, sprachl. mit den Kurnai verwandt.

Kul'isse [franz.; eigentl. Rinne, Fuge, in der sich etwas schieben läßt; Gottschedzeit], 1) die in Abständen hintereinander aufgestellten oder aufgehängten, mit bemalter Leinwand bespannten Holzrahmen, die das Bühnenbild seitlich abschließen. Den Abschluß nach hinten bilden *Prospekte*, nach oben *Soffitten*. Die K. wurde zuerst um 1620 in Italien benutzt und 1648 auch in Dtl. eingeführt. Seit Anfang des 20. Jhs. ist die K. fast ganz durch das →Setzstück verdrängt, das auch oft als K. bezeichnet wird. 2) Steuerorgan an Dampfmaschinen und Lokomotiven. 3) freier Markt, an dem »freie Makler« die nicht zur amtlichen Notiz zugelassenen Wertpapiere handeln; auch die Gesamtheit der Börsenbesucher, die auf eigene Rechnung berufsmäßig spekulieren; ursprünglich der Freiverkehr an der Pariser Börse, der sich in den eigenartigen Seitenräumen abspielte im Gegensatz zum Parkett, den Haupträumen für den amtlichen Verkehr.

Kul'itsch [russ.], ein Osterbrot aus Hefeteig, mit Mandeln, Zitronat und Früchten, in hoher, zylindr. Form gebacken, mit Zuckerguß überzogen und mit dem russ. Osterzeichen verziert.

K'ullak, Theodor, Pianist und Komponist,

* Krotoschin (Posen) 12. 9. 1818, † Berlin 1. 3. 1882, gründete dort das Sternsche Konservatorium mit und eröffnete 1855 eine eigene »Akademie der Tonkunst«. Er gab Unterrichtswerke heraus. Sein Bruder *Adolf*, * 1823, † 1862, und sein Sohn *Franz*, * 1844, † 1913, waren ebenfalls Klavierpädagogen.

Kulm [lat. Kw.; in Ostdtl. slaw. Lw.], Berg, Kuppe, Hügel.

Kulm [von engl. culm], in England Bezeichnung für unreine Kohle des Oberkarbons, in Deutschland für das untere Karbon.

Kulm, 1) tschech. *Chlumec*, Stadt im nordwestl. Böhmen, Tschechoslowakei, am Fuß des Erzgebirges, mit etwa 550 Ew. Der *Kulmer Weg* oder *Sorbensteig* führt über den *Nollendorfer Sattel* von Böhmen nach Sachsen. In der Schlacht bei K. und Nollendorf besiegten am 29./30. 8. 1813 die Preußen unter Kleist die Franzosen unter Vandamme. 2) Stadt in Polen, →Culm.

Kulmbach, Kreisstadt im RegBez. Oberfranken, Bayern, westl. des Fichtelgebirges am Weißen Main, 306 m ü. M., mit (1974) 25700 Ew., hat AGer., höhere Schulen, Landwirtschaftsschule, Museum, Bundesanstalt für Fleischforschung, Nährmittel-, Fleischwaren-, Textilfabriken, Brauereien und Mälzereien. Überragt wird K. von der *Plassenburg* (1135 erwähnt, 1560–70 neu errichtet), mit großem Turnierhof und Zinnfigurenmuseum.

K., urkundlich zuerst um 1035 genannt, kam 1340 an die hohenzollernschen Burggrafen von Nürnberg und war seit 1398 der Mittelpunkt eines Fürstentums der Hohenzollern (später Markgrafsch. *Brandenburg-Kulmbach*), bis 1604 Bayreuth die Hauptstadt wurde. 1792 fiel K. an Preußen, 1810 an Bayern.

Kulmbach, Hans von, eigentlich Hans *Süß*, Maler, * Kulmbach (?) um 1476, † Nürnberg 1522, lernte bei Dürer, der ihm für einige Aufträge Entwürfe zeichnete. Er malte Altartafeln und Bildnisse.

WERKE. Anbetung der Könige (1511; Berlin); Tucheraltar, Nürnberg, Sebalduskirche (1513); Katharinenaltar, Krakau, Marienkirche (1514–16).

LIT. F. Winkler: H. v. K. (1959).

Kulminati'on [lat.], 1) der Durchgang eines Gestirns durch den Meridian. Die Schnittpunkte des Tageskreises eines Gestirns mit dem Meridian heißen *oberer* und *unterer* K.-Punkt. Die *obere* K. der Sonne findet um 12 Uhr mittags (wahrer Sonnenzeit), die *untere* 12 Stunden später statt. 2) Höhepunkt einer Entwicklung.

K'ulpa *die*, serbokroat. Kupa, rechter Nebenfluß der Save in Kroatien, Jugoslawien, 379 km lang, von Karlstadt an 135 km weit schiffbar.

K'ülpe, Oswald, Philosoph und Psychologe, * Candau (Kurland) 3. 8. 1862, † München 30. 12. 1915, war Prof. in Würzburg, Bonn und München, begründete die Würzburger Schule der Denkpsychologie. Philosophisch vertrat er einen kritischen Realismus.

WERKE. Grundriß der Psychologie (1893), Die Realisierung, 3 Bde. (1912–23).

Kult [lat.], der →Kultus.

Kultgemeinschaft, die Anteilgewährung am öffentl. Kultus einer christl. Kirche für Mitglieder einer anderen. Innerhalb der EKD ist die K. (Abendmahls- und Kanzelgemeinschaft) Sache der Gliedkirchen und wird weithin geübt; doch lehnen die strengen Lutheraner sie ab.

Kultiv'ator, der →Grubber.

kultivieren [lat. Kw.], 1) pflegen, bilden, verfeinern. 2) bearbeiten, urbar machen.

Kultpfähle, in vorgeschichtl. Zeit an geheiligten Plätzen und auf Hügelgräbern errichtete hölzerne Pfähle, die wie die →Menhire als Opferstellen und Seelensitz im Dienst des Götter- und Ahnenkults standen.

Kultur [lat. ›Ackerbau‹, ›Pflege‹], 1) die Gesamtheit der Lebensäußerungen eines Volkes: a) die Summe der Bestrebungen einer Gemeinschaft, die Grundbedürfnisse der menschl. Natur nach Nahrung, Kleidung, Obdach, Schutz, Fürsorge und Zusammenhalt unter Meisterung der natürlichen Umwelt zu befriedigen und untereinander auszugleichen; b) die Hilfsmittel zu diesen Leistungen und ihr objektiver Ertrag in den Techniken der Nahrungsgewinnung, der gewerbl. Arbeit, der Behausung, des Transports und Verkehrs, in Geräten, Zeichen, Wissenselementen, sittlichen, religiösen und polit. Ordnungen und Institutionen, den **Kulturgütern** (objektiver K.-Begriff); c) die Bestrebungen nach Veredelung, Verfeinerung und Formung (»Kultivierung«) der menschl. Persönlichkeit unter Bändigung und Sublimierung ihrer Triebnatur.

Die K. beginnt mit dem ersten Auftreten des Menschen auf der Erde; einige wichtige Kulturgüter (Feuerbenützung, Werkzeuge) sind so alt wie der Mensch überhaupt, andere (Tierhaltung, Pflanzenbau) reichen nur in die Jungsteinzeit zurück. In den jüngeren Perioden der Vorgeschichte seit der Jungsteinzeit gibt es bereits an vielen Stellen der Erde seßhafte *Frühkulturen* mit Hausbau, Töpferei und Weberei, die sich nach ihren Werk- und Schmuckformen deutlich unterscheiden und je ein einheitliches Gepräge tragen (vorgeschichtl. *Kulturkreise*). Der Begriff K. als zusammengehöriges Ganzes von menschl. Werken vollendet sich dort, wo größere Landschaften und Menschen einheitl. gestaltet und insbes. die höheren K.-Bereiche (Kunst, Wissenschaft, Rechtspflege, Staatsverwaltung) entwickelt werden, d. h. die ersten *Hochkulturen* hervortraten; auf diese wird er manchmal eingeengt, so daß nur Völker mit einer Hochkultur »Kulturvölker«, die mit einfacher Kultur »Naturvölker« genannt werden (→Kulturgeschichte). Hochkulturen gliedern sich in eine Reihe von *K.-Gebieten* oder *-Bereichen* (nach Dilthey *Kultursystemen*): Religion, Kunst, Geistes- und Naturwissen-schaften. Die Kultursysteme, die auf Nutzwerte abzielen, besonders Wirtschaft und Technik, werden zuweilen als *Zivilisation* der K. entgegengesetzt; doch ist diese Trennung nicht folgerichtig durchführbar.

Die K. wurden, an Stelle der Völker und Staaten, vielfach als die eigentlichen Träger der geschichtl. Entwicklung, jedenfalls als die großen Einheiten angesehen, in die die geschichtl. Welt aufgegliedert ist. Die romantische und die moderne *Kulturphilosophie* hat darüber hinaus die K. als höhere Organismen aufgefaßt und ihnen eine Entwicklung nach Art der biologischen zugesprochen. Damit verband sich oft der Gedanke, daß alle K. dieselben Altersstufen in gesetzmäßiger Weise durchlaufen (Kreislauftheorie) und daß sie nach bestimmter Frist sterben (*Kulturmorphologie*: Spengler, Frobenius, Toynbee). Die Untersuchung der K. als typisch menschliches Werk ist Aufgabe der *Kulturanthropologie* (einschl. *Kulturpsychologie* und *Kultursoziologie*). Gegenüber dem *Kulturoptimismus* des Aufklärungszeitalters vertrat Rousseau die Lehre, K. den gesunden Zusammenhang des Naturlebens zerstöre und den Menschen nicht verbessere, sondern verderbe. Von diesem grundsätzl. *Kulturpessimismus* ist die *Kulturkritik* zu unterscheiden, die, mit Schiller und Hölderlin beginnend, von J. Burckhardt, Nietzsche und vielen anderen bis heute fortgesetzt wurde.

LIT. A. Schweitzer: Kulturphilosophie, 1 ([9]1953), 2 ([10]1953); W. Hellpach: Kulturpsychologie (1953); E. Rothacker: Probleme der Kulturanthropologie (1948); R. Benedikt: Urformen der K. (dt. 1955); M. Landmann: Der Mensch als Schöpfer und Geschöpf der K. (1961); T. S. Eliot: Zum Begriff der K. (dt. 1961); H. Marcuse: Kultur und Gesellschaft, 2 Bde. (1965).

2) *allgemein:* Pflege, Veredlung, Vervollkommnung von Tieren, Pflanzen, vor allem von menschl. Lebensführung und -gestaltung. 3) *im besonderen:* Urbarmachung des Bodens, Anbau und Pflege von Nahrungspflanzen. 4) künstl. Gründung eines Waldbestandes durch Saat oder Pflanzung. 5) auf geeigneten Nährböden gezüchtete Bakterien oder Zellarten; *auch:* das Züchtungsverfahren selbst (→Bakterien).

Kultur|ämter, Behörden zur Förderung des ländl. Siedlungswesens und Durchführung von Aufgaben der Landeskultur. Sie unterstehen den Länderministerien für Ernährung und Landwirtschaft. Im allgemeinen besteht für mehrere Landkreise ein Kulturamt.

Kultur|anthropologie, engl. *Cultural Anthropology,* ein in den USA geprägter Begriff, der seit den dreißiger Jahren in Nordamerika das Wort ethnology verdrängt. Ansätze für die K. liegen in Europa bes. bei B. Malinowski. In Nordamerika wurde etwa seit F. Boas (* 1858, † 1942) die völkerkundl. Problemstellung eng mit den Wissenschaften, die sich mit dem Menschen als Schöpfer

Kult

und Träger der Kultur befassen, betreiben (phys. Anthropologie, Sprachwissenschaft, Psychologie, Soziologie u. a.). Diese Entwicklung wurde gefördert durch E. Sapir, Margaret Mead und Ruth Benedict, die die Beziehungen der Völkerkunde in der Weite von der Biologie bis zur Philosophie betonten.

LIT. W. Rudolph: Die amerikan. »Cultural anthropology« und das Wertproblem (1959).

Kulturboden, 1) der durch land-, forst- und gartenwirtschaftl. Arbeit gestaltete Boden. 2) *Kulturlandschaft,* die durch den Menschen, seine Kultur und Zivilisation umgestaltete *Naturlandschaft.* **3)** Gebiet mit einheitl. Kultur (bes. Sprache, Lebensführung, Siedlung, Flurbild, Brauchtum), greift oft über die jeweiligen Staats- oder Ländergrenzen hinaus.

Kulturbund zur demokratischen Erneuerung Deutschlands, eine im Juli 1945 auf Betreiben der sowjet. Militäradministration gegr. interzonale Organisation mit der »Aufgabe, alle Angehörigen der Intelligenzberufe zu vereinigen« (in der Bundesrep. Dtl. seit 1949 verboten). In der DDR wurde der K. zu einer als überparteilich getarnten kommunist. Kulturorganisation; er ist Eigentümer des Aufbau-Verlags, Berlin. 1958 wurde er *Deutscher Kulturbund* umbenannt.

Kulturdirektor, in der DDR der stellvertretende Betriebsdirektor in →volkseigenen Betrieben, der die kulturelle Massenarbeit, die Freundschaft mit der Sowjetunion und die Aktivisten- und Wettbewerbsbewegung fördern und unterstützen soll.

Kulturfilm, ein Film, der Natur- oder Kulturgeschehen *wiedergibt.* Neuerdings hat sich der Name *Dokumentarfilm* für Filme dieser Art durchgesetzt. Wegen seiner volksbildenden Bedeutung bei manchmal sehr hohen Herstellungskosten wird der K. in vielen Ländern vom Staat unterstützt (z. B. Steuernachlaß, Preise).

Kulturfolger, Tierarten, die in der vom Menschen geschaffenen Kulturlandschaft zusagende Lebensverhältnisse finden, z. B. Sperling, Feldlerche, bestimmte Nager. **Kulturflüchter** sind Tiere, die aus Kulturlandschaften verschwinden, z. B. Elch, Wildgans, Schwarzstorch, manche Adlerarten u. a.

Kulturgeographie, Teil der →Anthropogeographie, erforscht die geograph. Verhältnisse der Kulturlandschaft (→Kulturboden 2).

Kulturgeschichte. Über die frühesten Kulturerrungenschaften und Kulturkreise (Grundkulturen) handelt die Vorgeschichte (→Altsteinzeit, →Jungsteinzeit, →Bronzezeit, →Eisenzeit, →Technik). Die Kulturen der Naturvölker beschreibt die Völkerkunde. Die ersten *Hochkulturen* entstanden im 4. Jahrtausend v. Chr. im Niltal und im Zweistromland. Die ägyptische Kultur strahlte im 2. Jahrtausend v. Chr. nach Vorderasien und in den Mittelmeerraum aus.

Auch die babylonische Kultur (→Babylonien) wurde später zur vorderasiat. Gesamtkultur. In Indien blühte seit dem 3. Jahrtausend v. Chr. die →Induskultur. Der wichtigste Kulturmittelpunkt des Mittelmeerraums war im 3. und 2. Jahrtausend Kreta als Erbe seiner Seemacht übernahmen seit etwa 1400 v. Chr. die Phöniker. Im Laufe des 2. Jahrtausends traten an drei Stellen der Erde neue Hochkulturen hervor, alle aus der Vermischung von Wandervölkern mit angesessenen Altkulturen hervorgegangen: die →chinesische Kultur, die die stärkste geistige Kraft in der Geschichte Asiens blieb, die →indische Kultur, die seit Beginn unserer Zeitrechnung vor allem durch den →Buddhismus über große Teile Ostasiens wirkte, und die frühgriechische (mykenische) Kultur, die vieles aus der Gesittung des Mittelmeerraums, bes. Kretas in sich aufnahm (→kretisch-mykenische Kultur).

Auf den Trümmern der myken. Kultur entstand nach dem Einstrom neuer griech. Stämme (Dorische Wanderung) vom 13. Jh. v. Chr. an die →griech. Kultur. Ihr Ertrag wurde im Hellenismus zur Bildungskraft für die mittelmeerische Welt, auch für Rom und sein Reich. Die griech. Kultur, zusammen mit der selbständ. Beiträgen des röm. Geistes (Antike), hat neben dem Christentum den größten Einfluß auf das Abendland gehabt.

Völlig selbständig bildete sich seit vorchristl. Zeit in Mittelamerika die indian. Kultur der →Maya, die ebenso wie die Kultur der →Azteken und →Inkas im 16. Jh. von den span. Eroberern ausgerottet wurde.

Nach der Teilung des Römischen Reichs wurde im Osten Byzanz kulturelles Zentrum; die ostslawischen und z. T. die südslawischen Völker empfingen von da aus das Christentum. Im Westen bildeten sich auf den Trümmern des Römischen Reichs die Staaten der →Völkerwanderung; sie übernahmen wichtige Stücke der antiken Kultur, wobei vor allem die kathol. Kirche, daneben teilweise die Araber als Vermittler wirkten. Die Kultur des Abendlands hat seit dem 16., verstärkt seit dem 19. Jh. die ganze Erde beeinflußt (→Europa, Geschichte).

Als ein wesentliches Kennzeichen des Ganges der K. kann angesehen werden, daß in den älteren Perioden die einzelnen Kulturen viel stärker gegeneinander abgegrenzt sind als später; durch die Aktivität der Hochkulturen (unterstützt durch polit. Ausdehnung, Gründung von Großstaaten und Reichen, Mission der großen Religionen) gerieten die Einzelkulturen in immer stärkere Berührung und Verflechtung miteinander.

Der im 18. Jh. geprägte Begriff K. wurde zunächst als Gegensatz oder Ergänzung zur »politischen Geschichte« der Staatsaktionen verwendet, dann als umfassende Bezeichnung für die Gesamtheit menschl. Schaffens und Wirkens in der Geschichte, die sowohl die polit. und wirtschaftl.-sozialen Lebens- und Denkformen umfaßt wie auch Brauch, Religion, Kunst und Wissenschaft, schließlich als Inbegriff für den Verlauf der menschlichen Kultur oder Kulturen überhaupt. Die Auffassung der K. ist vom jeweiligen Kulturbegriff abhängig und wandelt sich daher mit der K. selbst.

Die Beschäftigung mit der K. ging vom Aufklärungsglauben an eine stetig fortschreitende Kulturentwicklung aus. In diesem Sinn schrieb Voltaire seinen ›Essai sur l'histoire générale et sur les mœurs et l'esprit des nations‹ (1756), Adelung seine ›Geschichte der Cultur‹ (1782). Dagegen sah unter Herders Anregung die K. die Romantik in aller K. das unbewußte Schaffen und den Ausdruck des »Volksgeistes«. Beide Impulse wirkten in der Betrachtung der K. im 19. Jh. weiter. Während Ranke die Geschichte der »großen Mächte« schrieb und seine Schüler zumeist »politische Historiker« wurden, schuf J. Burckhardt mit der ›Kultur der Renaissance in Italien‹ (1860) und den nachgelassenen Vorlesungen über ›Griechische K.‹, G. Freytag in den ›Bildern aus der dt. Vergangenheit‹ eine volkstümliche K., W. H. Riehl in seinen volkskundl. ›Kulturstudien aus 3 Jahrhunderten‹ (1859) und anderen Schriften eine ›Naturgeschichte des Volkes‹, wie überhaupt in der 2. Hälfte des 19. Jhs. die ›Kultur- und Sittengeschichte‹ ein reges Interesse fand (J. Scherr, L. Friedländer). In Burckhardts Nachfolge steht E. Gothein (Kulturentwicklung Süditaliens, 1886; Schriften zur K., 2 Bde., 1924), der auch theoretisch in Auseinandersetzung mit D. Schäfer die ›Aufgaben der K.‹ (1889) abzugrenzen suchte. H. Th. Buckle wollte in seiner programmat. ›History of civilisation in England‹ (1857–61) unter den Einfluß A. Comtes die K. allein als wissenschaftl. Erkenntnis histor. Gesetzmäßigkeiten gelten lassen. K. Lamprecht wiederholte den Versuch, die K. zur wissenschaftl. Methode aller Geschichtsforschung zu erheben (›Die kulturhistor. Methode‹, 1900). Er glaubte, alle K. sei als gesetzmäßige Abfolge typischer Seelen- und Geisteshaltungen zu erklären (›Deutsche Geschichte‹, 1891 ff.); sein 1909 in Leipzig gegründetes »Institut für Kultur- und Universalgeschichte« diente bes. dem Vergleich mit anderen Kulturen. Der langwierige Streit um Methoden und Ziele der K. (D. Schäfer, T. Lund, L. Geiger, Chr. Steding) hat die K. mehr verwirrt als gefördert. – Eine Abfolge gleichartiger, voneinander unabhängiger Wachstumsvorgänge in verschiedenen Kulturen nahm nach Lamprecht auch K. Breysig an, und O. Spengler in seiner Kulturmorphologie (›Untergang des Abendlandes‹, 1917–22), der den kontinuierl. Zusammenhang einer K. der Menschheit bestritt und das Nacheinander selbständiger Kulturen als pflanzenhaftes Wachsen, Blühen und Welken von »Kulturseelen« auffaßt. A. J. Toynbee (A Study of History, 1934 ff.) sieht die eigengesetzl. Lebensläufe der Kulturen (societies, civilizations) durch ein religiöses Ziel verbunden. Wird hier die vergleichende K. zur Kulturphilosophie, so wandte sie sich andererseits unter der Nachwirkung von W. Dilthey stärker der Geistesgeschichte zu oder unter der Führung von A. Weber, H. Freyer und anderen Soziologen der Kultursoziologie, so auch in den USA P. A. Sorokin (Social and cultural dynamics, 1937–41) und A. L. Kroeber (Configurations in culture growth, 1944).

Lit. E. Friedell: K. der Neuzeit, 3 Bde, (1927–31, neu hg. 1961); J. Huizinga: Wege der K. (dt. 1930); A. Weber: K. als Kultursoziologie (³1963).

Kulturhoheit, →Kultusministerium.

Kulturkampf, 1) der Kampf zwischen dem preuß. Staat und der kath. Kirche 1871–87, den R. Virchow in einem anti-kirchl. Wahlaufruf für die Fortschrittspartei einen »Kampf für die Kultur« nannte. In der neuen Zentrumspartei, der polit. Vertretung des deutschen Katholizismus, sahen Bismarck und die Nationalliberalen den Sammelpunkt der großdeutschen und preußenfeindl. Gegnerschaft gegen das neue kleindeutsche Reich mit seinem preußisch-protestant. Kaisertum; überdies hatte das Vatikan. Konzil vom Sommer 1870, das zur Verkündung des Unfehlbarkeitsdogmas führte, in weiten Kreisen verstärktes Mißtrauen gegen die kathol. Kirche geweckt. Die ersten staatl. Kampfmaßnahmen waren der »Kanzelparagraph« (1871) und das »Jesuitengesetz« (1872), die im Reichstag beschlossen wurden, und das preuß. Gesetz von 1872, das die Aufsicht über alle Schulen in die Hände des Staats legte. Dann brachte der Kultusminister Falk 1873 im preuß. Landtag die ›Maigesetze durch, die das kirchl. Leben ganz der staatl. Regelung unterstellten. Die Katholiken aber verweigerten den Maigesetzen die Anerkennung und Befolgung. Zahlreiche Bischöfe und Geistliche wurden abgesetzt, zu Geld- oder Gefängnisstrafen verurteilt. Neue Kampfgesetze folgten, so 1875 das »Sperrgesetz«, das die Einstellung aller staatl. Leistungen an die kathol. Kirche verfügte, die Auflösung fast aller Klostergenossenschaften in Preußen und die Einführung der pflichtmäßigen Zivilehe. Dennoch wurde der Widerstand der kathol. Bevölkerung nicht gebrochen; die Stimmen- und Mandatszahl der Zentrumspartei nahm sogar stark zu. So geriet der K. ins Stocken, und als nach dem Tod Papst Pius' IX. im Febr. 1878 der zu Verhandlungen bereite Papst Leo XIII. gewählt wurde, leitete Bismarck Friedensgespräche mit der Kurie ein. 1880 begann der allmähl. Abbau der Maigesetze, den die beiden ›Friedensgesetze‹ von 1886 und 1887 im wesentl. vollendeten; das zweite Friedensgesetz ließ auch die meisten Klostergenossenschaften wieder in Preußen zu. Darauf gestand Leo XIII. die Anzeigepflicht bei Ernennung von Geistlichen endgültig zu und erklärte am 23. 5. 1887 den K. förmlich für beendet. Nachträglich wurde noch 1891 das infolge des ›Sperrgesetzes‹ aus den eingestellten Staatsleistungen angesammelte Kapital der kathol. Kirche ausgezahlt; 1904 und 1917 wurde in zwei Stufen das Jesuitengesetz aufgehoben. Außer Preußen führten auch Baden und Hessen einen Kulturkampf.

Lɪᴛ. J. B. Kißling: Gesch. d. K., 3 Bde. (1911–16, kathol.); A. Wahl: Vom Bismarck der 70er Jahre (1920); E. Foerster: Adalbert Falk (1927); H. Kars: Kanzler u. Kirche (1934); Die Vorgesch. d. K., hg. v. d. Staatl. Archiv-Verw. (Berlin 1956); E. Schmidt-Volkmar: Der K. in Dtl. 1871–1890 (1962).

2) Zu ähnlichen Gegensätzen kam es in der *Schweiz* 1873–83, bes. in Genf, Basel und Solothurn. 1874 brach die Bundesregierung die Beziehungen zum Vatikan ab; 1883 brachte auch hier eine Beruhigung.

Kulturkonsum, die Befriedigung der durch die techn. Entwicklung gesteigerten Bildungsbedürfnisse durch technisierte Unterhaltungs- und Erholungsbetriebe (Rundfunk, Fernsehen, Kino, organisierte Bildungsreisen u. ä.). Kunst und Kultur werden »konsumiert«, ohne daß der einzelne einen aktiven Beitrag leistet.

Kulturkonvention, Europäische K., das Abkommen der Mitglieder des Europarats v. 19. 12. 1954 zur Förderung des Studiums und zur Erleichterung des kulturellen Austauschs (gegenseitige Anerkennung von Schulzeugnissen u. a.).

Kulturkreis, *Völkerkunde:* ein größeres Gebiet gemeinsamer Verbreitung gewisser Kulturgüter (bestimmte Siedlungs-, Haus-, Schiffs-, Schild-, Bogenform u. ä.) und gesellschaftl. Verhältnisse (Lebenshaltung, Ehe, Mutterrecht, Totemismus u. ä.), ohne notwendige Beschränkung auf einen Erdteil.

Kulturkreis im Bundesverband der dt. Industrie, gegr. 1951 zur Förderung und Unterstützung kulturell schöpferischer Menschen.

Kulturlandschaft, auch Kulturboden.

Kulturpflanzen, alle Pflanzen, die durch Anbau, Pflege und Bewirtschaftung zu Nutzpflanzen der Menschen geworden sind; bes. die Nahrungspflanzen (Getreide-, Futter-, Gemüse-, Zuckerpflanzen), ferner die Genußmittel-, Gewürz- und Obstpflanzen, die Industriepflanzen (Faser-, Kautschuk-, Öl-, Farbstoff-, Gerb-, Klebstoff-, Harz-, Kork-, Zellpflanzen), die Garten-, Zier- und Arzneipflanzen, z. T. auch die Holzpflanzen (Forstpflanzen). In neuester Zeit hat die Kultur bestimmter Schimmelpilze einen großen Aufschwung erfahren, deren Stoffwechselprodukte als Antibiotica dienen.

Kulturphilosophie, →Kultur.

Kulturprotestantismus, vielfach polemisch gebrauchte Kennzeichnung weiter Kreise in Theologie und Kirche um die Wende vom 19. zum 20. Jh. Ausgehend von Hegel und Schleiermacher sah der K. im evang. Christentum die wahre Darstellung christl.

Gotteserkenntnis und Frömmigkeit. Darum bemühte er sich, das Christentum als die Seele des Kulturschaffens und des Fortschrittes zu allen Fragen des modernen Lebens in Beziehung zu setzen und die christl. Moral an staatl. und kulturellen Aufgaben zu bewähren. Die Kritik der dialektischen Theologie richtete sich bes. gegen die Verkennung der Eigenart des Evangeliums und die mangelnde →Diastase im Kulturprotestantismus.

Kulturrevolution, die seit Sommer 1966 auf Initiative Mao Tse-tungs in der Volksrep. China durchgeführte »Große Proletarische Kulturrevolution«. Die K. gilt als weiterer Schritt innerhalb der »permanenten Revolution«. Geführt wird der Kampf gewaltsam gegen Lebens- und Denkgewohnheiten westlicher wie traditioneller chines. Kultur von der →Roten Garde.

Lɪᴛ. K. Mehnert: Maos zweite Revolution (1966).

Kultursoziologie, die Beschäftigung mit der Kultur als soziologischem Phänomen. Der in der K. und heute auch in der Völkerkunde vorherrschende Begriff der Kultur weicht von den philosoph. und histor. Kulturbegriffen wesentlich ab (→Kulturgeschichte). Gestützt auf die Erkenntnisse der empirischen Sozialforschung (in Soziologie und Völkerkunde) umschließt der Begriff nicht mehr die Wertung der Kultur als einer dem Geiste näherstehenden und darum höheren Gegebenheit, im Gegensatz zur Natur (als kulturlosem Urzustand) und Zivilisation (als kulturverfallendem Spätzustand), sondern sieht in der Kultur die »Summe des Wissens, der Überzeugungen, Glaubenssätze, Konventionen, Geschmacksrichtungen und Vorurteile, die in einer Gruppe der Gesellschaft überkommen sind und durch Teilnahme am Leben der Gesellschaft erworben werden« (A. K. Cohen). Die Kultursoziologie versucht durch systematische Kulturvergleiche unter Ausschluß gegenstandsfremder Wertungen z. B. die Enkulturation oder die Akkulturation als wesentliche Bestandteile der sozialen Struktur zu erklären. Selbst Bereiche, welchen bisher die »objektiven Kulturkriterien« entnommen wurden, wie Kunst, Religion und Wissen, werden in speziellen Soziologien auf das Ausmaß ihres Verhaftetseins mit den sie tragenden Gesellschaften untersucht.

Kultursteppe, die durch Abholzen des Waldes an Tieren und Pflanzen verarmte Wirtschaftslandschaft.

Kulturstufen der Vorgeschichte werden erschlossen aus Bodenfunden und chronologisch festgelegt mit Hilfe der Typologie und der Stratigraphie zu *Zeitstufen* (Altsteinzeit, Mittelsteinzeit, Jungsteinzeit, Bronzezeit, Eisenzeit).

Kulturtechnik, Kulturbautechnik, Agrartechnik, die Bodenverbesserung für die Landwirtschaft, insbes. Hochwasserschutz, Vorflutregelung, Bodenentwässerung und

-bewässerung, ländl. Wasserversorgung, landwirtschaftl. Abwasserverwertung, Ödlandkultur, Neulandgewinnung. Im weiteren Sinn gehört auch die Flurbereinigung zur K.

Kultur- und Sozialfonds, in den volkseigenen Betrieben der DDR seit 1957 ein Fonds für propagandist., kulturelle und soziale Zwecke.

Kultus [lat.], **Kult,** 1) verehrungsvolle Pflege, abgöttische Verehrung. 2) die geordnete Form der gemeinsamen Gottesverehrung.

Religionsgeschichte: Der gemeinschaftl. K. wird vom Stamm, dem Volk, dem geheimen Bund, der Gemeinde usw. getragen. Der K. äußert sich in den verschiedensten Handlungen: Tanz, Prozession, kultisches Mahl, Opferbegehungen, Reinigungen (etwa eine Taufe) u. a. gehören zu ihm. Meist sind die Kulthandlungen an bestimmte heilige Zeiten (der kosmische Rhythmus des Tages und Jahres; geschichtl. Daten) und Kultstätten (Berge, Bäume, Quellen, Gräber, Tempel), oft auch an das Dasein eines die Gottheit vorstellenden Kultbildes gebunden. Gewöhnlich werden sie von bes. Kultdienern (Medizinmänner, Priester) verrichtet. Auch die dabei verwendeten kultischen Geräte sind heilig.

Der *alttestamentl.* K. hat zwei Wurzeln: 1) den Bundeskult der Wüstenstämme mit Heiligem Zelt und Bundeslade als Thron des unsichtbar darauf mit seinen Scharen wandernden Gottes, nach der Landnahme zunächst in Silo, später im judäischen Königstempel in Jerusalem gefeiert. 2) den westsemitisch-kananäischen Fruchtbarkeits-K., mit den Heiligtümern des Kulturlandes in den Jahwedienst übernommen (Höhendienst) und mehr oder weniger stark umgestaltet. Der wesentlichste Wandel besteht darin, daß die Naturfeste zu Erinnerungstagen an die Machttaten Jahves in der Urgeschichte seines Volkes werden. Nach 622 verschwinden die »Höhen«, und das Opfermonopol Jerusalems setzt sich durch, während in der →Synagoge eine neue Art des Gottesdienstes mit Schriftlesung, Psalmengebet und Predigt sich herausbildet. Zur Teilnahme am K. ist ›Reinheit‹ erforderlich, über die der Laie vom Priester (→Levit) unterwiesen wird.

In der *christl. Urgemeinde* trat zu den Formen des jüdischen K. die Tischgemeinschaft, ein wohl in der Erinnerung an das letzte Mahl Jesu von eschatologischer Erwartung erfüllte Gemeinschaftsmal, das in den paulinischen Gemeinden sakramental umgeprägt wurde. Bestimmend dafür wie auch für die etwas später einsetzende Sonntagsfeier war der immer mehr hervortretende Christuskult. Durchsetzung der Taufpraxis und Ausgestaltung von Gebetsformen vollzogen sich parallel.

In der *kath. Kirche* ist der öffentl. K. oder die →Liturgie streng rechtl. geordnet. Seine Hauptformen sind das Meßopfer, der K. der Eucharistie und das Stundengebet, ferner

die Prozessionen. Der private, außerhalb der Liturgie geübte K. äußert sich vor allem im Gebet. Der Kult richtet sich vor allem auf Gott, aber auch auf Engel, Heilige und Selige. Besondere Verehrung kommt Maria als der Königin der Heiligen zu. Der *ostkirchl.* K. ist mit dem kath. in der starken und kircheneinheitl. Ausgestaltung des öffentl. K. sowie vor allem darin eng verwandt, daß in beiden Kirchen die Teilnahme am öffentl. K. in weitem Ausmaß religiöse Pflicht der Gläubigen ist.

In den *evang. Kirchen* ist der K. auf Gott und Christus beschränkt. Der *anglikanische* K. weist starke kath. Elemente auf.

Kultusfreiheit, das Recht zur Vornahme der zu einer Religion gehörenden Kultushandlungen und auf die Beteiligung an ihnen. Die K. ist die notwendige äußere Ergänzung zur Glaubensfreiheit und wird daher oft eigens festgelegt (GG Art. 4, Abs. 2). K. ist noch später als die Glaubensfreiheit durchgesetzt worden, in Dtl. grundsätzlich erst durch die Weimarer RVerf. von 1919. In Staaten mit Staatsreligion ist sie auch heute noch vielfach (z. B. Italien, Spanien) zu deren Gunst eingeschränkt.

Kultusministerium, oberste Staatsbehörde für kulturelle Angelegenheiten. In der Bundesrep. Dtl. liegt die Kulturhoheit bei den Ländern; es bestehen deshalb nur K. der Länder zur Wahrnehmung und Pflege des Bildungs- und Erziehungswesens, der Kunst und Wissenschaft, des Naturschutzes u. a. Die Koordinierung überregionaler Angelegenheiten der Kulturpolitik und die Zusammenarbeit mit den Bundesorganen obliegt der 1948 gegründeten *Ständigen Konferenz der Kultusminister der Länder,* Sitz Bonn. Im Wissenschaftsbereich besitzt auch der Bund Zuständigkeiten (Ministerium für Bildung und Wissenschaft). In der DDR besteht seit 1950 das Ministerium für Volksbildung, daneben seit 1954 ein Ministerium für Kultur. In Österreich hat das Bundesmin. für Unterricht die Aufgaben eines K., in der Schweiz das Departement des Innern; die Schweizer Kantone sind in weitem Umfang selbständig.

Kultwagen, Fahrzeuge verschiedener Bauart und Größe für religiöse Zeremonien. Die Entstehung des K. ist wohl auf die Verehrung der Gestirne zurückzuführen, deren Bewegung dargestellt werden sollte. Die frühesten Wagendarstellungen und -nachbildungen gehören dem 4. und 3. Jahrtausend in Mesopotamien an. Kult. Bedeutung hatte ursprünglich auch der Rennwagen, der um 2000 v. Chr. im Vorderen Orient erstmals belegt ist. Vierräderige K. sind vielfach auf den bronzezeitl. Felsbildern Südschwedens dargestellt. In Mitteleuropa finden sich vom Ende der Bronzezeit (Urnenfelderzeit) ab in Fürstengräbern Wagen, die als K. gedeutet werden können, bes. häufig sind solche als Grabbeigaben der Hallstatt- und Latènezeit (BILD Dejbjerg). Antike Berichte deuten darauf hin, daß eisenzeitl. K. zum Teil Fahrzeuge von Göttern waren. In Krannon, Thessalien, fanden K. bei Regenprozessionen Verwendung.

In der Urnenfelder- und Hallstattzeit kommen in Mittel- und Nordeuropa auch Miniaturwagen als Kesselwagen vor. Von ihnen sind *Kesselwagen* vierrädrige Wagen, die auf dem erhöhten Fahrgestell ein Bronzegefäß tragen. Die bekanntesten stammen aus Skallerup (Seeland), Peckatel (Mecklenburg-Schwerin) und Milaveč (Böhmen). Dazu gehört auch der K. von Strettweg (Steiermark). Als *Vogelwagen* bezeichnet man nur in der Odergegend gefundene Bronzewägelchen mit zwei und drei Rädern an einer Achse mit aufgesetzten Vogelfigürchen. Zu den Miniatur-K. gehört der Sonnenwagen von →Trundholm.

Külz, Wilhelm, Politiker, * Borna (bei Leipzig) 18. 2. 1875, † Berlin 10. 4. 1948, war Bürgermeister in Zittau und Dresden und als Mitgl. der Demokrat. Partei 1920–33 im Reichstag. 1926–27 war er Reichsinnenmin. und setzte das Zensurgesetz gegen »Schmutz und Schund« durch. 1945 gründete K. die LDP der Sowjetzone, die er bis 1946 leitete.

Kum, Stadt in Iran, mit (1966) 134 300 Ew., einer der bedeutendsten Wallfahrtsorte Irans. In K. befindet sich das Goldkuppelgrab der Fâtemeh, Schwester des 8. Imams Rezâ (begraben in Meschhed). Es hat ferner eine Station der Transiran. Eisenbahn und der Seitenlinie K.-Kaschan; im N Ölfelder.

Kum'a, 575 km langer Fluß in Nordkaukasien, bildet die N-Grenze von Dagestan; erreicht bei Hochwasser das Kaspische Meer.

Kumamoto, Provinzhauptstadt auf Kiuschu, Japan, mit (1970) 440 000 Ew., Mittelpunkt des Tabakanbaus.

Kum'anien, zwei Landschaften in Ungarn; sie sind nach den →Kumanen (→Kiptschak) genannt, die sich hier im 13. Jh. ansiedelten. *Kleinkumanien,* ungar. *Kiskunság,* zwischen Donau und Theiß; Hauptort *Kiskunfélegyháza. Großkumanien,* ungar. *Nagykunság,* östl. der Theiß bei Szolnok; Hauptort Karcag.

Kumanen, Komanen, Eigenbezeichnung **Kun,** später **Kiptschak,** slaw. **Polowzer,** dt.

im MA. **Falben,** ein untergegangenes Turkvolk, das im 11. Jh. in die Ukraine eindrang, 1071/72 Ungarn verwüstete, 1091 die →Petschenegen vernichtete und zwischen 1061 und 1210 Rußland bedrängte. Die K. wurden 1239/40 von den Mongolen unterworfen und vermischten sich mit diesen und den Nogaiern, soweit sie nicht nach Ungarn abwanderten (dort: **Kunok,** wo sie bis um 1350 Heiden blieben, bis ins 17. Jh. Sonderrechte bewahrten (K.-Komitate) und erst im 18. Jh. sprachlich völlig madjarisiert wurden. In Bulgarien herrschten 1380–1423 drei kuman. Fürsten in Tirnowo. – Die Sprache der K. ist im *Codex Cumanicus* (in Venedig) erhalten (1303, Erstausgabe Budapest 1880; lat.-pers.-kuman. Wb. und kuman. Übersetzungen aus der Liturgie.

Kum'ara, ind. Kriegsgott, →Karttikeja.

Kumar'in [Kw.], angenehm riechender Bestandteil des Waldmeisters, der Tonkabohnen, des Honigklees, Ruchgrases usw., chemisch ein Anhydrid der *Kumarinsäure,* einer Oxyzimtsäure; dient zum Verbessern des Geruchs, z. B. von Schnupftabak, Jodoform usw.

Kumar'on [Kw.], **Benzofuran,** Bestandteil des Steinkohlenteers, Ausgangsstoff der Gewinnung von *Kumaronharzen,* die zur Herstellung von Lacken, Druckfarben, zur Papierleimung usw. dienen.

Kum'asi, Hauptstadt der Prov. Aschanti, Ghana, mit (1970) 343 000 Ew.; 2 Bahnen zur Küste. K. wurde 1874 von den Briten zerstört und entstand seit 1896 neu.

Kumbak'onam, Stadt in Tamil Nadu, Indien, (1971) 113 000 Ew.; Seiden- und Metallverarbeitung; bekannte südindische Tempelstadt.

K'umbrisches Bergland, engl. **Cumbrian Mountains,** mit dem *Seendistrikt (Lake District)* von Cumberland und Westmoreland ein selbständiges, wegen seiner Schönheit berühmtes Bergland im NW Englands.

Kum'inöl, äther. Öl aus den Früchten des röm. Kümmels von widerlichem, wanzenartigem Geruch.

Kümmel [lat.-griech. Lw.], 1) *Kimm, Kümich, Köm, Karbe, Karbey, Karwe, Garbe, Köhr* (Carum carvi), europ.-asiat. Doldenblüter, Gewürzpflanze, bes. auf trockenem

Kultwagen: links *Kesselwagen von Peckatel,* rechts *der von Strettweg*

Grasland (als *Feldkümmel*); zweijährig, mit weißen (rötlichen) Dolden und graubraunen, fünfrippigen Spaltfrüchten, die wegen ihres ätherischen Kümmelöls als Gewürz dienen. Das *Kümmelöl* dient als Likörwürze sowie in fettem Öl als krampflösendes, blähungtreibendes Mittel. 2) *Kreuzkümmel, Mutter-, Pfeffer-, Pfaffenkümmel, römischer K.* (Cuminum cyminum), einjähriger, kümmelähnlicher würziger Doldenblüter aus Turkestan. 3) andere Doldenblüter sowie Schwarzkümmel, Feldthymian. 4) aus Kümmelsamen oder mit Zusatz von Kümmelöl hergestellter, meist mit Zucker gesüßter Branntwein.

Kümmel: a *Blüten- und Fruchtstand,* b *Blatt,* c *Blüte,* d *reife Frucht* (a *und* b *etwa* $^1/_3$ *nat. Gr.*)

Kümmel, Otto, Kunsthistoriker, * Blankenese 22. 8. 1874, † Mainz 8. 2. 1952, hervorragender Kenner der ostasiat. Kunst, deren wissenschaftl. Erforschung er in Deutschland begründete; seit 1928 Dir. der von ihm aufgebauten ostasiat. Kunstabteilung, seit 1933 Generaldir. der Staatl. Museen in Berlin.
WERKE. Die Kunst Ostasiens (²1923), Die Kunst Chinas, Japans und Koreas (1929), Chines. Kunst (1930).

Kümmelblättchen [hebr. gimel, Zahlzeichen für 3], Glücksspiel.

Kümmelmotte, *Depressaria nervosa,* bräunlicher Kleinschmetterling, dessen grüngelb-schwarzes Räupchen Blüten des Kümmels und anderer Doldenblüter zerfrißt.

Kümmeltürke, Student aus der näheren Umgebung der Universitätsstadt. Der Ausdruck kam im 18. Jh. in Halle auf, in dessen Umgegend viel Kümmel gebaut wird.

Kummer, Ernst Eduard, Mathematiker, * Sorau 29. 1. 1810, † Berlin 14. 5. 1893,

das. Prof., begründete die Theorie der idealen Primzahlen und arbeitete über Reihen.

K'ümmernis, auch Hl. Hilfe, St. Hulpe, Wilgefortis und Libor'ata, in Deutschland, Österreich und Westeuropa verehrte sagenhafte Heilige ohne kirchl. Kult, dargestellt als gekreuzigte Jungfrau mit Krone und Bart, der ihr zum Schutz ihrer Jungfräulichkeit gewachsen war, und mit nur einem goldenen Schuh.

K'ummerower See, See in Mecklenburg, im Oberlauf der Peene, nordöstl. Malchin, 33 qkm groß, bis 10 m tief, mit bergigem Westufer.

K'ummet [mhd., Lw. aus slaw.] *das,* Kumt, →Geschirr.

kümpeln, krämpen, Kesselböden umbiegen, bördeln. Gekümpelt wird entweder in kaltem Zustand auf der *Kümpelpresse* oder auf der Bördelmaschine mit Formrollen, oder in warmem Zustand auf großen Pressen mit einem Werkzeug, das der vollständigen Umfangsform der Böden entspricht.

Kumr'an, →Qumran.

Kumt *das,* **Kummet,** →Geschirr.

Kumulation [lat.], Häufung.

K'umulus, Haufenwolke.

K'umyß [türk.] *der,* gegorene Stutenmilch als Getränk, ähnlich dem →Kefir.

Kun, Béla, ungar. Kommunist, * Szilágycseh (Siebenbürgen) 1885, † in der Sowjetunion um 1937, radikalsozialist. Journalist; geriet im 1. Weltkrieg in russ. Gefangenschaft, trat in Verbindung mit Lenin, erhielt ein Kommando in der Roten Armee und trieb bolschewist. Propaganda unter den ungar. Kriegsgefangenen. 1918 kehrte er nach Ungarn zurück, organisierte die Kommunist. Partei und rief am 21. 3. 1919 in Budapest die Diktatur des Proletariats aus. Als Volkskommissar für auswärtige Angelegenheiten war er der leitende Kopf der Räteregierung. Nach dem Zusammenbruch der Räterepublik (1. 8. 1919) floh K. nach Wien und ging 1920 nach Rußland, wo er einer »Säuberungsaktion« zum Opfer fiel.

K'unaxa, Ort in Babylonien, an dem 401 v. Chr. die Schlacht zwischen dem jüngeren Kyros und seinem Bruder Artaxerxes II. stattfand; Kyros fiel.

Kuncewiczowa [kuntsɛvitʃ'ɔva], Maria, poln.-kath. Schriftstellerin, * Samara (Wolga) 30. 10. 1899, jetzt in den USA, schrieb psycholog. Romane (Die Fremde, 1936; Verschwörung der Abwesenden, 1946; Der Förster, 1952).

K'unckel (Kunkel) von Löwenstern, Johann, Chemiker, * Rendsburg um 1630, † 1702 in Schweden, erfand das *Rubinglas (Kunckelgläser)* und verbesserte die Gewinnungsverfahren des Phosphors.

Kundakultur, eine nach dem Hauptfundort Kunda in Estland benannte mittelsteinzeitl. Kultur im Südostbaltikum. Die K. zeichnet sich durch zahlreiche Knochengeräte aus, die vorwiegend zum Fischfang verwendet wurden. Bei neueren Ausgrabungen fand man auch Steingeräte.

Kund

Kundel'ungu-Gebirge, Sandsteinhochland in der Prov. Katanga, Kongo, bis 1750 m hoch.

K'undera, Milan, tschech. Lyriker und Dramatiker, * Brünn 1. 4. 1929; Essayist, Erzähler und Filmautor.
WERKE. Lächerliche Liebschaften (1963, Erzählungen; weitere Bände 1965 und 1968); Der Scherz (1967; dt. 1968).

Kündigung, die einseitige empfangsbedürftige Erklärung, daß ein Schuldverhältnis (z. B. Miete, Dienstvertrag, Gesellschaftsvertrag) beendet oder eine Leistung fällig werden soll. Im *Arbeitsrecht* ist die K. regelmäßig formfrei, doch kann Schriftform vereinbart werden. Die *ordentliche K.* des auf unbestimmte Zeit eingegangenen Arbeitsverhältnisses ist an Fristen, oft auch an Termine gebunden. Die *außerordentliche*, meist fristlose K. ist zulässig, wenn dem Kündigenden die Fortsetzung des Arbeitsverhältnisses nicht einmal bis zum Ablauf der K.-Frist zugemutet werden kann. Fristlose K. des Arbeitgebers nennt man auch *fristlose Entlassung*. Die *Änderungskündigung* ist eine fristgemäße K. des Arbeitgebers, verbunden mit dem Angebot eines neuen Arbeitsvertrages zu veränderten Bedingungen. Kommt der Neuabschluß zustande, so wird die K. hinfällig. Während des Wehrdienstes ruht das Arbeitsverhältnis, es darf vom Arbeitgeber nur aus wichtigem Grund gekündigt werden (Arbeitsplatzschutz-Ges. v. 30. 3. 1957).
In der *Dt. Dem. Rep.* beträgt die K.-Frist für Arbeiter und Angestellte allgemein 14 Tage; bei K. durch den Arbeitgeber ist die Zustimmung der Betriebsgewerkschaftsleitung erforderlich. In *Österreich* besteht ein allgemeiner Kündigungsschutz, in der *Schweiz* besteht ein solcher gesetzl. Schutz nur für Personen, die obligatorisch schweizer. Militärdienst leisten.
LIT. A. Hueck: Kündigungsschutzgesetz (Kommentar, ⁸1972); K. Schlessmann: Die Kündigung von Arbeitsverträgen (1970).

Kündigungsgeld, Bankeinlagen mit vereinbartem Kündigungstermin; Gegensatz: Sichteinlagen.

K'undrie, im ›Parzival‹ des Wolfram von Eschenbach die abschreckend häßliche Botin des Grals, ursprünglich wohl eine kelt. Sagengestalt (Todesdämonin); in Rich. Wagners ›Parsifal‹ ist *Kundry* die in triebhafter Sinnlichkeit gefangene Seele, die durch den reinen Helden Parsifal erlöst wird.

Kundtsche Staubfiguren, von dem Physiker *August Kundt* (* 1839 † 1894) entdeckte wellenförmige Figuren, die sich bilden, wenn in einem Rohr (mit ein wenig Staub) Gase zu stehenden Schallschwingungen erregt werden.

Kunduri'otis, Paul, griech. Admiral und Staatspräs., * Insel Hydra 14. 4. 1855, † Athen 22. 8. 1935, siegte 1913 über die türk. Flotte an den Dardanellen, 1915/16 und 1917–19 Marinemin.; 1924–29 mit kurzer Unterbrechung (1926) Staatspräs.

Kun'ene, Fluß in Angola, Afrika, vom Hochland von Bihé zum Atlantik, 830 km lang, bildet im Unterlauf die Grenze gegen SW-Afrika.

K'unersdorf, Gem. in Brandenburg, 15 km östlich von Frankfurt a. d. O. Im Siebenjährigen Krieg erlitt hier Friedrich d. Gr. am 12. 8. 1759 durch die vereinigten Österreicher (unter Laudon) und Russen (unter Saltykow) seine schwerste Niederlage.

Kunert, Günter, Lyriker, * Berlin 6. 3. 1929, lebt in Ost-Berlin.
WERKE. Wegschilder und Mauerinschriften (1950), Unter diesem Himmel (1955), Echos (1958), Tagwerke (1960), Tagträume (1964), Verkündigung des Wetters (1966), Der ungebetene Gast (²1966), Im Namen der Hüte (Roman, 1967).

Küng, Hans, kath. Fundamentaltheologe und Dogmatiker, * Sursee (Kt. Luzern) 19. 3. 1928, seit 1960 Prof. in Tübingen. Seine Arbeiten, die von kirchl. Seite sehr angegriffen werden, sind ein Beitrag für die Fortführung der auf dem 2. Vatikan. Konzil begonnenen Neugestaltung der Kirche.
WERKE. Rechtfertigung. Die Lehre Karl Barths und eine kath. Besinnung (1957, ⁴1960), Konzil und Wiedervereinigung (1960, ⁶1962), Strukturen der Kirche (²1963), Eigentum und Eigentumspolitik (1964), Damit die Welt glaube (⁵1968), Christenheit als Minderheit (²1966), Unfehlbar? Eine Anfrage (1971), Christ sein (1974).

Kung-tse, →Konfuzius.

Kungur, Stadt an der Silva, Russ. SFSR, mit (1972) 77 000 Ew., Industrie.

Kungur, stark vergletschertes Bergmassiv (7719 m) in der chines. Prov. Sinkiang, höchster Gipfel des Pamir-Gebiets.

Kunibert [ahd. ›Glänzender der Sippe‹], männl. Vorname.

Kunibert, * zwischen 590 und 600, † 12. 11. 663 (?) als Bischof von Köln (seit 623); einflußreicher Berater der merowing. Könige. Heiliger; Tag: 12. 11.

Kunie, franz. Südseeinsel, →Fichteninsel 2).

Kunigunde [ahd. ›Kämpferin der Sippe‹], weibl. Vorname.

Kunigunde, 1) die heilige K., Gemahlin Kaiser Heinrichs II., aus dem Hause der Grafen von Luxemburg, † 1033 im Kloster Kaufungen bei Kassel, im Bamberger Dom beigesetzt (Standbilder K.s und Heinrichs am Dom, 1230; Grabmal von Riemenschneider, 1499–1513). 1200 heiliggesprochen; Tag: 3. 3.
2) Gemahlin (seit 1239) des Herzogs Boleslaw V. von Polen, * 1224, † 1292, widmete sich bes. der Krankenpflege und trat nach Boleslaws Tod (1279) in das von ihr gegründete Kloster Sandez ein; 1690 heiliggesprochen; Tag: 24. 7.

Kunigundenkraut, Wasserdost, *Eupatorium cannabium*, ein bis 1³/₄ m hoher, rosa blühender Korbblüter, in feuchten Gegenden Europas.

Künisches Gebirge, Teil des Böhmerwaldes, mit Osser (1292 m) und Seewand (1343 m).

Kuniyoshi, Utagawa, japan. Maler und Holzschnittmeister, * 1798, † Tokio 1861, schuf Schauspieler- und Gespensterbilder und Landschaftsdarstellungen.

Kunkel [ahd., Lw. aus lat.] *die*, 1) Spinnrocken. 2) im alten dt. Recht die weibl. Angehörigen. **Kunkellehen**, auch auf Frauen vererbbares Lehen. **Kunkelmage**, Verwandter von der Mutterseite.

Kunkel, Johann, →Kunckel.

Künkel, Hans, Schriftsteller, * Stolzenberg (Warthe) 7. 5. 1896, † Bad Pyrmont 17. 11. 1956, schrieb Romane.

Kunkelspaß, 1351 m hoher Paß in den Glarner Alpen, an der Grenze der schweizer. Kantone St. Gallen und Graubünden, verbindet das Taminatal mit dem Vorderrheintal.

Kunlun, fälschlich auch **Kwenlun**, **Kuenlun**, die gewaltigen Gebirgsketten, die in einer Länge von fast 4000 km Innerasien von W nach O durchziehen. Höchster Gipfel ist der Ulugh Mustagh (7723 m).

Kunming, Hauptstadt der Prov. Jünnan, China, mit rund 900000 Ew.; Universität, Bahnverbindung mit Hanoi (seit 1911).

K´ünneke, Eduard, Komponist, * Emmerich 27. 1. 1885, † Berlin 27. 10. 1953.
WERKE. 6 Opern (Cœur As, Walter von der Vogelweide u. a.), 4 Singspiele (Das Dorf ohne Glocke u. a.), 25 Operetten (Wenn die Liebe erwacht, Der Vetter aus Dingsda, Lady Hamilton, Glückliche Reise, Zauberin Lola, Herz über Bord, Die lockende Flamme, Die große Sünderin u. a.), Filmmusik, Orchesterwerke und Lieder.

Kuno, männl. Vorname, Kurzform von Konrad und Kunibert.

Kun´owski, Felix von, * Ober-Wilkau (Schlesien) 10. 4. 1868, † 1. 12. 1942, Generalmajor, schuf mit seinem Bruder *Albrecht* (* 1864, † 1933) die *Nationalstenografie* (1898), nach Änderung (1929), *Deutsche Kurzschrift*, nach 1933 *Wurzelschrift*, später *Sprechspur* genannt.

Kunschak, Leopold, österr. Politiker, * Wien 11. 11. 1871, † das. 14. 3. 1953, gründete 1892 den christlichsozialen Arbeiterverein, den er bis 1934 leitete; Mitgl. des Reichsrats (1907), der Nationalversammlung (1919), des Nationalrats (1920–33 und seit 1945), 1945–53 dessen Präsident.

Künßberg, Eberhard, Frh. von, Rechtshistoriker, * Porohy (Galizien) 28. 2. 1881, † Heidelberg 3. 5. 1941, Mitarbeiter und seit 1917 Leiter des ›Deutschen Rechtswörterbuchs‹ in Heidelberg.

Kunst [ahd.], 1) die gestaltende Tätigkeit des schöpferischen Menschengeistes in Architektur, Plastik, Malerei, Graphik, Kunsthandwerk *(bildende Künste)*, in Musik, Dichtung, Theater, Tanz; oft als Gegensatz zur Natur, dem Selbstgewachsenen, und zum Handwerk, dem technisch Nachschaffenden.

Das Kunstschaffen entspringt einem Urtrieb (Gestaltungs-, Spiel-, Nachahmungstrieb). In der Frühzeit, auch noch in den Hochkulturen, stand die Kunst lange in engster Beziehung zu Glaube und Kult; so waren in Griechenland bis ins 5. Jahrhundert v. Chr. Tempel, Götterbilder, mythische Szenen ihr vorwiegender oder ausschließlicher Gegenstand, im Mittelalter der christl. Glaube und die Gegenstände der Heilsgeschichte; beide Quellen waren auch noch für die Renaissance und den Barock bestimmend. Die zunehmende Lockerung der religiösen Bindungen zeitigte die Ablösung der K. von der Religion und ihre Verselbständigung unter rein ästhet. Antrieben. In klassischen Epochen steht ein umfassender, das Religiöse einbegreifender Gehalt mit einem eingesetzl. Formwillen im Gleichgewicht. Gegensätze zur Klassik sind der Phantasie- und Gefühlsüberschwang der Romantik, das Streben nach unbedingter Wirklichkeitserfassung (Realismus), schließlich der Bruch mit der künstlerischen Überlieferung und die Versuche, durch Steigerung alter oder durch neugeschaffene Ausdrucksmittel neue Gehalte auszusprechen (→Expressionismus, →abstrakte Kunst, →Surrealismus). Für das Verständnis und die Deutung eines Zeitalters ist die K. aufschlußreich, da sein Gestaltungswille in ihr ungebrochen zum Ausdruck kommt und geistige Wandlungen sich in der K. oft am frühesten ankündigen.

Vgl. die Artikel über Kunst, Literatur, Musik der einzelnen Länder. Über die einzelnen Stile →Barockzeitalter, →Gotik, →Romanische Kunst usw.; vgl. ferner die Artikel über die Zweige des Kunstschaffens (→Bildwirkerei, →Goldschmiedekunst, →Kunstglas u. a.).

LIT. Allgem. Lex. der bild. Künstler, begr. v. U. Thieme, hg. v. H. Vollmer, 37 Bde. (1907–50), 4 Erg.-Bde. (1953ff.); Hb. der Kunstwissensch., begr. v. F. Burger, hg. v. A. E. Brinckmann, 31 Bde. (1913–33); M. Dvořák: Kunstgeschichte als Geistesgeschichte (1924); Reallex. zur dt. Kunstgesch., begr. v. E. Schmitt (1933ff.); H. Leicht: Kunstgeschichte der Welt (³1954); H. Lützeler: Die K. der Völker (⁶1958); A. Hauser: Philosophie der Kunstgeschichte (1958); W. E. Suida: K. und Geschichte (1960); Die K. als Ausdruck ihrer Zeit, hg. v. A. Wagner (1963).

2) † Maschine (Wasserkunst, Fahrkunst).

Kunst, Hermann, evang. Theologe, * Ottersberg b. Hannover 21. 1. 1907, seit 1949 Bevollmächtigter des Rates der EKD bei der Bundesregierung, 1956–72 zugleich evangel. Militärbischof.

Kunstakademie, →Kunsthochschule.

Kunstdarm, Wursthülle aus Cellophan, gespalteter Rindshaut *(Naturindarm)* oder Rinderkranzdärmen *(genähter Darm)*.

Kunstdenkmal, ein künstlerisch oder geschichtlich wertvolles Werk der Architektur, Plastik, Malerei oder des Kunsthandwerks früherer Zeiten. Die K. werden von der →Inventarisation wissenschaftlich erfaßt und stehen unter →Denkmalpflege.

Kunst der Fuge, Musikwerk aus fünfzehn Fugen und vier Kanons von Johann Sebastian Bach, 1750, in seinem Todesjahr, als letztes Werk entstanden und in einer Partitur von 2–4 Stimmen ohne Angabe der Instrumentation aufgezeichnet. Aus einem 4 taktigen Grundthema werden in d-Moll die Fugen und Kanons gleichsam beispielhaft entwickelt. Im letzten Stück, einer vierstimmigen Quadrupelfuge, bricht die Handschrift ab. Es gibt Einrichtungen für Streichquartett, Orgel, zwei Klaviere oder Cembali und die Orchesterfassung von W. Gräser (1927).

Kunstdruckpapier, Druckpapier, das nachträglich mit einem Aufstrich von feinstem Kaolin mit Kasein als Bindemittel versehen wird, besitzt eine glatte, mattweiße Oberfläche, gibt die besten Bilderdrucke, auch bei feinem Raster.

Kunstdünger, →Handelsdünger, →Dünger.

Kunst|eis, mit Kältemaschinen fabrikmäßig hergestelltes Eis, wird bes. zur Kühlung von Lebensmitteln während des Transports verwendet. Es wird gewonnen in *Platten* zwischen gekühlten Wänden, als *Zelleneis* in Blöcken von 25 kg Gewicht oder als *kleinstückiges Eis.* Durchsichtiges *Kristalleis* wird aus entsalztem Wasser, *Klareis* aus mechanisch von Luft befreitem Wasser erzeugt; *Trübeis* ist undurchsichtig.

Kunsterziehung, ein Lehrfach an allgemeinbildenden Schulen im Rahmen der →musischen Erziehung; hervorgegangen aus dem früheren Zeichenunterricht.

LIT. K. Schwerdtfeger: Bildende Kunst u. Schule (⁶1965); Die Kunsterziehungsbewegung, hg. v. H. Lorenzen (1966).

Kunstfahren, beliebter Zweig des →Saalradsports, bei dem auf Fahrrädern mit besonderer Übersetzung Figuren gefahren werden, die denen des Kunsteislaufs und bei Mannschaftsfahren denen des Quadrillereitens gleichen.

Kunstfälschung, →Fälschung.

Kunstfasern, →Chemiefasern.

Kunstfehler, Verstoß eines Arztes, Heilpraktikers, Apothekers oder einer Hebamme gegen die anerkannten Regeln der ärztl. Wissenschaft. K. können nach deutschem und schweizer. Recht als fahrlässige Tötung oder Körperverletzung (§§ 222, 230 StGB) bestraft werden, zivilrechtlich begründen sie eine Haftpflicht. In *Österreich* wird der K. je nach der Schwere der Folgen als Übertretung oder Vergehen bestraft (§ 356 f.).

Kunstflug, die Ausführung schwieriger Flugbewegungen und -figuren, z. B. Looping, Rolle, Turn, bes. für Schauflüge beliebt. Erster Weltmeister (Paris 1934) war Gerhard Fieseler. Kunstflugmeisterschaften werden jährlich ausgetragen.

Kunstgeschichte, →Kunstwissenschaft.

Kunstgewerbe, →Kunsthandwerk.

Kunstgewerbeschulen, →Werkkunstschulen.

Kunstglas, ein durch Formgebung, Färbung der Glasmasse, Bemalung oder Oberflächenbehandlung künstlerisch gestalteter Gegenstand aus Glas. Die Form wird durch Blasen, auch durch Negativformen gewonnen. In der Masse gefärbtes Glas kann einfarbig (z. B. Rubinglas) oder mehrfarbig sein. Die einfachste Art, Mehrfarbigkeit zu erzielen, ist die *Lamination,* bei der Glasstücke verschiedener Farbe und Form aneinandergeschmolzen werden. Hierdurch entsteht das marmorierte *Achat-* oder *Onyxglas.* Bei dem *Fadenglas* (auch *Filigranglas*) werden von farbloser Glasmasse umhüllte, meist aus weißem Milchglas bestehende Fäden zu einem stabartigen Bündel zusammengeschmolzen; dieses wird dann beim Blasen gedreht oder geschwungen, so daß sich mannigfache Spiralwindungen der Fäden ergeben. Werden zwei Glasblasen, deren Fäden im Gegensinn laufen, übereinandergeschmolzen, so entsteht das *Netzglas* oder *gestrickte Glas.* Um *Mosaik-* oder *Millefioriglas* herzustellen, werden verschiedenfarbige Glasstäbe zu Bündeln zusammengeschmolzen, die, in dünne Scheiben geschnitten, geometrische oder Blumenmuster ergeben. Bei *Überfanggläsern* wird eine dünne Schicht farbigen Glases über ein farbloses geschmolzen, bei *Zwischengoldgläsern* eine ausgeschnittene Goldfolie zwischen zwei Glasschichten eingelassen. Die Oberfläche kann durch Glasschliff, ähnlich dem Edelsteinschliff, verziert werden, auch durch Ätzung und durch Ritzen oder Stippen mit der Diamantnadel.

LIT. R. Schmidt: Das Glas (²1922); W. Bernt: Altes Glas (1950).

Kunstglied, →Prothese.

Kunsthandwerk, die handwerkliche Herstellung von künstlerischen Erzeugnissen, die als Gebrauchsgegenstände oder in Verbindung mit diesen verwendet werden. Wird das Werk von der Hand dessen, der es entworfen hat, selbst geschaffen, spricht man heute meist von K., wird ein Entwurf in einer Werkstatt oder Fabrik von anderen ausgeführt, von *Kunstgewerbe.* Die künstlerische Gestaltung von Gebrauchsgegenständen in industrieller Serienerzeugung wird →Industrieform genannt. Da das K. im Gegensatz zur freien Kunst immer zweckgebunden ist, spricht man auch von *angewandter Kunst* (zu der u. a. die →Gebrauchsgraphik gehört).

Über die verschiedenen Zweige des K., ihre Technik und Geschichte →Bildwirkerei, →Goldschmiedekunst, →Intarsia, →Kunstglas, →Lackkunst, →Lederarbeiten, →Möbel, →Porzellan, →Schmelzmalerei, →Teppich u. a.

Die kunsthandwerkl. Gestaltung von Schmuck und Gerät gehört zu den frühesten künstler. Betätigungen des Menschen. Die Grundlage war immer das Handwerk. Erst mit der durch den wachsenden Bedarf bedingten Arbeitsteilung begann seit Ende des 18. Jhs. die Einheitlichkeit des Stils zu schwinden. Die Wende ging um 1860 von England aus, wo W. Morris und seine Nachfolger Zweck- und Materialgerechtigkeit zum Grundsatz erhoben. Die engl. An-

1

2

3

4

1 *blaue Amphore mit aufgeschmolzenem weißem Dekor; Rom, 1. Jh. n. Chr.* 2 *grüner Becher mit Ritzdekor; Köln, 3. Jh.* 3 *doppelhenkelige Flasche, mit Emailfarben bemalt; Syrien, um 1300.* 4 *Römer mit Ritzdekor und nuppenbesetztem Fuß; Ansicht der Stadt Mainz mit Namen und Wappen der Domherrn; Mainz 1617 (1–3 Toledo, Ohio, Mus. of Art; 4 München, Bayer. Nat. Museum)*

regungen wurden um 1900 in anderen europ. Ländern selbständig weitergebildet, vor allem von den Künstlern des →Jugendstils (H. van de Velde u. a.). Vor allem durch das Wirken des 1907 gegr. Deutschen →Werkbundes vermochte sich der neue Stil durchzusetzen und wurde durch das 1919 von W. Gropius in Weimar gegr. →Bauhaus, das Schule und Werkstätte zugleich war, auch zu industrieller Formgebung fortentwickelt.

Lit. H. Th. Bossert: Gesch. des Kunstgewerbes aller Zeiten und Völker, 6 Bde. (1929–35); M. Bill: Form . . . um die Mitte des 20. Jhs. (Basel 1952); St. Hirzel: Kunst und Manufaktur in Dtl. seit 1945 (1953); H. Kohlhaussen: Gesch. des dt. K.s (1955); N. Pevsner: Wegbereiter mod. Formgebung (1958).

Kunstharze, →Kunststoffe.

Kunsthistorisches Institut in Florenz, 1897 auf Anregung dt. Kunsthistoriker, bes. W. v. Bodes gegr., um die Erforschung der italien. Kunst zu fördern. Es besitzt eine Fachbibliothek von etwa 75 000 Bänden und eine Sammlung von mehr als 230 000 Photographien.

Kunsthochschule, Hochschule für bildende Künste, Kunstakademie, Hochschule zur Ausbildung von Künstlern und Kunstpädagogen. Lehrfächer: Freie Kunst (Malerei, Bildhauerei, Graphik), Architektur und Raumgestaltung, Angewandte Kunst (Gebrauchsgraphik, Schrift, Bühnenbildnerei und Kostümkunst, Handweberei, Wand- und Glasmalerei, Keramik u. a.) und Kunstpädagogik. K. gibt es in der Bundesrep. Dtl. in Braunschweig, Düsseldorf, Frankfurt, Hamburg, Karlsruhe, Kassel, München, Nürnberg, Offenbach, Stuttgart, ferner in W-Berlin.

Kunstholz, Werkstoff aus Holzmehl und Kunstharzen, insbes. härtbaren Kunstharzen.

Kunsthonig, honigähnliches Gemisch aus Zucker oder Zuckersirup, der durch Säurezusatz z. T. zu Fruchtzucker umgewandelt (invertiert) und mit Natriumbikarbonat wieder entsäuert ist; auch mit Honigzusatz.

Kunsthorn, hornartiges Erzeugnis, wird durch chem. Umsetzung (›Härtung‹) von Kasein mit Formaldehyd gewonnen und zur Herstellung von Griffen, Knöpfen u. dgl. verwendet.

Kunstkautschuk, Synthesekautschuk, Kunststoffe, die in ihren Eigenschaften dem natürl. Kautschuk ähneln und an dessen Stelle oder in Mischung damit verwendet werden. K. wird vor allem durch Mischpolymerisation von Butadien mit Styrol (z. B. Buna S) oder Akrylnitril (z. B. Perbunan) erzeugt. Der aus Chlorbutadien hergestellte *Chloroprenkautschuk* (Neoprene, Sowpren) ist wegen seines hohen Chlorgehalts nicht entflammbar. *Butylkautschuk* zeichnet sich durch besondere Gasdichtigkeit aus. *Stereokautschuk* gleicht im chem. Aufbau dem natürlichen Kautschuk (Polyisopren). In der Summe der guten Eigenschaften ist der Na-

turkautschuk dem K. noch überlegen, wenngleich bedeutende Fortschritte erzielt werden konnten (→Tieftemperaturkautschuk). Butadien-Styrol-Kautschuk läßt sich mit bestimmten Ölen plastifizieren und strecken (Buna OP). Kautschukähnliche Eigenschaften haben auch die Thioplaste, die Polymerisate des Isobutylens und von Akrylestern, weichgemachtes Polyvinylchlorid, der besonders temperaturbeständige Silikongummi (→Silikone) sowie mit Diisozyanaten vernetzte Polyester (Vulkollan). Wirtschaftliches →Kautschuk.

Lit. Kautschuk-Hb., 5 Bde. (1959 ff.).

Kunstkohle, aus feingemahlenen aschearmen Kohlensorten wie Retortenkohle, Ruß, künstlichem Graphit oder Gemischen derselben mit geeigneten Bindemitteln verpreßte und geglühte Massen, die als Elektrographit für elektrotechnische Zwecke oder als Apparatebaustoffe Verwendung finden.

Kunstkopale, Lackharze, die durch chem. Umsetzung von Kolophonium mit härtbaren Phenolharzen hergestellt und an Stelle des natürl. Kopals für Öllacke, Druckfarben u. dgl. verwendet werden.

Kunstleder, künstlich hergestellte Stoffe mit lederähnl. Eigenschaften für Taschen, Sitzbezüge, Verdeckstoffe u. dgl. *Gewebekunstleder* erhält man durch Auftragen einer Pastenschicht aus Zelluloselacken, erschnenden Ölen und Kunstharzen auf Textilgewebe, wobei durch Kalander lederähnl. Narben eingeprägt werden. Zur Erzeugung von *Faserkunstleder* werden Faservliese mit Dispersionen aus Polyakrylestern oder Polyvinylazetat, auch Latex, in Verbindung mit Weichmachern, verfestigt. *Folienkunstleder* sind lederartig geprägte, weichgemachte Folien aus Polyamiden oder Polyvinylchlorid.

Künstler, 1) Schöpfer von Kunstwerken, zunächst der bildenden Kunst (Maler, Bildhauer), im weiteren Sinn auch der Architekt, der Dichter, Musiker, Tänzer usf. **2)** wer im Ton- oder Sprechkunstwerk künstlerisch zu Gehör bringt (Sänger, Schauspieler, Violinist usw.).

Künstlervereinigungen. Die ältesten waren die →Bauhütten und Zünfte des Mittelalters. In der Neuzeit entstanden die Akademien (St.-Lukas-Akademie in Rom, 1577; Akademie der Malerei und Skulptur in Paris, 1648), deren Einfluß sich aber oft die bedeutendsten Künstler, bes. des 19. Jhs. entzogen. 1809 schlossen sich die →Nazarener zum Lukasbund zusammen, 1848 engl. Maler zur Bruderschaft der Präraffaeliten. 1858 wurde die *Allgem. Deutsche Kunstgenossenschaft* gegründet. Seit Ende des 19. Jhs. spalteten sich die *Sezessionen* ab (München 1892, Wien 1897, Berlin 1899). 1899 entstand in München »Die Scholle«, eine Vereinigung von Malern vor allem des Jugendstils, 1903 der »Deutsche Künstlerbund«, dem sich örtliche Sezessionen anschlossen, 1905 die →Brücke, 1911 der →Blaue Reiter. Von den K. des Auslandes waren von internationalem Einfluß vor allem die →Fauves.

künstliche Atmung, Maßnahmen zur Wiederbelebung bei Erstickungsgefahr oder zum Verbessern und Inganghalten des Atmens.

Bei der *Ersten Hilfe* versucht man, den Luftaustausch in den Lungen durch passive Ein- und Ausatmungsbewegungen des Brustkorbs fortzusetzen, bis der Verunglückte wieder zu atmen beginnt. Künstl. Gebisse sind dabei zu entfernen, bei Ertrunkenen Mund und Rachen von Sand und Schlamm zu reinigen; die Zunge ist vorzuziehen und festzuhalten. Bei k. A. in Rückenlage (Methode Silvester-Brosch) liegt der Verunglückte auf dem Rücken, eine flach eingerollte Decke unter den Schulterblättern. Der Helfer kniet hinter dem Kopf und faßt beide Arme an den Ellenbogen. Auf Tempo I (Einatmung) werden die Arme nach hinten gezogen, auf Tempo II (Ausatmung) die Arme nach vorwärts gebeugt und die Ellenbogen stark auf den Brustkorb gepreßt. Bei der k. A. in Rückenlage nach Howard-Thomsen vollzieht der Helfer die Ausatmung durch Vornüberbeugen und Zusammenpressen des mit beiden Händen umfaßten Brustkorbes, die Einatmung durch Aufrichten und Nachlassen des Druckes. Bei der *Mund-zu-Mund-* oder *Mund-zu-Nase-Beatmung* bläst der Helfer seine Ausatemluft dem Verunglückten ein. – Ein automatisch arbeitender Apparat zur k. A. ist z. B. die →Eiserne Lunge. In der Chirurgie wird *künstliche Beatmung* durchgeführt bei Kranken, die ein muskelerschlaffendes Mittel bekommen haben; erforderlich dazu ist die →Intubation.

künstliche Befruchtung, künstl. Besamung, →Befruchtung.

künstliche Niere, ein Verfahren zum Reinigen des Blutes von Stoffen, die bei Ausfall der Nierentätigkeit nicht mit dem Harn ausgeschieden werden. Die Giftstoffe werden außerhalb des Körpers in einer Dialyseapparatur (→Dialyse) aus dem Blut ausgeschieden.

künstliches Herz, ein Gerät zum vorübergehenden Ausschalten von Herz und Lunge aus dem Blutkreislauf. Die *Herz-Lungen-Maschine* ersetzt die Arbeit der beiden Organe; sie besteht im wesentlichen aus einer Pumpe und einem Sauerstoffapparat (Oxygenator). Das venöse (kohlensäurereiche) Blut wird aus der großen Körperhohlvene durch Schläuche in den Oxygenator geleitet; dort wird ihm das Kohlendioxid entzogen und Sauerstoff zugeführt. Dieses arteriell gemachte Blut wird in den großen Kreislauf zurückgeleitet. Das k. H. ermöglicht Eingriffe an dem durch Einspritzen von Kaliumzitrat stillgelegten Herzen, z. B. den Verschluß von Defekten in der Herzscheidewand (→Herzfehler). An der Entwicklung eines in den Körper einsetzbaren k. H. wird gearbeitet. Defekte Herzklappen können schon durch Kunststoffventile ersetzt werden.

künstliche Sprache, 1) eine elektroakust. Nachbildung der natürl. Sprache durch Zusammensetzung elektrischer Schwingungen und deren Umwandlung in mechan. Schwingungen der Lautsprechermembran. Die natürl. Vokale sind Klänge, die natürl. Konsonanten Geräusche. Ein *Impulsgenerator* liefert die harmon. Frequenzen für die Vokale, ein *Geräuschgenerator* die unharmonischen für die Konsonanten. Beide Geräte sind Einrichtungen zur Erzeugung elektrischer Kippschwingungen, die sowohl nacheinander über eine Reihe parallelgeschalteter Tonfrequenzfilter als auch gleichzeitig vermischt zum Lautsprecher gelangen und dort in akustische (hörbare) Schwingungen umgesetzt werden. Durch Bedienung von nur zehn Tasten kann man mit einer solchen Einrichtung »künstlich sprechen«. **2)** →Welthilfssprachen.

künstliches Tageslicht, ein weißes, in seiner spektralen Zusammensetzung dem durchschnittl. Tageslicht sehr nahe kommendes Kunstlicht, wird bes. in Färbereien und ähnl. Betrieben zur Farbbeurteilung verwendet. Lichtquellen für k. T. sind heute meist tageslichtweiße →Leuchtstofflampen oder Xenonlampen.

Kunstsammlung, eine Sammlung von Kunstwerken in privatem oder öffentlichem Besitz (→Museum).

Lit. L. Brieger: Das Kunstsammeln ([3]1922); A. Donath: Der Kunstsammler ([4]1923), Technik des Kunstsammelns (1925); P. Cabanne: Die Gesch. großer Sammler (1962); D. Cooper: Berühmte private K. (1963).

Kunst|sauer, Backhilfsmittel aus Kartoffelwalzmehl und Milchsäure oder aus auf Kartoffelwalzmehl aufgetrockneten Sauerteig-Extrakten.

Kunstschulen, Anstalten zur Ausbildung von Kunstpädagogen und freiberufl. Künstlern, →Kunsthochschulen, →Werkkunstschulen.

Kunstseide, →Reyon.

Kunstspeisefett, Margarineschmalz, dem Schweineschmalz ähnl. Nahrungsmittel, gewonnen durch Zusammenschmelzen von Kokosfett, Rindertalg, Erdnuß- oder Walhartfett u. dgl. mit Ölen.

Kunstspringen, →Schwimmen, →Wasserkunstspringen.

Kunststeine, künstlich hergestellte Steine: →Gipsbetonsteine, Kalksandsteine, Schlakkensteine, Asbestzement (→Asbest), →Betonwerksteine, Zementsteine, Lehmsteine, Zementschwemmsteine, Terrazzo usf. – *Kunstbasalt, Kunstgranit, Kunstmarmor* sind →Betonwerksteine, sie bestehen aus Beton als Bindemittel und Zusatz des jeweiligen Natursteins.

Kunststoffe, Plaste, Plastik, Polyplaste, chemisch abgewandelte organische Naturstoffe oder völlig neu (synthetisch) aufgebaute organisch-chemische Stoffe mit wertvollen technischen Eigenschaften. Alle K. sind bei erstmaliger Erwärmung plastisch verformbar; die Thermoplaste behalten diese Verformbarkeit auch bei wiederholtem Erwärmen, während die härtbaren oder härtenden K. schon während oder nach der Formung in der Wärme zu nicht mehr erweichbaren Massen erstarren. K. von harzartiger Beschaffenheit nennt man *Kunstharze*; sie werden mit Trägerstoffen, Füllstoffen, Weichmachern u. a. zu den eigentl. K. verarbeitet. Zu den K. gehören chemisch auch die Kunstkautschuke und die Chemiefasern.

Herstellung. 1) Durch Abwandlung von Zellulose in geeigneten Chemikalien gewinnt man Hydratzellulose in Form von Zellglas, Zellwolle, Reyon; durch Pergamentierung von Papier gewonnene Hydratzellulose ist die Vulkanfiber. Zellulosenitrat ist die Grundlage des Zelluloids und der Nitrolacke. Zelluloseazetat wird ebenfalls zu Filmen und Fasern verarbeitet. Zelluloseäther spielen als Lackrohstoffe, Kleister und Verdickungsmittel eine Rolle. Aus Kasein werden Kunsthorn und Chemiefasern hergestellt. Der erste K. war der durch Vulkanisation von Kautschuk gewonnene Hartgummi.

2) Bei der Synthese von K. durch *Polykondensation* werden die niedermolekularen Grundstoffe fortlaufend unter Abspaltung von einfachen Verbindungen, meist Wasser, bis zu einem makromolekularen Endprodukt umgesetzt. Auf diese Weise entstehen z. B. Phenoplaste und Aminoplaste. Die Phenoplaste werden durch alkalisch geleitete Reaktion als lösliche selbsthärtende Harze (Resole) gewonnen, die sich zu unlöslichen und unschmelzbaren Harzen (Resiten) härten lassen. Mit Hilfe von Säuren dagegen gewinnt man nichtselbsthärtende, lösliche Produkte (Novolake), die nach Zusatz eines »Härtungsmittels«, meist Hexamethylentetramin, beim Erhitzen ebenfalls unlösliche Harze liefern (indirekte Härtung). Bei den härtenden Polykondensaten tritt die Polykondensation nach drei Dimensionen ein und führt zu stark vernetzten Endprodukten. Phenolharzresole härtet man als Gießharze in Formen langsam und ohne Druckanwendung zu *Edelkunstharzen.* Die Hauptanwendung finden Phenoplaste und Aminoplaste als Preßmassen, Hartpapiere, Hartgewebe, Hartholz, die in Elektrotechnik und Maschinenbau verwendet werden. Nichthärtende Polykondensate werden meist durch Erhitzen als Polyester oder Polyamide erzeugt. Dabei ergeben sich schmelzbare, oft sehr langkettige Moleküle, die sich aus der Schmelze zu Fäden verspinnen lassen und durch Strecken besonders fest werden (z. B. Nylon, Perlon). Solche Polykondensate lassen sich auch zu Gebrauchsgegenständen pressen (spritzen) oder zu Borsten, Folien u. dgl. verarbeiten. Wichtige Lackharze werden durch Veresterung von Dikarbonsäuren mit Polyalkoholen oder durch gemeinsame Veresterung von Naturharzen oder deren Kondensationsprodukten mit Phenolharzen oder von Umsetzungsprodukten aus Naturharzen und Maleinsäure mit Polyalkoholen erhalten. Auch die als Kunstkautschuk verwendeten Thioplaste, chemisch Polyalkyltetrasulfide, entstehen durch Polykondensation, ferner die Silikone.

3) Bei der *Polymerisation* lagern sich niedermolekulare, ungesättigte Verbindungen, die Monomeren, in vielfach großer Zahl einfach aneinander, ohne daß dabei Nebenprodukte abgespalten werden. Die polymeren Enderzeugnisse sind gesättigt. Die meisten Polymerisate sind thermoplastisch und können unter Druck und Wärme geformt werden (pressen, spritzen, spritzpressen, strangpressen). Einzelne lassen sich zu Folien, lederartigen Werkstoffen u. dgl. verarbeiten und ggf. sogar verschweißen. Einige kann man zu hochwertigen Fasern verspinnen. Die Polymerisation wird durch Zusatz bestimmter Katalysatoren, oft auch durch Wärme, Licht und Luftsauerstoff ausgelöst und technisch als Block- oder als Perlpolymerisation, ferner in Lösung oder in Emulsion durchgeführt. Es gelingt auch, verschiedenartige Monomere abwechselnd aneinanderzureihen (Mischpolymerisation).

Die polymerisierbaren Grundstoffe leiten sich vom Äthylen ab. Äthylen selbst läßt sich unter hohem Druck und drucklos mit Katalysatoren zu Polyäthylen polymerisieren, einem K. mit vorzüglichen Werkstoffeigenschaften. Für die Polymerisation geeignete Äthylenabkömmlinge sind Vinylchlorid, Tetrafluoräthylen und Trifluormonochloräthylen, aus denen K. von hoher thermischer und chemischer Widerstandsfähigkeit entstehen. Vinylester, Vinyläther, Vinylazetate, Vinylkarbazol sowie Vinylbenzol (Styrol) werden ebenfalls in techn. Maßstab polymerisiert. Butadien ergibt als Mischpolymerisat mit Styrol oder Akrylnitril →Kunstkautschuk. Die Polymerisation von Akrylnitril allein liefert ausgezeichnete Chemiefaser (Orlon, Pan-Faser). Zu den Polymerisaten anderer Akryl-, bes. Methakrylverbindungen gehört z. B. das ›Plexiglas‹.

4) Ein weiteres Aufbauprinzip für makromolekulare Stoffe beruht auf der *Polyaddition*, bei der sich bestimmte, sehr reaktionsfähige Grundmoleküle ebenfalls ohne Austritt von Nebenprodukten, jedoch nach einer anderen Reaktionsweise wie bei der Polymerisation, miteinander vereinigen. Chemisch gleichen die Endprodukte den Polykondensaten. Durch Polyaddition werden mit Hilfe von Diisozyanaten die Polyurethane aufgebaut.

5) Schließlich kann man auch die verschiedenen Aufbauprinzipien vereinigen; z. B. sind die ungesättigten Polyester sowie die Epoxydharze Polykondensate, die durch Polymerisation eine weitere Molekülvergrößerung und Vernetzung erfahren. Weitere, sehr wichtige Verbesserungen härtbarer K., insbes. ihrer mechan. Eigenschaften, lassen sich durch Verstärkung mit Glas-

fasern erreichen *(glasfaserverstärkte K., Glasfaser-K.)*; hierzu eignen sich bes. die →Polyester.

Wirtschaft. Die K. entwickeln sich zu einem der bedeutendsten Zweige der chem. Industrie, die Erzeugung der Bundesrep. Dtl. erhöhte sich von (1951) 187 500 t auf (1972) 5,514 Mill. t. Die stetige Vervollkommnung der Eigenschaften, die Anpassungsfähigkeit an bestimmte Erfordernisse und die Verbilligung der Herstellungsverfahren eröffnen ständig neue Anwendungsmöglichkeiten in allen Wirtschaftszweigen.

Lit. R. Houwink: Chemie u. Technologie der K., 2 Bde. (³1954/55); G. Schulz: Die K., eine Einführung in ihre Chemie und Technologie (1959); C. A. Redfarn: K.-Leitfaden (1959); A. Wolf: Struktur u. physikal. Verhalten der K. (1962); Kunststoff-Handbuch, hg. v. R. Vieweg (1963 ff.); Deutsche K. 1964 (1964); K. Stoeckhert: K.-Lexikon (⁴1967); H. Saechtling u. W. Zebrowski: K.-Taschenbuch (¹⁸1971). Zeitschr. ›Kunststoff u. Gummi‹. ›K.-Rundschau‹, ›Der Plastverarbeiter‹, ›Gummi-Asbest-K.‹.

Kunstwissenschaft, die wissenschaftl. Erforschung der Kunst. Ihr wichtigster Zweig ist die *Kunstgeschichte*, die im Unterschied zur allgemeinen K. die geschichtl. Entwicklung verfolgt.

Von der Kunstliteratur der Antike sind vor allem die ›10 Bücher über Baukunst‹ des Vitruv und die meist griech. Quellen entnommenen Aufzeichnungen von Plinius d. Ä. erhalten, aus dem Mittelalter vor allem kunsttechn. Anweisungen. Das Kunstschrifttum der Neuzeit hat seinen Ursprung in den von Künstlern der Renaissance verfaßten theoret. Abhandlungen (→Alberti, →Ghiberti, →Leonardo, →Dürer u. a.) und künstlergeschichtl. Darstellungen. Das wichtigste und umfassendste Werk sind die Lebensbeschreibungen italien. Künstler von Vasari (›Vite‹, 1550, ²1568), die Vorbild für die dann in großer Zahl erscheinenden kunstbiograph. Bücher wurden (in den Niederlanden: K. von Mander, Schilderboek, 1604; in Dtl.: J. v. Sandrart, Teutsche Academie, 1675).

Die Kunstgeschichte als Wissenschaft wurde von Winckelmann begründet, dessen ›Geschichte der Kunst des Altertums‹ (1764) zum erstenmal Voraussetzungen und Entwicklung der Kunst einer Epoche darzustellen suchte. Sein Einfluß wirkte in der auch andere Zeiten behandelnde Kunstliteratur fort. – Zur Fachwissenschaft wurde die Kunstgeschichte im 19. Jh. Quellenforschung und Stilkritik bildete vor allem C. F. v. Rumohr aus (Italien. Forschungen, 1826–31). C. Schnaase suchte, an Hegel anknüpfend, die innere Einheit der gesamten Entwicklung zu erfassen (Geschichte der bildenden Künste, 1843–64). F. Kugler, W. Lübke und A. Springer schrieben Gesamtdarstellungen. J. Burckhardt ging von der unmittelbaren Anschauung aus (Cicerone, 1855; Erinnerungen aus Rubens, 1898).

Große Biographien, die geniale Künstlerpersönlichkeiten und ihre Umwelt darstellen, schrieben vor allem H. Grimm (Michelangelo, 1860/63) und C. Justi (Velasquez, 1888; Michelangelo, 1900/09). Die vorwiegend kulturgeschichtl. Betrachtungsweise wurde gegen Ende des Jahrhunderts von der stilgeschichtlichen abgelöst. A. Riegl suchte im Wandel der Stile das »Kunstwollen« zu erkennen, bes. von Epochen, die bisher als Verfallszeiten galten (Stilfragen, 1893), H. Wölfflin die Eigengesetzlichkeit der von ihm am Beispiel von Renaissance und Barock in Gegensatzpaaren erfaßten Entwicklung der Sehformen (Kunstgeschichtl. Grundbegriffe, 1915). Die Einseitigkeit der stilanalyt. Richtung suchte M. Dvořák durch eine geistesgeschichtl. Betrachtungsweise zu überwinden (Kunstgesch. als Geistesgeschichte, 1924). G. Dehio stellte die ›Geschichte der deutschen Kunst‹ (1919/24) im Zusammenhang mit der Geschichte des Volkes dar. Weite Gebiete deutscher Kunst erschlossen die Schriften W. Pinders. In neuerer Zeit hat die →Ikonographie immer mehr an Bedeutung gewonnen (W. Panofsky), ebenso die vom einzelnen Kunstwerk ausgehende, dessen Form und Bedeutung als Ganzes erfassende Strukturanalyse.

Lit. E. Heidrich: Beitr. zur Gesch. u. Methode der Kunstgesch. (Basel 1917); W. Waetzold: Dt. Kunsthistoriker, 2 Bde. (1921–24); J. v. Schlosser: Die Kunstliteratur (1924); W. Passarge: Die Philosophie der Kunstgesch. (1930); P. Frankl: Das System der K. (1938); D. Frey: Kunstwissenschaftl. Grundfragen (1946); M. J. Friedländer: Von Kunst und Kennerschaft (1955); J. Hermand: Literaturwissenschaft und K. (1965); W. Hofmann: Grundlagen der modernen Kunst (1966); H. Wölfflin: Kunstgeschichtliche Grundbegriffe (¹⁴1970).

Kunstwort, meist aus lat. und griech. Bestandteilen in neuerer Zeit gebildetes Wort der Wissenschaft und Technik: *Automobil, Lokomotive, Superoxyd.*

Kunth, Gottlob Johann Christian, preuß. Beamter, * Baruth 12. 6. 1757, † Berlin 22. 11. 1829, Erzieher der Brüder Humboldt und Mitarbeiter an den Reformen Steins und Hardenbergs; als Anhänger der Freihandelslehre arbeitete er an der preuß. Zollgesetz von 1818 mit; gründete 1824 in Berlin das erste Realgymnasium.

Kuntz, Karl, Maler und Radierer, * Mannheim 28. 7. 1770, † Karlsruhe 8. 9. 1830, war dort Hofmaler und Galeriedirektor, malte Landschaften und Tierstücke in holländ. Art. Auch sein Sohn *Rudolf* (* Mannheim 10. 9. 1779, † Illenau 8. 5. 1848) war Hofmaler in Karlsruhe; er malte Tierbilder und Landschaften und schuf auch Stiche und Lithographien.

Kunz, Fritz, schweizer. Maler, * Einsiedeln 30. 4. 1868, † Zug 5. 4. 1947, schuf Wandgemälde, Glasmalereien und Mosaiken für Kirchen.

Kunz

Künzelsau, Kreisstadt im Hohenlohekreis, Baden-Württemberg, mit (1974) 12 300 Ew., 220 m ü. M., hat AGer., ehemals Hohenlohesches Schloß (um 1680), höhere Schulen; Bekleidungs-, Ziegel-Industrie, Stahlbau, Elektromotoren, Aufzüge, Dauermilchwerk.

K'unzewo, ehem. Industriestadt südwestl. von Moskau, mit (1960) 130000 Ew.; seit 1960 nach Moskau eingemeindet.

Kunz'it [Kw.] *der,* Edelstein, die rosarot bis lila gefärbte Abart des edlen Spodumens aus Kalifornien.

Kuomintang [chines.] *die,* »Staatsvolks-Partei«, ging 1912 aus der von Sun Yat-sen 1907 gegründeten revolutionären »Schwurbrüderschaft« (Tung-menghui) hervor, konnte sich aber in der chines. Republik gegen Yüan Schi-kai nicht durchsetzen; es gelang ihr jedoch, von 1918 an in Kanton eine südchines. Regierung zu errichten. Erst seit 1924 erlangte sie größere Bedeutung, als Sun Yat-sen mit Hilfe sowjetruss. Berater die Parteiorganisation reformierte und unter Tschiang Kai-schek eine Wehrmacht aufbaute. Nach dem Tode Sun Yat-sens (1925) eroberte die K.-Regierung seit 1926 ganz China. 1927 brach Tschiang Kai-schek mit den russ. Beratern. Dabei führte die Liquidierung der Kommunisten in Shanghai (1927) zum Bruch mit den bis dahin mit der K. zusammenarbeitenden Kommunisten, die Tschiang Kai-schek seitdem bekämpfte. Erst mit dem Beginn der japan. Invasion 1937 kam es zwischen K. und Kommunisten zu einem Waffenstillstand und zur Bildung einer gemeinsamen Front.

Das Programm der K. von 1924 beruht auf den »Drei Volksprinzipien« Sun Yat-sens: nationale Unabhängigkeit und Gleichberechtigung Chinas, Volksregierung, soziale Neugestaltung, bes. Bodenreform. Nach der »Verfassung für die Periode der erziehenden Regierung« (1931) sollte die K. als staatstragende Partei die Erziehung des Volkes zur Selbstregierung leiten. In der Verfassung von 1947 ist die K. nicht mehr als staatstragende Partei genannt. 1947 spaltete sich von der Partei ein »revolutionäres Komitee« unter Marschall Li Tschi-sen ab. Dieser wurde 1949 Vizepräsident in der kommunist. Regierung Mao Tse-tungs. Nach der Eroberung des chines. Festlandes durch die Kommunisten zogen sich die Anhänger der K. auf die Insel Formosa zurück, wo sie unter Tschiang Kai-schek Regierungspartei ist.

K'uopio, Hauptstadt des VerwBez. K. im mittleren Finnland, an der W-Küste des Kallavesi (See), mit (1971) 64200 Ew.; Holzindustrie.

Küpe [niederd. Form von Kufe], *Färberei:* 1) großes Gefäß, Färberbottich, Farbkessel. 2) zum Färben dienende Lösung des Farbstoffes. **Küpenfarbe,** Farbstoff, der erst auf der Stoffaser durch Aufnahme von Sauerstoff aus der Luft seine wahre Farbe erhält.

Kup'elle [lat. cupella ›kleines Gefäß‹] *die,*

flacher Tiegel aus porösem, basischem, feuerfestem Stein oder aus Knochen- oder Holzasche, der bei der trockenen Analyse von Edelmetallen (Probieren) zum Abtreiben **(Kupellieren)** der unedlen Metalle verwendet wird (→Dokimasie 2).

Kupelwieser, Leopold, österreich. Maler, * Piesting 17. 10. 1796, † Wien 17. 11. 1862, schuf im Stil der →Nazarener kirchl. Gemälde. 1855–58 malte er die Altlerchenfelder Kirche in Wien aus. K. war mit Fr. Schubert befreundet.

Lit. E. Kupelwieser: L. K., Erinnerungen seiner Tochter (1902).

Küper, ein gewerbl. Lagerhalter, der im **Küpereibetrieb** Lagerung, Pflege und Spedition der eingelagerten Ware (z. B. Tabak) übernimmt; bes. in Großhäfen. Er ist Vertrauensmann des ausländ. Exporteurs wie des inländ. Importeurs.

Kup'ezky, Kup'etzky, Johann, Maler, * Bösing bei Preßburg 1667, † Nürnberg 16. 7. 1740, tätig in Rom, seit 1709 in Wien, seit 1723 in Nürnberg, malte Bildnisse.

Kupfer [ahd. Lw. aus lat. cuprum, urspr. aes cyprium ›zyprisches Erz‹] *das,* chem. Element, ein Metall; chem. Zeichen Cu; Ordnungszahl 29, Massenzahlen 63, 65, Atomgewicht 63,54; Wertigkeit: 1 und 2; spezif. Gewicht: 8,96; Festigkeit: 21–24 kp/qmm; schmilzt bei 1083° C, siedet bei 2595° C. An frischen Schnittflächen ist K. glänzend, hellrot; bei längerem Lagern überzieht es sich mit einer stumpfen, dunkleren Oxydschicht. Es ist verhältnismäßig weich, aber außerordentlich zäh, wegen seines dichten Gefüges von allen Metallen der zweitbeste Wärmeleiter (bester ist Silber), ferner nächst Silber der beste elektrische Leiter. An feuchter Luft überzieht sich K. allmählich mit einer grünen Schicht von basischem Kupferkarbonat (Patina). Durch Einwirkung von Essigsäure entsteht der giftige Grünspan (basisches Kupferazetat).

Vorkommen. K. macht etwa 0,002% der festen Erdrinde aus. Es kommt gediegen in Form von regulären Kristallen, Platten, Klumpen, vor allem aber in Form von Erzen vor. Das wichtigste Erz ist der *Kupferkies,* andere sind Kupferglanz, Buntkupfererz, Rotkupfererz, Kupferindig, Kupferlasur und Malachit.

Verhüttung. Trockenes Verfahren: Durch Rösten, trockenes Erhitzen in Schacht-, Flamm- oder Gefäßöfen wird der größte Teil des Schwefels entfernt. Aus dem gewonnenen Rohstein, einem Gemisch von Kupfer(I)-sulfid und Eisensulfid mit 30–50% K., entsteht durch Steinschmelzen, d. h. Umschmelzen mit Koks, ein Konzentrationsstein mit 70–80% Kupfergehalt. Beim wesentlich schneller arbeitenden Bessemerverfahren füllt man den flüssigen Rohstein in eine Bessemerbirne und bläst heiße Luft hindurch. Hierbei oxydiert zunächst das Eisensulfid zu Eisenoxyd, das umgesetzte Kieselsäure verschlackt. Anschließend findet eine teilweise Oxydation des Kupfer-

(I)-sulfids statt, das sich mit dem noch nicht oxydierten Kupfer(I)-sulfid zu metallischem K. umsetzt. Das Ergebnis ist das *Schwarzkupfer* mit 90–98% K. – *Nasses Verfahren*, vor allem für sehr arme Erze: die zerkleinerten Erze werden in eine wäßrige Lösung übergeführt, aus der dann das K. durch Eisenpulver (bei Sulfat- und Chloridlaugen) oder durch Erhitzen (bei Ammoniaklaugen) ausgefällt wird. Das Ergebnis ist *Zementkupfer*. – *Raffination*: Bei der Feuerraffination wird das geschmolzene K. auf einem Garherd oder Flammofen so lange mit Luft behandelt, bis alle Fremdbestandteile (Wismut, Antimon, Nickel, Arsen, Schwefel u. a.) durch Oxydation in eine Schlacke übergegangen sind oder sich verflüchtigt haben. Das Ergebnis ist das *Hütten-* oder *Raffinadekupfer* mit einem Reinheitsgrad von 99,4–99,6%. Bei der Elektrolyse wird das Rohkupfer in Platten gegossen und als Anode in ein mit Schwefelsäure angesäuertes Kupfervitriolbad gehängt; als Kathoden dienen dünne Kupferbleche. Beim Einschalten des elektr. Stromes scheidet sich an der Kathode das *Elektrolytkupfer* mit einem Reinheitsgrad von 99,95% ab.

Neben den Erzen wird vielfach für die Gewinnung von K. auch gebrauchtes K., *Altkupfer*, verwendet. Man nimmt an, daß rund 80% des Hüttenkupfers als Altmetall in 15–20 Jahren zur Verhüttung zurückgehen.

Verwendung. K. wird verwendet in Form von Draht und Röhren in der elektr. Industrie, in Form von Blechen für Kühlgeräte, Siedepfannen, Braukessel, Kochgeschirre, im Maschinenbau für Feuerbüchsen, Gußteile, Dichtungsringe, Stehbolzen, für galvanische Elemente, in der Galvanoplastik und in Form von Legierungen. Die wichtigsten *Legierungen*: K. und Zinn ergeben →Bronze; K. und Zink →Messing, Tombak, Rotguß; K., Zink und Nickel →Neusilber, Alpakasilber. Ferner wird K. in ausgedehntem Maße benutzt zur Herstellung einiger

KUPFER[1] (in 1000 t)

Land	1963	1972
USA	1176	1988
Sowjetunion	600	1225
Sambia	578	615
Chile	557	420
Kanada	339	496
Zaire (Kongo Dem. Rep.) ..	271	219
Japan	262	810
Peru	157	39
Australien	90	169
VR China[2]	73	130
Bundesrep. Dtl.......	67	399
Jugoslawien	51	130
Mexiko.............	50	64
DDR	20	40
Großbritannien	—	181
Welt insges.	4600	7850

[1] ohne Umschmelzkupfer. [2] Schätzungen.

Leichtmetalle (z. B. Duralumin) und der Lagermetalle.

Wirtschaft. Die Weltvorräte (rd. 500 Mill. t) befinden sich bes. in den USA, Chile, in Afrika, in der Sowjetunion und in Kanada. Die Kupfergewinnung hat sich seit der Jahrhundertwende etwa versechsfacht. Starken Schwankungen unterliegt der Kupferpreis.

Verbindungen. *Kupferoxyd*, CuO, schwarzes Pulver, das beim Glühen von Kupfersalzen entsteht, dient als grüne Porzellanfarbe und zur Herstellung grüner Gläser. Es ist ein kräftiges Oxydationsmittel, das oberhalb 800° C unter Sauerstoffabspaltung in *Kupferoxydul* (Kupfer[I]-oxyd), Cu_2O, übergeht. Die *Kupfersalze* enthalten das K. einwertig (*Kuprosalze*) oder zweiwertig (*Kuprisalze*). *Kupferhydroxyd*, $Cu(OH)_2$, ist ein blauer Niederschlag, der bei Zugabe von viel Alkalilauge zu Kuprisalzlösungen entsteht und unter verschiedenen Namen als Malerfarbe dient (Bremer Blau, Bergblau, Braunschweiger, Kalk- oder Neuwieder Blau). Von *Kupferkarbonaten* gibt es zwei Arten: grünes basisches Karbonat, in der Natur als Malachit vorkommend, und blaues basisches Karbonat, in der Natur als Kupferlasur vorkommend. *Kupfersulfat*, *Kupfervitriol*, $CuSO_4 \cdot 5H_2O$, tiefblau gefärbte, trikline Kristalle, wird verwendet zur galvanischen Verkupferung, in galvanischen Elementen, zur Herstellung von Kupferfarben, in der Heilkunde als zusammenziehendes Mittel, bes. zur Bekämpfung von Schmarotzern, z. B. Brandpilzen, Peronospora des Weinstocks. *Kupferchlorid*, $CuCl_2 \cdot 2H_2O$, grüne rhombische Kristalle, scheiden sich aus einer Lösung von Kupferoxyd in Salzsäure ab. Beim starken Erhitzen im Chlorwasserstoffstrom entsteht unter Chlorabspaltung *Kupferchlorür* (Kupfer[I]-chlorid), CuCl, das wegen seines großen Absorptionsvermögens für Kohlenoxyd in der Gasanalyse verwendet wird. *Kupfersulfide* sind die beiden Minerale Kupferglanz und Kupferindig. *Kupferammoniakverbindungen*, *Kupferammine*, ammoniakhaltige, stark blau gefärbte Kupfersalze, entstehen durch Einwirkung von Ammoniak auf feste oder gelöste Kupfersalze. *Kupferazetat*, →Essigsäure.

GESCHICHTLICHES. K. ist bereits in vorgeschichtl. Zeit zur Herstellung von Waffen benutzt worden (*Kupferzeit*) und wurde bald von der härteren Bronze abgelöst (*Bronzezeit*). Einen regelrechten Kupferbergbau betrieben die alten Ägypter schon um 5000 v. Chr. auf der Halbinsel Sinai. Im Altertum wurde in Spanien das meiste K. gewonnen. In Deutschland begann der Kupferbergbau 968 im Rammelsberg, 1100 in Kupferberg in Schlesien und 1199 im Mansfelder Bezirk. Der nordamerik. Kupferbergbau geht auf die Zeit um 1840 zurück. **Kupferberg**, Chr. Adt. K. & Co., KG auf Aktien, Sektkellereien in Mainz, gegr. 1850. **Kupferdruck**, der Druck von Kupferstichen,

1

2

3

4   5

6

1 *Martin Schongauer: Der hl. Antonius, von Dämonen gepeinigt (Kupferstich)*. 2 *Meister des Hausbuchs: Tod und Jüngling (Kaltnadelarbeit)*. 3 *Albrecht Dürer: Die große Kanone, 1518 (Eisenätzung, Ausschnitt)*. 4 *John Jacobé: Miss Moncton, nach Reynolds, 1781 (Schabkunst)*. 5 *Charles Meryon: La Morgue, 1854 (Radierung)*. 6 *Käthe Kollwitz: Aus der Folge ›Ein Weberaufstand‹, 1896–97 (Radierung)*

Kupf

Radierungen und Photogravüren auf der *Kupferdruckpresse.* Zwischen zwei gußeisernen Walzen wird der Drucktisch hindurchgezogen, auf dem die eingefärbte Kupferplatte mit dem angefeuchteten Papierbogen liegt.

Kupferemail-Verfahren [-emaj-], Verfahren der Chemigraphie zur Herstellung von →Autotypien, bei dem nach dem Belichten der Chromatfischleimschicht auf der Metallplatte die belichteten Partien durch Erhitzen säurefest aufgebrannt werden.

Kupferglanz, Chalkos'in, eins der reichsten Kupfererze, in rhombischen, dicken Täfelchen, auch in Zwillingen, häufiger derb und eingesprengt. K. ist schwärzlich bleigrau, meist etwas glänzend, chemisch eine Kupfer-Schwefel-Verbindung (Cu_2S).

Kupferglucke, ein Schmetterling, →Glucken.

Kupfer indig, Kovell'in, hexagonales, dunkelblaues Mineral, eine Kupfer-Schwefel-Verbindung (CuS).

Kupferkies, Chalkopyr'it, das verbreitetste Kupfererz, tetragonal kristallisierend, messinggelb, oft goldgelb oder bunt angelaufen, ist chemisch Eisenkupfersulfid ($CuFeS_2$).

Kupferkopf, Mokassinschlange, *Agkistrodon contortrix,* etwa 1 m lange, giftige Grubenotter aus dem südl. N-Amerika, mit kupferrotem Kopf.

Kupferlasur, Azur'it, monoklines, lasurblaues Mineral, chemisch wasserhaltiges Kupferkobalt, dient zur Gewinnung von Kupfer und Kupfervitriol sowie als blaue Farbe.

Kupferminenfluß, engl. **Coppermine River,** schnellenreicher Fluß in Kanada, 670 km lang, mündet in den Coronationgolf des Nördl. Eismeeres.

Kupfermünzen, in den meisten Staaten seit dem 18. Jh. als kleinste Scheidemünze gebräuchlich. Die Antike kannte keine K., sondern nur Münzen aus Bronze und Messing (aurichalcum). Erst im 16. Jh. beginnen die ersten Ausprägungen aus K. in Dtl., so in Westfalen und norddt. Gebieten (z. B. Lübeck und Mecklenburg).

kupfern, *Bootsbau:* das Bekleiden des Unterwasserteils hölzerner Boote mit einer Haut aus Kupfer oder Kupferlegierungen zum Schutz gegen Bewuchs und den Bohrwurm (Teredo navalis).

Kupferrose, Hautkrankheit, die, bes. an der Nase (»Burgundernase«), zu Rötung und Knötchenbildung führt.

Kupferschiefer, ein bituminöser schwarzer Mergelschiefer im Zechsteingebirge, mit feinen Kupfererzteilchen, reich an fossilen Fischresten, wird auf Kupfer und Silber verarbeitet.

Kupferschmied, Keßler, Rotschmied, dem Klempner nahestehender Handwerker, der Gebrauchsgegenstände (Kessel, Kannen, Behälter u. a.) sowie Teile von Apparaten, Maschinen, Geräte für Haushalt und Industrie, bes. aus Kupfer, auch aus Messing, Bronze, Aluminium usw. herstellt.

Kupferspat, Mineral, →Malachit.

Kupferstecher, 1) ein Graphiker, der mit dem Grabstichel →Kupferstiche herstellt; auch Spezialhandwerker im Graveurberuf. 2) *Ips chalcographus,* ein an Fichten lebender Borkenkäfer.

Kupferstich (hierzu TAFELN Seite 58/59), die Kunst, eine Zeichnung in eine Kupferplatte einzugraben, sowie der von diese auf Papier abgezogene Druck (früher auch Chalkographie genannt).

Beim K. im engeren Sinn werden mit dem *Grabstichel,* einem vorn abgeschrägten Stahl von rautenartigem Querschnitt, oder mit der *kalten Nadel* in die glatt polierte Oberfläche des Kupfers Furchen eingegraben, die beim Abdruck der mit Druckerschwärze eingeriebenen Platte je nach Tiefe und Breite der Furchen kräftigere oder zartere Linien ergeben. Bei der *Radierung* wird die Platte mit einer säurefesten Schicht aus Wachs und Harz bestrichen und in diese mit der Nadel gezeichnet, so daß das Metall freigelegt wird. Wenn die Platte dann mit Säure übergossen wird, ätzt diese die Zeichnung ein, um so tiefer, je länger man sie wirken läßt. Nach Entfernung der Deckschicht und Abzug eines Probedrucks kann die Platte weiterbearbeitet werden, meist mit der kalten Nadel. Bei der *Schabkunst* (Mezzotinto) wird das Kupfer mit dem feingezähnten Granierstahl gleichmäßig aufgerauht, um beim Abdruck ein samtartiges Schwarz zu erzielen; die Stellen, die hell erscheinen sollen, werden mit einem Schabeisen wieder glattgeschabt. Bei der *Punktiermanier,* die Schattierungen durch Punkte wiedergibt, wird die Platte mit Punzen bearbeitet. Die *Aquatinta* ist ein Ätzverfahren, bei dem man die Säure durch angeschmolzenen Harzstaub hindurch wirken läßt (→Aquatinta). Der Ätzung bedient sich auch die *Kreidemanier,* bei der durch Verwendung rädchen- und raspelartiger Werkzeuge Kreidezeichnungen ähnliche Wirkungen erzielt werden. Bei *Farbdrucken* werden mehrere Platten übereinandergedruckt. Um eine größere Zahl von Abzügen zu ermöglichen, stach man im 19. Jh. auch in Stahl *(Stahlstich)* ; später wurden Kupferplatten verstählt. Geätzt wurde anfänglich in Eisenplatten (*Eisenätzungen* von Dürer u. a.).

Die Entstehung des K. geht auf die bes. von den Goldschmieden geübte, seit dem Altertum bekannte Technik der Metallgravierung zurück. Die ersten von Kupferplatten auf Papier abgedruckten Stiche entstanden zu Beginn des 15. Jhs. wohl in Süddtl. Der älteste datierte ist die ›Berliner Passion‹ von 1446. Zu den bedeutendsten Stechern der Frühzeit gehören der →Spielkartenmeister und der Meister →E S. Die von ihnen noch zaghaft gehandhabte Technik bildete Schongauer zur Klarheit der Linienzeichnung aus. Gleichzeitig schuf der →Hausbuchmeister Kaltnadelarbeiten. Unter den italien. Stechern des 15. Jhs. ragt Mantegna hervor. An Schongauer knüpfte Dürer an. Von den großen dt. Malern seiner Zeit haben Altdorfer, vereinzelt auch Cranach in Kupfer gestochen. Die →Kleinmeister arbeiteten unter Dürers Einfluß, der auch das Schaffen von Stechern des Auslandes mitbestimmte (L. van Leyden, M. Raimondi). – Die ersten Radierungen entstanden um 1510 in Augsburg. Die neue Technik hatte sich wohl aus dem Brauch der Plattner entwickelt, in Rüstungen und Waffen Verzierungen zu ätzen. Zu den frühesten Werken gehören in Eisen geätzte Radierungen der Dürer und Landschaftsradierungen von Altdorfer.

Mit dem ausgehenden 16. Jh. verlor der K. immer mehr an selbständiger Bedutung. Hervorragende Leistungen brachten in Frankreich bes. die Bildnisstecher hervor. Neben Bildnissen entstanden vor allem Reproduktionsstiche, deren zu hoher Genauigkeit entwickelte Wiedergaben von Gemälden bis zum Aufkommen photomechanischer Verfahren zu den Hauptaufgaben der Kupferstecher gehörten (Rubens-Stecher, Watteau-Stecher). – Von den einen eigenen Entwurf ausführenden Künstlern wurde seit dem 17. Jh. die Radierung bevorzugt. Rembrandt entwickelte die durch das Ätzverfahren ermöglichten Helldunkelwirkungen zu höchstem Ausdruck. Neben ihm waren, z. T. unter seinem Einfluß, auch andere holländ. Maler als Radierer tätig (Ostade, Potter, J. van Ruisdael u. a.). Die bedeutendsten in Frankreich waren Callot und Claude Lorrain. In Deutschland radierte M. Merian Stadtansichten. Um 1640 erfand L. v. Siegen das Schabkunstverfahren, das bes. in England weiterentwickelt wurde (MacArdell, Earlom u. a.). Die neu aufgekommenen Verfahren der Aquatinta, der Kreide- und Punktiermanier dienten vor allem der Wiedergabe von Gemälden und Zeichnungen. Von den Radierern des 18. Jhs. ragen in Italien Tiepolo und Piranesi, in England Hogarth, in Frankreich Boucher und Fragonard, in Dtl. Chodowiecki hervor.

In Spanien schuf zu Beginn des 19. Jhs. Goya seine düster-phantastischen Radierungen, oft in Verbindung mit Aquatinta, unvergleichl. Leistungen in einer Niedergangszeit der Kupferstecherkunst, die, bes. seit Aufkommen des Stahlstichs, immer mehr dem Massenbedarf diente. Um die Jahrhundertmitte ging eine Erneuerung der Radierung in Frankreich von Millet, Legros und Méryon aus, in England von Haden und dem Amerikaner Whistler. In Deutschland wurden Radierungen von Leibl und Klinger, der wie Käthe Kollwitz seine Blätter als Folgen herausgab, geschaffen. Von den Malern des Impressionismus waren Manet und Degas, Liebermann, Slevogt und Corinth auch als Radierer tätig. Zu den erfolgreichsten gehörte der Schwede Zorn. In nachimpressionistischer Zeit schufen Radierungen der Norweger Munch, auch die dt. Expressionisten.

LIT. M. Lehrs: Gesch. und Kritischer Katalog des deutschen, niederländ. und franz.

K.s im 15. Jh., 6 Bde. (1915–18); M. Geisberg: Gesch. der dt. Graphik vor Dürer (1939); F. Lippmann: Der K. (⁷1963).

Kupferstichkabinett, Sammlung von Kupferstichen, Holzschnitten, Lithographien und Zeichnungen in Museen und Bibliotheken.

Kupfervergiftung, *Kuprismus,* Vergiftung durch Kupferverbindungen. Kupfersulfat (Kupfervitriol) ruft am häufigsten K. hervor, seltener Grünspan an Kupfergefäßen, der sich durch Nachgeschmack der Speisen verrät. Die Wirkung größerer Mengen ist ätzend, erregt Erbrechen und Schmerzen im Verdauungskanal (Kupferkolik). *Erste Hilfe:* Milch oder Tierkohle; keine Öle oder Fette.

Kupfervitriol, →Kupfer.

Kupferzeit, Chalkolithikum, der letzte Abschnitt der *Jungsteinzeit,* in dem Kupfer und Blei schon bekannt waren.

kupieren [franz. ›schneiden‹], 1) *Kartenspiel:* abheben. 2) *Medizin:* die Weiterentwicklung einer Krankheit durch bestimmte Behandlungsweisen in ihren ersten Anfängen hemmen. 3) *Tierzucht:* das Stutzen der Ohren und des Schwanzes bei Hunden oder (gesetzlich verboten) des Schweifes bei Pferden. 4) *Weinbau:* die →Coupage. 5) *Eisenbahn:* † eine Fahrkarte lochen.

Kupka, František, tschech. Maler, *Opočno 23. 9. 1871, † Puteaux b. Paris 24. 6. 1957, seit 1892 in Paris. Zuerst als Illustrator tätig, stand dem Jugendstil nahe, wandte sich aber schon um 1910/11 der abstrakten Malerei zu, er war einer ihrer Begründer. K. gehört zur Gruppe des →Orphismus.

Kup′olofen, Kuppelofen, schachtförmiger Umschmelzofen zum Erschmelzen des Gußeisens in Gießereien; ein zylindr., aus feuerfesten Steinen ausgemauerter und von Stahlblech umkleideter Schacht von 2,5 bis 9,3 m Höhe und 50–150 cm lichter Weite. Die Beschickung (Roheisen, Koks, Zuschläge) wird an der Gicht aufgegeben, das flüssige Eisen unten abgestochen. Die Bezeichnung K. beruht auf einer Namensverwechslung mit dem engl. ›Cupola-Ofen‹, einem Flammofen mit überwölbtem Herd.

Kupon [kupõ, franz.] *der,* →Coupon.

Kuponversicherungsschein [kupõ-], Abtrennpolice, einfachste Form des Versicherungsabschlusses. Hierbei vollzieht der Interessent die Versicherung nur durch Unterschrift auf einem Policenformular und Übersendung eines Abrisses des K. an den Versicherer.

Kuppe [ahd., wohl Lw. aus lat., verwandt mit Kopf], 1) rundliches Ende. 2) rundlicher Berggipfel. **Kuppengebirge,** Gebirge mit vielen rundlichen Gipfeln, z. B. das Fichtelgebirge.

Kuppel [Lw. aus italien.], ein meist halbkugelförmiges Gewölbe über kreisrundem oder vieleckigem Auflager. Grabbauten prähistor. Zeit und bes. der myken. Kultur (*Kuppelgräber*) wurden mit K. aus ringförmig verlegten, übereinander vorkragenden Steinschichten überwölbt (»Schatzhaus

61

des Atreus« in Mykenä). Im Alten Orient und dann bes. in Rom wurde die K. bei Monumentalbauten verwendet (→Pantheon in Rom, mit kreisförmiger Lichtöffnung im Scheitel). Wenn der zu überwölbende Raum quadratisch ist, bedarf die K. der Überleitung zu einem mindestens achteckigen oder kreisrunden Auflager mit Hilfe von →Trompen (schon im alten Persien vorkommend) oder von →Pendentifs (Hängezwickel), die als Erbe der Spätantike bes. in Byzanz üblich waren (BILD Hagia Sophia). Mannigfach abgewandelt wird der von Byzanz ausgebildete Kuppelbau in der islam. Kunst. Seit der Renaissance, die im Gegensatz zum Mittelalter wieder zum Zentral- und Kuppelbau neigte, wurde die K. meist über einem zylinderförmigen, von Lichtöffnungen durchbrochenen Tambour erbaut und eine ebenfalls lichterfüllte Laterne über dem offenen Kuppelscheitel errichtet. Die in dieser Zeit meist aus einer äußeren und inneren Schale konstruierte K. wurde außen durch kräftig vortretende Rippen gegliedert (TAFEL Italien. Kunst I, 3). Wie die Renaissance hatte der Barock eine bes. Vorliebe für die K., auch über elliptischem Grundriß.

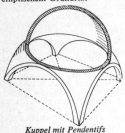

Kuppel mit Pendentifs

Kuppelei, gewohnheitsmäßige oder eigennützige Begünstigung der Unzucht durch Vermittlung, Gewährung oder Verschaffung von Gelegenheiten *(einfache K.)*; als *schwere K.* galt solche, die von Ehemännern, Eltern, Vormündern, Geistlichen, Erziehern oder unter Hinterlist begangen wurde.

Das 4. StrafrechtsreformG (1973) hat den § 180 StGB grundlegend geändert. Es beschränkt die Straftatbestände auf Förderung sexueller Handlungen von Minderjährigen unter 16 Jahren (bei »Bestimmen« zur Prostitution oder Mißbrauch eines Abhängigkeitsverhältnisses: unter 18 Jahren) sowie Förderung der Prostitution insbes. bei Minderjährigen durch gewerbsmäßiges Anwerben (§ 180a StGB).

Kuppelgrab, →Kuppel.

Kuppelproduktion, die Herstellung zweier Produkte, wobei die Produktion des einen technisch zwangsläufig den Anfall des anderen verursacht (z. B. Gas und Koks).

Kuppelstange, *Technik:* Verbindungsstange zwischen gleichlaufenden Kurbeln oder Rädern.

Kuppenheim, Stadt im Kr. Rastatt, Baden-Württ., am Ausgang des Murgtals aus dem Schwarzwald, mit (1973) 6300 Ew. 5,5 km südl. K., bei Ebersteinburg liegt die Ruine Eberstein der Grafen von Eberstein, die 1254 K. als Stadt gründeten, 1,5 km südwestl. das 1710/11 für die Markgräfin Sibylle erbaute Lustschloß Favorite.

Kupplung, lösbare Einrichtung zur Verbindung von Maschinenteilen, Wellen, Fahrzeugen (→Eisenbahnkupplungen) oder Versorgungsleitungen. Gebräuchl. *Schlauch-K.* und *Rohr-K.* sind schnell lösbare Verbindungen von Schlauch- und Rohrabschnitten. *Wellen-K.* dienen der Übertragung von Drehungen, z. B. von einem Motor auf eine Pumpe. *Nichtschaltbare Wellen-K.* sind entweder starre K. bei genau fluchtenden Wellen *(Scheiben-K., Schalen-K.)* oder *Ausgleich-K.,* die als gelenkige K. *(Kugelgelenk, Kardangelenk)* kleine Wellenverlagerungen aufnehmen. *Schaltbare Wellen-K. (Klauen-K., Reibungs-K.)* können mechanisch, hydraulisch, pneumatisch oder elektromagnetisch geschaltet werden. Bei *elektromagnet. K.* werden die Reibscheiben durch magnet. Kräfte aufeinandergepreßt, die von stromdurchflossenen Spulen erzeugt werden. *Fliehkraft-K.* werden von der Drehzahl der antreibenden Welle geschaltet und erleichtern den Anlauf von Maschinen.

Ein Anwendungsgebiet für Reibungs-K. ist z. B. die *Kraftwagen-K.* (meist *Einscheiben-K.*). Auf der Abtriebswelle des Getriebes ist längs einer Nut eine Scheibe verschiebbar mit beidseitig ringförmigen Reibbelägen, die durch Druckfedern über eine Druckplatte gegen die Motorschwungscheibe gepreßt wird, so daß durch Reibung das Drehmoment des Motors übertragen wird. Durch Verwendung mehrerer Scheiben *(Mehrscheiben-* oder *Lamellen-K.)* wird die Reibfläche vergrößert.

Flüssigkeits-K., Föttinger-K., →Flüssigkeitsgetriebe.

Bei der automat. *Kraftwagen-K.* wird der Ausrückhebel der K. durch einen Hilfsmotor betätigt, der beim Bewegen des Getriebeschalthebels geschaltet wird. Die *Synchro-*

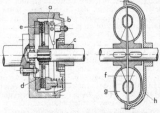

Kupplung: links Einscheiben-Reibungskupplung: a Druckplatte, b Schalthebel, c Schaltmuffe, d Kupplungsscheibe, e Reibbelag; rechts Föttinger-Flüssigkeitskupplung, f Turbinenrad, g Pumpenrad, h Gehäuse

nisier-K. ermöglicht leichten und geräuschlosen Gangwechsel durch erzwungene Drehzahlangleichung der Zahnräder.

Kupressaz′een, die Nadelholzfam. der Zypressengewächse.

K′uprin, Alexander Iwanowitsch, russ. Schriftsteller, * Narovchat 7.9.1870, † Moskau 15.3.1938, schrieb naturalistische Erzählungen. Aufsehen erregten ›Der Zweikampf‹ (1905) und ›Die Gruft‹ (1910).

K′uprisalze, Kupfersalze, →Kupfer.

Kuprismus [lat.], die →Kupfervergiftung.

Kupr′it [Kw.] *das,* das Rotkupfererz.

K′uprosalze, Kupfersalze, →Kupfer.

Kupulif′eren, lat. *Cupuliferae,* die Becherfrüchte, →Fagazeen.

Kur [Lw. aus lat.; Lutherzeit], Heilverfahren mit planmäßiger Anwendung bes. zusammengestellter Heilmittel.

Kur [ahd. churi], Wahl, bes. die des dt. Königs durch die →Kurfürsten; auch das Kurfürstentum, die Kurfürstenwürde.

Kür [von Kur], Wahl; *Sport,* bes. *Eislauf:* frei gewählte Übung, →Kürübung.

Kur′a *die,* größter Fluß Transkaukasiens, 1515 km lang, kommt vom Ararat-Hochland, durchbricht den Kleinen Kaukasus, fließt durch die transkaukas. Senke (Aserbeidschan), mündet ins Kaspische Meer.

K′ura [lat.], *kathol. Kirche:* die Seelsorge.

Kurat(us), ein Pfarrgehilfe mit eigenem Seelsorgebereich.

Kur′ant [von franz. courant, ›umlaufend‹], **Kurantgeld,** *Kurantmünze, Korrent,* Geld, das unbeschränkt in Zahlung genommen werden muß und seinen Wert vollständig in seinem Stoff trägt. Gegensatz: Scheidemünzen und Papiergeld.

Kur′are [indian.], *Curare, Urari,* Pfeilgift, chemisch ein Alkaloidgemisch, das die Eingeborenen Südamerikas bes. aus der Rinde von →Strychnos gewinnen. K. lähmt die Nerven der Bewegungsmuskeln und wird deshalb in der Heilkunde als muskelerschlaffendes Mittel angewendet.

Kuraschiki, Stadt auf Hondo, Japan, mit (1970) 339800 Ew., Textilindustrie; landwirtschaftliche Forschungsanstalt.

K′üraß [frühnhd., Lw. aus franz.], ursprünglich Lederkoller, später Brustharnisch der schweren Reiter (*Kürassiere,* alte Form *Kyrisser, Kürisser*) aus Eisen oder Stahl, oft mit Messing oder Tombak überzogen und meist als Doppel-K. (Brust- und Rückenschild) getragen. Der K. wurde Anfang des 20. Jhs. nur noch zu Paradezwecken getragen. Kürassierregimenter (auch unter der Bezeichnung: *Garde du Corps, Garde-, Schwere Reiter, Karabiniers*) gab es in den größeren dt. und europ. Armeen von etwa 1700 an bis zum 1. Weltkrieg, im österreich.-ungar. Heer nur bis 1868.

Kurat′el [lat.], Pflegschaft, Vormundschaft, bes. über entmündigte Erwachsene.

Kur′ator [lat. Kw.], 1) Pfleger, Vormund. 2) Beamter des Staates an Hochschulen. 3) Verwalter einer Stiftung.

Kurat′orium [lat.], eine kollegiale Aufsichts-

behörde, die der Überwachung oder Leitung von öffentl. Körperschaften oder privaten Einrichtungen dient, entweder auf gesetzl. Grundlage vom Staat eingesetzt oder aus privater Initiative auf Grund der Verbandsautonomie geschaffen.

Kuratorium Unteilbares Deutschland, eine Vereinigung führender Persönlichkeiten des öffentl. Lebens zur Förderung und Vorbereitung der dt. Wiedervereinigung, Sitz Bonn; gegr. 17. 6. 1954.

Kurbel [zu ahd. churba ›Winde am Ziehbrunnen‹, Lw. aus lat.], einarmiger Hebel zur Drehung einer Welle.

K′urbelwelle, eine ein- oder mehrfach gekröpfte Welle aus Stahl, seltener aus Gußeisen, die durch die Pleuelstangen in Umdrehung versetzt wird. Gegengewichte an den Kurbelarmen dienen zur Verringerung der Massen- und der Lagerkräfte.

Kurbelwelle

Kurb′ette [franz.], Reitkunst der Hohen Schule: ein mehrmaliges Vorspringen in der Stellung der Levade, ohne daß das Pferd mit der Vorderhand niedergeht.

Kürbis [ahd., Lw. aus lat.], 1) *Cucurbita,* schweiz. *Bebe,* österr. *Plutzer,* zweikeimblättrige Pflanzengattung der Familie *Kürbisgewächse* (Kukurbitazeen); meist rankende Kräuter und Halbsträucher der warmen Erdgebiete, mit gelben, zweihäusigen Blüten (an der weiblichen Blüte mit unterständigem 3- bis 5fächerigem Fruchtknoten), sehr großen (gelben, weißen, grünen) fleischigen Beerenfrüchten und vielen fingernagelförmigen Samen. Die meisten der in Europa gezogenen Formen sind wohl Bastarde des *Riesen-* oder *Zentnerkürbisses* (C. maxima), der faßgroße, bis 100 kg schwere Früchte hat, und der *C. pepo.* Hauptsächlich Speise-K. sind z. B. Mark-K., Cocozelle, Melonen-K. (Pasteten-K., Bischofsmütze); hauptsächlich Zierkürbisse (mit formenreichen Zierfrüchten) z. B. Warzen-K., Turban- oder Türkenbund-K., Birnen-K., Apfel- oder Apfelsinen-K., Schiromon-K. (sehr schlank), Eier-K., Mantelsack-K. (Moschus-K., Herkuleskeule). Das Fruchtfleisch, das nur 1,34 % Zucker und keine Säure enthält, ist gutes Mastfutter, Gemüse, Kompott, oder wie Essiggurken genießbar. Die mandelartigen Samen liefern Speiseöl und ein Bandwurmmittel. Die Pflanze verträgt keinen Frost. 2) *Lagenarie, Flaschenkürbis, Flaschenfrucht* (Lagenaria vulgaris), K.-Gewächs der tropischen Asiens und Afrikas, in den gemäßigten Zonen in wärmeren Gegenden angepflanzt, mit weißen Blüten und länglichen, holzschaligen, innen schwammigen Früchten, die zu Gefäßen ausgehöhlt werden, zumal flaschenförmigen *Kalabassen (Kalebassen).*

Kürbiskern, eine seit 1965 in München erscheinende Zeitschrift für Politik und Lit.

Kurd

Kurden, ein der Sprache nach iranisches Volk im Gebirgsland des Quellgebiets von Euphrat und Tigris; Gesamtzahl etwa 6 Mill., davon etwas über 2 Mill. auf türkischem, 2 Mill. auf iran., 1,5 Mill. auf irak. Gebiet. Die K. gliedern sich in drei Hauptstämme und in zwei Kasten, die Kriegerkaste der Assireten, nomadische Viehzüchter, und die Guran, seßhafte Ackerbauern; sie sind überwiegend Sunniten. Die K. zwischen Urmia- und Wansee waren eine Quelle ständiger Beunruhigung für den Iran und die Türkei. 1934 gingen beide Länder gemeinsam vor, kesselten die K. ein oder vertrieben sie. Die von den Persern gefangenen K. wurden nach Masanderan ausgesiedelt. Seit den 40er Jahren organisierte ihr Führer Mullah Mustapha Aufstände, die seit 1961 zu größeren Auseinandersetzungen mit dem Irak führten. 1965 kam es zu den bisher heftigsten Kämpfen, die auch zu irakischiranischen Spannungen führten (K.-Konflikt). Im Juli 1966 nahm der kurdische Revolutionär die Friedensvorschläge der irak. Regierung an, seit 1970 sind die K. an der Reg. beteiligt. 1974 wurde ein Autonomiegesetz erlassen; Auslegungsdifferenzen führten erneut zu Kämpfen mit Regierungstruppen.

Kurdist'an, im weiteren Sinn das ehemals von Kurden bewohnte Gebiet in Vorderasien zwischen dem Ararathochland, dem Zagrosgebirge und dem Euphrat, ist politisch zwischen Türkei, Irak und Iran aufgeteilt. Es ist rauhes Gebirgsland. Der S ist fruchtbar; im N Schaf-, Ziegenzucht. Im engeren Sinn heißt nur der iran. Anteil K.

Kure, Stadt und früherer Kriegshafen in Japan, am Nordufer der Inlandsee, mit (1970) 235200 Ew.; Stahlind., Werften.

Kür'ee [franz.], der feierliche Abschluß der Hetzjagd.

Kuren, mlat. *Curones,* russ. *Kors,* ein baltischer, zu den Letten zählender Stamm, vermutlich mit livischer Oberschicht (seit dem 10. Jh.). Die K. siedelten in der Halbinsel *Kurland,* im S bis auf die *Kurische Nehrung* und das *Kurische Haff.* Sprachlich standen sie zwischen Preußen, Litauern und Semgallern. Im 14. Jh. gingen sie in den Semgallern (Niederletten) auf.

K'ürenberg, 1) der von K., der Kürenberger der älteste mit Namen bekannte deutsche Minnesänger (um 1160), aus österreich. ritterlichem Geschlecht. Ausg. in: Minnesangs Frühling, hg. v. C. v. Kraus (³³1962). – 2) Joachim von, eigentl. von Reichel, Schriftsteller, * Königsberg i. Pr. 21. 9. 1892, † Meran 5. 11. 1954, schrieb ›Katharina Schratt‹ (1942, Neudr. 1953), ›War alles falsch? Das Leben Kaiser Wilhelms II.‹ (1940, Neuausg. 1951).

Kür'ette [franz.], Gerät zur →Ausschabung.

Kurfürsten [zu Kur], im Deutschen Reich bis 1806 die zur Wahl des deutschen Königs berechtigten Fürsten, ursprünglich alle Reichsfürsten. Seit 1257 galten nur 7 als K.: die Erzbischöfe von Mainz, Trier und Köln,

der Pfalzgraf bei Rhein, der Herzog von Sachsen, der Markgraf von Brandenburg und der König von Böhmen. Ihre Sonderstellung wurde von Kaiser Karl IV. durch die Goldene Bulle (1356) festgesetzt. Die K. erwarben sich eine Reihe wichtiger Vorrechte (→Kurverein) und bildeten auf dem Reichstagen eine eigene Körperschaft (K.-Kollegium). 1623 wurde die pfälz. Kur auf Bayern übertragen, dafür aber 1654 eine 8. Kur für die Pfalz geschaffen. 1692 kam eine 9. Kur für Hannover hinzu. Durch den Reichsdeputationshauptschluß (1803) fielen Köln und Trier fort, die Kur von Mainz wurde auf Regensburg übertragen, und es wurden 4 neue Kurwürden geschaffen: Salzburg, Württemberg, Baden und Hessen-Kassel; Salzburg wurde 1805 durch Würzburg ersetzt. Nach 1806 behielt nur der K. von Hessen-Kassel den Titel bis 1866.
LIT. M. Lintzel: Die Entstehung d. K.-Kollegs (1952).

Kurfürstenhut, Kurhut, von den Kurfürsten sowie in der Wappenkunst als Kennzeichen der Kurfürstenwürde verwendete hutförmige purpurrote Kappe mit Hermelinbesatz.

Kurg, engl. *Coorg,* ehemal. indischer Staat im südl. Dekkan, 4126 qkm, hatte (1951) 229000 Ew., vorwiegend Grasland (bedeutender Viehzucht), in den West-Ghats. – K., seit 1834 engl., bildete eine eigene anglo-ind. Provinz, 1947 wurde ein Staat Indiens; wurde 1. 11. 1956 dem Staat Maisur angegliedert.

Kurg'an, westsibir. Gebietshauptstadt, Sowjetunion, am Tobol, mit (1970) 243900 Ew., Landwirtschaftsgebiet an der Transsibir. Bahn, Flußhafen.

Kurg'an [türk.-slaw.], Name der vorgeschichtl. Hügelgräber in den slaw. Gebieten.

Kuri'ale [lat. Kw.] 1) *die,* die Schrift der älteren Papsturkunden. 2) *der,* päpstl. Hofbeamter.

Kuri'alstil [zu Kurie], † Kanzleistil.

Kuri'atstimme [zu Kurie], im Reichstag des Deutschen Reiches bis 1806 eine gemeinschaftlich geführte Stimme der kleinen, zu Kurien vereinigten Reichsstände. Gegensatz: Virilstimme (Einzelstimme).

K'urie [lat. curia], 1) die älteste Gliederungsform der röm. Bürgerschaft in 30 Familienverbände, dann auch der Versammlungsraum des Senats. 2) der Gerichtshof oder eine andere Behörde sowie deren Sitz. Die Reichstage der alten Dt. Reichs gliederten sich nach Kurien. 3) die zentrale Verwaltungsbehörde des Papstes (*Römische Kurie*) und des Bischofs (*Diözesankurie*). Die Röm. K. umfaßt: a) die 12 →Kardinalskongregationen (darunter →Offizium, →Orientalische Kirche, →Propagandakongregation, →Ritenkongregation), b) Gerichtsbehörden (Paenitentiaria für Gewissensangelegenheiten, Apostol. Signatur und Röm. Rota als Berufungsgerichte); c) Ämter (Apostol. Kanzlei für die Ausfertigung von Bullen, Apostol. →Datarie, Apostol. Kammer für die Finanzverwaltung, Staatssekretarie für den Verkehr mit den Regierungen, Sekretarien der Breven an Fürsten und der lateinischen Briefe), d) ständige Kommissionen, z. B. die →Bibelkommission. – Die leitenden Beamten der Diözesankurie sind →Generalvikar und →Offizial.

Kur′ier [Lw. aus franz.; Lutherzeit], Eilbote, bes. ein Staatsbote zur Übermittlung wichtiger geheimer Nachrichten und Schriftstücke im diplomat. Dienst.

Kur′ilen, japan. **Tschischima, Chishima,** Inselbogen, 1270 km lang, zwischen Hokkaido und Kamtschatka, mit über 50 nur z. T. bewohnten Inseln vulkan. Ursprungs, zusammen rd. 15600 qkm; die größten sind Iturup (russ., japan. Etorofu; 6725 qkm), Paramuschiru (2040 qkm) und Kunaschir (1548 qkm), Urup (Uruppu; 1429 qkm). Klima kalt und nebelreich, Fischereigründe. Die K., seit 1875 japan., wurden 1945 der Sowjetunion zugesprochen.

Kür′iner, eigener Name **Ljasgjar,** Stamm der →Lesgier.

kuri′os [lat.-franz.; Barockzeit], 1) seltsam, absonderlich, schnurrig. 2) † wissenwert, wißbegierig. **Kuriosum,** seltsamer Vorfall; seltenes Stück. **Kuriosität,** Merkwürdigkeit, seltsames Ding.

Kurische Nehrung, Landzunge, 96 km lang, vor dem **Kurischen Haff** (1620 qkm groß, höchstens 10 m tief), von nördl. Samland (Cranz in Ostpreußen) bis südlich Memel, wo das Memeler Tief einen Ausgang zur Ostsee freigibt; auf der Innenseite der K. N. ziehen sich Dünenwälle hin, z. T. 70–80 m hoch, seewärts sind feuchte, waldbedeckte Niederungen vorgelagert. Die Dünen, durch Waldvernichtung ins Wandern geraten und einst Siedlungen überlaufend, wurden zum größten Teil festgelegt.

Kurk′ume die, *Curcuma longa,* südostasiat., staudiges Ingwergewächs. Sein Wurzelstock ist einer der wichtigsten Bestandteile des Gewürzpulvers Curry und enthält einen gelben Farbstoff (**Kurkumin**), der u. a. zur Lebensmittelfärbung verwendet wird; mit ihm getränktes Papier *(Kurkumapapier)* färbt sich beim Betupfen mit Alkalien braun und wird daher im chem. Labor als Reagens verwendet.

Kurland, lett. **Kurzeme,** geschichtl. Landschaft in der Lett. Sozialist. Sowjetrepublik zwischen der Ostsee und der Düna, mit der alten Hauptstadt Mitau. K. war neben Riga das Hauptsiedlungsgebiet des baltischen Deutschtums (→Balten).

GESCHICHTE. K., benannt nach dem Volksstamm der Kuren, wurde im 13. Jh. vom Deutschen Orden erobert. 1561 wurde es unter poln. Lehnshoheit ein weltl. Herzogtum des letzten livländ. Deutschordensmeisters Gotthard Kettler. Als seine Familie 1737 ausstarb, erhob die Kaiserin Anna von Rußland ihren Günstling Biron zum Herzog von K.; dessen Sohn Peter trat sein Land 1795 an Rußland ab. Seitdem war K. bis 1918 als eine der Ostseeprovinzen russ. Gouvernement. Im Freistaat Lettland bildete es bis 1939 eine Provinz, dann kam es größtenteils zum Gebiet Libau der Lett. Sowjetrep. 1915–19 und 1941–44 war K. von den Deutschen besetzt.

Lit. A. Seraphim: Gesch. d. Hzgt. K. 1561 bis 1795 (1896); R. Wittram: Balt. Gesch. (1954).

Kurlande, der Teil der Besitzungen eines →Kurfürsten, an den die Kurwürde geknüpft war.

Kurmark, ehem. der Haupteil der Mark Brandenburg, umfaßte die Mittelmark, Altmark, Prignitz, Uckermark und die Herrschaften Beeskow und Storkow, jedoch nicht die Neumark.

K′ürnberger, Ferdinand, Schriftsteller, * Wien 3. 7. 1821, † München 14. 10. 1879, nahm 1848 an der Revolution in Wien, 1849 am Aufstand in Dresden teil, lebte später wieder in Wien; einflußreicher Novellist des Realismus. Seine Feuilletons und Kritiken gehören zu den besten des 19. Jhs. Als wichtiges Zeitdokument gilt der Lenau-Roman ›Der Amerika-Müde‹ (1855). Ges. Werke, 4 Bde. (1910–14).

K′uroi [grch. ›Jünglinge‹], nackte Jünglingsfiguren der archaischen griech. Kunst.

Kurop′atkin, Aleksej, russ. General, * 29. 3. 1848, † Schemtschurin (Gouv. Pleskau) 23. 1. 1925, war im Russisch-Japan. Krieg 1904/05 Oberbefehlshaber, 1916 Kommandant der russ. Nordfront, im Aug. 1916 GenGouv. von Turkestan; schrieb ›Die Ergebnisse des Russ.-Japan. Kriegs‹ (dt. 1909).

Kurkume: a *Blütenstand,* b *Einzelblüte,* c *Wurzelstock (etwa* $^2/_5$ *nat. Gr.)*

Kurosawa, Akira, japan. Filmregisseur, * Tokio 23. 3. 1910. Filme: Rashomon (1950), Leben (1952), Die sieben Samurai (1953), Nachtasyl (1957).

K′uro Sch′io [japan. ›blaues Salz‹, nach der

Farbe des Wassers], warme, salzreiche Meeresströmung des Stillen Ozeans auf der O-Seite der japan. Inseln.

Kurpen, Stamm der →Polen.

Kurpfuscherei, die unsachgemäße Heilbehandlung.

Kurprinz, der Erbprinz in einem Kurfürstentum.

Kurre [Schallwort] *die,* **Trawl, Baumschleppnetz, Grundschleppnetz,** großes Schleppnetz in der Seefischerei, mit dem oberen Rand an einem **Kurrbaum** befestigt.

Kurr'ende [lat. Kw.], 1) Schülersingschar, kirchlicher Knabenchor; *früher:* aus bedürftigen Schülern gebildeter Chor, der vor den Häusern Lieder meist geistlicher Art gegen Gaben und Geldspenden sang (**Kurrendesingen**). **Kurrendaner, Kurrendeschüler,** Mitglied eines kirchl. Knabenchors. 2) Laufzettel, Umlaufschreiben.

Kurr'entschrift [lat. ›geläufige Schrift‹], Kursivschrift, →Schriften.

Kur|rheinischer Kreis, einer der 10 →Reichskreise des Deutschen Reiches bis 1806, umfaßte die 4 rhein. Kurfürstentümer Mainz, Trier, Köln, Pfalz und einige kleinere Territorien.

Kurs [lat. ›Lauf‹], 1) Lehrgang (Kursus). 2) Lauf und Richtung eines Schiffes; Flugrichtung. 3) Richtung und Reihenfolge der Züge. 4) Umlauf einer Münzsorte. 5) *Börse:* der Preis für Wertpapiere und andere vertretbare Waren, die an einer Börse gehandelt werden. Die amtl. K. werden von *Kursmaklern* festgesetzt. Für die Kassageschäfte kommt als *Einheitskurs,* der für den ganzen Börsentag gilt, der Preis amtlich zur Notiz; bei dem an Hand der vorliegenden Aufträge die meisten Geschäfte abgeschlossen werden können. Für bestimmte, in größeren Posten gehandelte Wertpapiere werden daneben *fortlaufende Notierungen (veränderliche oder variable K.)* zu Beginn, im Verlauf und zum Schluß der Börse ermittelt. Für den Terminhandel in Wertpapieren gibt es noch die *Terminkurse* für Abschlüsse mit festbestimmter Lieferungszeit oder Lieferungsfrist. Die an die Börse gegebenen Aufträge sind limitiert, d. h. sie enthalten für Kauf einen Höchstkurs, für Verkauf einen Mindestkurs, oder lauten »unlimitiert« auf »billigst« bei Kauf oder »bestens« bei Verkauf. Die Veröffentlichung der K. erfolgt in dem an jedem Börsentag von der Börse herausgegebenen amtl. *Kurszettel.* Die Kurszettel sind nach Wertpapieren und Waren gegliedert. Der K. wird bei Wertpapieren meist in Hundertsätzen des Nennwertes ausgedrückt; der *Kurswert* einer Aktie zu 1000 DM (Nennwert) z. B. beträgt bei einem K. von 120%:

$$\frac{\text{Kurs} \times \text{Nennwert}}{100}$$

$$= \frac{120 \times 1000}{100} = 1200 \text{ DM}.$$

Bei Kuxen und Versicherungsaktien bezieht der K. sich meist auf das Stück, bei Waren auf handelsübl. Mengen in bestimmter Güte (Standardtypen). Neben den K. finden sich vielfach noch Abkürzungen wie

b, bz., bez.	=	bezahlt: die vorliegenden Aufträge sind zu dem K. ausgeführt worden.
G	=	Geld: nur Nachfrage, kein Angebot; keine Abschlüsse.
B, Br.	=	Brief: nur Angebot, keine Nachfrage; keine Abschlüsse.
bez. G., bz. G.	=	bezahlt Geld: überwiegende Nachfrage, die nur zum Teil befriedigt werden konnte.
bez. B., bz. B.	=	bezahlt Brief: überwiegendes Angebot, das nur zum Teil untergebracht werden konnte.
—	=	gestrichen: keine Abschlüsse.
r oder rep.	=	rationiert oder repartiert: Angebot oder Nachfrage in einem bestimmten Verhältnis gleichmäßig, nur anteilig befriedigt.

Für Devisen und Banknoten enthält der Kurszettel regelmäßig einen Geldkurs, zu dem sie gefragt sind, und einen Briefkurs, zu dem sie angeboten werden. Üblich ist direkte (Preis-)Notierung (× DM für 100 Einheiten der Auslandswährung), seltener die Mengennotierung (× Einheiten der Auslandswährung für 100 DM).

Kursbuch, 1) Zusammenstellung von Fahrplänen der Eisenbahn, Dampfer-, Kraftwagen- und Luftverkehrslinien in Buchform, seit 1925 im Bereich der Bahnverwaltung als *amtl. Kursbücher* (ab 1932 einheitl. Numerierung der Strecken und einheitl. Format). 2) eine von Hans Magnus Enzensberger seit 1965 im Suhrkamp Verlag hg. Literaturzeitschrift.

Kürsch, *Heraldik:* ein Pelzwerk.

Kürschner [zu ahd. kursina ›Pelzrock‹], Handwerker, der Überkleidung (Mäntel, Jacken, Westen) aus Pelzwerk herstellt oder mit Pelzwerk besetzt, repariert, füttert, auch pflegt und aufbewahrt.

Kürschner, Käfer, →Speckkäfer.

Kürschner, Joseph, Schriftsteller, * Gotha 20. 9. 1853, † Windisch-Matrei (Tirol) 29. 7. 1902, gab Jahrbücher und Nachschlagewerke heraus, veranstaltete unter Mitwirkung vieler Gelehrter eine 220 Bände umfassende Auswahl aus der deutschen Dichtung von den ältesten Zeiten bis ins 19. Jh. u. d. T. ›Deutsche Nationalliteratur‹ (1882 ff.). 1882 übernahm er die Leitung des von den Brüdern Hart gegründeten ›Deutschen Literatur-Kalenders‹ (als ›K.s Dt. Literatur-Kalender‹ im 55. Jahrg. 1967); daneben gibt es seit 1925 ›K.s Dt. Gelehrten-Kalender‹ ([10]1966), seit 1929 ›Ks. Dt. Musiker-Kalender‹ ([2]1954), seit 1956 ›K.s Biograph. Theater-Handbuch‹.

Kur|schwert, die Insignie des Reichserzmarschallamtes; zwei gekreuzte rote Schwerter auf schwarz-silbern geteiltem Felde waren bis 1806 im kursächs. Erz- und sind im pappenheim. Erbmarschallswappen enthalten. Sie wurden das Vorbild für die Meißener Porzellanmarke.

kursieren [lat.], im Umlauf sein, Gültigkeit haben (von Geld); umgehen (von Gerüchten).

Kursive [lat.], Kursivschrift, →Schriften.

Kursk, Gebietshauptstadt in der Russ. SFSR, mit (1972) 301000 Ew.; Hüttenwerke, Metallverarbeitung u. a. Industrie; in der Nähe reiche Eisenerzlager.

Kurs|kreisel, ein Zusatzgerät zum Flugzeug-Magnetkompaß, besteht aus einem kardanisch aufgehängten, luftangetriebenen →Kreisel, dessen Kardanrahmen eine nach einem Magnetkompaß einzustellende Kursrose trägt.

Kurspflege, Kursregulierung, die Gesamtheit der Maßnahmen, die von den an einem Wertpapier interessierten Kreisen, vor allem von Emissionsbanken, ergriffen werden, um die Kursgestaltung möglichst schwankungsfrei zu halten *(Kursintervention)*. Durch Käufe kann ein Überangebot aufgenommen und so ein *Kurssturz* verhindert, der Kurs »gestützt« *(Kursstützung)*, andererseits durch Abgaben eine ungesunde Kurssteigerung gebremst werden.

Kursverlustversicherung, Auslosungs-, Effektenversicherung, Versicherung gegen Verluste, die dadurch entstehen, daß Wertpapiere zu einem niedrigeren Betrag als dem Kurswert ausgelost werden.

Kurswagen stellen eine Bahnverbindung ohne Umsteigen her.

Kurswert, der nach dem →Kurs berechnete Wert eines Wertpapiers; Gegensatz: Nennoder Nominalwert.

Kurszettel, Kursbericht, Kursblatt, →Kurs.

Kurtage [kurta: 3, franz.], →Courtage.

Kurtalinen, Kurtaten, Stamm der →Osseten.

Kurth, Ernst, Musikforscher, * Wien 1. 6. 1886, † Bern 2. 4. 1946, Prof. in Bern. WERKE. Grundlagen des linearen Kontrapunkts (Untersuchungen zum Bachstil, 1917), Romant. Harmonik und ihre Krise in Wagners Tristan (1920), Bruckner, 2 Bde. (1925), Musikpsychologie (1930).

Kurtis'an [ital.], Höfling, Schmarotzer.

Kurtisane, Geliebte vornehmer Herren.

K'urtka [russ. ›Jacke‹], kurzer Waffenrock der russ. Armee, Ende des 18. Jh. mit kurzen Schößen und Brustrabatten.

Kurtschatovium, künstl. Element der Ordnungszahl 104, Zeichen Ku, aus der Reihe der →Transurane, 1964 von russ. Forschern durch Beschuß von Plutonium mit Neon-Ionen gewonnen. Amerikan. Wissenschaftler nannten das 1969 auf anderem Weg von ihnen gefundene Element 104 *Rutherfordium* (Rf).

Kür|laufen, eine in der Wettkampfordnung des Boden- und Geräteturnens, Kunsteislaufens, Wasserspringens und Rollschuhlaufens übliche Zusammenstellung von Bewegungsfolgen, die der Wettkämpfer nach eigenem Ermessen und Können auswählt. Bei der Beurteilung wird die Schwierigkeit der Bewegungsabläufe und die fließende Durchführung von Schiedsrichtern nach Punkten gewertet.

kur'ulischer Stuhl [lat.], ein Klappstuhl ohne Lehne, Ehrensitz der hohen Staatsbeamten im alten Rom, später auch der Kaiser.

Kurume, Stadt auf Kiuschu, Japan, mit (1970) 194200 Ew.; Baumwoll- und Papierindustrie.

Kurus [-r'uʃ, ›Groschen‹], türkische Münze, = $^1/_{100}$ türk. Pfund.

Kuruzen [ungar.], Kuruczen, die aufständischen habsburgfeindl. Ungarn im 17. Jh.; bekannt sind ihre Volkslieder und Balladen.

Kurvat'ur, an griech. Tempeln eine leicht von der Geraden abweichende Krümmung der waagerechten Teile.

K'urve [Lw. aus lat.], im allgemeinen Sprachgebrauch eine stetig gekrümmte Linie, in der Mathematik jede, auch die gerade Linie. Liegt die K. in einer Ebene, so heißt sie *ebene K.*, im anderen Falle *Raumkurve*. Ebene K. sind z. B. Gerade, Kreis, Parabel, eine Raumkurve ist die Schraubenlinie. Ebene K. haben im allgemeinen eine Krümmung, Raumkurven Krümmung und Windung. Eine stetige K. ist durch eine Gleichung zwischen den Koordinaten ihrer Punkte bestimmt. Ist diese Gleichung zweiten, dritten, ... Grades, so heißt die K. zweiten, dritten, ... Grades oder zweiter, dritter, ... Ordnung.

Kurvenabtaster, ein Gerät zum Abtasten einer ausgeschnittenen oder gezeichneten Kurve, deren Verlauf in ein anderes Gerät, z. B. ein Rechengerät oder eine Werkzeugmaschine (→nachformen) übertragen werden soll. Beim *lichtelektr. K.* steuert z. B. eine Photozelle ihre eigene Bewegung so zur Kante des Kurvenstrichs, daß ihr durch opt. Abbildung hergestelltes Gesichtsfeld in eine helle und dunkle Hälfte geteilt wird. Bes. schnell arbeitet der *elektron. K.*, bei dem eine Photozelle den Leuchtpunkt einer Kathodenstrahlröhre in Sekunden-Bruchteilen am Rand einer Maske entlang steuert, die nach der abzutastenden Kurve gestaltet und vor den Schirm dieser Röhre geklebt ist.

Kurvengetriebe sind Getriebe, in denen von einem meist gleichförmig sich drehenden Kurventräger (Scheibe oder Zylinder) ein Eingriffsglied (Schieber oder Hebel) in bestimmt vorgeschriebene Bewegung versetzt werden kann. Sie werden besonders da angewendet, wo zwischen den Bewegungszeiten vollkommene Stillstände des Eingriffsgliedes verlangt werden (z. B. Nockenwelle). BILD Getriebe.

Kurvenmesser, Kurvimeter, Gerät zur Längenmessung von Kurven, z. B. in Landkarten (*Kartometer*); in einfacher Ausführung ein Meßrädchen, das längs der Kurve gerollt wird, seine Abwicklung auf einen

Zeiger überträgt und sie an mehreren, den üblichen Landkartenmaßstäben entsprechenden Skalen anzeigt.

Kurverein von Rhense, die Vereinigung der Kurfürsten (außer Böhmen) am 16. 7. 1338 zur Wahrung des Reichsrechts und ihres Wahlrechts gegen jedermann, bes. gegen päpstl. Ansprüche. Mit der Erklärung, daß die Königswahl durch die Kurfürsten-Mehrheit Herrschaftsrechte im Reich begründe, ohne der päpstl. Bestätigung (Approbation) zu bedürfen, nahm der K. Stellung für Ludwig den Bayern gegen das Papsttum von Avignon.

Kurz, 1) Hermann, Schriftsteller, * Reutlingen 30. 11. 1813, † Tübingen 10. 10. 1873, wurde 1863 Universitätsbibliothekar in Tübingen; Lyriker der schwäb. Schule, befreundet mit Mörike und Uhland, volkstüml. Erzähler und Übersetzer.

WERKE. Romane: Schillers Heimatjahre (1843), Der Sonnenwirt (1854). Ges. Werke, 12 Bde. (1904).
2) Isolde, Schriftstellerin, Tochter von 1), * Stuttgart 21. 12. 1853, † Tübingen 6. 4. 1944, lebte 1873–1915 in Florenz im Kreis Böcklins und A. v. Hildebrands. Ihre Novellen und Erzählungen behandeln oft Motive aus der italienischen Renaissance.

WERKE. Gedichte. Florentiner Novellen (1890), Italienische Erzählungen (1895). Romane: Nächte von Fondi (1922), Ein Genie der Liebe (1929), Vanadis (1931). Erinnerungen (1906, 1909, 1918, 1927). Ges. Werke (14 Bde., 1925).

Kurzarbeit, verkürzte Arbeitszeit unter entsprechender Kürzung des Arbeitslohnes. Sie kann zur Vermeidung von Entlassungen aus betriebl. Gründen mit Genehmigung des Landesarbeitsamts eingeführt werden; Lohn- oder Gehaltskürzungen werden erst nach Ablauf der allgemeinen Kündigungsfristen wirksam (§ 19 Kündigungsschutz-Ges.). In besonderen Fällen ist im Rahmen der Arbeitslosenversicherung die Gewährung von *Kurzarbeitergeld* möglich.

Kurzatmigkeit, →Dyspnoe.

Kürzel, Sigel, Kürzung in der dt. Kurzschrift.

Kurzflügler, Kurzdeckflügler, *Staphyliniden,* Käferfamilie, deren Flügeldecken den Hinterleib nur an der Wurzel bedecken; in Mist, Aas, Moder, so der goldstreifige *Moderkäfer.*

Kurzgeschichte, kurze Erzählung zwischen Novelle, Skizze und Anekdote; sie nimmt ihren Stoff meist aus dem Alltagsleben, ist charakterisiert durch zielstrebige, harte und bewußte Komposition und führt meist zu einem unerwarteten aber unausweichlichen Ende. In der dt. Literatur tauchen Wort und Begriff erst um 1920 auf, wohl als Lehnübersetzung von engl. *Short Story,* das erstmals in den achtziger Jahren des 19. Jhs. belegt ist: doch schließt die engl.-amerikan. Begriff Short Story auch die Novelle ein. – Die Anfänge der K. reichen bis zu den Fazetien, Schwänken, Kalendergeschichten

(J. P. Hebel), Anekdoten (Kleist) zurück. In Amerika begann die Short Story mit E. A. Poe. Ihre moderne Ausprägung verdankt die K. dem Unterhaltungsbedürfnis des Lesers von Zeitungen und Zeitschriften. K. schrieben z. B. in Amerika H. Melville, Mark Twain, Bret Harte, O. Henry, E. Hemingway, W. Faulkner, J. Steinbeck, E. Caldwell, in England Stevenson, Kipling, Conrad, Wells, die Neuseeländerin K. Mansfield, in Frankreich Maupassant, in Deutschland G. Meyrink, W. Schäfer, E. Kreuder, K. Kusenberg, W. Schnurre, H. Böll u. a.

Kurzköpfe, eigenartig gedrungene, engmaulige, termitenfressende Frösche der afrikan. Gatt. *Breviceps* mit z. T. verwachsenen Wirbeln.

Kurzköpfigkeit, griech. *Brachykephalie,* Form des menschl. Kopfes, bei der die größte Breite mehr als 80 % der Länge beträgt.

Kurzschließer, ein Schalter, der parallel zu einem elektr. Stromverbraucher liegt. Durch den K. fließt fast der gesamte Strom, der Verbraucher wird stromlos.

Kurzschluß, eine Störung, verursacht durch ungewollte direkte Berührung der spannungführenden Teile verschiedener Polarität in einer elektr. Anlage oder in einem Gerät. In den so gebildeten (kurzen) Stromkreis tritt eine hohe K.-Stromstärke auf, die Anlagen oder Geräte gefährdet. Als Schutz werden am Anfang jedes Stromkreises selbsttätige Überstromschalter (Automaten) oder →Sicherungen eingebaut.

Kurzschlußhandlung, ein Handeln auf der Grundlage plötzlich oder zufällig auftauchender Motive, Stimmungen, Affekte, ohne Einsicht in Sinn und Folgen. K. kommen gelegentlich im normalen Leben vor, bes. etwa unter Affektdruck, bei Psychopathen, abnormen kriminellen Persönlichkeiten.

Kurzschlußmotor, ein Asynchronmotor mit kurzgeschlossener Läuferwicklung, →Elektromotor.

Kurzschrift, Stenographie, eine Schrift zur schnelleren Niederschrift mit besonderen, kurzen Zeichen, auch festen Kürzungen (Sigel). Sie dient zur Aufnahme von Diktaten (bes. im Bürobetrieb); zum Mitschreiben von Reden (z. B. durch Presse- und Parlamentsstenographen), zu persönlichen Notizen u. a. Bei den meisten Systemen gliedert sich der Aufbau in die *Schul-* oder *Verkehrsschrift* als Unterstufe und die *Eil-* oder *Redeschrift* als Oberstufe. Alle Arten der K. lassen stumme Buchstaben aus. In den Systemen mit sinnbildlicher Vokalbezeichnung werden die Selbstlaute durch bestimmte Veränderungen des benachbarten Mitlautzeichens dargestellt (z. B. durch Verstärkung).

GESCHICHTE. K. gab es schon im griech. und röm. Altertum (griech. Tachygraphie; Tironische Noten). Der Name Stenographie tauchte zuerst 1602 in England auf, der Name K. 1819 in Deutschland, wo über 600 K.-Systeme aufgestellt wurden, von

denen aber nur wenige Bedeutung erlangten. Gabelsberger führte als erster (1834) fließende Schriftzüge nach den Erfordernissen der Hand ein und verwendete sinnbildliche und buchstäbliche Vokalbezeichnungen nebeneinander, ferner ausgiebige Verschmelzungen von Mit- und Selbstlautzeichen. Mit Stolze (1841) begann die Entwicklungsreihe der vokalsymbolisierenden und streng regelmäßig aufgebauten Systeme, unter Verwerfung der Zeichenverschmelzung. 1897 entstand das Einigungssystem Stolze-Schrey. Weitere Systeme schufen Faulmann (1883), Lehmann (1875). Nach langen Verhandlungen kam 1924 die *Einheits-K.* zustande, die nach Vereinfachung (1936) noch heute in den Schulen gelehrt wird; sie befolgt im wesentlichen Stolze-Faulmannsche Grundsätze, während die Einzelzeichen von Gabelsberger stammen. Wesentliche Träger der kurzschriftl. Arbeit sind die Stenographenvereine.
Lit. M. Winkler u. R. Rieser, Lehr- u. Übungsbuch, 3 Tle. ([17]1966).

Kurzschulen, Lehrgänge mit Landheimcharakter für Jugendliche aller Schichten, nach dem Vorbild der 1941 von K. Hahn (* Berlin 5. 6. 1886) in Aberdovey (Wales) eingerichteten Anstalt. In der Bundesrep. Dtl. bestehen K. mit 4wöchentl. Kursen in Schloß Weißenhaus (Ost-Holstein) und Berchtesgaden; in Österreich in Baad (Kl. Walsertal).

Kurzsichtigkeit, griech. *Myopie,* ein →Brechungsfehler des Auges, bei dem die das Bild eines fernen Gegenstandes entwerfenden parallel auftreffenden Strahlen schon vor der Netzhaut vereinigt werden, so daß auf dieser nur unscharfe Abbildungen entstehen. Dieses Mißverhältnis wird durch zu große Länge des Auges hervorgerufen. Um ferner gelegene Gegenstände scharf sehen zu können, muß ein Konkavglas getragen werden.

Kurzstreckenlauf, sportl. Lauf über Strecken von 100–400 m.

Kurztrieb, Kurzsproß, *Brachyblast,* Pflanzensproß mit verkürzten Gliedern *(Internodien)* der Achse; die Blätter stehen daher büschelig eng (z. B. Sauerdorn, Agave, Nadeln der Lärche).

Kurzwaren, kleine Gebrauchsgegenstände zur Bekleidungsherstellung, z. B. Nadeln, Knöpfe, Garne, Bänder.

Kurzwellen, elektromagnetische Wellen mit einer Wellenlänge von 100 bis 10 m, entsprechend einer Frequenz von 3 bis 30 MHz.
In der *Funktechnik* lassen sich mit K. bei verhältnismäßig geringen Sendeenergien außerordentlich große Entfernungen überbrücken. K. sind weniger störanfällig als mittlere und lange Wellen, sie breiten sich geradlinig aus.
Man strahlt K. mit besonderen Richtantennen als »Raumwellen« schräg in den Raum ab, wo sie an der Heavisideschicht der Ionosphäre zur Erde reflektiert werden. Dadurch ist die große Reichweite der K. möglich. Zu den Nachteilen gehören die großen Unterschiede in der Empfangslautstärke bei Tag und bei Nacht sowohl im Sommer wie auch im Winter. Daher wird in der Regel bei Tag eine kürzere Wellenlänge verwendet als bei Nacht. Ein anderer Nachteil ist die Erscheinung der »toten Zone«, die zwischen den zur Erde zurückgekehrten Wellen und der direkten Reichweite als Bodenwelle liegt. Die *K.-Technik* wurde durch Amateure eingeführt. Heute spielen sich fast 75 % des Überseeverkehrs auf K. ab. Den K.-Rundfunksendern ist das 13 m-, 16 m-, 19 m-, 25 m-, 31 m-, 41 m- und 49 m-Band zugeteilt.
K. werden in steigendem Maße zur *Wärmeerzeugung* angewandt. In einem zwischen zwei Platten erzeugten K.-Feld erwärmt sich das nichtleitende Zwischenmedium infolge seiner dielektrischen Verluste (dielektrische Erhitzung). Auf diese Weise werden Textilien, Holz u. a. getrocknet, Holz geleimt, sogar Stähle gehärtet und Glasschmelzen zwischen wassergekühlten Elektroden bereitet. Auch kann mit K. rasch gelötet werden *(Hochfrequenzhärtung und -lötung).* In großen Speichern sind gute Erfolge bei der Durchstrahlung von Mehl und Getreide mit K. zur Ungeziefervertilgung erzielt worden.
In der *Heilkunde* werden die K. (zugelassene

Gabels- berger	alte Form	*[handschriftliche Kurzschrift]*
	Form 1902	*[handschriftliche Kurzschrift]*
Stolze....		*[handschriftliche Kurzschrift]*
Stolze- Schrey		*[handschriftliche Kurzschrift]*
Faulmann..		*[handschriftliche Kurzschrift]*
Deutsche Kurzschrift 1936		*[handschriftliche Kurzschrift]*

Kurzschrift: Probe der verschiedenen Schriftarten. Beispiel: Im ›Großen Brockhaus‹ besitzen wir das volkstümliche Nachschlagewerk für die Deutschsprechenden der ganzen Erde

Kurz

Wellenlänge von 30 bis 6 m) bei der *Kurzwellenbehandlung* (K.-Therapie), einer Form der Elektrotherapie, verwendet; entsprechend werden auch →Ultrakurzwellen von weniger als 10 m Länge *(Ultrakurzwellenbehandlung)* gebraucht, die durch große Tiefenwirkung der im Körper erzeugten Wärme gekennzeichnet sind. Die K. werden ohne Berührung mit stromführenden Teilen auf den Körper übertragen. Bei der Behandlung im Kondensatorfeld bestehen die Elektroden (nach Schliephake) aus Metallscheiben, die in eine Glashülle eingelassen und an verstellbaren starren Haltearmen aus einem nicht leitenden Stoff befestigt sind. Sie werden nahe der Haut eingestellt, so daß der zu behandelnde Körperteil zwischen beiden Elektroden liegt. Eine andere Form sind schmiegsame Elektroden aus Metallteilen, die von einer Kautschukmasse eingehüllt sind und durch Filzunterlagen von der Haut getrennt werden (Spulenfeldkabel). Anwendung bei rheumat. Leiden, Entzündungen, Krankheiten der Blutgefäße und der Drüsen mit innerer Sekretion.
Lit. K. Schultheiß: Der K.-Amateur (¹¹1969). – E. Schliephake: Kurzwellentherapie (⁶1960).

Kurzwellenlupe, in Rundfunkempfängern eine Schaltung zur Feinabstimmung im Kurzwellenbereich, bes. zur Banddehnung.

Kurzwildbret, Hoden des Haarwildes und Hundes.

Kurzzeile, in der *Verslehre* bes. der altdeutsche Vers von 4 Hebungen mit stumpfem oder 3 (später auch 4) Hebungen mit klingendem Versausgang; ursprünglich die unselbständige Hälfte der german. →Langzeile. Die Verbindung von zwei Kurzzeilen, das Reimpaar, herrscht in der ungesungenen Dichtung vom 9. bis zum 16. Jh. vor. Beispiel:

Daz milter man gar wârhaft sî,
geschiht daz, dâ ist wunder bî.
(Walther von der Vogelweide)

Kurzzeitmesser, Gerät zur Zeitmessung bei sehr schnellen Vorgängen. *Mechanische K.* beruhen oft auf dem Zählen der Takte eines Zeitnormals in der Meßzeit, z. B. der bes. zahlreichen Unruhtakte einer Stoppuhr. Rein *elektr. K.* arbeiten u. a. mit Auf laden eines Kondensators durch konstanten Strom während der Vorgangsdauer und erreichter Spannung als Zeitmaß, mit dem Zuführen von Zeitimpulsen an die Ablenkplatten eines Elektronenstrahloszillographen, mit dem Ausschlag eines Kriechgalvanometers und zum direkten Anzeigen kürzester Zeiten mit einer elektronischen Nachbildung der Stoppuhr.

Kusbas, →Kusnezker Kohlenbecken.

Kusch, Polykarp, amerikan. Physiker, * Blankenburg (Harz) 26. 1. 1911, Prof. an der Columbia-Univ. in New York, erhielt für seine Untersuchungen über das magnet. Moment des Elektrons 1955 den Nobelpreis (mit W. E. Lamb).

Kuschiro, amtl. **Kushiro,** Stadt auf Hok-

kaido, Japan, mit (1970) 192 000 Ew., Holzexporthafen, Kohlenbergbau, Industrie.

kusch'itische Sprachen, →hamitische Sprachen.

K'uschwa, Stadt im Gebiet Swerdlowsk, Russ. SFSR, mit (1970) 44 000 Ew.; hat Eisenerzbergbau, Eisen- und Stahlindustrie.

K'usel, Kreisstadt im RegBez. Rheinhessen-Pfalz, Rheinland-Pfalz, mit (1974) 5800 Ew., hat A Ger., höhere und Landwirtschaftsschule; Garnisons- und Marktstadt, Industrie. – K. ist aus einem auf röm. Boden entstandenen fränk. Königshof hervorgegangen.

Kusenberg, Kurt, Schriftsteller, * Göteborg 24. 6. 1904, Kunstkritiker, Essayist und Erzähler.

Kushiro, amtl. für →Kuschiro.

Kusine [dt. von Cousine], Base.

K'uskokwim River [-rivə], Fluß in Alaska, 1300 km lang, entspringt in der Alaskahauptkette und mündet ins Beringmeer.

Kusk'ussu, Hauptnahrung vieler ackerbautreibender nordwestafrikan. Stämme, eine Art gedämpfter Trockennudeln aus Weizen-, Mais- oder Hirsemehl unter Zusatz von Wasser und Grieß bereitet.

Kusm'in, 1) Josif, sowjet. Wirtschaftspolitiker, * 1910, Ingenieur, 1957–59 Leiter der staatl. Plankommission (Gosplan) und stellvertr. MinPräs., März 1959 bis April 1960 Vors. des Staatl. Komitees für Wissenschaft und Technik (mit Ministerrang); 1960–63 Botschafter in der Schweiz.

2) Michail Alexejewitsch, russ. Schriftsteller, * Jaroslawl 18. 10. 1875, † Leningrad 3. 3. 1936, verteidigte gegenüber dem Symbolismus die »herrliche Klarheit«, schrieb Gedichte (Alexandrinische Gesänge, 1908; dt. 1920) und Erzählungen. Gesammelte Werke 9 Bde. (1908–19).

Küsnacht (ZH), Gemeinde am Zürichsee mit (1970) 12 200 Ew.

Kusn'ezker Kohlenbecken, abgekürzt Kusbas, Bergbaugebiet in W-Sibirien, eine Mulde (80–100 km breit, 240 km lang, rd. 25 000 qkm) zwischen dem Großen Altai im S, der Transsibir. Bahn im N, dem Salair-Rücken im W und dem Kusnezker Alatau im O. Abbauorte: Kemerowo, Prokopjewsk, Leninsk-Kusnezkij, Anscherosudschensk, Kiselewsk, Nowokusnezk, Ossinniki. Auf der Kokskohle des K. K. entstanden riesige Stahlwerke, das bedeutendste in Leninsk-Kusnezkij, das mit Eisenerz von Magnitogorsk und auch aus dem K. K. selbst versorgt wird *(Ural-Kusnezk-Kombinat).*

Kusnez'ow, Wassili Wassiljewitsch, * Sofilowka 13. 2. 1901, Ingenieur, wurde 1937 Mitgl. der staatl. Plankommission, 1944 Generalsekretär der sowjet. Gewerkschaften, Okt. 1952 Mitgl. des Präsidiums des KPdSU; 1953/54 war er Botschafter in Peking, seit 1955 stellvertr. Außenmin.

Kuß [german. Stw.], Berührung eines anderen Menschen mit den Lippen als Liebesbezeigung. Der K. auf die Hand gilt (Damen gegenüber) als Bezeigung der Ehrfurcht oder als gesellschaftl. Konvention (→Handkuß). Der Lippenkuß ist bei den meisten Völkern üblich, bei manchen (arktische, ozeanische) der Nasenkuß; wohl immer aber ist er ursprüngl. als Austausch der im Atem vorgestellten Seele gedacht. Im religiösen Leben hat sich der K. als Zeremonie der Verehrung gegenüber Personen und Sachen vielfach gehalten; so kennt die kath. Kirche den K. in der Liturgie bes. bei der Meßfeier (Altarkuß, Friedenskuß der amtierenden und teilnehmenden Kleriker beim Hochamt usw.); die Kreuzverehrung durch K. ist ein Höhepunkt ihrer Karfreitagsfeier. Außerliturgisch werden beim Bischof der Ringkuß, beim Papst der →Fußkuß geübt. In der Liturgie der Ostkirche erteilen sich Klerus und Volk mehrfach, bes. im Gottesdienst der Osternacht, den Friedenskuß. – Im MA. galt der K. auch symbolisch als Bekräftigung eines Vertrags oder Versprechens.

Kussel, Kusel [märk.], **Kollerbusch, Kuttelbusch,** ältere Holzpflanze, die ihren natürlichen Baumwuchs durch Vieh-, Wildverbiß und Frostbeschädigung nicht erreicht, sondern vielästig-buschig bleibt.

Kusser, Cousser, Johann Siegmund, Komponist, * Preßburg 13. 2. 1660, † Dublin 1727, war 1674–82 Schüler von Lully in Paris, wirkte dann als Kapellmeister in Braunschweig, Hamburg, Augsburg, Nürnberg, Stuttgart und seit 1704 im Dienst des Vizekönigs in Irland.
WERKE. 11 Opern (nur einzelne Arien erhalten), Orchestersuiten, Kantaten.

Kussewitzki, Serge, Dirigent, * Twer bei Moskau 23. 6. 1874, † Boston 4. 6. 1951, war Kontrabaß-Virtuose, dann Dirigent eines selbstgegründeten Orchesters in Moskau, seit 1924 des Boston Symphony Orchestra.

Kußmaul, Adolf, Arzt, * Graben (bei Karlsruhe) 22. 2. 1822, † Heidelberg 28. 5. 1902, führte Magenspülung und →Bruststich ein.
WERKE. Untersuchungen über d. Seelenleben d. neugeborenen Menschen (1859), Jugenderinnerungen eines alten Arztes (1899 u. ö.).

K´üßnacht, Bezirkshauptort im Kanton Schwyz, Schweiz, mit (1970) 8000 Ew., am Vierwaldstätter See, 440 m ü. M.; in der Nähe die durch die Tellsage bekannte Hohle Gasse (Tellskapelle). K. hat Heimatmuseum; Glasfabrik, Milchwirtschaft, Obstbau; Fremdenverkehr.

Kustan´aj, Gebietshauptstadt in der Kasach. SSR, am Tobol, mit (1972) 134000 Ew., ist Industrieschwerpunkt der neuerschlossenen Gebiete Kasachstans.

Küste [niederl. aus lat. costa ›Seite‹], **Gestade,** Landteil, der vom Meer berührt wird. Die K. werden durch Brandung, Strömung, Wasserstandsschwankungen und Ablagerungen der Flüsse und des Meeres stetig verändert. Nach der senkr. Bildung werden Steil- und Flachküsten unterschieden. Steilküsten fallen schroff zum Meer ab.

An ihnen wirkt die →Brandung bes. dort, wo die Wellenbewegung eines nicht zu flachen Meeres unmittelbar an einer Steilwand gebrochen wird. An Flachküsten dagegen senkt das Land sich allmählich zum Meer und ebenso allmählich unter dessen Spiegel hinab. Die Verfrachtung des Feinschuttes (Küstenversetzung) durch die Strömungen und Wellen führt zur Bildung der Haff-Nehrungs-K. oder zur geradlinigen Ausgleichs-K. Wo Dünen fehlen, legen die Küstenbewohner zum Schutz des Landes Dämme oder Deiche an; die Anschwemmungen werden möglichst in Marschland umgewandelt (Landgewinnung). Die Flachküsten sind für die Schiffahrt ungünstig und erfordern die Anlage von künstlichen Hafenplätzen, meist an Flußmündungen.
Fast alle K. sind ehemalige (»ertrunkene«) Festlandsränder, in die das Meer eindrang: Fjord-K. sind eiszeitl. Trogtäler, Schären-K. eiszeitl. Flachtäler und Rundhöcker, Förden- und Bodden-K. Zungenbecken eiszeitl. Aufschüttungsgebiete, Ria-K. ertrunkene Flußtäler, Cala- und Canale-K. ehemal. Flußmündungen, Liman-K. Flußtäler flacher Tafelländer. – Eine besondere Art ist die Korallen-K. (→Korallenbauten)

Küstenfieber, ostafrikanisches K., rhodesisches Fieber, eine durch die Protozoenart Theileria parva hervorgerufene, durch Zecken übertragene Piroplasmose der Rinder an der ostafrikan. Küste, auch im Mittelmeergebiet und in Australien; verläuft mit Fieber, Schwellung der Lymphknoten und blutigem Durchfall.

Küstengebirge, engl. Coast Ranges, langgestreckter Gebirgszug im W Nordamerikas, der Küste des Stillen Ozeans gleichlaufend; fruchtbare Täler, Bodenschätze an Gold, Silber, Kupfer, Quecksilber, Erdöl.

Küstengewässer, im Unterschied zu den →Binnengewässern die Teile der offenen See, die der Hoheit des Uferstaats unterstehen, meist noch drei Seemeilen (→Dreimeilenzone).

Küstenkanal, 71 km lange Verbindung der Ems (bei Dörpen) mit der Hunte (bei Oldenburg), von Bedeutung für den Kohlentransport von der Ruhr (→Dortmund-Ems-Kanal) über Hunte und Weser (bei Elsfleth) nach Bremen.

Küstenland, 1849–1918 im zisleithan. Teil Österreich-Ungarns die Kronländer Görz und Gradisca, Istrien, Triest, die zwar eigene Landesvertretung hatten, aber als gemeinsames Verwaltungsgebiet dem Statthalter in Triest unterstanden.

Küstenschiffahrt, Küstenfahrt, die Schiffahrt mit kleineren Schiffen in der Nähe der Küsten; sie ist vielfach den Angehörigen des Küstenstaates vorbehalten. Die große K. umfaßt auch den Verkehr auf den Binnenmeeren. In den Küstengewässern der Bundesrep. Dtl. darf K. betrieben werden mit Seeschiffen, die die Bundesflagge führen und mit Binnenschiffen, die in einem Schiffsregister der Bundesrep. Dtl. eingetragen sind und die für Seefahrten vorgeschriebenen Zeugnisse besitzen.

Küstenversetzung, die durch die Meeresströmungen veranlaßte Umlagerung des von der Brandung und von den Flüssen gelieferten Ablagerungsmaterials längs der Küste. Die K. gestaltet Buchtenküsten zu Nehrungs- und zu Ausgleichsküsten um.

Küster [von lat. custos], *seltener:* **Küstner,** auch **Glöckner, Mesner, Kirchner,** Kirchendiener, der die niederen Dienste ausübt und die Kirchengebäude und -geräte beaufsichtigt.

Küstner, Friedrich Karl, Astronom, * Görlitz 22. 8. 1856, † Mehlem 15. 10. 1936, war seit 1891 Direktor der Sternwarte in Bonn; stellte einen Katalog der Örter von 10663 Sternen zusammen. Er entdeckte die Polhöhenschwankungen und bestimmte als erster aus spektrograph. Beobachtungen die Aberrationskonstante.

Kustos [lat. ›Wächter‹], 1) wissenschaftlicher Beamter an Sammlungen und Büchereien. 2) **Domkustos,** der mit der Oberaufsicht über einen Dom betraute Domkapitular oder -vikar. 3) der Vorsteher einer **Kustodie** (Vereinigung mehrerer Klöster) innerhalb des Franziskanerordens. 4) die am Schluß einer Seite gesetzte Anfangssilbe der nächsten Seite. 5) in den älteren Notenhandschriften und -drucken eine Art Stichnote in Gestalt eines hakenförmigen Zeichens am Ende einer Notenzeile, die die Tonhöhe der zu Anfang der folgenden Zeile stehenden Note vorweg angibt.

Küstr'in, Stadt und Festung in der Neumark, ehem. Prov. Brandenburg, an der Mündung der Warthe in die Oder inmitten der fruchtbaren Oderniederung, hatte (1939) 23800 Ew., mit AGer., höheren und Berufsschulen, Wasserbauamt, landwirtschaftl. Verarbeitungs- und Metallindustrie, Hafen. Die spätmittelalterl. Pfarrkirche St. Maria, nach Zerstörung durch die Russen (1758) 1767 durch Neubau ersetzt, das Markgrafenschloß, Mitte des 16. Jhs. erneuert und im 18. Jh. umgebaut, waren die wichtigsten Bauten. – K., 1232 erwähnt, war eine starke preuß. Festung. Hier wurde Friedrich d. Gr. als Kronprinz gefangengehalten, sein Freund Katte hingerichtet. Ende des 2. Weltkriegs wurde K. zu 90% zerstört, es blieben nur der Vorort K.-Kietz und Teile der Festung. 1945 kam K. jenseits der Oder zum polnisch verwalteten Gebiet *(Kostrzyn)*, mit (1971) 11700 Ew. K.-Kietz blieb in dt. Verwaltung.

K'usu *der,* Beutelfuchs, *Trichosurus,* Gattung der Beuteltierfamilie Kletterbeutler in Australien und Tasmanien, mit dem *Fuchskusu* (T. vulpecula).

Kütahya, Provinzhauptstadt in der Türkei, im westl. Inneranatolien, mit (1970) 62100 Ew.; bedeutendster Braunkohlenabbau der Türkei (2–3 Mill. t im Jahr).

Kut'aissi [georg.], **Kutais,** Stadt in der Georg. SSR, Transkaukasien, mit (1972) 166000 Ew., hat chem. und Textilindustrie.

kut'an [lat.], die Haut *(Cutis)* betreffend, zu ihr gehörig.

Kutani, eine japan. Töpferwerkstätte in der Prov. Kaga, gegr. um 1640, bekannt durch ihre Porzellan-Industrie; das **Ao-Kutani** ist grün glasiert.

Kutch [k'ʌtʃ], ehem. ind. Staat, →Katsch.

Kut el-Am'ara, amtl. **Kut al-Imara,** Stadt im Irak, am Tigris, mit etwa 14000 Ew. – Im 1. Weltkrieg kapitulierte hier ein brit. Heer unter Townshend vor den Türken unter Goltz Pascha am 29. 4. 1916.

Kutha [hebr. und arab.], sumer. **Gudua,** babylon. **Kutu,** babylon. Stadt, heute Ruinen *Tell Ibrahim.* K. war Sitz des Unterweltgottes Nergal, dessen Tempel Ende des 3. Jahrtausends erbaut, später von Nebukadnezar II. erneuert wurde. Sargon II. von Assyrien siedelte 722 v. Chr. Einwohner von K. in Israel an. Danach hießen später die Samaritaner in der jüd. Überlieferung **Kuthäer.**

K'utná H'ora, tschech. Name der Stadt →Kuttenberg.

K'utno, Kreisstadt in Mittelpolen, mit (1971) 30600 Ew., in fruchtbarer Gegend halbwegs zwischen Lodz und Włocławek; Textilindustrie, Getreidebau, Zuckerfabriken. – Schlacht bei K. (14./15. 11. 1914); Schlacht an der Bzura (9.–19. 9. 1939).

Kutscha, chines. **Kutsche,** postamtl. **Kuche,** Oasenstadt in Sinkiang, China, mit etwa 15000 Ew.

Kutsch-Bihar, engl. **Cooch Bihar,** ehemal. indischer Fürstenstaat in N-Bengalen, 3421 qkm mit (1950) 600000 Ew.; wurde 1950 dem Staat West-Bengalen eingegliedert.

Kutsche [nach dem ungar. Ort Kocs; Lutherzeit], gefederter Personenwagen mit Verdeck.

Kutscher, Artur, Literarhistoriker und Theaterwissenschaftler, * Hannover 17. 7. 1878, † München 29. 8. 1960, seit 1915 Prof. in München.

WERKE. Grundriß der Theaterwissenschaft, 2 Bde. (²1949), Stilkunde der dt. Dichtung, 2 Bde. (1949–52), Der Theaterprofessor (1960), Wedekind (neu 1964).

Kutschkelied, Soldatenlied: ›Was kraucht dort in dem Busch herum? Ich glaub', es ist Napolium‹, usw. Es entstand 1870, der Anfang schon in den Freiheitskriegen.

Kütsch'ük-Kainardsch'i, Ort in der Dobrudscha, südöstl. von Silistra; 21. 7. 1774 Friede zwischen Rußland und der Türkei.

Kutte [franz. Lw.], Mönchsgewand, eine bis auf die Füße reichende langärmelige, gegürtete Tunika mit Kapuze (BILD Amtstrachten).

Kuttelbusch, →Kussel.

Kuttelfisch, zehnarmiger Kopffüßer (bes. Sepia).

Kuttelfleck, Kaldaunen, Rindermagen.

Kuttenberg, tschech. **Kutná Hora,** Bezirksstadt im mittleren Böhmen, Tschechoslowakei, mit (1971) 18100 Ew., 273 m ü. M. Die ehemals dt. Bergstadt hat die gotische Barbarakirche (1388–1585). Der seit 1237 be-

Kuttenberg: Barbarakirche

triebene Silberbergbau ist seit dem 18. Jh erloschen. K. hat chemische u.a. Industrie.

Kutter [Lw. aus engl.], **1)** einmastiges Segelschiff mit geradem Steven und Spiegelheck, das am Mast eine Stenge, Großsegel, Gaffelkopfsegel sowie zwei Vorsegel führt. *Fischkutter* haben meist Motorantrieb und führen Hilfsbesegelung. **2)** die zum Rudern und Segeln eingerichteten zweimastigen Rettungsboote der Kriegsschiffe.

Kutter

Kutter, Hermann, evang. Theologe, * Bern 12. 9. 1863, † St. Gallen 22. 3. 1931, war 1898–1926 Pfarrer in Zürich. Begründer der religiösen Sozialismus. Vorkämpfer der dialektischen Theologie.
WERKE. Sie müssen (1903), Die Revolution des Christentums (1908), Im Anfang war die Tat (1924).

Kuttner, Stephan, Kirchenrechtshistoriker, * Bonn 24. 3. 1907, 1937 Prof. an der Päpstl. Lateran-Univ., 1942 an der Kath. Univ. in Washington, 1964 an der Yale University.
WERKE. Kanonistische Schuldlehre von Gratian bis auf die Dekretalen Gregors IX. (Rom 1935), Repertorium der Kanonistik 1141–1234 (Rom 1937), Harmony from dissonance. An interpretation of medieval canon law (Latrobe, Pa., 1961).

Kuttrolf [von lat. guttarium] *der,* →Angster.

Kut'usow, Michail Ilarionowitsch, Fürst Smolenskij (seit 1813), russ. Feldmarschall, * Petersburg 16. 9. 1745, † Bunzlau 28. 4. 1813, befehligte in der Schlacht bei Austerlitz (2. 12. 1805) das österreich.-russ. Heer. Als Oberbefehlshaber des russ. Heeres unterlag K. bei Borodino (7. 8. 1812) gegen Napoleon, siegte aber bei Smolensk (16./17. 11. 1812).

K'uusinen, Otto, Politiker, * Finnland 5. 10. 1881, † Moskau 17. 5. 1964, war 1918 Mitgründer der KP Finnlands, 1921–39 Mitgl. des ständigen Sekretariats der Komintern. Nach dem sowjet. Angriff auf Finnland rief er eine kommunist. Gegenregierung aus und schloß mit Molotow einen Beistands- und Freundschaftspakt ab (2. 12. 1939); 1940–56 war er Staatspräsident der Karelo-Finn. Sowjetrep., 1941–53 Mitgl. des ZK, seit 1957 Mitgl. des Präsidiums des ZK der KPdSU. – Seine Tochter *Hertta* (* 1904, † Moskau 19. 3. 1974) war seit 1945 kommunist. Abgeordnete im finn. Reichstag und seit 1972 Ehrenvors. der Finn. KP.

Kuv'ert [franz.] *das,* **1)** Briefumschlag. **2)** Gedeck.

Kuvertüre [franz.] *die,* Schokoladenüberzug.

Küvette [franz.] *die,* **1)** flache Glasschale. **2)** Abzugsgraben für Regenwasser in Festungsgräben. **3)** Staubdeckel in Taschenuhren. **4)** Waschbecken.

kuvrieren [franz.], verbergen.

Kuw'ait, Koweit, arab. Fürstentum am Pers. Golf, 16000 qkm, mit (1972) 914000 Ew. Hauptstadt: *El-K.* (1970: 80000 Ew.). Haupterwerbszweig ist die Erdöl-Förderung (Burgan-Feld, auf 18% der Welt-Erdölreserven geschätzt), die von 0,8 Mill. t (1946) auf 152 Mill. t (1971) anstieg; Ausfuhrhafen ist Mena el-Ahmadi (rd. 50000 Ew.). Die Ausbeutungskonzession hat die *K. Oil Co.,* die 50% der Einnahmen an den Fürsten abführt. Der Reichtum wird für umfangreiche soziale und zivilisatorische Maßnahmen eingesetzt z. B. das Schulwesen (Univ. 1962).
K. stand seit 1880 unter brit. Schutz; 1961 erlangte es seine völlige Unabhängigkeit und wurde trotz des Protestes des Irak, der K. beansprucht, Mitgl. der Arab. Liga. Auf Grund der Verfassung vom 23. 1. 1963 ist K. eine konstitutionelle Monarchie. 1963 wurde es in die UNO aufgenommen.

Kuw'atli, Schukri el-K., syrischer Politiker, * Damaskus 1886 (1891?), † Beirut 1. 7. 1967, seit 1926 führend am Unabhängigkeitskampf gegen Frankreich beteiligt, 1943 bis 1949 und 1955–58 Staatspräsident.

Kux [frühmhd., tschech. Lw.] *der,* ein Gesellschaftsanteil an einer bergrechtl. →Gewerkschaft. Er lautet auf eine Quote, nicht (wie die Aktie) auf einen festen Nennbetrag. Die Namen der Inhaber *(Gewerken)* sind im Gewerkenbuch eingetragen; Übertragungen erfolgen durch Zession oder Umschreibung im Gewerkenbuch. Die Gewerkschaft älteren Rechts hat 128 K., die zum unbewegl. Vermögen zählen; bei Gewerkschaften neuen Rechts zählt der K. zu den bewegl. Sachen, die Zahl der K. beträgt mei:t 1000. Der auf den K. verteilte Gewinn heißt *Ausbeute;* bei Kapitalbedarf können die Gewerken zu Zubußen herangezogen werden. K. werden an der Börse nicht in Hundertsätzen, sondern je Stück notiert, da sie nicht über einen bestimmten Betrag lauten. Nach dem *österreich.* Allgemeinen Berggesetz v. 1854 ist die Zahl der K. auf 128 beschränkt. Dem *schweizer.* Recht ist der K. unbekannt.

Kuyper [k‹œjpər], Abraham, niederländ. Politiker, * Maassluis 29. 10. 1837, † Haag 8. 11. 1920, protestant. Pfarrer, gründete als Vorkämpfer der rechtgläubigen Richtung in der reformierten Kirche 1880 in Amsterdam eine freie Universität. Als Führer der protestant.-konservativen *Antirevolutionären Partei* war er 1901–05 MinPräs.

Kuzn'ets, Simon, amerik. Wirtschaftswissenschaftler, * Charkow (Rußland) 30. 4. 1901, Prof. an der Harvard-Universität, erhielt den Nobelpreis für Wirtschaftswissenschaften 1971 für seine Arbeiten über Gesetze wirtschaftlicher Entwicklung.

k. v., Abk. für kriegsverwendungsfähig.

K.-V., Abk. für Köchel-Verzeichnis (→Köchel).

K. V., Abk. für Kartell-Verband (→studentische Verbindungen).

kV, Abk. für Kilovolt; **kVA,** Kilovoltampere.

Kv'aran, Einar Hjörleifsson, isländ. Schriftsteller, * Skagafjörður 6. 12. 1859, † Reykjavik 21. 5. 1938, ursprüngl. Naturalist; zuletzt wandte er sich der Parapsychologie zu; schrieb Novellen und Romane.

Kv'arken, die Engen des Bottnischen Meerbusens; Südkvark nordwestl. von den Ålandinseln, Nordkvark zwischen Umeå und Vaasa.

Kvarner Golf, →Quarnero.

Kv'asir, 1) in der nordischen Mythologie ein göttl. Wesen, das alle Wesen an Weisheit übertraf. 2) altgerm. gegorenes Getränk.

kW, Abk. für Kilowatt; **kWh,** Kilowattstunde.

Kw'akiutl, nordamerikan. Indianerstamm im NO der Insel Vancouver und auf dem gegenüberliegenden Festland.

Kw'ala Lampur, →Kuala Lumpur.

Kwan, japan. Gewicht: 1 K. = 3,76 kg.

Kwangsi, postamtl. für Kuangsi.

Kwangtung, postamtl. für Kuangtung.

Kw'annon, japan. Göttin, →Kuan-jin.

Kwas, Kwaß [russ.] *der,* russ. gegorenes Getränk aus Roggen- oder Weißbrot oder Früchten, dem Bier ähnlich.

Kwaschiok'or [›roter Junge‹], eine im trop. Afrika vorkommende Eiweißmangelkrankheit, die, von Rötung und Hautschäden begleitet, zu schwerer Erkrankung führt; Heilung durch eiweißreiche Kost möglich.

Kwazoku, Kazuko, in Japan der aus den Familien des alten Adels (→Kuge, →Daimyo) 1869 neu gebildete Adel.

Kweichow, postamtl. Schreibung von Kueitschou.

Kwenlun [kun-], asiat. Gebirge, →Kunlun.

Ky., Abk. für den Staat Kentucky, USA.

Ky, Nguyen Cao, südvietnames. Offizier und Politiker, * Son Tay (Tonking) 9. 9. 1930, war 1965–67 MinPräs. von S-Vietnam, bis 1971 Vizepräsident.

Kyax'ares der Große, altpersisch *Huwachschtra,* König der Meder, folgte seinem um 653 v. Chr. in Assyrien gefallenen Vater Phraortes. Nach Besiegung der Skythen zerstörte er 612 Ninive und erhielt bei der Teilung des Assyr. Reichs alle Länder östl. des Tigris. Bald darauf geriet er mit dem lydischen König Alyattes in einen fünfjähr. Krieg, der – unter dem Eindruck einer von Thales von Milet vorhergesagten Sonnenfinsternis – am 28. 5. 585 abgebrochen wurde.

Kyb'ele, K'ybele, kleinasiatische Göttin der Fruchtbarkeit der Erde, wurde bes. in Wäldern und auf Bergen verehrt. Ihre Begleiter waren die Korybanten, ihr Liebhaber der schöne Jüngling Attis. Der Dienst der K. war mit wilden Tänzen und Ausschweifungen verbunden. In Rom wurde sie seit 204 v. Chr. als Magna mater verehrt.

Kybele, marmornes Weiherelief mit thronender Göttermutter und Kore, 4. Jh. v. Chr. (ehemal. Staatl. Mus. Berlin)

K'yber, Manfred, Erzähler, * Riga 1. 3. 1880, † Löwenstein (bei Heilbronn) 10. 3. 1933, schrieb Märchen (gesammelt 1935), Tiergeschichten (ges. hg. 1934), den Roman ›Die drei Lichter der kleinen Veronika‹ (1929).

Kybern'etik [von grch. kybernetes ›Steuermann‹], eine verschiedene Gebiete verbindende Wissenschaft oder wissenschaftl. Forschungsrichtung, bei der die Gesetzmäßigkeiten der →Regelung, der Informationsübertragung und -verarbeitung (→Informationstheorie) in Maschinen, Organismen und Gemeinschaften untersucht werden. K. ist durch das Forschungsobjekt, die Problemstellung durch die mathematisierende Methode gekennzeichnet. Ihr Begriffssystem ist unabhängig von den Untersuchungsgegenständen. Der Name K. stammt von N. Wiener (›Cybernetics‹, 1948).

Die allgem. K. beschäftigt sich mit rein formalen Beziehungen. Sie verarbeitet den mathemat. Ansatz aus der Technik zu informationellen Systemen, d. h. Systemen, die Nachrichten aufnehmen, verarbeiten oder weitergeben. Auf der Grundlage der allgem. Nachrichtentheorie baut die *allgem. Nachrichtenverarbeitungstheorie (informationelle Systemtheorie)* auf. Die allgem. Theorie der Kreisrelationen bezieht Umweltfaktoren ein; die oberste Stufe, die *Organisations-K.,* behandelt das Zusammenwirken mehrerer informationeller Systeme.

In der *Technik* bezeichnet K. vorwiegend die Behandlung großer Systeme auf Grund ihres Regelungsverhaltens und ihrer inneren Informationsübertragung und -verarbeitung, bes. bei digitalen →Rechenanlagen und ihren Anwendungen: lernende Automaten, automat. Steuerung von Eisenbahnzügen, Flugzeugen und Raumschiffen, die automat. Verkehrsüberwachung, Erledigung von Bestellungen in Großversandhäusern, die Programmsteuerung von Werkzeugmaschinen u. a.

In der *Biologie* haben sich Begriffe und Systematik der K., hier auch Bionik genannt, als sehr nützlich zur Behandlung der Vorgänge im lebenden Organismus erwiesen. Signale werden im Körper durch Nervenimpulse und durch im Blut transportierte Hormone übertragen. Bei der Nervenleitung und bei der Informationsverarbeitung (z. B. der Sinnesorgane) in Netzen von Nervenzellen, die anregend und hemmend aufeinander einwirken, arbeiten zahlreiche, vielfach redundante Elemente zusammen. Zur Speicherung der großen Informationsmengen im Gehirn geschieht vermutlich dadurch, daß häufig benutzte Verknüpfungswege zukünftig bevorzugt werden. Regelprozesse sind auch z. B. beim Stoffwechsel in der Zelle, bei der Einhaltung der Körpertemperatur, des Blutdrucks, bei der Einstellung des Auges (Entfernung, Helligkeit) und vielen anderen physiolog. Vorgängen beteiligt.

Die *kybernetische Pädagogik* untersucht das günstigste Zusammenwirken von Lehrsystem (Lehrer, Lehrautomat) und Lernsystem (Schüler) und Lehrgut im Unterricht.

Weitere Einsatzgebiete der K.: in der *Medizin* bei der Sammlung aller Krankheitsdaten zur Vorbereitung von Laboruntersuchungen oder Diagnosen; in der *Sprachforschung* zur Übersetzung oder Stiluntersuchung; in der *Wirtschaftswissenschaft* zur Unternehmensforschung.

Lit. N. Wiener: Cybernetics (1948; dt. ²1963); ders.: Mensch und Menschmaschine (1952; dt. ³1966); Beiträge zur Sprachkunde und Informationsverarbeitung (1963 ff., bisher 11 Bde.); Lexikon der K., hg. v. A. Müller (1964); K., hg. v. H. Frank (⁵1965); J. R. Pierce: Phänomene der Kommunikation (dt. 1965); H. Stachowiak: Denken und Erkennen im kybernetischen Modell (1965); St. Beer: K. und Management (³1967). *Zeitschrift:* K. (1960 ff.).

K'yburg, Kiburg, Dorf im Kanton Zürich, Schweiz; 350 Ew.; Baumwollspinnerei; altes Schloß. – Die Erben der 1264 ausgestorbenen Grafen von K. waren die Habsburger, die 1452 die Grafschaft an Zürich abtraten.

Kyd [kid], Thomas, engl. Bühnendichter, getauft London 6. 11. 1558, † das. um 1594, gehörte in den Kreis um Marlowe und hatte großen Erfolg mit dem Rachedrama ›Spanische Tragödie‹. Ein ›Hamlet‹, dem Shakespeare wahrscheinlich die Anregung zu seinem Drama verdankt, ist verloren.

Kyd'ippe, *griech. Mythos:* eine Jungfrau aus Naxos, in die sich Akontios aus Keos verliebte. Im Tempel der Artemis warf er ihr einen Apfel zu mit der Inschrift: »Bei der Artemis, ich werde den Akontios heiraten«; als sie die Worte laut las, war sie gebunden, und ihr Vater mußte schließlich in die Verbindung einwilligen. Die Sage ist durch Kallimachos bekannt geworden.

Kyd'onia, Cydonia, antiker Name für →Chania.

Kyffhäuser(gebirge), ein waldbestandener Bergrücken in Thüringen, im S der Goldenen Aue, im Kulpenberg 477 m hoch; die Nordseite fällt steil ab, der S senkt sich flacher zur Bucht von Frankenhausen. Auf dem NO-Kamm das *Kyffhäuserdenkmal* (1896). Die Burg *Kyffhausen,* unter den sächs. Kaisern erbaut, 1178 von den Thüringern zerstört, ist seit dem 16. Jh. verfallen. K.-Sage →Kaisersage.

Kyffhäuserbund, →Soldatenverbände.

Kyffhäuser-Verband, Verband der Vereine Deutscher Studenten, →studentische Verbindungen.

Kykl'aden, griech. Kyklades, Zykladen, griech. Inselgruppe und VerwBez. im Ägäischen Meer, 2577 qkm groß mit (1971) 86100 Ew. Hauptstadt ist Hermupolis auf Syros. In der frühen Metallzeit des 3. Jahrtausends prägte die vorgriech. »karische« Bevölkerung eine eigene *Kykladenkultur.* Aus ummauerten Siedlungen und den Hockergräbern stammen Bronzegeräte, Keramik, Steingefäße und meist weibl. Statuetten aus Inselmarmor, die *Kykladen-Idole,* sie erreichen gelegentl. bis ³/₄ Lebensgröße, stark stilisiert und zeigen Reste von Körperbemalung. Im 2. Jahrtausend stand die K.-Kultur zunächst unter minoischem, dann unter mykenischem Einfluß.

Kykl'open [griech.], die →Zyklopen.

K'yknos, lat. Cygnus, *griech. Sage:* ein Sohn des Ares, der die Reisenden in Thessalien beraubte und tötete. Er wurde von Herakles getötet.

K'ylix *die,* griech. Trinkschale.

Kyll *die,* linker Nebenfluß der Mosel, von

der Schnee-Eifel bis Ehrang (Mündung) 142 km lang.

Kyll'ene, neugriech. **Ziria,** das höchste Gebirge Nordarkadiens, Griechenland, 2374 m hoch, angeblich Geburtsstätte des Hermes.

K'ylon, vornehmer Athener, versuchte um 632 v. Chr. mit Hilfe seines Schwiegervaters, des Tyrannen Theagenes von Megara, in Athen durch Besetzung der Burg die Tyrannis zu gewinnen, wurde aber von Adel und Bauernschaft belagert und entfloh mit seinem Bruder. Seine Anhänger ließ der Alkmäonide Megakles, damals Archon, an geweihter Stätte töten; diese Blutschuld, den *Kylonischen Frevel,* büßten die Alkmäoniden mit zeitweiliger Verbannung.

Kym'ation [griech.] *das,* **Kyma,** Zierleiste mit Blattornamentik, zuerst ausgebildet an Baugliedern griech. Tempel; zu unterscheiden sind das *dorische K.* (Hohlkehle), das *ionische* (konvex mit →Eierstab), das *lesbische* (geschwungen mit herzförm. Blättern).

Kymation: Ornamentband der Cellawand des Erechtheions

K'yme, 1) antike Stadt, die bedeutendste unter den äolischen Städten Kleinasiens, Vaterstadt des Hesiod. **2)** griech. Name von →Cumä.

Kymogr'aph [griech. Kw.], Gerät zum Aufzeichnen von Muskelzuckungen, auch von Tonschwingungen; die *Röntgen-Kymographie* ist ein Verfahren zur Darstellung von Organbewegungen im Röntgenbild.

K'ymren, engl. **Cymry,** die keltischen Bewohner von Wales mit eigenem, festbewahrtem Volkstum. Die *kymrische Sprache,* auch *Welsch, Walisisch,* engl. *Welsh,* gehört zu dem britischen Zweig der →keltischen Sprachen.

Kymrische Literatur. 1150–1350 war die Blütezeit der bardischen Hofdichtung. Der bedeutendste Dichter war Dafydd ab Gwilym (* um 1320, † 1380). Erneuerer der kymrischen Dichtung war Goronwy Owen (* 1723, † 1769). Unter den neuzeitlichen Lyrikern sind Ceiriog (* 1832, † 1887), T. Gwynn-Jones, W. J. Gruffydd, Williams Parry und Cynan die bedeutendsten. Das wichtigste alte Prosawerk sind die Mabinogion, um 1100 aufgezeichnete romantischmythische Sagenerzählungen. Daniel Owen (* 1836, † 1895) schrieb Romane; heute gibt es eine Reihe begabter Prosaschriftsteller,

wie Tegla Davies, Kate Roberts, T. Rowland Hughes.

Lit. L. Chr. Stern in: Kultur der Gegenwart, Bd. 1, Abt. XI, 1 (1909; Neudr. 1925); G. Williams: An introduction to Welsh poetry (London 1953).

K'ynast, Burg im Vorland des Riesengebirges, 588 m ü. M., 4 km südwestl. Warmbrunn auf bewaldetem Felsen. Die vermutlich von Bolko II. von Schweidnitz († 1368) erbaute Burg war seit Ende des 14. Jhs. im Besitz der Schaffgotsch; 1675 durch Blitz zerstört.

K'yniker [nach dem Versammlungsort Gymnasium Kynosarges], griech. Philosophenschule, gestiftet von Antisthenes, einem Schüler des Sokrates, in Athen. Das Ideal der Bedürfnislosigkeit verwirklichten sie bis zur Verachtung des Anstandes. Danach Kynismus, →Zynismus. Darüber sind viele Anekdoten, bes. Diogenes von Sinope betreffend, bei Diogenes Laertius überliefert.

Kynolog'ie [griech. Kw.], die Lehre vom Hund und der Hundezucht.

Kynosk'ephalä [griech. ›Hundsköpfe‹], Berg- und Hügelland in Thessalien, wo 197 v. Chr. der makedonische König Philipp V. durch den römischen Feldherrn Flamininus besiegt wurde.

Kynos'ura, 1) griech. Nymphe, Amme des Zeus, von diesem aus Dank in die Sterne versetzt. **2)** älterer Name des Polarsterns, der Sternes α im Kleinen Bären.

K'ynthos, Berg auf →Delos.

Kyn'uria, gebirgiger, unwegsamer Küstenstrich am Ostabhang des Parnongebirges auf dem griech. Peloponnes, im Altertum von Sparta und Argos vielfach umstritten.

Kyodo Tshushin sha, abgek. **Kyodo,** führende japan. Nachrichten-Agentur, Hauptsitz Tokio (gegr. 1945).

K'yot, von Wolfram von Eschenbach im ›Parzival‹ als Gewährsmann genannt für seine von Chrétien abweichende Fassung der Gralsgeschichte. Die Existenz K.s ist umstritten.

Kyoto, amtl. für →Kioto.

Kyph'ose [griech. Kw.] *die,* Krümmung der Wirbelsäule nach hinten.

K'ypris, Beiname der →Aphrodite.

K'ypros, griech. Name der Insel Zypern.

K'ypselos, korinth. Adliger, stürzte um 657 v. Chr. die Adelsherrschaft der Bakchiaden und errichtete eine Tyrannis, die er um 627 seinem Sohn Periander vererbte. Ein nicht erhaltener, mit Bildwerk aus Gold und Elfenbein kunstvoll geschmückter Kasten aus Zedernholz (Kypseloslade), worin K. als Kind angeblich gerettet worden war, wurde von seinen Nachkommen nach Olympia geweiht.

Kyren'aika, altgriech. Name der →Cyrenaica.

Kyr'ene, die antike Hauptstadt der Cyrenaica, um 630 v. Chr. von Griechen gegründet; Reste bedeutender Bauten wurden seit 1924 freigelegt.

Kyri'ale [griech. Kw.], Sammlung der verschiedenen Gregorianischen Melodien für die gleichbleibenden Gesangsstücke der Messe (*Kyrie, Gloria, Credo, Sanctus, Agnus Dei*). Amtl. Ausgabe ist das *K. Vaticanum* (Regensburg 1905).

K´yrie el´eison [griech. ›Herr, erbarme dich‹], abgek. *Kyrieleis*, christl. Gebetsformel; in der kath. Kirche am Anfang der Messe gesungen, in der evang. Kirche Bittruf in der Eingangsliturgie des Gottesdienstes. Im Volksgesang →Leisen.

Kyr´ill, →Kyrillos.

Kyrill, K. Wladimirowitsch, russ. Großfürst, * Zarskoje Selo 12. 10. 1876, † Paris 12. 10. 1938, Neffe des Zaren Alexander III., stellte sich der Revolution zur Verfügung, ging bald ins Ausland und legte sich 1924 den Titel eines allruss. Zaren bei; der russ. Monarchisten im Pariser Exil erkannten ihn als Woschdj (»Führer«) an.

Kyr´illiza, Kirilika, kyrillische Schrift, eine Form der kirchenslaw. Schrift, die nach der herrschenden Ansicht seit dem 10. Jh. die ältere →Glagoliza verdrängte und zur alleinigen Schrift der griech.-orthodoxen Slawen wurde. Die K. deckt sich im wesentlichen mit der griech. Majuskel, ist aber durch Änderungen und Ergänzungen den phonet. Besonderheiten des Slawischen angepaßt. Unter Peter d. Gr. wurde die K. in Rußland vereinfacht und der Lateinschrift angeglichen (»bürgerliche Schrift«); dieses modernisierte Alphabet wurde mit Änderungen von den Ukrainern, Serben und Bulgaren übernommen. →russische Schrift.

Kyrene: großer Apollo-Altar

Kyr´illos (Klostername, in Rom kurz vor dem Tode angenommen, bis dahin **Konstantinos**), * Saloniki 826 (827), † Rom 14. 2. 869, und sein Bruder **Meth´odios**, * Saloniki um 815, † in Mähren 6. 4. 885, die *Slawenapostel*, Heilige (Tag in der kath. Kirche: 7. 7., in der Ostkirche: 11. 5.; daneben in der Ostkirche noch ihre Sterbetage). Ihre geschichtliche Leistung ist die Begründung einer slaw. kirchl. Literatur, für die der wissenschaftl. bedeutendere K. eine eigene Schrift, die →Glagoliza, entwickelte, und deren Anfänge eine Bibelübersetzung und eine, inhaltlich auf die griech. und teilweise auf die röm. zurückgehende, slawische Liturgie bildeten, beide von ihnen geschaffen. Kirchenpolitisch ist der vor allem von Methodios unternommene Versuch, im damaligen Großmährischen Reich Rastislaws und Swatopluks eine Nationalkirche mit slawischer Liturgie und enger Anlehnung an Byzanz zu schaffen, fehlgeschlagen. Ludwig der Deutsche und die bayer. Bischöfe von Passau und Salzburg, in deren Missionsgebiet Methodios mit seinen Bestrebungen einbrach, wehrten sich, auch aus nationalpolit. Gründen, setzten ihn sogar von Ende 870–73 in Klosterhaft. Als unter Stephan VI. (V.) die von Hadrian II. und Johann VIII. gewährte große päpstliche Unterstützung aufhörte, brach mit dem Tod des Methodios sein Werk in Mähren zusammen; die kirchl., liturgische und Kulturgrenze zwischen Abend- und Morgenland wurde wieder so weit nach Osten vorgeschoben, daß auch die Slowenen und Kroaten unter dem Einfluß der röm. Kirche blieben, trotz mancher slaw. Bestandteile ihrer Liturgie.

Kyr´illos von Alexandria, Kirchenlehrer, † 444, wurde 412 Patriarch von Alexandria, führte einen Lehrstreit mit Bischof Nestorius von Konstantinopel (Konzil von Ephesus, 431) und dessen Anhängern. Dt. Auswahl seiner Schriften in der ›Bibliothek der Kirchenväter‹ (1935). Tag: 9. 2. in der kath., 9. 6. in der Ostkirche.

Kyr´illos von Jerusalem, Kirchenlehrer, * um 315, † 18. 3. 386 (?), seit 348 Bischof in Jerusalem. In den arianischen Streitigkeiten wiederholt verbannt, wurde bes. durch seine für die Geschichte des Gottesdienstes wichtigen *Katechesen* (geistliche Aussprachen) bekannt. Tag: 18. 3.

K´yrios [griech. ›Herr‹], im Neuen Testament Bezeichnung für Gott und Jesus Christus.

K´yritz, Kreisstadt im Bez. Potsdam, in der Prignitz, an der Jäglitz, mit (1964) 8500 Ew. K. hat Reste der Franziskanerkirche, Marienkirche mit schönem Chor.

Kyrklund [tç´yrklynd], Willy, schwed. schreibender finn. Erzähler, * Helsinki 27. 2. 1921; Novellen und Miniaturromane.

K´yrnos, altgriech. Name von Korsika.

K´yros, lat. Cyrus, pers. Herrscher: **1) K. II. der Große, der Ältere**, Gründer des alten Perserreiches, † 529 v. Chr., aus dem Geschlecht der Achämeniden, stürzte 550 v. Chr. Astyages und eroberte Medien, 546 Lydien und mehrere kleinasiatische Staaten, 539 Babylon. Im Kampf mit den Massageten in Iran soll er gefallen sein. Er hinterließ zwei Söhne, →Kambyses und →Smerdis, auch mehrere Töchter, darunter →Atossa. Eine Bildungsgeschichte des K. gibt Xenophon in seiner ›Kyrupädie‹.

2) K. der Jüngere, jüngste Sohn des Darius II., * 423, † 401 v. Chr., war Statthalter von Kleinasien, erhob sich gegen seinen älteren Bruder Artaxerxes Mnemon, sammelte gegen ihn ein Heer, darunter

Kyse

13000 Mann griech. Hilfsvölker, wurde aber 401 v. Chr. bei Kunaxa in der Nähe von Babylon geschlagen und getötet. Über das Leben des K. und den Rückzug der Griechen berichtet Xenophon in der ›Anabasis‹.

Kyros: Grabmal Kyros' d. Gr. in Pasargadä

K'yser, Hans, Schriftsteller, * Graudenz 23. 7. 1882, † Berlin 24. 10. 1940, schrieb Romane, die Schauspiele ›Schicksal um Yorck‹ (1929), ›Rembrandt vor Gericht‹ (1933).

Kys'yl, Hauptstadt der ASSR Tuwa, Russ. SFSR, am Jenissej, mit (1972) 57000 Ew.

Kys'yl-kum [türk. ›roter Sand‹], Sandwüste in Russ.-Turkestan zwischen Amu-darja und Syr-darja, von inselbergartigen Erhebungen durchzogen.

Kyth'era [neugriech. Aussprache k'iθira], ital. **Cerigo**, die südlichste der Ionischen Inseln, 10 km vor dem Südostkap des Peloponnes, 285 qkm groß.

K'ythnos, volkstümlich **Thermia**, griech. Kykladeninsel, 85 qkm groß, 350 m hoch.

Kyudo, die japan. Kunst des Bogenschießens, eine »mystische Kunst«, die nur äußerlich dem sportl. Bogenschießen ähnelt. Wesentlich ist die Versenkung in sich selbst, deren Ziel die Erleuchtung ist; das Schießen vollzieht sich dann als geistiger Vorgang ohne das Bewußtwerden des Abschusses. Der Bogen ist 2,21 m lang, die Pfeile 70 cm. Geschossen wird auf eine 25 m entfernte Pappscheibe. Voraus geht ein aus dem MA. überliefertes feierliches Zeremoniell unter Konzentration auf die Atmung. Die geistigen Wurzeln für das K. liegen im Zen-Buddhismus.

Kyushu, amtl. für →Kiuschu.

Kyzik'ener, Elektronmünzen des 6.–4. Jhs. v. Chr., von der Stadt Kyzikos geprägte Statere von rund 16 g, das beliebteste Großgeld der griech. Welt. Die Münzbilder (am Stadtnamen) bringen Gottheiten, Tiere, Fabelwesen, auch Kopien nach Werken der großen Kunst, sowie Bildnisse von unbekannten Privatpersonen; die Rückseiten zeigen immer das →Quadratum incusum.

K'yzikos, altgriech. Stadt am Marmarameer, wurde wahrscheinlich bald nach Beginn des 7. Jhs. v. Chr. von Milet gegründet. 25 n. Chr. wurde es römisch, seit Diokletian war es Hauptstadt der Prov. Hellespontos. 544 n. Chr. wurde K. durch ein Erdbeben zerstört.

Kyz'yl Irm'ak, andere Schreibung für den kleinasiatischen Fluß Kisil Irmak.

KZ, Abk. für →Konzentrationslager.

L

l, L, der zwölfte Buchstabe im Alphabet, geht über das griech. Lambda (λ) auf den semitischen Buchstaben Lamed zurück; Zungen- oder Zahngaumenlaut (Liquida).

∫∫ Semitisch	∬ Textur
∧ Griechisch	LI Renaissance-Antiqua
L Römische Antiqua	£ℓ Fraktur
∫ Unziale	Ll Klassizistische Antiqua
∫ Karol. Minuskel	

Entwicklung des Buchstaben L

l (*l*), Abk. für Liter.

L., Abk. für **1)** *im Lateinischen* den Namen Lucius, ferner Lex (Gesetz), Liber (Buch). **2)** *im Neulatein.* Licentiatus (Lizentiat).

L, 1) im Englischen (£) das Zeichen für Pfund (franz. livre) Sterling, im Italienischen für Lira. **2)** röm. Zahlenzeichen für 50.

ł, in der poln. Rechtschreibung angewandtes Zeichen für ein mit stark gehobenem Zungenrücken gesprochenes *l*, das zum Übergang in u neigt.

la, Abk. für →Lambert.

l. a., auf Rezepten Abk. für lat. **lege artis,** nach den Regeln der Kunst, vorschriftsmäßig.

La, 1) *Musik:* in der →Solmisation der 6. Ton der Tonleiter. **2)** chem. Zeichen für Lanthan.

La., Abk. für →Louisiana, USA.

Laa, 1) L. an der Thaya, Stadt im nördl. Niederösterreich, mit (1971) 5300 Ew. L. wurde 1150 erstmals erwähnt, 1240 als Stadt neu gegr.; war im MA. wichtige Grenzfeste gegen Mähren. **2) Oberlaa, Unterlaa,** Teile des X. Bezirks von Wien.

Laacher See [lat. lacus ›See‹, mit 3,24 qkm das größte Maar im Vulkangebiet der Eifel, 275 m ü. M., bis 53 m tief, gespeist von einem starken Grundwasserstrom; Naturschutzgebiet. Am W-Ufer liegt die Abtei →Maria Laach.

Laakirchen, Gem. in Oberösterr., 440 m ü. M., mit (1971) 7700 Ew.

Laaland [l'ɔlən], →Lolland.

Laang, siames. Hohlmaß, = 0,46 l.

L'aasphe, Stadt im Kreis Wittgenstein, Nordrh.-Westfalen, im Bergland südl. des Rothaargebirges an der obersten Lahn, mit (1973) 5600 Ew.

L'aatokka, der finn. Name des →Ladogasees.

Laatzen, Stadt (seit 1968) im Kreis Hannover, Niedersachsen, mit (1974) 18 600 Ew.;

großes Ausstellungsgelände und Standort der »Hannover-Messe«.

Lab [ahd. ›Brühe‹], *Renne,* südd. *Kasleb, Kaslet,* rohes →Labferment, eine Absonderung des Labmagens der Saugkälber, auch im Labkraut vorhanden. Man benutzt es zur Käserei entwerd flüssig als Auszug aus getrocknetem Kälbermagen (Naturlab) oder fest (Labpulver, Tabletten).

Labad'ie, Jean de, quietistischer Theologe, * Bourg-sur-Gironde 13. 2. 1610, † Altona 13. 2. 1674, war anfänglich Jesuit (1625–39), trat 1650 zur reformierten Kirche über. Sein Quietismus und seine kirchl. Reformpläne brachten ihn in ständige Schwierigkeiten mit Kirche und Staat. Seine Anhänger, die **Labadisten,** hielten sich bis Anfang des 18. Jahrhunderts.

L'aban [hebr.], im A. T. der Vater der Lea und der Rahel, Schwiegervater Jakobs (1. Mos. 24, 29 ff.).

L'aband, Industriegemeinde in Oberschlesien, am Klodnitz-Kanal, 15 km nordöstl. Gleiwitz, hatte (1939) 8200 Ew., bedeutende Schwerindustrie. Seit 1945 unter poln. Verwaltung (*Łabędy*).

L'aband, Paul, Staatsrechtslehrer, * Breslau 24. 5. 1838, † Straßburg 23. 3. 1918, war der führende Staatsrechtler des Kaiserreichs und Hauptvertreter des staatsrechtl. Positivismus, der die Staatsrechtslehre von allen polit. und staatsphilosoph. Erwägungen freizuhalten suchte. WERKE. Das Staatsrecht des Dt. Reichs (3 Bde., 1876–82; 4 Bde., ⁵1911–14).

L'aban von Varalya [vˈaraλa], Rudolf, Tanzlehrer, * Preßburg 15. 12. 1879, † Weybridge bei London 1. 7. 1958, schuf eine neue Ausdrucksform des Tanzes, die zur Grundlage des modernen Tanzes wurde. WERKE. Die Welt des Tänzers (1920), Gymnastik und Tanz (1926 ff.).

Lab'arna, Gründer des althethit. Reiches, →Hethiter.

L'abarum [lat.] *das,* **Kreuzfahne,** in der spätröm. Zeit die kaiserl. Hauptfahne des Heeres, seit dem Sieg Konstantins d. Gr. über Maxentius (312 n. Chr.) mit Christusmonogramm.

Labat [laba], Jean Baptiste, Dominikanermissionar und Reiseschriftsteller, * Paris 1663/64, † das. 6. 1. 1738.

L'abdakos, *griech. Mythologie:* König von Theben, Vater des Laïos, Großvater des Ödipus.

L'abdanum, weiches Harz aus *Cistus labdaniferus,* wird vorwiegend in Spanien gewonnen und dient zur Gewinnung des äther. *Labdanumöls,* eines Parfümerierohstoffs.

L'abe, tschech. Name der Elbe.

Labé, Louise, franz. Dichterin der Lyoneser Schule, * um 1525, † Lyon 25. 4. 1566, Frau eines Seilers, daher *la belle Cordière* genannt, dichtete, bes. unter dem Einfluß Petrarcas, Liebessonette (dt. von R. M. Rilke, 1917). Lyr. Gesamtwerk (dt. v. F. v. Rexroth, 1957).

Label [leibl, engl.], Aufschrift, Marke. **Labelsystem**, eine Form des Boykotts in den USA, wobei die Gewerkschaften ihre Mitgl. auffordern, nur gekennzeichnete Waren zu kaufen.

L'abenwolf, Pankraz, Erzgießer, * Nürnberg 1492, † das. 20. 9. 1563, arbeitete in seiner Gießhütte in Nürnberg wohl meist nach Modellen von anderer Hand (Brunnen mit Putto im Nürnberger Rathaushof, 1557). Nach seinem Tod führte sein Sohn *Georg* († 1585) die Werkstatt fort.

L'abeo, Marcus Antistius, röm. Jurist unter Augustus, * vor 42 v. Chr., † nach 22 n. Chr., Gründer der Rechtsschule der Proculianer (nach seinem Schüler Proculus).

Laber, Laaber, mehrere Nebenflüsse der Donau in der Gegend von Regensburg; von links aus der Fränk. Alb die **Schwarze L.**, 77 km lang, mündet oberhalb von Regensburg; von rechts aus dem niederbayer. Hügelland **Große L.** (78 km) und **Kleine L.** (68 km), die oberhalb von Straubing münden.

Laber, Hadamar von, oberpfälz. Adliger, zwischen 1317 und 1354 urkundl. bezeugt, dichtete um 1335–40 in Strophen eine Minne-Allegorie, die ›Jagd‹, in der er selbst als Jäger das Wild (die Geliebte) verfolgt.

Laberd'an [niederl.; 30jähr. Krieg], gepökelter Dorsch (Kabeljau).

Lab'erius, Decimus, röm. Ritter, * 106 v. Chr., † 43 v. Chr., bekannt als Dichter des lat. →Mimus. Von seinen Dichtungen sind 43 Titel und ca. 150 Verse erhalten.

L'abes, Kreisstadt des Kreises Regenwalde, Pommern, später (1939) 7300 Ew.; Hartstein-, Maschinenfabriken. Seit 1945 steht L. unter poln. Verwaltung *(Lobez)*.

L'abferment, Chymase, Rennin, ein Enzym, das das Kasein der Milch zur Gerinnung bringt (→Lab).

labi'al [lat.], die Lippen betreffend. **Labial**, Lippenlaut. **L'abien**, Lippen (→Orgel).

Labi'aten, die →Lippenblüter.

L'abiau, Kreisstadt im ehemal. RegBez. Königsberg, Ostpreußen, an der Deime, von der hier der Gr. Friedrichsgraben abzweigt, hatte (1939) 6500 Ew., mit höherer und Schifferschule, Landhandel; Ordensburg (14.–16. Jh.), Pfarrkirche (16. Jh.). L. kam 1945 teilzerstört unter sowjet. Verwaltung *(Polessk)*. – Im **Vertrag von L.** sicherte Schweden am 20. 11. 1656 Brandenburg die volle Souveränität über Preußen als Gegenleistung für die Waffenhilfe gegen Polen zu.

Labiche [labif], Eugène, franz. Dramatiker, * Paris 5. 5. 1815, † das. 23. 1. 1888, karikierte in seinen Komödien das Bürgertum. WERKE. Théâtre complet, 10 Bde. (1878/79).

lab'il [lat.], schwankend, unzuverlässig, leicht störbar. →Gleichgewicht.

L'abkraut, *Galium*, artenreiche quirligzungenförmig beblätterte Gattung der Färberrötengewächse. Weiß blühen: ge-

meines *L. (weißes L.,* G. mollugo), auf Wiesen; *kletterndes L. (Klebkraut,* G. aparine) mit Widerhaken. Gelb blüht das *echte* oder *gelbe L. (Johanniskraut,* G. verum), au trockenem Grasland, früher zur Käsebereitung benutzt wie Lab.

L'abmagen, Magenteil der Wiederkäuer.

Laboe [lab'œ:], Gemeinde im Kreis Plön, Schleswig-Holstein, mit (1973) 4400 Ew., an der Kieler Außenförde; Marine-Ehrenmal (1930).

Labor'ant [lat. Kw.], **Laborantin**, Gehilfe bei wissenschaftlichen oder technischen Untersuchungen und Versuchen.

Laborat'orium [lat. Kw.], Arbeitsraum für chemische, physikalische, bakteriologische, medizinische, metallurgische, technische u. ähnliche Arbeiten oder Forschungen.

laborieren [lat. Kw.], leiden, geplagt sein.

Labour Party [l'eibə p'ɑ:ti, engl. ›Arbeitspartei‹], die engl. Arbeiterpartei. Sie entstand 1900 und gab sich 1906 den Namen L. P. Ihren Kern bilden die Trade Unions, denen sich einige kleinere sozialist. Vereinigungen anschlossen, so die 1893 gegr. *Independent L. P.* (Unabhängige Arbeiterpartei). Das Programm, anfänglich kaum von dem der Liberalen zu unterscheiden, wurde 1918 auf eine »Entwicklung Schritt für Schritt zum Sozialismus« festgelegt (→Fabian Society). Die L. P. wurde 1923 (mit 191 Abg.) erstmals mit der Regierungsbildung unter Macdonald beauftragt, dann wieder 1929 (289 Abg.). Als Macdonald 1931 eine »Nationalregierung« bildete, ging die eigentl. L. P. in Opposition (46 Abg.). 1935 erlangte sie wieder 154 Abg.-Sitze, beteiligte sich 1940 an Churchills Kriegskabinett und bildete nach der Wahlsieg vom Juli 1945 (394 Abg.) die Regierung unter Attlee (1935–55 Parteiführer). Die unter ihm durchgeführten Verstaatlichungen (Kohle, Bahnen, Elektrizität, Eisen, Stahl, Bank von England), die Finanz- und Wirtschaftspolitik (austerity) führten bei den Wahlen im Okt. 1951 zum Verlust der Mehrheit (295 Abg.). Der seit 1945 bestehende Machtkampf zwischen einer Gruppe Linksradikaler (Bevan) mit der mehrheitlichen gewerkschaftlichen Richtung (Attlee, Morrison, Gaitskell) wurde 1958 zugunsten der von Gaitskell (Parteiführer seit 1955) vertretenen mittleren Richtung entschieden. Nach dem Tode Gaitskells (1963) wurde Harold Wilson Parteiführer. Bei den Unterhauswahlen im Okt. 1964 errang die L. P. die Mehrheit, die sie bei den Wahlen 1970 verlor. 1971 stimmten die L. P.-Abg. mit großer Mehrheit gegen den brit. EG-Beitritt. Bei den Wahlen 1974 knapper Sieg der L. P. unter H. Wilson.

LIT. H. Pelling: Short history of the L. P. (1961).

labour relations [l'eibə ril'eiʃənz], auch **industrial relations**, amerikan. Ausdruck für die menschlich-sozialen Beziehungen *(human relations)* im Betrieb; verwandte Begriffe: *personal, public, social relations.*

Labrad'or [aus portug. terra dos lavradores ›Sklavenland‹], Halbinsel Nordamerikas in Kanada, im W von der Hudsonbai begrenzt, im N durch die Hudsonstraße von der Insel Baffinland getrennt, umfaßt 1,6 Mill. qkm, ist nur dünn besiedelt; flachwelliges Hochland von ungefähr 500 m mittlerer Höhe, steile Felsenküste, im NO mit Fjorden. Kaltes und rauhes Klima; viel Wald, großer Fischreichtum. Haupterwerbszweige sind Fischfang, Robben- und Pelztierjagd; Eisenerzgewinnung (→Knob Lake). – L. wurde um 1000 von den Normannen u. von neuem 1497 von Caboto entdeckt. Die Ostküste L.s gehört seit 1763 zu Neufundland.

Labrador'it [Kw.], **Labradorstein**, trikliner Natron-Kalk-Feldspat, meist in körnigen oder blättrigen Massen vorkommend, die auf den Spaltflächen häufig prächtige Farben zeigen *(labradorisieren)*; Verarbeitung zu Schmucksteinen, Dosen usw.

Labrad'orstrom, kalter Meeresstrom im N des Atlantischen Ozeans.

Labri'ola, Antonio, italien. Philosoph und Sozialist, * Cassino 2. 7. 1843, † Rom 2. 2. 1904, wurde 1874 Prof. in Rom. L. war der erste europ. Universitätslehrer, der sich zum Marxismus bekannte, zu dem er, von Hegel ausgehend, unter dem Einfluß von Herbart gekommen war. An der Einführung des materialist. Marxismus in dem zunächst syndikalist. Sozialismus Italiens hatte er führenden Anteil.

La Bruyère [la brɥɛːr], Jean de, franz. Moralist, * Paris 16. 8. 1645, † Versailles 10. 5. 1696, 1693 Mitglied der Académie Française, beteiligte sich am Quietismusstreit (Dialogues sur le quiétisme, postum 1699). Sein Hauptwerk ›Les Caractères de Théophraste, traduits du grec, avec les caractères ou les mœurs de ce siècle‹ (1688, 9. endgültige Fassung 1696, dt. u. a. von O. Flake 1918, G. Hess 1940) bildet einen Höhepunkt der franz. Moralistik (→Moralist). Vielfach mit La Rochefoucauld verwandt, insbes. im psycholog. Realismus und Aufdecken inkongruenter Motive, bezeichnet er noch schärfer die Ablösung des früheren normativ-ethischen Denkens durch ein Denken in Tatsachen und durch die Überzeugung von der Undefinierbarkeit wie Nichterziehbarkeit des Menschen. Formal wechseln die ›Caractères‹ zwischen Aphorismen, längeren Reflexionen und den erst seit der 4. Aufl. hinzugefügten Typenporträts im komödienhafter, an Theophrast geschulter Stilisierung. Allen diesen Formen gemeinsam ist die Vorliebe für den lakonischen Satz und für das (hier erstmalig auftretende) sprechende Detail (»petit fait«), das mit seiner hintergründigen Anschaulichkeit an die Stelle des ausgesparten begrifflichen Urteils tritt.

WERKE. Œuvres complètes, hg. v. G. Servois (5 Bde. 1865–78, 6 Bde. ³1920–22), Œuvres complètes, hg. v. J. Benda (1934, Bibliothèque de la Pléiade).

l'absalben [niederd.], *Seemannssprache:* Tauwerk mit Kohlen- und Holzteer gegen Witterungseinflüsse konservieren.

L'abskaus [engl.], seemänn. Gericht aus gemahlenem, gekochtem Pökelfleisch, Fisch, gestampften Kartoffeln.

Labyr'inth [griech.], 1) ein Gebäude mit sich vielfach kreuzenden Gängen oder ein →Irrgarten, genannt nach dem L., das nach der griechischen Sage →Dädalus für den Minotaurus auf Kreta baute. – Dargestellt wurde das L. in der Vasenmalerei des 6. und 5. Jhs. v. Chr. durch Säule, Tor oder Turm; seit dem 5. Jh. v. Chr., vor allem auf kret. Münzen, als rechteckiges Linienschema ineinandergeschachtelter, mäanderförmig einbiegender Gänge. Im MA. wurden aus noch kartesischen Gründen L. auf Fußböden von Kirchen dargestellt (Kathedralen in Chartres und Amiens, St. Severin in Köln).

LIT. R. Eilmann: Labyrinthos (Athen 1931); K. Kerényi: L.-Studien (Amsterdam 1941, Zürich 1950).

2) das innere →Ohr. 3) Atmungsorgane der Labyrinthfische.

Labyr'inthfische, tropische stachelflossige Fische des Süßwassers und der Küstengebiete. In zwei seitlichen Schädelhöhlen liegt das nasenmuschelähnliche Luft-Atmungsorgan, das *Labyrinth*. Zu den L. gehören: der ostindische *Kletterfisch*, der auf dem Land mit Hilfe von Dornen des Kiemendeckels kriechen kann; der chinesische nestbauende *Großflosser (Makropode)*; der karpfengroße *Gurami*.

Labyrinthod'onten [grch. Kw.], **Labyrinthzähner**, ausgestorbene Ordnung der Stegozephalen, überwiegend molchartige Lurche mit labyrinthisch gefalteter Dentinsubstanz der Zähne, schon im obersten Devon auftretend. Guterhaltene Skelettreste und bis zu 70 cm lange Schädel der Gatt. *Mastodonsaurus* fand man z. B. im südwestdt. Buntsandstein.

Lacaille [laka:j], Louis de, franz. Mathematiker und Geodät, * Rumigny 15. 5. 1713, † Paris 21. 3. 1762, führte 1739/40 mit C. Fr. Cassini de Thury eine Nachmessung des Meridians von Paris (Méridienne vérifiée) durch.

La Calprenède [-nɛd], Gautier de Coste, Seigneur de, franz. Schriftsteller, * Schloß Toulgon-en-Périgord 1614, † Le Grand-Andely 1663, schrieb Dramen und pseudohistorische Heldenromane.

La Ceiba [la se'iva], Provinzhauptstadt und Hafen in Honduras, mit (1970) 47000 Ew., Bananenausfuhr.

Lac'erna [lat.], Überwurf der altröm. Männertracht.

Lac'erta, lat. Name für →Eidechse.

La Chaise [la ʃɛːz], auch **La Chaize** François de, Père L., franz. Geistlicher, * Château d'Aix (Loire) 25. 8. 1624, † Paris 20. 1. 1709, Jesuit, seit 1675 Beichtvater Ludwigs XIV.; gewann das Vertrauen des Königs und großen Einfluß am Hofe und in

Lach

der Politik. Sein Landgut bei Paris wurde 1804 in den *Friedhof Père Lachaise* umgewandelt.

La Chaussée [la ʃəse], Pierre Claude Nivelle de, franzöś. Dramatiker, * Paris 1692, † das. 14. 3. 1754, schuf das moralisierende Rührstück (Comédie larmoyante), mit dem er dem ernsten bürgerlichen Drama den Weg bahnte.

Lache [ahd.], Merkzeichen oder Harzriß an einem Baum. **Lachbaum,** Grenzbaum mit Merkzeichen, auch zum Fällen angemerkter Baum.

Lachen [german.], eine Ausdrucksbewegung, die aus kurzen, im Kehlkopf und Ansatzrohr des Stimmapparates (Rachen- und Mundhöhle) starken Schall erzeugenden Luftstößen (Ausatmungen) besteht und von bestimmten mimischen Ausdrucksformen (Bewegungen der Gesichtsmuskulatur) begleitet ist.

Das L. wird entweder reflektorisch durch äußere Reize, z. B. Kitzel, oder – häufiger – durch Gemütsbewegungen und Affekte von der Großhirnrinde über den Hirnstamm *(Thalamus)* ausgelöst, die eine starke Spannung erzeugen und zu befreiender Entladung drängen.

Lɪᴛ. Ch. Darwin: Der Ausdruck der Gemütsbewegung bei den Menschen und Tieren (⁶1910); H. Bergson: Das L. (²1921); H. Plessner: L. und Weinen (1941, ³1961).

L'achen, Bezirkshauptort im Kanton Schwyz, Schweiz, am Zürichsee, mit (1970) 4900 Ew.; Holz- und Seidenindustrie; Fremdenverkehr.

L'achesis, in der griech. Mythologie eine der drei Schicksalsgöttinnen (→Moira).

Lachgas, volkstüml. Name für Distickstoffmonoxyd.

L'achmann, Karl, Altphilologe und Germanist, * Braunschweig 4. 3. 1793, † Berlin 13. 3. 1851, Prof. in Königsberg und Berlin. L. wandte als erster die Grundsätze strenger Textkritik auf altdeutsche Texte an. Er besorgte Ausgaben des Properz (1816), Katull (1829), Tibull (1829), ferner von Walther von der Vogelweide (1827), des Hartmannschen ›Iwein‹ (mit Benecke, 1827) und ›Gregorius‹ (1838), von Wolfram von Eschenbach (1833). Im Mittelpunkt seiner Forschungen standen die Arbeiten über das Nibelungenlied: ›Über die ursprüngl. Gestalt des Gedichts von der Nibelungen Not‹ (1816); Ausgabe des Liedes (1826).

Lachm'iden, arab. Fürstengeschlecht. Sie hatten ihren Sitz in Hira am unteren Euphrat und herrschten vom 4. Jh. n. Chr. bis kurz nach 602 unter sassanidisch-pers. Oberhoheit über das arab. Hinterland von Mesopotamien.

Lachner, Franz, Kapellmeister und Komponist, * Rain (Oberbayern) 2. 4. 1803, † München 20. 1. 1890, das. 1836–65 Hofkapellmeister, griff auf die klassische und vorklassische Musik zurück über schrieb 8 Sinfonien, 8 Orchestersuiten (in kontrapunktischem Stil), Opern, Oratorien, Kirchenwerke, Chorgesänge, Kammermusik, Lieder.

Lachs [german. Stw.], **Salm,** *Salmo salar* (Tᴀғᴇʟ Fische II), ein heringsartiger, bis 1,5 m langer, bis 45 kg schwerer räuberischer Fisch der Familie L. (Lachsfische); er ist in der gemäßigten Zone beiderseits des Atlantik heimisch, geht mit 1–4 Jahren als *Sälmling* vom Oberlauf der Flüsse ins Meer und steigt nach 1 Jahr als *Jakobslachs,* oder nach 2–5 Jahren als *Salm* in seinen Geburtsfluß zum Laichen auf, wobei die Silberfarbe des Meerlachses rote Töne und die Haut Schwartenbildung zeigt und beim Männchen der Unterkiefer sich hakenförmig krümmt. Ein Teil der Laichlachse, die im Süßwasser keine Nahrung aufnehmen, geht nach dem Laichen ins Meer zurück und kann mehrmals aufsteigen. Der *Lachsfang* ist trotz künstlicher Lachszucht infolge des Raubbaus, der Schiffahrt, Straßenverbauung und der Gewässerverschmutzung sehr zurückgegangen. Durch Begünstigung der Aufstiegsmöglichkeiten wird eine Hebung der L.-Bestände erstrebt. In der Ostsee und ihren Zuflüssen ist der Fang mit Angel und Netz bedeutend, in Schottland und Norwegen mit der Angel, in den USA und Kanada in selbsttätigen Vorrichtungen. Für die Büchsenlachsausfuhr nach Europa wird vor allem der amerikan. L. (Oncorrhynchus) des Stillen Ozeans und der ihm zuströmenden Gewässer, bes. der Ketalachs, verwendet. Im Donaubereich vertritt den L. der verwandte *Huchen (Donaulachs).*

Lachsschinken, zart gepökeltes und wenig geräuchertes Rückenfleisch des Schweins.

Lachtaube, kleine isabellgelbe Taube mit schwarzem Nackenband und weißem Bauchgefieder, im steppenhaften Nordafrika; Käfigvogel. Ähnlich ist die *Türkentaube,* mit längerem Schwanz und aschgrauem Bauchgefieder, die aus Nordindien nach Europa vorgedrungen ist und in Gartenbäumen nistet.

Lachte [zu Lache ›Merkzeichen‹], entrindeter Streifen an Nadelholzbäumen, worin sich das Harz *(Lachtenharz)* ansammelt.

L'achter [niederd. zu Klafter] *die oder das,* **Klafter,** früheres dt. Längenmaß im Bergbau, rund 2 m.

Lack [ital. aus indisch], in Binde- oder Lösungsmitteln gelöste *Lackstoffe,* die nach Auftragen und Verdunsten des Lösungsmittels erhärten und ein feines, dichtes, meist glänzendes Häutchen bilden, das die lackierte Fläche verschönt und schützt. *Harzlacke, flüchtige L.,* sind Harzlösungen, z. B. in Spiritus (Spirituslack). *Zelluloselacke* enthalten Zelluloseester und Zelluloseäther u. a.; sehr widerstandsfähig sind die *Nitrozelluloselacke,* z. B. *Zaponlack. Asphalt-* und *Stearinpechlacke* werden in der Elektrotechnik, zum Imprägnieren u. a. verwendet. *Öllacke* erhält man durch Verkochen von Harzen in fetten Ölen, z. B. als Ahornlack, Luft- oder Schilderlack. *Polyurethan-*

lacke werden erst unmittelbar vor dem Auftrag gemischt und bilden dann durch chem. Reaktion einen festen Film; sie dienen zum »Versiegeln« von Fußböden. *Chlorkautschuklacke* geben chemisch widerstandsfähige und unbrennbare Anstriche. *Schwarzlacke* für Fahrräder, Autos, Nähmaschinen u. dgl. werden aus Asphalt und Stearinpech durch Verkochen mit Leinöl, Holzöl u. dgl. hergestellt. Arten des *Lackierens:* Streichen, Spritzen, Tauchen, Gießen, Fluten; neue Verfahren: Heißspritzen und elektrostat. Spritzlackieren.

Lackbaum, ein →Sumach.

Lackdraht, Draht mit dünnem Überzug aus elektrisch isolierendem Lack, bes. für Wicklungen (Spulen).

Lackfarben, Emaillelacke, feinstgeriebene Gemische aus einem Lack und einem Farbkörper.

Lackkunst, die in China erfundene, vor allem auch in Japan ausgebildete Kunst, Geräte aller Art mit einer Lackschicht zu überziehen und diese künstlerisch zu gestalten. Zu den wichtigsten der in Ostasien verbreiteten Arten der L. gehören: *gemalte* Lacke, rote (seltener schwarze) *geschnittene* Lacke, Lacke mit *Einlagen* von Gold, Silber, Perlmutt, in Japan auch aus Blei und gebranntem Ton. Die frühesten erhaltenen Lacke wurden in Gräbern der Han-Zeit gefunden (um 200 v. Chr.). Ostasiat. L. wurden bes. im 18. Jh. in Europa nachgeahmt. TAFEL Chines. Kunst, 2; Japan. Kunst I, 4.

LIT. K. Herberts: Ostasiat. L. (1959); W. Holzhausen: Lack in Europa (1959); B. v. Ragué: Gesch. der japan. L. (1966).

Lackleder, Leder, das mit einer spiegelglatten, fast immer schwarzen Lackschicht aus Leinöl-, Nitrozellulose- oder Kunststofflack überzogen ist.

L'ackmus [niederländ.] *das,* ein Farbstoff, der aus Flechtenarten (z. B. Rocella fuciformis) gewonnen wird und in seinem Kaliumsalz blau ist; er dient in der Chemie als Erkennungsmittel für Säuren und Basen: blaues Lackmuspapier wird in Säureflüssigkeit rot, rotes in alkalischer Flüssigkeit blau.

Lackschildlaus, südasiatische, afrikan. und amerikan. Schildlausarten, aus deren eintrocknenden Ausscheidungen Schellack gewonnen wird.

Lac Léman [lak lemã, franz.], →Genfer See.

Laclos [laklo] Pierre Ambroise François **Choderlos de,** franzõs. Schriftsteller, * Amiens 19. 10. 1741, † Tarent 5. 11. 1803, Offizier, schrieb den Briefroman ›Les liaisons dangereuses‹ (1782, dt. Gefährliche Liebschaften, neu 1959), die bedeutendste Darstellung der Pariser Gesellschaft des Ancien Régime.

La Coruña, →Coruña.

la Cour [la ku:r], Paul, dän. Lyriker, * Rislev bei Herlufmagle 9. 11. 1902, † Roskilde 20. 9. 1956.

WERK. Fragmente eines Tagebuchs (1948; dt. 1953).

Lacretelle [lakrətɛl], Jacques de, franz. Schriftsteller, * Schloß Cormatin (Saône-et-Loire) 14. 7. 1888, schrieb Romane und Novellen.

L'acrimae Chr'isti [lat. ›Tränen Christi‹], roter oder weißer Wein vom Vesuv oder seiner Umgebung.

Lacr'oma, ital. Name der jugoslaw. Insel Lokrum.

Lacrosse [lakrɔs, frz.], altes, vielleicht indian., Ballspiel, vor allem in England sportlich entwickelt. Das zum Schlagen wie zum Fangen des Balles dienende Gerät ist ein 80 cm langer Holzstab, der sich an einem Ende in ein dreieckiges Netz verbreitert.

1   2

Lackkunst: 1 *Deckeldose, schwarz gelackt mit Muscheleinlagen, China, 18. Jh.; ⌀ 10,8 cm (Frankfurt a. M., Mus. für Kunsthandwerk). 2 Inro, mit Darstellung einer Zikade an Weidenzweigen, Japan, um 1800; 9,6 cm hoch (Wiesbaden, Privatbesitz)*

Lact'antius, Lucius Cäcilius Firmianus, lat. Kirchenschriftsteller, † nach 317, war um 300 Lehrer der Rhetorik in Nikomedien, wurde wegen seines vollendeten Stils der »christl. Cicero« genannt. Sein Hauptwerk (Institutiones divinae) ist eine Verteidigung des Christentums. – Dt. Ausg. der Werke in: Bibliothek der Kirchenväter, 36 (1919).

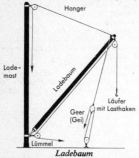

Ladebaum

Lactobact'erium b'ifidum [lat.] *das*, der *Lactobacillus bifidus*, eine Bakterienart, die an Stelle der →Kolibakterien im Darm des menschl. Säuglings lebt. Diese für den mit Muttermilch ernährten Säugling kennzeichnende *Bifidusflora*, die seine Gesundheit fördert, wird durch einen vitaminähnlichen Stoff in der Frauenmilch, den *Bifidus-Faktor*, bewirkt.

Lact'uca [lat. ›Milchkraut‹], Pflanzengattung, →Lattich.

Lac'unar [lat.] *das*, die getäfelte Decke in der antiken Baukunst, bes. das vertiefte Feld (Kassette) zwischen den sich kreuzenden Deckenbalken.

Lacus [lat.], See. *L. Benacus*, der Gardasee; *L. Brigantinus* oder *L. Venetus*, der Bodensee; *L. Larius*, der Comer See; *L. Lemannus*, der Genfer See; *L. Pelso*, der Plattensee; *L. Verbanus*, der Lago Maggiore.

Lacus Curtius [lat.], altröm. Kultmal am Forum Romanum, ursprüngl. wohl ein Teich, später eine umfriedete Opfergrube.

Lacy, Lascy [l'asi], Franz Moritz, Graf von, österreich. Feldmarschall, * Petersburg 21. 10. 1725, † Wien 24. 11. 1801, Sohn eines russ. Generals aus normannisch-irischer Familie, entwarf im Siebenjährigen Krieg als Generalquartiermeister Dauns den Plan zum Überfall bei Hochkirch (14. 10. 1758) und zur Gefangennahme des preuß. Korps Finck bei Maxen (20. 11. 1759).

Ladakh, Ladak, Gebirgsland zwischen dem Himalaja und dem Karakorum, zu beiden Seiten des oberen Indus, gehört zum größten Teil zu Kaschmir, zum kleineren zu Pakistan. Der höchste Berg ist der Sasir-Kangri (7672 m). In den tieferen Tälern Bewässerungsanbau (Getreide, Hülsenfrüchte, Obst), im übrigen Viehzucht (Schafe, Ziegen, Jaks).

Lade [mhd. zu laden ›beladen‹], 1) Truhe, Behälter, Kasten, Schrein. 2) *Orgel:* Windlade. 3) die Lücke zwischen Backen- und Vorderzähnen der Pferde.

Ladebaum, auf Schiffen ein am *Lademast* (Ladepfosten) angebrachtes starkes Rundholz oder Stahlrohr, das in Verbindung mit dem *Ladegeschirr* (Takelage und Winden) einen Kran ersetzt.

Ladegefäße, Löschgefäße, Raummaße für Schüttgüter, meist in Tonnen- oder Zylinderform. Größe 0,5 hl oder ein ganzes Vielfaches von 0,5 hl.

Ladegewicht, das Höchstgewicht, mit dem Fahrzeuge beladen werden dürfen: bei den meistgebräuchlichen Güterwagen 15 t, bei Schwerfahrzeugen bis zu 140 t.

Lademarke, Ladelinie, →Tiefladelinie.

Lademaschinen, *Bergbau:* vollmechan. Geräte zum Beladen der Förderwagen beim Streckenvortrieb. Beim *Schrapplader* wird das Schrappgefäß über eine Gleitbahn in Wagenhöhe gezogen, es lädt unmittelbar in den Förderwagen. Beim *Stoßschaufellader* wird eine fast die ganze Streckenbreite einnehmende Ladeschaufel hin- und herbewegt und in das Haufwerk getrieben. Ähnlich arbeiten *Zughackenlader, Wurfschaufellader* und *Seitengriffflader*.

Lademaß, ein über einem geraden Gleis aufgestelltes Gerüst zum Nachprüfen der Umrißlinien von Güterwagenladungen.

Ladema

Ladenburg, Stadt im Rhein-Neckar-Kreis, Baden-Württ., mit (1974) 10 600 Ew., am unteren Neckar, 111 m ü. M.; Feuerlöschgeräte-, Apparatebau, chem. u. a. Industrie. L. hat höhere Schulen, Landwirtschaftsschule, Max-Planck-Institut für Züchtungsforschung. – L., das röm. *Lopodunum*, war der Hauptort des Lobdengaues, gehörte bis 1705 zum Bistum Worms und bis 1803 zur Kurpfalz.

Ladenpreis, Preis einer Ware im Einzelhandel; er wird häufig durch Auszeichnen der Ware kenntlich gemacht, z. T. auf Grund behördl. Bestimmung, wie im Lebensmittelhandel. Bei Markenartikeln kann der L.

durch den Hersteller vorgeschrieben werden (Preisbindung der zweiten Hand), im Buchhandel wird er vom Verleger festgesetzt.

Ladenschilder, Geschäftsschilder, Schilder, die das Gewerbe des Ladeninhabers anzeigen; die Anbringung ist z. T. baupolizeil. genehmigungspflichtig. Eine Sondergruppe sind die Gasthausschilder. Die L. entwickelten sich aus den alten Haus- und Handwerkszeichen (Hausmarke, Hausschilder, Gasthausschilder).

Ladenschluß. Nach dem Ladenschluß-Ges. v. 28. 11. 1956/17. 7. 1957/14. 11. 1960 müssen Verkaufsstellen an Sonn- und Feiertagen ganztägig, montags bis freitags bis 7 Uhr und ab 18 Uhr 30 und samstags ab 14 Uhr (am ersten Samstag im Monat ab 18 Uhr) geschlossen sein. Die verkaufsoffenen Sonntage vor Weihnachten entfallen; dafür dürfen an vier aufeinanderfolgenden Samstagen vor dem 24. 12. die Verkaufsstellen bis 18 Uhr geöffnet sein. Ausnahmen gelten z.B. für Apotheken, Tankstellen, Friseurbetriebe, Kurorte, best. Waren (z. B. Milch, Zeitungen).

Ladeschaufel, Frontlader, *Landwirtschaft:* ein hydraulisch betätigtes Ladegerät, das am Vierradschlepper frontseitig so angebaut wird, daß der Schlepper beim Vorwärtsfahren mit der gesenkten Schaufel Stallmist, Rübenblätter, Heu oder anderes Ladegut aufnehmen kann.

Ladeschein, Urkunde, die der Frachtführer über seine Verpflichtung zur Auslieferung des Gutes an den Empfänger ausstellt. Beim Landfrachtgeschäft ist der L. ungebräuchlich, dagegen üblich in der Binnenschiffahrt mit gleicher Bedeutung wie das Konnossement bei der Seefracht; er wird daher auch *Fluß-* oder *Binnenkonnossement* genannt.

Ladestock, † Holz-, später Stahlstab, mit dem bei Vorderladegewehren die Ladung eingeschoben wurde.

Ladestreifen, bei einselfuernden Handfeuerwaffen Metallstreifen, auf den die Patronen zum Laden aufgereiht sind.

lädieren [lat.], beschädigen, verletzen.

Ladik'ije, Stadt in Syrien, →Latakia.

Lad'iner [›Lateiner‹], **1)** früherer Name der →Rätoromanen. **2)** *im engeren Sinn* die rätoroman. Bewohner einiger Dolomitentäler Südtirols, des Grödner-, Gader-, Abtei-Ampezzo- und Fassatals, ferner im Noce-, Rabbi- und Novellatal. Die Grödner Holzschnitzereien genießen Weltruf.

Lad'ino [span.], **1)** Mischling von Weißen und Indianern. **2)** jüdisch-span. Dialekt in den Küstenländern des Mittelmeers.

L'adislaus [slaw. Wladislaw ›Ruhmherrscher‹], männl. Vorname.

L'adislaus, Könige von Ungarn (über die böhm. und poln. Herrscher gleichen Namens →Wladislaw) **1) L. I., der Heilige** (1077–95), * Polen um 1040, † 29. 7. 1095, eroberte 1091 das nördl. Kroatien, begann die Umgestaltung Ungarns nach westl. Vorbild und gründete zwei Bistümer. 1192 heiliggesprochen; Tag: 27. 6.

2) L. IV. (1272–90), * 1262, † Körösszeg 10. 7. 1290, unterstützte Rudolf von Habsburg gegen Ottokar II. von Böhmen. Er wurde von den Kumanen ermordet.

3) L. V. Postumus [lat. ›der Nachgeborene‹], Sohn des Habsburgers König Albrecht II. und der luxemburg. Erbtochter Elisabeth, * Komorn 22. 2. 1440, † Prag 23. 11. 1457, wurde in Wien erzogen, kam erst 1452 auf den Thron; für ihn war Johann Hunyadi 1446–53 Reichsverweser. 1453 wurde L. auch zum König von Böhmen gekrönt, mußte hier aber Georg Podiebrad als Reichsverweser bestätigen. Er starb wahrscheinlich durch Giftmord.

L'adogasee, finn. **Laatokka,** nächst dem Kaspischen Meer der größte See Europas, 18 180 qkm groß, seit 1940 ganz in der Sowjetunion (Gebiet Leningrad und Karel. ASSR), eine im S flache, im N bis 230 m tiefe, steiluferige, buchten- und inselreiche eiszeitl. Wanne. Hauptzuflüsse: Wolchow (vom Ilmensee), Vuoksi (von den finn. Seen), Sjas (von SO) und Swir (vom Onegasee); sein Abfluß ist die Newa (nach W). Die Eisbedeckung dauert durchschnittlich 120 Tage.

L'adon, Rufias, rechter Nebenfluß des Alfios im Peloponnes, Griechenland, durch den unterirdischen Abfluß des Pheneossees gespeist.

L'adowitz, tschech. **Ledvice,** →Brüx.

Ladr'onen [portug. ›Diebsinseln‹], alter Name der →Marianen.

Ladung, 1) die Aufforderung, vor einer Behörde, bes. vor einem Gericht zu einem bestimmten Zeitpunkt zu erscheinen. Im *Zivilprozeß* wird die L. zu einem Termin in der Regel von Amts wegen veranlaßt (§ 214ff. ZPO). Die zwischen der Zustellung der L. und dem Gerichtstermin liegende *Ladungsfrist* beträgt in Anwaltsprozessen mindestens 1 Woche, in andern Prozessen mindestens 3 Tage, in Meß-, Markt- und unter Umständen in Wechselsachen nur 24 Stunden. Für die L. von Zeugen und Sachverständigen gelten besondere Vorschriften.

Im *Strafprozeß* erfolgt die L. zur Hauptverhandlung durch die Staatsanwaltschaft, ausnahmsweise durch das Gericht (§ 213ff. StPO). Untersuchungsrichter und Amtsrichter können unmittelbar laden, ebenso kann der Angeklagte im Privatklageverfahren zur Hauptverhandlung Zeugen und Sachverständige unmittelbar laden. Für den Angeklagten und den Verteidiger beträgt die Ladungsfrist zwischen Zustellung und Hauptverhandlung eine Woche.

Im *österreich.* Zivil- und Strafprozeß erfolgen alle L. durch das Gericht. Im *schweizer.* Zivilprozeß sind die Bestimmungen über die L. (›Vorladung‹) kantonal verschieden; im Strafprozeß ergeht die L. zur Hauptverhandlung durch das Gericht, in der Voruntersuchung durch den Untersuchungsrichter oder Staatsanwalt.

2) *Feuerwaffe:* die bei Schußwaffen als Treibmittel für das Geschoß erforderliche Pulvermenge (Kartusche).

3) *elektrische L.*, Elektrizitätsmenge, Quelle eines elektromagnetischen Feldes (→Elektrizität).

Ladungsraum, bei Feuerwaffen der hintere, nicht gezogene Teil des Laufs oder Rohrs, der die Pulverladung aufnimmt.

Lady [l'eidi, engl.], *Mz.* Ladies, in England *allgemein:* Dame, die weibl. Entsprechung des Gentleman; *im engeren Sinn:* engl. Titel der adligen Frau.

L'aeisz, F. L. KG, von *Ferdinand L.* (*1801, † 1887) 1824 gegründete, durch die Größe und Schnelligkeit ihrer Segelschiffe *(Potosi, Preußen)* bekannte Reederei in Hamburg. Auf ihren Segelschiffen erhielten künftige Schiffsoffiziere die vorgeschriebene Segelschiffsausbildung. Die Reederei nahm 1854 die Segelschiffahrt nach Südamerika auf, 1872 den Liniendienst mit Segelschiffen.

Laer [la:r], Pieter van, holländ. Maler, * Haarlem 1592/95, † das. 1642, lebte 1626 bis 1638 in Rom, →Bambocciade.

Laermans [la:rmans], Eugène, belg. Maler, * Brüssel 21. 10. 1864, † das. 22. 2. 1940, malte Bilder aus dem Leben der Bauern und der Armen.

La'ertes, in der griech. Mythologie der Vater des Odysseus.

La'ertius, griech. Philosoph, →Diogenes von Laerte.

La Farge [ləfa:dʒ], **1)** John, amerikan. Maler, * New York 31. 3. 1835, † Providence 14. 11. 1910.

2) Oliver (Hazard Perry), amerikan. Ethnologe und Schriftsteller, * New York 19. 12. 1901, † 2. 8. 1963, erhielt 1930 den Pulitzerpreis für den Roman ›Laughing Boy‹.

WERKE. Laughing Boy (1929; dt. Der große Nachtgesang, 1940), A Pause in the Desert (1957; dt. Die letzte Flasche Whisky, 1958).

Lafargue [lafarg], Paul, franz. Sozialist, * Santiago (Kuba) 15. 1. 1842, † Draveil 25. 11. 1911, Schüler und Schwiegersohn von K. Marx, führend in der radikalen franz. Arbeiterbewegung.

Lafayette [lafajet], **1)** Stadt im Staat Indiana, USA, am Wabash, mit (1970) 45 000 Ew.

2) Stadt im Staat Louisiana, USA, mit (1970) 69 000 Ew.

Lafayette, La Fayette [-jɛt], **1)** Marie Joseph de *Motier*, Marquis de, franz. Politiker, * Schloß Chavaniac (Dep. Haute-Loire) 6. 9. 1757, † Paris 20. 5. 1834, nahm seit 1777 am Unabhängigkeitskampf der USA als General teil und trug wesentlich zur Kapitulation der Engländer in Yorktown (19. 10. 1781) bei. 1789 wurde er in Paris Mitgl. der Generalstände und reichte als Anhänger des Freiheitsgedankens der Nationalversammlung am 11. 7. den Entwurf zur Erklärung der Menschenrechte ein. Er gewann anfangs eine führende Stellung und erhielt nach dem Bastille-Sturm den Oberbefehl über die Pariser Nationalgarde,

wurde aber von den Radikalen zurückgedrängt und mußte als Anhänger des Königtums 1792 ins Ausland fliehen. Unter der Herrschaft Napoleons lebte er zurückgezogen auf seinen Gütern. Seit 1818 war er liberaler Abgeordneter und führte bei der Julirevolution von 1830 wieder die Nationalgarden.

LIT. A. Latzko: L. (1935); D. G. Loth: L. (1952).

2) Marie Madeleine Pioche de la Vergne, Comtesse de, franz. Schriftstellerin, * Paris März 1634, † das. 25. 5. 1693. Schon in ihrem Roman ›La princesse de Montpensier‹ (1662) wandte sie sich vom Schema des Heldenromans ab. Der Roman ›La princesse de Clèves‹ (1678; dt. neu 1949) ist der erste psycholog. Roman der franz. Literatur.

La Ferrassie [la ferasi], Höhle in der Dordogne, Südfrankreich, mit altsteinzeitlichen menschlichen Skelettfunden.

Laf'ette [franz.], das Schießgerüst, in der Regel auch das Fahrgestell der →Geschütze.

Laffitte [lafit], Jacques, franz. Finanzmann und Politiker, * Bayonne 24. 10. 1767, † Paris 26. 5. 1844, war 1809–13 und 1814–19 Gouverneur der Bank von Frankreich, als Abgeordneter (seit 1815) ein Führer der liberalen Opposition. 1830 entschiede sein polit. Einfluß und seine Gelder die Thronerhebung Louis Philippes von Orléans. L. wurde im Nov. 1830 Finanzmin. und MinPräs.; im März 1831 mußte er zurücktreten und verlor sein Vermögen.

La Follette [laf'olet], Robert Marion, amerikan. Politiker, * Primrose (Wis.) 14. 6. 1855, † Washington 18. 6. 1925, Rechtsanwalt, war 1901–05 Gouv. von Wisconsin, seit 1906 Senator, liberaler Reformer innerhalb der republikan. Partei, bekämpfte während des 1. Weltkrieges die einseitige Bevorzugung der Entente durch Wilson und blieb Gegner des Völkerbundes. 1924 erhielt er als unabhängiger Präsidentschaftskandidat 5 Mill. Stimmen. Sein Sohn *Robert M. La F. jr.* (* 1895, † 1953) war 1925–47 Senator.

La Fontaine [lafõten], Jean de, franz. Fabeldichter, * Château-Thierry 8. 7. 1621, † Paris 14. 4. 1695, behandelte in den ›Contes et nouvelles en vers‹ (1663) gewagte Stoffe. Seinen Weltruhm begründete er mit seinen Fabeln in Versen (1668, letzte Fassung 1694), für die er die gesamte damals bekannte Fabelüberlieferung benutzte (Äsop, Phädrus u. a.). Die Fabeln sind eine einzigartige Verbindung von Märchenzauber und Weltklugheit. An Stelle des moralisierenden Zwecks früherer Fabeldichtung setzt La F. die Darstellung des Lebenskampfs, die nur durch die anmutig heitere Erzählweise eine versöhnliche Wärme gewinnt.

WERKE. Œuvres, 2 Bde. (1939–42), Fabeln (dt. 1913, 1922, 1923, 1927). Die Fabeln (Gesamtausg., dt. 1964).

LIT. K. Voßler: La F. und sein Fabelwerk (1919); P. Clarac: La F. (1947).

Lafontaine [lafõten], **1)** August Heinrich,

Romanschriftsteller, * Braunschweig 5. 10. 1758, † Halle 20. 4. 1831, vielgelesener Verfasser trivial-sentimentaler Familienromane (etwa 160 Bde.) der Goethezeit.

2) Henri, belg. Völkerrechtslehrer, * Brüssel 22. 4. 1854, † das. 26. 5. 1943, Prof. in Brüssel; seit 1892 Vorsitzender des Bureau international de la Paix, seit 1895 sozialdemokrat. Senator, Mitgründer der Friedensliga (Bern). Er erhielt 1913 den Friedensnobelpreis.

Laforet, Carmen, span. Schriftstellerin, * Barcelona 6. 9. 1921, schrieb ›Nada‹ (1945; dt. 1948, 1963), ›La mujer nueva‹ (1955; dt. Die Wandlung der Paulina Goya, 1958).

Laforgue [lafɔrg], Jules, französ. Schriftsteller, * Montevideo 16. 8. 1860, † Paris 20. 8. 1887, war 1881–86 Vorleser der dt. Kaiserin Augusta. Seine Dichtungen, in denen er sich durch Ironie vom Lebensekel zu befreien sucht, stehen in ihrer Melodik dem Werk Verlaines nahe.

WERKE. Œuvres complètes (6 Bde. erschienen, 1922–30). Dt. Auswahl u. d. T. Pierrot der Spaßvogel (1909). Sagenhafte Sinnspiele (dt. 1905).

La Fosse [lafos], Charles de, französ. Maler, * Paris 15. 6. 1636, † das. 13. 12. 1716, malte Fresken im Schloß zu Versailles und in der Kuppel des Invalidendoms zu Paris.

LAG, Abk. für Lastenausgleichsgesetz.

Lag [læg, engl. ›Verzögerung‹], *Volkswirtschaft:* das Nachlaufen wirtschaftl. Größen hinter anderen, z. B. Einzelhandelspreise–Großhandelspreise, Löhne–Güter- u. Warenpreise, Erzeugung von Konsumgütern–Erzeugung von Produktionsgütern, Geldumlauf–Kreditvolumen. Gegensatz: Lead.

Lagan [l'ɛgən, engl.] *das,* **Ligan,** freiwillig über Bord geworfenes und versenktes Gut, das mit einer Boje versehen wird, um später wiedergefunden und gehoben zu werden.

Lagarde [lag'ard], Paul Anton de, eigentl. Bötticher, Orientalist und Kulturphilosoph, * Berlin 2. 11. 1827, † Göttingen 22. 12. 1891, war seit 1869 Prof. in Göttingen; bekannt durch seine kulturkrit. und polit. Schriften (ständisch-konservativ, national); setzte sich für eine dt. Nationalkirche ein.

L'agasch, sumer. Stadt im südl. Mesopotamien, heute *Tello* [›Hügel‹]; seit 1877 (durch E. de Sarzec, G. Cros, H. de Genouillac und A. Parrot) Ausgrabungen, die erstmals Einblick in die Kunst der Sumerer im 3. Jahrtausend v. Chr. verschafften. Die gefundenen Inschriften führten allmählich zur Erschließung altsumer. Texte.

LIT. A. Parrot: Tello (1948).

Lage, Stadt im Kr. Lippe, Nordrhein-Westf., mit (1974) 31 800 Ew., an der Werre, 103 m ü. M., hat AGer., höhere und Fachschulen; Eisen-, Möbel-, Zucker-, Fleischwaren-, Textilindustrie.

Lägel [ahd., griech.-lat. Lw., ›Flasche‹] *das, der,* **1)** Faß mit eirundem Boden zur Beförderung von Waren auf Lasttieren. **2)** Trinkgefäß der Erntearbeiter. **3)** Stahlgewicht, rd. 70 kg. **4)** früheres Weinmaß in der Schweiz, 45,193 *l.* **5)** Tauring am Segel.

Lagenholz, aus mehreren miteinander verleimten Furnieren aufgebauter Holzwerkstoff, teilweise auch mit Einlagen aus Holzstäben *(Tischlerplatten).* Die einzelnen Lagen können in ihrer Faserrichtung parallel liegen *(Schichtholz, lamelliertes Holz),* sich rechtwinklig abwechseln *(Sperrholz)* oder auch sternförmig angeordnet sein *(Sternholz).*

Lagenstaffel, eine Schwimmstaffel, bei der jede Lage in einer anderen Art geschwommen wird (Rücken-, Brust-, Kraulschwimmen).

Lager [ahd. legar von liegen], **1)** lat. *castra,* ursprüngl. Feldlager, Zeltlager von Truppen. Mit Wall und Graben befestigte L. dienten im Altertum zum Sichern von Truppensammlungen. **2)** Raum in gewerbl. oder Handelsbetrieben, in dem Roh- und Hilfsstoffe, Halb- und Fertigerzeugnisse bis zu ihrer Verarbeitung oder zum Verkauf aufbewahrt werden. Über die Lagerbestände werden **Lagerbücher** oder **-karteien** geführt. Die wertmäßige Verrechnung erfolgt durch die **Lagerbuchführung.** 3) ›Lagerstätte. **4)** bes. bei Brücken Elemente aus Stein oder Vorrichtungen aus Stahl zum Stützen von Tragwerken *(Auflager, Widerlager).* **5)** *Maschinenbau:* Stütz- und Gleitvorrichtung für Wellen. Die einfachste Form ist das *Gleit-L.,* bei dem zwei oder mehr L.-Schalen die zu stützende Welle umgreifen. Als Schmiermittel kommt fast nur Öl zur Anwendung. Bei kleinen Belastungen und kleinen Drehzahlen ist eine Schmierung nicht erforderlich *(öllose L.).* Von besonderer Bedeutung ist für Gleit-L. der Werkstoff, aus dem die L.-Schalen bestehen (›Lagermetalle). *Wälz-L.* sind alle L. mit rollender Reibung. Die verschiedenen Formen der Wälzkörper, in ein- oder zweireihiger Anordnung, und die Form der Laufringe bestimmen ihre Bauformen: *Rillenkugel-L., Schrägkugel-L., Schulterkugel-L., Zylinderrollen-L., Kegelrollen-L., Nadel-L.* Durch kugelförmige Gestaltung der Rollbahn des Außenringes wird eine selbsttätige Einstellbarkeit bei Verkantung oder Wellendurchbiegung erreicht *(Pendelkugel-L., Pendelrollen-L.).* Die Wälzkörper können durch Käfige an der gegenseitigen Berührung gehindert werden *(Käfig-L.),* oder auch ohne Käfig laufen *(käfiglose L.).*

Bauformen für Gleit- und Wälz-L.: *Quer-L. (Radial-L., Trag-L.)* schließen hauptsächlich Kräfte senkrecht zur Drehachse des L. aufnehmen; *Längs-L. (Axial-L.)* können nur Kräfte in Richtung der Drehachse des L. aufnehmen; *Kamm-L.* nehmen große Kräfte in Richtung der Drehachse auf; *Spur-L.* benutzen die Stirnfläche des Wellenendes zur Aufnahme der axialen Belastung. *Spitzen-L. (Stein-L.)* sind besonders in der Feinwerktechnik (Uhren, Meßgeräte usw.) gebräuchlich; bei ihnen ist die Spitze des kegeligen oder kugeligen Wellenendes in einer kegeligen Vertiefung, bei Uhren viel-

Lage

fach in einem Edelstein, gelagert. Mit *Hänge-, Bock-, Wand-, Konsol-L.* werden verschiedene Einbauformen bezeichnet. Bei den in Waagen, Meßgeräten, Regulatoren u. ä. gebräuchl. *Schneiden-L.* werden die Kräfte durch stählerne Schneiden auf die Unterlage übertragen. 6) **Lagerfrucht**, Körnerfrucht auf dem Halm, die umgesunken ist. L. ergibt sich durch Regen, Wind, Schwäche und Weichheit des Halmes oder Fruchtschwere. Noch wachsende gelagerte Halme richten sich im Stengelknoten (→Gelenk) wieder auf, ausgereifte viel seltener. Das Lagern läßt das Korn schlechter ausreifen, bei nassem Wetter leichter auf dem Halm auswachsen (keimen) und macht die Mähmaschine schwer anwendbar.

Lagerbier, untergäriges Bier, das erst durch die Reifung im Lagern trinkfähig wird.

L'agercrantz, Olof, schwed. Schriftsteller, * Stockholm 10. 3. 1911, Lyriker und Essayist.
WERKE. Von der Hölle zum Paradies – Dante und die göttl. Komödie (dt. 1965).

Lägerdorf, Industriegem. im Kr. Steinburg, Schlesw.-Holstein, mit (1967) 4000 Ew.; in der Nähe finden sich große Kreidelager, die im Tagebau abgebaut und zu Zement, Schlämmkreide, Kalk und Dünger verarbeitet werden.

Lage|regler, früher **automatische Flugzeugsteuerung**, bei Flugzeugen ein selbständig arbeitendes Gerät, das eine bestimmte Fluglage aufrechterhält. Der L. enthält *Flugüberwachungsgeräte*, die bei einer Abweichung von der eingestellten Fluglage die Ruder so betätigen, daß eingestellter Kurs und Flughöhe gehalten werden.

Lagergeschäft, die gewerbsmäßige Lagerung und Aufbewahrung von fremden Gütern durch einen *Lagerhalter* (§§ 416–424 HGB). Als Gegenleistung wird das *Lagergeld* entrichtet. Die gelagerte Ware kann durch Übertragung des über die Lagerung ausgestellten *Lagerscheins* veräußert oder durch Verpfändung des Lagerscheins als Kreditsicherungsmittel benutzt werden. Die Regelung in *Österreich* entspricht dem dt. Recht. In der *Schweiz* gelten im wesentlichen gleiche Vorschriften (Art. 482–486 OR).

Lagerhölzer, etwa 10 × 10 cm starke Langhölzer, zur Aufnahme von Holzdielung auf Massivdecken oder, bei nicht unterkellerten Räumen, auf Unterbeton oder Ziegelpfeilern verlegt.

Lagerist, Lagerverwalter, kaufmänn. Angestellter, verwaltet das Lager, macht u. a. Nachbestellungen bei Ausverkauf.

L'agerkvist, Pär, schwed. Schriftsteller, * Växjö 23. 5. 1891, † Stockholm 11. 7. 1974, begann als Expressionist, vertrat in der Folgezeit einen illusionslosen und kritischen Humanismus. 1951 erhielt er für seinen Roman ›Barabbas‹ den Nobelpreis.
WERKE. Gedichte. Novellen und Romane: Der Henker (1934), Der Zwerg (1944; dt. zusammen mit Der Henker, 1946), Barabbas (1946; dt. 1950), Die Sibylle (1956; dt. 1957), Gast bei der Wirklichkeit (1925; dt. 1952, autobiogr.), Der Tod Ahasvers (1960; dt. 1961), Pilger auf dem Meer (1962; dt. 1963), Das Heilige Land (1964; dt. 1965).

L'agerlöf, Selma, schwed. Dichterin, * Gut Mårbacka (Värmland) 20. 11. 1858, † das. 16. 3. 1940, war 1885–95 Lehrerin in Landskrona. Ihr Weltruhm beruht vor allem auf dem Erstlingswerk ›Gösta Berlings saga‹ (1891). In diesem aus einem Balladenzyklus herausgewachsenen Prosaroman, der das Erlebnis der värmländ. Heimat und die eigenen Schicksals in eine halb realistisch, halb phantastisch gesehene Vergangenheit projiziert, sind noch Reste versepischer Darstellungsweise vorhanden. Weitere Romane,

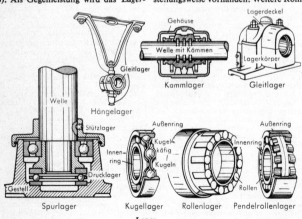

Lager

vor allem aber manche Erzählungen und Legenden sind Belege einer mit schöpferischer Kraft vollzogenen Synthese von Märchenhaftem und Irdischem, tiefer Frömmigkeit und großem Wissen um die Unbeständigkeit und Bresthaftigkeit alles Menschlichen, nicht minder Zeugnisse festen Glaubens an die Macht des Guten. 1909 erhielt sie den Nobelpreis, 1914 wurde sie als erste Frau Mitgl. der Schwed. Akademie.

Werke. Romane: Gösta Berling (1891), Die Wunder des Antichrist (1897), Eine Herrenhofsage (1899), Jerusalem (2 Tle., 1901/02), Liljecronas Heimat (1911), Jans Heimweh (1914), Das heil. Leben (1918), Charlotte Löwensköld (1925), Anna, das Mädchen aus Dalarne (1928); Erzählungen: Unsichtbare Bande (1894), Herrn Arnes Schatz (1904), Christuslegenden (1904), Ein Stück Lebensgeschichte (1908), Der Fuhrmann des Todes (1912), Trolle und Menschen (2 Bde., 1915–21); Kinderbuch: Wunderbare Reise des kleinen Nils Holgersson mit den Wildgänsen (2 Bde., 1906/07). Erinnerungen (1922, 1930, 1932). Gesammelte Werke, 12 Bde. (1928).

Lit. A. Büscher: Lagerlöf-Biographie (1930). Monographien von W. A. Berendson (1927), O. Freye (1933), E. v. Eckardt (1946), Chr. Jenssen (1947).

Lagermetalle, metall. Werkstoffe für die Schalen der Gleitlager: Bronzen, Weißmetall, Rotguß, Leichtmetalle, Gußeisen und Sintermetalle aus Eisenspänen, -pulver und anderen Metallen.

Lägern die, die östlichste Kette des Schweizer Juras, 11 km lang, zwischen der Limmat bei Baden und der Glatt, im Burghorn 863 m hoch.

Lagerpflanzen, die →Thallophyten.

Lagerreife. Bei Spätsorten des Kernobstes tritt völlige Frucht-(Genuß-)reife erst während der Lagerung ein; bei Frühsorten und beim Steinobst fallen *Baum-* oder *Pflück-* und *Genußreife* zusammen.

Lagerstätte, Lager, natürl. Vorkommen nutzbarer Mineralstoffe, die mit technischen Hilfsmitteln und wirtschaftlichem Nutzen gewonnen werden können.

Laghuat, franz. Laghouat, Stadt in Südalgerien, am S-Fuß des Sahara-Atlas, mit rd. 50 000 Ew.; Lederwaren, Teppiche.

Lag'iden, Beiname der Ptolemäer, nach Lagos, dem Vater des ägypt. Königs Ptolemäus I.

Lago Maggiore [madʒ'ore], ital., auch Lago di Verbano, deutsch Langensee, der zweitgrößte der oberital. Seen, 194 m ü. M., 212 qkm groß, 65 km lang, bis 372 m tief, liegt zu ¹/₅ im Kanton Tessin, Schweiz, im übrigen in Italien und wird vom Tessin durchflossen. Wegen der landschaftlichen Reize und des milden Klimas lebhafter Fremdenverkehr. Hauptorte: Locarno in der Schweiz; Verbania, Stresa, Arona in Italien. Im See die →Borromeischen Inseln.

Lagos, 1) [l'oguʃ], Hafenstadt an der S-Küste Portugals, mit etwa 10 000 Ew., war

im 15. und 16. Jh. Ausgangspunkt großer Entdeckungsreisen. 2) Hauptstadt von Nigeria, auf einer Laguneninsel, mit (1971) 901 000 Ew., Sitz des Obersten Gerichts, kath. Erzbischofssitz; Bahn nach Kano; Ausfuhrhafen, Flugplatz (Ikeja, 20 km nördl.).

Lagrange [lagrã̃ʒ], Joseph Louis, franz. Mathematiker, * Turin 25. 1. 1736, † Paris 10. 4. 1813, Prof. in Berlin und Paris, entwickelte die Variationsrechnung, leitete aus dem d'Alembertschen Prinzip die Sätze der Mechanik ab, begründete die Störungstheorie der Himmelskörper, arbeitete über algebraische Gleichungen und Zahlentheorie. – Ges. Werke (14 Bde., 1867–92).

lagrim'oso [ital.], *Musik:* klagend, traurig.

La Guardia [g'ardiɑ], Fiorello Henry, amerikan. Politiker, * New York 11. 12. 1882, † das. 20. 9. 1947, Rechtsanwalt, wurde 1917 republikan. Abgeordneter im Kongreß (bis 1927). Als Bürgermeister von New York (1933–45) entwickelte er eine rege Reformtätigkeit, schuf eine neue Stadtverfassung und beseitigte die Elendsviertel. 1946 wurde er Präs. der UNRRA.

Lagting [l'ɑteŋ] *das,* in Norwegen das vom Storting gewählte Oberhaus.

Laguerre [lage:r], Edmond Nicolas, französ. Mathematiker, * Bar-le-Duc 9. 4. 1834, † das. 14. 8. 1886, Förderer der Theorie der algebr. Gleichungen und der Theorie der Kettenbrüche, Mitbegr. der modernen Geometrie.

Lag'una, La L., Stadt auf der span. Insel Teneriffa, mit (1970) 78 000 Ew.

Lag'une [lat. lacuna ›Lache‹, ›Weiher‹], an der Ostsee Haff genannt, am Schwarzen Meer Liman, seichter Strandsee an Flachküsten, meist durch schmale, langgestreckte Sandablagerungen (Nehrungen) oder Wallriffe (Korallenbauten) vom offenen Meer getrennt.

Lag'uneninseln, alter Name der →Ellice-Inseln.

L'agynos [grch.] *der* und *die,* lat. *lagoena, lagona,* bei den alten Griechen und Römern eine bauchige, enghalsige Weinflasche aus Ton oder Glas.

La Harpe [la arp], 1) Frédéric César de, schweizer. Politiker, * Rolle (Kanton Waadt) 6. 4. 1754, † Lausanne 30. 3. 1838, Erzieher des späteren russ. Kaisers Alexander I., den er im Sinne der Aufklärung beeinflußte. La H. setzte sich für die Befreiung der Waadt von der Herrschaft Berns ein und wirkte seit 1795 in Paris für die Einmischung des revolutionären Frankreichs in die Angelegenheiten der Schweiz; 1798 bis 1800 war er Mitglied des Direktoriums der neuen Helvetischen Republik. Während des Wiener Kongresses 1814/15 machte er seinen Einfluß auf Alexander I. zugunsten der Schweiz und der Selbständigkeit des Kantons Waadt geltend. Seit 1816 war er Führer der dortigen Liberalen.

Lit. A. Boehtlingk: Der Waadtländer F. C. La H., 2 Bde. (1925).

Lahm

2) Jean François de, franz. Schriftsteller, * Paris 20. 11. 1739, † das. 11. 2. 1803, Gegner der enzyklopädist. Geisteshaltung, aber Verehrer und Vertrauter Voltaires. Mit wenig erfolgreichen Bühnenstücken suchte La H. zur Schaffung des ernsten Dramas beizutragen. Sein Hauptwerk ›Lycée ou cours de littérature ancienne et moderne‹ (1799 ff.) ist die erste umfassende Geschichte der franz. Literatur und zugleich der Versuch einer Weltliteraturgeschichte.

Lähme der Jungtiere, Krankheiten der Haustiere, gekennzeichnet durch eitrige Gelenkentzündungen, verursacht durch die verschiedenen Erreger der ansteckenden, septischen Jungtierkrankheiten.

L'ahmeyer, Wilhelm, Elektroingenieur, * Clausthal 26. 4. 1859, † Bonn 9. 12. 1907, erfand 1886 die Gleichstrom-Außenpol-Maschine mit geschlossenem Magnetjoch, führte 1891 die erste Kraftübertragung mit hochgespanntem Gleichstrom durch.

Lähmung, die Aufhebung oder Herabsetzung der Tätigkeit eines Organs durch Erkrankung oder Schädigung der die Organtätigkeit lenkenden Nerven (oder ihrer Ursprungsstellen im Gehirn oder Rückenmark). Die *L. der Empfindungsnerven* wirkt sich bes. als Gefühllosigkeit und Schmerzunempfindlichkeit aus. Der Arzt verursacht solche L. zum Erreichen von Anästhesie (→Schmerzbekämpfung). Die *L. der Bewegungsnerven* hat zur Folge, daß die Muskeln nicht bewegt werden können. Bei schlaffer L. ist der Muskel völlig weich, bei spastischer L. befindet er sich in einer krampfhaften Spannung. Die L. befällt entweder nur eine Körperhälfte (griech. *Hemiplegie*), ist vollständig (griech. *Paralyse*), oder es sind noch schwache Zusammenziehungen des Muskels möglich (griech. *Parese*). Häufigste Ursache: Krankheiten d. Nervensystems.

Lahn [franz. Lw.] *der*, **Plätte, Rausch,** flach ausgewalzte Fäden aus echten oder plattierten Metallen für Metallgespinste.

Lahn *die*, rechter Nebenfluß des Rheins, entspringt im südl. Rothaargebirge in 602 m Höhe, mündet bei Niederlahnstein, 245 km lang. Nebenflüsse: von rechts Dill, von links Ohm, Weil, Ems, Aar. Durch 21 Schleusen wurde die L. bis Gießen für 200-t-Schiffe befahrbar gemacht.

Lähn, Kurort im Kr. Löwenberg, Niederschlesien, im Bober-Katzbach-Gebirge, mit (1939) 1500 Ew., Mineralquellen. Westl. die Ruine Lähnhaus. 1945 kam L. unter poln. Verwaltung (*Wleń*).

Lahnstein, Stadt im Rhein-Lahn-Kreis, RegBez. Koblenz, Rheinland-Pfalz, mit (1974) 20 200 Ew., seit 7. 6. 1969 aus →Niederl. und →Oberl. zusammengeschlossen.

Lahnung [niederd.], einjähriger Dammbau aus Erde und Buschwerk, netzartig parallel und senkrecht zur Küste, zur Landgewinnung.

Lahor [laǫr], Jean, franz. Schriftsteller, →Cazalis, Henry.

Lahor, Lahore, Lahaur [l'ahǫ:r], Provinzhauptstadt in Pakistan, im Pandschab, mit

Lahor: Haupteingang zum Innenhof der Großen Moschee

(1971) 1,99 Mill. Ew., hat Universität, Eisenbahnwerkstätten, Leder-, Woll- und Stahlindustrie.

Lahr, Stadt im Ortenaukreis, RegBez. Freiburg, Baden-Württemberg, mit (1974) 35 900 Ew., am Schwarzwaldrand. L. hat AGer., Industrie- und Handelskammer, höhere Schulen und Fachschulen, Stadtbibliothek und -archiv; Kalenderdruck, Kartonagen-, Tabak-, Leder-, Holz-, Metall-, feinmechanische u. a. Industrie.

L'ahti, Stadt im VerwBez. Häme, Finnland am südl. Ufer des Sees Vesijärvi, mit (1970) 88 800 Ew., hat Maschinen- und Holzindustrie; größte Skisprungschanze Finnlands.

L'ahu, Volk der Lologruppe in SW-Jünnan, N-Thailand und birman. Schanstaaten.

Lai [lɛ, franz.], ursprünglich bretonisches Harfenlied, im 12. Jh. in Frankreich Versnovelle aus der Artussage. Bedeutende Lai-Dichterin war Marie de France. Vom 13.–15. Jh. lyr. Lied, bes. von Christine de Pisan, Guillaume de Machaut, Eustache Deschamps.

L'aibach, 1) *die*, slowen. *Ljubljanica*, Karstfluß in Jugoslawien, 85 km lang, davon 20 km unterirdisch; durchfließt das *Laibacher Moor* und mündet kurz unterhalb der Stadt L. in die Save.

2) slowen. *Ljubljana*, Hauptstadt Sloweniens, Jugoslawien, mit (1971) 173 500 Ew., 293 m ü. M., in einer weiten Ebene beiderseits von 1), wirtschaftlicher und kultureller Mittelpunkt der Slowenen; Sitz einer slowen. Universität (gegr. 1919). Die Stadt hat Landesmuseum (Pfahlbaufunde aus dem Laibacher Moor), ethnograph. Museum, Theater, höhere Schulen, Fachschulen, vielseitige Industrie (Tonwaren-, Textil-, Leder- und Maschinen-, Elektromaschinen-, Flugzeug-, Kugellagerindustrie).

GESCHICHTE. An der Stelle L.s̓ stand das röm. *Emona (Aemona).* 1260 erscheint die

Neusiedlung des Mittelalters zuerst als Stadt; sie wurde 1276 habsburgisch und später die Hauptstadt des Hzgt. Krain. Das Bistum L. wurde 1461 gestiftet. 1809–13 war die Stadt Hauptort der Illyrischen Provinzen Napoleons. Auf dem *Laibacher Kongreß* von 1821 beschlossen die europ. Mächte unter dem Einfluß Metternichs die Niederwerfung der Revolution in Neapel-Sizilien durch österreich. Truppen. Noch im 19. Jh. war die Mehrheit der Bürgerschaft deutsch. 1919 kam L. an Jugoslawien.

Laibung, →Leibung.

Laich [spätes MA., aber wohl altes Wort], Ei-Massen bei Lurchen, Fischen, Insekten, Weichtieren und anderen niederen Tieren.

Laichingen, Stadt im Alb-Donau-Kreis, Baden-Württ., auf der Schwäb. Alb, 755 m ü. M., mit (1973) 6200 Ew.; die spätgot. St.-Albans-Kirche hat einen Turm von H. Schickhardt (1632).

L'aichkraut, Samkraut, *Potamogeton,* einkeimblättrige Pflanzengattung der *Laichkrautgewächse* (Potamogetonazeen), meist Süßwasserpflanzen mit kriechendem Wurzelstock, flutenden Kraut und endständiger, meist über das Wasser ragender Blütenähre. Das *schwimmende L.* (*Seesalde,* P. natans), mit länglichen, ledrigen Schwimmblättern findet sich in Teichen der gemäßigten und subtrop. Zonen, das *krause L.* (P. crispus), mit gekräuselten Tauchblättern, in allen Erdteilen.

Laichkraut: 1 *krauses Laichkraut,* 2 *schwimmendes Laichkraut,* 2a *Blüte (1 etwa* $^1/_3$, *2 etwa* $^1/_4$ *nat. Gr.)*

Laie [griech.-lat. ›Volk‹], 1) Nichtfachmann, Ungelernter. 2) der einfache Gläubige im Unterschied zum Priester (Kleriker). Die kath. Kirche unterscheidet zwei Stände, den Geistlichen- und den Laienstand (→Hierarchie).

Laienabt, →Abt.

Laienaltar, in Stifts- und Klosterkirchen der vor dem Lettner befindliche, meist dem hl. Kreuz geweihte Altar (Kreuzaltar), an dem Gottesdienst für die Laien stattfand. Er wurde notwendig, weil der dem Mönchsdienst vorbehaltene Chor-(Hoch-)altar durch den Lettner den Laien unsichtbar blieb.

Laienapostolat, in der kath. Kirche die Mitarbeit von Laien an der Ausbreitung des Christentums.

Laienbeichte, *kirchl. Rechtsgeschichte:* in der Ostkirche die Beichte vor einem Mönch (die Mönche werden auch ohne Priesterweihe als Geistträger angesehen); in der Lateinischen Kirche die beim Fehlen eines Priesters vor einem Nichtpriester abgelegte Beichte. Die L. war im 8.–14. Jh. in Übung; mit der Anerkennung der →Buße als Sakrament verschwand sie.

Laienbruder, Mitgl. einer Klostergenossenschaft, das keine Weihen empfängt.

Laiengesetze, die antiklerikalen Gesetze in Frankreichs seit 1901; sie führten 1905 zur Trennung von Staat und Kirche.

Laienkelch, die Gewährung des →Kelchs an Laien beim Abendmahl; in der kath. Kirche seit dem 12./13. Jh. abgeschafft.

Laienmalerei, Sonntagsmalerei, der Hauptzweig der Laienkunst, die sich von der älteren und gleichzeitigen Volkskunst dadurch unterscheidet, daß sie nicht wie jene als Handwerk und in der Regel nicht mit gewerblicher Absicht betrieben wird.

Laienrichter, volkstüml. für **ehrenamtlicher Richter,** der neben dem Berufsrichter an der Rechtsprechung beteiligt ist. L. brauchen keine jurist. Ausbildung. Im Zivilprozeß gibt es L. als Beisitzer in den Kammern für Handelssachen, bei den Arbeits- und Sozialgerichten; im Strafprozeß wirken sie mit als Schöffen oder Geschworene oder als Beisitzer in den Jugendgerichten. An österreich. und schweizer. Gerichten sind L. in ähnlicher Weise tätig.

Laienschwester, Klosterschwester, die nicht die Rechte der Chorschwestern hat. Den L.-Brüdern und -Schwestern obliegt vor allem die Haushalts- und sonstige Arbeit in einem Kloster.

Laienspiegel, Rechtsbuch in dt. Sprache, vom Nördlinger Stadtschreiber Ulrich Tengler verfaßt, zuerst 1509 gedruckt.

Laienspiel, Theaterspiel von Laien, das im Gegensatz zum Liebhabertheater (Dilettanten-Theater) steht. Das L. will die natürlichen Spielkräfte wecken; es ist eine Gemeinschaftsbetätigung, die sich auf Brauchtum und Tanz, volkstümliche Feierüberlieferungen stützt, auch den Zuschauerkreis in die Gemeinschaft mit einbezieht. Das L. führt z. T. die Mysterien- und Fastnachtsspiele des Spätmittelalters fort; neu belebt wurde es durch die Jugendbewegung. 1912 prägte Luserke den Namen L. und förderte seine weitere Entwicklung. In den letzten Jahrzehnten haben sich bes. die christl. Kirchen des L. angenommen.

LIT. M. Luserke: Jugend- und Laienbühne (1927); R. Mirbt: Der Bärenreiter-L.-Berater (1959).

Lail

L'ailat al-K'adr [arab. ›Nacht der (göttl.) Macht‹], die Nacht vom 26. zum 27. →Ramadan, in der nach muslim. Überlieferung Gott dem Mohammed den Koran übergab.

Laimes *der*, **Lehmsel, Lehmspeicher**, einoder mehrgeschossige Speicherbauten auf Bauernhöfen in Oberschlesien, der Slowakei und im ungar. Tiefland; ursprüngl. Holzbauten mit dicker Lehmauflage, heute massive Gebäude.

Lainsitz *die*, **Luschnitz**, tschech. *Lužnice*, Nebenfluß der Moldau, 180 km lang, entspringt in Niederösterreich, mündet bei Moldauthein.

Lainz, Teil des XIII. Gemeindebez. von Wien.

L'aïos, in der griech. Sage der Vater des Ödipus.

Lairesse [lɛrɛs], Gerard de, niederländ. Maler und Kunstschriftsteller, * Lüttich 11. 9. 1641, begraben Amsterdam 28. 7. 1711, Schüler von B. Flémal, war in Amsterdam (seit 1667) der führende Maler des neuen, von Frankreich (bes. von Poussin) ausgehenden Klassizismus, schuf mytholog.-histor. Tafel-, auch Decken- und Wandgemälde.

Lais'ierung, Rückversetzung eines kath. Priesters in den Laienstand.

Laisse [lɛːs, franz.] *die*, die aus beliebig vielen Versen bestehende, durch Assonanz gebundene Strophe im altfranzös. Epos.

laissez faire [lɛse fɛːr, franz. ›laßt machen‹], auch **laissez aller, laissez passer** [lɛse ale, lɛse paːse, franz. ›laßt gehen‹], Schlagwort der franz. Physiokraten; die Wirtschaft gedeihe am besten, wenn der Staat sich nicht in sie einmische. Das Schlagwort wurde zum Sinnbild des radikalen Liberalismus.

Laiz'ismus [zu Laie], die Bestrebungen nach Ausschluß der Geistlichkeit von allen nicht unmittelbar kirchlichen Angelegenheiten.

Lajos [l'ɔjoʃ, ungar.], Ludwig.

Lak, Lakh, Rechnungseinheit in Vorderindien; 1 L. = 100000 Währungseinheiten (z. B. Rupien).

Lak'ai [türk.-franz.; Lutherzeit], Diener in besonderer Kleidung (Livree).

Lake [leik, engl.], See.

Lake [niederd. Form von Lache] *die*, Salzlösung zum Einsalzen. *Lakfleisch*, Pökelfleisch. *Lakschinken*, Pökelschinken.

Lake Charles [leik tʃaːlz], Stadt in Louisiana, USA, am Calcasieu River und dem Küstenkanal, durch einen Seekanal mit dem Golf von Mexiko verbunden, Bahnknotenpunkt, (1970) 78000 Ew.; chem. Industrie; Sägewerke und Reismühlen.

Laked'ämon, **Lakedämonia**, **Lazedämon**, antiker Name des Staates und Staatsgebiets von →Sparta.

Lake District [leik], →Kumbrisches Bergland.

L'akediven, ind. Inselgruppe, →Lakkadiven.

Lake of the Woods [leik ɔv ðə wudz], See in der Prov. Ontario, Kanada, 4000 qkm, z. T. im Staat Minnesota, USA, mit Abfluß zum Winnipegsee.

Lake Placid [leik pl'esid], Dorf im Staat New York, USA, mit (1970) 2700 Ew., am Fuß des Whiteface Mischlang (1483 m) in den Adirondacks. Austragungsort der Olymp. Winterspiele 1932, und für 1980 vorgesehen.

Lake Success [leik səks'es], Vorort von New York, auf Long Island, bis 1951 Sitz der Vereinten Nationen.

Lake Superior [leik sjup'iːərjə], engl. Name des Oberen Sees in Kanada.

L'akhnau, engl. Lucknow, Hauptstadt von Uttar Pradesch, Indien, (1971) 750500 Ew., am Gumti (zum Ganges), hat Universität; Eisenbahnwerkstätten, versch. Ind.

Lakhnau: Imambara-Moschee

L'akkadiven [Sanskrit], engl. **Laccadive Islands**, Gruppe von Koralleninseln im Arabischen Meer. Die Bewohner sind meist arabisch-indische Mischlinge. Ausgeführt werden Kokosfasern und Kopra. Hauptort ist Karavati. Die L. bilden mit den *Amindiven* und der *Minicoy-Insel* seit Nov. 1956 ein Unionsgebiet Indiens (28 qkm; 1971: 30000 Ew.), das der Zentralregierung direkt untersteht.

Lakkol'ith [griech.] *der*, Magmamasse, die sich zwischen Schichtgesteine so einzwängt, daß die hangenden (überlagernden) Schichten durch sie aufgewölbt werden.

Lakkolith

Lak'onien, Lakonia, Landschaft in Griechenland, im südöstl. Peloponnes, im wesentlichen das Flußgebiet des Eurotas zwischen Parnon und Taygetos, das Kernland des alten →Sparta. Im Altertum hießen Gebiet, Staat und Stadt *Lakedämon*; L. erscheint erst bei Plinius. Hauptstadt: Sparta.

lak′onisch [nach den alten Lakoniern, den Spartanern], wortkarg, kurz und treffend.

Lakr′itze [griech.-lat.] *die*, **Süßholzsaft**, ein Auszug aus der Süßholzwurzel *(Glycyrrhiza)*, als glänzend-schwarze, süße Masse im Handel. Hauptbestandteil ist das Glukosid Glyzyrrhizin; Bestandteil vieler Hustenmittel.

L′akshmi oder **Schri**, bei den Hindus die Göttin des Glücks und der Schönheit, Gattin des →Wischnu.

Lakt|album′in [lat. Kw.] *das*, in der Milch enthaltener Eiweißkörper.

Lakt′asen [lat. Kw.], Enzyme, die Milchzucker in Traubenzucker und Galaktose spalten.

Lakt′ate [lat. Kw.], die Salze der Milchsäure.

Laktati′on [neulat.], Milchabsonderung (bei Mensch und Tieren).

Laktobi′ose [lat.-griech.] *die*, der →Milchzucker.

Laktoflav′in [lat. Kw.] *das*, das Vitamin B_2.

Lakt′one [lat. Kw.], innere Anhydride von Oxysäuren, d. h. von Säuren, die außer der Karboxylgruppe COOH noch eine Hydroxylgruppe OH enthalten.

Lakt′ose [lat. Kw.] *die*, der →Milchzucker.

Lak′une [lat.] *die*, **1)** Lücke (in einem Text). **2)** Wassergrube. **3)** bei Organismen Blutraum, der nicht durch eine Zellschicht ausgekleidet ist.

L′alebuch [›Narrenbuch‹], Schwanksammlung, in der die törichten Streiche, die einzelnen Kleinstädten (so Buxtehude, Schöppenstedt, Schilda) zugeschrieben wurden, um einen Mittelpunkt (Laleburg) gruppiert sind; entstanden im Elsaß, erschienen 1594 (Ausgabe 1914), seit 1598 u. d. T. ›Die Schildbürger‹, seit 1603 u. d. T. ›Grillenvertreiber‹ wiederholt.

Lal′em [grch.] *das*, das hauptsächl. durch bestimmte Stellungen der Sprechorgane charakterisierte Grundelement der Sprechkunde.

Lal′etik [grch. Kw.] *die*, Wissenschaft vom Sprechen. Die L. entwickelte sich aus der Phonetik, geht jedoch nicht von den Sprachlauten, sondern von der Sprechfunktion aus.

L′älier, röm. Adelsgeschlecht. **Gaius Laelius**, Freund und vermutl. Altersgenosse des älteren Scipio Africanus, † um 160 v. Chr., kämpfte unter dessen Oberbefehl während des 2. Pun. Krieges als Führer der Flotte und General in Spanien und Afrika, er war 190 Konsul. Sein Sohn **Gaius Laelius Sapiens**, * um 190, gehörte zum Freundeskreis des jüngeren Scipio Africanus, in dessen Heer er 146 an der Eroberung Karthagos teilnahm; als Konsul setzte er 140 für ein Ackergesetz zugunsten des Bauernstandes ein. Er erscheint als Freund Scipios in Dialogen Ciceros.

L′alitaw′istara [Sanskrit] *der*, legendenhafte Lebensbeschreibung Buddhas in Vers und Prosa, aus alten und neuen Teilen zusammengesetzt, in uneinheitlichem Sanskrit verfaßt und in den ersten Jahrhunderten n. Chr. abgeschlossen.

L′Allemand [lalmā], Fritz, Maler, * Hanau 24. 5. 1812, † Wien 20. 9. 1866, malte Schlachten- und Historienbilder, ebenso sein Neffe *Siegmund* (* Wien 8. 8. 1840, † das. 24. 10. 1910), der auch als Porträtist bekannt wurde.

Lally-Tolendal [talōdal], Thomas Arthur, Graf von, franz. General und Gouverneur von Französisch-Indien, * Romans (Drôme), aus irischer Familie. 1. 1. 1702, † (hingerichtet) Paris 9. 5. 1766, versuchte 1757 den Besitz der Französisch-Ostind. Kompanie vor dem Zugriff der Engländer (→Clive) zu retten. Seine Expedition scheiterte, 1761 mußte er Pondichéry übergeben, als Kriegsgefangener kam er nach England. In Paris rechtfertigte er sich gegen Beschuldigungen, wurde aber 1766 zum Tode verurteilt. Sein Sohn und Voltaire kämpften um die Rehabilitierung seines Namens.

Lal′o, Édouard, span.-franz. Komponist, * Lille 17. 1. 1823, † Paris 22. 4. 1892, einer der frühesten Vertreter der impressionistischen Musik, schrieb 4 Opern, 4 Violinkonzerte, darunter die ›Symphonie espagnole‹, Orchesterwerke, Kirchen-, Kammermusik, Klavierstücke, Lieder.

Lalopathie [griech.] *die*, Sprachstörung.

Lalophobie [griech.] *die*, Furcht vor dem Sprechen (z. B. beim Stottern).

L′ama [peruanisch] *das*, **1)** Kamelgattung der Gebirge im westl. Südamerika, bis 1,6 m hoch und bis 2,6 m lang, ohne Höcker, mit rötlichbraunem bis gelbem, unterseits weißlichem Fell. Von dem wildlebenden *Guanako (Huanako)* stammen als Fleisch und Wolle liefernde Haustiere der *Pako* oder das *Alpaka* und das größere *eigentliche L.*, das auch als Lasttier gebraucht wird. Eine andere wilde Art ist die *Vikunja*.
2) flanellähnliches, schwach gewalktes und rechtsseitig gerauhtes Gewebe aus Wolle, Halbwolle oder Baumwolle.

Lama (etwa 2,60 m lang, 1,60 m hoch)

Lama

L'ama [tibet. ›der Obere‹], im Lamaismus ein vollgeweihter Geistlicher; der höchste L. ist der *Dalai Lama*.

Lama'ismus [aus tibet. Lama], die in Tibet und der Mongolei herrschende Form des Buddhismus, die sich auf der Grundlage stark mit Zauberbräuchen durchsetzter Spätformen des Mahajana-Buddhismus entwickelte, diese mit Elementen der einheim. »Bon«-Lehre verschmolz und unter dem Einfluß bedeutender Priester eine eigenartige Hierarchie ausbildete. Der L. soll 632 n. Chr. in Tibet eingeführt worden sein. Nachdem er durch das Wirken ind. Missio-nare, bes. des Padmasambhawa (8. Jh.), immer mehr an Boden gewonnen und das Königtum seine Macht verloren hatte, gelang es den Priestern, die nach ihrer Kopfbedeckung »Rotmützen« genannt wurden, die Herrschaft an sich zu reißen. Der zunehmenden Verweltlichung machte Tsong-kha-pa (* 1356, † 1419) ein Ende. Er setzte bei seinen Anhängern, den »Gelbmützen«, die Ehelosigkeit durch und begründete die *Gelbe Kirche*, die die Rotmützen aus allen einflußreicheren Ämtern entfernte. Maßgebend für die Erbfolge im Priesterstaat wurde der Glaube, daß die obersten Priester irdische Erscheinungsformen von Buddhas und Bodhisattwas seien und daß das Überirdische in ihnen beim Tod in ein neugeborenes Kind übergehe. Der *Dalai Lama* in Lhasa war bis 1959 Staatsoberhaupt und zugleich mit dem *Pantschen Lama* (in Europa meist *Taschi Lama* genannt) in Taschi-lumpo bei Schigatse Mitglied der Regierungsorgane der Chines. Volksrepublik (→Tibet). – Der L. ist eine Mischung von buddhist. Philosophie, prunkvollem Kultus und Dämonen- und Zauberglauben (→Gebetsmühle).

Im 13. Jh., nachhaltiger im 16., gelang es den Lamas, die Mongolen zu bekehren, im 17. die Burjäten und Kalmücken. Als letztere sich zwischen Don und Wolga festsetzten, entstanden auch im europ. Rußland lamaist. Gemeinden. Der L. ist auch die Religion der Himalaja-Länder Ladakh, Sikkim und Bhutan.

Lamaismus: links *Mönche vor dem Tschorten eines Klosters bei Gjang-tse;* rechts *Abt des Sera-Klosters*

Lit. R. Bleichsteiner: Die gelbe Kirche (1937); H. v. Glasenapp: Buddhist. Mysterien (1940); W. Filchner: Der L. in Lehre und Leben (1954); L. A. Waddell: The Buddhism of Tibet (²1958).

La Manche [la mãʃ], der franzöz. Name des →Ärmelkanals.

Lamant'in *der,* Säugetier, →Sirenen.

La Marche [marʃ], Olivier de, Schriftsteller im Dienst Karls des Kühnen und der Maria v. Burgund, * um 1422, † Brüssel 1502.

Lam'arck, Jean Baptiste de **Monet de,** franz. Naturforscher, * Bezentin (Pikardie) 1. 8. 1744, † Paris 18. 12. 1829; seit 1792 Prof. am Jardin des Plantes. Er gab in seinem Werk ›Zoologische Philosophie‹ (2 Bde., 1809; dt. 1876) eine Abstammungslehre (→Lamarckismus). Hauptwerk: Histoire naturelle des animaux sans vertèbres (7 Bde., 1815–22).

Lamarck'ismus, die von Lamarck gegebene →Abstammungslehre, nach der die Umwandlung der Arten und die Zweckmäßigkeit in der Ausbildung der Organismen zurückgeführt werden auf die Umwandlungen, die sich im Leben des Einzelwesens unter dem Einfluß der Außenwelt vollziehen. Hierfür gab er folgende Erklärungen: 1) Das Leben strebt aufgrund eigener Leistungen dazu, die Größe eines Lebewesens und seiner Teile bis zu einer Grenze zu steigern, die das Leben selbst bestimmt. 2) Die Bildung eines neuen Organs im Körper eines Lebewesens ist das Ergebnis eines neuen dringenden Verlangens *(psychische Anpassung)* und einer neuen Tätigkeit *(funktionelle Anpassung)*, die dieses Bedürfnis verursacht und verlängert. 3) Der Umfang der Entwicklung der Organe und die Stärke ihrer Tätigkeit sind direkt proportional ihrem Gebrauch. 4) Alle körperlichen Änderungen oder Neuerwerbungen eines Lebewesens während seines Lebens werden durch die Fortpflanzung auf seine Nachkommen übertragen. – Diese Abstammungslehre erlangte zu Beginn des 20. Jhs. große, durch die spätere Forschung nicht gerechtfertigte Bedeutung. Die experimentelle Genetik erbrachte bisher keine Beweise für die Vererbbarkeit »erworbener Eigenschaften«.

Lamartine [lamartin], Alphonse de, franz. Dichter, * Mâcon 21. 10. 1790, † Passy bei Paris 1. 3. 1869, gab die Offizierslaufbahn auf, wurde 1832 Abgeordneter der Kammer, nach der Februarrevolution von 1848 kurze Zeit Außenminister. Als Dichter begann er mit elegischen Versen (Méditations poétiques, 1820), durch die er der franz. Romantik einen neuen Ton des Meditierens erschloß. Von einer großen epischen Menschheitsdichtung, die er plante, erschienen: ›Jocelyn‹ (2 Bde., 1836; dt. 1880) und ›Der Fall eines Engels‹ (2 Bde., 1838). Während seiner letzten Lebensjahre schrieb er, um seine finanzielle Not zu mildern, eine Reihe wenig sachkundiger Geschichtswerke. Mit seinen zahlreichen sonstigen Dichtungen, u. a. ›Harmonies poétiques et religieuses‹ (1830), ›Recueillements poétiques (1839), konnte er Qualität und Ruhm des Erstlingswerks nicht mehr erreichen.
Lit. H. Rheinfelder in: Literaturwiss. Jb. der Görres-Ges., 8 (1936); J. Lucas-Dubreton: L. (1951).

Lamb [læm], **1)** Charles, engl. Schriftsteller und Kritiker, * London 10. 2. 1775, † Edmonton 27. 12. 1834, veröffentlichte unter dem Pseudonym *Elia* Essays (dt. neu 1965). Zusammen mit seiner Schwester *Mary* (* 1764, † 1847) erzählte er die Tragödien und Komödien Shakespeares für Kinder nach. **2)** Willis Eugene, amerikan. Physiker, * Los Angeles 12. 7. 1913, Prof. in New York und Stanford (Cal.), seit 1956 in Oxford; erhielt für seine Untersuchungen über die Feinstruktur des Wasserstoffspektrums 1955 den Nobelpreis für Physik (zus. mit P. Kusch).

Lambar'ene, Ort am Ogowe, in der Republik Gabun (W-Afrika), mit dem Urwaldkrankenhaus von Albert →Schweitzer.

Lamb'aesis, heute *Lambèse*, röm. Stützpunkt in Numidien (Algerien) zur Kontrolle der Heeres- und Handelsstraßen am Wüstenrand, seit Trajan Standort der 3. (afrikan.) Legion, besterhaltenes Legionslager der römischen Kaiserzeit.

Lambda (Λ, λ) *das*, griech. Buchstabe, →l, L.

Lamber'ie [franz. Lambris] *die*, Wandtäfelung, fast nur noch als etwa 60 cm hoher Holzsockel ausgeführt.

Lambert, Bischof von Maastricht (seit 672), * Maastricht, † (ermordet) Lüttich um 700 (706?). Heiliger; Tag: 17. 9.; →Lambertusfeier.

L'ambert, Johann Heinrich, Philosoph, Mathematiker und Physiker, * Mülhausen (Elsaß) 26. 8. 1728, † Berlin 25. 9. 1777, seit 1765 Mitglied der Berliner Akademie. Er entdeckte und klärte die Messung der Lichtstärke und die Lichtabsorption und stellte ein Gesetz für die Planetenbewegung auf. Als Philosoph gilt L. als bedeutender Vertreter des dt. Rationalismus nach Leibniz und Wolff und vor Kant, mit dem er in Briefwechsel stand. In seinem philosoph. Hauptwerk ›Neues Organon oder Gedanken über die Erforschung und Bezeichnung des Wahren und dessen Unterscheidung von Irrtum und Schein‹ (2 Bde., 1764) setzte L. den Unterschied zwischen analytischer und synthet. Methode auseinander und suchte die Frage des Verhältnisses von apriorischem und aposteriorischem Wissen zu klären. Er führte die von Leibniz begonnenen logist. Betrachtungen weiter und stellte Untersuchungen an, die ihn auf dem Wege zur Einsicht in nichteuklid. Geometrien zeigen.
Werke. Ges. Werke, hg. v. H. W. Arndt, 6 Bde. (Nachdruck der Ausgabe v. 1764; 1964 ff.).
Lit. E. Cassirer: Das Erkenntnisproblem, Bd. 2 (²1922).

Lambert, Abk. la, Maßeinheit der Leuchtdichte. 1 la = $\frac{1}{\pi}$ sb = 0,3183099 Stilb.

L'ambertsnuß [von Lombardei, mhd. Lambardie], große, längliche Haselnuß.

Lamb'ertuslieder, altherkömml. Gesänge, die in Westfalen, vor allem in Münster, bei der Lambertusfeier am 17. 9. von der Bevölkerung gesungen wurden.

Lambert von Avignon [aviɲõ], Franz, * Avignon 1486, † Frankenberg/Eder 18. 4. 1530, Franziskanermönch, seit 1522 evangelisch; war in Hessen das geistige Haupt der *Homberger Synode*, die die hessische Reformation einleitete, seit 1527 Prof. für A.T. und N.T. an der Marburger Universität.

Lambert von Hersfeld, →Lampert von Hersfeld.

Lambeth [l'æmbəθ], Stadtteil von London, südl. der Themse, mit dem *Lambeth Palace*, der Wohnung der Erzbischöfe von Canterbury; Töpfereien.

Lamb

Lambeth-Konferenzen [l'æmbəθ-], die seit 1867 in der Regel alle zehn Jahre vom Erzbischof von Canterbury nach dem Lambeth Palace in London einberufenen Versammlungen der anglikan. Bischöfe der ganzen Welt.

Lambeth-walk [l'æmbəθ wɔ:k] der, engl. Gesellschaftstanz, um 1938 in Mode; ursprüngl. Volkstanz der Töpfer von →Lambeth.

Lamb'inus, Dionysius (Denis Lambin), franz. klass. Philologe, * Montreuil-sur-Mer (Pikardie) 1520, † Paris Aug. 1572, lebte 10 Jahre in Italien und wurde 1561 Prof. am Collège de France. Seine Hauptwerke, deren reichhaltige Erklärungen die Grundlage aller späteren Kommentare der betreffenden Schriftsteller bilden, sind: Horaz (Leiden 1561), Lukrez (1564), Cicero (1566), Plautus (12 Stücke, 1572).

Lamboy [lŭbwa], Wilhelm, Graf (seit 1649) von, kaiserl. Feldmarschall (seit 1645), * bei Lüttich, † Dimokur (Böhmen) 12. 12. 1659, zeichnete sich 1632 bei Lützen aus und zog sich, obwohl von Wallenstein sehr gefördert, 1634 von dessen Verschwörung zurück. Bekannt ist L.s vergebliche Belagerung von →Hanau.

L'ambrecht, Stadt im Kr. Bad Dürkheim, Rheinland-Pfalz, mit (1974) 4700 Ew.; 2 Ingenieur- und Fachschule für Textilwesen; Tuch-, Kapok-, Filz-, elektrotechn. Ind.

Lambrequin [lŭbrəkε̃, franz.] der, mit Quasten versehener Behang über Fenstern u. a.; im Barock auch in Stein und Bronze.

Lamé der, ein prunkvoller, mit Metallfäden durchwirkter Stoff für festl. Kleider.

L'amech nach 1. Mos. 4, 19 ff. der Stammvater der Hirten, Musikanten und Schmiede; nach 1. Mos. 5, 28 ff. der Vater des Noah.

Lam'elle [lat.] die, Blättchen, Scheibe.

Lam'ellenbau = die Bauweise für Dachkonstruktionen aus miteinander verschraubten Holz- oder Stahllamellen zum Überdecken von Großräumen wie Industrie-, Messeoder Flugzeughallen.

Lamelli'branchi'aten, die →Muscheln.

Lamelli'k'ornier, die →Blatthornkäfer.

Lamennais [lamnε], Robert de, französ. Schriftsteller, * St-Malo 19. 6. 1782, † Paris 27. 2. 1854. L., anfangs ein Verteidiger des Papsttums, wurde 1839 durch Gregor XVI. zensuriert. L. war ein Vorkämpfer des Sozialismus.

lament'abel [lat.-ital.], jämmerlich, kläglich.

Lamentati'onen [lat. ›Wehklagen‹], einzelne Abschnitte aus den Klageliedern des Propheten Jeremias auf die Zerstörung Jerusalems (586 v. Chr.). Sie werden in der kath. Kirche in den drei letzten Tagen der Karwoche nach einer schwermütig klagenden Melodie gesungen. Im 16. Jh. wurden die L. auch mehrstimmig vertont.

lament'ieren [lat.], jammern, wehklagen.

Lam'ento [ital.] das, Wehklage; Musik: Klagegesang, leidenschaftlicher Einzelgesang in der Renaissance- und Barockoper.

lament'oso, lament'abile, Musik: klagend, traurig.

Lam'etta [ital.] das, flachausgewalzte, papierdünne Metallfäden aus Zinn oder Aluminium als Christbaumschmuck.

Lamettrie, Julien Offray de, franz. Philosoph, * St-Malo 25. 12. 1709, † Berlin 11. 11. 1751, wurde wegen seiner materialistischen und atheistischen Schriften verfolgt und fand Zuflucht am Hof Friedrichs d. Gr. Er lehrte, daß der Mensch maschinenähnlich aufgebaut sei (›L'homme machine‹, Leiden 1748; dt. 1909), begründete die vergleichende Biologie.

L'amia, im altgriech. Glauben ein Spukgeist, der Müttern ihre Kinder raubte; später hießen Lamien gespenstische weibl. Wesen, die Jünglinge an sich lockten, um ihnen das Blut auszusaugen.

Lam'ia, Bezirkshauptstadt in Mittelgriechenland mit (1971) 38 500 Ew.

L'amina [lat.] die, 1) dünnes metallenes Plättchen oder Blättchen. 2) Anatomie: blattähnlich geformte Organteile.

lamin'are Bewegung, Form der Bewegung eines Mediums, dessen Schichten ohne Wirbelbildung aneinander vorbeigleiten.

Lamin'aria die, der →Blattang.

Laminektom'ie [lat.-griech. Kw.], operatives Freilegen des Rückenmarks vom Rükken her durch Abtragen der Wirbeldornfortsätze und Wirbelbögen.

laminieren [franz.], 1) Spinnerei: Verziehen von Faserbändern auf der Strecke, dem Laminierstuhl. 2) Buchbinderei: kaschieren von Karton mit Kunststoff-Folie.

L'amischer Krieg [nach der Stadt Lamia], von den Athenern u. a. Griechen 323 v. Chr. gegen Antipater begonnen, um das makedon. Joch abzuschütteln (Niederlage der Griechen bei Kranon in Thessalien, 322).

Lamium [lat.], die Pflanzengatt. →Taubnessel.

Lamizana, Sangoulé, obervoltaischer Offizier und Politiker, * 1916; seit dem Staatsstreich 1966 Staatspräs. und Regierungschef.

Lamm [german. Stw.], 1) junges Schaf; 2) in den ältesten christl. Kunst Bild der menschl. Seele, die durch den Guten Hirten heimgetragen wird (Katakombenmalereien und Sarkophage des 3. und 4. Jhs., Statuetten, Inschriften). Die nachkonstantin. Zeit setzt das L. gleich mit Christus, mit den Aposteln, mit den Gläubigen (Mosaike, Sarkophage). Grundlage dieser Bilder sind die entsprechenden bibl. Vergleiche (Lukas 15, 3; Johannes 10. 1, 36; Apokalypse 5, 6. 7, 9. 14; Ezechiel 34, 11). Seltener ist die Darstellung der Scheidung der Böcke von den Schafen als Bild des Gerichtes (Matthäus 25, 32; S. Apollinare Nuovo). Attributiv begegnet das Lamm bei Johannes dem Täufer (nach Johannes 1, 36) oder Agnes (entstanden aus der Namensgleichheit Agnes – agnello, Bild der Unschuld). In der mittelalterl. Ikonographie erscheint das Lamm mit dem Kelch, der sein Blut auffängt, oder das Lamm mit der Kreuzfahne als Bild des leidenden (Apokalypse 7, 14; 5, 6) und auferstandenen Christus (Agnus Dei).

L'ammasch, Heinrich, österreich. Straf- und Völkerrechtslehrer, * Seitenstetten (Niederösterreich) 21. 5. 1853, † Salzburg 6. 1. 1920, Prof. in Innsbruck und Wien, nahm an den Haager Friedenskonferenzen von 1899 und 1907 teil. 1906–12 verfaßte er den Entwurf eines neuen österreich. Strafgesetzes. Politisch trat er für den Völkerbundsgedanken und während des 1. Weltkriegs für einen Verständigungsfrieden ein. Okt./Nov. 1918 letzter MinPräs. des alten Österreich.

Lämmergeier, →Bartgeier.

Lammers, Hans Heinrich, nationalsozialist. Politiker, * Lublinitz (Oberschlesien) 27. 5. 1879, † Düsseldorf 4. 1. 1962, war 1933–45 Chef der Reichskanzlei, seit 1937 als Reichsmin.; im »Wilhelmstraßen-Prozeß« (→Kriegsverbrechen) wurde er in Nürnberg 1949 zu 20 Jahren Haft verurteilt, 1952 entlassen.

Lämmerschwanz, Pflanzen: Wasserdost, Schafgarbe, Wollgras, ein Klee.

Laemmle, Carl, amerikan. Filmpionier, * Laupheim 17. 1. 1867, † Hollywood 24. 9. 1939, Mitbegründer Hollywoods und der amerikan. Filmindustrie; Filmproduzent (Im Westen nichts Neues, 1930).

Lammfell, Fell der Lämmer von Haus- und Zucht-Schafrassen für Rauchwaren. Die Felle frühgeborener oder neugeborener Lämmer nennt man *Schmaschen*. Die L. werden gefärbt oder zu Biberlamm- oder Marderimitation veredelt. Buenos-Aires-Schmaschen werden zur Imitation von Breitschwanz kurz geschoren (*Bueno-Breitschwanz*).

Lamond [l'æmənd, lamõ], Frederick, Pianist, * Glasgow 28. 1. 1868, † Stirling 21. 2. 1948, Schüler von Bülow und Liszt, wurde vor allem als Beethovenspieler bekannt.

Lamorisse [-ris], Albert, Filmregisseur des künstlerisch-poet. *Paris 13. 1. 1922, † (Flugzeugabsturz) bei Karadsch (Iran) 2. 6. 1970. Filme: Bim (1949), Der weiße Hengst (1952), Der rote Ballon (1955), Die Reise im Ballon (1958/60).

Lamormain [lamɔrmɛ̃], Wilhelm, eigentl. Germay, Jesuit, *La Moire Mannie (Luxemburg) 29. 12. 1570, † Wien 22. 2. 1648, war seit 1624 Beichtvater Kaiser Ferdinands II. und wirkte für die Gegenreformation, aber gegen Wallenstein und die Spanier.

La Motte [lamɔt], Antoine Houdar(t) de (auch La M.-Houdar), franz. Schriftsteller, * Paris 18. 1. 1672, † das. 26. 12. 1731, bedeutender Anreger der Literaturreformer des 18. Jhs., sprach als einer der ersten aus, daß Prosawerke Dichtungen sein können.

la Motte-Fouqué [lamɔtfukè], →Fouqué.

Lamoureux [lamurø], Charles, französ. Musiker, * Bordeaux 28. 9. 1834, † Paris 21. 12. 1899, gründete 1882 mit eigenem Orchester die *Concerts Lamoureux*.

Lampad'arium [lat.], Kandelaber mit kleinen Lampen.

Lampas [lɑ̃pa, franz.], reichgemusterter, schwerer Möbelbezug- und Dekorationsstoff aus Seide oder Kunstseide; Lamponette, leichtere Qualität.

L'ampe [Tierfabel; Kurzform von Lamprecht], **Meister Lampe,** Name des Hasen.

L'ampe, Friedo, Schriftsteller, * Bremen 4. 12. 1899, † (von Russen irrtümlich erschossen) Berlin 2. 5. 1945, Bibliothekar und Lektor, schrieb traumrealistische Erzählungen (Roman: ›Am Rande der Nacht‹). Gesamtwerk, hg. 1955.

Lamped'usa, die größte der Pelag. Inseln westl. von Malta im Mittelmeer, 20 qkm.

Lamped'usa, Tomasi di, italienischer Schriftsteller, →Tomasi di Lampedusa.

Lampenfieber, nervöse Unruhe vor dem Auftreten (bei Schauspielern, Sängern, Rednern u. a.).

Lampert von Hersfeld, Lambert v. H., seit 1058 Mönch in Hersfeld, † nach 1080, verfaßte Annalen, bes. ausführlich für die Jahre 1073–77 beim Ausbruch des →Investiturstreits.

L'ampertheim, Stadt im Kr. Bergstraße, Hessen, mit (1974) 31700 Ew., im Hess. Ried, hat AGer.; Industrie: Zigarren, Möbel, Gleichrichter, Dieselmotoren; Tabak- und Gemüsebau.

Lamp'ette [lat. Lw.] *die*, Waschwasserkanne.

L'ampi, Johann Baptist d. Ä., Edler von, Maler, * Romeno (Südtirol) 31. 12. 1751, † Wien 11. 2. 1830, Bildnismaler des österr. und russ. Hofes.

Lampion [lampiõ, franz.] *der* oder *das*, oft reich bemalte Papierlaterne; ostasiat. Ursprungs.

Lampionpflanze, →Blasenkirsche.

L'ampong, Landschaft im S von Sumatra.

L'amprecht, Lampert [ahd. ›Landesglanz‹], männl. Vornamen.

Lamprecht, Karl, Historiker, * Jessen 25. 2. 1856, † Leipzig 10. 5. 1915, Prof. in Marburg 1890, in Leipzig 1891. L. wandte sich früh wirtschafts- und kulturgeschichtl. Fragen zu. Er strebte an, die Geschichte zum Rang einer exakten Wissenschaft zu erheben, indem er in ihr die gesetzmäßige Entwicklung sozial-psychischer Kräfte sah.

WERKE. Dt. Wirtschaftsleben im MA., 4 Bde. (1886), Deutsche Geschichte, 19 Bde. (1891–1909), Einführung in das histor. Denken (1912).

Lamprecht der Pfaffe, moselfränk. Geistlicher, dichtete zwischen 1120 und 1130 nach dem altfranz. Lied des Alberich von Besançon ein Alexanderlied, die erste deutsche Bearbeitung eines antiken Stoffes (hg. 1923). Das Werk wurde um 1160, ebenfalls von einem Geistlichen, umgearbeitet (Straßburger Alexander, hg. 1884).

Lamprecht von Regensburg, Regensburger Franziskanermönch, brachte um 1240 das Leben des hl. Franziskus von Thomas von Celano, ›Sanct Franzisken Leben‹, und eine lat. Prosaerzählung von der Brautschaft der Seele mit Christus, ›Tochter Syon‹, in deutsche Reimverse.

Lamp

Lampr'ete [lat. ›Steinlecker‹] *die*, Tier, →Neunaugen.

Lam'uten, tungusisch sprechendes Volk am Ochotskischen Meer, Sowjetunion, etwa 3000 sind Christen, haben jedoch schaman. Eigenarten bewahrt; Rentierzucht, Jagd.

Län [›Lehen‹] *das*, Verwaltungsbezirk (Provinz) in Schweden und Finnland.

L'ana, Col di L., Berg in den Südtiroler Dolomiten, 2462 m hoch; 1915–17 schwer umkämpft (Gipfelsprengung).

L'anai, eine der Hawaii-Inseln, 350 qkm; Ananaspflanzungen.

Lanameter [lat. Kw.], Projektionsmikroskop zur unmittelbaren Dickenmessung von Wollhaaren zur Bestimmung der Feinheitsklasse.

Lanark [l'ænək], Grafschaft im südl. Schottland, 2278 qkm, (1971) 1,5 Mill. Ew. Hauptstadt ist Hamilton.

Lançade [lãsad, franz.], **Lanz'ade, Bogensprung**, Sprung des Pferdes nach vorwärts mit hoch erhobener Vorderhand.

Lancashire [l'æŋkəʃiə], nördl. Grafschaft Englands an der Irischen See, 4864 qkm mit (1971) 5,1 Mill. Ew. Hauptstadt ist Lancaster.

Lancaster [l'æŋkəstə], **1)** Stadt in der engl. Grafschaft Lancashire mit (1971) 49500 Ew. Baumwoll-, Möbel-, Öltuch-, Linoleum- und Waggon-Industrie. **2)** Stadt in Pennsylvanien, USA, mit (1960) 61100 Ew.; bedeutender Vieh- und Tabakmarkt, Industrie.

Lancaster, Earls- und Herzogstitel mehrerer Nebenlinien des engl. Königshauses Plantagenet. Johann von Gaunt (Gent, * 1340, † 1399), jüngerer Sohn König Eduards III., wurde zum Herzog von L. erhoben. Dessen ältester Sohn Heinrich von Bolingbroke stürzte 1399 seinen Vetter, König Richard II., und bestieg als Heinrich IV. den Thron. Das Haus L. erlosch 1471.

Lancaster [l'æŋkəstə], **1)** Burt, amerikan. Filmschauspieler, * New York 2. 11. 1913. Filme: Verdammt in alle Ewigkeit (1953), Die tätowierte Rose (1955), Das Urteil von Nürnberg (1961), Der Leopard (1962).
2) Joseph, * London 25. 11. 1778 (1776?), † New York 24. 10. 1838, richtete in London unentgeltliche Grundschulen mit Helfersystem ein (→Monitorsystem); nach ihrem Vorbild entstanden in allen Teilen Großbritanniens *L.-Schulen*. →Girard.

Lancastergewehr, ein Jagdgewehr.

Lancelot, Lanzelot vom See, Sagengestalt aus der Tafelrunde des Königs Artus, als Kind von der Wasserfee Viviana geraubt, später von ihr bei seinen Abenteuern um die Liebe zu Ginevra, des Artus Gattin, unterstützt. Höfischer Versroman von Chrétien de Troyes. Deutsche *Lanzelet*dichtung (1194) von Ulrich von Zatzikhofen.

Lancia & C. [l'antʃa] – **Fabbrica Automobili – Torino – S. p. A.**, Turin, italien. Unternehmen der Kraftfahrzeug-Ind., gegr. 1906 von V. Lancia; 1969 von Fiat übernommen.

Lancier [lãsje, franz.], **1)** Lanzenreiter, Ulan. **2)** ein Kontertanz.

lancieren [läsi:ren, franz.], **1)** in Gang, in Mode bringen. **2)** *Jägersprache:* durch den Hund anjagen.

Lancret [lãkrɛ], Nicolas, franz. Maler, * Paris 22. 1. 1690, † das. 14. 9. 1745, malte Theaterszenen und Feste in Watteaus Art.

Land, 1) alle festen Teile der Erdoberfläche im Gegensatz zu den Wasserflächen (Seen, Meere). Die großen Landflächen heißen **Festland** (Kontinent), kleinere **Eiland** (Insel). Nach der Meereslage unterscheidet man **Küsten-** und **Binnenland**, nach der Höhenlage **Tief-** und **Hochland**, nach der Bodengestaltung **Flach-, Hügel-, Gebirgsland** usw. Mit L. bezeichnet man häufig auch im Gegensatz zu Stadt die vorwiegend von Ackerbauern bewohnten Gebiete. **Landfläche** der Erde, →Erde. **2)** der Staat oder ein innerstaatl. Gebietsteil (→Länder).

L'and|ammann, →Ammann.

Landarbeiter, landwirtschaftlicher Arbeiter, Person, die in landwirtschaftl. Betrieben im Lohnverhältnis Feld-, Hof- und Stallarbeiten verrichtet. Zu den *ständigen L.* gehören Gesinde (Knechte, Mägde), Deputanten und Tagelöhner. Die *unständigen L.* sind hauptsächl. während der Ernte beschäftigt, z. T. als Wanderarbeiter (z. B. ital. Saisonarbeiter). Seit einigen Jahren ist eine 3jährige »Landwirtschaftslehre« eingeführt. Eine daran anschließende 2semestrige Landwirtschaftsschule (Winterschule) kann der »geprüfte Landwirtschaftsgehilfe« besuchen.

Landarbeiterverbände, bis 1933 der (freigewerkschaftl.) Dt. Landarbeiterverband, der (christl.) Zentralverband der Landarbeiter und der (wirtschaftsfriedl.) Reichslandarbeiterbund. Jetzt: *Gewerkschaft Gartenbau, Land- und Forstwirtschaft* im DGB.

Landarbeitslehre, eine Wissenschaft, die die menschl. Arbeitskräfte im Zusammenwirken mit den Arbeitsmitteln (tier. Zugkräfte, Maschinen, Geräte) behandelt.

Landau, 1) L. an der Isar, Stadt im Kreis Dingolfing-Landau, Bayern, mit (1974) 10 100 Ew.; Landwirtschaft.
2) L. in der Pfalz, kreisfreie Stadt im Reg.-Bez. Rheinhessen-Pfalz, Rheinland-Pfalz, mit (1974) 38 400 Ew., Mittelpunkt des Pfälzer Wein- und Tabakhandels, in der Rheinebene, 144 m ü. M. Die Stadt hat LdGer., AGer., Arbeits-Ger., Pädagog. Hochschule, Evang. Predigerseminar, höhere und Fachschulen; Textil-, Gummi- und Schuhindustrie, Maschinenbau, Erdölgewinnung, Lebensmittelgroßhandel. – L., vor 1262 gegr., wurde 1291 Reichsstadt und gehörte zum elsäss. Zehnstädtebund. 1648, dann 1679 fiel es an Frankreich und wurde von Vauban befestigt. 1816 kam L. an Bayern und wurde dt. Bundesfestung. L. ist Verwaltungssitz des 1968 gebildeten Landkreises *Landau-Bad Bergzabern*.

Landau, Lew Dawidowitsch, sowjet. Physiker, * Baku 22. 1. 1908, † Moskau 1. 4. 1968, untersuchte insbes. Fragen des Diamagnetismus sowie der Tieftemperaturphysik; erhielt 1962 für die theoret. Klärung der Erscheinungen des supraflüssigen Zustandes beim Helium II den Nobelpreis der Physik.

Landauer [nach der Stadt Landau in der Pfalz], viersitziger Wagen mit nach vorn und hinten vollkommen zusammenlegbarem Verdeck.

L'andauer, Gustav, * Karlsruhe 7. 4. 1870, † (erschossen) München 1. 5. 1919, als Sozialist der anarchist. Richtung Mitgl. der Münchener Räteregierung. ›Vorträge über Shakespeare‹, hg. v. M. Buber, 2 Bde. (1920, neu 1962), ›G. L., sein Lebensgang in Briefen‹, hg. v. dems., 2 Bde. (1929).

Landbauschule, höhere L., →landwirtschaftliche Schulen.

Landbauwissenschaften, →Landwirtschaftswissenschaften.

Landbauzonen, →Landwirtschaft.

Landbevölkerung, die Einwohner der →Landgemeinden.

Landbrücken-Theorie, die Annahme, daß heute durch Meere getrennte Teile der Erde ehemals durch Landmassen verbunden waren; die bedeutendste L. betrifft →Gondwanaland. Eine andere Erklärung gibt der →Verschiebungstheorie.

Landbund, 1) in Dtl. der →Reichslandbund. **2)** In Österreich bildete sich 1919 eine kleine Bauernpartei, die 1920 den Namen L. annahm. Der L. war seit 1927 Regierungspartei neben Christlichsozialen und Großdeutschen. 1930 bildete er mit den Großdeutschen eine Wahlgemeinschaft; er erlangte dabei 10 Mandate. Gegen die Regierung Dollfuß und die »Verfassung 1934« stand er in Opposition; 1934 wurde der L. aufgelöst.

Landeck, 1) Stadt im ehemal. Kr. Habelschwerdt, Niederschlesien, 450 m ü. M., hatte (1939) 4800 Ew., im Talkessel zw. Reichensteiner Gebirge und Glatzer Schneegebirge, wurde durch seine stark radioaktiven Schwefelquellen und Moorbäder zu einem viel besuchten Badeort. Seit 1945 unter poln. Verwaltung *(Ladek Zdrój).* **2)** Bezirksstadt in Tirol, Österreich, im Oberinntal, 816 m ü. M., an der Arlbergbahn, mit (1971) 7200 Ew., hat BezGer., höhere Schule, Textil- und chem. Industrie; Ausgangsort des Autoverkehrs ins Engadin, in die Silvretta-Gruppe, den Vintschgau und über den Fernpaß nach Oberbayern. Die altertüml. Stadt wird von der alten Burg überragt.

Land|enge, Isthmus, schmale Landbrücke zwischen zwei Landmassen.

Länder, im Dt. Reich (seit 1919) und in der Bundesrep. Dtl. die Gliedstaaten, in Österreich die Bundesländer. In der DDR wurden 1952 die L. durch →Bezirke ersetzt.

Länderkammer, früher in der DDR die Vertretung der Länder neben der Volkskammer; die L. blieb nach der Beseitigung der Länder (1952) noch bis 1959 bestehen.

Länderkunde, ein Hauptgebiet der →Geographie.

Länderrat, 1) →Vereinigtes Wirtschaftsgebiet. **2)** *amerikan. Zone Dtl.s:* 1945-49 eine regelmäßige Konferenz der Ministerpräsidenten der 4 Länder, die gemeinsame Gesetze zu bearbeiten hatte.

L'andersdorfer, Simon Konrad, Bischof von Passau (1936–68) * Neutenkam (Niederbayern) 2. 10. 1880, † Passau 20. 7. 1971, Benediktiner (1922–36 Abt von Scheyern); Orientalist.

Landerziehungsheim, Heimschule in Privat-, Stiftungs- oder Staatsbesitz auf dem Land, meist höhere Lehranstalt, in der neben dem Unterricht das Gemeinschaftsleben der Schüler bes. gepflegt wird. Die ersten L. wurden nach engl. Vorbild von H. Lietz, G. Wyneken und P. Geheeb gegründet (→Freie Schulgemeinde). Geheeb führte Koedukation und Kurssystem ein. L. bestehen in der Bundesrep. Dtl. z. B. in Bieberstein (Rhön), Craheim (Unterfranken), Salem (Bodensee), Schondorf (Ammersee), Hinterzarten (»Birklehof«), Oberhambach (»Odenwaldschule«), Eckernförde.

Landes [lüd, kelt. ›Heide‹], in Frankreich häufiger Name für Landstriche, die mit Heide bewachsen, vermoort oder geröllbedeckt sind, z. B. die *L. de Gascogne* im SW Frankreichs zwischen Gironde und Golf von Biscaya, in der Vergangenheit durch rücksichtslose Abholzung verödet und vermoort, durch Neuanpflanzung im 18. Jh. heute eine der waldreichsten Gegenden Frankreichs mit großer Holz-, Kork- und Harzgewinnung.

2) Departement im südwestl. Frankreich, 9364 qkm, (1970) 280 400 Ew.; Hauptstadt ist Mont-de-Marsan.

Landesangehörigkeit, →Staatsangehörigkeit.

Landesarbeitsämter, die mittleren Verwaltungsstellen der Bundesanstalt für Arbeitsvermittlung und Arbeitslosenversicherung.

Landesaufnahme, 1) die planmäßige Vermessung eines Landes. Sie umfaßt – außer der astronom. Ortsbestimmung – Basismessungen, Dreiecksmessungen (→Triangulation), Nivellements, topograph. Aufnahme und kartograph. Aufnahme in verschiedenen Maßstäben (→Karte). Die L. liegt in den Händen staatl. Behörden; in der Bundesrep. Dtl. bei den Vermessungsämtern der Länder, in der DDR bei der Abt. Vermessung des Innenministeriums. Die Aufnahme zu Generalstabskarten 1 : 100 000 oblag in Deutschland bis 1918 militär. Stellen. Erstmals wurde die L. 1750–89 in Frankreich durchgeführt, 1763–87 (ohne Triangulation) in Österreich; der L. in Sachsen (seit 1780) folgten 1800–20 die anderen dt. Staaten, die meisten europäischen und die USA. **2)** magnetische L., die Vermessung eines Landes oder eines Meeres in bezug auf die Verteilung der erdmagnet. Elemente; sie muß wegen der Wandelbarkeit dieser Größen von Zeit zu Zeit wiederholt werden. Auf kleinstem Gebiet dient die magnet. L. zum

Land

Aufsuchen von Bodenschätzen oder zu geologischen Feststellungen.

Landesausbau, die Gestaltung einer Landschaft zu der höchsten Nutzungs- und Ertragsfähigkeit, die unter gegebenen techn. Mitteln zweckmäßig ist.

Landesbanken, gemeinnützige öffentlichrechtl. Bankinstitute, meist von Provinzialverbänden gemeinsam mit den zuständigen Sparkassen- und Giroverbänden betrieben, entstanden aus Provinzialhilfskassen, Provinzialbanken, Landeskreditkassen. Als Girozentrale sind sie Verrechnungsstellen der regionalen Sparkassen. Spitzeninstitut der L. ist die Deutsche Girozentrale – Deutsche Kommunalbank, Düsseldorf (bis 1945: Dt. Landesbankenzentrale AG, Berlin). – In der DDR wurden die L. in das System der Dt. Notenbank eingereiht.

Landesbehörden, die Behörden der Gliedstaaten eines Bundesstaats (→Bundesbehörden).

Landesbergen, Gem. im Kr. Nienburg, Niedersachsen, mit (1973) 2300 Ew.; hat das erste dt. Erdgas-Kraftwerk.

Landesbischof, der oberste Geistliche in einigen evang. Landeskirchen.

Landesdenkmalpfleger, →Landeskonservator.

Lande|segel, eine Gummimatte zur Aufnahme von Schwimmerflugzeugen, seitlich vom Schiff oder am Heck zu Wasser gelassen.

Landesfarben, →Nationalfarben.

Landesfreiheiten, in den dt. Territorialstaaten des MA.s die durch landesherrl. Privilegien geschaffenen Landesrechte, später die Rechte der Landstände (→Ständestaat).

Landesgemeinde, →Landsgemeinde.

Landesgericht, in Österreich die den dt. Landgerichten entsprechenden Gerichtshöfe erster Instanz in Wien, Linz, Salzburg, Innsbruck, Feldkirch, Klagenfurt und Graz (→Kreisgericht).

Landesgeschichte, die geschichtl. Erforschung räumlich begrenzter Gebiete mit kulturellem Zusammenhang. Sie wird von Universitätsinstituten, histor. Vereinen, Kommissionen, insbes. von einzelnen betrieben.

Landesgesetz, →Bundesgesetze.

Landeshauptmann, 1) in den ehemals preuß. Provinzen der Leiter der Provinzial-Selbstverwaltung. 2) in Österreich Leiter der obersten Verwaltungsbehörde der Bundesländer; in Wien ist L. der Bürgermeister.

Landesherrschaft, →Landeshoheit.

Landeshoheit, Landesherrlichkeit, 1) *allgemein:* die Gesamtheit von →Hoheitsrechten, oft gleichbedeutend mit →Souveränität.

2) *im alten Dt. Reich:* der Inbegriff selbständiger Regententätigkeit der →Reichsstände. Die L. entwickelte sich durch Gewohnheitsrecht aus dem fränk. Grafenamt. Trotz vorübergehender Aufsicht unter Karl d. Gr. (→Königsboten) wurde die Machtvollkommenheit der Reichsstände gestärkt, je mehr sich die Königsgewalt schwächte, sei es durch Erblichwerden von Ämtern, durch Willkür und Anmaßung von Rechten oder durch fortschreitende Übertragung königl. →Regalien als selbständigen Regierungsrechten. Nach Wegfall der herzogl. Gewalt (1180) steigerte sich diese Macht zu einer echten L.; sie wurde durch die Reichsgesetze Friedrichs II. von 1220 und 1231 anerkannt. Dadurch und durch die im MA. übliche Vermischung von privaten und öffentl. Rechten erlangten zunächst die weltl. und geistl. Großen *(principes terrae)* ein wirkliches »Dominium an ihren Gebieten, die *Landesherrschaften* oder *Territorien;* sie wurden zu **Landesherren** *(domini terrae).* Sie erhielten vor allem das Recht, mit Zustimmung der →Landstände an Stelle des Königs Gesetze zu erlassen und neues Recht zu schaffen. Ein Markstein war die →Goldene Bulle Karls IV. (1356); sie räumte bes. den →Kurfürsten umfangreiche Rechte und Privilegien ein. In der Folge wuchs auch die Selbständigkeit der anderen Landesherren an; sie schlossen sich auf den Reichstagen zu einem *Fürstenkolleg* zusammen. Schließlich erwarben auch die →Reichsstädte die Landeshoheit.

So wurde die königl. Gewalt aus einer unmittelbaren Herrschaft über Land und Leute zu einer lockeren Lehnshoheit über die Landesherren, während diese die L. ausbauten, so durch Schaffung einer Beamtenschaft aus den Ministerialen, die das Lehnswesen aus der Ämterverfassung verdrängte, so durch die Landstände und das Steuerwesen; der *Ständestaat* entstand, in dem Landesherr und Landstände einander als gleichgeordnete Mächte gegenüberstanden (Dualismus).

Die Entwicklung der L. erreichte im Westfäl. Frieden (1648) ihren Abschluß. Die Landesherren wurden von der kaiserl. Gewalt fast unabhängig; sie erhielten nicht nur alle Freiheiten und Rechte bestätigt, sondern auch das Recht, Bündnisse mit ausländ. Fürsten abzuschließen *(Libertät).*

Zur vollen *Souveränität* wurde die L. 1806, durch die Auflösung des Dt. Reichs; im Preßburger Frieden von 1805 mußte sie der Kaiser allen Rheinbund-Fürsten zuerkennen. Im Dt. Bund (1815–66) wurde sie nicht beeinträchtigt, vielmehr in einigen Bundesstaaten durch Beseitigung der Landstände zur absoluten Herrschaft gesteigert.

3) *Im Norddt. Bund und im Dt. Reich* von *1871* wurde die souveräne L. auf die »Sonderrechte« beschränkt (Art. 78 der Reichsverf.); Träger der Souveränität des Reichs war nunmehr die Gesamtheit der »verbündeten Regierungen«.

Landeshut (in Schlesien), Kreisstadt in Niederschlesien, 450–500 m ü. M., am oberen Bober zwischen dem *L.er Kamm* und dem *Waldenburger Bergland,* hatte (1939) 13 700 Ew., höhere und Fachschulen, Museum, Bekleidungsind.; evangel. Gnadenkirche (1709–30). L. kam 1945 unzerstört unter poln. Verwaltung *(Kamienna Góra).*

Landeskirchen, die Gliedkirchen der →Evangelischen Kirche in Deutschland. Sie sind Körperschaften des öffentl. Rechtes. Die territorialen Grenzen der L. und Länder stimmen, außer in Bayern, nicht mehr überein. Verfassungen und Grundordnungen der L., nach 1945 meist neu gefaßt, bauen auf der Kirchengemeinde auf, deren verantwortliches Organ, der Kirchenvorstand (Presbyterium), aus unmittelbarer Wahl der Gemeindeglieder hervorgeht. Vorsitzender ist einer der Gemeindepfarrer. Eine Anzahl Gemeinden ist im Dekanat bzw. im Kirchenkreis zusammengefaßt. Organ ist die Kreissynode mit dem Kreissynodalvorstand unter dem Vorsitz des Superintendenten. In einzelnen L. sind eine größere Anzahl von Kirchenkreisen unter Prälaten, Pröpsten, Landes- oder Generalsuperintendenten zu Propsteien oder Sprengeln zusammengefaßt. Die landeskirchliche Gesetzgebung üben die Landessynoden aus. Sie bilden auch die Kirchenleitung, deren Verwaltungsbehörde das Konsistorium oder Landeskirchenamt ist.

Landeskonservator, Landesdenkmalpfleger, der mit der Leitung eines staatl. Landesamtes für Denkmalpflege betraute Beamte.

Landeskreditkassen, →Landesbanken.

Landeskrone, Basaltkuppe bei Görlitz, 420 m ü. M.

Landeskultur, Maßnahmen zur Bodenerhaltung, Bodenverbesserung (Melioration), Neulandgewinnung und Flurbereinigung; unter *Landeskulturpolitik* (Agrarpolitik) werden die Maßnahmen des Staates verstanden.

Landeskunde, das Wissen über ein Land oder ein Staatsgebiet in seiner Gesamtheit von Land und Leuten. Die geographische L. legt die landschaftlichen Raumgegebenheiten zugrunde, die geschichtliche L. das Geschehen im Raum; in der Bundesrep. Dtl. vertreten durch die *Bundesanstalt für L. und Raumforschung.*

Landesliste, Wahlvorschlag einer Partei auf Landesebene. Vorgesehen z. B. im Bundeswahlgesetz; danach werden die Hälfte der für den Bundestag zu wählenden Abgeordneten über die L. gewählt.

Landesmann, Heinrich, →Lorm, Hieronymus.

Landesordnungen, in den früheren dt. Territorien seit dem 15. Jh. die Polizei- und Gerichtsverfassungsgesetze.

Landespflege, Landschaftspflege, Maßnahmen der Raumordnung zur nachhaltigen günstigsten Landnutzung; z. B. Schutz des Kulturlandes gegen Bodenerosion und Austrocknung, pflegliche Nutzung der Wälder, Reinhaltung der Gewässer, Mutterbodenschutz sowie Prüfung langfristiger Auswirkungen von wasserwirtschaftl. Maßnahmen und Vorhaben der Landeskultur.

Landesplanung, die Bestrebungen in einem bestimmten Gebiet die Bedürfnisse der Siedlung, der Bodenbewirtschaftung und der Industrie sowie des Verkehrs in Hinsicht auf eine zukünftige erweiterte Inanspruchnahme aufeinander abzustimmen. Weiteres →Raumordnung.

Landesprüfungsamt, in einigen Ländern der Bundesrep. Dtl. Ämter für Staatsprüfungen der Kandidaten des höheren Lehramts.

Landesrat, in der österreich. Bundesländern ein Mitglied der Landesregierung.

Landesrecht, in Bundesstaaten das Recht der Gliedstaaten im Unterschied zum Bundesrecht; auch das Recht der einzelnen Staaten im Unterschied zum Völkerrecht.

Landesregierung, in den Ländern der Bundesrep. Dtl. die leitenden Behörden (Ministerien, Staatskanzlei), auch das Kabinet (in Bayern: *Staatsregierung,* in Hamburg, Bremen und Berlin: *Senat*), das aus dem MinPräs. (Regierender oder 1. Bürgermeister, Präsident des Senats) und den Ministern (Senatoren) besteht. In den österreich. Bundesländern besteht die L. aus dem Landeshauptmann, dessen Stellvertretern und den →Landesräten; in Wien ist L. der Stadtsenat.

Landesschulen, nach der Reformation entstandene Schulen: z. B. die sächs. →Fürstenschulen; ferner das *Berliner Landesgymnasium zum Grauen Kloster,* ein ehemaliges Franziskanerkloster; in Hessen: die *Alte L. Korbach,* die *Hohe L. Hanau,* die *L. Weilburg.*

Landessynode, das oberste und gesetzgebende Organ der evangelischen →Landeskirchen.

Landesvermessung, Landmessung, →Geodäsie 2), →Landesaufnahme.

Landesversammlung, in Dtl. nach 1918 die verfassunggebenden Volksvertretungen in einigen Ländern (Preußen, Württemberg, Oldenburg), ebenso die entsprechenden Einrichtungen in einigen dt. Ländern nach 1945.

Landesverrat, im Unterschied zum →Hochverrat bestimmte gegen die äußere Sicherheit und Machtstellung des Staates (im Verhältnis zu anderen Staaten) gerichtete Straftaten, bes. der Verrat von Staatsgeheimnissen oder das Ausspähen zum Verrat. Die Vorschriften über L. sind neu gefaßt durch das 8. Strafrechtsänderungs-Ges. v. 25. 6. 1968. Wer einer fremden Macht ein Staatsgeheimnis mitteilt, es in der Absicht, die Bundesrep. Dtl. zu benachteiligen oder eine fremde Macht zu begünstigen, an Unbefugte gelangen läßt oder es öffentlich bekanntmacht, wird mit einer Freiheitsstrafe nicht unter einem Jahr bestraft (L. im engeren Sinn, § 94 StGB). Wer ohne die genannte Nachteils- oder Begünstigungsabsicht durch Verrat eines amtlich geheimgehaltenen Staatsgeheimnisses vorsätzlich eine schwere Nachteilsgefahr für die Bundesrep. Dtl. herbeiführt, wird wegen Offenbarens von Staatsgeheimnissen mit einer Freiheitsstrafe von 6 Monaten bis zu 5 Jahren belegt (§ 95 StGB). Wer sich in Staatsgeheimnisse verschafft, um es zu offenbaren, wird wegen Auskundschaftung von Staatsgeheimnissen nach § 96 StGB bestraft.

Land

Die fahrlässige Preisgabe eines Staatsgeheimnisses wird ebenso mit Freiheitsstrafe bestraft. Bestraft wird auch wegen L., wer in der Absicht, einen Krieg, ein bewaffnetes Unternehmen oder Zwangsmaßregeln gegen die Bundesrep. Dtl. oder eines ihrer Länder herbeizuführen, Beziehungen zu einem fremden Land aufnimmt oder unterhält (*landesverräterische Konspiration*) oder wer als Beauftragter des Staates ein Staatsgeschäft mit einer fremden Regierung vorsätzlich zum Nachteil des Auftraggebers führt.

In *Österreich* wird L. als Ausspähung (Spionerie) und Einverständnis mit dem Feind nach § 67 StGB, die Gefährdung des Staates von außen als Hochverrat (§ 58 StGB) bestraft. Das *schweizer.* Strafrecht behandelt den L. ähnlich der dt. Regelung in den Art. 267–275 StGB.

In der *DDR* wird in bes. schweren Fällen bei L. die Todesstrafe angedroht.

Landesversicherungsanstalt, Hauptträger der Arbeiterrentenversicherung (→Rentenversicherung).

Landeszentralbank, seit 1. 8. 1957 die in jedem Land der Bundesrep. Dtl. bestehende Hauptverwaltung der Dt. Bundesbank. Den L. sind die Geschäfte mit dem Land und mit den öffentl. Verwaltungen im Land sowie Geschäfte mit den Kreditinstituten des Landes vorbehalten. Der Präsident des Vorstandes ist Mitglied des Zentralbankrats der Dt. Bundesbank. Die L. wurden 1947 als öffentlich-rechtl. Zentralbanken gegründet und 1948 in der Bank dt. Länder zusammengefaßt.

Landfall, der Punkt der Küste, der beim Ansegeln zuerst in Sicht kommt.

Landflucht, die Massenabwanderung ländl. Arbeitskräfte in industrielle Berufe, eine weltweite Erscheinung des Industriezeitalters. Ursachen sind u. a. ländl. Geburtenüberschüsse, das Streben nach einem einträglicheren Beruf, der insbesondere den Aufbau einer eigenen Familie gestattet, und die Gesindeverfassung, nach der ledige Kräfte bevorzugt beschäftigt werden. Durch die räuml. Konzentration der Industrie ist der Berufswechsel aus der Landwirtschaft oft mit der Abwanderung vom Lande verbunden (→Verstädterung).

Landfolge, Landwehr [mhd. lantwer], **Landesaufgebot,** im Dt. Reich bis 1806 die Verpflichtung der Landeseinwohner zur Heeresfolge, zur Verfolgung von Friedensbrechern und zur Hilfeleistung bei Überschwemmungen und Deichbrüchen. Die L. hat sich in dem Recht der Behörden zum Aufgebot der Bevölkerung in Notfällen (Wassersnot, Feuersnot, Seenot) erhalten. Die allgem. Wehrpflicht seit dem 19. Jh. stellt eine Fortsetzung der alten L. dar.

Landfrau, Frau, die einen landwirtschaftl. Betrieb selbständig leitet oder als Ehefrau oder sonstige Angehörige eines Bauern oder Landwirts mitleitet. Ein Teil der L. ist im *Deutschen Landfrauenverband* zusammengeschlossen, Sitz: Stuttgart.

Landfrauenschule, ein- oder zweijährige Fachschule, verbunden mit Internat und landwirtschaftl. Schulbetrieben.

Landfriede, im MA. das Verbot oder die Einschränkung der Fehden; wurde jeweils für eine bestimmte Anzahl von Jahren errichtet, bis der *Ewige L.* des Wormser Reichstags von 1495 das Fehderecht im Deutschen Reich ganz beseitigte.

Landfriedensbruch, Teilnahme an einer öffentl. Zusammenrottung, wenn von der Menschenmenge mit vereinten Kräften Gewalttätigkeiten gegen Personen oder Sachen begangen werden. Er wird nach § 125 StGB mit Freiheitsstrafe bis zu 3 Jahren bestraft. Ähnlich wird der L. in der *Schweiz* behandelt (Art. 260 StGB), in *Österreich* wird er als öffentl. Gewalttätigkeit in Verbindung mit schwerem Hausfriedensbruch mit Kerkerstrafe bedroht (§ 83 StGB).

In der *DDR* wird der L. als Rowdytum bezeichnet (§ 215f StGB).

Landgemeinde, eine ländliche Gemeinde, statistisch eine solche mit unter 2000 Ew., in der Bundesrep. Dtl. (1972) 77,2% aller Gemeinden mit 14,2% der Wohnbevölkerung (DDR 1972: 87,6% der Gemeinden mit 25,8% der Bevölkerung). Verwaltungsrechtlich besteht seit der Dt. Gemeindeordnung von 1935 kein Unterschied zwischen Stadt- und Landgemeinde.

Landgericht, in der Bundesrep. Dtl. ein Gericht, das teils als zweite Instanz tätig wird, teils für Sachen von größerer Bedeutung die erste Instanz bildet (ÜBERSICHT Gericht). Die L. werden von *Landgerichtspräsidenten* geleitet; sie sind in Zivil- und Strafkammern gegliedert, die mit einem *Landgerichtsdirektor* als Vorsitzendem und *Landgerichtsräten* als Beisitzern besetzt sind. Bei Bedarf können Kammern für Handelssachen errichtet werden (→Handelsgerichte); ferner treten periodisch →Schwurgerichte zusammen.

In der *DDR* sind die →Bezirksgerichte an die Stelle der früheren L. getreten. In *Österreich* entsprechen den L. die Gerichtshöfe erster Instanz (→Landesgericht, →Kreisgericht). Die Gerichtsorganisation der *Schweiz* ist kantonal unterschiedlich geregelt.

Landgewinnung, Gewinnung von Neuland aus dem Wattenmeer zur Vergrößerung der landwirtschaftl. Anbaufläche. L. wird an Küsten mit günstigen Anschwemmungsverhältnissen betrieben, bes. im Gebiet großer Mündungstrichter (Schelde, Rhein, Elbe usw.), an Einbruchsstellen des Meeres (Zeeland, Zuidersee, Dollart, Jade) und im Schutz von Inseln (Halligen). Das Ablagern von Sinkstoffen während der Flut wird gefördert durch vorgetriebene →Lahnungen und →Buhnen. Dazwischengezogene Gräben (*Grüpen, Grüppen*) fangen gleichfalls den Schlick auf, den man ausschaufelt, um die beetförmig gegliederten Flächen zu erhöhen. Bewachsung mit Queller festigt den Boden, der sich langsam erhöht. Wenn die Flächen mit Andelgras bestanden sind und das mittlere Hochwasser um 80–100 cm überragen, werden sie zum Koog *(Polder)* eingedeicht. – Auch das Trockenlegen (Auspumpen) von Binnenseen (Haarlemer Meer 1840–53) sowie die natürliche →Auflandung ergeben Neuland.

Landgraf, im alten Dt. Reich der an der Spitze einer Landgrafschaft stehende Amtsträger. Die Landgrafschaften wurden seit dem 12. Jh. als Verwaltungsgebiete geschaffen, die dem König unmittelbar unterstellt waren, um den Stammesgewalten gegenüber die königl. Gewalt zu festigen. In Süddeutschland deckte sich ihr Gebiet im wesentlichen mit dem der fränkisch-schwäb. Grafschaften. Dagegen scheint sich die Landgrafschaft in Thüringen aus dem Vorsitz auf den thüring. Landfriedenstagen entwickelt zu haben; an Landfriedenstage knüpft auch die hess. Landgrafenwürde an. Im 19. Jh. wurde der Titel des L. nur noch vom Landesherrn von Hessen-Homburg (bis 1866) geführt; die übrigen ehemal. L. erlangten Rangerhöhungen.

L'andgrebe, Erich, österr. Schriftsteller, * Wien 18. 1. 1908, Erzähler und Lyriker.

Land Hadeln, Landkreis in Niedersachsen; Kreisstadt Otterndorf.

Landhalbkugel, die Erdhalbkugel mit größtmöglicher Landfläche. Ihr Mittelpunkt liegt in Westfrankreich (Loiremündung), Verhältnis Land:Wasser wie 49:51. Gegensatz: **Wasserhalbkugel** mit Mittelpunkt südöstl. der Südinsel Neuseelands, Verhältnis Wasser:Land wie 91:9.

Land'ino, 1) Christoforo, ital. Humanist, * Pratovecchio 1424, † Florenz 1498, Lehrer der Medici, Mitgl. der Platon. Akademie, Kanzler der Signoria.

2) Francesco, ital. Musiker, * Florenz um 1325, † das. 2. 9. 1397, bedeutender Orgelspieler und Komponist der Florentiner Ars Nova: Madrigale, Balladen, Kanzonen.

Landjäger, 1) →Gendarm. **2)** flach gepreßte, hart geräucherte Wurst aus Schweinefleisch.

Landkapitel, in der kathol. Kirche die Gesamtheit der Geistlichen eines Dekanats (→Dekan).

Landkärtchen, Gitterfalter, *Araschnia levana,* ein Eckflügler; in der Frühjahrsgeneration hauptsächlich rotbraun, in der Sommergeneration schwarzbraun.

Landkarte, →Karte.

Landkrankenkasse, →Krankenversicherung.

Landkreis, 1) in der Bundesrep. Dtl. die Gemeindeverbände und Gebietskörperschaften mit Selbstverwaltungsaufgaben, zumeist auch die unteren staatl. Verwaltungsbezirke (→Kreis). Die L. (1972: 396) können Abgaben und Umlagen erheben, führen einen eigenen Haushalt, können Vermögen erwerben *(Kreisvermögen)* und auf eigene Rechnung wirtschaftl. Unternehmen betreiben; für die L.-Wirtschaft gelten im wesentl. die Bestimmungen des →Gemeindewirtschaftsrechts. Die L. nehmen ferner →Auftragsangelegenheiten wahr. Organe des

L. sind: der *Kreistag,* das meist auf 4 Jahre gewählte Beschlußorgan in Kreisangelegenheiten; der *Kreisausschuß* als Verwaltungsorgan (Landrat und gewählte ehrenamtl. Mitgl.); der *Landrat;* in Nordrhein-Westfalen und Niedersachsen auch der *Oberkreisdirektor* als hauptamtlicher Leiter der Verwaltung. – Die Neuordnung des Kreisrechts gehört zur Zuständigkeit der Länder; die meisten von ihnen haben nach 1945 erheblich voneinander abweichende *Kreisordnungen* erlassen.

2) in der DDR seit der Verwaltungsreform von 1952 untere Verwaltungseinheit (→Kreis) der 14 Bezirke mit dem Kreistag und dem Rat des Kreises als staatl. Organe. 1972 gab es 191 Landkreise.

Landleihe, Grundleihe, im MA. die dinglichen Nutzungsrechte an ererbtem Land. Die **bäuerliche Leihe** gegen Naturalabgaben, Geld und bäuerliche Dienste, war teils *hofrechtliche Leihe,* gekennzeichnet durch wirtschaftl. Abhängigkeit des Leihegutes von einem grundherrl. Fronhof und Eingliederung des Beliehenen in den hofrechtl. Verband, teils *freie Leihe* nach Landrecht (Zeit- oder Erbleihe). Bei *Erbzinsgütern* stand dem Bauern das Untereigentum gegen geringen Anerkennungszins, dem Grundherrn das Obereigentum zu. Die **städtische Bodenleihe,** d. i. die Leihe städt. Hausgrundstücke gegen Entrichtung eines in der Regel sehr niedrigen Bodenzinses, diente der Entfaltung von Handwerk und Handel. Über die L. gegen Verpflichtung zu Ritterdiensten →Lehen.

Landkärtchen: a *und* b *Schmetterlinge der Frühjahrsgeneration,* e *der Sommergeneration,* c *Raupe,* d *Puppe* (²/₃ *nat. Gr.*)

Die Landleiheformen des MA.s blieben auch nach Aufnahme des röm. Rechts. Rechts in Dtl. bestehen und wurden erst im 19. Jh. größtenteils beseitigt. Die bäuerl. L. wurde gegen Land- oder Geldentschädigung der

Land

Leiheherren in freies Volleigentum verwandelt, die Lehen allodifiziert (→Allod).

Für das engl. Bodenrecht war bis in die jüngste Zeit die Vorherrschaft der L. eigentümlich. Erst die Liegenschaftsgesetzgebung von 1922, 1924 und 1925 hat sie dem festländ. Grundeigentum angeglichen.

Landler, die Bewohner Oberösterreichs mit Ausnahme des bis 1779 zu Bayern gehörenden, in Sprache und Art abweichenden Innviertels.

Ländler, Landler, Länder(er), Dreher, deutscher Volkstanz, benannt nach dem *Landl* (Teil von Oberösterreich), im langsamen $^3/_4$- oder $^3/_8$-Takt. Im weiteren Sinn jeder ländlich-bäuerische Tanz, der bisweilen von verschiedenen Gesten (Händeklatschen, Aufstampfen der Füße u. a.) und Schnaderhüpfelgesängen begleitet ist. Stilisierte L. schufen u. a. Beethoven und Schubert.

Landlord [l'ændlɔ:d, engl.], Gutsbesitzer, Gastwirt, Hauswirt.

Landmarke, 1) weithin sichtbarer Geländepunkt, vor allem ein Berg. **2)** in die Seekarte eingetragener Geländepunkt zur Schiffsortung.

Landmarschall, Landtagsmarschall, 1) in altständischen Verfassungen der Landtagspräsident (z. B. in Mecklenburg bis 1918). **2)** in den alten preuß. Provinzen ein ständisches erbliches Ehrenamt (Erb-, Landmarschall). **3)** in den Kronländern Niederösterreich, Böhmen und Galizien bis 1918 der Vorsitzende des Landtags und des Landesausschusses.

Landmaschinen, Arbeitsmaschinen, die in der Landwirtschaft verwendet werden: 1) Feldmaschinen zur Bodenbearbeitung: Pflug, Schlichte, Grubber, Egge, Walze, Bodenfräse; zur Saat und Pflege: Düngerstreuer, Sä-, Lege-, Pflanzmaschine, Hackmaschine, Spritz- und Stäubegerät, Beregnungsanlage; zur Ernte: Mähmaschine, Mähdrescher, Raufmaschine, Heuwender, Schlepprechen, Lademaschine, Kartoffel-, Rübenerntemaschine. 2) Haus- und Hofmaschinen zur Weiterbehandlung der Ernteerzeugnisse: Dreschmaschine, Strohpresse, Sortiermaschine, Reinigungsmaschine, Saatgutbereiter, Beizmaschine; zur Futterbereitung: Dämpfer, Häckselmaschine, Schrotmühle, Rübenschneider, Waschmaschine; zum Transport: Aufzug, Förderer, Gebläse.

Landmeister, im Deutschen Orden die Vertreter des Hochmeisters in Preußen, Livland und Binnendeutschland (Deutschmeister).

Landmesser, Feldmesser, Geometer, Diplomvermessungsingenieur, Fachmann für geodät., topographische und kartograph. Arbeiten; Studium an einer Techn. oder Landwirtschaftl. Hochschule.

Landnahme, die Inbesitznahme eines Landes durch Besiedlung und Bodenverteilung. **L'andnámabók** *die,* eine aus dem 13. Jh. stammende Geschichte der Besiedlung Islands (dt. 1928).

L'andolt, Hans, Chemiker, * Zürich 5. 12. 1831, † Berlin 15. 3. 1910, Prof. in Bonn, Aachen und Berlin, arbeitete u. a. über die Molekularbrechung organ. Verbindungen, verbesserte den Polarisationsapparat. – ›Physikalisch-chemische Tabellen‹ (mit Börnstein, 1883, seitdem zahlreiche Auflagen).

Landor [l'ændər], **Walter Savage,** engl. Schriftsteller, * Ipsley Court (Warwick) 30. 1. 1775, † Florenz 17. 9. 1864, bekannt durch seine erdichteten Gespräche bekannter Persönlichkeiten der Vergangenheit (›Imaginary Conversations‹, 1824–53; dt. 1919 und 1923).

Landowska, Wanda Alice, poln. Cembalo-Virtuosin, * Warschau 5. 7. 1877, † Lakeville (Conn.) 16. 8. 1959, lehrte von 1900–13 am Conservatoire in Paris, von 1913–19 an der Hochschule in Berlin. Sie war die erste, die Musik aus dem Generalbaßzeitalter wieder auf dem Cembalo spielte.

Landpacht, die entgeltliche Nutzung landwirtschaftl. Grundstücke. Nach dem Ges. v. 25. 6. 1952 müssen L.-Verträge der Landwirtschaftsbehörde angezeigt werden, die den Vertrag binnen 4 Wochen beanstanden kann, wenn die ordnungsgemäße Bewirtschaftung gefährdet erscheint, die Leistungen des Pächters in keinem Verhältnis zum Ertrag des Grundstücks stehen oder Nachteile für die Landeskultur zu erwarten sind. Verträge zwischen Ehegatten oder nahen Verwandten sind nicht anzeigepflichtig.

Landpfleger, Altes Testament: Statthalter über einen Landesteil. Neues Testament: der röm. Prokurator.

Landquart *die,* rechter Nebenfluß des Rheins im Kanton Graubünden, Schweiz, entspringt in der Silvrettagruppe, durchfließt das Prätigau und mündet unterhalb von Chur; 45 km lang. Ortschaft gleichen Namens an der Mündung des Flusses, 527 m ü. M., Eisenbahnknotenpunkt.

Landrasse, Landschlag wenig veredelte Haustierrasse.

Landrat, 1) in der Bundesrep. Dtl. der Leiter der Verwaltung in einem →Landkreis; in Niedersachsen und Nordrhein-Westfalen ist er als ehrenamtl. polit. Vorsitzender des Kreistags, hauptamtl. Leiter ist der *Oberkreisdirektor.* Der L. wird in den meisten Ländern auf 6–12 Jahre vom Kreistag gewählt (in Bayern von den Einwohnern). **2)** in der Schweiz die gesetzgebende Behörde in den Kantonen Uri, Nidwalden, Glarus und Basel-Land, in Nidwalden und Glarus neben der Landsgemeinde (in den übrigen Kantonen gewöhnlich *Großer Rat* oder *Kantonsrat* genannt).

Landrecht, 1) im MA. das allgemeine Recht im Unterschied zu den Sonderrechten (Stadt-, Hof-, Dienst- und Lehnsrecht). 2) in der Neuzeit Landesgesetzbücher, die bürgerliches Recht vereinheitlichen. Am bekanntesten ist das →Preußische Allgemeine Landrecht von 1794.

Landrücken, langgestreckte Bodenwelle mit gerundeten Formen, bes. in den Gebieten eiszeitl. Aufschüttung (z. B. Baltischer Landrücken),

Landry [lãdri], Jean Baptiste Octave, franz. Mediziner. * Limoges 10. 10. 1826, † Auteuil 1. 11. 1865, beschrieb (1859) die **Landrysche Paralyse**, eine an den Beinen beginnende, über den Rumpf zu den Armen und schließlich zum Kopf aufsteigende Lähmung, die meist in kurzer Zeit zum Tode führt.

Land|sassen, im MA. allgemein freie Zinsleute. *Landsässig* hießen bis 1806 die Untertanen eines Landesherrn im Unterschied zu den Reichsunmittelbaren.

Landsberg, 1) L. am Lech, Kreisstadt im Regierungsbezirk Oberbayern, Bayern, mit (1974) 15800 Ew., am Südende des Lechfeldes, 632 m ü. M., schöne alte Stadt mit zahlreichen Toren und Türmen (14., 15., 17. Jh.) und der spätgot. Pfarrkirche (Backstein, um 1460, innen erneuert), dem Rathaus (um 1700) und 3 Barockkirchen (18. Jh.). L. hat AGer., eine höhere und mehrere Fachschulen, Industrie (Pflüge, Holz-, Lederverarbeitung, Strumpffabrik, Brauerei).

2) L. an der Warthe, Kreisstadt und Hauptort der Neumark, südlich des Steilrandes des Pommerschen Landrückens, am N-Rand des Wartebruches, hatte (1939) 48 100 Ew., höhere und Fachschulen, naturwissenschaftl. und landwirtschaftl. Versuchs- und Forschungsanstalten, Industrie (bes. Textilien, Maschinen), Warthehafen. L., im 2. Weltkrieg im Zentrum stark zerstört (Marienkirche ausgenommen), kam 1945 unter poln. Verwaltung *(Gorzów Wielkopolski)*; neues Kunstfaser-Kombinat, Maschinen- und Nahrungsmittelindustrie, mit (1971) 76 200 Ew.

Landschaft, Gebiet, dessen Erscheinungsbild (organische und anorganische Natur sowie die vom Menschen bewirkten Eingriffe) ein nur ihm eigentüml. Gepräge hat. Diese Eigenart zu erfassen und Landschaftstypen aufzustellen, wurde Aufgabe der *Landschaftskunde. Natur-L.:* das von der Hand des Menschen noch unberührte Land. *Kultur-L.:* das vom Menschen zum Siedlungs-, Wirtschafts- und Verkehrsraum umgewandelte Land.

Landschaften, landschaftl. Banken, Ritterschaften, ritterschaftl. öffentlich-rechtliche Bodenkreditanstalten auf genossenschaftl. Grundlage, die den ihnen angeschlossenen Grundeigentümern unkündbare, hypothekarisch gesicherte Tilgungsdarlehen durch Aushändigung einer Pfandbriefe geben; durch Veräußerung dieser Pfandbriefe können sich die Darlehnsnehmer Barmittel verschaffen. Bei älteren L. haftet der gesamte eingetragene Grundbesitz unbeschränkt, bei neueren der beliehene Grundbesitz, meist beschränkt. Verwaltungsorgan der L. ist die *Generallandschaftsdirektion* (früher *Hauptritterschaftsdirektion*), die die laufenden Geschäfte führt. Die älteste L. war die 1770 in Breslau gegr. Schlesische Landschaft.

Landschaftsbauplanung, die Gesamtheit der aus der Garten- und Landschaftsgestaltung (→Gartenkunst) erwachsenen, über diese weit hinausreichenden Planungsmaßnahmen in bezug auf alle Landschaften, die durch gehäufte Ansiedlungen, industrielle Ausweitungen, Verkehr, Flurplanungen, Umbau der Agrarstruktur, Tourismus bedroht sind.

Landschaftsgarten, englischer Garten, →Gartenkunst.

Landschaftskunde, →Landschaft.

Landschaftsmalerei. Landschaften wurden schon auf röm. Wandgemälden dargestellt (Odyssee-Landschaften; Vatikan). Im Mittelalter wurde Landschaftliches meist nur in Andeutungen, seit dem 14. Jh. immer häufiger als Hintergrund in das Bild aufgenommen. Mit dem erwachenden Naturgefühl der Spätgotik gewann die Landschaftsdarstellung an selbständiger Bedeutung, vor allem in der niederländischburgund. Buchmalerei, dann auch in Tafelbildern des 15. Jhs. Das früheste, eine bestimmte Landschaft (Genfer See) wiedergebende Bild ist der ›Fischzug Petri‹ von K. Witz (1444; Genf, Museum). Die ersten Landschaftsbilder ohne Figuren wurden von Dürer (Aquarelle) und Altdorfer (Gemälde, 1520–25; München, Pinakothek) geschaffen. In der Renaissance ließen venezian. Meister Mensch und Landschaft als malerische Einheit erscheinen (Giorgione, Tizian). Um 1600 ging von einem Kreis in Rom tätiger Künstler, zu denen auch Elsheimer gehörte, die »ideale Landschaft« aus, deren bedeutendste Meister Poussin (→heroische Landschaft) und Claude Lorrain waren. Gleichzeitig entwickelte sich in Holland die realist. Landschaft zu ihrem Höhepunkt (Rembrandt, S. und J. van Ruisdael, van Goyen, Cuyp u. a.). Die Überlieferung der heroischen Landschaft wirkte bis ins 19. Jh. fort (J. A. Koch). Die Maler der deutschen Romantik schufen vor allem Landschaftsbilder, in denen sie ihr Welterlebnis ausdrückten (C. D. Friedrich, C. Ph. Fohr, die Brüder Olivier u. a.). Ein neues Naturempfinden spricht aus den Bildern Constables, Blechens, der von der Romantik ausging, und der Meister von →Barbizon (»intime Landschaft«). Der junge Menzel näherte sich bereits dem Impressionismus. Viele arbeiteten nicht mehr im Atelier, sondern unmittelbar vor der Natur, wie es dann allgemein die Impressionisten taten, die nicht mehr die festen Formen, sondern im Wechsel des Lichts erscheinende Farben der Landschaft malten (Manet, Monet, Pissarro u. a.). Vom Impressionismus gingen in Deutschland Liebermann, Slevogt und Corinth aus, dessen späte Landschaften, wie die Kokoschkas, expressionist. Wirkungen erreichen. Cézanne verfestigte wieder die Formen, van Gogh und Gauguin steigerten vor allem die Ausdruckskraft der Farben. Sie schufen die Voraussetzungen für die L. der neueren Zeit, zu deren bedeutendsten Malern die deutschen Expressionisten gehören (Heckel,

Land

Kirchner, Schmidt-Rottluff, Beckmann, Nolde u. a.).

Lit. Dt. Landschaft in 5 Jh. dt. Malerei, hg. v. P. O. Rave (1938); K. Clark: Landschaft wird Kunst (dt. 1962).

Landschaftsschutz, Teilbereich des Naturschutzes, Umweltschutzes und Lebensschutzes, der Maßnahmen zur Sicherung, Gestaltung und Pflege der Landschaft als Lebensraum von Menschen, Tieren und Pflanzen umfaßt.

Landschaftsschutzgebiete, geschützte Flächen (über 5 ha), die der Erhaltung eines ausgeglichenen Naturhaushaltes und als Erholungsgebiete dienen.

Landschildkröten, →Schildkröten.

Landschulheim, →Landerziehungsheim; →Schullandheim.

Landseer [l'ænsiə], Sir (seit 1850) Edwin, engl. Maler und Bildhauer, * London 7. 3. 1802, † St. John's Wood 1. 10. 1873, bekannt durch seine Tierdarstellungen, z. B. die Kolossallöwen an der Nelson-Säule in London, Trafalgar Square.

Landsknecht (Holzschnitt von einem dt. Meister des 15. Jhs.)

Landsgemeinde, Landesgemeinde, in den schweizer. Kantonen Ob- und Nidwalden, Glarus und Appenzell-Innerrhoden u. -Außerrhoden die verfassungsmäßige Vereinigung der stimmfähigen Bürger zur Ausübung der polit. Rechte (Stimm- und Wahlrecht); sie tritt jährlich im Frühling zusammen. Das als L. versammelte Volk entscheidet über Änderungen der Verfassung und über Annahme oder Verwerfung von Gesetzen; es wählt die Regierung des Kantons und den Landammann (→Ammann). Jeder Teilnehmer darf das Wort ergreifen und Anträge stellen.

L'andshut, kreisfreie Stadt, Hauptstadt des RegBez. Niederbayern, mit (1974) 54 600 Ew., an der Isar, 392–480 m ü. M., ist Behördensitz, hat AGer., LdGer., höhere Schulen, Fachschulen (Maschinenbau, Keramik, Ziegler, Fleischer), Museum, Staatsarchiv, niederbayer. Städtebundtheater; Industrie (u. a. Nahrungsmittel, Elektrotechnik, Textilien, Brauereien, Kunstmühlen). Das von der Burg *Trausnitz* (1961 innen ausgebrannt, seit 1962 Wiederherstellung) überragte L., 1204 gegr., war seit 1231 Residenz der Wittelsbacher, 1255 bis 1503 der Herzöge von Bayern-L. Mittelalterl. Charakter hat bes. die Altstadt (rechts der Isar) mit Stadtresidenz (1536–43), Pfarrkirche St. Martin (1387 begonnen), Hl.-Geist-Kirche (1407 begonnen) und alten Giebelhäusern. Links der Isar die Zisterzienserinnenabtei Seligenthal (Kirche mit der Gruft niederbayer. Herzöge, 1732–34 erneuert), ferner die neueren Stadtteile. 1800–26 war L. der Sitz der Bayer. Landesuniversität. – *Die L.er Fürstenhochzeit anno 1475,* Festspiel, Festzug u. a. Veranstaltungen, alle 3 Jahre.

Landshuter Erbfolgekrieg, wurde 1503–05 um das Erbe Herzog Georgs des Reichen von Bayern-Landshut ausgetragen. Das Eingreifen Kaiser Maximilians I. zugunsten der Linie Bayern-München gegen Ruprecht von der Pfalz entschied den Kampf.

Landsknecht, zu Fuß kämpfender dt. Söldner vom Ende des 15. bis zur Mitte des 16. Jhs. Der Name wird erstmalig 1486 für die Söldner Maximilians I. erwähnt. Der Landesherr berief im Kriegsfall einen Feldhauptmann (Oberst), der dann durch Hauptleute Söldner werben ließ. Diese mußten ihre Bewaffnung und Bekleidung selbst stellen; gleichmäßige Bekleidung war selten. Das Regiment umfaßte 10–16 Fähnlein zu je 300–500 Mann. Zum Regimentsstab gehörten außer dem Oberst der Oberstleutnant als sein Stellvertreter, der Schultheiß (Richter), der Quartier- und Proviantmeister, der Pfennigmeister (Zahlmeister) und der Profos (Polizei). An der Spitze des Fähnleins stand ein Hauptmann, der sich einen Leutnant als Stellvertreter wählte. Das Fähnlein selbst wählte den Feldwebel und die Rottmeister (Unteroffiziere). Der Angriff wurde eingeleitet durch das Vorgehen des »Verlorenen Haufens«, dem der »Gewalthaufe«, gegliedert in Gevierthaufen, folgte. Die Verteidigungsform war der Igel, der Gevierthaufe mit auswärts gerichteten Spießen. Die L. verschwanden mit dem Aufkommen der stehenden Heere.

Landsknechtslieder schildern das Landsknechtsleben, oft unter Anknüpfung an geschichtl. Ereignisse (Pavialied, 1525). Sie wurden wieder beliebt in der Jugendbewegung.

Landskron, 1) Basaltkegel (278 m) über der mittelalterl. Kaiserstraße Sinzig–Aachen mit Burgruine (1206 als Reichsburg erbaut, 1682 gesprengt). **2)** Gem. in österr. Kärnten, 510 m ü. M., mit (1971) 10 400 Ew., benannt nach der Ruine der nach 1351 erbauten und nach 1552 erneuerten, 1842 ausgebrannten Burg L. am Ossiacher See.

Landskrona [lanskr'u:na], Hafenstadt am Sund, im VerwBez. Malmöhus, Schweden, mit (1972) 34 700 Ew.; Industrie, Schiffahrt, Samenzucht.

Landsmål [l'ansmo:l, ›Landessprache‹] *das*, älterer Name der neunorweg. Schriftsprache, jetzt *Nynorsk*.

Landsmannschaft, 1) Zusammenschluß von Menschen, die aus der gleichen Heimat stammen, zur Pflege heimatl. Tradition und Vertretung gemeinsamer Interessen. →Bund der Vertriebenen. **2)** →studentische Verbindungen.

Landsperg, Herrad von, →Hortus deliciarum.

Landstadt, 1) Stadt, deren Wirtschaftsstruktur auf die Bedürfnisse ihrer landwirtschaftl. Umgebung ausgerichtet ist. **2)** im Deutschen Reich bis 1806 die unter Landeshoheit stehende Stadt im Unterschied zur Reichsstadt.

Landstände, 1) in den dt. Territorialstaaten des MA.s und der späteren ständestaatl. Epoche die ständisch gegliederte Vertretungs-Körperschaft des Landes gegenüber dem Landesherrn. Sie gingen aus ursprünglich nur beratenden Hoftagen der geistl. und weltl. Großen hervor; durch das Reichsges. Friedrichs II. von 1231 erlangten sie mitentscheidende Befugnisse, so daß eine verfassungsmäßige Beschränkung der landesherrl. Gewalt entstand. Die L. gliederten sich in der Regel in drei Kurien: *Ritterbank, Prälatenbank* und *Städtebank*; vereinzelt erlangten auch die Bauern Landstandschaft, so in Ostfriesland und Tirol. Die Beratungen und Abstimmungen erfolgten nach Kurien. Die L. waren rechtsfähige Körperschaften, die eigene Rechte in eigenem Namen ausübten und dem Landesherrn gleichgeordnet gegenüberstanden (Dualismus des Ständestaates). Den Kern der Machtbefugnisse der L. bildete das Steuerbewilligungsrecht, mit dem vielfach die Befugnis zur Erhebung und Verwaltung der bewilligten Steuern durch eigene landständische Beamte verbunden war. Ferner hatten die L. das Recht auf Mitwirkung bei anderen wichtigen Landesangelegenheiten, bes. bei der Gesetzgebung, der Abtretung von Landesteilen, der Domänenveräußerung; außerdem hatten sie Befugnis, sich über öffentl. Mißstände zu beschweren. Bei Verletzung ihrer Gerechtsame nahmen die L. das Recht des bewaffneten Widerstandes gegen den Landesherrn in Anspruch. In der Epoche des Absolutismus wurden die L. in den meisten dt. Territorialstaaten kraft des Souveränitätsanspruchs der Landesherrn beseitigt oder zurückgedrängt. In einzelnen Territorialstaaten erhielt sich jedoch die **landständische Verfassung,** so in Württemberg und Hannover (bis 1805), in Mecklenburg (bis 1918).

2) in der Einzelstaaten der frühkonstitutionellen Epoche (1815–48) hießen L. die Volksvertretungen, die durch die nach Art. 13 der Dt. Bundesakte geschaffenen landständ. Verfassungen vielfach nach dem Zweikammersystem gebildet wurden. Doch setzte sich an Stelle des ständischen Prinzips immer mehr das moderne Repräsentativprinzip durch, nach dem die Abgeordneten nicht mehr die Stellung von Vertretern der einzelnen Stände, sondern von Repräsentanten des ganzen Volkes besitzen. Die L. nahmen durchweg seit 1848 die Bezeichnung Kammer oder Landtag an.

Landsteiner, Karl, Bakteriologe, * Wien 14. 6. 1868, † New York 24. 6. 1943. Für die Entdeckung der menschl. Blutgruppen erhielt er 1930 den Nobelpreis für Medizin. 1940 entdeckte er mit A. S. Wiener den →Rhesusfaktor.

Landstör(t)zer [17. Jh.], † Landstreicher.

Landstraße, die außerhalb der Ortschaften liegende →Straße mit befestigter Fahrbahn.

Landstraße, der III. Bez. der Stadt Wien.

Landstraßenfunk, drahtloser Fernsprechdienst, vermittelt Orts- und Ferngespräche zwischen fahrenden Kraftfahrzeugen und Teilnehmern des Fernsprechverkehrs über feste, im Abstand von etwa 50 km eingerichtete Funkstellen der Bundespost. Er arbeitet mit →Funksprechgeräten auf Ultrakurzwellen zwischen 300 und 30 MHz. Ein auf der Kombination von Tönen beruhendes Selektiv-Rufverfahren gestattet die Auswahl eines Fahrzeugteilnehmers und die Sperrung aller nicht gewünschten Stationen.

Landstreicher ist, wer ohne regelmäßige Arbeit unter ständigem Wechsel des Nachtquartiers umherzieht und mit seinen Lebenskosten überwiegend anderen zur Last fällt. L. können mit Geldstrafe bis zu 500 DM oder Freiheitsstrafe bis zu 6 Wochen bestraft werden (§ 361 Ziff. 3 StGB). Die *DDR* bestraft L. als Gefährdung der öffentl. Ordnung durch asoziales Verhalten (§ 249 StGB). In *Österreich* ist außerdem die Stellung unter Polizeiaufsicht zulässig (Gesetze v. 10. 5. 1873 und 24. 5. 1885).

Landstufe, stufenartiger Übergang von einer höheren zu einer tieferen Landschaft.

Landstuhl, Stadt im Kreis Germersheim, Rheinland-Pfalz, mit (1974) 8 600 Ew., 240–340 m ü. M., hat versch. Ind. – In der Burg *Nanstein* bei L. wurde Sickingen 1523 belagert und tödlich verwundet.

Landsturm, ursprünglich Aufgebot aller Waffenfähigen, später das der älteren Jahresklassen. In Dtl. endete die *L.-Pflicht* seit 1814 mit dem 50., 1888–1918 mit dem 45. Lebensjahr. *Schweiz:* die Altersklasse der Waffenfähigen vom 49.–60. Lebensjahr.

Landsweiler-Reden, Gem. im Kr. Ottweiler, Saarland, mit (1973) 5 700 Ew.; Steinkohlenbergbau.

Landtafel [von lat. tabula], **1)** Karten des 16. und 17. Jhs., z. B. ›Bayrische Landkarten‹ von P. Apian, Ingolstadt 1568; ›L. von Preußen‹ von C. Henneberger, 1576. Die älteste L. ist wohl die *Peutingeriana Tabula*, eine Itinerar-Karte des Röm. Reiches (4. Jh.). **2)** ein Register für Grundstücke in adligem oder städt. Besitz und für alle darauf bezüglichen Geschäfte, wie es seit

Land

dem 13. Jh. in böhmischen Kronländern, später in ganz Österreich geführt wurde. Auch Landtagsbeschlüsse und Gesetze wurden in die L. eingetragen.

Landtag, 1) in den deutschen Ländern bis 1806 die Versammlung der →Landstände (»Landschaft«); **2)** im 19./20. Jh. die verfassungsmäßig festgelegten Volksvertretungen, nach verschiedenen Wahlsystemen, in den größeren Staaten (z. B. Preußen) aus 2 Kammern bestehend, deren eine (Herrenhaus) der Landesherr (König) ernannte. **3)** in der Bundesrep. Dtl. die Volksvertretungen der Länder (in Bremen und Hamburg *Bürgerschaft*, in W-Berlin *Abgeordnetenhaus* genannt), die nach Art. 28 GG aus allgemeinen, unmittelbaren, freien, gleichen und geheimen Wahlen hervorgehen müssen. In der *DDR* wurden die L. mit den Ländern 1952 aufgehoben. In *Österreich* sind die L. die gewählten Volksvertretungen der Bundesländer; in Wien ist L. der Gemeinderat.

Landvogt, im Dt. Reich seit Rudolf von Habsburg bis 1806 der vom König bestellte Verwaltungsbeamte eines reichsunmittelbaren Gebiets (*Landvogtei*). In der alten schweizer. Eidgenossenschaft (bis 1798) war eine Landvogtei das Untertanengebiet eines selbständigen Ortes.

Landvolkbewegung, die bäuerliche Widerstandsbewegung in der Agrarkrise 1928–30 in Schleswig-Holstein. Sie führte zur Verhinderung von Pfändungen und Versteigerungen, zu Bombenanschlägen usw.

Landvolkhochschulen, Heimvolkshochschulen der bäuerl. Berufsorganisationen (Dt. Bauernverband), Internatscharakter. →Bauernhochschulen.

Landwehr, 1) im ursprüngl. Sinn das Aufgebot aller Wehrfähigen zur Verteidigung des Vaterlandes. In beschränktem Umfange erfolgte es zuerst in Österreich 1808 und in Rußland 1812. In Preußen wurde am 17. 3. 1813 eine L.-Verordnung erlassen, die alle nicht dem stehenden Heer angehörenden Männer vom 17. 40. Lebensjahr erfaßte. Das Wehrgesetz vom 3. 9. 1814 ließ neben dem aktiven Heer als selbständiges milizartiges Gebilde eine L. 1. Aufgebots bestehen, der die ausgedienten Reservisten und alle nicht zur Linie Eingezogenen bis zum 32. Lebensjahr angehörten, und schuf eine vornehmlich zu Besatzungszwecken bestimmte, alle Waffenfähigen bis zum 39. Lebensjahr umfassende L. 2. Aufgebots sowie den →Landsturm, der nur im äußersten Notfall aufgerufen werden sollte. Die Heeresreform von 1860 löste die L. vom stehenden Heer los und wies ihr nur die ausgedienten Reservisten bis zum 39. Lebensjahr zu. Dabei bis heute es auch im dt. Reichsheer bis 1918. Nach dem neuen Wehrgesetz vom 21. 5. 1935 gehörten zur L. die Wehrpflichtigen vom 35.–45. Lebensjahr. – In *Österreich* wurde die L. 1852 aufgelöst; später wurden mit »Landwehr« (ungar. Honvéd) die stehenden Nationalheere in Österreich und Ungarn im Gegensatz zur gemeinsamen

(K. und K.) Armee bezeichnet. In der *Schweiz* die Waffenfähigen vom 37.–48. Lebensjahr. **2)** →Landfolge. **3) Landfrieden, Landgraben,** german. Befestigung, die größere Teile eines Gebiets umzog oder nur zur Sperrung v. Zugängen diente.

Landwehrkanal, 1845–50 angelegter Kanal, der 21 km oberhalb der Spreemündung in die Havel aus der Oberspree abzweigt und nach 11 km bei Charlottenburg in die Unterspree mündet.

Landwirt, 1) Eigentümer oder Pächter eines landwirtschaftl. Betriebes.

2) Jeder, der eine landwirtschaftl. Berufsausbildung (2–3jährige Lehre in anerkanntem Lehrbetrieb, Gehilfenprüfung) hat. Nach fünfjähriger Tätigkeit als Betriebsleiter kann die Meisterprüfung abgelegt werden. Der Besuch der Landwirtschaftsschule vermittelt die notwendigen theoret. Kenntnisse. Die höheren Landbauschulen (einjährige Ausbildung, Titel: Staatlich geprüfter Landwirt, s. g. L.) wurden meist in Fachhochschulen für Landbau umgewandelt (dreijährige Ausbildung, Titel: Ingenieur [grad.] für Landbau).

Der akadem. Grad Diplom-Agraringenieur (seit 1970 anstelle von Diplomlandwirt), setzt Reifezeugnis oder gutes Abschlußzeugnis einer Fachhochschule für Landbau und Studium an einer landwirtschaftl. Fakultät (jeweils 4semestriges Grund- und Hauptstudium, Fachrichtungen: Pflanzen-, Tierproduktion, Wirtschafts- und Sozialwissenschaften des Landbaus) voraus.

Berufsorganisation: Verband dt. Akademiker für Landwirtschaft, Ernährung und Landespflege e.V. – VDL – (früher Verband dt. Diplomlandwirte).

Landwirtschaft, die Nutzung der Bodenkräfte zur Erzeugung pflanzlicher und tierischer Rohstoffe. Zur L. im weiteren Sinn gehören auch Forstwirtschaft, Gärtnerei, Jagd und Fischfang, landwirtschaftliche Nebengewerbe.

Die L. der gemäßigten Zonen umfaßt als Hauptzweige Ackerbau u. Viehzucht. *Bodennutzungszweige* sind: Acker, Dauergrünland (Wiesen, Weiden), Gartenland, Dauerkulturen (Obstanlagen, Rebland usw.).

Den Maßstab für unterschied. Arbeits- und Kostenaufwand für die einzelnen Pflanzen nennt man *Intensität*, den planmäßigen Anbauwechsel *Fruchtfolge*, die Herausbildung der für die jeweilige Standortbedingungen typischen Verhältnisse der Pflanzengruppen zueinander *Bodennutzungssystem* (Futter-, Getreide-, Hackfruchtbaubetriebe).

Die gewonnenen Bodenerzeugnisse dienen der Selbstversorgung des Landwirts, dem Verkauf oder der Verwertung in der Nutzviehhaltung. Gesamtumfang, Zusammensetzung und Nutzungsrichtung der Nutzviehhaltung kommen im *Viehhaltungssystem* zum Ausdruck. Bodennutzungs- und Viehhaltungssystem bilden im Betriebssystem ein organisches Ganzes.

Die Bezeichnung der Betriebssysteme richtet sich im allgem. nach den Pflanzengruppen, die dem Betrieb nach Intensität und Produktionsrichtung sein Gepräge geben. Beim Überwiegen der drei großen Gruppen spricht man von Futterbau-, Getreidebau- oder Hackfruchtbauwirtschaften. Es gibt auch Kombinationen verschiedener Art, z. B. Getreide-Futterbauwirtschaft, Hackfrucht-Getreidewirtschaft usw. Andere Bezeichnungen unterscheiden bestimmte Fruchtfolgesysteme, z. B. Felderwirtschaften mit überwiegendem Getreidebau (am bekanntesten die Dreifelderwirtschaft); Fruchtwechselwirtschaften, bei denen der Getreidebau zugunsten von intensiven Früchten (vor allem Hackfrüchten) zurücktritt; Wechselwirtschaften mit Wechsel zwischen mehrjähr. Futternutzung und Ackerkulturen (so die Feldgras- und Koppelwirtschaft in Norddtl., bei der Weide und Ackerbau abwechseln); freie Wirtschaft, eine Betriebsweise ohne fest geregelte Fruchtfolge bei meist sehr intensiver Bodennutzung. Die Gebiete, in denen bestimmte Betriebssysteme den jeweiligen Standortbedingungen entsprechend vorwiegen, grenzt man als *Landbauzonen* ab.

Die *Betriebsgrößen* werden gemessen nach Ausstattung mit Anlagevermögen und Betriebsmitteln und nach der Zahl der Arbeitskräfte; in Ländern mit knappem Boden ist das wichtigste Maß der Flächenumfang. Gemessen wird entweder die gesamte *Betriebsfläche* (Nutzfläche, Hof-, Wegeland, Wald, Hutungen, Unland) oder (meist) nur das landwirtschaftl. Nutzland.

Mit wachsender Intensität der Nutzung sinkt die für den Menschen erforderliche Nährfläche; doch wirken die Erfordernisse einer rationellen Bodenbewirtschaftung einer Verkleinerung der Betriebsflächen entgegen. In den sozialist. Ländern, auch in den USA und anderen Staaten nahmen in den letzten Jahrzehnten die großen Betriebe (Gutswirtschaften, Farmen, Kolchosen) zu. Die Agrarpolitik der westeurop. Industrieländer erstrebt den ausreichend großen, in sich ausgewogenen und abgerundeten Bauernhof von rund 7,5–30 ha LN als Kernbestand ackerwirtschaftl. Landnutzung.

Mittelbauern heißen die Inhaber reiner Familienbetriebe von durchschnittl. 7,5 bis 15 ha LN, *Großbauern* solche von etwa 15–30 ha; sie benötigen meist auch ständig Fremdarbeitskräfte. Höfe um 30 bis 100 ha LN sind Güter großbäuerl. Besitzer; über 100 ha *Gutswirtschaften* (mit Trennung leitender und ausführender Arbeit). *Kleinbäuerlich* heißen meist Stellen unter 7,5 ha LN, soweit sie hauptberuflich geführt werden; bei entsprechendem Anteil gärtnerischer Intensivkulturen (Wein, Obst, Gemüse, Tabak) reicht ihre Tragfähigkeit für eine Familie.

Die Groß- und Mittelbauern bewirtschaften zwei Drittel des westdt. Nutzlandes, die Kleinbauern ein Fünftel; das restliche Achtel entfällt auf die Gutswirtschaften und

die ländl. Kleinstellen im Nebenberuf. Diese landwirtschaftlichen und die zahlreicheren gärtnerischen Kleinstellen haben erhöhte Bedeutung als hauswirtschaftl. Rückhalt der Familie gewonnen.

Bei den *landwirtschaftlichen Unternehmungsformen* ist die Einzelunternehmung die Regel, als Selbstbewirtschaftung, Verwaltung durch einen angestellten Vertreter (Administration) oder in Form der Verpachtung; in den kommunist. Staaten werden Kollektivgenossenschaften gebildet (→Kolchose).

In der Bundesrep. Dtl. waren (1971) 8,4% der Erwerbspersonen in der L. tätig (0,76 Mill. Selbständige, 1,16 Mill. mithelfende Familienangehörige, 0,25 Mill. landwirtschaftl. Arbeiter). Der Beitrag der L. zum Sozialprodukt (Bruttoinlandsprodukt) stieg von 10,1 Mrd. DM (1950) auf 24,2 Mrd. DM (1972). Prozentual jedoch sank der Anteil der L. am Sozialprodukt von 10,4% (1950) auf 2,8% (1971).

GESCHICHTE. Die ersten Anfänge der L. liegen im Frühneolithikum; in der Jungsteinzeit findet sich bereits neben dem Hackbau ein primitiver Pflugbau (Hakenpflug). Zahlreiche durch die vergleichende Sprachwissenschaft für die indogerman. Urzeit erwiesene Ackerbauausdrücke (z. B. für Getreidearten, Pflug u. a.) zeigen, daß die Indogermanen eine keineswegs mehr primitive L. besaßen. Babylonien, Vorderasien und Ägypten hatten ein großzügiges Bewässerungssystem für die Felder. Die Völker des klass. Altertums entwickelten die Betriebsformen fort (Latifundienwirtschaft, römische Gutswirtschaft). Das landwirtschaftl. Betriebssystem der Germanen war die Feldgraswirtschaft. Die Jahrhunderte nach der Völkerwanderung brachten dann eine geregelte Felderwirtschaft, die zur Karolingerzeit in die Form der Dreifelderwirtschaft überging. Auf dieser Stufe hat sich die L. das ganze Mittelalter hindurch gehalten. Der Dreißigjährige Krieg fügte durch die Verwüstung weiter Landstrecken der L. einen starken Rückschlag zu, so daß die dt. Fürsten zur Hebung ihrer Einkünfte die L. bes. fördern mußten.

Die schnellere Entwicklung der dt. L. seit Mitte des 19. Jhs. ergab sich aus Fortschritten der Wissenschaft und Technik, der Verkehrsverhältnisse und der Industrie, aus der Erschließung neuer Absatzgebiete und der Erhöhung der Kaufkraft. Um 1860 wurden Dampfpflüge und Dreschlokomobile, nach dem 1. Weltkrieg Zugmaschinen eingeführt. 1879 ging man zur Schutzzollpolitik über. Die Abwanderung der ländl. Arbeiter in die Stadt suchte man auszugleichen durch Verbreitung arbeitsparender Maschinen, durch Einstellung ausländ. Arbeiter und durch Siedlung. Weitere Förderung brachten z. B. die Verbreitung des landwirtschaftl. Vereinswesens, die Gründung von Landwirtschaftskammern und von Versuchs- und Kontrollstationen, die staatl. Aufwendun-

Land

gen für Viehzucht, Meliorationen, Fütterungswesen, Obstbau usw. →Agrarpolitik.

LIT. Hb. der L., hg. v. Th. Roemer, A. Scheibe, J. Schmidt u. E. Woermann, 5 Bde. (²1952–54); Hb. der europ. Agrarwirtschaft, hg. v. F.-W. Engel (1962 ff.); J. A. Schlipf: Praktisches Hb. der L. (³³1962). Zeitschriften: Feld u. Wald (seit 1882), Land u. Garten (seit 1920).

landwirtschaftliche Genossenschaften, die Kredit-, Bezugs- und Absatz-, Betriebs- und Produktivgenossenschaften, häufig auch als Universalgenossenschaften (z. B. Spar- und Darlehnskassen mit Warenverkehr), soweit sie vorwiegend Landwirte als Mitglieder haben (→Genossenschaften). Die l. G. sind in der Bundesrep. Dtl. im Dt. Raiffeisenverband zusammengefaßt.

Landwirtschaftliche Hochschule, besteht in Hohenheim (Württ.), gegr. 1818, seit 1967 Universität. *Landwirtschaftl. Fakultäten* haben in der Bundesrep. Dtl. die Universitäten Bonn, Gießen, Göttingen, Kiel und die Techn. Universitäten Berlin und München (Weihenstephan). – In der DDR gibt es Fakultäten an den Universitäten Berlin, Halle, Leipzig, Rostock und Jena. In Meißen wurde eine L. H. neu gegründet. Österreich hat eine *Hochschule für Bodenkultur* in Wien, die Schweiz seit 1871 die Abteilung für Landwirtschaft an der Eidgenöss. TH Zürich.

landwirtschaftliche Nebengewerbe oder

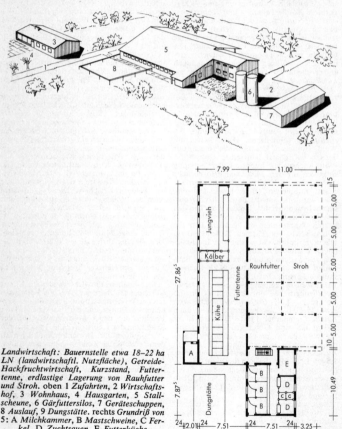

Landwirtschaft: Bauernstelle etwa 18–22 ha LN (landwirtschaftl. Nutzfläche), Getreide-Hackfruchtwirtschaft, Kurzstand, Futtertenne, erdlastige Lagerung von Rauhfutter und Stroh. oben 1 Zufahrten, 2 Wirtschaftshof, 3 Wohnhaus, 4 Hausgarten, 5 Stallscheune, 6 Gärfuttersilos, 7 Geräteschuppen, 8 Auslauf, 9 Dungstätte. rechts Grundriß von 5: A Milchkammer, B Mastschweine, C Ferkel, D Zuchtsauen, E Futterküche

Nebenbetriebe sind die in wirtschaftl. Abhängigkeit von der Landwirtschaft stehenden Gewerbebetriebe zur techn. Verwertung und Veredlung von Rohprodukten und zur Rückgewinnung von Abfall für die Viehfütterung. Im *landwirtschaftlichen Industriegewerbe* überwiegt die Verarbeitung zugekaufter Rohstoffe.

Landwirtschaftliche Produktionsgenossenschaften, LPG, in der DDR die Zusammenschlüsse von Bauern und Landarbeitern zur gemeinsamen Bewirtschaftung und Nutzung der eingebrachten und vom Staat bereitgestellten Bodenflächen und Produktionsmittel. Die LPG gliedern sich in drei Typen. Bei Typ I behalten die Mitglieder ein Stück Hofland bis zu 0,5 ha Größe und die gesamte übrige Wirtschaft; bei Typ II neben 0,5 ha Ackerfläche Wiesen, Garten, ein Zugtier, eine Kuh, ein Schwein und Federvieh zur Eigennutzung. Im Typ III sind dagegen das gesamte Land und das gesamte lebende und tote Inventar Eigentum des Kollektivs; Privatbesitz ist nur die persönliche Hauswirtschaft. Die Typen I und II sollen allmählich in den Typ III umgewandelt werden. 1955 bestanden rd. 6000 L. P. mit 197000 Mitgl. und 1,28 Mill. ha, 1960 19 300 L. P. mit 5,42 Mill. ha, 1972 7 575 L. P. mit 905 500 Mitgl. und 5,41 Mill. ha landwirtschaftl. Nutzfläche (88,4 % der gesamten LN).

Landwirtschaftliche Rentenbank, Frankfurt a. M., ein öffentlich-rechtl. Zentralinstitut zur Beschaffung und Gewährung von Krediten an die Land-, Ernährungs- und Forstwirtschaft sowie die Fischerei; gegr. 1949 unter Übertragung der Abwicklung der früheren Dt. Rentenbank-Kreditanstalt, deren Funktionen sie im wesentl. weiterführt.

landwirtschaftliche Schulen bestehen als landwirtschaftl. →Berufsschule, Landwirtschaftsschule, Landfrauenschule, höhere Landbauschule (Fachhochschule für Landbau).

Die *Landwirtschaftsschulen,* ein- bis zweisemestrige Lehranstalten für alle Berufszweige, oft nur als Winterschulen, sind sehr verbreitet, meist verbunden mit landwirtschaftl. Beratungsstellen, auch mit Mädchenabteilungen. Es gibt sie auch in der DDR, Österreich und der Schweiz. – *Landwirtschaftliche Fachschulen* bestehen z. B. für Bienenzucht, Molkereiwesen, Milchwirtschaft und Melker, Hopfenbau, Brauer, Kleintierzucht.

landwirtschaftliches Inventar, die beweglichen Vermögensteile eines landwirtschaftl. Betriebes, auch *Betriebskapital* genannt: Maschinen, Geräte *(totes Inventar),* Zugund Nutzvieh *(lebendes Inventar).*

landwirtschaftliche Vereine und Gesellschaften, die →Landwirtschaftskammern und Bauernverbände (→Deutscher Bauernverband, →Deutsche Landwirtschaftsgesellschaft).

Landwirtschaftskammern, berufsständ. Vereinigungen, die die Belange der Land- und Forstwirtschaft ihres Bezirks wahrnehmen;

sie sind Körperschaften des öffentl. Rechts. L. entstanden seit 1894; 1933 wurden sie durch die Landesbauernschaften des Reichsnährstandes ersetzt. Die in der Bundesrep. Dtl. wiedergegründeten L. sind im *Verband der L.* (Sitz: Frankfurt a. M.) zusammengeschlossen.

Landwirtschaftslehrer(in), 1) Lehrkraft an landwirtschaftl. Berufsschulen. L. werden in Berufspädagog. Instituten, oft auch in Verbindung mit Hochschulen, ausgebildet. Ausbildungsgang: 2- bis 3jähr. Studium, einjähr. Vorbereitungsdienst an einer landwirtschaftl. Berufsschule.

2) Lehrer an Landwirtschaftsschulen (landwirtschaftlichen Fachschulen). Sie absolvieren ein Hochschulstudium sowie eine 1- bis 2jähr. wissenschaftlich-pädagogische Ausbildung; Anstellung als Studienreferendar, danach als Beamter auf Probe.

Landwirtschaftsministerium, das Ministerium für landwirtschaftl. Angelegenheiten, in der Bundesrep. Dtl. *Bundesministerium für Ernährung, Landwirtschaft und Forsten,* in der DDR das *Min. für Land- und Forstwirtschaft,* in Österreich das *Bundesmin. für Land- und Forstwirtschaft;* in der Schweiz die Abt. Landwirtschaft im Volkswirtschafts-Departement.

Landwirtschaftswissenschaften, Landbauwissenschaften, die der landwirtschaftl. Produktion dienende Forschung: *Erzeugungslehre des Landbaus* (Acker- und Pflanzenbau, Pflanzenzucht, -ernährung, -krankheiten, Bodenkunde u. ä. sowie Tierhaltung, -zucht, -ernährung, -krankheiten u. ä.), *Wirtschaftslehre des Landbaus* (landwirtschaftl. Betriebslehre und →Agrarpolitik) und *Technologie der Landwirtschaft* (landwirtschaftl. Baukunde, Landmaschinenkunde, Kulturkunde u. a.). Die Fachvertreter sind in der *Deutschen Gesellschaft der Landbauwissenschaften* (gegr. 1948) zusammengeschlossen.

Landzwang, die Störung des öffentl. Friedens durch Androhung eines gemeingefährl. Verbrechens (z. B. Brandstiftung); wird mit Freiheitsstrafe bestraft (§ 126 StGB).

Lanfranc [lɑ̃ˈfrɑ̃k], Erzbischof von Canterbury (1070), Frühscholastiker, * Pavia um 1004, † Canterbury 24. 5. 1089, seit 1042 Benediktiner im Kloster Bec (Normandie), dessen Schule er berühmt machte (Kampf gegen →Berengar von Tours, bedeutendster Schüler: Anselm von Canterbury). Die ihm zugeschriebenen Fälschungen zugunsten der Vorrangstellung Canterburys stammen vermutlich von dem Mönch Eadmer von Canterbury.

Lanfr'anco, Giovanni, ital. Maler, * Parma 26. 1. 1582, † Rom 30. 11. 1647, setzte in seinen Decken- und Kuppelfresken den illusionist. Stil Correggios fort.

WERKE. Kuppelfresko der Himmelfahrt Mariä, Rom, S. Andrea della Valle (1621 bis 1625), Kuppelfresko, Cappella di S. Gennaro, Neapel, Dom (1641). – Vision der hl. Margarete (Florenz, Palazzo Pitti).

Lang

Lang, 1) Fritz, Filmregisseur, * Wien 5. 12. 1890, schuf den expressionist. Filmstil, wanderte 1934 nach Amerika aus; war in erster Ehe mit Thea von Harbou verheiratet. Stummfilme: Der müde Tod (1921), Dr. Mabuse, der Spieler (1922), Die Nibelungen (1924), Metropolis (1926). Tonfilme: M (1931), Gefährliche Begegnung (1944), Engel der Gejagten (1952).

2) Matthäus **L. von Wellenburg**, Jurist und Politiker, * Augsburg 1468, † Salzburg 30. 3. 1540, gewann als Geheimschreiber Maximilians I. großen Einfluß und wurde durch den Kaiser 1498 Dompropst von Augsburg, 1505 Bischof von Gurk, 1512 Kardinal und, als letzter Bürgerlicher vor 1803, 1519 Erzbischof von Salzburg.

Lang|arm|affen, die →Gibbons.

Langbehn, Julius, Schriftsteller, * Hadersleben 26. 3. 1851, † Rosenheim 30. 4. 1907, der »Rembrandtdeutsche«, nach seinem 1890 anonym erschienenen Werk ›Rembrandt als Erzieher‹, das in einer Epoche des rationalist. Naturalismus als Appell des Irrationalismus großes Aufsehen erregte.

LIT. M. Nissen: Der Rembrandtdeutsche J. L. (1926); C. Gurlitt: L., der Rembrandtdeutsche (1927).

Lange, 1) Christian, norweg. Lehrer, * Stavanger 17. 9. 1869, † Oslo 11. 11. 1938, war 1909–33 Generalsekretär der Interparlamentar. Union und 1920–37 norweg. Vertreter im Völkerbund. 1921 erhielt er mit Branting den Friedensnobelpreis.

2) Friedrich Albert, Philosoph und Sozialpolitiker, * Wald bei Solingen 28. 9. 1828, † Marburg 21. 11. 1875, war Prof. in Zürich und Marburg. Er forderte die Rückkehr zur Kantischen Philosophie, übte Kritik am Materialismus und trat für den Sozialismus ein, bes. für die Gewerkschaften.

WERKE. Gesch. d. Materialismus und Kritik seiner Bedeutung in der Gegenwart (1866, ¹⁰1921).

3) Fritz, kommunist. Politiker, * Berlin 23. 11. 1898, Lehrer, trat 1920 in die KPD ein, war 1925–33 Redakteur an der ›Roten Fahne‹, nach 1933 illegal tätig, 1945–48 Oberbürgermeister von Brandenburg, 1954 bis 1958 Min. für Volksbildung der DDR.

4) Helene, Führerin der dt. Frauenbewegung, * Oldenburg 9. 4. 1848, † Berlin 13. 5. 1930, Lehrerin, forderte u. a. Neuordnung des Mädchenschulwesens unter weibl. Einfluß und unter Leitung von wissenschaftlich vorgebildeten Lehrerinnen. Ihre Aufsätze erschienen in der von ihr geschaffenen Zeitschrift ›Die Frau‹ (seit 1893).

WERKE. Die Frauenbewegung in ihren modernen Problemen (1909, ³1924), Lebenserinnerungen (1921).

LIT. G. Bäumer: H. L. zum 100. Geburtstag (1948).

5) Horst, Schriftsteller, * Liegnitz 6. 10. 1904, † München 6. 7. 1971, verh. mit der Lyrikerin Oda Schäfer.

WERKE. Schwarze Weide (1937), Ulanenpatrouille (1940), Ein Schwert zwischen uns (1952), Aus dumpfen Fluten kam Gesang (Lyrik; 1958).

6) Samuel Gotthold, Dichter, * Halle 22. 3. 1711, † Laublingen 25. 6. 1781 als Pastor; zur Feier der Freundschaft mit →Pyra erschienen 1745 ›Thyrsis u. Damons freundschaftl. Lieder‹ (Neudr. v. Sauer 1885). Seine ›Horazischen Oden‹ (1747) feierten Friedrich d. Gr., seine Horazübertragung (1752) wurde von Lessing scharf angegriffen.

7) Samuel de, holländ. Komponist, * Rotterdam 22. 2. 1840, † Stuttgart 7. 7. 1911, war 1893–1911 am Stuttgarter Konservatorium tätig (Direktor 1900). L. komponierte 8 Orgelsonaten, 3 Sinfonien, Oratorium ›Moses‹ (1889) u. a. Sein Bruder *Daniel* (* 1841, † 1918), Orgelspieler und Chordirigent, wurde auch als Komponist bekannt.

8) Sven, dän. Erzähler und Dramatiker, * Kopenhagen 22. 6. 1868, † das. 6. 1. 1930, war 1896–98 Redakteur des ›Simplicissimus‹ in München, später Theaterkritiker in Kopenhagen.

Länge, 1) *Verslehre:* lange Silbe; Gegensatz: Kürze. Der griechische Vers ist auf der Unterscheidung von Längen und Kürzen aufgebaut. **2)** Die *geographische L.* eines Ortes der Erde ist der Winkel zwischen seinem Meridian *(Längenkreis)* und dem Null-Meridian über →Greenwich. Vom Null-Meridian aus wird nach O und W von 0° bis 180° gezählt. Orte auf dem gleichen Längenkreis haben gleiche Ortszeit, so daß man Unterschiede der L. auch in Zeit ausdrücken kann: 15° entsprechen 1 Stunde. 3) *Astronomie:* die L. eines Gestirns ist der Bogen der Ekliptik zwischen dem Frühlingspunkt und dem Schnittpunkt seines Breitenkreises mit der Ekliptik; sie wird vom Frühlingspunkt aus in östl. Richtung von 0–360° gezählt (→astronomische Koordinaten). **4)** Grundbegriff der Geometrie und der Physik. Nach der Relativitätstheorie ist die L. zwischen zwei Punkten eines Körpers abhängig von dessen Bewegungszustand. →Elementarlänge.

Lange-Eichbaum, Wilhelm, Psychiater, * Hamburg 28. 4. 1875, † das. 4. 9. 1950, erforschte das Genie-Problem.

WERKE. Genie, Irrsinn und Ruhm (1928, ⁶1967 bearb. v. W. Kurth), Das Genie-Problem (1931).

Langeland [-lan], dän. Insel südöstlich Fünen, 285 qkm mit rd. 23 000 Ew.; Hauptort Rudköbing.

Langelsheim am Harz, Stadt im Kreis Gandersheim, Niedersachsen, mit (1974) 14 900 Ew.; verschiedene Industrie.

Langemarck, Gemeinde in der belg. Prov. Westflandern, (1973) 5400 Ew., bei Ypern. L. war im 1. Weltkrieg vielfach umkämpft, bes. vom 18. 10. bis 30. 11. 1914.

Langen, Stadt im Kr. Offenbach, Hessen, mit (1974) 30 800 Ew., hat AGer., höhere Schulen; Maschinen-, Elektro-, Holz-, Bekleidungs- u. a. Industrie; Obstverwertung.

Langen, Albert, Verleger, * Köln 8. 7. 1869, † München 30. 4. 1909, erwarb sich Verdienste um die Verbreitung nordischer Literatur in Deutschland (Björnson, Hamsun, Lagerlöf), gründete 1896 die satir. Wochenschrift ›Simplicissimus‹. Der von ihm gegr. Verlag wurde 1932 mit dem Georg Müller Verlag vereinigt (ÜBERSICHT Verlage).

Lange Nacht, bei den Juden die dem Gebete geweihte Nacht vor dem →Versöhnungstag. Der Hohepriester mußte sie schlaflos zubringen.

Langen'argen, Kurort im Bodenseekreis, Baden-Württemberg, mit (1973) 5400 Ew., am Bodensee, 398 m ü. M.; Institut für Seeforschung und Seebewirtschaftung. Auf einer Landzunge im See liegt Schloß Montfort.

Langenau, Stadt im Alb-Donau-Kreis, Baden-Württemberg, am Abfall der Schwäb. Alb, mit (1974) 11 400 Ew., hat höhere Schule, Stadtmuseum; vielseitige Industrie.

Langenbeck, Bernhard von, Chirurg, * Padingbüttel (Hannover) 8. 11. 1810, † Wiesbaden 29. 9. 1887, er förderte insbes. die Kriegschirurgie, die konservative Extremitätenchirurgie und die plast. Operationen.

Langenberg (Rheinland), Stadt im Kr. Düsseldorf-Mettmann, Nordrhein-Westf., mit (1974) 17 600 Ew., hat AGer., höhere Schule, Rundfunk- und Fernsehsender; Textil-, Metall-, Maschinen- u. a. Industrie.

Langenb'ielau, Stadt in Niederschlesien, am Ostfuß des Eulengebirges, hatte (1939) 20 100 Ew., war Hauptort der schles. Leinenindustrie, kam 1945 unzerstört unter poln. Verwaltung (*Bielawa*).

Langenburg, Stadt im Kr. Schwäb. Hall, Baden-Württemberg, (1973) 2100 Ew., auf dem *Langen Berg* über dem Jagsttal gelegen; hat AGer. Die einzige Straße des inneren Städtchens wird im O durch ein altes Stadttor, im W durch das Schloß der Fürsten von Hohenlohe-L. abgeschlossen (Residenz seit 1585).

Langen'eß, Hallig vor der Nordseeküste Schleswig-Holsteins, 9 km lang, 9,9 qkm groß, durch einen Damm über die Hallig Oland mit dem Festland (bei Dagebüll) verbunden.

Langenfeld (Rhld.), Stadt im Rhein-Wupper-Kreis, Nordrhein-Westf., mit (1974) 47 900 Ew.; Industrie (Textilien, Metall-, Stahlwaren, Maschinen, Röhren, Glas u. a.).

Langenh'agen, Stadt im Kr. Hannover, Niedersachsen, mit (1974) 34 900 Ew., Hafen am Mittellandkanal, Flughafen von Hannover und Wetterwarte; Eisen- und Metall-, Tapeten-, Elektro- u. a. Industrie.

Längenmaß, →Maße und Gewichte.

Langens'alza, Bad L., Kreisstadt im Bez. Erfurt, an der Salza, 210 m ü. M., mit (1974) 16 800 Ew., hat höhere Schulen, Großgärtnereien, Travertinwerke, Textil- und Lebensmittelindustrie; starke Schwefelquelle. Aus L. stammt der Deutschordensmeister Hermann von Salza. L. kam 1485 an die albertin. Linie der Wettiner, 1815 an Preußen. Am 29. 6. 1866 kapitulierte die hannov. Armee bei L. vor den Preußen unter Falckenstein.

L'angenscheidt, Gustav, Sprachlehrer und Verleger, * Berlin 21. 10. 1832, † das. 11. 11. 1895, entwickelte mit *Chr. Toussaint* († 1877) eine Methode fremdsprachlicher unterrichtsbriefe, zusammen mit Wörterbüchern die Grundlage des *Verlags Langenscheidt* (ÜBERSICHT Verlage).

Langensee, der →Lago Maggiore.

Langens'elbold, Gemeinde im Kr. Hanau, Hessen, mit (1973) 9900 Ew.; AGer., Schloß (18. Jh.).

Langenstein, Heinrich Heinbuche von, * Langenstein 1325, † Wien 11. 2. 1397, war seit 1363 Prof. in Paris, seit 1375 Vizekanzler der Universität. 1382 verließ er Paris, seit 1384 war er Prof. an der Univ. Wien und ihr Reorganisator. Als Naturwissenschaftler trat L. vor allem mit astronom. Schriften hervor, als Theologe gehört er zu den Begründern der konziliaren Theorie.

Langenthal, Gemeinde im Kanton Bern, Schweiz, mit (1970) 13 000 Ew., 483 m ü. M., im Tal der Langeten, Bahnknoten, Textil-, Maschinen-, Elektro-, Schokolade-, Porzellanindustrie.

Langeoog, eine der Ostfriesischen Inseln, 14 km lang, 1½ km breit, 19 qkm mit (1972) 2900 Ew.; Seebad.

Langer, 1) František, tschech. Schriftsteller, * Kgl. Weinberge 3. 3. 1888, † Prag 2. 8. 1965, Dramaturg in Prag, schrieb Erzählungen, realistisch-psycholog. Dramen (Schauspiel aus Prags Elendsvierteln ›Periferie‹, 1925; dt. 1926) und Schilderungen seiner Erlebnisse als Arzt in der tschech. Legion während des 1. Weltkriegs.

2) Johann Peter von (seit 1808), Maler, * Kalkum Ende Juni 1756, † Haidhausen 6. 8. 1824, wurde 1790 Dir. der Düsseldorfer, 1806 der Münchner Akademie; malte Mythologien und Historienbilder unter dem Einfluß des franz. Klassizismus; Bildnisse.

3) Robert, Maler, Sohn von 2), * Düsseldorf 9. 3. 1783, † Haidhausen 6. 10. 1846, malte im Stil seines Vaters vor allem Fresken, schuf auch Federzeichnungen zu Dante.

L'angerhans, Paul, patholog. Anatom, * Berlin 25. 7. 1847, † Funchal (Madeira) 20. 7. 1888, beschrieb die **Langerhansschen Inseln**, den innersekretorischen Teil der →Bauchspeicheldrüse.

Langer Tag, der →Versöhnungstag der Juden.

Langes Parlament, das von König Karl I. 1640 einberufene engl. Parlament, das dann seit 1642 die Revolution durchführte; es wurde von Cromwell 1653 aufgelöst, trat aber 1659/60 noch einmal kurz zusammen.

Lang'ette [franz. languette ›Zünglein‹], **Festonstich**, dichter Schlingstich (**Langettenstich**) zur Randbefestigung bei Durchbruch-, Ausschnitt- und Richelieu-Arbeiten. BILD S. 114.

Lang

Langevin [lã3vẽ], Paul, französ. Physiker, * Paris 23. 1. 1871, † das. 19. 12. 1946, arbeitete besonders über Magnetismus, Ultraschall und Atombau. Er entwickelte 1905 eine Theorie des Dia- und Paramagnetismus und sagte die Abkühlung bei adiabatischer Entmagnetisierung voraus. Er war führend beteiligt an der Einführung der Einsteinschen Relativitätstheorie in Frankreich und erkannte, daß die geringen Abweichungen des Atomgewichts vom Vielfachen des Wasserstoffatomgewichts durch die Einsteinsche Massen-Energieäquivalenz erklärbar sind.

Langette

L'angewiesche, 1) Karl Robert, Buchhändler, * Rheydt 18. 12. 1874, † Königstein i. Taunus 12. 9. 1931. Mit der in seinem Verlag (ÜBERSICHT Verlage) herausgegebenen Bücherreihe *Die blauen Bücher* schuf L. einen neuen Typus des illustrierten Buches.
2) Marianne, Schriftstellerin, Tochter von 3), * Ebenhausen bei München 16. 11. 1908. WERKE. Die Ballade der Judith van Loo (1938), Königin der Meere (Venedig, 1940), Die Allerheiligen-Bucht (1942), Die Bürger von Calais (1949), Der Ölzweig (1952).
3) Wilhelm (**L.-Brandt**), Schriftsteller und Verleger, Bruder von 1), * Barmen 18. 3. 1866, † Ebenhausen bei München 9. 1. 1934, schrieb Gedichte, selbstbiograph. und biograph. Erzählungen. In seinem Verlag (ÜBERSICHT Verlage) brachte er die *Bücher der Rose* heraus. Die zweisprachige *›Edition Langewiesche-Brandt‹* wird von seinem Enkel K. Wachinger herausgegeben.

Langewiesen, Stadt und Sommerfrische im Kr. Ilmenau, Bez. Suhl, mit (1964) 4600 Ew.; hat Holz-, Glas- und Metallindustrie.

Langfisch, der Schellfisch →Leng.

Langflossenwale, Gruppe der →Finnwale.

Langgässer, Elisabeth, Schriftstellerin, * Alzey 23. 2. 1899, † Rheinzabern 25. 7. 1950, erhielt 1936 Berufsverbot. Ihr Roman ›Das unauslöschliche Siegel‹ (1946) stellt die »Überwirklichkeit« des Taufsakraments bei einem ungläubigen Juden dar. Ihre Lyrik ist der Naturlyrik von Annette von Droste-Hülshoff und Wilhelm Lehmann verpflichtet.
WERKE. Lyrik: Wendekreis des Lammes (1924), Die Tierkreisgedichte (1935), Der Laubmann und die Rose (1947), Kölnische Elegie (1948), Metamorphosen (1949). Erzähltes: Triptychon des Teufels (1932), Der Gang durch das Ried (1936, ²1953), Märkische Argonautenfahrt (1950), Geist in den Sinnen behaust (aus d. Nachl. 1951); . . . soviel berauschende Vergänglichkeit (Briefe 1926–50, hg. v. W. Hoffmann, 1954).

Langhals, Figur des volkstüml. Handpuppen-Theaters, deren Kopf durch einen am Knie des Puppenspielers befestigten Stab gehoben und gesenkt werden kann.

Langhans, 1) Carl Ferdinand, Baumeister, Sohn von 2), * Breslau 14. 1. 1782, † Berlin 22. 11. 1869 als Oberbaurat, tätig in Breslau und hauptsächlich in Berlin, bes. als Theaterbaumeister.
2) Carl Gotthard, Baumeister, * Landeshut (Schlesien) 15. 12. 1732, † Grüneiche bei Breslau 1. 10. 1808, tätig in Schlesien und seit 1788 in Berlin. Seine Bauten, bes. das →Brandenburger Tor, gehören zu den frühesten des Klassizismus in Deutschland.
3) Theodor, schweizer. Mediziner, * Usingen (Nassau) 28. 9. 1839, † Bern 22. 10. 1915, Prof. in Bern, arbeitete auf dem Gebiet der allg. Pathologie und der pathologischen Anatomie.

Langhaus, der langgestreckte, in der Regel nach O gerichtete Teil einer →Basilika oder →Hallenkirche, der bei mehrschiffigen Bauten aus dem Mittelschiff und den parallel laufenden Seitenschiffen besteht.

Langhe [laŋge], Weinbaulandschaft an der Nordabdachung des ligurischen Apennins zwischen Tanaro und Bromida mit dem Zentrum Alba.

Langhoff, Wolfgang, Regisseur, Theaterleiter, * Berlin 6. 10. 1901, † das. 25. 8. 1966, war Schauspieler und Regisseur in Wiesbaden, Düsseldorf, emigrierte nach KZ-Haft in die Schweiz, wurde Schauspieler und Regisseur in Zürich, leitete 1946–63 das Deutsche Theater und die Kammerspiele in Berlin (Ost), schrieb ›Die Moorsoldaten‹ (1946; über seine KZ-Haft).

Langhörner, Insekten, →Mücken.

Langiewicz [langj'evitʃ], Marjan, poln. Aufstandsführer, * Krotoschin 5. 8. 1827, † Lille 11. 5. 1887, machte 1860 den Zug Garibaldis gegen Neapel mit, führte im poln. Aufstand 1863 ein Freikorps, wurde von den Russen im März 1863 auf österr. Gebiet gedrängt und bis 1865 interniert.

Langjökull [laung-j'ökyl, isländ. ›langer Gletscher‹], eine der großen Binneneismassen Islands, 1300 qkm groß, Quellgebiet des Flusses Hvítá.

Langko, Dietrich, Landschaftsmaler, * Hamburg 1. 6. 1819, † München 8. 11. 1896.

L'angkofel, Gebirgsgruppe in den Südtiroler Dolomiten (3181 m).

Langköpfigkeit, griech. *Dolichokephalie,* Form des menschl. Kopfes, bei der die größte Breite höchstens 75 % der Länge beträgt.

L'angland, William, engl. Dichter, * um 1332, † London nach 1376. Sein Werk ›The Vision of William concerning Piers Plowman‹ schildert in Form von Traumgesichten die leibliche und geistliche Not des Volkes. Das Werk, das in drei verschiedenen Fassungen überliefert ist, ist das gewaltigste Visionsgedicht des engl. Mittelalters.

Langlauf, →Ski.

Langley [l'ænli], **1)** John Newport, engl. Physiologe, * Newbury (Berkshire) 25. 9.

1852, † Cambridge 5. 11. 1925; stellte als einer der ersten die neuzeitl. Lehre vom vegetativen Nervensystem auf, das er als »autonomes Nervensystem« bezeichnete.

2) Samuel Pierpont, amerikan. Astrophysiker, * Roxbury (Mass.) 22. 8. 1834, † Aiken (S. C.) 27. 2. 1906, ursprünglich Architekt und Ingenieur; gestaltete 1878 das von A. F. Svanberg 1851 konstruierte *galvanische Differentialthermometer* zum *Bolometer* um und nahm damit 1886 die Kurve der spektralen Energieverteilung des Sonnenlichtes auf. L. stellte auch ausgedehnte aërodynam. Untersuchungen an; ein von ihm erbautes Motorflugzeug führte am 6. 5. 1896 nach Katapultabschuß unbemannt einen Flug von 1000 m Länge aus.

L'anglochziegel, in Längsrichtung durchgehend gelochter Ziegel.

Langmuir [l'æmju:ɔ], Irving, amerikan. Physiker und Chemiker, * Brooklyn 31. 1. 1881, † Falmouth (Mass.) 16. 8. 1957, entwickelte 1913 die gasgefüllte Glühlampe, erfand die Quecksilberkondensationspumpe, gab eine Theorie der chem. Bindung. Für seine Arbeiten über Adsorption und Absorption an Grenzflächen erhielt er 1932 den Nobelpreis für Chemie.

L'angnau im Emmental, Bezirkshauptort im Kanton Bern, Schweiz, 682 m ü. M., an der Ilfis, mit (1970) 9000 Ew.; Textil-, Maschinen- und Holzindustrie, Herstellung von Emmentaler Käse.

Langner, Ilse, Pseudonym (Mädchenname) für I. Siebert, Dramatikerin und Erzählerin, * Breslau 21. 5. 1899.
WERKE. Dramen: Iphigenie kehrt heim (1948), Das Wunder von Amerika (1951). Romane: Die purpurne Stadt (neu bearb. 1952), Sonntagsausflug nach Chartres (1956), Die Zyklopen (1960).

Langob'arden [›Langbärte‹], german. Volk, das in geschichtl. Zeit links der Unterelbe ansässig war. Anfang des 4. Jhs. zogen die L. nach S, besetzten um 490 Niederösterreich, um 500 die Tiefebene zwischen Theiß und Donau und zerstörten um 505 das Reich der Heruler. 546 siedelten sie nach Pannonien (Westungarn) über, vernichteten 567 das Reich der Gepiden und brachen 568 unter König Alboin in das damals byzantin. Italien ein, wo sie den größten Teil der später nach ihnen benannten Lombardei eroberten und bis Süditalien eindrangen. Die L., ursprünglich Arianer, traten seit Agilulf (616) zum Katholizismus über, wodurch der Ausgleich mit den Römern begünstigt wurde. Unter Rothari (636–52) wurde das langobard. Recht lateinisch aufgezeichnet. König Liutprand (712–44) führte das langobard. Reich auf den Gipfel seiner Macht. Aistulf (749–57) eroberte Ravenna und bedrohte Rom, wurde aber durch den Frankenkönig Pippin 754 und 756 gezwungen, seine Eroberungen herauszugeben. Sein Nachfolger Desiderius wurde 774 von Karl d. Gr. besiegt. Das langobard. Reich kam daraufhin an das Frankenreich, behielt aber eine gewisse Selbständigkeit. Während des 9. Jhs. wurde diese Verbindung gelöst. Durch Otto d. Gr. wurde die langobard. (italien.) Krone dauernd mit der deutschen Königskrone verbunden. Im S machte sich das langobard. Herzogtum Benevent zeitweise wieder selbständig, bis es unter die Herrschaft der Normannen kam (Ende des 11. Jhs.). Die *langobard. Sprache* wich im 8. Jh. dem Mittellateinischen als Hochsprache, um 1000 den oberitalien. Mundarten als Umgangssprache. In Italien hebt sich ein langobard. Stil vom spätröm. und byzantin. ab.

LIT. W. Bruckner: Die Sprache der L. (1895); G. Pochettino: I Langobardi nell'Italia meridionale (Caserta 1930); E. Schaffram: Die Kunst der L. in Italien (1941); F. Beyerle: Die Gesetze der L. (1947).

Langöy [l'aŋø], Langö, norweg. Insel (→Lofoten).

Langr'eo, Stadt in Spanien, Asturien, am Nalón, mit (1971) 59 500 Ew.; Steinkohlenbergbau.

Langres [lãgr], Stadt und Festung in Mittelfrankreich, (1968) 11 800 Ew., auf dem *Plateau von L.,* 475 m ü. M., über der Marne; Textil-, Metallindustrie. L. ist seit keltisch-röm. Zeit strategisch bedeutsam. L. hat Reste gallo-röm. Bauten, ist seit dem 4. Jh. Bischofssitz; Kathedrale aus dem 12. mit Fassade des 18. Jhs. Die Gfsch. L. kam 1284 an die franz. Krone.

L'angschanhuhn [nach einem Ort bei Schanghai], →Haushuhn.

Längstal, ein parallel mit den Gebirgsketten verlaufendes Tal, z. B. das obere Ennstal der Alpen. Gegensatz: Quertal.

Langstreckenlauf, ein als sportl. Wettkampf ausgeführter Lauf über eine Strecke von 3000, 5000, 10 000 m, sowie der Marathonlauf (→Marathon).

Langtauferer Tal, Hochtal an der Südwestseite der Ötztaler Alpen, in Südtirol, durchflossen vom Abfluß des *Langtauferer Ferners* zur obersten Etsch.

Langton [l'æŋtɔn], Stephen, engl. Kardinal (1205 oder 1206), Erzbischof von Canterbury (1207), * um 1150, † Slindon 9. 7. 1228, war politisch am Zustandekommen der →Magna Charta beteiligt; bedeutender Theologe, von dem die Kapiteleinteilung der Bibel (Vulgata) stammt.

Langtschung, Langchung, früher **Paoning,** Stadt in der Prov. Szetschuan, China, nördl. von Tschungking, mit rd. 130 000 Ew.

L'anguard, Piz L., Gipfel (3262 m) der Livignoalpen im Kanton Graubünden, Schweiz.

langue d'oc [lãgdɔk, franz. la l.], im MA. die provenzalische Sprache nach dem Worte oc [aus lat. hoc ›dies‹] für »ja«; im Gegensatz dazu wird die nordfranz. Sprache **langue d'oïl,** nach der Bejahungsform oïl [aus lat. hoc illud] = oui.

Languedoc [lãgdɔk, franz. le L.], geschichtl. Landschaft in Frankreich (nach →langue d'oc) mit der Hauptstadt Toulouse; umfangreicher Weinbau. – Infolge der Albigenserkriege fiel 1229 das Hzgt. Narbonne, dann 1271 auch die Gfsch. Toulouse an die französ. Krone; sie bildeten bis 1789 die Prov. Languedoc.

langue d'oïl [lãgdɔil], →langue d'oc.

langu'endo [ital.], *Musik:* schmachtend, sehnsuchtsvoll.

Lang'uste [franz., aus lat. locusta ›Heuschrecke‹], **Stachelhummer**, scherenloser, hummergroßer Panzerkrebs des Mittelmeers, der irischen und engl. Küste; sehr schmackhaft.

Languste (etwa 40 cm lang)

Langwellen, lange Wellen, *Funktechnik:* Wellen mit einer Wellenlänge von 1000 bis 10000 m (Frequenz 300 bis 30 kHz).

Langwerth von Simmern, Ernst, Freiherr, Diplomat, * Eltville 17. 3. 1865, † das. 17. 11. 1942, wurde 1920 Botschafter in Madrid und war 1925–30 Reichskommissar für die besetzten rhein. Gebiete in Koblenz und Wiesbaden.

Langzeile, Vers der altgerman. Dichtung, der aus zwei durch Stabreim gebundenen, ursprünglich vierhebigen Kurzzeilen besteht. Da die Senkungen zwischen den acht Hebungen mehrsilbig sein oder ganz fehlen dürfen, so kann die altgermanische L. sehr verschiedene Gestalt haben. In der mittelhochd. Dichtung erscheinen durch den Reim gebundene L. vor allem in Strophenformen (z. B. Nibelungenstrophe).

Laniel [lanjɛl], Joseph, franz. Politiker, * Vimoutiers (Dep. Orne) 12. 10. 1889, Industrieller, wurde 1932 Abgeordneter, 1940 als Gefolgsmann Reynauds Unterstaatssekr. für Finanzen, dann Mitgl. des Nationalrates der Widerstandsbewegung. 1951/52 war er Staatsmin., Juni 1953 bis Juni 1954 Ministerpräsident.

Lanier [lən'iə], Sidney, amerikan. Schriftsteller, Musiker und Kritiker, * Macon (Ga.) 3. 2. 1842, † Lynn (N. C.) 7. 9. 1881, war im Bürgerkrieg Soldat in der Armee der Südstaaten (Roman: Tiger Lilies, 1867). Nach seiner Freilassung aus der Gefangenschaft hielt er literar. Vorträge, die postum als ›Shakespeare and His Forerunners‹ (1902) erschienen. Aus den an der Johns-Hopkins-Universität (seit 1879) gehaltenen Vorlesungen ging ›The Science of English Verse‹ (1877) hervor.

Lanke [ahd., von Gelenk], Weiche, Lendenstück.

Lank-Latum, Gem. im Kr. Kempen-Krefeld, Nordrhein-Westfalen, mit (1967) 8300 Ew.; Kunststoffindustrie; Landwirtschaft; seit 1. 1. 1970 Teil von →Meerbusch.

Lankwitz, Ortsteil im VerwBez. Steglitz der Stadt Berlin (West).

Lanner, Josef, Komponist, * Wien 12. 4. 1801, † Oberdöbling 14. 4. 1843, anfangs Geiger in der Tanzkapelle von Michael Pamer, gründete 1824 ein eigenes Orchester, das bald sehr beliebt war und in dem Joh. Strauß sen. spielte. 1829 wurde L. Musikdirektor der Redoutensäle in Wien. Er ist der eigentl. Vater des Wiener Walzers. L. komponierte über 200 Werke, u. a. ›Die Schönbrunner‹, Ländler, Galopps.

Lanol'in [lat. Kw.], Salbengrundlage aus Wollfett, Paraffin und Wasser. Das **Wollfett** ist das wasserfreie gereinigte Fett der Schafwolle und besteht bes. aus Cholesterinestern.

Lansbury [l'ænzbəri], George, engl. Politiker, * 21. 2. 1859, † 7. 5. 1940, 1910–12 und 1922–40 Mitgl. des Unterhauses (Labour Party), war 1929–31 Min. in der Regierung MacDonald, wurde dann Führer der oppositionellen Labour Party (bis 1935).

Lansdowne [l'ænzdaun], Henry **Petty-Fitzmaurice,** Marquess of, engl. Politiker, * 14. 1. 1845, † Newton Anmer 3. 6. 1927, Liberaler Unionist, war 1883–88 GenGouv. von Kanada, 1888–93 Vizekönig von Indien, 1895–1900 Kriegsminister und 1900–05 Außenmin. In seine Amtszeit fallen die erfolglosen Besprechungen mit Deutschland über die Möglichkeit einer weltpolit. Verständigung, das englisch-japan. Bündnis von 1902 und die Grundlegung der englischfranzös. Entente durch das Abkommen vom 8. 4. 1904. 1915/16 war L. noch einmal Minister in der Koalitionsregierung Asquith.

Lansing [l'ænsiŋ], Hauptstadt von Michigan, USA, mit (1970) 131500 Ew., am Grand River; hat Automobil- und verschiedene Zulieferindustrie.

Lansing [l'ænsiŋ], Robert, nordamerikan. Politiker, * Watertown (New York) 17. 10. 1864, † Washington 30. 10. 1928, wurde 1915 Außenminister und nahm 1919 an der Pariser Friedenskonferenz teil. Wilson entließ ihn 1920 aus innerpolit. Gründen und wegen L.s Bedenken gegen den Völkerbund.
WERKE. Die Versailler Friedensverhandlungen (dt. 1921), War memoirs (1935).

Lant'ane, Wandelröschen, *Lantana,* staudige und strauchige Gattung der Verbenengewächse in warmen Ländern, z. T. Zierpflanzen; bei manchen sind die Blüten anfangs gelb, später rot.

Lanth'an, chem. Element, Zeichen **La,** Ordnungszahl 57, Massenzahl 139, Atomgewicht 138,91, zinnfarbenes Erdmetall, kommt in einigen seltenen Mineralien, wie Zerit, Monazit, stets zusammen mit Zer, Praseodym, Neodym u. a. Lanthaniden vor **Lanthan'iden** [von Lanthan], die 14 chem. Elemente der Ordnungszahlen 58–71 von

Zer bis Lutetium. Die L. sind dem Kalzium ähnliche Metalle, denen im Atombau drei äußere Valenzelektronen gemeinsam sind. Hierdurch erklärt sich die große chem. Ähnlichkeit der L. Ihre Trennung ist sehr schwierig und kann nur durch oft wiederholte fraktionierte Kristallisation, Adsorption oder Ionenaustausch bewirkt werden.

Lantschou, postamtl. **Lanchow,** Hauptstadt der Prov. Kansu, China, am Hoangho, mit Vororten rd. 1,2 Mill. Ew.; Munitions- und Textilindustrie; Erdölraffinerie.

Lan'ugo [lat.] *die,* Wollhaar, →Haare 1).

Lanús, Stadt in Argentinien, mit (1970) 450000 Ew., ein Teil von Groß-Buenos Aires.

Lanz, Heinrich Lanz AG, Mannheim, Unternehmen der dt. Landmaschinenindustrie, gegr. 1859 von *Heinrich L.* (* 1838, † 1905), seit 1925 AG, seit 9. 12. 1959 *John Deere-Lanz AG.*

Lanza, Mario, eigentl. Alfredo Arnold Cocozza, Tenor, * Philadelphia 31. 1. 1921, † Rom 7. 10. 1959, ital. Herkunft, Schüler u. a. von E. Rosati; nach seinem Erfolg in dem Film ›The great Caruso‹ (1951) wurde er als Sänger in Oper und Konzert bekannt. L. war auch Schlagersänger.

Lanzarote [lanθarˈɔtɛ], östlichste und niedrigste der Kanar. Inseln, bis 684 m hoch, 840 qkm groß, (1970) 41900 Ew. Haupt- und Hafenstadt ist Arrecife.

Lanze [mhd.; franz. Lw.], **1)** Speer, Spieß; ritterliche Waffe, eine der ältesten Trutzwaffen, eine runde Holzstange mit Holz-, Knochen-, Stein- oder Metallspitze. Sie bildete von der Altsteinzeit bis zur Einführung der Feuerwaffen einen Hauptteil der Bewaffnung und wurde als Stoß- oder Wurfwaffe berittener Truppen benutzt. **2)** *griech. Ritus: Ritus:* liturgische L., ein seit dem 8. Jh. bezeugtes lanzettartiges Messer. Mit ihm schneidet der Zelebrant aus dem Opferbrot ein quadratisches Mittelstück heraus, das in der Messe konsekriert wird.

L'anzelet, →Lancelot.

Lanzenschlange, sehr giftige, bis 2 m lange Grubenotter Südamerikas.

Lanz'ette [franz.], spitzes, zweischneidiges ärztliches Messer.

Lanz'ettfischchen, *Amphioxus (Branchiostoma) lanceolatum,* urtümliches, etwa 5 cm langes Wirbeltier ohne Schädel *(Akranier),* mit *Röhrenherz (Leptokardier).* Durch den Körper des L. geht ein knorpelig-biegsamer Stab *(Chorda)* als Vorläufer der Wirbelsäule; über der Chorda liegt das Rückenmark und an dessen Vorderende ein Hirnbläschen. Der Darm ist am Vorderende ein Kiemendarm. Durch diese Merkmale steht das L. auch den →Manteltieren nahe. Im Blutgefäßsystem wirken statt eines Herzens verengbare Gefäßstrecken. Die L. leben im Sand vergraben an Meeresküsten und strudeln sich ihre Nahrung durch die rückenseitige und eine bauchseitige Flimmerrinne des Kiemendarms zu.

lanz'ettlich, lanzettförmig heißt ein Blatt

(Tafel Blatt), das etwa drei- bis viermal länger als breit und im unteren Drittel am breitesten ist.

lanzieren, →lancieren 2).

lanzierte Gewebe, Lancé [von franz. *lancer* ›einschießen‹], gemusterte Gewebe, deren Figurschüsse durch die ganze Warenbreite hindurchgehen.

L'ao, große Volksgruppe der →Tai, die N-Thailand und →Laos bewohnt, dem sie den Namen gab.

Laodic'enerbrief, ein lat. erhaltener, ursprüngl. vielleicht griech. apokrypher Paulusbrief (→Apokryphe), spätestens aus dem 4. Jh. Er wurde vermutl. als Ersatz für den Kol. 4, 16 erwähnten Brief des hl. Paulus an die Gemeinde von →Laodikeia geschrieben.

Laod'ikeia, lat. *Laodicea,* im Altertum mehrere bedeutende Städte in Kleinasien und Syrien: **1)** nordsyr. Hafenstadt, von Seleukos I. gegründet und nach seiner Mutter Laodike benannt. 43 v. Chr. wurde L. von Cassius erobert; seit 194 n. Chr., von Septimus Severus begünstigt, Sitz einer bekannten Leinenindustrie. Justinian machte L. zur Hauptstadt der Prov. Theodorias. L. ist das moderne →Latakia mit antikem Tetrapylon und noch hellenist. Stadtplan. **2) L. am Lykos,** im Grenzgebiet zwischen Karien und Phrygien; Ruinen in der Nähe von Eski Hissar, darunter die Reste einer Wasserleitung, zweier Theater und einer Rennbahn. L. wurde von Antiochos II. von Syrien vor 240 gegründet, gelangte durch seine Wollindustrie unter röm. Herrschaft zu hoher Blüte. Frühzeitig fand das Christentum in L., das von zahlreichen Juden bewohnt war, eine Stätte; um 360 wurde hier eine Synode abgehalten. Im MA. wurde L. durch die Türken verwüstet und 1402 ganz zerstört.

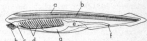

Lanzettfischchen (schematisch): a *Rückenmark,* b *Chorda,* c *Mund,* d *Kiemenspalten,* e *Darm,* f *After,* g *Darmdrüse (Leber),* h *Mundanhänge (Zirren)*

La'okoon, sagenhafter Priester in Troja, warnte seine Landsleute vor dem hölzernen Pferd der Griechen und wurde bald darauf bei Darbringung des Opfers mit seinen beiden Söhnen von zwei Schlangen erwürgt. Die Sage ist vor allem durch Vergil bekannt (2. Buch der Äneis) und die Marmorgruppe der rhodischen Bildhauer Agesandros, Polydoros und Athenodoros (1. Jh. v. Chr.; 1506 in Rom ausgegraben; Vatikan; Tafel Griechische Kunst IV.). An sie knüpfte Lessing seine Schrift ›L. oder über die Grenzen der Malerei und Poesie‹ (1766) an. Der Mythos vom Tod des L. und seiner Söhne wird vereinzelt auch auf griech.

Laom

Vasenbildern der 2. Hälfte des 5. Jhs. v. Chr. und auf pompejan. Wandgemälden wiedergegeben.

La'omedon, *griech. Mythologie:* König von Troja. L. verweigerte dem Poseidon, der ihm die Mauern der Stadt baute, und dem Apollon, der ihm die Herden hütete, den vereinbarten Lohn und mußte zur Strafe seine Tochter Hesione einem Meerungetüm preisgeben. Als er auch ihren Retter Herakles betrog, nahm dieser Troja und tötete L. nebst seinen Söhnen außer Podarkes (Priamos).

Laon [lã], Hauptstadt des franz. Dep. Aisne im nordöstl Frankreich, mit (1968) 26 300 Ew., frühgot. Kathedrale (1170–1230), Kirche St-Martin (12. Jh.), Justizpalast (früher Bischofspalast, 12.–15. Jh.); Gemüsebau, Metallindustrie, Gerbereien. – Napoleon I. erlitt hier am 9./10. 3. 1814 eine Niederlage durch Blücher.

L'aos, Königreich in Hinterindien, 236 800 qkm, mit (1972) 3,1 Mill. Ew.; Residenz des Königs ist Luang Prabang, Verwaltungssitz Vientiane. L. besteht größtenteils aus schwer zugängl. Waldgebirgen, bis 2800 m hoch. Die Bevölkerung (→Lao) siedelt hauptsächlich in den Tälern.

Wirtschaft, Verkehr. Die polit. Wirren und das Verkehrsproblem haben eine wirtschaftl. Entwicklung des Landes bisher verhindert. Nur 8 % des Bodens werden bebaut, der Eigenbedarf kann nicht gedeckt werden. Wichtigste Anbaufrucht ist Reis, ferner Mais, Kaffee, Tee, Baumwolle. Die Wälder liefern Nutzhölzer, die reichen Bodenschätze sind noch wenig genutzt (Zinn, Gold u. a.). – L. besitzt keinen Zugang zum Meer, keine Eisenbahnen und nur unzureichende Straßen. Hauptverkehrsweg ist der Mekong; viele Orte im Innern sind nur auf dem Luftweg zu erreichen. – Der Transitverkehr durch Thailand oder Vietnam verteuert die Einfuhren erheblich, die Ausfuhr umfaßt Zinn, Teakholz, Kaffee, Tabak.

Staat. Nach der Verfassung vom 15. 5. 1947 steht dem König ein Ministerrat zur Seite. Seit 1974 regiert ein Nat. Koalitionsrat aus Neutralisten und Pathet Lao; die Nationalversammlung wurde aufgelöst. Wappen: TAFEL Wappen IV. Flagge: TAFEL Flaggen III. Einteilung in 16 Provinzen. Währungseinheit ist der Kip zu 100 At. Rechtsprechung seit 1951 neu geordnet. – Das staatl. *Schulwesen* beruht auf französ. Grundlage.

GESCHICHTE. Die austroasiatischen Kha gelten als Urbevölkerung. Die ihnen sprachverwandten Khmer bewohnten L. bis zum 6. Jh. Nach ihnen kam eine Gruppe der Tai, die Lao. Seit 1353 bestand das große Reich Lantschang, das sich 1707 in die Reiche Luang Prabang und Wiengtschan teilte; diese wurden im 19. Jh. von Siam erobert. 1893 wurde L. französ. Protektorat und dem Generalgouverneur von Indochina unterstellt. Im Okt. 1946 wurde ein assoziierter, 1949/1954 ein unabhängiger Staat der Französ. Union. Während des Indochina-Kriegs wurde im N die kommunistische Gegenregierung Pathet Lao gebildet. Seit 1950 ist L. am Colombo-Plan beteiligt, Dez. 1955 wurde es Mitgl. der Vereinten Nationen. Nach dem Tode König Sisavangs bestieg Kronprinz Savang Vatthana 1959 unter dem Namen Setha Khatia den Thron. Die auf der Genfer Ostasienkonferenz (Juli 1954) empfohlene Aussöhnung mit der Pathet Lao fand Nov. 1957 durch ihre Aufnahme in die Regierung Suvanna Phuma statt. Nach dem Sturz dieser Regierung gingen die nun folgenden pro-westl. Regierungen gegen die Pathet-Lao-Streitkräfte vor. Es kam zum Bürgerkrieg, den sowohl die Ost- wie die Westmächte durch Waffenlieferungen zu beeinflussen suchten. Die bedrohliche Lage führte zu der Genfer Laos-Konferenz, die im Mai 1961 begann. Die drei laotischen Prinzen Boun Oum (pro-westlich), Suvannaphong (Pathet Lao) und Suvanna Phuma (neutralistisch) einigten sich im Okt. 1961 allein, daß letzterer ein Kabinett der drei Gruppen bilden solle. Juni 1962 konnte die neue Regierung ihre Amtsgeschäfte aufnehmen. Die Genfer Laos-Konferenz endete am 23. 7. 1962 mit der Unterzeichnung von Abkommen über die Neutralisierung des Landes. Während der Dauer des Vietnamkrieges war L. ständig durch Kampfhandlungen in Mitleidenschaft gezogen. Am 21. 2. 1973 unterzeichneten Reg. und Pathet Lao ein Abkommen über die Wiederherstellung des Friedens und der nat. Einheit und bildeten im April 1974 eine Koalitionsregierung.

Laoschan, Lauschan, Gebirge im SW der chines. Halbinsel Schantung, verwitterte Granitfelsen (bis 1080 m).

Lao-tse, chines. Philosoph. Die Angaben über seine Person sind widerspruchsvoll. Der spätere →Taoismus hat das Leben des L. legendenhaft ausgestaltet; L. ist von einem Lichtstrahl gezeugt; seine Mutter ging 72 Jahre mit ihm schwanger und gebar ihn unter einem Pflaumenbaum aus der Achselhöhle. Bei seiner Geburt hatte er weiße Haare, konnte bereits sprechen und nahm den Namen des Baumes als Familiennamen (Li) an. Durch Zauberkünste verstand er, sein Leben zu verlängern. Schließlich ritt er auf einem schwarzen Büffel nach Westen. Am Grenzpaß bat ihn der Wächter, seine Lehre aufzuzeichnen, worauf L. ein Buch von 5000 Worten niederschrieb, dem Wächter gab und verschwand. Eine Legende läßt ihn im Westen als Buddha wiedergeboren werden, eine andere sieht in L. eine Inkarnation der Gottheit Tai-schang laokün [›Hocherhabener Alter Herrscher‹]. Im volkstüml. Taoismus gilt L. als Schutzpatron der Alchemie und Makrobiotik. Zugeschrieben wird ihm das Werk *Tao-te-king* [Das ›kanonische Buch vom Tao und Te‹], von dem man heute annimmt, daß es um oder nach 300 v. Chr. entstanden ist (nach traditioneller Auffassung im 6. Jh. v. Chr.).

Es ist in mehreren Fassungen überliefert und wurde oft kommentiert; es besteht aus 81 kurzen, z. T. gereimten Abschnitten, die aphoristisch aneinandergereiht sind. Sie handeln vom *Tao* [›Bahn‹, ›Weg‹], dem Welturgrund, der sich in Natur- und Menschenleben äußert, und dem *Te*, der ausstrahlenden Kraft, die der Weise aus der Versenkung in das Tao schöpfen kann. Die Welt ist in ewigem Wandel begriffen; nur das Tao ist beständig. Ihnen gemäß muß der Mensch – teils denkend, teils handelnd – leben. Das Tao-te-king ist das meistübersetzte Werk der chines. Literatur. Ausgaben: R. Wilhelm: L. (1921), Tao Teh King, hg. und erläutert von K. O. Schmidt (1961).

Lit. R. Wilhelm: L. und der Taoismus (1948); A. Eckardt: Die Gedankenwelt L.s (1957).

La Palma, →Palma, La.

Laparoskop´ie [grch. Kw.], die zu diagnost. Zwecken vorgenommene Betrachtung des Bauchinneren mit dem Laparoskop, einem für die L. eingerichteten →Endoskop.

Laparotom´ie [griech. Kw.], **Bauchschnitt,** das operative Öffnen der Bauchhöhle.

La Paz [la pas], →Paz, La.

La Pérouse [la peru:z], Jean François de Galaup, Comte de, franz. Seefahrer. * Le Guo bei Albi 22. 8. 1741, † (Schiffbruch) 1788 bei der Insel Wanikoro, unternahm 1785 eine Weltreise, auf der er 1787 die nach ihm benannte *La-Pérouse-Straße* zwischen Sachalin und Hokkaido entdeckte.

La Peyrère [la pɛrɛ:r], Isaak de, * Bordeaux 1596, † Aubervilliers 30. 1. 1676, vertrat die bibelkrit. Anschauung, daß es vor Adam schon Menschen gegeben habe (die Präadamiten), rettete 1656 sein Leben vor dem Inquisitionsgericht durch Widerruf und Übertritt vom Calvinismus zur kath. Kirche. L. P. war Vorläufer des Zionismus.

lapid´ar [von lat. lapis ›Stein‹; wie in den Steininschriften], bedeutsam, wuchtig, knapp.

Lapid´är [franz.], Edelsteinschleifer.

Lap´illi [ital. ›Steinchen‹], eckige oder abgerundete, schlackige Auswurfgesteine von Vulkanen, nuß- bis erbsengroß.

L´apis [lat.], Stein, bes. Höllenstein; *deutscher L.,* blau gefärbter Jaspis, eine Edelsteinnachahmung. *L. philosophorum,* Stein der Weisen.

Lapisl´azuli, →Lasurstein.

L´apis n´iger [lat.], ein »schwarzer Stein« auf dem Pflaster des röm. Forums, im Altertum für das Grab des Romulus gehalten. Unter ihm entdeckte man einen →Cippus mit einer der ältesten lat. Inschriften (um 500 v. Chr.), wahrscheinlich einem Opfergesetz.

Lap´ithen, mythische Bewohner Thessaliens, Gegner der Zentauren.

Laplace [lapla:s], Pierre Simon, Marquis de (seit 1817), franz. Physiker, Mathematiker und Astronom, * Beaumont-en-Auge 28. 3. 1749, † Paris 5. 3. 1827, war 1799 Minister des Innern, wurde dann Senator und 1803 Kanzler des Senats. Er veröffentlichte 1796 in seiner ›Exposition du système du monde‹ eine von Kant abweichende Lehre der Entwicklung des Sonnensystems. Sein Hauptwerk ist der fünfbändige ›Traité de la mécanique céleste‹ (1799–1825), maßgebliches Werk für die Probleme der Planeten- und Sternbewegung. Er bewies auf mathematischem Wege die Unveränderlichkeit der mittleren Entfernung der Planeten von der Sonne und entdeckte Gesetzmäßigkeiten in der Bewegung der Jupitermonde. L. führte 1780 in Gemeinschaft mit Lavoisier kalorimetr. Messungen durch, entwickelte eine Theorie der Kapillarität und verbesserte die für Gase unzureichende Formel von Newton für die Fortpflanzungsgeschwindigkeit des Schalles. 1812 entwickelte L. systematisch die Wahrscheinlichkeitsrechnung in seiner ›Théorie analytique des probabilités‹.

La Pl´ata, 1) *Río de L. P.* [span. ›Silberstrom‹], die Mündungsbucht der Flüsse Paraná und Uruguay, etwa 300 km lang und 50–300 km breit. Bedeutendste Hafenplätze: Buenos Aires, Montevideo.
2) Provinzhauptstadt und Hafen in Argentinien, war 1952–55 in *Eva Perón* umbenannt, mit (1970) 408000 Ew.; bei Buenos Aires, hat Universität, Naturgeschichtl. Museum; Export von Landeserzeugnissen; kath. Erzbischofssitz. Die Stadt wurde 1882 gegründet.

La-Plata-Staaten, die ganz oder größtenteils zum Stromgebiet des Río de la Plata gehörenden Staaten Argentinien, Uruguay und Paraguay.

Lapp´alie [Scherzwort von Lappen mit latein. Endung], lächerliche Kleinigkeit.

Lappé [lape, von franz. laper ›lecken‹], im Kartenspiel Pharao die Forderung eines Satzes an die Bank.

Lappen [finn.], eigener Name Sameh, Volk in Lappland, etwa 31500, davon 22000 in N-Norwegen, 5000 in N-Schweden, 2000 in N-Finnland, 1800 auf der Halbinsel Kola. Aus ihrem früheren Wohngebiet, bes. S-Finnland, wurden sie vor Russen, Finnen und Skandinaviern nach N; entlang dem skandinav. Gebirge kamen sie in jüngerer Zeit südwärts bis Jämtland–Härjedalen. Die L. sind kleinwüchsig, kurzköpfig, zeigen osteuropide und nord. Merkmale sowie mongoloiden Einschlag, jedoch ohne Mongolenfalte; ihre anthropolog. Zuordnung ist umstritten. Zunehmend haben sie sich mit Norwegern, Schweden und Finnen vermischt. Sie sind meist Lutheraner, wenige griechisch-orthodox. Tracht und Brauchtum verschwinden immer mehr. Die L., früher Nomaden, sind heute meist seßhaft oder Halbnomaden (mit Sommerwohnhütten im Gebirge und Winterhäusern im Waldland). Neben der Rentierhaltung treiben sie Rinder-, Ziegen-, Schafzucht, Ackerbau, an der Küste Fischerei. – Die **Lappische Sprache,** der westl. Gruppe der finn.-ugrischen Sprachen zugehörig, entstand durch Mischung

Lapp

einer protolappischen (uralischen) und einer urfinn. Sprache. Die letztere wurde durch die Vorfahren der heutigen Lappen um 1000 bis 500 v. Chr. von den Vorfahren der heutigen Finnen übernommen. Die Lappische Sprache zeigt im Wortschatz starke ur- und nordgerman. sowie skandinav. Einflüsse, besitzt ein reiches Lautsystem und steht in ihrer Struktur der finn. Sprache am nächsten. Sie ist so stark gespalten, daß unter den einzelnen Dialekten eine Verständigung nicht mehr möglich ist. In den skandinav. Ländern entstand nach der Reformation eine lappische Literatur geistl. und belehrender Art, im 20. Jh. sind mehrere lappische Schriftsteller aufgetreten.

läppen, ein Verfahren der spanenden Formung zur Steigerung von Oberflächengüte und Maßhaltigkeit. Werkstück und Werkzeug gleiten unter Verwendung lose aufgebrachten Schleifmittels und unter ständigem Richtungswechsel aufeinander. Das *Läppmittel* besteht aus sehr feinen pulverförmigen Schleifkörnern, gemischt mit dem für das Haften und Schmieren erforderlichen *Läpphilfsmittel.* Die *Läppmaschine* übernimmt entweder die gesamte Bewegung zwischen Werkstück und Werkzeug in durch Getriebe erzeugten Kurvenformen oder nur die Hauptbewegung, wobei die übrigen Bewegungen von Hand ausgeführt werden.

Lappentaucher, Vögel, →Steißfüße.

Lappjagd, Lappjagen, Jagd auf Hochwild mit Lappen (→Jagdzeug).

Lappland, ursprüngl. das Wohngebiet der →Lappen, der nördlichste Teil von →Fennoskandia, aufgeteilt unter Norwegen (Bez. Troms und Finnmark), Schweden (Västerbotten und Norrbotten), Finnland (Lappi) und Sowjetunion (Murmansk), rd. 400 000 qkm groß mit rd. 1 Mill. Ew., darunter 31 500 Lappen. L. senkt sich vom Skandinav. Gebirgsrücken nach O hin zu einer niedrigen Wald- und Sumpflandschaft, im N herrscht die Tundra vor. Der größte Teil L.s, nördl. des Polarkreises, liegt in der polaren Lichtzone mit Mitternachtssonne im Mai–Juli und lichtarmer Polarnacht im Mittwinter (Nordkap: 74 Tage ohne Sonnenlicht). Große Teile sind versumpft (Mückenplage). Die Kolonisation dringt stetig vor, bes. infolge des Erzabbaues (Kiruna, Malmberget, Kirkenes, Petsamoberge, Boliden). Die *Lappland-Bahn* durchquert L. von Luleå bis Narvik.

L'appobewegung, antikommunist. faschist. Bewegung, die 1929 in der finn. Stadt Lapua (schwed. Lappo) begann und durch einen Marsch von 12 000 Bauern (unter Führung des Großbauern Vittori Kosola) nach Helsinki (1930) den Rücktritt der Regierung und, nach Neuwahlen, die Ausschaltung der Kommunisten erzwang; trotzdem führte sie weiterhin Gewaltaktionen gegen linksstehende Politiker; in mehreren Städten entfachte sie erfolglose Aufstände. 1938 wurde die L. verboten.

L'apsus [lat.], 1) Gleiten, Fall, Fehler; *L. calami,* Verschreiben; *L. linguae,* Versprechen. 2) Ungetreuer, bes. von Christen, die den Verfolgungen nicht standhielten.

L'Aquila, 1) Prov. Italiens der Region Abruzzen und Molise, 5034 qkm, mit (1971) 293 100 Ew. 2) **L'A. degli Abruzzi,** Hauptstadt von 1) und der Region Abruzzen und Molise in den Abruzzen, Mittelitalien, 721 m ü. M., mit (1971) 60 100 Ew., Erzbischofssitz, hat Textil-, Leder- und Papierindustrie; Fremdenverkehr. – L'A. wurde 1240 von Kaiser Friedrich II. gegr., 1259 von König Manfred zerstört und durch Karl von Anjou wiederaufgebaut; es war im MA. eine fast unabhängige Stadtrepublik und kam 1529 an das Kgr. Neapel. Die bedeutende Fassade (14. Jh.) der Kirche S. Maria di Collemaggio (1287 ff.), die Kirche S. Bernardino (1454 ff.), der nach dem Erdbeben von 1703 z. T. erneuerte Dom (14. Jh.), das Kastell (16. Jh.), die Stadtmauer und Paläste sind Zeugen der mittelalterl. Bedeutung der Stadt.

Lar [lat.], Affe, →Gibbons.

L'ara, Name einer mächtigen span. Adelsfamilie im MA., nach der gleichnamigen Stadt (Prov. Burgos). ›Die Infanten von Lara‹ ist der Titel einer mittelalterl. Versdichtung, die in die ›Crónica General‹ Alfons' des Weisen einging.

Larache [lara'tʃe], arab. **El-Araïch,** Hafenstadt an der atlant. Küste Marokkos, mit (1971) 45 700 Ew., Ausfuhr von Kork, Wolle, Bohnen; alte Festung.

Laramie [l'ærami], Stadt in Wyoming, USA, mit (1970) 23 100 Ew., Staatsuniversität.

Laramie-Kette, engl. **Laramie Mountains** [l'ærami m'auntinz], Gebirgszug im Felsengebirge der USA, im Laramie Peak 3131 m hoch.

Larbaud [larbo], Valery, franz. Schriftsteller, * Vichy 29. 8. 1881, † das. 2. 2. 1957, schrieb Romane, Gedichte, Essays und Übersetzungen.
WERKE. A. O. Barnabooth (1923; dt. Tagebuch eines Milliardärs, 1956), Enfantines (1918; dt. Kinderseelen, 1954).

Lärche [aus dem Lat.], *Larix,* Gattung der Nadelholzfamilie Pinazeen, in der nördl. gemäßigten Zone, sommergrüne Bäume mit weichen, an Langtrieben und Sämlingen einzeln, an Kurztrieben gebüschelt stehenden Nadeln, mit rundl. männlichen und purpurroten, aufrechten weibl. Blütenzäpfchen, aus denen sich hängende ledrige Fruchtzapfen entwickeln. Die einzige europ. Art, die *gemeine L.* (L. europaea oder decidua), angebaut in ganz Europa, ist einheimisch in den Alpen, Karpaten und im schlesisch-mährisch-südpoln. Bergland als ein bis 45 m hoher Baum mit geradem, vollholzigem Schaft und hochangesetzter, pyramidenartiger Krone. Das harzreiche Holz mit rotbraunem Kern und breitem, gelbem Splint ist bes. geeignet als Bau- und Werkholz.

Lard'era, Berto, ital. Bildhauer, * La Spezia 18. 12. 1911, seit 1947 in Paris, ein Hauptvertreter der konstruktiven Metallplastik, 1958–61 Lehrer an der Hochschule für Bildende Kunst in Hamburg.

Lar'edo, Stadt in Texas, USA, am Rio Grande del Norte, mit (1970) 69000 Ew., Anbau: Südfrüchte, Frühgemüse; Eisenbahnwerkstätten, Antimonhütte.

L'aren [lat. Lares], altröm. Gottheiten, die Schutzgeister der Familie und der Feldflur. Jede röm. Familie hatte einen *Lar familiaris*, der am häuslichen Herd verehrt und dessen Bild mit den Penaten und dem Genius in einem Schrein *(lararium)* verwahrt wurde; als Beschützer der Felder wurden die *Lares compitales* am Kreuzweg *(compitum)* verehrt. Eine Fülle von Wandgemälden in Pompeji und zahlreiche Bronzen aus den Schreinen zeigen das Bild dieser Götter: zwei tanzende Jünglinge in kurzer gegürteter Tunika, eine Schale in der einen Hand, ein Trinkhorn, aus dem sich ein Strahl in die Schale ergießt, in der erhobenen anderen. Eine besondere Form waren die *Lares praestites*, die als speertragende Jünglinge mit Hundsfellen bekleidet und mit einem Hund dargestellt wurden. Seit Augustus hatte jedes Stadtviertel ein kleines Heiligtum mit zwei L., zwischen denen der Genius des Kaisers stand *(Lares Augusti)*; seit dieser Zeit wurden auch in jedem Hause zwei L. mit dem Bild des Hausherrn dazwischen verehrt. Das Hauptfest der L. waren die **Laralien.**

larg'ando [ital.], *Musik:* breiter werdend.

Lärche: a Zweig mit männl. und weibl. Blütenzapfen, b männl. Blütenzapfen, c Staubbeutel, d Pollenkörner, e weibl. Blütenzapfen, f Deckschuppe von hinten, g von vorn, h Längsschnitt der Samenanlage, i Zweig mit Fruchtzapfen, k Zapfenschuppe von außen, m von innen mit Samen, n Samen am Flügel, p Nadel, q Nadelquerschnitt (a und i etwa ⁸/₉ nat. Gr.)

largh'etto [ital.], *Musik:* etwas breit.

Largillière [larʒiλɛːr], Nicolas de, franz. Maler, getauft Paris 10. 10. 1656, † das. 20. 3. 1746, lernte in Antwerpen, ging 1674 nach England und kehrte 1678 nach Paris zurück, wo er 1705 Prof., 1743 Kanzler der Akademie wurde. L. war neben Rigaud der bedeutendste franz. Porträtmaler seiner Zeit.

l'argo [ital.], *Musik:* sehr langsam, sehr breit; Zeitmaß, dem Adagio ähnlich. **Largo,** Musikstück in diesem Zeitmaß, vor allem als Satz einer Sonate, Sinfonie usw. Das »Largo« von Händel ist ursprünglich eine Arie aus seiner Oper ›Xerxes‹.

Largo Caballero, →Caballero 2).

larif'ari! [ital.; Musikwort, zum Singen von Noten ohne Text: la, re, fa, re], Unsinn, der uns nichts angeht.

L'ario, ital. Name des →Comer Sees.

Larisch, Rudolf von, * Verona 1. 4. 1856, † Wien Ende März 1934, seit 1901 Prof. für ornamentale Schrift an der Kunstgewerbeschule in Wien. Er gründete eine »Pflegestätte für Schrift- und Buchgestaltung«.

L'arissa, Larisa, Bezirksstadt in Griechenland, Thessalien, mit (1971) 72800 Ew.

Larist'an, Landschaft in S-Iran, größtenteils gebirgig und wasserarm. Die meist nomad. Bevölkerung züchtet edle Pferde. Hafenstädte: Bender Abbas und Lingeh.

Larivey [larive], Pierre, franz. Schriftsteller, * Troyes um 1540, † das. 12. 2. 1619, versuchte durch Neuformung ital. Stücke eine franz. Renaissance-Komödie zu schaffen.

L'arix, die Pflanzengattung →Lärche.

Lärm [Eindeutschung von Alarm; Lutherzeit], Getöse, anhaltendes lautes Geräusch. Rechtliches →Immission, →Nachbarrecht. *Lärmschutz:* L. ist gesundheitsschädlich. Bei längerer Einwirkung kann L. über etwa 90–100 Phon Gehörschäden hervorrufen; bei 130 Phon wird die Schmerzschwelle erreicht. Man sucht daher den L. durch techn. Verbesserungen zu mindern oder zu verhindern, so im Verkehr durch den Einbau von Auspufftöpfen (→Auspuff) in Kraftwagen und Krafträder, durch Verwendung von Luftreifen, gummigefederte Räder (Straßenbahn), eine glatte Fahrbahn; in Büro und Betrieb durch Einsatz von Maschinen, die durch Anwendung federnder Stoffe (Gummi, Filz) geräuscharm arbeiten; in der Bautechnik durch schwere oder mehrschalige Konstruktionen und durch Verwendung von Baustoffen mit bestimmten physikal. Eigenschaften. Die Ausbreitung des Schalls in festen Körpern *(Körperschall)* muß durch Einbau federnder Baustoffe verhindert oder herabgesetzt werden. Beim Trittschall wird dies durch die Ausführung schwimmender Estriche auf den Decken erreicht. Durch die Ausstattung der Wände und Decken mit schallschluckenden Stoffen, z. B. Dämmplatten, können Lärm- und störende Echo-Wirkungen in geschlossenen

Larm

Räumen stark herabgesetzt werden. Die Lärmbekämpfung wurde seit 1955 in den meisten Ländern der Bundesrep. Dtl. durch Polizeiverordnung geregelt.

LÄRM: Lautstärkewerte, gemessen mit DIN-Meßgeräten (in Phon)

Luftschutzsirene 50 PS (20 m)	135
Flugzeug beim Start (25 m vom Heck), Schmerzschwelle	130
In Kesselschmieden (max.)	125
Drucklufthammer (1 m)	120
Sandstrahlgebläse (1 m)	115
Hupe (1 m)	110
Im Flugzeug	105
In Webereien, Motorrad ohne Schalldämpfer	100
In und neben (7 m) U-Bahnen	95
Schwerer Lastwagen (7 m)	90
Motorrad (7 m) mit Schalldämpfer	85
Fahrradhilfsmotor (7 m), Schreien	80
Im Büro mit Buchungsmaschinen	75
Mittlerer Straßenverkehr	70
Unterhaltungssprache (1 m), Eisenbahn, Straßenbahn	65
Hochspannungstransformator (50 m), Personenwagen in etwa 8 m Entfernung	60
Schwacher Straßenverkehr, normale Unterhaltung, Schreibmaschine	50
Niedrigster Geräuschpegel in Wohnvierteln bei Nacht, normaler Rundfunk, gedämpfte Unterhaltung	40
Blätterrauschen, Uhrticken	30
Rundfunksprecher im Studio, ruhiger Garten, Flüstern	20
Gut isolierter schalltoter Raum, Blättersäuseln	10
Hörschwelle (jugendliches Ohr)	0

larmoyant [larmwajant, franz.], weinerlich, rührselig.

L'arnaka, Larnaca, Bezirks- und Hafenstadt an der SO-Küste Zyperns, mit rd. 22000 Ew.; im Altertum *Citium*; Geburtsort des griech. Philosophen Zeno.

Laroche [laroʃ], Johann Joseph, Schauspieler, * Preßburg 1. 4. 1745, † Wien 8. 6. 1806, wirkte seit 1781 am Wiener Leopoldstädter Theater in der Rolle des von ihm geschaffenen Kasperl.

La Roche [larɔʃ], **1)** Maximiliane, Tochter von 2), * Mainz 31. 5. 1756, † Frankfurt a. M. 19. 11. 1793, heiratete 1774 den Kaufmann Pietro Antonio Brentano und wurde die Mutter von Clemens Brentano und Bettina von Arnim.
2) Sophie, geb. Gutermann, * Kaufbeuren 6. 12. 1731, † Offenbach a. M. 18. 2. 1807, war die Jugendgeliebte Wielands. Sie verfaßte empfindsame Romane, die den Einfluß Richardsons verraten (Geschichte des Fräuleins von Sternheim, 2 Bde., 1771).

La Rochefoucauld [larɔʃfuko], altes franz. Adelsgeschlecht, stammt von Fulcaud ab, der um 1026 Burg und Ort L. (Dep. Charente) gründete. *François I.* de L. († 1517) wurde 1515 von Franz I. zum Grafen er-

hoben. *François V.* (* 1588, † 1650) wurde 1622 Herzog und Pair.
1) François VI., Duc de L. R., Prince de **Marcillac,** franz. Schriftsteller, * Paris 15. 12. 1613, † das. 17. 3. 1680, war Gegner Richelieus und Anhänger der Fronde. Mit seinen ›Réflexions ou sentences et maximes morales‹ (1665 u. ö.; dt. v. E. Hardt, von F. Schalk und J. Schmidt, 1961) schuf er den Aphorismus französ. Prägung. Neu war darin die Erkenntnis der vielartigen Täuschungen, mit denen der Mensch seine Interessenmotive durch scheinhafte ethische Werte verschleiert. Seine ›Memoiren‹ (1662) sind neben denen des Kardinals Retz das bedeutendste literar. Denkmal der Fronde.
2) François Alexandre Frédéric, Herzog von **L.-Liancourt,** Philanthrop, * La Roche-Guyon 11. 1. 1747, † Paris 27. 3. 1827, gründete auf seinem Landgut Liancourt (Dep. Oise) eine Musterschule für arme Soldatenkinder. Nach der Gefangennahme des Königs (1792) floh er nach England. Unter dem Eindruck eines Aufenthaltes in den USA (1795–98) trat er für Gefängnisreform und Abschaffung der Todesstrafe ein.

La Rochelle [-rɔʃɛl], →Rochelle.

La Rocque [larɔk], Casimir de, franz. Politiker, * Lorient (Dep. Morbihan) 6. 10. 1886, † 28. 4. 1946, Oberst, gründete 1928 den Verband der ›Feuerkreuzler und nach dessen Verbot (1936) die franz. Sozialpartei; trat für eine autoritäre Regierung ein, unterstützte die äußerste Rechte, lehnte aber 1937 ein Zusammengehen mit Doriot und später mit der Kollaboration ab.

Larousse [-rus], Pierre Athanase, Verleger, * Toucy an der Yonne 23. 10. 1817, † Paris 3. 1. 1875, gab in seinem Verlag den ›Grand dictionnaire universel du XIXᵉ siècle‹ heraus (15 Bde., 1864–76), dem viele weitere enzyklopäd. Nachschlagewerke folgten.

Larra y Sánchez de Castro, Mariano José de, span. Schriftsteller, * Madrid 24. 3. 1809, † (Selbstmord) das. 13. 2. 1837, wurde bekannt durch seine mit Figaro unterzeichneten Kritiken und Skizzen über polit., gesellschaftl. und literar. Gegenstände.

Larra'ona, Arcadio, Kurienkardinal (1959), * Oteiza de la Solana (Prov. Navarra) 13. 11. 1887, Clarentiner, wurde 1950 Sekretär der Religionskongregation, 1961 Großpaenitentiar, 1962–68 Präfekt der Ritenkongregation.

Larr'eta, Enrique, argentin. Schriftsteller, * Buenos Aires 4. 3. 1875, † das. 6. 7. 1961, schrieb Erzählungen, Dramen, Essays und Lyrik; bedeutend ist sein Historienroman ›La gloria de Don Ramiro‹ (1908; dt. Versuchungen des Don Ramiro, 1929; Don R. 1958).

Larrey [larɛ], Jean Dominique, Baron, franz. Militärwundarzt, * Beaudéan (Südfrankreich, Dep. Hautes Pyrénées) 8. 7. 1766, † Lyon 1. 8. 1842, Chef des Sanitätswesens in den Feldzügen Napoleons, reformierte Kriegschirurgie und Verwundetenfürsorge.

L'Arronge [larɔ̃ʒ], Adolf, Dramatiker und Theaterdirektor, * Hamburg 8. 3. 1838, † Kreuzlingen bei Konstanz 25. 5. 1908. war 1874–78 Direktor des Breslauer Lobetheaters, 1883–94 des von ihm mitgegr. Dt. Theaters in Berlin, schrieb Volksstücke und Possen: ›Mein Leopold‹(1873), ›Hasemanns Töchter‹(1877).

Larsa(m), heute *Senkere*, meist gleichgesetzt mit dem bibl. *Ellasar* (1. Mos. 14, 1;9), antike Stadt in Südbabylonien. Die bis ins 4. Jahrtausend v. Chr. zurückreichende Stadt, in der der Sonnengott verehrt wurde, war bedeutend in der altbabylon. Zeit (1950–1700 v. Chr.). Der letzte König von L., Rimsin, wurde um 1700 v. Chr. von →Hammurabi von Babylon besiegt; dann war L. Verwaltungszentrum für Südbabylonien. Um 650 v. Chr. restaurierte Nabonid, der letzte babylon. König, das Hauptheiligtum Ebabbar.

L'arsson, Carl, schwed. Maler, * Stockholm 28. 5. 1853, † Sundborn bei Falun 22. 1. 1919, bekannt durch Buchausgaben seiner Aquarelle (Ett Hem, 1899; dt. Das Haus in der Sonne, 1909).

Lartet [-tɛ], Édouard, franz. Vorgeschichtsforscher, * St-Guiraud (Dep. Gers) 15. 4. 1801, † Seissan (Dep. Gers) 28. 1. 1871, seine Grabungen 1860–65 erbrachten den Beweis für die Existenz des eiszeitlichen Menschen.

L'art pour l'art [la:r pur la:r, franz. ›Die Kunst für die Kunst (um der Kunst willen)‹], eine von V. Cousin (1836) formulierte Forderung, mit der man die im 19. Jh. verbreitete Überzeugung von der Eigengesetzlichkeit der Kunst zu bezeichnen pflegt, am entschiedensten von Gautier verfochten. Dichter und Künstler wie Baudelaire, Flaubert, die Brüder Goncourt, Cézanne, Manet, Wilde, der Kreis um Stefan George bekannten sich zu ihr.

La Rue [la ry], Pierre de, niederländ. Komponist, † Kortrijk 20. 11. 1518, Meister der Niederländ. Schule: Messen, Motetten, weltl. Chansons.

Larve [lat. Lw.; spätes MA.], 1) Gesichtsmaske, →Maske. 2) jugendliches, meist noch nicht fortpflanzungsfähiges Tier, das in seiner Gestalt wesentlich von den geschlechtsreifen Formen abweicht. Larvenformen sind bei den Insekten Raupe, Engerling, Made, bei den meisten Lurchen die Kaulquappe (BILD Frösche), beim Neunauge der Querder. Über Umwandlungen der L. bei Insekten, →Häutung, →Puppe.

Larventaucher, der Seevogel Papageitaucher (→Alke).

L'arvik, Hafenstadt in Norwegen am Eingang zum Oslofjord, mit (1970) 10400 Ew.; Schwefelbad und Herstellung von Tafelwasser.

L'arynx [griech.] *der*, →Kehlkopf. **laryngeal**, auf den Kehlkopf bezüglich. **Laryngologie**, Lehre vom Kehlkopf und seinen Krankheiten. **Laryngoskop**, der →Kehlkopfspiegel.

La Sale [la sal], Antoine de, franzôs.

Schriftsteller, * 1385/86, † um 1464, Gelehrter und Erzieher, zuletzt am Hof von Burgund, stellte in dem Roman ›Le petit Jehan de Saintré‹ (1456, neu hg. 1926/27) ironisch die Erziehung zum vollkommenen Ritter dar.

La Salle [lasal], 1) Jean Baptiste de, Stifter der christl. Schulbrüder, * Reims 30. 4. 1651, † Rouen 7. 4. 1719, war Domherr in Reims. Heiliger; Tag: 15. 5.

2) René Robert Cavelier, Sieur de, franz. Seefahrer, * Rouen 21. 11. 1643, † (ermordet) Texas 20. 3. 1687, ging 1666 nach Kanada, entdeckte auf der Suche nach der Nordwestpassage die Großen Seen, befuhr den Ohio und Mississippi bis zur Mündung. Das Land nahm er am 9. 4. 1682 für Frankreich in Besitz und nannte es Louisiana.

Las'anius, altertüml. Fischform aus dem Devon, den heutigen Rundmäulern verwandt (TAFEL Geolog. Formationen II, 35).

Lasaulx [las'o], Ernst von, Geschichtsphilosoph, * Koblenz 16. 3. 1805, † München 10. 5. 1861, Prof. in Würzburg und München; seine Ansichten über Kulturblüte und Verfall haben u. a. Spengler beeinflußt.

Lasca, II L., →Grazzini.

Las C'asas, Fray Bartolomé de, span. Geistlicher und Geschichtsschreiber, * Sevilla 1474, † Madrid 31. 7. 1566, Dominikaner, kämpfte gegen die Versklavung und Mißhandlung der Indianer durch die span. Konquistadoren und erreichte durch seinen Einfluß am span. Hof einen gesetzl. Indianerschutz in allen neueroberten Gebieten.

WERKE. Historia General de las Indias (zuerst hg. 1875/76; neue Ausg. nach dem Originalmanuskript, 3 Bde., Mexico 1951). Kurzgefaßter Bericht von der Verheerung der Westindischen Länder (1966).

Larve: 1 a *Gabelschwanz mit* b *Larve (Raupe) und* c *Puppe im geöffneten Kokon.* 2 a *Flußneunauge, etwa 50 cm lang,* b *Larve (Querder), etwa 18 cm lang*

Las Cases [laskɑ:z], Emmanuel, Graf (seit 1810), Marquis de **Caussade**, * Schloß L. C. bei Revel (Languedoc) 1766, † Passy-sur-Seine 15. 5. 1842, war Seeoffizier, kämpfte 1792 im Emigrantenkorps Condés, lebte dann bis 1799 in England. Durch seinen ›Atlas historique‹ wurde Napoleon I. auf ihn aufmerksam und ernannte ihn 1809 zum Kammerherrn. L. C. weilte 1815/16 bei Napoleon auf St. Helena, der ihm einen Teil seiner Memoiren diktierte (Mémorial de Sainte-Hélène, 8 Bde., 1822/23).

Lascaux [lasko], eine Höhle bei Montignac (Dordogne, Südfrankreich) mit den besterhaltenen altsteinzeitl. Felsmalereien (FARBTAFEL Altsteinzeit I).

Lasche [mhd.], 1) Verbindungsstück zweier stumpf aneinanderstoßender Konstruktionsstücke (z. B. Eisenbahnschienen), meist Flachstahlstück, das mit Schrauben oder Nieten befestigt wird. 2) Zunge am Schnürschuh.

Lase [mitteld., aus Laßkanne, Kanne mit Ausguß] *die*, Henkelkrug mit Schnauze.

Lasen, zu den →Khartweliern gehörender kaukas. Volksstamm.

L´aser [engl. Kw.], →Lichtverstärker.

Laserkraut, 1) *Laserpitium*, staudige Doldenblütergattung in Mitteleuropa, so *breitblättriges L.* (L. latifolium), würzig, bis 1,5 m hoch, mit großen Blattscheiden und bis 20 cm breiten weißen Blütendolden, in lichten Gehölzen, auf trockenen Bergwiesen. 2) *Thapsia garganica* und *Thapsia silphium*, hochstaudige Doldenblüter der südl. Mittelmeerküste, homöopath. Heilkräuter.

Lashio, Stadt in Mittel-Birma, nordöstl. von Mandalay, mit rd. 8000 Ew., Endpunkt und Ausgangspunkt der Birmastraße nach China.

las´ieren, Farbe oder Lack so dünn auftragen, daß der Grund oder eine Untermalung durchscheint (→Lasurfarben).

Läsi´on [lat. laesio], Verletzung.

Lask, Emil, Philosoph, * Wadowice b. Krakau 25. 9. 1875, † (gefallen) Galizien 26. 5. 1915, Prof. in Heidelberg, Schüler H. →Rickerts.

L´askaris, Konstantinos, byzantin. Grammatiker, * 1434, † an der Pest Messina 1501, lehrte in Mailand, Rom, Neapel und Messina die griech. Sprache. Seine griech. Grammatik, die ›Erotemata‹ (Mailand 1476), soll der früheste griech. Druck sein.

Lasker, 1) Eduard, Politiker, * Jarotschin (Posen) 14. 10. 1829, † New York 5. 1. 1884, seit 1867 MdR, bis 1881 der einflußreiche Führer des linken Flügels der Nationalliberalen, war Gegner der Bismarckschen Schutzzollpolitik.
2) Emanuel, Schachmeister, * Berlinchen 24. 12. 1868, † New York 13. 1. 1941, war 1894–1921 Weltmeister; schrieb: Lehrbuch des Schachspiels (1925), Brettspiele der Völker (1928), Gesunder Menschenverstand im Schach, bearb. v. W. Lauterbach (1895; 1961).

Lasker-Schüler, Else, Schriftstellerin, * Wuppertal-Elberfeld 11. 2. 1869, † Jerusalem 22. 1. 1945, war befreundet mit P. Hille, G. Trakl, Th. Däubler, G. Benn, F. Werfel, K. Kraus; emigrierte 1933 nach Jerusalem. L. schrieb Gedichte, Dramen und Erzählun-

gen. Ihrer Dichtung ist eine schwärmerisch-visionäre Atmosphäre eigen. Sie war Vorläuferin, Repräsentantin und Überwinderin des literarischen Expressionismus.
WERKE. Gesamtausg., 10 Bde. (1919/20), Dichtungen und Dokumente, Auswahl (1951), Gesammelte Werke, 3 Bde. (1959–61), Sämtliche Gedichte (1966).
LIT. W. Kraft: E. L.-S. (1951); E. Aker: E. L. (Diss. 1957); K. Schümann: Im Bannkreis von Gesicht und Wirken (1960).

Laski, 1) [l´æski], Harold J., engl. Staatswissenschaftler, * Manchester 30. 6. 1893, † London 24. 3. 1950, entwickelte die Theorie des pluralist. Staates; war Mitgl. des Unterhauses und von Juli 1945 bis Juni 1946 Vorsitzender der Labour Party.
2) Johannes, Theologe, * Lask 1499, † Pinczow 8. 1. 1560, war erst kath. Geistlicher, schloß sich dann der schweizer. Reformation an, übernahm die Leitung der reformierten Gemeinden in Emden, das er zu einem ›nordischen Genf‹ umzugestalten suchte. Er schuf die große Fassung des *Emdener Katechismus* (1546), der die calvinist. Lehre ohne die Prädestination vertrat.

Læsø, dän. Insel im Kattegat, von Mooren und Heide durchzogen, 113 qkm groß, mit 3400 Ew.

Lassalle [lasal], Ferdinand, Gründer der sozialdemokrat. Bewegung in Dtl., * Breslau 11. 4. 1825, † (im Duell) Genf 31. 8. 1864, studierte 1842–45 in Breslau und Berlin Philologie, Geschichte und Philosophie. 1845 lernte er in Paris die Lehre Louis Blancs kennen. Nach seiner Rückkehr vertrat er die Gräfin Sophie →Hatzfeldt in ihrem Scheidungsprozeß. Politisch zeigte er sich als radikaler Demokrat und arbeitete an der ›Neuen Rheinischen Zeitung‹ mit, die Karl Marx herausgab. Im Mai 1849 wurde er wegen Aufreizung gegen die Staatsgewalt angeklagt und freigesprochen, bald erneut angeklagt und zu 6 Monaten Gefängnis verurteilt. In den 50er Jahren nahm L. seine wissenschaftl. Studien wieder auf, er schrieb ein ›Werk über ›Die Philosophie des Herakleitos‹ (2 Bde., 1858). 1859 brachte er in einem Drama ›Franz von Sickingen‹ nationale Stimmungen zum Ausdruck.

Bei Ausbruch des Krieges von Frankreich und Piemont gegen Österreich (1859) verfaßte L. die Flugschrift ›Der italienische Krieg und die Aufgabe Preußens‹, wobei er die Auffassung verfocht, daß Preußen den Krieg ausnutzen und durch krieger. Vorgehen die dt. Einheit unter Ausschluß Österreichs herbeiführen solle. 1861 veröffentlichte er eine rechtsphilosoph. Werk ›Das System der erworbenen Rechte‹ (2 Bde., 1861, ²1880).

Zur Kritik der Liberalen äußerte er in Vorträgen, Verfassungsfragen seien nicht Rechts-, sondern Machtfragen, der deutschen Fortschrittspartei riet er zum Parlamentsstreik. Ein Vortrag ›Über den besonderen Zusammenhang der gegenwärtigen Geschichtsperiode mit der Idee des Arbeiterstandes‹ entwickelte sozialist. Gedankengänge und verursachte L.s Verurteilung wegen Aufreizung zum Klassenhaß, in zweiter Instanz zu einer Geldstrafe. Seine Verteidigungsreden, als Broschüren erschienen, beschäftigten sich mit Problemen der Arbeiterschaft.

L.s Stellung zur Arbeiterfrage brachte ihn in Fühlung mit den dt. Arbeitervereinen. Ein Komitee in Leipzig forderte ihn im Febr. 1863 auf, ein Programm für einen allgem. dt. Arbeiterkongreß zu entwerfen. L. entwickelte daraufhin in einem »Offenen Antwortschreiben« sein sozialist. Programm. Er vertrat den Gedanken des Ehernen Lohngesetzes, das sich auf die Lohntheorien Ricardos stützte, verlangte die Beteiligung der Arbeiter an der Produktion und den Aufbau von »Produktivassoziationen« der Arbeiter, denen der Staat den nötigen Kredit geben sollte, forderte die Beseitigung des preuß. Dreiklassenwahlrechts und das allgemeine und gleiche Wahlrecht. Der Leipziger Arbeiterkongreß übernahm das Programm L.s und gründete am 23. 5. 1863 den »Allgemeinen Deutschen Arbeiterverein«, die erste Parteibildung der →Sozialdemokratie in Dtl. L. wurde zum Präsidenten gewählt. K. Marx zog sich seit Juni 1863 von L. zurück.

Auf dem Höhepunkt des Verfassungskonflikts bot L. Bismarck ein Bündnis gegen das liberale Bürgertum an, wobei bes. an ein allgem. und gleiches Wahlrecht gedacht wurde. Während Bismarck hierbei mit den Stimmen der Bauern rechnete, die konservativ wählten, meinte Lassalle die Stimmen der Arbeiter. Im Gegensatz zu Karl Marx war L. durchaus bereit, den Staat anzuerkennen; er erhoffte eine Art sozialen Königtums. Er bejahte die nationale Einheitsbewegung und war kein radikaler Anhänger des Klassenkampfgedankens. Sein eigentlicher Kampf galt dem liberalen Bürgertum und vor allem Schulze-Delitzschs Genossenschaften. Trotz unermüdlicher Agitation gelang es L. nicht, große Teile des entstehenden Arbeiterstandes organisatorisch zusammenzufassen. Die durch die Verhandlungen mit Bismarck geschaffenen Ansätze eines Zusammengehens der entstehenden Arbeiterbewegung mit der bestehenden Staatsgewalt wurden nicht weiter verfolgt.

WERKE. Briefe an Rodbertus (1878), Briefe an Marx und Engels (1902), Vollständige Gesamtausg., hg. von E. Bernstein, 12 Bde. (1919/20), Nachgelassene Briefe und Schriften, hg. von G. Mayer, 6 Bde. (1921–25), G. Mayer: Bismarck und L. Ihr Briefwechsel und ihre Gespräche (1928), Reden und Schriften (1970). LIT. G. Mayer: L. als Sozialökonom (1894); E. Bernstein: F. L. und seine Bedeutung für die Arbeiterklasse (²1919); D. Fortman: F. L. (London 1946); Th. Ramm: F. L. als Rechts- und Sozialphilosoph (1953); H. Oncken: L. zwischen Marx und Bismarck (⁵1966).

Laßberg, Joseph Freiherr von, Germanist, * Donaueschingen 10. 4. 1770, † auf Schloß Meersburg 15. 3. 1855, war mit einer Schwester von Annette v. Droste-Hülshoff verheiratet. Seine Sammlungen altdt. Schriften befinden sich in der fürstenberg. Bibliothek zu Donaueschingen. L.s ›Liedersaal‹ (4 Bde., 1820–25) enthält u. a. einen Abdruck der von ihm erworbenen Handschrift C des Nibelungenlieds.

Lassen, mlat. *Lassi,* im MA. bes. die wendischen Hörigen (→Lite).

Lassen, Christian, norweg.-dt. Indologe, * Bergen · 22. 10. 1800, † Bonn 8. 5. 1876, seit 1830 Prof. in Bonn, der Gründer der ind. Altertumswissenschaft in Deutschland. WERKE. Zur Gesch. der griech. und indoskythischen Könige in Baktrien, Kabul und Indien (1838), Indische Alterthumskunde, 4 Bde. (1844–62; Bd. 1 und 2, ²1867–73).

Lassen Peak [l'æsn pi:k], tätiger Vulkan im Kaskadengebirge der USA, 3181 m hoch.

L'assing, rechter Nebenfluß der Erlauf in den niederösterreich. Kalkalpen (**Lassingalpen**), bildet den 90 m hohen **Lassingfall** (Kraftwerk).

läßliche Sünde, in der kathol. Theologie eine Sünde, die mangels sachlicher Gewichtigkeit, klarer Einsicht oder voller Freiwilligkeit nicht, wie die →Todsünde, zum Verlust der heiligmachenden Gnade führt.

L'asso [span.] *der* oder *das,* Wurfriemen oder -strick, 10–15 m lang, mit leicht zusammenziehbarer Schlinge, die über ein Jagdtier geworfen wird.

L'asso, Orlando di, Orlandus de **Lassus,** niederländ. Komponist, * Mons (Hennegau) 1530 oder 1532, † München 14. 6. 1594, leitete seit 1560 die Hofkapelle in München. L. war neben Palestrina der berühmteste Komponist des 16. Jhs. Er beherrschte den kontrapunktischen Stil der Niederländer, suchte ihn aber mit der harmonischen Stimmführung Palestrinas zu verbinden, vor allem in seinen Messen, und vereinigte in seinen Motetten, Madrigalen und dt. Liedern virtuose Kontrapunktik und musikalischen Symbolismus mit vielfach chromatischer Harmonik. Von seinen geistl. Kompositionen haben die freien, nicht über eine kirchliche Weise gearbeiteten Motetten bis weit ins 17. Jh. gewirkt. L. gilt als letzter großer universaler Musiker, der das musikalische Idiom der europäischen Nationen beherrschte. – Gesamtausg. von Haberl und Sandberger (seit 1894).

LIT. E. Schmitz: Orlando di L. (1915); Ad. Sandberger: O. di L. und die geistigen Strömungen seiner Zeit (1926); J. Huschke in: Arch. f. Musikforschung, 5 (1940).

Lasson, Georg, * Berlin 13. 7. 1862, † das. 2. 12. 1932, Pfarrer in Berlin, gab die Leipziger Ausgabe von Hegels sämtl. Werken (18 Bde., seit 1907) sowie das Hegel-Archiv heraus.

WERKE. Hegel als Geschichtsphilosoph (1920, ²1922), Einf. in Hegels Religionsphilosophie (1930).

L'aßwitz, Kurd, Philosoph und Schriftsteller, * Breslau 20. 4. 1848, † Gotha 17. 10. 1910, Gymnasiallehrer in Ratibor, Gotha, stand dem Neukantianismus nahe (Gesch. d. Atomistik, 2 Bde., ²1926); Klassiker des technisch-utopischen Romans (Auf zwei Planeten, 2 Bde., 1897).

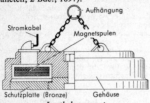

Lasthebemagnet
(teilw. im Schnitt dargestellt)

Lastad'ie, auch **Last'adie** [wohl aus ahd. ladastat ›Ladeplatz‹ *die,* 1) Schiffsfracht. 2) Ladeplatz eines Schiffes im Hafen.

Lasten, *rechtlich:* Leistungen, die aus einer Sache selbst zu entrichten sind und deren Nutzwert mindern.

Lastenausgleich, 1) der horizontale →Finanzausgleich. 2) in der Bundesrep. Dtl. nach dem 2. Weltkrieg der Vermögensausgleich zwischen den durch die Kriegs- und Nachkriegsereignisse Geschädigten und denen, die ihren Besitzstand ganz oder überwiegend bewahrt haben (Ges. v. 14. 8. 1952, mit zahlreichen Änderungen). Zur Durchführung werden Ausgleichsabgaben erhoben (→Vermögensabgabe, →Hypothekengewinnabgabe, →Kreditgewinnabgabe), die dem →Ausgleichsfonds zufließen. Die aufkommenden Mittel sind streng zweckgebunden, d. h. sie dürfen nur zur Finanzierung der →Ausgleichsleistungen (→Hauptentschädigung, →Kriegsschadenrente, →Eingliederungsdarlehen u. a.) verwendet werden. Dem L. unterliegen Vertreibungs-, Kriegssach-, Ost- und Sparerschäden (→Altsparguthaben); Vertreibungs-, Kriegssach- und Ostschäden sind nach dem Feststellungsges. v. 14. 8. 1952 festzustellen. Zur Durchführung des L. wurde das Bundesausgleichsamt errichtet; die Verwaltung in den Ländern liegt bei den Landesausgleichsämtern, in den Stadt- und Landkreisen bei den örtl. Ausgleichsämtern.

Am 8. 8. 1949 wurde das *Soforthilfegesetz* erlassen, das eine vorläufige Vermögensabgabe festlegte und vorläufige Leistungen an Geschädigte vorsah. – Im Rahmen des L. (mit Soforthilfe) wurden (bis 31. 12. 1972) 80,09 Mrd. DM ausbezahlt, bes. zur Förderung des Wohnungsbaus, als Renten und Hausratentschädigung. Der Endtermin für die Hauptentschädigung ist der 31. 3. 1979.

Lastensegler, Lastengleiter, Gleitflugzeug zur Beförderung von Truppen und Lasten, das von Motorflugzeugen geschleppt wird, aber selbständig landet.

Lasterkataloge, im N. T. die Aufzählungen von sittlichen Verfehlungen, z. B. Röm. 1,

29 ff. Solche Sündenregister sind bereits aus dem A. T. und der stoischen Literatur bekannt.

Lasthebemagnet, Hebemagnet, Hubmagnet, Gerät zum Heben von Eisen in jeder Form. Durch Einschalten eines Stromes wird über eine Magnetspule ein Elektromagnet erregt, der die Last (bis 20 t) aufnimmt und durch Ausschalten absetzt. Ein *Magnetgreifer* ist eine Vereinigung eines Greifers mit einem L. zum Aufnehmen von Schrott und Spänen. Verwendung bes. in Stahl- und Hüttenwerken.

Lastigkeit eines Schiffes, ursprüngl. die Ladefähigkeit, heute meist der →Trimm.

L'astman, Pieter, holländ. Maler, *Amsterdam 1583, † das. (begraben) 4. 4. 1633, bildete sich in Rom unter dem Einfluß von Elsheimer und Caravaggio, dessen Helldunkelmalerei er seinem Schüler Rembrandt vermittelte. Er malte biblische und mythologische Bilder.

last, not least [lɑːst nɔt liːst], Letzter (oder Letztes), [doch] nicht Geringster (oder Geringstes), engl. Redewendung, bes. durch Shakespeare (Julius Cäsar 3, 1; Lear 1, 1) bekannt geworden.

Lastrohr, ein Transportbehälter für Massengüter auf 2 →Drehgestellen: entweder ein runder Behälter, der durch Drehen entleert wird, oder 2 nebeneinanderliegende gekuppelte Teile, die nach den Seiten kippen. Nutzlast jeweils 50 t.

Lastrohrfloß, ein floßartiger Verband aus neben- und hintereinander gekuppelten röhrenförmigen Behältern (meist Stahlröhren), zur Beförderung von Massengütern auf Binnenwasserwegen *(Westphal-Floß).*

L'astrup, Gemeinde im Kr. Cloppenburg, Niedersachsen, mit (1973) 5400 Ew; Ind.

Lästryg'onen, Laistrygonen, *griech. Mythologie:* menschenfressende Riesen, durch die Odysseus seine ganze Flotte bis auf das eigene Schiff verlor.

Lastschrift, Buchung einer Forderung zu Lasten des Schuldners.

Lastverteiler, bei der Elektrizitätsversorgung die Stelle, die die Verteilung der Belastung auf die Kraftwerke bestimmt.

Las'urfarben, Farben, die im Gegensatz zu den Deckfarben die Eigenfarbe des Untergrundes durchscheinen lassen.

Las'urstein, Lapisl'azuli, ein Schmuckstein, Gemenge des blauen Minerals *Lasurit* mit anderen Mineralien, wie Diopsit, Tremolit, Glimmer, Kalkspat, Pyrit. Lasurit ist ein schwefel- und chlorhaltiges Silikat von Tonerde, Natrium und Kalzium. Er wird meist als Halbedelstein betrachtet (FARB-TAFEL Edelsteine, 11).

Las V'egas, Stadt, →Vegas, Las.

lasz'iv [lat.], schlüpfrig, wollüstig.

László [l'aːslo:], Fülöp Elek, ungar. Maler, * Budapest 30. 4. 1869, † London 22. 11. 1937, beliebter Bildnismaler.

Lat, 1922–39 die Münzeinheit Lettlands, entsprach dem franz. Goldfranken; 100 Santim (Centimes) bildeten ein Lat.

Latac'unga, Hauptstadt der Prov. Cotopaxi, Ecuador, 2800 m ü. M., mit rd. 20000 Ew.

La Taille [la tajl], Jean de, franz. Dramatiker, Hugenotte, * um 1540, † 1611, vertritt im Vorwort (›De l'art de la tragédie‹) zu seiner antikisierenden Renaissance-Tragödie ›Saul le furieux‹ (1572) zum ersten Mal im franz. Drama die klass. Forderung nach Einheit des Ortes für den Handlungsablauf.

Latak'ia, Ladikije, franz. **Lattaquié,** das antike *Laodicea,* Hauptstadt und Hafen der Provinz L. in Syrien, mit (1970) 125700 Ew.

Lat'anie die, *Latania,* Fächerpalmengattung der Maskarenen und der ostafrikan. Küste. Die als Zierpflanzen gebräuchlichen Arten heißen z. T. *Livistonen.*

Laet'are [lat ›freue dich‹], der dritte Sonntag vor Ostern, nach seinem mit Jes. 66, 10 beginnenden Eingangsgesang; auch *Rosensonntag,* weil an diesem Sonntag der Papst die Goldene Rose weiht. Zu L. findet mancherorts das ›Todaustragen‹ statt, wobei eine Strohpuppe herumgeführt und später verbrannt wird (Wintervertreiben).

Lat'ein [zu Latiner] *das,* die Sprache der alten Römer (→lateinische Sprache).

Lat'einamerika, Ib'eroamerika, das von den roman. Völkern der Iberischen Halbinsel kolonisierte Süd- und Mittelamerika (mit Mexiko); es besteht sprachlich aus dem größeren span. *Hispano-Amerika* und dem kleineren portugies. Teil (Brasilien).

GESCHICHTE. Nachdem Kolumbus 1492 die Antillen (Westindien) entdeckt hatte, unterwarfen die span. Konquistadoren im 16. Jh. den größten Teil L.s; die Höhepunkte waren die Eroberung des Aztekenreichs in Mexiko durch Cortez 1519–21 und des Inkareichs in Peru durch Pizarro 1531–33. In Brasilien setzten sich seit 1500 die Portugiesen fest. Die Indianer wurden unterdrückt, z. T. sogar ausgerottet. Für die trop. Pflanzungswirtschaft wurden viele afrikan. Negersklaven eingeführt. Im Laufe des 17. Jhs. verloren die Spanier den größten Teil Westindiens mit Guayana an die Engländer, Franzosen und Holländer. Gegen ›die strenge polit. und wirtschaftl. Abhängigkeit vom span. Mutterland erhoben sich 1810 die Kreolen; geführt von Bolívar, San Martin u. a. erfochten sie in langen und blutigen Kämpfen bis 1824 auf dem ganzen Festland ihre Unabhängigkeit. 1822 befreite sich Brasilien von Portugal. Es bewahrte die staatl. Einheit und noch jahrzehntelang ein eigenes Kaisertum, während das bisher spanische Amerika in eine große Zahl selbständiger Freistaaten zerfiel, die immer wieder von heftigen Partei- und Rassenkämpfen heimgesucht wurden. Trotz der inneren Wirren erlebte L., bes. Argentinien, Brasilien und Chile, durch Eisenbahnbau, Zustrom fremden Kapitals und europ. Neueinwanderung seit dem letzten Drittel des 19. Jhs. einen großen wirtschaftl. Aufschwung. Der wirtschaftl. Einfluß der USA war mit imperialist. Tendenzen verbunden. Im Namen der Monroedoktrin beanspruch-

ten sie eine panamerikan. Vormachtstellung. Ihr Übergewicht wirkte sich aus bes. gegenüber Mexiko und seit dem siegreichen Krieg von 1898 gegen Spanien, das seine letzten amerikanischen Kolonien, Kuba und Puerto Rico, einbüßte, gegenüber den kleinen mittelamerikan. Staaten (Kuba, Haiti, Panama, Nicaragua). Mehrere Staaten L.s schlossen sich Anfang 1960 zu einer Freihandelszone zusammen. Von den zahlreichen Umsturzbewegungen in L. wirkte das Fidel Castros (Kuba) sich weithin aus. Der Versuch Allendes in Chile, eine sozialist. Gesellschaftsordnung zu verwirklichen, scheiterte.

LIT. W. Frh. v. Schoen: Gesch. Mittel- und Südamerikas (1953); W. Grabendorff: L. – wohin? (1970).

Lateinamerikanische Freihandelszone, span. *Asociación Latinoamericana de Libre Comercio,* abgek. **ALALC,** engl. *Latin American Free Trade Association,* abgek. **LAFTA,** Sitz Montevideo, eine 1960 geschaffene Freihandelszone lateinamerikan. Staaten: Argentinien, Bolivien, Brasilien, Chile, Ecuador, Kolumbien, Mexiko, Paraguay, Peru, Uruguay, Venezuela.

Lateinische Kirche, der Teil der →Katholischen Kirche, der den lateinischen Ritus befolgt. Sie umfaßt heute die latein. Kirchen Europas, d. h. die Kirchen, denen gegenüber die gesamtkirchliche geht. Oberhoheit des Bischofs von Rom äußerlich auch als patriarchale gedeutet werden kann, die kathol. Missionskirchen und die aus der neuzeitl. kathol. Mission entstandenen außereuropäischen Kirchen.

GESCHICHTE. Die Kirchenverfassung entwickelte sich in enger Anlehnung an die polit. Einteilung des röm. Reiches. Schon im 3. Jh. läßt sich deutlich die Übernahme der staatl. Provinzeinteilung durch die Kirche erkennen, so daß im 4. Jh. der Bischof der Provinzialhauptstadt von Rechts wegen der Metropolit der Kirchenprovinz ist; mit dem Aufstieg Konstantinopels neben Rom bildet sich zugleich, auch schon am Ende des 4. Jhs., die Rechtsüberzeugung, daß die Bischöfe der beiden Kaiserstädte den Vorrang in der Gesamtkirche haben. Damit trat in einer einzigen Entscheidung sowohl die Entwicklung einer eigenen Orientalischen Kirche grundgelegt wie die L. K. als in sich geschlossene Einheit konstituiert. Sie war verfassungsmäßig die unter dem Bischof von Rom als dem Patriarchen des Abendlandes stehende Kirche, geographisch-politisch die Kirche der westlichen Reichshälfte (Italien, Gallien, Spanien, Nordafrika), geistig-kulturell die im Ritus, in der theolog. Haltung und in der dogmat. wie rechtl. Entwicklung zum röm.-latein. Kulturkreis gehörende Kirche.

Die Trennung beider Kirchen hätte nur verhindert werden können, wenn entweder der Bischof von Rom oder der von Konstantinopel zum allgemein anerkannten ersten Bischof der Kirche im Rechtssinn geworden wäre. Keiner von beiden hat dieses

Ziel erreicht; der von Konstantinopel ist nach gelegentlichen Versuchen mit seinem Anspruch bei der rechtlich unklaren Regelung des 4.–5. Jhs. stehengeblieben, der von Rom hat seinen Anspruch auf den Jurisdiktionsprimat folgerichtig ausgebaut (→Papst), aber gegenüber der Orientalischen Kirche nicht durchzusetzen vermocht. Die formelle Trennung, schon im ausgehenden Altertum beginnend, im Frühmittelalter immer deutlicher werdend, ist seit 1054 vollendet (→Schisma).

Mit dem Zusammenbruch des weström. Reiches, der Begründung der german. Einzelstaaten auf seinem Boden und der von den Franken unter Chlodwig begonnenen Hinwendung der Germanen zum kathol. Christentum entwickelte sich die neue Form der (fränkischen, spanischen, später auch britischen) Nationalkirche. Die L. K. war nunmehr bis ins 11. Jh. eine Verbindung von Nationalkirchen ohne reale kirchliche Zentralgewalt. Erst die gregorianische Reform hat mit der Neubildung einer latein. Gesamtkirche unter dem Papst begonnen; unter Innozenz III. war das Werk so weit vollendet und so fest verwurzelt, daß seitdem die L. K. auch eine rechtliche Einheit war und blieb. Die Begründung dieser Einheit im Primat des Bischofs von Rom wurde zwar durch den Konziliarismus noch einmal gefährdet, dem das große abendländ. Schisma (1378 bis 1417) zu einem vorübergehenden Sieg im Konzil von Konstanz (1414–18) verhalf. Seitdem aber ist der römische Primat innerhalb der L. K. nicht mehr wirksam angefochten worden.

Diese Rechtseinheit der L. K. war schon im Altertum und frühen Mittelalter durch die Hinnahme der Trennung von der Orientalischen Kirche erkauft worden. In ähnlicher Weise entschied sich die L. K. auch am Ende des Mittelalters gegen die Reformation für die überkommene Form der Kirchenverfassung. Bis ins 16. Jh. hatte sie sowohl die Einheit der Lehre wie die Unterordnung der ständig andrängenden Kirchenreform unter die Rechtstraditionen zu wahren vermocht. Gegenüber Luthers Neuverkündigung des Evangeliums gelang das nicht mehr, seitdem umfaßt daher die L. K. nicht mehr die abendländ. Christenheit, sondern nur noch deren kathol. Teil.

Lateinische Münzunion, Lateinischer Münzbund, Lateinischer Münzvertrag, 1865 in Paris zw. Frankreich, Belgien, Italien und der Schweiz (1868 Griechenland) abgeschlossener Vertrag über die gleichartige Ausprägung der Gold- und Silbermünzen, 1920 überholt, 1927 gekündigt.

Lateinisches Kaisertum, das von den abendländ. Kreuzfahrern 1204 in Konstantinopel gegründete, bis 1261 bestehende Reich (→Byzantinisches Reich).

lateinische Sprache, die Sprache der Römer in der Antike, ursprünglich überhaupt die Stammessprache der an der Westküste Mittelitaliens siedelnden Latiner. Die l. S. gehört zur Gruppe der indogerman. Sprachen. Sie bildete mit der Mundart von Falerii im südl. Etrurien die latinisch-faliskische Gruppe der →italischen Sprachen. Mit der Ausbreitung der Herrschaft Roms wurde die l. S. zunächst als Verwaltungssprache in alle unterworfenen Länder getragen und verdrängte dort oft die einheimischen Sprachen: zunächst in Italien und auf den Inseln des westl. Mittelmeers, ferner auf der Pyrenäenhalbinsel, in Gallien (Frankreich), zuletzt in Dacien (Rumänien), wo überall heute →romanische Sprachen gesprochen werden.

Man unterscheidet folgende Entwicklungsperioden für die l. S.: 1) *vorliterarische Zeit* bis 240 v. Chr. 2) *altlateinische literar. Periode* 240 bis etwa 100 v. Chr. 3) *klassische (»goldene«) Latinität,* etwa 100 v. Chr. bis etwa 14 n. Chr.: Ausbildung des geschlossenen Satzgefüges (»Periode«) in der Prosa und des klass. Stils in der Dichtung. 4) *»silberne« Latinität,* um 14 bis etwa 120 n. Chr.: übertriebene Rhetorik in der Poesie, bewußtes Aufgeben der klass. Satzgefüges im »Pointenstil«. 5) *archaisierende (altertümelnde) Periode* etwa 120–200 n. Chr. 6) *spätantike Periode* etwa 200–600 n. Chr.: Auseinanderfallen der zunehmend künstlichen, oft verschnörkelten Literatursprache und der Sprache des Volkes, die als *Vulgärsprache* Grundlage der romanischen Sprachen wird. Seit Anfang des 5. Jhs. durch Zeugnisse belegt ist die Wandlung des ursprünglich überall k gesprochenen c vor hellen Vokalen (e, i, y, ae, oe) in einen Zischlaut (ts). Die meisten Lautveränderungen des Vulgärlateins lassen sich als Wirkungen des nachdrücklicher gewordenen Akzents (Vokallängung, Vokalschwund) oder als Erleichterungen schwer sprechbarer Lautverbindungen verstehen. 7) Das *Mittellatein* ist im Mittelalter nach vollzogener Aussonderung der einzelnen roman. Volkssprachen als Verkehrssprachen die unmittelbare Fortsetzung der spätantiken latein. Schriftsprache, in die Vulgarismen einflossen. 8) Im *neulateinischen Zeitalter* der Renaissance und des Humanismus (seit dem 14. Jh.) wurde die l. S. von aller ›Barbarei‹ gereinigt, büßte aber durch starre Festlegung auf die Norm einer fernen Vergangenheit jede Entwicklungsmöglichkeit ein; sie wurde zur toten Sprache.

LIT. *Sprachgeschichte.* F. Stolz und A. Debrunner: Gesch. der l. S. ([4]1966). *Sprachlehren.* H. Schmidt u. O. Wecker: Lat. Sprachlehre ([9]1960); E. Kieckers: Histor. lat. Grammatik, 2 Bde. (1930/31); H. Menge u. A. Thierfelder: Repetitorium der lat. Syntax und Stilistik ([16]1968). *Wörterbücher.* Thesaurus linguae latinae (Leipzig 1900ff., bisher 8 Bde.); Handwörterbücher von K. E. Georges (lat.-dt., 2 Bde., Neudr. 1963, dt.-lat. [8]1966); H. Haas u. R. v. Kienle: Lat.-dt. Wb. (1952); H. Menge u. O. Güthling: Enzyklopäd. Wb. der lat. u. dt. Sprache, 2 Tle. ([16]1967 u. [8]1966); A. Walde und J. B. Hofmann: Lat. etymolog. Wb., 3 Bde. ([4]1966). *Vulgär-, Mittel- und*

Neulatein. Du Cange: Glossarium mediae et infimae latinitatis (Paris, 3 Bde., 1678; letzte Ausg., 7 Bde., 1840–50); Mittellatein. Wb., 4 Bde. (1959 ff.). – M. Krüger u. G. Hornig: Methodik des altsprachl. Unterrichts (²1963).

Lateinschrift, die →Antiqua.

Lateinschulen, im ausgehenden Mittelalter von den Städten gegründete Kloster-, Dom- und Stadtschulen, Vorläufer der höheren Schulen.

Lateinsegel, dreieckiges Rah-Segel auf kleineren Schiffen, bes. im Mittelmeer.

L'atemar, Gruppe der Südtiroler Dolomiten über dem Karer Paß, 2846 m hoch.

La Tène [latɛn], Untiefe am Nordende des Neuenburger Sees (Schweiz), Fundstelle mehrerer jungstein- und bronzezeitlicher Pfahlbauten sowie einer eisenzeitlichen, auf dem festen Lande angelegten Siedlung, nach der die gesamte jüngere Stufe der mitteleurop. Eisenzeit benannt wurde (→Latènezeit).

Latènezeit [latɛn-], der zweite Abschnitt der europ. Eisenzeit, der sich seit etwa 500 v. Chr. in drei Stufen aus der westl. Hallstattkultur entwickelte. Träger der Latènekultur waren die Kelten, deren Siedlungs- und Wirtschaftsweise mit der Anlage stadtartiger Siedlungen (Oppida) die Germanen und die Völker SO-Europas stark beeinflußte. Typisch für die Kunst der L. ist die Ablösung der erzählenden figuralen Darstellungen und des nüchtern-geometrischen Ornaments der Hallstattzeit durch eine magischdynamische Verzierungsweise auf Schmuck und Hausrat. Die Kunst der *frühen* L. steht offensichtlich in Zusammenhang mit den kelt. Italienzügen am Ende des 5. Jhs. Sie übernahm von der italisch-etrusk. Kunst griech. und oriental. Elemente, bes. Pflanzenmotive. Von erstaunlicher Höhe ist die Technik. In der nach dem Grabfund von *Waldalgesheim* benannten Stilperiode hat sich die kelt. Kunst von den klass. Vorbildern gelöst. Die anfangs vereinzelt angeordneten pflanzl. Motive werden nun vielfach miteinander verschmolzen und in flächenfüllende Ornamente aufgelöst. Die oft bizarren Tier- und Menschendarstellungen, die der Frühphase in Anlehnung an den skythischen Tierstil stark östl. Akzente verliehen, treten zurück. In der *mittleren L.* sind Fischblase und Wirbel die beliebtesten Motive. Die Weiterentwicklung im *Spätlatène* vereinfachte und technisierte die Formen.

lat'ent [lat.], verborgen, gebunden. **latentes Bild,** das unsichtbare Bild, das bei Belichtung photograph. Schichten entsteht; es wird durch die Entwicklung sichtbar gemacht. **Latenzzeit,** im Nervengeschehen die Zeit, die zwischen Reiz und Reaktion liegt. **latente Wärme,** die Wärme, die ein Körper beim Übergang vom festen in den flüssigen oder vom flüssigen in den gasförmigen Zustand aufnimmt; sie dient nicht zur Erhöhung der Temperatur. Bei dem umgekehrten Vorgang wird sie wieder frei.

later'al [lat.], seitlich; *Anatomie:* von der Medianebene (Symmetrieebene) eines Lebewesens weg. Gegensatz: medial.

Later'an, päpstl. Palast in Rom, Exklave der Vatikanstadt; steht an der Stelle eines Kaiserpalastes, der ursprüngl. der durch Nero ausgerotteten röm. Familie der Laterani gehört hatte und nach Konstantins Sieg von 312 aus dem Besitz seiner Gattin Fausta an die röm. Kirche überging. Seitdem war der L. bis 1308, wo er durch einen Brand zerstört wurde, die Residenz der Päpste. Sixtus V. ließ durch Fontana den jetzigen L. aufführen (1585–89), der 1693 zum Waisenhaus, 1841 zum Museum umgewandelt wurde. Das Lateran-Museum umfaßt Abteilungen für antike und altchristl. Kunst sowie ein ethnologisches und Missionsmuseum (seit 1926).

Mit dem L. verbunden ist die **Lateranbasilika** (St. Johannes im Lateran), als Kathedrale des Papstes »Mutter und Haupt aller Kirchen«. Sie wurde von Konstantin gegründet und ist mehrfach neu- und umgebaut worden. Die heutige Ausgestaltung des Inneren stammt hauptsächlich von Borromini (um 1647), die spätbarocke Hauptfassade von A. Galilei (1732–35). Mit der Kirche ist das ebenfalls noch konstantinische *Baptisterium* verbunden. Außerhalb des L. liegt die 1308 nicht zerstörte alte Hauskapelle *Sancta Sanctorum;* in deren Vorhalle befindet sich die von Sixtus V. 1589 aus dem L. dorthin übertragene Hl. Treppe *(Scala santa),* 28 Marmorstufen, die nach der Legende aus dem Palast des Pilatus zu Jerusalem stammen, auf denen also Jesus zum Verhör hinaufgestiegen wäre.

Later'ankonzilien, Lateransynoden, die im Lateranpalast abgehaltenen päpstl. Konzilien, von denen 5 (1123, 1139, 1179, 1215, 1512–17) zu den →Ökumenischen Konzilien gehören.

Later'anverträge, die am 11. 2. 1929 im Lateranpalast zwischen dem Hl. Stuhl und dem faschist. Italien abgeschlossenen Staatsverträge zur Lösung der →Römischen Frage. Danach wurde dem Papst die weltl. Souveränität über die Vatikanstadt zuerkannt, ferner wurden eine Anzahl von Palästen und Basiliken in Rom und die päpstl. Villa in Castel Gandolfo für exterritorial erklärt und Verbindung mit der Außenwelt durch eigene Post zugesichert. Dagegen erkannte der Papst das Kgr. Italien mit Rom als Hauptstadt an. Die im Garantiegesetz von 1871 für den Papst vorgesehene Jahresrente wurde durch eine einmalige Kapitalabfindung von 1,75 Mrd. Lire ersetzt; ein Konkordat regelte die Stellung der kathol. Staatsreligion in Italien. Die L. wurden in der Verfassung der Republik Italien (1. 1. 1948) anerkannt.

Later'it [von lat. later ›Ziegelstein‹] *der,* rote Bodenart der Tropen, eisenreiches, Aluminiumoxyd enthaltendes Verwitterungsergebnis verschiedener, bes. kristalliner Gesteine.

Lat′erna m′agica [lat. ›Zauberlaterne‹], ein Mitte des 17. Jhs. entwickelter Projektionsapparat für durchsichtige Lichtbilder, Vorläufer des →Bildwerfers.

Lat′erne [lat. Lw.], 1) durch ein Glasgehäuse gegen Wind und Wetter geschützte Lampe oder Leuchte. 2) *Baukunst:* Kuppelaufsatz mit Fenstern. 3) →Abzeichen der Haustiere.

Laterne des Aristoteles, die Kauorgane der →Seeigel.

Laternenpflanze, eine →Blasenkirsche.

Laternenträger, Leuchtzirpen, Insekten der Gruppe Zikaden, benannt nach der Laternenform des Kopfes der großen tropischen Leuchtzirpen.

surinamischer Laternenträger (bis 8 cm lang)

L′atex *der*, **Gummimilch,** Pflanzensaft aus Kautschukbäumen, besteht aus einer 30–35 %igen wäßrigen Dispersion aus Rohkautschuk, wird durch Entfernen des Wassers zu Kautschuk verarbeitet. Durch Anreicherung des Kautschukgehalts erhält man einen in der Lederindustrie verwendeten Klebstoff *(Revertex).* Für Gewebeimprägnierungen wird L. vulkanisiert.

Latif′undium [lat.], übermäßig großer, in einer Hand vereinigter Grundbesitz, der entweder in einer Wirtschaftseinheit *(Latifundienwirtschaft)* oder in mehreren selbständigen Betrieben durch Verwalter oder Pächter bewirtschaftet wird (→Absentismus). L. entstanden aus Sklavenwirtschaften im Röm. Reich aus staatl. Grundbesitz *(ager publicus,* →Staatsacker). Seit Ausgang des Mittelalters bildeten sie sich bes. in Großbritannien, Italien, Spanien, später in Südamerika. Auch die hochtechnisierten Getreidewirtschaften in den USA und Kanada sind eine Art Latifundien.

Latimer [l′ætimǝ], Hugh, engl. Reformator, * Thurcaston in Leicestershire um 1490, † Oxford 16. 10. 1555, war zuerst kath. Geistlicher, schloß sich dann der Reformation an und war 1535–39 Bischof von Worcester. Unter Eduard VI. stand er, ohne eigentl. Amt, zusammen mit Cranmer und Ridley an der Spitze der Protestanten; L. wurde zusammen mit Ridley unter Maria der Katholischen verbrannt.

Latim′eria, Fisch, →Quastenflosser.

Lat′ina, 1) ital. Prov. in Latium, 2251 qkm, mit (1971) 376 200 Ew. **2)** bis 1947 Littoria, der 1932 gegr. Hauptort von 1) und der →Pontinischen Sümpfe, mit (1971) 78 200 Ew.

Latiner, lat. *Latini,* die alten Bewohner der Ebene von Latium, sprachlich zur latinisch-falisk. Gruppe der von N eingewanderten Italiker gehörig. Ihre Hauptorte, wie Rom, Tibur, Präneste, Tusculum, Alba Longa, Aricia, Laurentum, Lavinium, Ardea, Veliträ, schlossen schon früh sakrale Bünde, so zum gemeinsamen Kult des Juppiter Latiaris auf dem Albanerberg (Monte Cavo) mit dem jährlichen Latinerfest (feriae Latinae), dessen Leitung ursprüngl. Alba Longa hatte. Durch das Vordringen der Etrusker erhielt Rom, wo im 6. Jh. v. Chr. das etrusk. Königsgeschlecht der Tarquinier herrschte, eine Vormachtstellung in Latium; nach der Zerstörung von Alba Longa übernahm es auch die Leitung des Latinerfestes. In einem Vertrag, den Rom gegen Ende des 6. Jhs. mit Karthago schloß, ist die damalige Vorherrschaft Roms über die Städte der L. und damit die polit. Einigung Latiums bezeugt. Nach dem Sturz der Tarquinier (um 510) erhoben sich die L. und gründeten einen Latinerbund ohne Rom, wurden aber am See Regillus 496 v. Chr. von den Römern geschlagen. Ein Bundesvertrag, der 493 mit dem röm. Konsul Spurius Cassius geschlossen wurde (foedus Cassianus), machte die L. zu autonomen Verbündeten Roms; auch die Herniker traten diesem Bund bei. Als Rom 387 von den Galliern erobert wurde, fielen die L. wiederum ab und konnten erst 358 zur Erneuerung des Bundes gewonnen werden. Ihre letzte Erhebung gegen Rom, der Latinerkrieg 340–338, in dem sie sich mit den Kampanern verbündeten, endete mit der Auflösung des Latinerbundes. An seine Stelle traten verschiedenartige Verträge Roms mit den einzelnen Städten; die L. erhielten unter Verpflichtung zum Heeresdienst ein beschränktes röm. Bürgerrecht mit ziviler Rechtsfähigkeit, doch ohne polit. Befugnisse, das in dieser Form später auch an Städte anderer Gebiete und an Freigelassene verliehen wurde und stets eine Begünstigung gegenüber Bundesgenossen und Fremden darstellte (Latinerrecht). Das röm. Vollbürgerrecht, das latinische Familien durch Übersiedlung nach Rom erhalten konnten, wurde im Bundesgenossenkrieg vollends sämtlichen L. zugesprochen (89 v. Chr.).

Latini, Brunetto, ital. Dichter, Gelehrter und Staatsmann, * Florenz um 1220, † um 1294, wurde als Guelfe verbannt, lebte lange in Frankreich, kehrte spätestens 1269 nach Italien zurück und wurde 1273 Kanzler von Florenz. Sein in franz. Sprache geschriebenes Werk ›Li Livres dou Tresor‹ ist wichtig als Vermittler aristotelischen Gedankengutes. Es ist die erste in einer Landessprache abgefaßte Enzyklopädie. Dante nennt L. seinen Lehrer. Nach franz. Vorbild führte L. die lehrhaft-allegor. Dichtung in Italien ein.

Latinische Straße, lat. *Via Latina,* eine der ältesten Römerstraßen, wohl um 370 v. Chr. angelegt. Sie führte von Rom südostwärts durch die Täler des Trerus und Liris in Latium bis Cales und Capua, wo sie sich mit der Via Appia vereinigte.

Latin'ismus, eine der lat. Sprache eigentümliche Ausdrucksweise, bes. wenn sie in eine fremde Sprache übertragen wird, z. B. das Gerundiv im Deutschen (»die zu erledigende Arbeit«).

Latin'ist [lat.], Kenner und Erforscher der latein. Sprache.

Latinit'ät [lat.], eine einzelnen latein. Schriftstellern oder einzelnen Perioden der latein. Literatur eigentüml. sprachl. Ausdrucksform, →lateinische Sprache.

Lat'inum [lat. examen latinum ›Lateinprüfung‹] *das,* eine Ergänzungsprüfung in der lateinischen Sprache für Studierende versch. Fachgebiete, die an der höheren Schule keinen Lateinunterricht erhalten haben. Unterschieden wird zwischen *großem L.* (nach Anforderungen des altsprachl. Gymnasiums) und *kleinem L.*

Laet'itia [lat. ›Freude‹], weibl. Vorname.

Latit'ude [lat.], Weite, Spielraum. **latitudin'al,** auf die geographische Breite bezüglich.

Latitudin'arier [neulat.], theolog. Richtung des 17. Jhs. in der anglikanischen Kirche, die für Versöhnlichkeit und Toleranz eintrat und den praktischen Charakter des Christentums betonte.

L'atium, ital. Lazio, geschichtl. Landschaft und Region Mittelitaliens am Tyrrhenischen Meer, 17 203 qkm mit (1971) 4,70 Mill. Ew.

Latom'ien [grch.], Steinbrüche; bes. bekannt sind die L. von Syrakus.

Lat'ona, lat. Name der →Leto.

Latour d'Auvergne [latu:r dovernj], franz. Adelsgeschlecht, genannt nach dem Ort L. am Westfuß des Mont Dore, tritt zu Anfang des 13. Jhs. auf. Aus dieser Familie stammte der Feldherr →Turenne. Théophile **Malo Corret de L.** (* 23. 11. 1743, † 27. 6. 1800) führte in den Revolutionskriegen ein Grenadierkorps; er lehnte die Beförderung zum General ab und trat nach seiner Gefangenschaft in England (1799) wieder als Gemeiner in das Heer ein; Napoleon gab ihm den Titel des »Ersten Grenadiers von Frankreich«. L. fiel bei Neuburg a. d. Donau.

la Tour [la tu:r], 1) Georges de, franz. Maler, * Vic-sur-Seille (Lothringen) 1593, † Lunéville 30. 1. 1652, war bald nach seinem Tod vergessen und wurde erst seit 1914 wieder entdeckt; lebte in Lothringen, wo er als peintre fameux und peintre du Roy bekannt war. Von Caravaggio beeinflußt, malte er Nachtstücke mit künstl. Beleuchtung (TAFEL Franz. Kunst, IV, 1).
2) Maurice-Quentin de, franz. Maler, * St-Quentin 5. 9. 1704, † das. 17. 2. 1788, schuf Pastellbildnisse.

Latr'ie [griech.] *die,* Anbetung.

Latsche, die Legföhre (→Kiefer). *Laublatsche,* →Erle.

Latschenbock, älterer Gemsbock, der außerhalb der Brunft meist allein in hohen Gebirgslagen (Latschenregion) lebt. Gegensatz: Lauberbock.

Lätschpfahl, *Seilerei:* ein konischer Dorn (Spleißnagel) zum Spleißen des zusammengedrehten Seiles.

Lattaquié [lataki'e:], Stadt in Syrien, →Latakia.

Latte [ahd. latta, verwandt mit Laden]. 1) schwaches Bauholz von 3–5 m Länge, als *Dachlatte* zum Anhängen des Dachziegels. 2) *Forstwirtschaft:* gerader Schößling.

Lattengebirge, Gruppe der Salzburger Kalkalpen, bis 1735 m hoch, zwischen Paß Hallthurm und Schwarzbachwacht-Sattel.

Lattenüberschlag, bei topograph. Aufnahmen mit Meßtisch und Kippregel eine Art der Bestimmung des Meßtischstandortes.

Latter-Day Saints [l'ætə dei seints, engl. ›Heilige der letzten Tage‹], die →Mormonen.

L'attich [ahd. lattuh, aus dem Lat.] *der,* 1) *Lactuca,* Korbblütergattung, milchsafthaltige Kräuter, meist mit lockeren Rispen zungenblütiger Blütenkörbchen. Der *wilde L.* (L. scariola) mit hellgelben Blüten, gefiedertem Laub und der Blatteinstellung der Kompaßpflanzen, an sonnigen Wegen, auf Brachland, ist vielleicht die Stammpflanze des *Gartenlattichs (Gartensalat,* →Salat). Gelbblütig sind ferner der staudige *Mauerlattich (Hasen-, Waldlattich, Mauersalat,* L. muralis), in feuchten Gehölzen, auf Schutt, und der *Giftlattich (Gift-, Stinksalat,* L. virosa), zweijährig, bis 1,5 m hoch, in lichten Gebüschen, auf Brachland. 2) andere Pflanzen, z. B. →Huflattich.

Latt'ierbaum, Latierbaum, schlagbaumartig, doch nachgiebig aufgehängte Trennstange zwischen je zwei Pferdeständen.

Lattre de Tassigny [-tasini], →Delattre de Tassigny.

Lattu'ada, Alberto, ital. Filmregisseur, * Mailand 13. 11. 1914, Vertreter des Neorealismus (Der Mantel, 1952).

L'atvija, lett. Name von →Lettland.

Latw'erge [mhd. Umlautung von iat. electuarium] *die,* 1) Arzneiform, Gemisch von Pulvern mit Sirup oder Pflanzenmus. 2) *mitteld.* Pflaumen- oder Birnenmus.

M.-Q. de la Tour: Mademoiselle Fel (Pastell; St-Quentin, Museum)

Laub

L'aubach, Stadt im Kr. Gießen, Hessen, Luftkurort am Fuße des Vogelsberges, 250 m ü. M., mit (1973) 8900 Ew., hat AGer., höh. Schulen, altertüml. Bauten, Schloß mit Museum; 50000 Bände umfassende Schloßbibliothek.

L'auban, Kreisstadt in Niederschlesien, am Queis, hatte (1939) 17400 Ew.; umfangreiche Textilindustrie. Bekannt waren der Glockenturm der ehemal. Pfarrkirche (15. Jh.), das Rathaus (16. Jh.), das 1752 erneuerte Gymnasium. L. kam, im Stadtkern erheblich zerstört, 1945 unter poln. Verwaltung *(Lubań)*; hat durch Eingemeindungen) wieder (1971) 17500 Ew.

Laub|baum, →Laubhölzer.

Laub|beet, ein Frühbeet, dessen wärmender Boden feuchtes, festgetretenes Laub ist.

Laube [german. Stw.], 1) Gartenhäuschen, Gartenhütte. 2) Bogengang, →Laubengang. 3) † bedeckte, halboffene Halle. 4) *Theater:* umschlossene Abteilung für mehrere Personen im Zuschauerraum (Loge). 5) *Turnen:* Liegestütz rücklings.

Laubfrösche: 1 *Fuß des europ. Laubfrosches mit Haftscheiben* (a *Rückenseite,* b *Innenseite);* 2 *Beutelfrosch mit Bruttasche* (a*);* 3 *Nest vom Makifrosch, Blattränder geöffnet*

Laube, Heinrich, Schriftsteller und Theaterleiter, * Sprottau 18. 9. 1806, † Wien 1. 8. 1884, machte das ›Zeitung für die elegante Welt‹, die er 1833/34 in Leipzig leitete, zu einem führenden Organ des »Jungen Deutschland«. 1849–67 war er Direktor des Wiener Hofburgtheaters (Grillparzer, Hebbel, O. Ludwig), 1875–80 des Wiener Stadttheaters. Erfolgreich war er auch als Bühnendichter (Die Karlsschüler, 1846, Graf Essex, 1856), und Erzähler, ›Theatererinnerungen‹ (1868, 1872, 1875). Ges. Werke, 50 Bde. (1908–10).
LIT. W. Lange: H. L.s Aufstieg (1923); E. Ziemann: L. als Theaterkritiker (1934).

Laubengang, 1) Pergola, Gartenweg, der von dicht zusammengewachsenen, über einem Gerüst rankenden Kletterpflanzen eingefaßt und überwölbt ist. 2) ein meist überwölbter, nach einer Seite offener Bogengang im Erdgeschoß öffentlicher und privater Gebäude (Rats-, Gerichts-, Kauflaube), der bes. in südl. Städten oft ganze Straßen und Plätze säumt (→Arkade).

Laubenganghaus, das →Außenganghaus.

Laubenvögel, den Paradiesvögeln nahestehende Singvögel in Australien, deren Männchen für Balzspiele Reiserlauben mit Zierbelag bauen.

Lauber, 1) Cécile, schweizer. Schriftstellerin, * Luzern 13. 7. 1887, Erzählerin, Dramatikerin und Lyrikerin.

2) Joseph, schweizer. Komponist, * Ruswil (Luzern) 25. 12. 1864, † Annecy 28. 5. 1952, bes. von der franz. Musik des ausgehenden 19. Jhs. beeinflußt.

Lauberbock, ein älterer Gemsbock, der außerhalb der Brunft meist allein in den unteren Gebirgslagen lebt. Gegensatz: Latschenbock.

Laubfall, Blattfall, das mit Lauberneuerung (Blattwechsel, Laubwechsel) verbundene Abfallen älterer Blätter bei Holzgewächsen. Der L. ist durch den jahreszeitlichen Witterungswechsel bedingt; er bietet den in ungünstigen Jahreszeiten kahlen Holzpflanzen einen wirksamen Verdunstungsschutz. Ohne diesen würden nicht nur die Tropenpflanzen in Dürrezeiten vernichtet, sondern auch die im Winter kahlen Bäume der gemäßigten und kalten Zonen, die bei Bodenfrost kein Wasser aufnehmen können. Vor dem L. verfärben viele Pflanzenarten ihre Blätter (→Herbstfärbung). In heißen Sommern werfen manche Bäume einen Teil ihres Laubes vorzeitig ohne Verfärbung ab *(Hitze-L.).*

Laubfrösche, Froschfamilie mit bezahnten Oberkiefer und Haftscheiben an den Zehenenden, meist Baumbewohner. Der *europ. L.* (Hyla arborea) ist bis 5 cm lang, grün, unterseits gelblich, an den Seiten gelb und schwarz gesäumt, als Männchen mit äußerer Schallblase an der Kehle, nur zur Paarung und Eiablage (im Frühjahr) im Wasser, Insektenfresser, mit Winterschlaf; als angeblicher Wetterprophet Zimmertier. Die Weibchen der *Beutelfrösche* (Nototrema) des trop. Amerikas tragen ihre Eier in einer Hauttasche auf dem Rücken. Die *Makifrösche* (Phyllomedusa) Mittel- und Südamerikas hüllen ihre Eier in ein Blatt über einem Gewässer, in das dann die Larven fallen.

Laubhölzer, Laubgehölze, alle bedecktsamigen, ein- und zweikeimblättrigen Bäume *(Laubbäume),* Sträucher und Halbsträucher. Gegensatz: Nadelhölzer.
LIT. G. Krüssmann: Die Laubgehölze (³1965); ders.: Handbuch der Laubgehölze, 2 Bde. (1: 1960, 2: 1962).

Laubhüttenfest, das jüd. Erntedankfest am 15.–22. Tischri (Anfang Oktober); die alten Israeliten wohnten dabei in Bauten, die auf Dächern, Höfen und Straßen aus grünen Zweigen errichtet wurden.

Laubkäfer, *Phyllopertha,* Gattung der Blatthornkäfer. Der *gemeine L. (Gartenlaubkäfer, P. horticola)* zerfrißt junges Grün des Apfelbaums.

Laubkaktus, Kakteen wie Gattung *Pereskia* (→Kakteen).

Laubmoose, Gruppe der →Moose.

Laubsäge, eine Handsäge zum Aussägen von Figuren in Holz, Metall, Elfenbein, Perlmutter, Schildpatt, Kunststoffen u. ä. Das schmale, dünne, feingezahnte Sägeblatt wird durch einen U-förmigen Bogen gespannt.

Laubsänger, *Phylloscopus,* grasmückenartige, meist grünliche, pfriemenschnäblige

Singvögel; Insektenfresser, bauen am Boden ein überdachtes Nest. In Mitteleuropa brüten z. B. *Fitis* und *Zilpzalp*.

Laubwerk, Blattwerk, ein vor allem in gotischer Zeit einheimischen Pflanzen getreu nachgebildeter Schmuck von Baugliedern (bes. Kapitellen) und kunsthandwerklichen Arbeiten.

Lauch [german. Stw.] *der, Allium,* Gattung der Liliengewächse, Stauden, meist mit Zwiebel, mit schmalen oder schlauchförmigen Blättern und endständigem kugelig-doldigem Blütenstand auf röhrigem Schaft. Außer den Nutzpflanzen Knoblauch, Zwiebel, Winterzwiebel, Schalotte, Porree, Schnittlauch, z. B.: *Bärenlauch* (A.ursinum), weißblütig, in Auewäldern; *Allermannsharnisch* (*Bergalraun,* A. victorialis), mit faserigem Wurzelstock, in Volksglauben und Volksheilkunde bekannte Alpenpflanze.

Lauchert, linker Nebenfluß der Donau, entspringt am Nordrand der Schwäb. Alb und mündet, 57 km lang, bei Sigmaringen.

Lauchhammer, Gemeinde im Kr. Senftenberg, Bez. Cottbus, mit (1974) 26 200 Ew.; Eisen- und Braunkohlenindustrie, seit 1952 Großbäckerei.

Lauchschwamm [nach dem Geruch], ein →Schwindling.

Lauchstädt, Bad L., Stadt im Kr. Merseburg, Bez. Halle, mit (1964) 5700 Ew.; Rathaus (1678), Stadtkirche (1684/85). L., durch seine Quelle (salin. Eisensäuerling) reich, war 1775–1810 Treffpunkt der Weimarer Hofgesellschaft; 1802 wurde das Goethe-Theater gebaut.

L'auckner, Rolf, Schriftsteller, * Königsberg 15. 10. 1887, † Bayreuth 27. 4. 1954, schrieb Schauspiele (Der Sturz des Apostels Paulus, 1918, Bernhard von Weimar, 1933), Komödien, Drehbücher.

Laud [lɔ:d], William, Erzbischof von Canterbury (seit 1633), * Reading (Berkshire) 7. 10. 1573, † London 10. 1. 1645, kirchenpolit. Berater Karls I.; durch seine hochkirchl.-anglokath. Bestrebungen rief er, ebenso wie Strafford, politisch erbitterte Opposition hervor, die 1642 zum Bürgerkrieg führte. L. wurde nach dem Sieg der Revolution enthauptet.

Lauda, Stadt (seit 1344) im Tauberkreis, Baden-Württemberg, an der Tauber, über die hier eine alte Steinbrücke (1510–12) führt, 192 m ü. M., mit (1973) 6500 Ew.; Metallindustrie, Bahnknotenpunkt. – L., seit 1344 Stadt, hat alte Bauwerke: das Obere Tor (1496), Fachwerkhäuser, die Friedhofskirche (Marienkapelle 1613) und Barock-Kreuzweg (1782), die Stadtkirche St. Jakob (nach 1694).

laud'abel [lat], löblich, empfehlenswert.

Laud'anum [lat.] *das,* im Mittelalter: jedes Beruhigungs- und Einschläferungsmittel; heute: Opium.

L'auda, S'ion, Salvat'orem [lat. ›Lobe, Sion, den Erlöser‹], eine für Fronleichnam gedichtete Sequenz von Thomas von Aquin.

Laudati'on, lat. laud'atio, Lobrede.

Laud'ator t'emporis 'acti [lat. ›Lobredner der vergangenen Zeit‹], aus Horaz' ›Kunst des Dichtens‹, Vers 173.

Lauden, dt. für →Laudi.

L'audes [lat.] *Mz.,* das Morgenlob des römischen Breviers.

Laubwerkkapitell am Westlettner des Naumburger Doms (Mitte 13. Jh.)

L'audes H'incmari, Laudes regiae, Laudes Carolinae, fälschlich nach dem Reimser Erzbischof Hinkmar († 882) benannte litaneiartige Akklamationen-Reihe, die im ausgehenden 8. Jh. für den Empfang kirchlicher und weltl. Würdenträger üblich wurde und im 20. Jh. vielerorts in der kath. Kirche wiederaufgelebt ist.

L'audi [ital.], *Ez.* Lauda, italien. volkstüml. geistliche Lieder, aus der franziskan. Bewegung erwachsen. Im 13. Jh. waren sie einstimmig mit Kehrreim, später mehrstimmig. Von Anfang an dialogisch, wurden die L. zu einem Keim des Oratoriums. Ihr bekanntester Dichter ist Jacopone da Todi, ihr großes Beispiel die Sonnengesang des hl. Franziskus.

L'audon, auch **Loudon** [laudo:n], Gideon Ernst, Freiherr (seit 1759) von, österreich. Feldmarschall, * Tootzen (Livland) 2. 2. 1717, † Neutitschein (Mähren) 14. 7. 1790, stieg im Siebenjährigen Krieg zum General auf, entschied die Niederlage Friedrichs d. Gr. bei Kunersdorf (1759) und siegte 1760 bei Landeshut; doch wurde er in der Schlacht bei Liegnitz von Friedrich d. Gr. geschlagen. Dann nahm er 1761 die Festung Schweidnitz. Zuletzt erhielt er im Türkenkrieg Josephs II. den Oberbefehl und eroberte am 8. 10. 1789 Belgrad.

Laue, Max von, Physiker, * Pfaffendorf bei Koblenz 9. 10. 1879, † Berlin 24. 4. 1960, war 1919–43 Professor in Berlin, 1945–51 in Göttingen, seitdem Direktor des Fritz-Haber-Instituts (Max-Planck-Ges.) in Berlin-Dahlem. Er entdeckte die Beugung von Röntgenstrahlen an Kristallen, entwickelte die Relativitätstheorie weiter, stellte eine relativistische Thermodynamik auf und gab

133

eine Theorie der Supraleitung. 1914 erhielt er den Nobelpreis für Physik.

WERKE. Die Relativitätstheorie, 2 Bde. (Bd. 1, ³1952 ; Bd. 2, ³1953), Gesammelte Schriften und Vorträge, 3 Bde. (1961).

Lauenburg, 1) Herzogtum L., Kreis in Schleswig-Holstein; Landratsamt in Ratzeburg.

2) ehemaliges deutsches Herzogtum.

GESCHICHTE. Das nach dem Abzug der Germanen von den slaw. Polaben besiedelte Land wurde im 12. Jh. eingedeutscht und bildete die Gfsch. Ratzeburg, die 1200 an die askan. Herzöge von Sachsen kam. Aus der 1182 erbauten Burg L. entwickelte sich der gleichnamige Ort (seit 1260 Stadt). Durch Teilung des Hauses entstand 1260 das Hzgt. *Sachsen-L.* Als es 1689 ausstarb, fiel L. an Hannover, 1816–64 gehörte es zu Dänemark, 1864 kam es an Österreich und Preußen, durch den Gasteiner Vertrag 1865 an Preußen, das es 1876 als Kreis Herzogtum L. der Prov. Schleswig-Holstein angliederte. Einen Domänenanteil von L. (Sachsenwald) erhielt Bismarck 1871 als Staatsgeschenk.

3) L. an der Elbe, Stadt in 1), mit (1974) 11 600 Ew., an der Einmündung des Elbe-Lübeck-Kanals in die Elbe, 45 m ü. M.; AGer.; Schiffswerften, Elbhafen, Reedereien, Zündholz-, Holz-, Zementwaren- und Textilindustrie, Faßfabriken.

4) L. in Pommern, Kreisstadt in Pommern, an der Leba, hatte (1939) 19 100 Ew.; Industrie (Maschinen, Holz). – L., 1341 vom Deutschen Orden gegründet, kam 1658 von Polen an Brandenburg-Preußen. Seit 1945 steht es unter poln. Verwaltung (*Lebork*).

Lauenstein, Burg im Frankenwald, zwischen Probstzella und Ludwigstadt, 550 m ü. M., 1290 zerstört, im 14. und 16. Jh. sowie 1896 wiederhergestellt.

Lauer [ahd.; lat. Lw.] *der,* Tresterwein.

L'auesen, Marcus, dän. Schriftsteller, * Löjt-Kirkeby (bei Apenrade) 22. 11. 1907, schildert südjütische Lebensverhältnisse.

Laue-Verfahren, Erzeugung von Röntgen-Interferenzen durch Beugung von Röntgenstrahlen in einem Kristall und die darauf gegründete Ermittlung der Kristallstruktur. Ein durch eine Kristallplatte hindurchtretender Röntgenstrahl erzeugt auf einem photograph. Film eine regelmäßige Anordnung von Interferenzflecken *(Laue-Diagramm).*

Lauf, 1) *Sport:* →Laufen. 2) Rohr der Handfeuerwaffen und Maschinengewehre. 3) *Musik:* eine schnelle Tonfolge. 4) *Bergbau:* Sohlstrecke. 5) *Jägersprache:* Bein vierfüßiger Jagdtiere und der Hunde.

Lauf (an der Pegnitz), Kreisstadt im Reg.-Bez. Mittelfranken, Bayern, im Fränk. Jura, mit (1974) 19 300 Ew., hat AGer., Industrie, bes. Specksteinverarbeitung; Wenzelsschloß, gegr. um 1360 (Kaiserburg Karls IV.; mit Wappensaal: 100 Wappen in Stein) auf einer Pegnitzinsel.

Lauf|achse, eine nicht angetriebene, nur tragende Achse bei Schienenfahrzeugen.

Laufbahnstrafen, →Dienststrafrecht.

Laufen, *Leichtathletik:* vgl. Kurzstreckenlauf, Mittelstreckenlauf, Langstreckenlauf, Staffellauf, Geländespiele, Hürdenlauf, Hindernislauf, Dauerlauf, Querfeldeinlauf, Waldlauf.

Laufen, 1) Stadt im Kr. Berchtesgadener Land, Bayern, an der Salzach, mit (1973) 4300 Ew., hat AGer., Landwirtschaftsschule; alte Stadt mit der ersten süddt. Hallenkirche (1332–40).

2) Bezirksstadt im Kanton Bern, Schweiz, mit (1970) 4700 Ew., 352 m ü. M., im Tal der Birs; Textil-, Ziegelei- u. a. Industrie, Steinbrüche.

Laufenburg, Bezirksstadt im Kanton Aargau, Schweiz, 318 m ü. M., links am Rhein, mit (1970) 2100 Ew., hat keram. Fabrik, Strickerei, Fischzucht; Kraftwerk; spätgot. Kirche (1489), zwei Türme der alten Stadtbefestigung (um 1581). 1805 kam die rechtsrhein. Ortsteil an Baden.

laufender Hund, ein wellenbandartiges Ornament (→Mäander).

laufendes Band, Fließband, eine Vorrichtung, die in Fabriken mit →Fließarbeit die Werkstücke von einem Arbeitsplatz zum andern befördert.

laufendes Gut, →Gut 6).

Läufer, 1) wer den Lauf als Sport treibt. 2) *Fußball, Handball, Hockey:* Verbindungsspieler zwischen Stürmern und Verteidigern; *Rugby:* einer der vier hinter den Stürmern kämpfenden Spieler (Dreiviertelspieler). 3) umlaufender Teil bei Maschinen. 4) Gruppe auf- oder absteigender, schnell zu spielender Töne. 5) langer, schmaler Teppich in Meterware (für Gänge, Treppen). 6) *Spinnerei: Traveller, Reiter, Fliege, Öhr,* ein kleiner Stahlbügel, der auf den polierten Stahlring der Ringspinnmaschine umläuft und das Garn dreht. 7) eine Schachfigur. 8) mit seiner Langseite der Mauerflucht gleichlaufend verlegter Ziegel. 9) *Bergbau:* Karrenschieber. 10) *Seefahrt:* Posten vor der Kajüte oder Messe, der Befehle überbringt. 11) loses Ende eines Taues. 12) junges Schwein von der 15.–26. Woche.

Lauff, Joseph von (1913), Schriftsteller, * Köln 16. 11. 1855, † Haus Krein bei Cochem 20. 8. 1933, 1898–1903 Dramaturg in Wiesbaden, von Wilhelm II. geförderter Dramatiker und Erzähler histor. (Hohenzollern) und heimatl.-rhein. Stoffe.

Lauffeldröhre, Wanderfeldröhre, eine Röhre der Höchstfrequenztechnik zur Verstärkung sehr breiter Frequenzbänder, bei der die Elektronen eines Strahls in und mit fortschreitender elektromagnet. Wellen laufen; bei angenähert gleicher Geschwindigkeit des Elektronenstrahls und der Wellen wird Energie aus dem Strahl an die Wellen übertragen (Verstärkung). Da die Strahlelektronen bei den technisch verwendbaren Spannungen eine weit unterhalb der Lichtgeschwindigkeit liegende Geschwindigkeit haben, muß man die elektromagnet Wellen längs einer Verzögerungsleitung führen, z. B. einer Wendelleitung (koaxiale Leitung mit Wendel als Innenleiter). Im Dezimeterwellenbereich wurden bisher Nutzleistungen von einigen kW erzielt.

Bei den L. kann man unterscheiden: *Travelling-Wave-Röhren* mit materieller Verzögerungsleitung zur Führung der Wellen; *Elektronenwellen-Röhren (Doppelstromröhren)* mit Führung der Wellen durch eine weitere Elektronenströmung anstatt der materiellen Verzögerungsleitung; *Travelling-Wave-Magnetrons* mit materieller Verzögerungsleitung, dazu einem konstanten Magnetfeld und einem elektr. Feld; *Elektronenwellen-Magnetrons*, die sich von den Travelling-Wave-Magnetrons durch Ersatz der Verzögerungsleitung durch eine weitere Elektronenströmung unterscheiden.

Lauffen, am Neckar, Stadt im Kreis Heilbronn, Baden-Württ., (1973) 9300 Ew., 170 m ü. M., hat Oberschule, Landwirtschaftsschule; verschiedene Industrie; Staustufe und Elektrizitätswerk des Neckarkanals. L. ist der Geburtsort Hölderlins.

Lauffeuer, →Bodenfeuer.

Laufgarten, eingezäunter Raum für Pferde.

Laufgeld, † Reisevergütung (im Handwerk).

Laufgraben, zur gedeckten Annäherung an die vorderste Kampfstellung oder die feindliche Stellung hergestellter Graben.

Laufhühnchen, Kampfwachteln, *Turnices,* wachtelähnliche Vögel der Grassteppen warmer Länder.

läufig, brünstig (Hündin).

Laufkäfer, *Karabiden,* Fam. räuberischer Käfer mit meist nächtl. Lebensweise. Beispiele: *Gartenlaufkäfer* (Carabus hortensis), *Goldlaufkäfer* oder *Gärtner* (Carabus auratus; FARBTAFEL Insekten I, 9), *Lederlaufkäfer* (Carabus coriaceus), *Puppenräuber* (Calosoma sycophanta). Während diese Formen durchweg als Insektenvertilger nützlich sind, ist der →Getreidelaufkäfer ein Pflanzenschädling.

Laufkatze, ein auf einem →Kran, Drahtseil oder Träger fahrender Wagen mit Aufzugswinde.

Laufmilben, Familie meist roter Milben mit stechborstenförmigen Kieferfühlern, z. T. Schmarotzer, so die *Erntemilbe,* die als Larve der *Herbstmilbe* während der Ernte warmblütige Tiere befällt, Juckreiz und Quaddeln verursacht; die Larve der *Samtmilbe* (auch »Erntemilbe« genannt) befällt Menschen.

Laufpaß, † Entlassungsbescheinigung.

Laufpferd, warmblütiges Pferd.

Laufrad, 1) bei Turbinen der Teil, der durch das Arbeitsmittel in Umdrehung versetzt wird, das ihm durch das *Leitrad* zugeführt wird.

2) bei Lokomotiven die Räder, die nur zum Tragen des Gewichts und besseren Führen, nicht zum Antrieb bestimmt sind.

Laufvögel, die →Straußvögel.

Laufzeit, bei einem Wechsel die Zeit bis zum Verfalltag.

Laufzeitröhren, Elektronenröhren der →Höchstfrequenztechnik, in denen die Laufzeit der Elektronen von der Kathode zu den einzelnen Elektroden zur Verstärkung bei Frequenzen oberhalb etwa 300 MHz ausgenutzt wird. L. sind z. B. →Bremsfeldröhre, →Lauffeldröhre, →Magnetron.

Laufzettel, 1) Begleitschreiben für Bahnsendungen. 2) bei der Fließbefertigung ein das Arbeitsstück begleitender Zettel, auf dem alle Arbeitsgänge vermerkt und abgezeichnet werden den.

Lauge [german. Stw.], 1) *Technik:* Salzlösung. 2) die Lösungen der Alkalihydroxyde (Alkalilaugen): Natronlauge, Kalilauge, Ätzlaugen.

Laugenbäder, alkal. warme Bäder mit Zusatz von Pottasche oder Soda zur Hautreinigung.

Laugenblume, Sandstrohblume, echte Kamille, echter Speik u. a.

Laugenvergiftung, Vergiftung mit Laugen. Folgen: Anätzung der Mundschleimhaut, heftige Schmerzen in der Mundhöhle bis zum Magen, Erbrechen, Koliken mit Durchfall (blutig). In schweren Fällen tritt der Tod ein, oder es kommt zu ausgedehnten Vernarbungen und Siechtum.

Laeuger, Max, Keramiker und Architekt, * Lörrach 30. 9. 1864, † das. 12. 12. 1952, lehrte an der Techn. Hochschule in Karlsruhe. Sein Wirken erneuerte die der architekton. Ausgestaltung dienende Baukeramik.

Laughton [lʼɔ:tn], Charles, engl. Schauspieler, * Scarborough 1. 7. 1899, † Los Angeles 16. 12. 1962, seit 1950 amerikanischer Staatsbürger; Charakterdarsteller. Filme: Das Privatleben Heinrichs VIII. (1933), Rembrandt (1936), Glöckner von Notre Dame (1939), Zeugin der Anklage (1957).

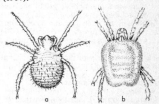

Laufmilben: a *Larve (»Erntemilbe«) von* b, *der Samtmilbe (*a etwa 0,5 mm, b etwa 2,2–3 mm groß)*

Lauingen (Donau), Stadt im Kr. Dillingen a. d. Donau, Schwaben, Bayern, (1973) 8900 Ew., hat Landwirtschaftsschule, Landmaschinen- und Textilindustrie, Strumpffabrik. L. hat Denkmal des in L. geb. Albertus Magnus, einer der Hervzöge von Neuburg (seit 1505), 7 ältere Kirchen, Reste der Stadtbefestigung, Rathaus (1783–90) und einen hohen Stadtturm.

Laui

Lauis, deutscher Name von Lugano.

Laukhard, Friedrich Christian, Schriftsteller, * Wendelsheim (Rheinhessen) 1758, † Kreuznach 28. 4. 1822, beschrieb sein abenteuerl. Leben in dem kulturgeschichtlich aufschlußreichen Werk ›L.s Leben und Schicksale, von ihm selbst beschrieben‹ (6 Bde., 1792–1802; neu hg., 2 Bde., ²1911 bis 1914).

Laun, Rudolf, Staats- und Völkerrechtslehrer, * Prag 1. 1. 1882, Prof. in Wien und (seit 1919) Hamburg.

WERKE. Recht und Sittlichkeit (³1935), Die Haager Landkriegsordnung (⁵1950), Das Recht auf die Heimat (1951), Naturrecht und Völkerrecht (1954), Allgemeine Staatsrechtslehre im Grundriß (⁹1964).

Launceston [lʹɔːnstən], Stadt in Tasmanien, Australien, mit (1970) 62 500 Ew., Wirtschaftszentrum, Seehafen am Tamar-Fluß.

Laupen, Bezirkshauptort im Kanton Bern, Schweiz, mit (1970) 2100 Ew., an Sense und Saane, 489 m ü. M.; Märkte; Kartonagen- und Biskuitfabrik, Großdruckerei.

Laupheim, Stadt im RegBez. Südwürttemberg-Hohenzollern, Baden-Württemberg, mit (1972) 10 800 Ew., 515 m ü. M., hat AGer., höhere und Landwirtschaftsschule; versch. Industrie.

Laur, Ernst, schweizer. Agrarpolitiker und Betriebswirtschaftslehrer, * Basel 27. 3. 1871, † Effingen (Kt. Aargau) 30. 5. 1964, 1898 bis 1939 schweizer. Bauernsekr. und Dir. des schweizer. Bauernverbandes, 1908–37 Prof. an der Eidg. Techn. Hochschule in Zürich.

Laura, die Frau, die Petrarca in seinen Dichtungen besungen hat. Von L.s Leben berichtet Petrarca in seinem autobiograph. ›Secretum‹, daß er sie am 6.4.1327 in der Kirche der hl. Klara in Avignon zuerst sah, daß sie am 6.4.1348 starb und dort in der Franziskanerkirche beigesetzt wurde. Ob L., deren Existenz schon zu Lebzeiten Petrarcas bestritten wurde, tatsächlich gelebt hat oder ein Wunschbild, eine Idealgestalt war, ist fraglich und ist auch für das Verständnis der Dichtung Petrarcas unwesentlich. Die ältesten Biographen Petrarcas erwähnen L. nicht.

Laura, Lawra [griech. ›Straße‹], ursprünglich die Zellen von Einsiedlern im ostkirchl. Mönchtum, später Name einiger Klöster der Ostkirche, z. B. auf dem Athos.

Laurʹana, 1) Francesco, ital. Bildhauer, * Laurana (Vrana, Dalmatien) um 1420/25, † Avignon (?) 1502, war unter A. di Duccio am Tempio Malatestiano in Rimini tätig und dann in Neapel, Sizilien, Südfrankreich. L. schuf vor allem weibl. Marmorbüsten von höfischer Art.

2) Luciano, italien. Baumeister, * Zara (Dalmatien) um 1420, † Pesaro 1479, schuf mit dem von ihm um- und ausgebauten Herzogspalast in Urbino (1468–72) die schönste italien. Fürstenresidenz des 15. Jhs. und hatte durch seine Wirkung auf Bramante bedeutenden Anteil am Entstehen der Hochrenaissance-Architektur.

Laureʹat, lat. **poeta laureatus,** ein mit Lorbeer bekränzter Dichter, →Dichterkrönung.

Lʹauremberg, Johann Willmsen, Satiriker und Gelehrter, * Rostock 26. 2. 1590, † Soroe 28. 2. 1658 als Prof. der Mathematik, schrieb ›Veer Schertzgedichte‹ (1652; Neudruck 1923).

Laurencin [lorãsẽ], Marie, französ. Malerin, * Paris 31. 10. 1885, † das. 8. 6. 1956, von Matisse und dem Kubismus beeinflußt.

Laurens [lorã], Henri, Bildhauer, * Paris 18. 2. 1885, † das. 5. 5. 1954, gelangte, angeregt bes. von Braque, zu stark abstrahierender, der Malerei des Kubismus verwandter Gestaltung.

Laurensberg, ehem. Gem. im Kreis Aachen, Nordrhein-Westfalen, mit (1972) 10 800 Ew., Textilindustrie.

Laurentides Park [lʹɔːrəntaidz -], Naturschutzpark in der Prov. Quebec, Kanada, 8500 qkm groß.

Laurʹentius, christl. Märtyrer, Diakon, † Rom 10. 8. 258. Nach der Legende wurde L. auf einem eisernen Rost verbrannt. Seine Grabkirche, S. Lorenzo fuori le mura, gehört zu den 7 röm. Hauptkirchen. Patron der Bibliothekare; Tag: 10. 8.

Die älteste Darstellung (Grabmal der Galla·Placidia, Ravenna, um 450) zeigt ihn mit Kreuz und Buch neben dem Rost. Sein Martyrium scheint erst im MA. wiedergegeben worden zu sein (Miniaturen, Fresken des 10.–12. Jhs.). Die bekannteste Darstellung seiner Legende sind die Fresken von Fra Angelico im Vatikan. Das Martyrium allein haben Donatello, Bandellini u. a. wiedergegeben.

Laurʹentius-Chronik, älteste erhaltene Abschrift einer altruss. Chronik (1377), so genannt nach dem Abschreiber Lawrentij (Laurentius).

Laurʹentiusschwarm, ein Sternschnuppenschwarm, →Sternschnuppe.

Laurʹentius von Brindisi, Kapuzinergeneral, * Brindisi 22. 7. 1559, † Lissabon 22. 7. 1619, hatte als Feldprediger der kaiserl. Truppen Anteil an dem Sieg von Stuhlweißenburg (1601) über die Türken; 1881 Heiliger, 1959 Kirchenlehrer; Tag: 21. 7.

Laurʹentius von Schnüffis, eigentl. Joh. Martin, barocker Liederdichter, * Schnüffis (Vorarlberg) 24. 8. 1633, † Konstanz 7. 1. 1702, wurde Schauspieler. In Innsbruck fand er an Erzherzog Ferdinand Karl einen Gönner (1655–62). Nach dessen Tod trat er 1665 in das Kapuzinerkloster in Zug ein. Er wandelte Spees geistl. Schäferdichtung ins derb Volkstümliche um. Kaiser Leopold krönte ihn zum Dichter; er war auch Liederkomponist.

Laurenziʹana, Biblioteca L., die Bibliothek der Medici in Florenz, mit kostbaren alten Handschriften. Vorraum und Lesesaal wurden nach Plänen Michelangelos (1524–34) erbaut.

Lauretʹanische Litanei, eine aus Ehrentiteln Mariens zusammengesetzte Litanei, vermutlich in der ersten Hälfte des 16. Jhs. in Loreto entstanden.

Laurier [frz. lɔrje, engl. l'ɔ:riə], Sir (seit 1897) Wilfried, kanad. Staatsmann, * St. Lin (Quebec) 20. 11. 1841, † Ottawa 17. 2. 1919, Anwalt, seit 1873 im kanad. Parlament, 1891 Führer der Liberalen Partei. 1896–1911 war er Premierminister, der erste Katholik und Franzose in dieser Stelle. Unter ihm begann Kanadas selbständige Rolle in der Weltpolitik.

L'aurin, ein Zwergenkönig in der Heldendichtung, Besitzer und Hüter eines zauberhaften Rosengartens. Ein Seidenfaden schließt diese magische Stätte ein, und wer sie zerstört, zieht sich seine Feindschaft zu. Dietrich von Bern und die Seinen brechen in das Zaubergebiet ein, weil L. die Schwester eines der Dietrichrecken gewaltsam entführt hat. L. wird gefangen und muß nun in Bern ein Gaukler sein. Zwei mhd. Heldenepen des 13. Jhs. stellen den Stoff dar.

L'auring, Palle, dän. Schriftsteller, * Frederiksberg 16. 10. 1909, schreibt historische Romane.

Laurinsäure [von lat. laurus ›Lorbeer‹], eine Fettsäure, kristallisiert aus Alkohol in Nadeln oder durchscheinenden Schuppen aus; ihr Glyzerinester findet sich im Lorbeer und Kokosöl.

L'aurion, neugriech. **Lawrion**, Gebirgslandschaft in Griechenland, auf der Südspitze von Attika; Bergbau auf Blei, Zink, Eisenmangan. Die Hafenstadt L. hat· rd. 7000 Ew. – In der Antike Silberbergbau.

Lauritzen, Lauritz, Politiker (SPD), * Plön 20. 1. 1910, war 1963–66 hess. Justizmin., 1966–Dez. 1972 Bundesmin. für Städtebau und Wohnungswesen, Juli–Dez. 1972 auch für Post und Verkehr; 1972–74 Bundesmin. für Verkehr.

Lauri-Volpi, Giacomo, ital. Opernsänger (Tenor), * Lanuvio 11. 12. 1892, sang u. a. an der Metropolitan Opera New York (1923–34) und an der Mailänder Scala.

L'aurus [lat.], →Lorbeer.

Laus [german. Stw.], →Läuse.

Lausanne [lozan], Hauptstadt des Kantons Waadt, Schweiz, mit (1973) 137 700 Ew., auf mehreren Hügeln am Genfer See, im Mittel 520 m ü. M., 145 m über dem See. Bemerkenswerte Bauten: Schloß (vollendet 1425 bis 1431) der Bischöfe, jetzt Sitz der Kantonsbehörden, Akademiegebäude (1587–90), Kathedrale (1173–1275; 1873–1936 wiederhergestellt), Rathaus (1456; umgebaut 1674 bis 1678). L. hat Universität (gegr. 1890 aus der Akademie), berühmte Schulen und Erziehungsanstalten, Rundfunksender, ist Sitz des eidgenössischen Bundesgerichts, hat wenig Industrie(Druckereien,Eisengießerei,Tabak- und Schokoladenfabriken).

GESCHICHTE. L. ist um 590 als Bischofssitz bezeugt. Es stand unter der Herrschaft seiner Bischöfe, seit 1536 unter der Herrschaft Berns, das die reformierte Lehre einführte. 1803 wurde L. die Hauptstadt des Kantons Waadt.

Konferenzen von L.: 1) Dez. 1912 Frieden zwischen der Türkei und Italien; 2) Juli 1923 Frieden zwischen der kemalist. Türkei und Griechenland; 3) Juni/Juli 1932 abschließende Reparationskonferenz; 4) Juni 1949 Waffenstillstandsabkommen zwischen Israel und den Arabern.

Lausanner Schule [lozan-], mathematische Richtung der Volkswirtschaftslehre, Hauptvertreter waren V. Pareto, L. Walras. Die L. S. wurde weitergeführt durch G. Cassel.

Lauscha, Stadt im Kr. Neuhaus am Rennweg, Bez. Suhl, nördl. Sonneberg, 580–780 m ü. M., mit (1964) 5400 Ew.: älteste Glashütte (1597) des Thüringer Waldes (Christbaumschmuck, künstl. Augen u. a.); Glas-Museum; Sommerfrische, Wintersport.

Lauschan, Gebirge in China, →Laoschan.

Lauscher, Loser, Luser, *Jägersprache:* die Ohren, bes. des Rot-, Dam- und Rehwildes.

Läuse, *Anopluren*, Insektengruppe der Tierläuse, kleine Blutsauger auf Säugetieren; flach, mit stechenden und saugenden Mundwerkzeugen, Klammerbeinen, flügellos, ohne Verwandlung. Menschenläuse sind →Filzlaus, Kleiderlaus, Kopflaus. Die *Kleiderlaus* (Pediculus humanus corporis oder vestimenti) wird bis 4 mm lang, hält sich am häufigsten in Wäsche und Kleidern auf. Sie ist, ebenso wie die Eier *(Nisse)*, hitzeempfindlich, dagegen wenig empfindlich gegen Kälte und Nässe; die Erreger von Fleckfieber, Rückfallfieber, Fünftagefieber werden unmittelbar durch Läusestiche auf den Menschen übertragen. Die *Kopflaus* (Pediculus humanus capitis) ist nur 2–3 mm lang, kommt fast nur an menschl. Kopfhaar vor.

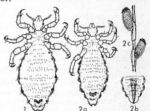

Läuse: 1 *Weibchen der Kleiderlaus;* 2a *Weibchen der Kopflaus,* 2b *Hinterleib einer männl. Kopflaus mit Begattungsorgan,* 2c *Nisse der Kopflaus an ein Haar geklebt (1–2c etwa 8fach vergr.)*

Läusekörner, gegen Ungeziefer verwendete Samen, so Fischkörner.

Läusekraut, Läusewurz, 1) *Pedicularis*, Gattung der Braunwurzgewächse, meist Stauden mit fiederspaltigen oder gefiederten Blättern und großen Lippenblüten in endständigen Ähren; Halbschmarotzer, die mit Saugwärzchen an den Wurzeln anderer Grasarten usw. saugen. Das *Sumpf-L.* (P. palustris), bis 0,5 m hoch, mit rosenroten

137

Laus

Blüten, wächst auf Sumpfwiesen Europas und Nordasiens; der *Moorkönig* (P. sceptrum carolinum), bis 1 m hoch, mit schwefelgelben und blutroten Blüten, in Mooren Europas und Asiens; viele Arten in den Alpen. 2) andere Pflanzen, so: weißer Germer, Nieswurz, Porst, Seidelbast, Herbstzeitlose, Sabadill.

Lausfliegen, Puppengebärer, *Pupiparen,* als Blutsauger an Säugetieren und Vögeln lebende Zweiflügler, mit lederartiger Haut und Klammerklauen, so *Schaffliege, Fledermausfliege.*

Lausfliegen: a *Schaffliege,* b *Fledermausfliege (etwa 4 fach vergr.)*

Lausick, Bad L., Stadt im Kr. Geithain, Bez. Leipzig, mit (1964) 6500 Ew., Eisen- und Moorbad; Schamottewerke.

Lausitz [von sorb. Luciza ›Sumpfland‹], das Land um die Görlitzer Neiße und die obere Spree, umfaßt die *Nieder-L.* im N (zwischen Fläming und Bober, nördl. bis zum Schwielochsee) und die *Ober-L.* im S (anschließend vom Oberlauf der Schwarzen Elster und der Pulsnitz bis zum Queis, südlich das Zittauer Gebirge). Abgesehen vom gebirgigen Südteil ist die L. ein Tiefland: Niederungen der Urstromtäler (Spreewald), Flugsandheiden und Rücken eiszeitl. Aufschüttung. Neben den Flußniederungen ausgedehnte Kiefernwälder, in Rodungsgebieten oft ärml. Heidedörfer, fruchtbarer Lößboden um Kamenz, Bautzen, Weißenberg. Die kleineren Städte sind Marktorte, in den größeren (Cottbus, Guben, Forst, Finsterwalde) Tuchindustrie. Um Senftenberg und Hoyerswerda bedeutender Braunkohlenabbau. Eine eigene Landschaft ist das →Lausitzer Bergland.

GESCHICHTE. Das Gebiet der slaw. Milzener, die spätere *Oberlausitz,* wurde unter der deutschen Herrschaft seit Ende des 10. Jhs. zunächst nach dem Hauptort Budissin (Bautzen) das »Land Budissin« genannt. Es gehörte 1002–31 zu Polen; 1158, von neuem 1320 und 1329 fiel es an Böhmen. Die *Niederlausitz,* das Gebiet der slaw. Lusizer, kam 1136 an die wettinischen Markgrafen von Meißen, 1303 an Brandenburg und 1368 ebenfalls an Böhmen. Eine sehr selbständige Stellung erlangte der 1346 geschlossene Bund der *Sechsstädte* der Oberlausitz (Bautzen, Görlitz, Zittau, Kamenz, Löbau, Lauban). Die Reformation drang im 16. Jh. überall durch. Im Prager Frieden von 1635 wurden beide Lausitzen an Kursachsen abgetreten, durch den Wiener Kongreß kamen 1815 die ganze Niederlausitz und die Hälfte der Oberlausitz an Preußen. Der übrige Teil

der sächs. Oberlausitz bildete auch nach 1815 einen von den sächs. Erblanden getrennten Kreis und bewahrte sich bis 1919 einige Sonderrechte in Verfassung und Verwaltung. Durch die »Oder-Neiße-Grenze« (seit 1945) wurde ein großer Teil der L. unter poln. Verwaltung gestellt.

Lausitzer, die Bewohner der Ober- und Niederlausitz im Gebiet der oberen und mittleren Spree. Die deutschen, im 12. und 13. Jh. eingewanderten L. sind fränk. und niedersächs. Herkunft. Über die wendisch oder sorbisch sprechende kleine slawische Gruppe der L. (etwa 5%) →Sorben.

Lausitzer Bergland, die westl. der Görlitzer Neiße liegenden Ausläufer der Sudeten, Waldrücken, die sich um 200–300 m über die Lausitzer Platte erheben (Valtenberg 589 m ü. M.); dazwischen liegen Talwannen mit Ackerfluren und Reihendörfern. Das L. B. erreicht im S als *Zittauer (Lausitzer) Gebirge* die größte Höhe (Lausche 793 m). Das dichtbevölkerte L. B. hat neben Nutzung der Bodenschätze (Granit, Braunkohle, Kaolin) bes. Textilindustrie.

Lausitzer Kultur, eine nach ihrer hauptsächlichen Verbreitung in der Niederlausitz benannte Kulturgruppe der jüngeren Bronzezeit und frühen Eisenzeit aus dem 12.–17. Jh. v. Chr. in Ostdtl., Böhmen, Mähren, Niederösterreich und Teilen Ungarns. Kennzeichnend sind Tongefäße, z. B. Buckelurnen.

LIT. W. Coblenz: Grabfunde der Mittelbronzezeit Sachsens (1952).

Laut [german. Stw.], *Sprachlehre:* jeder bei bestimmter Stellung der Sprachwerkzeuge mit Hilfe des Atemstroms erzeugte Schall. Die Einstellung der Sprechwerkzeuge zur Bildung des Schalles heißt *Artikulation.* Schwingen der Stimmbänder im Kehlkopf, so entstehen *stimmhafte Laute,* sonst *stimmlose.* Man unterscheidet folgende Lautbildungsarten: 1) *Öffnungs-L.* Der Mundraum ist geöffnet, der Atemstrom ungehemmt. Hierher gehören die reinen *Stimmton-L.* (Vokale, z. T. auch l-Laute). 2) *Engen-L.* Der Mundraum ist an irgendeiner Stelle verengt, der durchgehende Atemstrom erzeugt ein Reibungsgeräusch (daher *Reibe-L., Spiranten*). 3) *Verschluß-L.* Der Mundraum ist völlig abgeschlossen. a) Auch der Nasenraum ist abgesperrt: Verschluß-L. schlechthin. Bei der Öffnung des Verschlusses entsteht ein kurzer Ton: *Spreng-L.* (Explosiv-L.). Stimmlose Verschluß-L. (t, p, k) bezeichnet man als harte Laute *(Tenues),* stimmhafte (b, d, g) als weiche *(Mediä). Angeriebene Laute (Affrikaten)* sind Verbindungen von Verschlußlauten mit gleichartigen Reibelauten, z. B. tsch, tz, pf, kch, b) Der Nasenraum steht offen: nasale Verschluß-L. oder *Nasale* (m und die n-L.). – Nach den Stellen, an denen Verschluß oder Engenbildung erfolgt, unterscheidet man: 1) *Lippen-L.* (Labiale): Artikulation beider Lippen gegeneinander (Bilabiale): p, b, mitteldeutsch w, m; Artikulation der Unterlippe gegen die Oberzähne (Labiodentale):f, norddeutsch w. 2) *Zahn-L.* (Dentale oder Alveolare): Artikulation der Zungenspitze gegen die Oberzähne (oder die Alveolen): t, d, s, franz. z, n; hierher gehört auch das engl. th. 3) *Gaumenlaute* (Kakuminale): die Zungenspitze ist nach dem Gaumen auf- und zurückgebogen: hierher indisch t, th, d, dh, n, 4) *Vordergaumen-L.* (Palatale): Artikulation der Zunge gegen den harten Gaumen, das Palatum: deutsch k, g vor i, e; ich-L.; franz. mouilliertes n. 5) *Hintergaumen-L.*, *Kehl-L.* (Velare): Artikulation gegen das Gaumensegel oder Velum: deutsch k, g vor a, o, u; ach-L.; ng in lange.

Lauta, Gem. im Bez. Cottbus, in der Niederlausitz, mit (1964) 9200 Ew.; Braunkohlen; Großkraftwerk und Aluminiumherstellung *(Lautawerk).*

L'autarchiv, Sammlung von Sprechtexten (Schallplatten, Tonbänder, Tonfilme) in verschiedenen Sprachen und Mundarten. Das *Deutsche Spracharchiv,* gegr. 1935 in Berlin, seit 1957 in Münster, gibt seit ›Lautbibliothek der dt. Mundarten‹ heraus. Das L. des dt. Rundfunks, rechtsfähige Stiftung mit Sitz in Frankfurt a. M., erfaßt seit 1951 Tonträger aller Art, deren Aufbewahrung und Nutzbarmachung für Zwecke der Kunst, Wissenschaft, Forschung und Erziehung nötig ist.

Laute [mhd. lute aus arab.], Musikinstrument mit Saiten, die mit den Fingern gerissen (gezupft) werden. Die L. hat in ihrer gewöhnlichen Form einen länglichrunden, aus Holzspänen zusammengefügten, nach unten stark gewölbten Schallkörper ohne Zargen. In der Mitte der Decke ist das Schalloch. Dem Schallkörper angesetzt ist der Hals mit dem Griffbrett, das durch Bünde eingeteilt ist. Die L. ist mit 6 einfachen Saiten bezogen, früher mit 11 Darmsaiten in 6 Chören. Diesen über das Griffbrett laufenden Griffsaiten können (seit Ende des 16. Jhs. üblich) 1–7 Baßsaiten beigefügt sein, deren Tonhöhe nicht durch Greifen verändert werden kann. Die *Erzlauten* haben für die Baßsaiten einen zweiten Wirbelkasten. Besondere Formen sind: die *Theorbe,* bei der der Baßwirbelkasten an einem kurzen Zwischenhals über dem ersten Wirbelkasten sitzt; die *theorbierte L.,* bei der die beiden Wirbelkasten nebeneinanderliegen; der *Chitarrone* mit langem Zwischenhals.

GESCHICHTLICHES. Lautenähnliche Instrumente finden sich schon im alten Orient. Die L. selbst ist bereits in den ersten nachchristlichen Jahrhunderten in Nordwest-Indien nachweisbar. Das Abendland übernahm die Hauptform vom pers.-arab. Kulturkreis über das maurische Spanien und über Süditalien. Die L. wurde das wichtigste Musikinstrument der beginnenden Neuzeit als Soloinstrument in der Haus- und Orchestermusik. Sie war im 15.–17. Jh. ähnlich beliebt wie später das Klavier und wurde häufig an Stelle eines Tasteninstrumentes zur Generalbaßbegleitung verwandt.

Die *Lautenmusik* des 15.–18. Jhs. wurde in einer besonderen Ziffernschrift (Italien, Spanien) oder Buchstabenschrift (Deutschland, Frankreich) aufgeschrieben. Diese *Lautentabulatur* gibt nicht die Tonhöhen, sondern die auszuführenden Griffe oder anzuschlagenden leeren Saiten an.
LIT. H. Sommer: L. u. Lautenmusik bis zur Mitte des 16. Jhs. (1920); W. Stauder: Zur Frühgeschichte der L. (1962).

Lautensack, 1) Hans Sebald, Radierer und Kupferstecher, * Bamberg (?) 1524, † Wien (?) 1561/66, tätig in Nürnberg, dann in Wien, schuf von Meistern der Donauschule angeregte Landschaftsradierungen, Bildnisse vom Wiener Hof in einer aus Radierung und Stichelarbeit gemischten Technik und radierte Ansichten von Nürnberg und Wien.
2) Heinrich, * Vilshofen/Bayern 15. 7. 1881, † München 10. 1. 1919, Lyriker und Dramatiker (Die Pfarrhauskomödie, 1911), von F. Wedekind beeinflußt.

Lautenschläger, Karl, Bühnentechniker, * Bessungen bei Darmstadt 11. 4. 1843, † 30. 6. 1906, erfand 1896 am Münchener Hoftheater die →Drehbühne.

Lauter, 1) *die,* linker Nebenfluß des Rheins, entspringt in der Hardt, mündet bei Lauterburg, 82 km lang.
2) Industriegemeinde im Kr. Aue, Bez. Karl-Marx-Stadt (Chemnitz), im westl. Erzgebirge, 502 m ü. M., mit (1964) 8800 Ew.; Spitzenklöppelschule, Emaillewarenindustrie.

Lauterbach, Kreisstadt (Vogelsbergkreis) in Hessen, nordöstl. am Vogelsberg, mit (1974) 15300 Ew., hat Textilfach- und Landwirtschaftsschule, mannigfaltige Industrie. L., 812 erstmals erwähnt, hat z. T. noch alte Mauern, die Burg (um 1685), Schloß Hohhaus (1769–73), Ankerturm (14. Jh.), Fachwerkbauten.

Lauterberg, Bad L., Stadt im Kr. Osterode a. Harz, Niedersachsen, mit (1974) 14900 Ew., Kneippheilbad am Südrand des Harzes, 300 m ü. M.; Mühlenbau, Metall-, Pinsel-, Möbel-, Holz- und Baustoffindustrie, Schwerspatgewinnung.

Lauterbrunnental, das Tal der Weißen Lütschine im Berner Oberland, erstreckt sich zwischen steilen Felswänden mit zahlreichen Wasserfällen 18 km lang vom Tschingelgletscher bis Zweilütschinen. Hauptort ist *Lauterbrunnen,* 800 m ü. M., mit (1970) 3400 Einwohnern.

L'auterstall, Harnruhr der Pferde, das Absetzen (Stallen) großer Mengen eines dünnflüssigen, blassen (lauteren) Harnes nach Aufnahme von verdorbenem oder verschimmeltem Futter.

Läutewerk, Signaleinrichtung der Eisenbahn zur Ankündigung eines Zuges auf einem Bahnhof oder für die Schrankenwärter. Vor Ab- oder Durchfahrt eines Zuges setzt der Fahrdienstleiter des Bahnhofs durch einen Handinduktor in sämtl. L. bis zum nächsten Bahnhof ein Uhrwerk in

Laut

Gang, das unter der Wirkung eines Gewichtes Glockenschläge abgibt *(Streckenläutewerk)*. Neuerdings werden die Züge unmittelbar auf dem Fernsprecher angekündigt. Lokomotiven haben *Druckluft-L.* oder *Dampf-L.*, die 100–350 m vor technisch nicht gesicherten Wegübergängen neben Pfeifsignalen in Gang gesetzt werden.

Lautgesetze, die Regeln, nach denen der Lautwandel nicht auf das einzelne Wort beschränkt bleibt, sondern sich auf sämtliche unter gleichen Bedingungen auftretende Laute erstreckt.

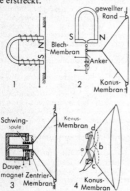

Lautsprecher: 1 *magnetischer L. nach Art eines Telefons;* 2 *Freischwinger;* 3 *dynam. L.;* 4 *Kristall-L.;* a, b *mit der Membran verbundene,* c, d *ortsfest gelagerte Ecken des quadrat. Kristalls*

Lautlehre, **Phonetik,** Wissenschaft von der Hervorbringung, der physikal. Struktur und der Wahrnehmung von Stimme und →Lauten. Die L. liefert der Sprachwissenschaft, Akustik, Physiologie, Sprachheilkunde, Psychologie, Sprach- und Gesangskunde wichtige Beiträge.

Lit. E. Dieth: Vademekum der Phonetik (1950); O. v. Essen: Allgem. und angewandte Phonetik (³1962).

Lautmalerei, griech. **Onomatopö'ie,** Anpassung des Wortklanges an die Vorstellung oder an Klangerlebnisse, z. B. »Und hohler und hohler hört man's heulen« (Schiller: ›Taucher‹).

Lautréamont [lotreamõ], Comte de, eigentl. Isidore *Ducasse,* franz. Dichter, * Montevideo 4. 4. 1847, † Paris 24. 11. 1870, hatte großen Einfluß über die Surrealisten hinaus auf die moderne Lyrik.

Werke. Les chants de Maldoror, 6 Gesänge (1. Gesang 1868; vollst. 1869, erschien. 1890), Poésies (1917, postum), Œuvres complètes (1927, ²1946; dt. 1954 und 1963).

Lautschrift, Schriftsystem zur möglichst lautgetreuen Aufzeichnung des Gesprochenen (phonetische Transkription). Am verbreitetsten ist das System der Association Phonétique Internationale (seit 1886), das in diesem Lexikon verwendet wird (vgl. die Angaben unter »Betonung und Aussprache« am Anfang jedes Bandes).

Lautsprecher, Gerät zur Umwandlung von elektr. Schwingungen (Wechselströmen) in hörbare (akustische) Schwingungen zur Wiedergabe von Sprache und Musik. L. bestehen aus einem Antriebssystem und einer Membran, meist eine Konus-Membran aus Papier. Der nur noch selten angewendete *magnetische L.* beruht auf der Anziehungskraft eines Elektromagneten. Er wird heute als *Freischwinger* ausgeführt, bei dem der Anker frei vor den Polen eines Dauermagneten schwingt. Naturgetreue und unverzerrte Wiedergabe wird durch den *dynamischen L.* gewährleistet, wenn er in eine Schallwand (z. B. Empfängergehäuse) eingesetzt ist. Beim dynam. L. wird ein stromdurchflossener Leiter in einem Magnetfeld abgelenkt. Er besteht entweder aus einem topfförmigen oder E-förmigen Elektromagneten oder meist aus einem Dauermagneten aus *Al-Ni-*Stahl, in dessen ringförmigem Luftspalt eine mit der Membran verbundene Spule schwingt. Um auch die hohen Töne über 5000 Hz genügend laut wiedergeben zu können, werden in Rundfunkempfänger zusätzliche *Hochton-L.* eingebaut (als *Kristall-L.,* als *elektrostatische L.* oder *Kondensator-L.*). Beim *Ionen-L.* (»Ionophon« von S. Klein) werden statt der trägen Membrane ionisierte Luftpartikel in Schwingungen versetzt.

Bei der L.-Wiedergabe in Sälen und auf Plätzen werden *Strahlergruppen (Schallzeilen)* verwendet, die aus mehreren übereinander auf einer schmalen Schallwand angeordneten L. bestehen. Sie bündeln die Schallenergie gleichmäßig in die Zuhörerebene hinein und vermeiden Reflexionen an der Decke und den Wänden. Im Freien wird die Strahlergruppe in einem Gehäuse auf einer Säule angebracht *(Tonsäule).*

Lautstärke, **Klangstärke,** ein Maß für die Stärke der Schallempfindung. Maßeinheit ist das →Phon. Der Bereich der hörbaren Geräusche umfaßt rd. 130 Phon (→Lärm).

Lautstärkemesser, der →Geräuschmesser.

Lautsubstitution, die Ersetzung von Lauten oder Lautverbindungen, die der eigenen Sprache fremd sind, durch spracheigene ähnliche Laute.

Lautung, Verbindung von Sprachlauten; bedeutungstragende Lautgruppe.

Lautverschiebung, die Veränderung größerer Teile des Konsonantensystems einer Sprache im gleichen Sinne. Die *erste* oder *germanische L.* unterscheidet die germanischen von allen anderen →indogermanischen Sprachen. Dabei wurden p, t, k zu f, θ, x (d. h. ch); b, d, g zu p, t, k; bh, dh, gh zu stimmhaften Reibelauten, schließlich zu b, d, g; b, d, g zu p, t, k. Die *zweite* oder *hochdeutsche L.* unterscheidet die hochdt.

Mundarten von allen andern germanischen. Dabei wurden p, t, k im Anlaut und nach Konsonanten zu pf, ts, kx, z. B. niederdt. pund, hochdt. pfund, sonst zu doppelten stimmlosen Reibelauten (ff, ss, xx): z. B. niederdt. water, maken, hochdt. Wasser, machen; b, d, g zu p, t, k, z. B. niederdt. dag, hochdt. Tag; v, ð, γ zu b, d, g, z. B. niederdt. gewen, hochdt. geben. Doch ist die hochdt. L. in einem breiten Übergangsgebiet nur z. T. wirksam geworden. Die Zeit der ersten L. ist nicht zu ermitteln, die zweite hat sich in ihrem Kerngebiet im 7. Jh. n. Chr. durchgesetzt.

Lautwandel, sprachgeschichtliche Veränderungen von Lauten (→Lautgesetze). Der auf Grund von L. in etymologisch verwandten Wörtern einer Sprache vorkommende Wechsel von Lauten (»denken« – »Gedanke«) heißt *Lautwechsel.*

L'ava [ital.], **1)** aus Vulkanen ausfließendes →Magma und daraus entstandene, infolge entweichender Gase poröse oder glasige **Ergußgestein.** Die Temperatur eines Lavastromes beträgt 1000–1300° C. **2)** Schlamm- und Gesteinsmassen der Wildbäche.

Lav'able, Krepp-Chinette, Krepp-orientale, →Krepp.

Lav'abo [lat.] *das,* **1)** die sinnbildliche Handwaschung des Priesters in der Messe. **2)** die dazu gebrauchten Gefäße.

Laval [laval], Hauptstadt des franz. Dep. Mayenne, (1970) 45700 Ew.; Schloß der früheren Herzöge von L. (11./12. Jh., jetzt Museum), das Neue Schloß (16. Jh., jetzt Justizpalast) sowie Kirchen (12.–14. Jh.).

Laval [lav'al], **1)** Carl Gustaf Patrik de, schwed. Ingenieur, * Orsa 9. 5. 1845, † Stockholm 2. 2. 1913, einer der Erfinder der →Dampfturbine. Bei der von ihm 1889 konstruierten *Lavaldüse* erreicht man Überschallgeschwindigkeiten in Gasstrahlen dadurch, daß man den Querschnitt nach anfänglicher Verengung wieder etwas erweitert. **2)** Pierre, franz. Politiker, * Chateldon (Dep. Puy-de-Dôme) 28. 6. 1883, † (hingerichtet) Paris 15. 10. 1945, Rechtsanwalt, sozialist. Abg., dann parteilos; war seit 1925 mehrfach Minister (1934–36 Außenmin.) und MinPräs. (1931/32, 1935/36, dann wieder unter Pétain 1940 und seit 1942). 1944 wurde er nach Dtl. gebracht, floh 1945 nach Spanien und wurde an Frankreich ausgeliefert; wegen Kollaboration mit Dtl. zum Tode verurteilt. – Seine Tochter gab L.s Erinnerungen heraus: ›L. parle‹ (Genf 1948).

Laval'etta, Hauptstadt von Malta, →Valletta.

Lavallier [lavalje, franz.] *das,* **Lavallière** [lavalje:r], *die,* locker gebundene Seidenschleife (Künstlerknoten).

Lavallière [lavalje:r], Louise de *La Baume Le Blanc,* Herzogin von (seit 1667), Geliebte Ludwigs XIV., dem sie vier Kinder gebar, * Tours 6. 8. 1644, † Paris 6. 6. 1710, trat 1674 als »Louise de la Miséricorde« in ein Karmeliterkloster ein.

Lavand'inöl, ätherisches Öl aus den Blüten der *Lavandinpflanze,* eines Bastards aus den Lavendelarten Lavandula vera und Lavandula latifolia; wichtig für Seifenparfüms.

Lav'andula, →Lavendel.

L'avant *die,* Nebenfluß der Drau in Kärnten, 64 km lang, entspringt am Zirbitzkogel (2397 m) in Obersteiermark, durchfließt von N nach S das *Lavanttal* in den *Lavanttaler Alpen* (Koralpe 2141 m ü. M.).

L'avant, Christine, eigentl. **Habernig,** geb. Thonhauser, österr. Lyrikerin und Erzählerin, * Groß-Edling bei St. Stefan 4. 7. 1915, † Wolfsburg (Kärnten) 8. 6. 1973.

WERKE. Spindel im Mond (1959, ²1966), Der Pfauenschrei (1962).

La Varende [lavaräd], Jean Balthasar Mallard Vicomte de, franz. Schriftsteller, * Schloß Bonneville-Chamblac (Normandie) 29. 5. 1887, † Paris 8. 6. 1959, schrieb neben histor. Studien Romane.

Lav'ater, lat. **lavator,** *mittelalterlich:* Wäscher im Kloster.

L'avater, Johann Kaspar, philosophischer Schriftsteller, * Zürich 15. 11. 1741, † das. 2. 1. 1801, wurde 1769 Diakon und 1775 Pfarrer in Zürich. L. war eine vermittelnde Natur, seine Dichtung war von Gleim und Klopstock, die in der »Physiognomik« dargelegte Lehre von der Außenausprägung der Seele in Merkmalen des Gesichts und des Schädels war von Ch. Bonnet beeinflußt. Wesentlich religiös interessiert, bemühte er sich, die damals ungedeuteten Erscheinungen der »magnetischen« Suggestion, der Trancezustände usw. in diesem Sinne zu verwerten. Auch seine Lieder und Dichtungen behandeln meist religiöse Gegenstände; die patriotischen ›Schweizerlieder‹ (1767) wurden volkstümlich. L. war in der Zeit des Sturm und Drang mit Herder und Goethe befreundet; mit Hamann stand er im Briefwechsel. Sein Hauptwerk ›Die physiognomischen Fragmente‹, an denen auch Goethe mitarbeitete, hat der Physiognomik wichtige Anregungen gegeben.

WERKE. Aussichten in die Ewigkeit, 4 Bde. (1768–78), Geheimes Tagebuch von einem Beobachter seiner selbst, 2 Bde. (1772/73), Physiogn. Fragmente, 4 Bde. (1775–78). Jesus Messias, 4 Bde. (1783–86), Ausgew. Werke, hg. von E. Stähelin, 4 Bde. (1943), Briefwechsel zwischen Hamann und L. (1894), zwischen L. und Goethe (1901).

LIT. O. Farner: J. C. L. (1938); Th. Hasler: L. (1942).

L'avater-Sloman, Mary, Schriftstellerin, * Hamburg 14. 7. 1891, schrieb Biographien über Lavater, Katharina II., Annette von Droste-Hülshoff, Pestalozzi, Elisabeth I. von England u. a.

Lav'endel [ital. ›Badekraut‹] *der, Lavandula,* Lippenblütlergattung. Der *gemeine* oder *schmalblättrige* L. (L. vera, FARBTAFEL Arzneipflanzen) ist auf steinigen Hügeln Südeuropas heimisch und wird mit anderen Arten (so der Arzneipflanze L. spica) angebaut, bes. in Südfrankreich und Südengland, weil aus *Lavendelöl* das *Lavendelwasser* (franz. Eau de Lavande), Seifenwürze und das Einreibemittel *Lavendelspiritus (Lavendelgeist)* hergestellt werden.

Laveran [lavrã], Charles Louis Alphonse, französ. Mediziner, * Paris 18. 6. 1845, † das. 18. 5. 1922, entdeckte 1880 die Malariaerreger. 1907 erhielt er den Nobelpreis.

Lavery [l'eivəri, l'ævri], Sir (seit 1913) John, schott. Maler, * Belfast 1856, † Kilkenny (Irland) 10. 1. 1941, Anhänger des franz. Impressionismus und Whistlers.

Lavelle [lavεl], Louis, franz. Philosoph, * St-Martin-de-Villeréal 15. 7. 1883, † das. 1. 9. 1951, war seit 1941 Prof. am Collège de France. Er schuf eine dem Idealismus nahestehende Philosophie des Geistes mit entschieden metaphys. Tendenz.

lav´ieren [franz.-niederländ.], 1) gegen den Wind kreuzen. 2) durch Kreuz- und Querzüge ein Ziel zu erreichen suchen. 3) *Malerei:* eine aufgelagerte Farbe mit Wasser vertreiben, d. h. verlaufend verwaschen.

Lavigerie [laviʒri], Charles Martial Allemand, franz. Kardinal (seit 1882), * Bayonne 31. 10. 1825, † Algier 25. 11. 1892, wurde 1867 Erzbischof von Algier, 1884 zugleich Erzbischof von Karthago und Primas von Afrika. L. gründete 1868 die Kongregation der *Weißen Väter* zur Christianisierung Afrikas und bekämpfte die Sklaverei.

Lavoir [lawua:r, franz.] *das,* mundartlich: **Lav´or,** Waschbecken.

Lavoisier [lavwasje], Antoine Laurent, franz. Chemiker, * Paris 26. 8. 1743, † (hingerichtet) das. 8. 5. 1794, wurde 1771 Generalpächter der Steuern, 1776 Leiter der Salpeter- und Pulverfabriken, 1791 Kommissar des Nationalschatzes. L. ist der Begründer der neuzeitlichen Chemie; er erkannte als erster die Bedeutung der Untersuchung chemischer Vorgänge mit Hilfe der Waage und wies nach, daß jede Verbrennung auf einer Sauerstoffaufnahme beruht. Auch die Zusammensetzung des Wassers wurde von L. entdeckt.

L'avongai, als dt. Schutzgebiet 1884–1918 **Neuhannover,** Insel im Bismarck-Archipel, 1600 qkm groß, bis 375 m hoch, Einwohner Melanesier.

Lävul´ose, →Fruchtzucker.

Law [lɔ: engl.], *das,* das Recht im objektiven Sinn, die Rechtsordnung.

Law [lɔ:], 1) Andrew **Bonar,** engl. Staatsmann, * Neubraunschweig (Kanada) 16. 9. 1858, † London 30. 10. 1923, wurde 1911 Führer der konservativen Partei, Ende 1916 unter Lloyd George Schatzkanzler und Führer des Unterhauses und 1918 Geheimsiegelbewahrer. Okt. 1922 bis Mai 1923 war er Premierminister.
2) John **L. of Lauriston,** Finanzmann, * Edinburgh 16. 4. 1671, † Venedig 21. 3. 1729, errichtete 1716 in Paris eine Privatnotenbank, die Banque Générale, die 1718 Staatsbank wurde, und 1717 als privilegierte Handelsgesellschaft die Compagnie d'Occident zur Ausbeutung des französ. Kolonial-

besitzes in Nordamerika. Die übermäßige Ausgabe von Banknoten, die eine Papiergeldinflation darstellte, sowie die laufende Neuausgabe von Aktien löste eine gewaltige Spekulation aus. 1720 kam der Zusammenbruch, der Frankreich in eine schwere Finanz- und Wirtschaftskrise stürzte.

Law´ine [ladin., aus mlat. labina ›Erdfall‹], in Tirol **Lahne, Lähne,** in der Schweiz **Lauene, Leuine,** große stürzende Schnee- und Eismassen der Hochgebirge. *Staublawine:* feinkörniger, trockener Neuschnee, der auf kahlem Berghang abgleitet und mit orkanartigem Luftstrom als stäubende Schneewolke zu Tal fährt. *Grund-* oder *Schlaglawine:* durchweichter Schnee, der an steilen Berglehnen abrutscht und als geschlossene, im Sturz sich verdichtende Firn- und Eismasse niedergeht, durch ihre Wucht sehr zerstörend; die meisten schlagen jedes Jahr dieselben Bahnen ein. *Gletscher-* oder *Eislawine:* Gletschereis, das sich beim Vorrücken des Gletschers an einem steilen Abhang ablöst. *Schneebrettlawine:* schlagartige Ablösung eines →Schneebretts in riesigen Schollen. Die günstigste Bedingung für das Niedergehen von Lawinen ist reichlicher Schneefall bei völlig stiller Luft. Den besten Schutz gewährt der geschlossene Hochwald (→Bannwald). Wo er fehlt, sucht man Dörfer, Straßen usw. durch Lawinenverbauung (Dämme, Mauern, Bremskeile, Galerien) zu sichern.

Lawinenschnur, eine lange farbige Schnur, die beim Betreten lawinengefährdeten Geländes nachgeschleift wird und der Verschüttung zur schnelles Auffinden des Verunglückten ermöglicht.

Lawn-Tennis [lɔ:n-, engl.; Bismarckzeit] *das,* Rasentennis, →Tennis.

Lawra [grch.], Kloster, →Laura.

Lawrence [l'ɔrəns], Stadt in Massachusetts, USA, mit (1970) 66900 Ew., Woll- und Papierindustrie.

Lawrence [l'ɔrəns], 1) David Herbert, engl. Erzähler, * Eastwood (Nottingham) 11. 9. 1885, † Vence bei Nizza 2. 3. 1930, Sohn eines Bergarbeiters. Bereits in seinem ersten Roman (Der weiße Pfau, 1911; dt. 1936) schlägt das Grundthema seines Werkes an: der Kampf gegen Unnatürlichkeit und die den Menschen einengende Zivilisation sowie die Forderung nach freier Entfaltung der Persönlichkeit. L. weist dabei dem Erotischen und Sexuellen eine wichtige Stellung zu, um die Spaltung des Menschen in geistige und leibliche Kräfte zu bekämpfen. Stark autobiograph. ist sein Roman ›Söhne und Liebhaber‹ (1913; dt. 1925). L. schrieb auch Gedichte, Erzählungen und Essays.
WERKE. Liebende Frauen (1921; dt. 1927), Die gefiederte Schlange (1926; dt. 1932), Die erste Lady Chatterley (1928; dt. 1930), Die Frau, die davonritt (1928; dt. 1928, Novelle). Meisternovellen (dt. hg. 1953), Briefe, Auswahl (dt. 1938).
2) Ernest Orlando, amerikan. Physiker, * Canton (South Dakota) 8. 8. 1901, † Palo

Alto (Cal.) 27. 8. 1958, Prof. in Berkeley, baute 1930 ein erstes Modell eines Zyklotrons, verbesserte es ständig und stellte ihm erstmals eine große Zahl künstlich radioaktiver Stoffe her. 1939 Nobelpreis für Physik.

3) Sir (seit 1815) Thomas, engl. Maler, * Bristol 13. 4. 1769, † London 7. 1. 1830, Hofmaler und Präsident der Londoner Akademie. Er war der beliebteste, vom engl. Adel und der europ. Gesellschaft bevorzugte Bildnismaler seiner Zeit.

4) Thomas Edward, * Tremadoc (Wales) 15. 8. 1888, † (Unfall) Clouds Hill (Dorset) 19. 5. 1935, Archäologe und Sprachforscher, wurde als polit. Agent Englands und Vertrauter Feisals zum Organisator des Araberaufstands (1916–18) gegen die Türken und Vorkämpfer der arab. Unabhängigkeit. Er geriet in immer schärferen Gegensatz zur engl. Orientpolitik und schied 1922 nach kurzer Tätigkeit aus dem brit. Kolonialamt aus. Er diente dann als einfacher Soldat in der engl. Luftwaffe. L. schrieb ›Seven Pillars of Wisdom‹ (1926; dt. Die sieben Säulen der Weisheit, 1936; Auszug dt. Aufstand in der Wüste, 1927), ›The Mint‹ (1955; dt. Unter dem Prägestock, 1955, über seine Militärzeit). ›Selbstbildnis in Briefen‹ (dt. 1948). ›Mosaik meines Lebens‹, hg. v. D. Garnett (1950; dt. 1952).

LIT. R. Aldington: Der Fall E. T. L. (1954; dt. 1955, kritisch).

Lawr´encium [nach E. O. Lawrence], chem. Zeichen **Lr** (früher Lw), zu den →Transuranen gehörendes chem. Element, Ordnungszahl 103. Es wurde zuerst (1961) hergestellt im Lawrence Radiation Laboratory (USA) durch Bombardierung von Kalifornium mit beschleunigten Bor 10- und Bor 11-Ionen (L.-Isotope 257, 258 und 259). Das Atomgewicht des längstlebigen L.-Isotops ist 256; es zerfällt durch Aussendung von Alpha-Teilchen zu Mendelevium und hat eine Halbwertszeit von 45 Sekunden.

Lawrenjow, Boris Andrejewitsch, russ. Schriftsteller, * Cherson 17. 7. 1891, † Moskau 1959, bekannt vor allem durch die Erzählung ›Der Einundvierzigste‹ (1924; dt. 1928) und das Revolutionsdrama ›Die Bresche‹ (1928; dt. 1950).

Lax´antia [lat.], milde Abführmittel.

L´axenburg, Markt im Bez. Mödling, Niederösterreich, mit (1971) 1500 Ew.; Schloß, erstmals im 12. Jh. genannt, unter Maria Theresia bedeutend erweitert (*Blauer Hof*); im Park auf einer Insel die *Franzensburg* (1798–1836).

lax´ierend [lat.], abführend. **Laxiermittel**, Abführmittel.

Lax´ismus [lat.], *kathol. Moraltheologie:* die Lehre, daß ein Gesetz nicht befolgt werden muß, wenn irgendwelche Gründe das gegenteilige Verhalten erlauben; 1679 vom hl. Offizium verurteilt.

L´axness, Halldór Kiljan, eigentl. Guðjonsson, isländ. Schriftsteller, * Reykjavik 23. 4. 1902, trat 1923 zum Katholizismus

über, anfänglich dem dt. Expressionismus und dem franz. Surrealismus verpflichtet. Unter dem Einfluß marxistischer Gedanken und der Philosophie Nietzsches näherte er sich dann dem Sozialismus. Seine oft ironischen und satirischen Romane behandeln den ausgebeuteten, von der Gesellschaft unterdrückten Menschen. 1955 erhielt er den Nobelpreis.

WERKE. Salka Valka (1931/32; dt. 1951), Der Freisasse (1936; dt. 1936), Islandglocke (Romantrilogie, 1934–36; dt. 1951), Atomstation (1948; dt. 1956), Das Fischkonzert (1957; dt. 1961).

Lay [lɛ] *der*, Küstenfluß in Frankreich, in der Vendée, entspringt an den Hügeln der Gâtine, mündet, 125 km lang, in den Golf von Biscaya.

Lay, August, Pädagoge, * Bötzingen (Breisgau) 30. 7. 1862, † Karlsruhe 9. 5. 1926. L. ist neben E. Meumann Begründer der Experimentalpädagogik.

Layamon [l´eiəmən], engl. Dichter, Leutpriester aus Ernley am Severn (Worcester); übertrug Ende des 12. Jhs. den ›Roman de Brut‹ von Wace in engl. Verse (16 120 Langzeilen), ein Ansatz zu einer eigenen engl. Form des Versromans.

Lay-out [l´eiaut, engl. ›Planung‹], bei Werbemitteln der Schema-Aufriß zur flächig-rhythmischen Aufgliederung von Bebilderung, Schlagzeile, Zwischentiteln, fortlaufendem Text.

Lazar´ett [ital.] *das*, Militärkrankenhaus.

Lazarillo de Tormes [laθar´iʎo], Name des nach der Hauptperson benannten, in alle Kultursprachen übersetzten ersten span. Schelmenromans (1554; dt. 1889, neu 1963).

Lazar´isten, Vinzentiner, Beiname der *Kongregation der Mission*, einer Priestergenossenschaft ohne öffentl. Gelübde, die sich bes. der inneren und äußeren Mission widmet. Erstes Mutterhaus St-Lazare in Paris; Stifter (1625) der hl. Vinzenz von Paul.

L´azarus [hebr. Eleazar ›Gott hilft‹], **1)** der von Jesus vom Tode erweckte Bruder der Maria und Martha (Joh. 11, 1ff.); Tag: 17. 12.

2) der Aussätzige im Gleichnis Luk. 16, 19ff., Schutzheiliger der Aussätzigen.

Lazarus, Moritz, Philosoph und Völkerpsychologe, * Filehne (Posen) 15. 9. 1824, † Meran 13. 4. 1903, gehörte zur Herbartschen Schule und gründete 1859 mit H. Steinthal die ›Zeitschrift für Völkerpsychologie und Sprachwissenschaft‹ (bis 1890). Er forderte die Anwendung exakter psychologischer Methoden für die Erforschung der für das Zusammenleben der Menschen geltenden Gesetzmäßigkeiten. Seine Bestrebungen wurden von W. Wundt 1900 wiederaufgenommen. L. gehörte auch zu den Mitgründern der 1872 gegr. →Hochschule für die Wissenschaft des Judentums.

WERKE. Das Leben der Seele, 3 Bde. (³1882–85), Über den Ursprung der Sitten (1860), Über die Ideen in der Geschichte (1865), Über die Reize des Spiels (1883),

Laza

Der Prophet Jeremias (1894), Die Ethik des Judentums, 2 Bde. (1898–1911).

Lazarusklapper, eine Klapper, durch die im Mittelalter die aussätzigen Bettler Vorübergehende warnen mußten, ihnen zu nahe zu kommen.

Lazed´ämon, →Lakedämon.

Lazerati´on, *Medizin:* Einriß.

Lazul´ith *der,* **Blauspat,** monoklines, blaues, glänzendes Mineral, ein wasserhaltiges Phosphat von Tonerde mit etwas Magnesia und Eisenoxydul.

Lazzarone [nach →Lazarus 2], die proletarischen Gelegenheitsarbeiter in Neapel.

Lb, lb [lat. libra], engl. Abk. für das Pfund(gewicht), in der Form ℔ auch in Dtl. üblich.

l. c. [lat.], Abk. für loco citato, am angeführten Ort (eines Buches).

Ld., Ltd., Abk. für engl. →Limited.

LDPD, Abk. für Liberal-Demokrat. Partei Deutschlands, →liberale Parteien.

LD-Verfahren, das →Linzer Düsenverfahren.

Lea, eine der Frauen →Jakobs (1. Mos. 29).

Lea [li:, engl.] *das,* engl. Garnmaß: für Baumwollgarne = 120 Yard, für Leinen- und Hanfgarne = 300 Yard, für Kammgarne = 80 Yard (1 Yard = 0,9144 m).

Lea [li:], Fluß in England, 75 km lang, mündet in London von N in die Themse.

Lea [li:], Henry Charles, amerikan. Journalist und Historiker, * Philadelphia 19. 9. 1825, † das. 24. 10. 1909, untersuchte bes. die Geschichte der Inquisition.

Leacock [l´i:kɔk], Stephen Butler, kanad. Erzähler, * Swanmoor (Hampshire) 30. 12. 1869, † Toronto 28. 3. 1944, war Prof. für Volkswirtschaftslehre in Chicago und Montreal; schrieb humorist. Erzählungen und Plaudereien mit sozialkrit. Einschlag.

Lead [li:d, engl. ›Vorsprung‹], *Volkswirtschaft:* im Konjunkturverlauf das Vorauseilen wirtschaftl. Faktoren vor anderen (→Lag).

Leade [li:d], geb. **Ward,** Jane, engl. Mystikerin, * Grafschaft Norfolk um 1623, † London 19. 8. 1704, veröffentlichte seit 1681 von J. Böhme beeinflußte Visionen theosophisch-mystischer Art. Ihre Anhänger, auch in Holland, Dtl. und der Schweiz verbreitet, sammelten sich in *Philadelphischen Sozietäten.*

league [li:g, engl.], altes engl. Wegemaß: 3 Landmeilen = 4827 m.

Leakey [l´i:ki], Louis, * Kabete (Kenia) 7. 8. 1903, † London 1. 10. 1972, Erforscher der Vorgeschichte Ostafrikas, Leiter vieler archäolog. Expeditionen.

Le´al, António Duarte Gomes, portugies. Lyriker, * Lissabon 6. 6. 1848, † das. 29. 1. 1921, schrieb scharfe polit. Pamphlete und Satiren.

Leamington [l´i:miŋtən], Badeort in Südwestengland, (1971) 45 000 Ew., hat Stahl-, Schwefel-, Salzquellen gegen Magen- und Leberleiden.

Lean [li:n], David, engl. Filmregisseur, * Croydon 25. 3. 1908. Filme: Oliver Twist

(1948), Die Brücke am Kwai (1957), Lawrence von Arabien (1962).

Le´ander, griech. Sagengestalt, →Hero.

Le´ander, Erzbischof von Sevilla (seit 584), * Cartagena vor 549, † Sevilla um 600, forderte den Übertritt der arianischen Westgoten zum Katholizismus, der auf der Nationalsynode von Toledo 589 vollendet wurde. Heiliger; Tag: 13. 3.

Le´ander, Zarah, schwed. Filmschauspielerin und Sängerin, * Karlstad (Schweden) 15. 3. 1907. Filme: Premiere (1937), Es war eine rauschende Ballnacht (1939) u. a. Autobiogr.: Es war so wunderbar (1973).

Lear [liə], in den älteren Quellen **Leir,** sagenhafter König von Britannien, Held eines Trauerspiels von Shakespeare.

Lear [liə], Edward, engl. Dichter und Maler, * London 12. 5. 1812, † San Remo 18. 1. 1888, ist mit seinen Ulkversen (meist limericks) der Hauptvertreter der *nonsense poetry* (Unsinn-Dichtung).

Leasing [li:-, engl.], das Vermieten ganzer Industrieanlagen von Finanzierungsinstituten an Unternehmer.

Léautaud [leotoˌ], Paul (gelegentl. Pseudonym **Maurice Boissard**), franz. Schriftsteller, * Paris 18. 1. 1872, † La Vallée-aux-Loups 22. 2. 1956, gab als Kritiker in geschliffener, am Stil des 18. Jhs. geschulter Sprache seinen eigenwilligen Ansichten in schonungsloser Weise Ausdruck. Seine Einakter und Erzählungen sind sarkastisch-amüsante Beiträge zur Kulturgeschichte.

WERKE. Œuvres (1956 ff.), Literarisches Tagebuch 1893–1956 (dt. Auswahl 1966).

L´eba *die,* Fluß in Pommern, 135 km lang, durchfließt den 75 qkm großen *Lebasee* und mündet in die Ostsee.

Lebach, Gem. im saarländ. Kr. Saarlouis, mit (1973) 7100 Ew.

Lebb´äus [›der Beherzte‹], ein in Matth. 10, 3 und Mark. 3, 18 in einem Teil der Textüberlieferung statt Thaddäus genannter Apostel.

L´ebedew, Petr Nikolajewitsch, russ. Physiker, * Moskau 6. 3. 1866, † das. 14. 3. 1912, studierte in Berlin bei Kundt und Helmholtz, war seit 1900 Prof. in Moskau; führte von 1898–1910 seine klass. Untersuchungen über die *Druckkräfte des Lichtes* aus.

Lebelgewehr [ləb´ɛl-], das nach dem Erfinder N. Lebel (* 1835, † 1891) benannte, 1886 in Frankreich eingeführte Infanteriegewehr.

Leben, die Gesamtheit der Erscheinungen, durch die sich die pflanzlichen, tierischen und menschlichen *Lebewesen (Organismen)* bis zu den einfachsten einzelligen Formen von leblosen Körpern unterscheiden; es ist an die →Zelle gebunden; die Viren (→Virus) z. B., die nicht zellig gebaut sind, besitzen nicht alle Kennzeichen des L. Das L. spielt sich durchweg auf der chemischen Grundlage von Eiweißstoffen (→Eiweiß) ab, jedoch ist es nicht durch bestimmte stoffliche Gebilde zu definieren. Die wesentlichen Kennzeichen des L.s liegen in den meist höchst verwickelten Vorgängen, die das Lebewesen in einem dynamischen Gleichgewicht von Aufbau und Abbau erhalten. Werden die Abbau- und Zerfallsvorgänge nicht mehr durch Aufbauvorgänge ausgeglichen oder überwogen, so endet das L. des Einzelwesens (Tod). – Die *Lebenserscheinungen* (Lebensvorgänge) lassen sich zusammenfassen in die Gruppen: 1) *Stoff- und Energiewechsel* (Ernährung, Atmung); 2) *Reizerscheinungen* (Reizaufnahme und -beantwortung); 3) *Formwechsel* (Wachstum, Entwicklung, Fortpflanzung, Vererbung). Diese Vorgänge können nur dann ablaufen, wenn eine Reihe von *Lebensbedingungen* gegeben sind (so Wasser, Licht, Nahrung, Sauerstoff, Mindest- bis Höchsttemperatur). – Die Frage der Erstentstehung von L. aus leblosem Stoff ist noch ungeklärt. Nach verschiedenen, z. T. experimentell bestätigten Annahmen scheint die Bildung einfacher organischer Verbindungen (Kohlenwasserstoffe, Aminosäuren u. a.) durch Einwirkung der Ultraviolettstrahlung der Sonne, der kosmischen Strahlen, durch Katalyse oder durch elektrische Entladungen in einer geeignet zusammengesetzten Uratmosphäre wahrscheinlich.

Der *Begriff L.* hatte im 20. Jh. eine ähnliche Bedeutung als philosoph. Zentralbegriff erlangt wie im 19. Jh. der Begriff »Natur« und im 18. Jh. »Vernunft«. Die Seinslehre (Nic. Hartmann) lehrt den Aufbau des Kosmos aus vier Schichten: Materie, Leben, Seele, Geist, wobei die jeweils niedere selbständig daseinsfähig ist. So kann es Materie ohne Leben, L. ohne seelisches L. (Pflanze), beseeltes L. ohne Geist (Tiere) geben. Die jeweils höhere Schicht dagegen setzt das Dasein der niederen voraus und kommt ohne diese nicht vor, ist aber aus der niederen Schicht direkt nicht ableitbar, sondern enthält eigengesetzl. Eigenschaften. Diese steigende Autonomie der oberen Schichten trotz Abhängigkeit von den unteren ist insbes. der Grundzug des menschlichen L., weil der Mensch allein alle vier Schichten umfaßt. Der um die Jahrhundertwende lebhafte Vitalismusstreit (Hans Driesch) tritt heute an Bedeutung zurück, denn weder der →Mechanismus noch der →Vitalismus sind streng beweisbar. Daß der Organismus grundsätzlich nicht aus physikalisch-chem. Gesetzen zu erklären ist, wäre nur durch den nicht zu führenden Nachweis sicherzustellen, daß es nichtmaterielle Lebenskräfte gibt; umgekehrt ist deren Nichtvorhandensein unbeweisbar, denn dazu müßte man L. aus physikalisch-chemischen Prozessen erzeugen können. Eine rein naturwissenschaftl. Erklärung der Entstehung des L.s muß die Möglichkeit der Entstehung organ. Stoffe aus dem Mineralreich unter Außenweltbedingungen nachweisen (Urzeugung), was bisher erst für ganz wenige organ. Stoffe wahrscheinlich gemacht wurde. Die modernsten Anwendungen der Quantenphysik auf das Problem des L. s noch spekulativ (Pascual Jordan).

Gibt es im inneratomaren Bereich unkausales (freies) Geschehen, so ist anzunehmen, daß solche unvorhersehbaren Einzelereignisse bei der Entstehung des L.s wie bei seiner Weiterentwicklung (Mutationen) eine entscheidende Rolle spielten. Neuerdings sucht man die Gesamtheit der Lebensvorgänge öfter rein formal als *Ektropie* zu beschreiben, d. h. als Vorgänge, die dem Energieausgleich der Welt (Entropie) entgegengesetzt wirken.

LIT. Vom Unbelebten zum Lebendigen (eine Ringvorlesung an der Universität Münster, 1956); H. Woltereck: Dem L. auf der Spur (1961).

lebende Bilder, die Darstellung von Werken der Malerei und Plastik durch lebende Personen. Schon im Altertum bekannt, wurden sie am Ende des 18. Jhs. durch die Comtesse de →Genlis wiederaufgenommen. Bekannt wurden die *Attituden* der Lady Emma Hamilton. Im 19. Jh. stellte man bei bürgerl. Vereinsfestlichkeiten l. B. nach Ereignissen aus der vaterländ. Geschichte.

lebendes Inventar, die lebenden Haustiere als Teil des landwirtschaftlichen Inventars.

Lebendgewicht, das Gewicht des lebenden Tieres. Gegensatz: Schlachtgewicht.

lebendiggebärend, *vivipar* heißen: **1)** Tiere, deren Junge ihre Frühentwicklung in den mütterlichen Geschlechtswegen durchmachen (Säugetiere, Kreuzotter, Alpensalamander); **2)** Pflanzen, deren Samen keimen, wenn die Frucht noch an der Mutterpflanze sitzt (z. B. Manglebaum, →Mangrovebaum).

Lebendverbauung, die Sicherung von Fluß-, Kanal- und Seeufern durch Anpflanzen und Pflege von Rasen, Sträuch, Rohr, Weiden u. dgl.; sie ist in erster Linie dort möglich, wo der Wasserspiegel in der Wachstumsperiode nicht oder nur wenig schwankt.

Leben-Jesu-Forschung, die quellenkritische und pragmatische Klarstellung der Geschichte Jesu Christi, bes. in der protestant. Theologie des 19. und 20. Jhs.

Die mündliche und schriftl. Überlieferung führte im Mittelmeerraum schon früh zur Evangelienbildung, blieb aber auf dem asiat. Kontinent noch lange im Fluß und vermischte sich mehr und mehr mit gnostischen Mythen und oriental. Legenden (judenchristl., nestorianisch-chines., mandäische und vor allem islam. Jesusüberlieferungen). Eine neue Darstellungsweise des Lebens Jesu begann mit der Entstehung von →Evangelienharmonien (Tatian, Gerson, Osiander u. a. m.). Eine Synthese von Evangelienharmonien und Christuslegende ist die persische Jesusvita, die der jesuitische Indienmissionar Jérôme Xavier 1602 für den ind. Großmogul Akbar verfaßt hat. Das chines. (taoistische) Werk ›Schen Hsien Chien‹ (um 1700) enthält eine kurze Geschichte Jesu und Marias.

Die kritische Behandlung der überlieferten Berichte setzte mit der jüdischen, heidnischen und islam. Polemik ein, die sich erstmalig am Hofe Friedrichs II. in Palermo

Lebe

programmatisch zusammenfand. Um 1300 stellte ein islam. Venezianer ein italien. »Barnabasevangelium« zusammen, das aus christl., jüd. und mohammedan. Bestandteilen zusammengestückt war. Es gelangte 1709 in die Hände des Deisten John Toland. 1681 publizierte der Altdorfer Orientalist Wagenseil eine hebräische Evangelienparodie des MA.s (Tholedoth Jeschu). Diese Ausgabe wirkte auf Voltaire und Reimarus, der z. B. die jüd. Kampfthese vom Leichenraub der Jünger zur rationalist. Erklärung der Ostergeschichte verwandte.

Im 19. Jh. wurde die rationalist. Evangelienkritik zunächst durch die religionsgeschichtl. Textanalyse verschärft (David F. Strauß, Bruno Bauer u. a.), dann aber durch die quellenkrit. Arbeit vertieft (Carl Lachmann, Heinrich Julius Holtzmann, William Wrede u. a.). Das grundsätzliche Ergebnis ist die Entdeckung des historischen Jesus und seiner fortschreitenden Überfremdung, Verdrängung oder Neutralisierung durch das kirchl. Christusbild. Die biblizist. Dogmatik hat diese revolutionäre Entdeckung durch die Berufung auf den biblischen Christus zu entwerten versucht (M. Kähler u. a.).

Die L. des 20. Jhs. hat das mythische Element in den Evangelien teils zum Kernpunkt der Deutung gemacht (theologischer Radikalismus), teils positiv verwendet (M. Goguel, P. Lagrange). Andere haben Jesus als enthusiast. Apokalyptiker bezeichnet, der das nahe Weltende verkündete (J. Weiss, A. Schweitzer, M. Werner). Die entscheidenden Züge dieses Bildes stammen jedoch nicht aus der ältesten Jesusüberlieferung, sondern aus der sekundären Eschatologie und Messiasdogmatik der Urkirche, wie sie vor allem im Christusbild des Matthäusevangeliums ihren Niederschlag gefunden hat. Die formgeschichtliche Evangelienforschung hat den Versuch gemacht, durch stilkrit. Analyse die ältesten Formen und Stücke der vorliterar. Überlieferung herauszuarbeiten.

Lit. W. Grundmann: Geschichte Jesu Christi (1957); E. Stauffer: Jesus (1957); G. Bornkamm: Jesus von Nazareth (³1959); E. Barnikol: Das Leben Jesu der Heilsgeschichte (1958); J. Blinzler: Der Prozeß Jesu (²1960); H. Ristow u. K. Matthiae (Hg.): Der histor. Jesus u. der kerygmat. Christus (1960); E. Käsemann: Exeget. Versuche u. Besinnungen I (1960); J. M. Robinson: Kerygma u. histor. Jesus (Zürich 1960); K. Schubert (Hg.): Der histor. Jesus u. der Christus unseres Glaubens (Wien 1962).

Lebensalter, die Abschnitte der körperlichen und geistig-seelischen Entwicklung des Menschen. Man unterscheidet gewöhnlich das fötale, das Säuglings-, Kindes-, Jünglings-(Jungfrauen-), Mannes-(Frauen-) und Greisen-(Matronen-)Alter.

Kunst: Die Darstellung der L. kam wohl in der byzantin. Kunst des 8. Jhs. auf, die drei L. unterschied. Die Dreiteilung begegnet

auch in der Renaissance (Baldung, Tizian). Häufiger war im MA. die Siebenteilung, wobei die L. den 7 Planeten zugeordnet wurden (Guariento; Kapitelle am Dogenpalast, Venedig); auch die Zwölfteilung, entsprechend den Monaten, die Neun- und Zehnteilung mit der Annahme von 90 oder 100 Jahren als erreichbarem Höchstalter kommen vor (J. Breu, T. Stimmer).

Lebensbaum, zypressenartige Nadelhölzer der Gattungen Thuja und Thujopsis; mit kegelförmigem Wuchs und gegenständigen Schuppenblättchen, einhäusigen Blüten und kurzen Fruchtzäpfchen. Als Zierpflanzen werden abendländischer L. (Thuja occidentalis) aus Nordamerika und morgenländischer L. (Thuja orientalis) aus Ostasien am häufigsten verwendet. Der Riesenlebensbaum (Thuja plicata) des westl. Nordamerikas wird in der Heimat bis zu 60 m hoch.

Lebensbaum: 1 Thuja occidentalis; a Zweig mit Fruchtzapfen, b Zweig mit männl. und weibl. Geschlechtssprossen, c weibl., d männl. Geschlechtssproß, e Wuchsform des Baums. 2 Thuja orientalis; a Zweig mit Fruchtzapfen, b Wuchsform des Baumes (1a und 2a etwa ¼ nat. Gr.)

Lebensbuch, Vorstellung aus dem A. T., nach der alle zum Heil bestimmten Menschen in einem göttl. Buch eingetragen sind, indes die übrigen aus ihm gelöscht werden (Ps. 69/68, 29). An anderer Stelle: die Lebenstage eines jeden Menschen sind nach ihrer Zahl im L. aufgezeichnet (Ps. 139/138, 16); gestrichen werden aus dem L. ist dann gleichbedeutend mit sterben (2. Mos. 32, 32/33). Die Vorstellung ist wohl aus dem altoriental. Glauben an himmlische Schicksalstafeln entstanden. Der Glaube an ein solches »Schicksalsbuch« spielt heute noch eine Rolle beim jüd. Neujahrsfest.

Lebensdauer, 1) Biologie: Man unterscheidet durchschnittliche (mittlere) L. der einzelnen Arten von Lebewesen und Höchst-L., die unter günstigen Verhältnissen erreicht wird. Annähernde Höchst-L. einiger Pflan-

146

zen: Affenbrotbaum 5000, Mammutbaum 4000, Eibe 3000 Jahre; durchschnittl. L. für Mitteleuropa: Stieleiche 1500, Linde 800 bis 1000, Buche 600–1000, Ulme 500, Nadelhölzer 300–500, Schwarzpappel 150, Heidelbeere 25 Jahre. In Schriften bedeutet ⊙ einjährige, ○ zweijährige, + ausdauernde Pflanze (Staude). – Annähernde Höchst-L. einiger *Tiere:* Elefant 110, Riesenschildkröte 110, Karpfen über 100, Perlmuschel über 100, Adler 80, Storch 70, Eule 60, Bär 50, Pferd 50, Kuckuck 40, Rind 30, Löwe 25, Wildschwein 25, Flußkrebs 20, Regenwurm 20, Amsel 18, Reh 16, Katze 12, Hase 10, Hausmaus 4 Jahre. – Beim zivilisierten *Menschen* wird die Steigerung der mittleren Lebenserwartung als Maß für die Verlängerung der durchschnittl. L. genommen.

2) *Atomphysik:* die bei einem radioaktiven Zerfallsvorgang im statistischen Mittel verstreichende Zeit τ, bis der erwartete Zerfallsakt am einzelnen Teilchen wirklich eintritt. Sie steht mit der →Halbwertszeit t im Zusammenhang t = τ · ln 2. (→Elementarteilchen).

Lebenselix'ier *das,* in der Alchemie ein geheimnisvoller lebensverlängernder Stoff.

Lebenserinnerungen, Memoiren, 1) zeitgeschichtl. Darstellungen, die von miterhandelnden oder Augenzeugen verfaßt sind. 2) Darstellungen des eigenen Lebensganges (Autobiographien).
Lit. G. Misch: Gesch. der Autobiographie, Bd. 1 (³1949), Bd. 2 (1955), Bd. 3 (1959/60), Bd. 4 (1967); R. Pascal: Die Autobiographie (1965).

Lebenserwartung, *Bevölkerungsstatistik:* die durchschnittliche Zahl von Jahren, die ein Mensch voraussichtlich lebt. Die L. wird an Hand von Sterbetafeln, meist getrennt nach Geschlechtern, errechnet. Im letzten Jahrhundert hat sich die L. infolge der starken Senkung der Sterblichkeit in den frühen Lebensjahren etwa verdoppelt; die L. älterer Menschen hat sich dagegen nur geringfügig erhöht.

LEBENSERWARTUNG

Alter	lebt im Durchschnitt noch (Jahre):			
	1871–80[1]		1970/72[2]	
	m.[a]	w.[a]	m.[a]	w.[a]
Geburt	35,6	38,5	67,4	73,8
10 Jahre	46,5	48,2	59,7	65,7
25 Jahre	35,0	36,5	45,7	51,1
50 Jahre	18,0	19,3	23,1	27,7
75 Jahre	5,5	5,7	7,2	8,6

[1] im Dt. Reich. [2] in der Bundesrep. Dtl.
[a] Geschlecht: m. = männlich, w. = weiblich.

Lebenshaltung, →Lebensstandard.
Lebenshaltungskosten, die Preise der von einer vierköpfigen Arbeitnehmerfamilie mit einem bestimmten Monatseinkommen *(Indexfamilie)* benötigten Güter des tägl. Bedarfs. Die Zusammenstellung der hierfür ausgewählten Güter *(Warenkorb)* ist abhängig vom Wandel der Verbrauchsgewohn-

heiten. Die Entwicklung der L. über längere Zeiträume wird durch Indexziffern dargestellt; der Preisindex für die Lebenshaltung gilt als Maßstab für die Kaufkraft des Geldes. Er ist in der Bundesrep. Dtl. zwischen 1950 und 1972 um 59,1 % gestiegen.

Lebenshilfe, helfende Maßnahmen für entwicklungsgeschädigte Kinder, gefördert durch die *Bundesvereinigung L.* (Marburg).

Lebenslinie, in der Handliniendeutung eine um den Daumenballen laufende Linie der Handinnenfläche.

Lebensmittel, alle Stoffe, die vom Menschen gegessen oder getrunken werden, soweit sie nicht überwiegend Arzneimittel sind. Ihnen stehen gleich: Tabak u. a. Erzeugnisse zum Rauchen, Kauen oder Schnupfen.

Lebensmittelchemie, früher *Nahrungsmittelchemie,* Wissenschaft, die sich mit der chem. Zusammensetzung und den chem. Veränderungen der Lebensmittel befaßt. *Lebensmittelchemiker* müssen nach dem Studium ein Staatsexamen ablegen.

Lebensmittel-Gesetz, regelt die Herstellung und Verarbeitung von L. sowie den Verkehr mit ihnen. Eine Unterscheidung zwischen *Nahrungs-* und *Genußmitteln* wird nicht getroffen. Das dt. L.-G. v. 17. 1. 1936 mit Änderung und Ergänzung (v. 21. 12. 1958 und 8. 9. 1969) enthält ein Verbot für Zusätze zu L. (Fremdstoffe), deren Unbedenklichkeit für die menschl. Gesundheit nicht nachgewiesen ist. Zusätze von erlaubten Fremdstoffen müssen kenntlich gemacht werden (Kennzeichnungspflicht). Mehrere Verordnungen vom Dez. 1959 enthalten Ausnahmen hiervon. Das Gesetz umfaßt auch die Bedarfsgegenstände, d. h. Gegenstände, die mit Lebensmitteln oder dem menschl. Körper in unmittelbare Berührung kommen, z. B. Geschirr, Bekleidungsgegenstände, kosmet. Waren, Spielzeuge, Möbelstoffe, Tapeten. Die **Lebensmittelhygiene** ist für die wichtigsten L. in vielen Einzelgesetzen und Verordnungen geregelt. Die Lebensmittelüberwachung obliegt beauftragten Polizeibeamten und behördl. Sachverständigen (L.-Chemikern, Tierärzten, Ärzten).

Lebensnerven, das vegetative →Nervensystem.

Lebensphilosophie, eine im 20. Jh. weitverbreitete Strömung der Philosophie, die das Leben zu ihrem Grundbegriff machte. Als Eigenschaften werden dem Leben zugeschrieben: Freiheit (im Gegensatz zum Mechanismus der unbelebten Natur), in sich ruhende, von innen her bestimmte Bewegtheit, unermüdliche, im wesentl. aus unbewußten Quellen strömende Kraft. Der so umrissene Begriff des Lebens tritt in der L. an diejenige Stelle, an der in den klassischen Systemen der Metaphysik der Begriff des Seins stand. Der Geist wird entweder als höchste Stufe des Lebens aufgefaßt (Scheler), oder als Mittel im Dienste des Lebens (Bergson, Pragmatismus), oder als Widersacher des Lebens, weil er dessen freistrotmenden Fluß festlege (Klages). Auf den Begriff des Lebens baut die L. auch ihre Erkenntnistheorie auf; sie findet, daß das Leben im ›Erlebnis‹ das Organ zu seiner Selbsterfassung, im ›Verstehen‹ das Organ für die Aufschließung fremden Lebens in sich trägt. Überdies gibt es dem Leben wesensverwandte, aus ihm selbst hervorwachsende Erkenntnisarten, die seine Erfassung, wenn auch nicht auf begrifflichem Wege, ermöglichen (Anschauung, Einfühlung, Intuition).

An Gedanken Herders, des jungen Goethe, der Romantik, des jungen Hegel, Schellings und Schopenhauers hat die L. angeknüpft. Anderes, z. B. die hohe Bewertung des Begriffs der Entwicklung, entnahm sie der Biologie des 19. Jhs. Nietzsche hat durch seine Voranstellung des Lebens in der Rangordnung der Werte, durch sein Verständnis für dessen irrationale Tiefen und durch seine Metaphysik des ›Willens zur Macht‹ der L. starke Antriebe gegeben. Die wichtigsten Vertreter der L. im 20. Jh. sind H. Bergson (élan vital, évolution créatrice) und W. Dilthey (»das Leben aus ihm selbst verstehen«). Er, M. Scheler und G. Simmel haben die L. vor allem nach der Seite der Geisteswissenschaften hin entwickelt. Vielfach wurde die L. nicht als systemat. Philosophie, sondern in den Formen eines sei es dichterisch, sei es gedanklich ausgestalteten Weltbildes vorgebracht, z. T. als ›freie Philosophie« ihr bewußt entgegengesetzt (Graf H. Keyserling, L. Klages). Neuere Formen der Ontologie, der materialen Wertethik und des Naturrechts haben sich von der L. abgesetzt. Auch die Existenzphilosophie hat dem »Leben« das »Sein« und die »Existenz« als Begriffe entgegengesetzt.

LIT. H. Rickert: Die Philosophie des Lebens (²1922); F. Heinemann: Neue Wege der Philosophie (1928); G. Misch: L. und Phänomenologie (1930); O. F. Bollnow: Die L. (1958).

Lebensraum, 1) *Biologie:* der von Lebewesen (Mensch, Tiere, Pflanzen) besiedelte oder besiedelbare Raum, auch Biosphäre genannt. Innerhalb der L. werden durch einheitl. Lebensbedingungen charakterisierte und abgegrenzte Räume als Lebensstätten, L. im engeren Sinne oder →Biotope unterschieden. Ein Biotop wird, je nachdem er von Tieren oder Pflanzen bewohnt wird, Zootop oder Phytotop genannt oder räuml. aufgegliedert in Choriotope (z. B. Baum).

2) *polit. Schlagwort,* mit dem der biolog. Begriff L. mißbraucht wurde, in Dtl. bereits seit 1870/71 benutzt, um eine Expansion des Dt. Reiches zu begründen. Dem nationalsozialist. Dtl. diente die Forderung nach der »Gewinnung neuen Lebensraumes« als ideolog. Grundlage für seine imperialist. Ausdehnungspolitik, bes. in Osteuropa.

Lebensreform, die Bestrebungen zu einer Erneuerung der Lebensführung, bes. auf den Gebieten der Ernährung, Kleidung, Woh-

nung, Gesundheitspflege, um der Gesundheitsgefährdung des Menschen durch Zivilisationsschäden entgegenzuwirken. Als Anfang der L. ist wohl der Vegetarismus anzusehen, in Dtl. zuerst durch E. Baltzer (1814 bis 1887) vertreten. Treibende Kräfte waren dann V. Prießnitz, Pfarrer Kneipp und Pastor Felke; Naturheilvereine verbreiteten deren Erkenntnisse (→Naturheilkunde). H. Lahmann, M. Bircher-Benner, Mazdaznan wirkten in die Breite, bevor die Wissenschaft die Vitamine entdeckte und die Rohkost-Ernährung sachlich begründete.

Lebens-Rettungs-Gesellschaft, Deutsche, abgekürzt **D. L. R. G.,** gegründet 1913; Aufgabe: »Verbreitung sachgemäßer Kenntnis und Fertigkeit im Retten Ertrinkender und deren Wiederbelebung sowie die Pflege und Vertiefung des Rettungsgedankens im allgemeinen«.

Lebensstandard, die von der Höhe des Einkommens und dessen Kaufkraft abhängige Art, in der ein einzelner oder ein Volk seine Lebensbedürfnisse zu befriedigen vermag. Maßstab für den internat. Vergleich der L. sind die Ergebnisse der Sozialproduktionsberechnungen über den privaten Verbrauch; in Ermangelung solcher Zahlen werden auch Arbeiterverdienste oder ähnliche Einkommenszahlen verglichen.

Lebensvermutung, *Recht:* →Todeserklärung.

Lebensversicherung, Versicherung zur Deckung eines Vermögensbedarfs, der wegen der Ungewißheit der menschl. Lebensdauer nicht sicher durch den Ertrag der Lebensarbeit gedeckt werden kann. Durch Vertrag wird der Versicherer entweder zu einer einmaligen (Kapital-, Summenversicherung) oder zu einer regelmäßig wiederkehrenden (Rentenversicherung) Leistung verpflichtet. Bei der *Kapital-L.* sind die Hauptarten (Tarife): 1. Todesfallversicherung (Versicherer leistet nur bei Tod); 2. Risiko-L. (Leistung nur bei Tod innerhalb kurzer, 5- oder 10jähr. Frist, während einer Reise: Reise-L.); 3. Erlebensfallversicherung (Leistung nur bei Erleben des vereinbarten Termins; 4. L. auf Todes- oder Erlebensfall (abgekürzte, gemischte, alternative L.: Leistung bei Überleben der L.-Dauer oder vorherigem Tod; häufigste Art); 5. L. mit festem Auszahltermin (»L. à terme fixe«: Leistung nur zu diesem Termin). An Stelle des Termins kann auch ein bestimmtes Ereignis treten, wie Hochzeit (Aussteuerversicherung), Studienbeginn (Studiengeldversicherung) u. ä.; 6. L. auf verbundene Leben (Überlebensversicherung mehrerer Personen; Gegenseitigkeitsversicherung, z. B. für Ehegatten).

Hauptbestandteil der L.-Vertrages sind die *Versicherungsbedingungen,* die hinsichtl. Unverfallbarkeit, Unanfechtbarkeit und Weltgeltung fast überall gleich sind. Im Interesse der Versicherten ist nach 3jähr. Dauer der L. Umwandlung in eine »beitragsfreie L.« (mit entsprechender Senkung der L.-Summe), Rückkauf (Auszahlung der etwas gekürzten Prämienreserve) und Beleihung bis 90 % des

Rückkaufswertes möglich. Gegen das Selbstmordrisiko sucht sich die L. durch Karenzzeiten zu sichern. – Durch Zuschläge oder in Spezialtarifen können mitversichert werden: Unfall-, Invaliditäts-, Kindersterberisiko, ebenso auch Personen mit Tuberkulose-, Krebsgefahr usw. (anomale notleidende Risiken). Bei Frauen wird keine Prämienerhöhung mehr verlangt. Prämienverbilligung genießt die Gruppenversicherung (Kollektivversicherung).

Die Berechnung der vom Eintrittsalter beeinflußten Prämien erfolgt nach Sterbetafeln bei Berücksichtigung von Sicherheitszuschlägen, Verzinsung und Verwaltungskosten. Heute gilt allgemein das System der gleichbleibenden (Durchschnitts-)Prämie für die Dauer der L. Der Versicherungsnehmer leistet anfangs eine Mehrzahlung (Sparprämie), die die ›Risikoprämie‹ ergänzt, aber vom Versicherer zur Deckung des höheren Bedarfs der späteren Jahre bereitgehalten werden muß (Prämienreserve, Deckungskapital). – Die Prämie kann in Raten oder als Einmalzahlung *(Mise)* geleistet werden.

Als Obergruppen unterscheidet man Klein- und Groß-L. sowie Einzel- und Gruppenversicherungen. Klein-L. umfassen alle Versicherungssummen unter 5000 DM, Groß-L. diejenigen über 5000 DM. Gruppenversicherungen, für Firmen, Verbände u. a. abgeschlossen, sind wegen der geringeren Verwaltungskosten preiswerter als Einzelversicherungen.

In der *Bundesrep. Dtl.* hatten (1972) 107 private L.-Unternehmen Beitragseinnahmen von 13,13 Mrd. DM; für Versicherungsfälle und Rückkäufe wurden 4,32 Mrd. DM ausbezahlt. – In der *DDR* wurde nach dem Verbot aller privaten L.-Unternehmen (1945) der Betrieb der L. von den 5 neuerrichteten Landesversicherungsanstalten übernommen, die 1952 zur Deutschen Versicherungsanstalt (Berlin) vereinigt wurden.

GESCHICHTE. Vorläufer der L. sind die Sterbe- und Begräbniskassen im Altertum und bei den Innungen und Gilden des MA.s, zu denen später Witwen- und Waisenkassen traten. Die ersten auf versicherungsmathemat. Basis aufgebauten L.-Unternehmen kamen in England (1705) auf, während in Dtl. die *Gothaer Lebensversicherungsbank* von 1827 das erste größere Unternehmen der L. wurde (heute: Gothaer Lebensversicherung a. G.). Zu den Gegenseitigkeitsvereinen kamen frühzeitig (seit 1828) auch AG. Dagegen trat die öffentl.-rechtl. L. in Dtl., und zwar im freien Wettbewerb mit der priv. L., erstmalig 1910 auf.

Leber [german. Stw.], die größte Drüse des menschl. und tier. Körpers; sie ist braun und keilförmig. Ihr Hauptteil, ein großer Lappen, liegt rechts im Oberbauch, ein kleinerer Lappen ragt über die Mittellinie nach links hinüber. Diese Hauptteile sind weiter in Läppchen gegliedert. Das Zellgewebe der L. sondert die →Galle ab, die durch Kanälchen und größere Gänge in die →Gallenblase und den Darm gelangt. Sie fördert die Fettverdauung. Die L. baut aus dem im Blut gelösten Traubenzucker, der ihr aus dem Darm durch die Pfortader zugeführt wird, tierische Stärke (Glykogen) auf und speichert sie (Zuckerstoffwechsel). Auch die Umsetzung der Eiweißstoffe erfolgt großenteils in der L.; sie bildet aus den Enderzeugnissen des Stickstoffhaushaltes den Harnstoff. Unter Mitwirkung von Vitamin K bildet die L. Stoffe, die für die Blutgerinnung wichtig sind. Sie entgiftet die vom Darm in die Pfortader gelangenden, durch Fäulnis entstandenen Stoffe.

Leberkrankheiten. Als *Leberentzündung (Hepatitis)* wird eine Gruppe entzündlicher L.-Krankheiten zusammengefaßt. Die akute gelbe *Leberdystrophie* ist der plötzlich einsetzende schwerste Grad der L.-Zellschädigung; sie verläuft meist tödlich. *Leberschwellung* kann auf verschiedenen Ursachen beruhen, so Entzündungen, Geschwülsten, Stauungen im Blutkreislauf. *Leberkrebs* ist meist keine selbständige Erkrankung, sondern die in der Leber fortwachsende Ansiedlung (*Metastase*) eines andernorts (z. B. im Magen) entstandenen Krebses. *Leberzirrhose (Leberverhärtung),* oft durch Alkoholmißbrauch hervorgerufen, führt stellenweise zu völligem Schwund der L.-Zellen und zu L.-Schrumpfung; sie verursacht schwere Krankheitserscheinungen, so Bauchwassersucht. Ein bei Lebererkrankung häufiges Merkmal ist die →Gelbsucht. Auch von Schmarotzern kann die L. befallen werden (→Leberegel).

Leber: Ansicht von hinten und unten

Leber, 1) Georg, Politiker (SPD), * Obertiefenbach 7. 10. 1920, war 1957–66 1.Vors. der IG Bau, Steine, Erden; seit 1966 Bundesmin. für Verkehr und seit 1969 auch für Post- und Fernmeldewesen; seit 6. 7. 1972 Verteidigungsminister.
2) Julius, Politiker (SPD), * Biesheim (Elsaß) 16. 11. 1891, † (hingerichtet) Berlin 5. 1. 1945, Journalist, war 1924–33 MdR, 1933 bis 1937 im KZ, dann in der Widerstandsbewegung tätig (Mitglied des Kreisauer Kreises); Juli 1944 verhaftet und zum Tode verurteilt. – Seine Frau Annedore (* Berlin 18. 3. 1904, † das. 28. 10. 1968) war Abg. in W-Berlin (SPD) und Verlegerin. Hrsg.: Das Gewissen steht auf (1954; dokumentar. Werk der Widerstandsbewegung).

149

Lebe

Leberbalsam, Pflanzen, z. B. *gemeiner Wasserdost* (Eupatorium cannabinum), die aus Amerika stammende Korbblütergattung *Ageratum* und das auf Alpen und Pyrenäen beschränkte Braunwurzgewächs *Erinus alpinus.*

Leberblume, 1) **Leberkraut** (Anemone hepatica oder Hepatica triloba), kleinstaudige Anemonenart, Vorfrühlingspflanze des Laubwaldes mit weichledrigen Blättern, blauen Blüten und kelchähnlichen Hüllblättern, im Garten bes. in gefüllter und roter Umzüchtung. 2) andere Pflanzen, wie Herzblatt, Wiesenknopf, Malvenarten.

Leberegel, *Fasciola hepatica (Distomum hepaticum)*, 1,5 cm breiter und bis 3 cm langer, blattförmiger zwittriger Saugwurm mit Mund- und Bauchsaugnapf, verursacht als Schmarotzer in der Leber von Schafen, Rindern u. a. Haustieren, gelegentlich auch beim Menschen, die *Leberegelkrankheit, -seuche (Leberfäule)*. Seine Eier gelangen mit dem Kot der erkrankten Tiere ins Wasser und entwickeln sich dort zu einer Wimperlarve *(Miracidium)*, die in einen Zwischenwirt, die Zwergschlammschnecke (L.-Schnecke) eindringt und in ihr zur Schwanzlarve *(Cercarie)* wird. Diese schwärmt aus der Schnecke ins Wasser, kapselt sich an Pflanzen zur *Zyste* ein, wird mit dem Futter von den Tieren aufgenommen und entwickelt sich in ihnen zum L. *Bekämpfung* der L.-Krankheit: Vernichten der Schmarotzer im Tierkörper durch Wurmmittel; Vernichten der Schnecken durch Kupfersulfatlösung und Kalidünger.

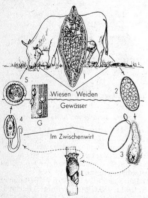

Leberegel: Entwicklung des großen Leberegels; 1 Egel, 2 Ei, 3 Wimperlarve, 4 Cercarie, 5 Zyste, G Grashalm mit Zysten, L Leberegelschnecke

Leberfleck, 1) →Muttermal. 2) *Chloasma,* bei Frauen während der Schwangerschaft vorübergehend auftretende Flecken, wahrscheinlich innersekretorisch bedingt.

Leberfunktionsproben dienen der Früherfassung von Leberschäden (serologische, Blutsenkung, Röntgenaufnahmen usf.).

Leberklette, Pflanze →Odermennig.

Leberkraut, Leberblume, Milzkraut, Herzblatt, ein Lebermoos u. a. Pflanzen.

Lebermeer, in der Sage des MA.s ein geronnenes Meer, in dem die Schiffe haftenbleiben, nach antiken Berichten wohl die Watten der Nordsee.

Lebermoose, Gruppe der →Moose.

Leberpilz, Ochsenzunge, Blutschwamm, *Fistulina hepatica,* blutroter, jung eßbarer Röhrenpilz an Eichstümpfen.

Leberpulsation, Lebervenenpuls, ein bei bestimmten Herzfehlern unter dem rechten unteren Rippenbogen fühlbarer Puls der Lebervenen.

Leberpunktion, dient der Diagnostik der Lebererkrankungen, sofern die anderen Untersuchungsverfahren zu keinem eindeutigen Ergebnis geführt haben. Durch die L. wird ein kleiner Gewebszylinder entnommen und der mikroskop. Untersuchung zugeführt.

Leber|reime, kurze scherzhafte Stegreifgedichte, deren erste Zeile mit den Worten anfängt: »Die Leber ist von einem Hecht und nicht von einem...«, worauf ein Tier genannt wird, auf dessen Namen die folgende Zeile reimen muß. L. wurden zuerst im 17. Jh. aufgezeichnet.

Lebertran, volkstümlich **Fischöl,** das aus der Leber des Kabeljaus (Dorsches) und Schellfisches gewonnene Öl. L. enthält vorwiegend stark ungesättigte Fettsäuren, reichlich Vitamin A und D sowie verschiedene Spurenelemente; er wird deshalb gegen Rachitis und Skrofulose sowie als Stärkungsund Kindernährmittel verwendet. Der unangenehme Geschmack läßt sich durch Verarbeiten zu *L.-Emulsionen* und Aromatisieren verdecken.

Lebervenenpuls, →Leberpulsation.

Leberwurstbaum, →Elefantenbaum.

Lebesgue [ləbɛ:g], Henri Léon, Mathematiker, * Beauvais 28. 6. 1875, † Paris 26. 7. 1941, Prof. in Paris, führte eine nach ihm benannte Erweiterung des Integralbegriffs auf Funktionen ein.

Lebewesen, *Organismus,* ein aus Zellen oder einer →Zelle bestehender Körper, der →Leben zeigt.

Lebkuchen, Pfeffer-, Honigkuchen.

Leblanc [ləblã], Nicolaus, franz. Chemiker und Arzt, * Issodun 6. 12. 1742, † St-Denis 16. 1. 1806, erfand das nach ihm benannte Verfahren zur Sodaherstellung.

Le Blon [lə blõ], Jakob Christof, franz. Maler und Kupferstecher, * Frankfurt a. M. 21. 5. 1667, † Paris 16. 5. 1741, erfand 1711, ausgehend von Newtons Lehre, nach der sich alle Farbtöne aus den Grundfarben Blau, Gelb und Rot zusammensetzen, den Vierfarbendruck, der es ermöglichte, Gemälde durch Übereinanderdrucken verschieden eingefärbter Platten (3 Farbplatten, 1 Schwarzplatte) nachzubilden. Le B. hat 49

Farbstiche ausgeführt und sein Verfahren selbst beschrieben.

Le Bon [lə bõ], Gustave, franz. Psychologe, * Nogent-le-Rotrou 7. 5. 1841, † Paris 15. 12. 1931. Seine ›Psychologie des foules‹ (1895; dt. Psychologie der Massen, [12]1964) begründete die Massenpsychologie.

Le Bourget [lə burʒɛ], ein Flugplatz von Paris, soll geschlossen werden (1975).

Lebrun [lebrœ̃], 1) Albert, französ. Politiker, * Mercy-le-Haut (Dep. Meurthe-et-Moselle) 29. 8. 1871, † Paris 6. 3. 1950, Ingenieur, war seit 1900 Abg. der gemäßigten Rechten, 1911–19 mehrmals Minister; 1932 bis 11. 7. 1940 der letzte Präsident der 3. Republik.

2) Charles, französ. Maler, * Paris 24. 2. 1619, † das. 12. 2. 1690, Generalinspektor der kgl. Sammlungen, Dir. der Gobelin- und Möbelmanufaktur, Hofmaler und seit 1668 Rektor der Akademie. Seine Malereien sind akademisch und von theatral. Pracht (Spiegel-Galerie in Versailles; Apollon-Galerie im Louvre). Als Organisator beherrschte er das Kunstleben seiner Zeit und leitete vor allem die Ausstattung der kgl. Schlösser, bei der er alle künstlerischen Kräfte zur Einheit des Louis-Quatorze-Stils zusammenschloß.

3) Charles François, Herzog von *Piacenza* (seit 1808), franz. Staatsmann, * St-Sauveur-Lendelin (Manche) 19. 3. 1739, † St-Mesmes (Seine-et-Oise) 16. 6. 1824, wurde unter dem Direktorium 1796 Präs. des Rats der Fünfhundert, unterstützte Bonaparte beim Staatsstreich des 18. Brumaire (9. 11. 1799) und wurde darauf 3. Konsul, 1804 Erzschatzmeister. 1805/06 war er Statthalter von Ligurien, 1810–13 von Holland.

4) Elisabeth, franz. Malerin, →Vigée-Lebrun.

5) Pierre Antoine, franz. Dichter, * Paris 29. 11. 1785, † das. 27. 5. 1873, schrieb Oden und Dramen.

6) Ponce Denis Écouchard, genannt *Lebrun-Pindare*, franz. Dichter, * Paris 11. 8. 1729, † das. 31. 8. 1807, wurde wegen seiner Oden gefeiert.

Leb'us, Landstadt im Kr. Seelow, Bez. Frankfurt a. d. Oder, mit (1964) 1600 Ew. Das um 1123 errichtete *Bistum L.* wurde 1598 aufgezogen.

Lec [lɛts], Stanisław Jerzy, poln. Lyriker und Satiriker, * Lemberg 6. 3. 1909, † Warschau 7. 5. 1966, floh 1943 aus dem KZ und kämpfte im kommunist. Partisanenbewegung. Er schrieb beziehungsreiche Aphorismen (Unfrisierte Gedanken, 1959, [11]1968; Neue unfrisierte Gedanken, 1964, [7]1968; Letzte unfrisierte Gedanken, 1968).

Leca, Abk. für light expanded clay aggregate, wasserundurchlässiger, temperaturbeständiger geblähter Ton, als Zuschlagstoff, lose geschüttet als schall- und wärmedämmender Füllstoff verwendet.

Lecanuet [ləkanyɛ], Jean, franz. Politiker, * Rouen 4. 3. 1920, war 1958 MinPräs.; 1963–65 Präs. des *Mouvement Républicain populaire* (MRP); war 1965 Präsident-

schaftskandidat; gründete 1965 das *Centre démocratique*; seit Mai 1974 Justizmin.

Le Cateau, →Cateau-Cambrésis.

Lecce [l'ɛtʃe], 1) Prov. in Italien, Apulien, 2760 qkm mit (1971) 696500 Ew. 2) Hauptstadt von 1), mit (1971) 82200 Ew., Dom von 1661 ff.; Textilindustrie.

L'ecco, Stadt in Oberitalien, mit (1969) 52200 Ew., am Comer See; versch. Ind.

Lech *der*, rechter Nebenfluß der Donau, 263 km lang, entspringt in den südl. Allgäuer Alpen in Vorarlberg, tritt bei Füssen nach Bayern ein und mündet 5 km nördl. von Rain; Staustufen, Speichersee zwischen Füssen und Roßhaupten *(Forggensee)*.

Le Chatelier [lə ʃatəljə], Henry, franz. Chemiker, * Paris 8. 10. 1850, † Miribel (Isère) 17. 9. 1936, seit 1877 Prof. in Paris, untersuchte die spezif. Wärme von Gasen, arbeitete über Silikatchemie und entwickelte ein Pyrometer. Nach dem 1888 von ihm aufgestellten **Le Chatelier-Prinzip** verschiebt sich ein chem. Gleichgewicht unter äußeren Einflüssen stets in Richtung des kleinsten Zwanges.

L'echenich, ehem. Stadt im RegBez. Köln, (1967) 6800 Ew.; AGer., kurkölnische Landesburg (14. Jh., 1689 zerstört); seit 1. 1. 1969 mit 12 anderen Gemeinden zu *Erftstadt* zusammengeschlossen.

L'echerleitung, L'echersystem, Leitungssystem der Höchstfrequenztechnik nach Ernst Lecher (1890): zwei Metalldrähte gleicher Länge sind zur verlustarmen Isolatoren parallel geführt, auf ihnen bilden sich stehende elektromagnet. Wellen aus. Die L. kann zur Wellenlängenmessung sowie als Schwingkreis verwendet werden.

Lechfeld, Schotterebene zwischen Lech und Wertach, südl. Augsburg. Die *Schlacht auf dem L.* gegen die Ungarn (955) hat nicht auf diesem L. stattgefunden, sondern am 10. 8. eine Schlacht zwischen Ulm und Augsburg und die eigentl. Vernichtungsschlacht am 11./12. 8. auf dem Ostufer des Lechs.

Lechner, Leonhard, * in Südtirol um 1553, † Stuttgart 9. 9. 1606, das. Hofkapellmeister, war einer der bedeutendsten Komponisten der polyphonen Musik des 16. Jhs.: Motetten, Magnifikats, Messen, Bußpsalmen, Villanellen, deutsche Lieder (z. T. n. hg. 1926), Johannespassion (n. hg. 1926), Deutsche Sprüche von Leben und Tod (n. hg. 1929), Das Hohe Lied Salomonis (n. hg. 1928), – Gesamtausgabe (1954ff.).

Lechoń [l'ɛxɔɲ], Jan, poln. Schriftsteller, * Warschau 13. 3. 1899, † New York 8. 6. 1956, Hauptvertreter der »Skamander«-Gruppe, 1931–40 diplomat. Tätigkeit in Paris, seit 1941 in New York. L. gehörte durch seine patriotischen und an die poln. Romantik anknüpfenden Gedichte in den 20er Jahren zu den führenden Dichtern.

Lechtaler Alpen, Gruppe der Allgäuer Alpen im oberen Lechgebiet, in der Parseier Spitze 3038 m hoch.

Lechter, Melchior, Maler und Buchkünstler, * Münster (Westfalen) 2. 10. 1865, † Raron (Wallis) 8. 10. 1937, gehörte dem Kreis Stefan Georges an und gestaltete vor allem dessen Bücher. Er schuf Glasmalereien und Gemälde mystisch-symbolist. Art, Landschaftspastelle und kunsthandwerkl. Entwürfe, bes. für Kultgerät.

Melchior Lechter: Titelblatt, 1898 (schwarz mit roter Schrift)

Leckage [lɛkaʒə] *die,* 1) Rinnverlust, im Frachtverkehr Verlust an flüssigen Waren durch Auslaufen oder Verdunsten. 2) *Leckfaktor, Leckverlust,* der Teil der aus dem Reaktorkern nach außen entweichenden Neutronen, der für die Fortführung der Kettenreaktion als Verlust gilt.

Leckstein, Stücke Steinsalz oder aus mineralhaltigen Salzen gefertigte Steine als Futterergänzung für Haustiere.

Lecksucht, krankhafte Sucht (→Darrsucht) hauptsächlich stallgehaltener Rinder und Ziegen, alle möglichen Gegenstände zu belecken. Die L. ist eine Vitaminmangelkrankheit und verläuft mit Abmagern und Milchrückgang. *Behandlung:* Futterwechsel, vor allem Verabreichung vitaminreicher Stoffe.

Leclair [ləklɛːr], Jean Marie, Komponist und Geiger, * Lyon 10. 5. 1697, † (ermordet) Paris 22. 10. 1764, schrieb Sonaten, Triosonaten und Duette, die durch Neuausgaben wieder Eingang in die Hausmusik fanden.

Lecocq [ləkʼɔk], Alexandre Charles, franz. Komponist, * Paris 3. 6. 1832, † das. 24. 10. 1918, war ein Hauptmeister der franz. Operette: Madame Angot (1873), Giroflé-Girofla (1874, bearb. von Th. Troll 1950), Le petit duc (1878).

Leconte de Lisle [ləkɔ̃t də liːl], Charles-Marie-René, französ. Dichter, * St-Paul auf der Insel Réunion 22. 10. 1818, † Louveciennes 18. 7. 1894, gilt als größter Vertreter der →Parnassiens. L. de L. lehnte die subjektive Lyrik der Romantik ab und stellte in den Vorreden seiner Gedichtsammlungen neue Richtlinien für die Verwirklichung des objektiv Schönen in der Dichtung auf. Seine formvollendeten Gedichte behandeln Stoffe aus der griech. Mythologie und philosophisches Gedankengut. – Poésies complètes, 4 Bde. (1927/28).

Lecoq de Boisbaudran [ləkɔk də bwabodrɑ̃], Paul François, franz. Chemiker, * Cognac 18. 4. 1828, † Paris 18. 5. 1912, machte sich bes. verdient um die Spektroskopie, entdeckte 1875 spektralanalytisch das Gallium und war an der Auffindung weiterer seltener Erden (Samarium, Dysprosium, Europium, Holmium) beteiligt.

Le Corbusier [lə kɔrbysje], eigentlich Charles-Édouard **Jeanneret,** schweizer.-französ. Architekt, Maler, Bildhauer, * La Chaux-de-Fonds 6. 10. 1887, † (ertrunken) bei Cap-Martin 27. 8. 1965, lernte bei A. Perret in Paris. Le C. fand neue Formen des Stahlbetonbaus, dessen auf nur wenige Stützen beschränktes System tragende Wände entbehrlich macht und ihm somit die Möglichkeit zu völlig freien Grundrißlösungen, der Abhebung des ersten Geschosses vom Erdboden und durchlaufenden Fensterbändern bot (2 Häuser der Weißenhofsiedlung in Stuttgart, 1927; Villa Savoye in Poissy, 1928/30 u. a.). Der kubischen Klarheit der Architektur entsprach das flache, als Dachgarten ausgestaltete Dach. Von seinen vielen Entwürfen für große Bauten (Völkerbundspalast in Genf u. a.) wurde vor allem das Schweizer Studentenhaus in Paris ausgeführt (1930/32). Schon früh beschäftigten ihn städtebauliche Pläne, die lockere Gruppen vielstöckiger Wohneinheiten inmitten

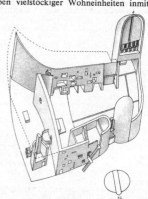

Le Corbusier: Wallfahrtskirche zu Ronchamp

weiter Parkflächen vorsehen. Gebaut wurde je eine Wohneinheit in Marseille (1947/52), Nantes (1956), Berlin (1957), Brieg-la-Forêt (1960); die Gartenstadt Meaux bei Paris ist im Bau. Jede der Wohnungen ist zweigeschossig mit einem Hauptraum, der durch beide Stockwerke geht. Den Abmessungen liegt der von Le C. entwickelte *Modulor* zugrunde, eine von den Maßen des menschl. Körpers ausgehende Reihe von Maßeinheiten. Seit 1951 wird nach seinen Plänen Tschandigarh, die neue Hauptstadt des Pandschab, gebaut. Sein bekanntestes Werk wurde die Wallfahrtskirche in Ronchamp auf dem südl. Ausläufer der Vogesen (1950 bis 1954), ein nicht mehr an geometr. Ordnungen gebundener, sondern nach plast. Vorstellungen gestalteter Bau.

WERKE. Œuvre complète (1929 ff., bisher 7 Bde.), Der Modulor, 1 (²1956), 2 (1957), Ronchamp (1957), Mein Werk (1960), Ausblicke auf eine Architektur (²1966).

Lecourt [ləkuːr], Robert, franz. Politiker, * Pavilly (Dep. Seine-Inférieure) 19. 9. 1908, Advokat, während des 2. Weltkriegs in der Widerstandsbewegung; wurde 1946 Abgeordneter der Nationalversammlung (MPR); seit 1948 wiederholt Minister; seit 1967 Präs. des Europäischen Gerichtshofs.

le Coutre [ləkutr], Walter, Betriebswirtschaftler, * Halle (Saale) 21. 11. 1885, † Meersburg 24. 9. 1965, war Prof. in Königsberg, Mannheim und Heidelberg; bes. durch die Entwicklung der allgem. Betriebswirtschaftslehre als totale, organisch-funktionale Lehre des Betriebs- und Unternehmungsaufbaus hervorgetreten.

Lecouvreur [ləkuvrœːr], Adrienne, franz. Schauspielerin, * Damery b. Epernay 5. 4. 1692, † Paris 20. 3. 1730, seit 1717 an der Comédie Française als Heroine; war mit Voltaire befreundet. Drama von E. Scribe (1849), Oper von F. Cilèa (1902).

L'eda, *griech. Mythologie*: die Gemahlin des spartan. Königs Tyndareos, Mutter der Dioskuren und der Helena, Geliebte des Zeus, der sie als Schwan besuchte; in der Kunst oft dargestellt.

L'eda *die*, rechter Nebenfluß der Ems, entsteht in den Moorgebieten Ostfrieslands und Oldenburgs, mündet unterhalb von Leer; 27 km schiffbar. Das *Leda-Jümme-Sperrwerk* (1954 fertiggestellt) schließt das teilweise unter NN liegende Mündungsgebiet gegen die Meeresflut ab und dient der Regulierung der Wasserverhältnisse.

Ledebour [ledəbuːr], Georg, Politiker, * Hannover 7. 3. 1850, † Bern 31. 3. 1947, Redakteur, war 1900–18 MdR (Sozialdemokrat). Im 1. Weltkrieg stimmte er gegen die Kriegskredite und schloß sich 1916/17 den Unabhängigen an. Im Jan. 1919 nahm er am kommunist. Aufstand in Berlin teil und war 1920–24 wieder im Reichstag an der Spitze einer kleinen, einflußlosen Gruppe. 1931 schloß er sich der Sozialist. Arbeiterpartei an. 1933 ging er in die Schweiz.

Leder [german. Stw., ›Glättung‹], von Haaren befreite und durch Gerbstoff chemisch veränderte tierische Haut. Bei *Narben-L.* ist die durch die Haarporen gezeichnete Oberflächenschicht in einer für jede Tierart charakteristischen Weise genarbt. Die *Spalt-L.* werden nach maschinellem Spalten von dickeren Häuten aus den tiefer liegenden Schichten hergestellt und besitzen daher keine natürlichen Narben. Leder, die die Narbenschicht besitzen und ungespalten sind, werden als *Voll-L.* (z. B. Vollrindleder) bezeichnet.

Lederherstellung. Die durch Salzen oder Trocknen konservierten Tierhäute werden in Wasser geweicht und dann *geäschert*, d. h. mit Lösungen von Kalziumhydroxyd und Natriumsulfid behandelt, wodurch die Haare gelockert oder zerstört werden. Die von Haaren befreite, ungegerbte Haut heißt *Blöße*. Beim Entfleischen werden lockeres Bindegewebe und Fett- und Fleischreste von der Unterseite (Fleisch- oder Aasseite) der Haut maschinell durch rotierende Messerwalzen entfernt. Die stark aufgequollenen Blößen werden durch *Entkälken* (Behandeln mit Säuren) und *Beizen* (mit eiweißabbauenden Fermenten) neutralisiert. Das eigentliche *Gerben* geschieht bei Sohlleder und Täschnerleder mit Pflanzengerbstoffen aus Rinden, Hölzern, Früchten u. a. Pflanzenteilen. Das zerkleinerte pflanzl. Gerbmaterial heißt *Lohe*. Bei der handwerkl. *Lohgerbung* werden die Häute mit dazwischen geschichteter Lohe in Gerbgruben gelegt und mit Gerbstofflösungen übergossen. Häufiger ist die Verwendung von Pflanzengerbstoffen in Form von Gerbextrakten. Ähnlich wie die Pflanzengerbstoffe wirken synthetische Gerbstoffe, die man aus phenolischen Körpern durch Kondensation mit Formaldehyd und Löslichmachen mit Schwefelsäure erhält. Das Schuhoberleder wird durch *Chromgerbung* gewonnen. Hierbei werden die gerbfertigen Blößen mit Lösungen von basischem Chromsulfat behandelt. Aluminium- und Eisensalze haben ähnliche Wirkung. Eine besondere Form der Aluminiumgerbung ist die *Glacégerbung*, *Weißgerbung*, bei der außer Kochsalz und Alaun noch Eigelb und Weizenmehl in die Haut eingewalkt werden. Bei der Herstellung von weichem Handschuhleder, Fensterputzleder u. dgl. werden Dorsch- und Robbentran in die Blößen eingewalkt; bei nachträglicher Erwärmung der getranten Blöße bilden sich durch Selbstoxydation des Tranes Aldehyde, die den Gerbprozeß vollziehen (*Sämischgerbung*).

Zur *Zurichtung* gehören das Färben mit Anilinfarben und das Aufspritzen von Farbpigmenten, die durch Bindemittel (Kasein, Nitrozellulose u. dgl.) auf der Faseroberfläche festgehalten werden, ferner mechan. Bearbeitung, um das L. weich und geschmeidig zu machen (Stollen, Krispeln, Polieren usw.).

Das meiste L. wird in der Schuhfabrikation verarbeitet. *Unter-L.* (Sohl-, Vache-, Brandsohl-, Rahmen-L.) werden fast immer aus Rindhäuten in pflanzl. Gerbung hergestellt. *Ober-L.* sind überwiegend chrom-, z. T. auch kombiniert chrompflanzlich gegerbt. Die wichtigsten Sorten sind: *Rindbox*, *Boxcalf*, *Chevreau* (aus Ziegenhäuten). Stärker gefettete Ober-L. für Sport- und Skistiefel hei-

Lede

ßen *Waterproof-L.* Ihm ähnlich, jedoch rein pflanzl. gegerbt ist das *Fahl-L.* Eine andere Gruppe sind die meist pflanzlich gegerbten *Sattler-* oder *Blank-L., Möbel-L., Täschner-* oder *Portefeuille-L.* und *Buchbinder-L.* Großflächige Rindledernarbenspalte werden als *Vachetten* bezeichnet (Möbelvachetten, Koffervachetten). Zu den für Luxuslederwaren verwendeten *Fein-L.* gehören u. a. die *Saffian-L.*, farbige Ziegenleder mit einem durch Krispeln herausgearbeiteten Narben, ferner *Schweins-L.*, L. aus Schlangen-, Eidechsen-, Krokodil- und Fischhäuten. Von den L. mit natürl. oder aufgepreßten Narben sind die Sorten zu unterscheiden, die eine feinfaserige, tuchartige Schauseite haben (*Nubuk-L.* aus Kalbfellen mit angeschliffener Narbenseite, *Velour-L.* mit samtartig geschliffener Fleischseite), die auch als Schuhoberleder gebraucht werden.

Bekleidungs-L. sind meist chromgegerbt. Sie werden aus großflächigen Ziegen-, Schaf- und Kalbfellen hergestellt. *Handschuh-L.* werden meist aus Lamm- und Zickelfellen nach bes. Gerbverfahren gearbeitet.

Zu den *technischen L.* gehören Riemen-, Manschetten- und Dichtungs-L., Spezial-L. für Ausrüstung von Textilmaschinen, Gasmessermembranen, L. für Sportartikel, Orthopädie-L., Rohhaut-L. usw. Diese L. werden überwiegend aus kräftigen Häuten (Rinder, Büffel) hergestellt und sind meist stark gefettet.

Hauptstandorte der dt. *Lederindustrie* sind das Rheingebiet einschl. Württemberg, Mittteldtl. und das Gebiet der Unterelbe mit Hamburg und Schleswig-Holstein. Hauptplatz ist Offenbach a. M. Organisiert ist die Lederindustrie im *Verband der Dt. Lederindustrie,* Frankfurt-Höchst, und im *Verband der Dt. Lederwaren- und Kofferindustrie,* Offenbach a. M.

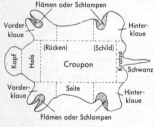

Leder: Einteilung der Haut

Lederarbeiten im Kunsthandwerk: Kästen, Futterale, Bucheinbände u. a. wurden seit früher Zeit aus Leder gefertigt und reich verziert. Bei dem im 14. und 15. Jh. bevorzugten *Lederschnitt* wird eine ornamentale oder figürliche Zeichnung eingeschnitten, einzelnen Teilen auch ein Relief durch Treibarbeit von der Rückseite her gegeben. Seit Ende des 15. Jhs. wurde die *Blindpres-*

sung durch Stempel, später auch Prägeplatten und Rollen üblich, bei der die Darstellung erhaben auf niedergepreßtem Grund erscheint. Gleichzeitig kam die *Vergoldung* auf, deren Verfahren, Blattgold mit erwärmten Stempeln einzupressen, aus dem Orient übernommen wurde, auch das aus Ein- oder Auflagen verschiedenfarbigen Leders gefertigte *Ledermosaik.* Sehr verbreitet waren bis ins 18. Jh. die zuerst von den Mauren in Spanien eingeführten *Ledertapeten,* die gepreßt, bemalt und versilbert wurden. – Die größte Sammlung von L. besitzt das Ledermuseum in Offenbach a. M.

Lederbeere, Weinbeere mit falschem →Mehltau.

Lederberg, Joshua, amerikan. Biologe, * Montclair (N. J.) 23. 5. 1925, Prof. an den Universitäten Wisconsin (Madison) und Stanford (Palo Alto, Cal.). Mit E. L. Tatum wies L. nach, daß Bakterien sich auch geschlechtlich fortpflanzen können und daß bei Vereinigung verschiedener Bakterienkulturen durch Austausch von Genen Bakterien mit neuen Eigenschaften entstehen. Durch künstl. Einführung fremder Gene in den Bakterienkörper (Transduktion) gelang es L., die Erbmasse nachweislich zu verändern. Für diese Forschungen erhielt L. zus. mit Tatum und Beadle 1958 den Nobelpreis für Medizin.

Lederer, 1) Emil, Nationalökonom, * Pilsen 22. 7. 1882, † New York 29. 5. 1939, war Prof. in Heidelberg und Berlin, emigrierte nach den USA und wirkte in New York.

2) Hugo, Bildhauer, * Znaim (Mähren) 16. 11. 1871, † Berlin 1. 8. 1940, schuf das Bismarckdenkmal in Hamburg (1901–06), außerdem Gefallenendenkmäler, männliche Aktfiguren, Bildnisbüsten.

3) Jörg, Bildschnitzer, * Kaufbeuren (?) um 1470, † das. Dez. 1550, seit 1499 Bürger in Füssen, seit 1507 in Kaufbeuren, wo er Ratsherr, 1530 und 1532 Stadtammann war.

Lederhaut, 1) Teil der menschl. und tier. →Haut. 2) Teil des →Auges.

Lederschildkröte, *Dermochelys coriacea,* eine seltene, über alle wärmeren Meere verbreitete Seeschildkröte von nahezu 600 kg Gewicht, deren fast 2 m langer Panzer mosaikartig aus kleinen Plättchen zusammengesetzt und mit einer dicken, lederart. Haut überzogen ist.

Lederstrauch, Hopfenstrauch, *Ptelea trifoliata,* nordamerik. Rautengewächs (Hopfenersatz).

Lederstrumpf, engl. **Leather-stocking** [l'eðəst'ɔkiŋ], indianische Gamasche, Spitzname des Amerikaners Natty Bumppo im Roman ›Die Prärie‹ (1827) von J. F. Cooper; danach *Lederstrumpf-Erzählungen,* Bezeichnung der Indianerromane Coopers.

Ledertuch, ein Gewebekunstleder, →Drap.

Ledig, Gert, Schriftsteller, * Leipzig 4. 11. 1921, gestaltete seine Erlebnisse im Rußlandfeldzug und in der Nachkriegszeit in Romanen (Die Stalinorgel, ²1955, Faustrecht, 1957).

LEDER

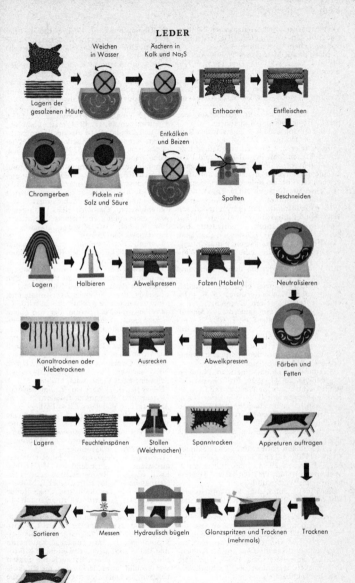

Lederherstellung (schematisch)

155

Ledigensteuer, Junggesellensteuer, Sondersteuer für Unverheiratete, im Dt. Reich 1930 vorübergehend eingeführt.

Ledóchowski, Mieczysław Halka von Ledóchow, Graf, Kardinal (seit 1875), * Klimontów (bei Sandomir) 29. 10. 1822, † Rom 22. 7. 1902, wurde 1866 Erzbischof von Gnesen-Posen. Während des preuß. Kulturkampfes wurde er 1874 seines Amtes entsetzt. 1892 wurde er Präfekt der Propagandakongregation, was zur Aussöhnung der preuß. Regierung mit ihm führte.

Ledoux [ləduˈ], Claude-Nicolas, franz. Baumeister, * Dormans 1736, † Paris 19. 11. 1806, Schüler von Blondel und Trouard. In seinen Bauten (bes. Privatbauten und Pariser Zollhäuser) vollzog sich der Übergang zu einem schmucklos nüchternen, auf strenge geometr. Formen zielenden Klassizismus.

Le Duc Tho (Nguyen Xuan Thuy), nordvietnames. Politiker, * bei Hanoi 1912, 1963–65 Außenmin., Politbüromitglied, seit 1968 Hauptunterhändler bei den Pariser Vietnamverhandlungen. – Friedensnobelpreis 1973 (zus. mit H. Kissinger); abgelehnt.

Lee [niederd.], *seemänn.:* die Windrichtung. Gegensatz: Luv. **Leeseite,** die dem Wind abgekehrte Seite des Schiffes. **Leeweg,** Abdrift, die Kursänderung durch Wind und Seegang.

Lee [li:], **1)** Laurie, engl. Schriftsteller, * Cotswolds (Gloucestershire) 26. 6. 1914, schreibt Reisememoiren, Dramen.

2) Robert Edward, amerikan. General, * Stratford (Virginien) 19. 1. 1807, † Lexington (Virginien) 12. 10. 1870, führte im Sezessionskrieg 1861–65 das Hauptheer der südstaatl. Konföderierten, mußte nach einer Reihe von Siegen vor der Übermacht Grants am 9. 4. 1865 kapitulieren.

3) Tsung-Dao, chines.-amerikan. Physiker, * Schanghai 25. 11. 1926, Prof. an der Columbia-Universität in New York. Ihm gelang zusammen mit C. N. Yang der Nachweis, daß bei schwachen Wechselwirkungskräften zwischen Elementarteilchen der Erhaltungssatz der Parität nicht gilt; hierfür erhielten beide gemeinsam den Nobelpreis der Physik für 1957.

Leeb, Wilhelm Ritter von, Gen.-Feldmarschall (1940), * Landsberg am Lech 5. 9. 1876, † Füssen 29. 4. 1956, führte im 2. Weltkrieg bis Jan. 1942 (entlassen) Heeresgruppen im Westen und Osten.

Leech [li:tʃ], John, engl. Karikaturist und Illustrator, * London 29. 8. 1817, † das. 14. 10. 1864, war 1841–64 Mitarbeiter der satirischen Zeitschrift ›Punch‹, in der über 3000 Zeichnungen von ihm erschienen.

Leeds [li:dz], Industriestadt in Ostengland, mit (1971) 1,73 Mill. Ew. (mit Vororten), am Aire, am Nordostende eines großen Kohlendistriks, Universität (seit 1904), 2 größere Bibliotheken; Hauptort der Tuchindustrie und des Tuchhandels.

Leeds [li:dz], Thomas **Osborne,** Earl of **Danby** (seit 1674) und Herzog von **L.** (seit 1694), engl. Staatsmann, * 1631, † Easton

(Northampton) 26. 7. 1712, wurde 1674 der leitende Minister Karls II., dessen geheime Verbindung mit Frankreich er vergebens bekämpfte. Wegen seiner angeblichen Begünstigung katholisierender Bestrebungen wurde er 1679 gestürzt, des Hochverrats angeklagt und bis 1684 im Tower gefangengehalten. Unter Wilhelm III. war er 1689–99 Lordpräsident des Geheimen Rats.

Leemputten [leˈ:mpytən], Frans van, belg. Maler, * Werchter bei Löwen 29. 12. 1850, † Antwerpen 26. 11. 1914, malte Genrebilder und Landschaften aus der Campine.

Leer, Kreisstadt im RegBez. Aurich, Niedersachsen, mit (1974) 33 300 Ew., hat Seehafen, Hauptzollamt, AGer., Wasser- und Schiffahrtsamt, Seemannsamt, höhere und Fachschulen, Seefahrtsschule, Heimatmuseum. Industrie: Eisengießerei, Maschinen-, Blechwaren-, Schreibmaschinen- sowie Seifen- und Ölindustrie, Schiffswerft.

Leergewicht, Gewicht eines Fahrzeugs ohne Bemannung, Betriebsstoff, Nutzlast, Vorräte, bei Lastkraftwagen einschl. des Fahrergewichts (75 kg).

Leergut, *Frachtverkehr:* zurückgehender Verpackungsstoff, von der Eisenbahn zum halben Satz befördert.

Leerkosten, der Teil der fixen Kosten, der auf nichtgenutzte Kapazitäten entfällt. Den Gegensatz dazu bilden die Nutzkosten.

Leerlauf, der Lauf einer Arbeitsmaschine, ohne daß nutzbare Arbeit geleistet wird.

Leerlaufstrom, der Strom, der von einem elektr. Gerät (Elektromotor, Nachrichtengerät) zur Energiewandlung und -übertragung im unbelasteten Zustand aufgenommen wird, bei elektr. Maschinen vielfach der Strom zum Aufbau des Magnetfeldes.

Leeste, Gemeinde im Kr. Gfsch. Hoya, Niedersachsen, mit (1973) 9300 Ew.; Schweinemast, Viehhandel, Mühlen.

Leeuw [leuv], **1)** Aart van der, niederländ. Lyriker und Romanschriftsteller, * Delft 23. 6. 1876, † Voorburg 17. 4. 1931.

2) Gerardus van der, * 's Gravenhage 18. 3. 1890, † Utrecht 18. 11. 1950, holländ. evang. Theologe und bedeutender Religionswissenschaftler (Religionsphänomenologe); seit 1918 Prof. in Groningen.

Leeuwarden [leˈuvardən], Hauptstadt der niederländ. Prov. Friesland, mit (1972) 87 800 Ew., ehemal. Residenzschloß des Erbstatthalters (17.–18. Jh.); Gießerei, Möbel-, Papier- und Textilindustrie; bedeutende Viehmärkte, landwirtschaftl. Handel. L. war bis Ende des 13. Jhs. Seehafen.

Leeuwenhoek [leˈuvənhuk], Antoni van, niederländ. Naturforscher, * Delft 24. 10. 1632, † das. 27. 8. 1723, Begründer der Mikrobiologie. L. war zunächst Kaufmann und stellte aus Liebhaberei einfache Mikroskope her, zu denen er auch die Linsen selbst schliff; er entdeckte u. a. die Blutkörperchen, die Querstreifung der Muskeln, die Infusorien.

Werke. Opera omnia (Leiden, 7 Bde., 1715–22).

Leeward-Inseln, engl. **Leeward Islands** [l'i:wəd -, lj'uəd 'ailəndz], Inselgruppe der Kleinen Antillen, umfaßt den nördl. Teil der Inseln über dem Winde von Sainte-Croix bis Dominica.

Lefebvre [ləfɛvr], Pierre François Joseph, Herzog von **Danzig** (seit 1807), franz. Marschall (seit 1804), * Rufach (Elsaß) 20. 10. 1755, † Paris 14. 9. 1820, wurde in den Revolutionskriegen General und unterstützte Bonaparte beim Staatsstreich des 18. Brumaire (9. 11. 1799). 1807 zwang er Danzig zur Kapitulation, führte 1808 ein Korps in Spanien, besetzte 1809 Innsbruck und befehligte 1812/13 die Garde. – Seine Frau *Catherine,* geb. *Hübscher,* eine ehemal. Wäscherin, wurde als *Madame Sans-Gêne* durch das gleichnamige Bühnenstück von V. Sardou populär.

Lefèvre [ləfɛvr], **1)** Peter, Mitgründer des Jesuitenordens, →Favre.

2) Théo, belg. Politiker (Christlich-Sozialer), * Gent 17. 1. 1914, † Brüssel 19. 9. 1973, Jurist, war 1961–65 MinPräs.

le Fèvres d'Estaples [lə fɛvr detapl], Jacques, franz. Theologe, →Faber 1).

Leffler, Anne Charlotte, schwed. Schriftstellerin * Stockholm 1. 10. 1849, † Neapel 21. 10. 1892, war in Erzählungen und Dramen eine frühe Vertreterin der sozialkrit. Literatur.

le Fort [lə fɔ:r], Gertrud von, Schriftstellerin, * Minden (Westf.) 11. 10. 1876, † Oberstdorf 1. 11. 1971, studierte Theologie, Geschichte und Philosophie, trat 1925 zum kath. Glauben über. Die Kirche als zeitlich-überzeitliches Phänomen und das Reich, gesehen aus religiöser Perspektive, sind die Hauptthemen ihrer hymnischen Lyrik und ihrer Zeitromane.

WERKE. Hymnen an die Kirche (1924), Hymnen an Deutschland (1932), Gedichte (1949), Die Heimatlosen (1950). Erzählungen: Das Schweißtuch der Veronika, 2 Bde. (1928–46), Der Papst aus dem Ghetto (1930), Die Letzte am Schafott (1931, dramat. v. G. Bernanos, dt. u. d. T. Die begnadete Angst, 1951), Die Magdeburgische Hochzeit (1938), Der Turm der Beständigkeit (1957). Erzählende Schriften, 3 Bde. (1956). – Die ewige Frau (1934).

Le Franc [lə frã], Jean-Jacques-Nicolas, Marquis de Pompignan, franz. Dichter, * Montauban 10. 8. 1709, † Pompignan (Tarn-et-Garonne) 1. 11. 1784, wurde als Gegner der Enzyklopädisten von Voltaire in vielen Epigrammen verspottet. Le F. schrieb geistl. Gedichte.

Lefuel [ləfyɛl], Hector Martin, franz. Baumeister, * Versailles 14. 11. 1810, † Paris 31. 12. 1880, baute in dem prunkvoll historisierenden Stil des zweiten Kaiserreichs. Hauptwerk: Neuer Louvre (von L. Visconti begonnen).

Lefze, 1) † dt. für Lippe. **2)** äußere Maulwinkel der Haustiere.

Lega, Silvestro, ital. Maler, * Modigliana 4. 12. 1826, † Florenz 21. 11. 1895.

legal [lat.], dem Gesetz entsprechend, gesetzlich.

Legalisation [nlat.], **Legalisierung,** die →Beglaubigung amtl. Urkunden, bes. zum Beweis der Echtheit ausländischer öffentl. Urkunden im Inland (durch einen Konsul oder Gesandten). Erleichterte Bestimmungen können durch zwischenstaatl. Verträge vereinbart werden; solche bestehen u. a. zwischen der Bundesrep. Dtl., Österreich und der Schweiz.

Legalität [lat. zu →legal], Gesetzmäßigkeit des Handelns, insbes. die Übereinstimmung sowohl der staatl. Maßnahmen als auch des Verhaltens privater Einzelner und Verbände mit den Gesetzen, im Unterschied zur →Legitimität und, bes. in der Kantschen Ethik, im Gegensatz zur →Moralität. Ein Handeln, das unter formaler Wahrung äußerer Gesetzmäßigkeit in grober Weise gegen Gerechtigkeit und Sittengesetz verstößt, heißt **legales Unrecht.** Ein Verfassungsumsturz, der sich nur der Mittel bedient, die die Verfassung zur Verfügung stellt, wird **legale Revolution** genannt. Die Prüfung der Gesetzmäßigkeit des Verwaltungshandelns durch übergeordnete Behörden oder Gerichte heißt **Legalitätskontrolle.**

Legalitätsprinzip, der Grundsatz, daß die Staatsanwaltschaft wegen aller Straftaten beim Vorliegen zureichender Anhaltspunkte ohne Rücksicht auf die Zweckmäßigkeit Anklage erheben muß. Nach § 152 StPO ist das L. die Regel. Gegensatz: →Opportunitätsprinzip. Das L. gilt mit einigen Einschränkungen auch in *Österreich* und der *Schweiz.*

Leg'alservituten, Grunddienstbarkeiten, die nicht auf Vertrag oder Ersitzung beruhen, sondern auf einer Rechtsvorschrift, z. B. die Duldung des Regenwasserabflusses, die Verpflichtung zur Einhaltung der Vorschriften über den Baubestand. Die L. bilden den Hauptbestandteil des Nachbarrechts.

Legasthenie [griech. ›Leseschwäche‹], angeborene Lese-Schreibschwäche im übrigen normaler Begabung.

Leg'at [lat. legatum], Vermächtnis, d. h. die Zuwendung einzelner Vermögensgegenstände durch letztwillige Verfügung (→Testament; →Kodizill).

Leg'at [lat. legatus], **1)** *im alten Rom:* Gesandter, auch der ständige Gehilfe des Feldherrn oder Statthalters. In der röm. Kaiserzeit blieben die Senatsboten mit beschränkter Wirksamkeit bestehen. Aus den Militär-L. machte Augustus ständige Legationsbefehlshaber. Außerdem erhielten die mit der Verwaltung und dem Oberbefehl in den kaiserl. Provinzen betrauten Generale den Titel *Legati Augusti pro praetore.* **2)** *kath. Kirche:* Abgesandter des Papstes zur Erledigung kirchl. Aufgaben *(Apostolischer Legat).* Seit dem 16. Jh. werden ständige L. als diplomat. Vertreter des Heil. Stuhls eingesetzt (→Nuntius). Ständige L. ohne diplomatische Aufgaben sind die Apostol. Delegaten (→apostolisch). *Legatus natus*, Ehrentitel einzelner Erzbischöfe, z. B. von Köln, Salzburg.

Legation [lat.], Gesandtschaft. **Legationsrat**, Titel für Räte im Auswärtigen Dienst (→Diplomat).

leg′ato, ligato [ital.], *Musik:* gebunden, d.h. die aufeinanderfolgend. Töne ohne Unterbrechung des Atemstroms, Bogenstrichs oder Tastenniederdrucks lückenlos aneinanderreihen; in der Notenschrift durch den *Binde-* oder *Legatobogen* bezeichnet (→Bogen 5).

Leg′azpi, Miguel López de, span. Konquistador, * Zumárraga (Guipúzcoa) um 1510, † Manila 20. 8. 1572, führte 1564 eine Expedition zur Eroberung der Philippinen, wurde 1569 Gouv. der Inseln, gründete 1571 die Stadt Manila.

Legebohrer, -röhre, -stachel, Eiablageorgan bei Insekten.

L′egel *der,* Öse aus Hanftau oder Metall, mit der ein Segel gleitend an einem Stag aufgereiht wird (Stagreiter).

Legend′arium [lat.], Sammlung von Heiligenlegenden.

F. Léger: Komposition mit Vögeln auf gelbem Grund

Legende [lat. legenda, d. h. das ›Vorzulesende‹, 1) ursprüngl. Bezeichnung für die Lesung eines Bekennerlebens aus dem Liber legendarius, im Gegensatz zu den Passiones der Märtyrer im Liber passionarius, dann allgemein die wunderbare Erzählung aus dem Leben der Heiligen, teils lehrhafterbaulich, teils volkstümlich-phantastisch. Von der lat. Sammlungen fand die L. Eingang in die Nationalsprachen und gelangte schon früh zu eigenständiger poetischer Gestaltung, die sich von der verherrlichenden Sequenz wegentwickelte, in Dtl. Ende des 9.

Jhs. (Georgslied). In der cluniazensischen Zeit wurde die L. begünstigt (Annolied), um 1150 leitete sie durch Einbeziehung weltlicher Elemente zur ritterl. Epoche über (Kaiserchronik, Orendel). Einen bes. Platz nahmen die Marienlegenden ein. In der mhd. Blütezeit wurde die L. zu einer höfischen Kunstform (Hartmann v. Aue, Rudolf v. Ems, Konrad v. Würzburg). Die einzelnen Legenden haben eine oft weit in die Antike, den Orient, auch ins Buddhistische (Barlaam und Josaphat) zurückreichende Tradition, in deren Verlauf Motive von einer Gestalt auf die andere übertragen wurden. Im späten MA. entstanden umfangreiche Legendensammlungen: Legenda aurea des Jacobus a Voragine (1263–73), ›Passional‹ und ›Väterbuch‹ (Ende des 13. Jhs.) u. a. Am Ausgang des MA.s erlangte das Legendenspiel als Mirakelspiel Bedeutung (Theophilus, Spiel von Frau Jutten). In der Wiederbelebung der L. zur Zeit der Romantik waren die ästhetisch-poetischen Motive vorherrschend. Ironisch-humorvoll behandelten Legendenstoffe Gottfried Keller, Rudolf G. Binding, Th. Mann (Der Erwählte); auch Remisow, Leskow, Selma Lagerlöf schrieben L. In jüngster Zeit hat die L. als Erzählung (Gertrud von le Fort, Bergengruen) und Spiel (Mell, Claudel) eine Erneuerung erfahren.

Lit. H. Günter: Psychologie der L. (1949); H. Rosenfeld: L. (1961).
2) Zeichenerklärung auf Landkarten. 3) Text des Spruchbandes auf Werken der Malerei, Graphik und Bildhauerkunst. 4) Text auf Münzen. 5) Unterschrift zu Bildern, Zeichnungen u. a.

Legendre [ləȝãdr], Adrien Marie, franz. Mathematiker, * Paris 18. 9. 1752, † das. 10. 1. 1833, Prof. und Mitglied der Akademie in Paris, gab neue Verfahren zur Berechnung von Integralen an, vervollkommnete die Theorie der elliptischen Funktionen, entdeckte gleichzeitig mit Gauß und unabhängig von diesem die Methode der kleinsten Quadrate.

leger [leȝe:r, franz. ›leicht‹], ungezwungen, formlos.

Léger [leȝe], Fernand, franz. Maler, * Argentan (Normandie) 4. 2. 1881, † Gif-sur-Yvette 17. 8. 1955, ursprüngl. Architekt, begann er um 1900 in Paris zu malen und war 1903/04 Schüler der Akademie. Nach der Abkehr vom Impressionismus unter dem Eindruck von Cézanne gelangte er mit dem Aufkommen des Kubismus um 1910 zu geometr. Abstraktionen, deren Formgesetze denen der Mechanik gleichen sollen. Seine Bilder waren zunächst dynamisch bewegt, suchten aber bald, indem er sich gleichzeitig der Wandmalerei zuwandte, die Ruhe statischer Formen. L. hat auch Bühnenausstattungen geschaffen; sein Film ›Ballet mécanique‹ (1924) ist der Vorläufer der modernen Trickfilme.

Legeröhre, der →Legebohrer.

Legerwall *der,* seemänn. Ausdruck für die

Stellung eines Segelschiffs in Luv einer Küste (Strandungsgefahr).

l'**eges** [lat.], *Mz.* von →lex. **Barbarorum,** →**germanische** Volksrechte. **L. Romanorum, L. Romanae,** die im Burgunder- und Westgotenreich für die röm. Untertanen zusammengestellten Rechtssammlungen.

Legföhre, Wuchsform der Kiefer.

L'**egger** *der,* engl. *Leaguer, Leager,* frz. *Lègre,* Flüssigkeitsmaß. 1 L = rd. 570 *l.*

leggiero [led_ʒ'ero, ital.], *Musik:* leicht, ungezwungen.

L'**eggins** [engl.] *Mz.,* 1) Ledergamaschen. 2) eine Art Beinschutz aus Leder bei den meisten nordamerikan. Indianerstämmen; von den →Cowboys übernommen.

L'**eghorn** [nach engl. Namen der Stadt Livorno] *das,* Haushuhnrasse.

Leg'ien, Karl, Gewerkschaftsführer, * Marienburg (Westpr.) 1. 12. 1861, † Berlin 26. 12. 1920, Drechsler, wurde 1890 Vors. der Generalkommission der Gewerkschaften Dtl.s, 1919 des ADGB, leitete die Zusammenarbeit zwischen Gewerkschaften und Unternehmern ein. 1920 brachte er durch den Generalstreik der Gewerkschaften den Kapp-Putsch zum Scheitern.

legieren [lat.], eine Suppe durch Ei oder Mehl verdicken.

Legierung, durch Zusammenschmelzen von zwei oder mehreren Metallen, auch mit Nichtmetallen, erzeugtes festes Mischmetall. Hierbei können folgende Fälle auftreten: Das eine Metall ist im anderen unlöslich oder vollständig löslich oder beschränkt löslich; dementsprechend besteht das mikroskopische Gefüge einer L. aus reinen Kristallen oder Mischkristallen oder einem innigen Gemisch (Eutektikum). Durch das Legieren werden die Eigenschaften eines Grundmetalls oft beträchtlich geändert, z. B. die Festigkeit erhöht, die Widerstandsfähigkeit gegen chemische Angriffe verstärkt. L. können auch durch Sintern von Metallpulvermischungen, durch gemeinsames Reduzieren von Rohstoffen, durch Elektrolyse u. a. erzeugt werden.

Legi'on [lat.] *die,* 1) altrömische Heereseinheit, die in republikan. Zeit 4000–5000 Mann zu Fuß und etwa 300 Reiter, dazu Troßknechte und Pioniere umfaßte. Lit. Kromayer u. Veith: Heereswesen und Kriegsführung der Griechen und Römer (1928).
2) in neuerer Zeit Truppenverbände aus Freiwilligen oder Söldnern, z. B. die →Deutsche Legion und die →Fremdenlegion.

Legion Mariens, kathol. Laienvereinigung für Seelsorgehilfe, gegr. in Dublin 1921, in der ganzen Welt verbreitet.

Legisaktionenverfahren, *röm. Recht:* ein Entwicklungsabschnitt im Zivilprozeßverfahren. Das L. war nur zulässig für Ansprüche, für die eine nur dem röm. Bürger zugängliche feierliche Spruchformel *(Legis actio)* vorhanden war. Das L. wurde durch den →Formularprozeß abgelöst.

legislat'iv [lat.], gesetzgebend. **Legislative,** 1) die →gesetzgebende Gewalt, auch die gesetzgebende Körperschaft, bes. die zweite Nationalversammlung der Französ. Revolution (1791/92). **legislat'orisch,** gesetzgeberisch, zur Gesetzgebung gehörig. **Legislat'ur,** Gesetzgebung. **Legislat'urperiode,** der Zeitraum, für den eine Volksvertretung gewählt ist.

Legismus [von lat. lex ›Gesetz‹], das Festhalten am Buchstaben des Gesetzes.

Legisten, im MA. die des röm. Rechts kundigen Juristen (die *Doctores legum* und *Professores legum*) im Unterschied zu den →Dekretisten.

legit'im [lat.], gesetzmäßig, rechtmäßig, ehelich. **Legitimität,** Rechtmäßigkeit, Gesetzmäßigkeit des Besitzes, eines Anspruchs.

Legitimation [nlat.], Beglaubigung, Nachweis der Berechtigung zu einer Handlung, Ausweis über die Persönlichkeit; auch die Urkunde, durch die man sich ausweist, z. B. Paß. Im *Familienrecht* erlangt ein →uneheliches Kind durch L. die Rechtsstellung eines ehelichen, entweder kraft Gesetzes durch nachfolgende Ehe des Vaters mit der Mutter des Kindes (§ 1719 BGB), oder durch behördl. Verfügung *(Ehelichkeitserklärung),* die einem unehel. Kind diese Rechtsstellung gegenüber dem Vater, nicht aber dessen Verwandten und Frau gegenüber verschafft. Die L. durch Ehelichkeitserklärung (§ 1723ff. BGB) erfolgt auf Antrag des Vaters, ist aber Ermessenssache der Behörde (Landgerichtspräsident). Die Einwilligung des Kindes oder, wenn noch minderjährig, der Mutter, sowie die der Frau des Antragstellers, falls er verheiratet ist, müssen vorliegen.

Legitimationspapier, ein Wertpapier, das den Berechtigten namentlich nennt, bei dem aber der Aussteller an jeden Inhaber mit befreiender Wirkung leisten kann (z. B. Sparkassenbuch); der Schuldner braucht die Berechtigung des Inhabers nicht nachzuprüfen.

legitimieren, 1) für rechtmäßig erklären. 2) (sich) ausweisen.

Legitimität [lat. zu legitim], Rechtmäßigkeit, politisch die Rechtfertigung des Staats und seiner Herrschaftsordnung durch sachliche, inhaltliche Werte und Grundsätze (im Unterschied zur bloß formellen →Legalität); sie wird meist historisch begründet (monarch. oder demokrat. *L.-Prinzip).* **Legitim'isten,** die Anhänger des monarchist. L.-Prinzips, die nach dem Sturz einer Dynastie deren Wiedereinsetzung fordern, so in Spanien die →Karlisten, in Österreich die Anhänger der 1918 gestürzten Habsburger.

Legnano [leɲ'ano], Stadt in Oberitalien, Prov. Mailand, mit (1971) 47 600 Ew.; Maschinenfabriken. Hier siegten die lombard. Städte am 29. 5. 1176 über Kaiser Friedrich Barbarossa.

legno [l'eɲo], ital., Holz. **col l.,** *Musik:* mit der Bogenstange statt mit dem Bogenbezug die Saiten streichen.

Legr'enzi, Giovanni, ital. Komponist, getauft Clusone (Bergamo) 12. 8. 1626, † Ve-

nedig 26. 5. 1690. Opern- und Instrumental-
komponist der venezian. Schule.

Legros [ləgro], Alphonse, franz. Maler,
Graphiker, Bildhauer, * Dijon 8. 5. 1837,
† Watford bei London 8. 12. 1911.

Légua, Légoa [l'egua] *die*, früheres Wegemaß in Spanien, Portugal und Lateinamerika (rd. 5 km).

Legu'ane [haitisch], *Iguaniden*, vorwiegend
südamerikanische Echsenfamilie, meist auf
Bäumen lebend; so der bis 1,5 m lange *grüne
L.* (Iguana iguana) mit blattgrüner Grund-
farbe und dunklen Querbinden. Am Boden
leben →Erdleguan und →Krötenechsen; einige Arten gehen ins Süß-, die →Meerechse ins
Salzwasser. Zur Nahrung dient tierische
oder pflanzl. Kost. Zu den L. gehören ferner
→Anolis →Basilisk, →Kielschwänze und
→Drusenkopf.

grüner Leguan

Leguía [leg'ia], Augusto Bernardino, pe-
ruan. Staatsmann, * Lambayeque 19. 2.
1862, † Lima (Gefängnis) 6. 2. 1932, war seit
1903 Finanzmin., seit 1904 MinPräs.; 1908
bis 1912 und (mit diktator. Vollmacht) 1918
bis 1930 Staatspräs. Er wurde infolge der
wirtschaftl. Depression gestürzt und des
Hochverrats angeklagt.

Legumin'osen [von lat. legumen ›Hülsenfrucht‹], die →Hülsenfrüchter.

Leh, Hauptort von Ladakh, Kaschmir,
3500 m ü. M., Handelsort; Wetterstation.

Lehár [l'eha:r], Franz, Komponist, * Komorn 30. 4. 1870, † Bad Ischl 24. 10. 1948,
entwickelte sich vom Militärkapellmeister
zu einem erfolgreichen Vertreter der Wiener
Operette.
WERKE. Die lustige Witwe (1905), Der
Graf von Luxemburg (1909), Frasquita
(1922), Paganini (1925), Zarewitsch (1927),
Friederike (1928), Das Land des Lächelns
(1929), Giuditta (1934).
LIT. Stan Czech: F. L. Weg und Werk
(³1948).

Lehde [von leeg ›niedrig‹] *die*, früher bebaut gewesenes, wüst liegendes Landstück;
Ödland.

Lehen [von leihen], **Lehn** *das*, Leihegut,
dessen Empfang zu ritterlichem Kriegsdienst und Treue verpflichtete, im Unterschied zum Allod (Eigengut) wie zum bäuer-
lichen und städt. Leihe- und Zinsgut. Im
Lehnswesen sind römische, gallische und
german. Elemente verschmolzen: 1) die aus
der Antike stammende, einseitige *Kommen-*

dation eines Schwächeren (lat. vassus, daraus *Vasall*) in den Schutz eines Herrn, die
zu Unfreiheit führen konnte; 2) die aus dem
german. Recht stammende, zweiseitig bin-
dende, die Freiheit nicht mindernde Gefolg-
schaft (Trustis). Zu der so entstehenden, bereits in merowing. Zeit nachweisbaren Va-
sallität mit wechselseitiger Treuverpflich-
tung von Herren und Vasallen kam die Ver-
leihung eines L. (Bodenrechte, öffentl. Ämter, Einnahmen usw.: *beneficium, feudum*)
an den *Lehnsmann*, wobei das Obereigentum beim *Lehnsherrn* (senior) blieb. Der
Lehnsmann schuldete dem Lehnsherrn
Dienst (Heer-, Hoffahrt usw.), der Lehns-
herr dem Lehnsmann Schutz. Anfangs fiel
das Lehen beim Tode des Verleihenden sowie des Beliehenen zurück, doch setzte sich
bald die Erblichkeit der L. durch. Die unteren Stufen der Lehnsleute waren unfrei. Aus
den Lehnskriegern entstand das mittelalterl.
Rittertum. Das *Lehnsrecht* wurde auch auf
die Beziehungen der Herrscher zu ihren
weltl. u. geistl. Großen sowie zu ausländischen Fürsten übertragen. Daher erhielten
im Mittelalter auch das Staats- und Kirchenrecht einen feudalen Einschlag (→Feudalis-
mus). Im 12. Jh. wurde in Deutschland die
ganze soziale Ordnung nach den Prinzipien
des Lehnsrechts durchgegliedert (→Heer-
schild). Die Ansätze, Beamtenverhältnisse
herzustellen, glitten meist wieder in lehn-
artige Verhältnisse hinein. Erst im späten
Mittelalter lockerte sich das Lehnswesen.
Seine letzten Reste wurden erst im 19. Jh.
beseitigt.
Das mittelalterl. Lehnswesen hat sich fast
im ganzen christl. Abendland durchgesetzt.
Im byzantin. Reich, in der arab. Welt, in
China und Japan hat es verwandte Erscheinungen gegeben.
LIT. J. Calmette: La société féodale
(⁴1938); F. L. Ganshof: Was ist das Lehnswesen? (dt. 1961).

L'ehesten, Stadt im Kr. Lobenstein, Bez.
Gera, im Frankenwald, 630–660 m ü. M.,
mit (1964) 2100 Ew., hat die größten Schie-
ferbrüche in Dtl. (Dachschiefer, Tafeln,
Griffel); Schieferdeckerschule.

Lehm [dt. Stw.], durch Eisenverbindungen
gelb bis braun gefärbter, sandhaltiger Ton,
Rohstoff für die Ziegel- und Töpferwaren-
fabrikation und für Lehmbauten (Fach-
werk).

Lehmann, Lehmeier, Lehner, ältere Formen
für Lehnsmann, Pächter eines Lehngutes.

Lehmann, 1) Arthur-Heinz, Schriftsteller,
* Leipzig 17. 12. 1909, † (Unfall) Autobahn
München–Salzburg 28. 8. 1956.
WERKE. Hengst Maestoso Austria (1939),
Die Stute Deflorata (1948), Das Dorf der
Pferde (1951).
2) Else, Schauspielerin, * Berlin 27. 6. 1866,
† Prag 6. 3. 1940, wirkte als bedeutende na-
turalistische Darstellerin in Berlin (Breslau,
Dt. Theater, Lessingtheater), bes. als Inter-
pretin Hauptmannscher und Ibsenscher Ge-
stalten.

3) Johann Georg, Kartograph, * Johannismühle bei Baruth 11. 5. 1765, † Dresden 6. 9. 1811, begründete die Geländedarstellung durch Bergschraffen (1799).

4) Julius Friedrich, Verlagsbuchhändler, * Zürich 28. 11. 1864, † München 24. 3. 1935, gründete 1890 in München eine medizin. Sortimentsbuchhandlung, aus der J. F. Lehmanns Verlag hervorging (ÜBERSICHT Verlage).

5) Kurt, Bildhauer, * Koblenz 31. 8. 1905, schuf Akte und Porträtbüsten.
LIT. W. Passarge: K. L. (1957).

6) Lilli, Sängerin (Sopran), * Würzburg 24. 11. 1848, † Berlin 16. 5. 1929, wirkte an der Staatsoper in Berlin, 1886–92 in Amerika; schrieb: Meine Gesangskunst (1902), Studie zu Fidelio (1904), Mein Weg (1913).

7) Lotte, Sängerin (Sopran), * Perleberg 27. 2. 1888, ist als dramatisch-lyrische Bühnensängerin und als Konzertsängerin hervorgetreten.

8) Max, dt. Historiker, * Berlin 19. 5. 1845, † Göttingen 8. 10. 1929, Schüler Droysens und Rankes; seine liberale, ethisch bedingte Geschichtsauffassung stand im Gegensatz zu dem konservat. Geschichtsbild der Befreiungskriege und Friedrichs II.

9) Wilhelm, dt. Schriftsteller, * Puerto Cabello (Venezuela) 4. 5. 1882, † Eckernförde 17. 11. 1968, schrieb Romane und Erzählungen. Von bes. Bedeutung sind seine streng geformten Gedichte, in denen eine Vereinigung von Natur und Mythos angestrebt wird.
WERKE. Gedichte: Der grüne Gott (1942), Entzückter Staub (1946), Noch nicht genug (1950), Überlebender Tag. Gedichte 1951 bis 1954 (1954), Meine Gedichtbücher (1957). Romane: Die Schmetterlingspuppe (1918), Der Sturz auf die Erde (1923), Der Überläufer (1962). – Bukolisches Tagebuch (1948), Mühe des Anfangs (1952), Ruhm des Daseins (1953). Sämtl. Werke, 3 Bde. (1962).

Lehmann-Haupt, Carl Friedrich, Historiker, * Hamburg 11. 3. 1861, † Innsbruck 24. 7. 1938, war 1911–14 Prof. in Liverpool, 1914/15 in Greifswald, 1915–18 in Konstantinopel, 1918–32 in Innsbruck; er erschloß in grundlegenden Arbeiten den armenisch-chaldäischen Kulturraum.

Lehmbau, ein uraltes Bauverfahren, in Ländern mit niedrigem Lebensstandard noch heute angewandt. L.-Wände werden hergestellt als *Lehmsteinwände* (luftgetrocknete Handstrich-Lehmsteine, in Lehm- oder Kalkmörtel vermauert), als *Lehmwellerwände* (mittelfetter Lehm, mit Gabeln aufgesetzt, Stroh unter ständigem Treten beigemisch, Wandflächen nach Antrocknen fluchtrecht abgestochen), als *Lehmstampfwände* (Lehm mit kurzem Stroh gemischt, erdfeucht zwischen Schalung eingebracht und gestampft; waagerecht eingelegte Stangen oder Drähte zur Verankerung), als *Lehmständerwände* (Rundholzständer für Decken und Dachlast aufgestellt, danach Felderausfachung mit Lehmsteinen, Leicht-

lehm, Wickelstangen, Reisiggeflecht mit Lehmbewurf). L.-Wände müssen gegen Regen geschützt werden; sie gelten als feuerbeständig.

Kurt Lehmann:
Flötender Junge (Bronze, 1950)

GESCHICHTLICHES. Der L., eine der ältesten Bauarten, findet sich bes. in China. Bei den Ausgrabungen am Euphrat, Tigris und am Indus wurde festgestellt, daß ganze Städte aus ungebrannten Lehmsteinen erbaut waren. Es ist heute als ziemlich sicher anzusehen, daß auch der Turm zu Babel ein L. war. Ebenso war im nördl. Afrika, bes. im Niltal, der L. heimisch. In Mitteleuropa scheint man im allgem. erst im MA. von den lehmbeworfenen Flechtwerkhütten zum eigentl. L. übergegangen zu sein; bisher einzigartig ist die vor dem 6. Jh. v. Chr. entstandene Mauer der →Heuneburg.

Lehmbruck, Wilhelm, Bildhauer, * Duisburg-Meiderich 4. 1. 1881, † (Selbstmord) Berlin 25. 3. 1919, Sohn eines Bergmanns, studierte in Düsseldorf und lebte 1910–14 in Paris, wo er ausgehend von Maillol seinen eigenen Stil fand. L. schuf meist weibliche Akte und Büsten. BILD S. 162.
LIT. A. Hoff: W. L. (1961); E. Petermann: Die Druckgraphik von W. L. Verzeichnis (1964).

Lehmsel, Lehmspeicher, →Laimes.

Lehmwespen, einzeln lebende, schlanke, schwarzgelb gezeichnete Faltenwespen, die als Eiunterlage und Brutfutter durch Stich gelähmte Insekten in selbstgefertigte Brutzellen eintragen; so *Mauerwespen* (Odynerus) und *Pillenwespen* (Eumenes).

Lehndorff, Hans Graf von, Arzt, * Graditz bei Torgau 13. 4. 1910, war noch 1945–47 unter schwierigen Verhältnissen in Ostpreußen tätig, ist seit 1954 Chirurg in Bad

Lehn

Godesberg. Sein ›Ostpreußisches Tagebuch‹ (1961) ist ein Dokument des Untergangs Ostpreußens.

Wilhelm Lehmbruck: Kniende (1911)

Lehne, Lenne [german. Stw. aus ahd. lin-] *die*, Spitzahorn.

Lehn'in, Gem. im Bez. Potsdam, mit (1964) 3300 Ew.; hat ehemal. Zisterzienserkloster (1180 gegr.). Die **Lehninsche Weissagung**, ein angeblich um 1300 verfaßtes lat. Gedicht, das den Untergang der Hohenzollern weissagt, ist eine um 1690 entstandene Fälschung.

Lehn, →Lehen. **Lehnschaft,** *Bergbau:* verpachtete Gewerkschaft.

Lehnübersetzung, wörtliche Übersetzung eines fremdsprachl. Wortes nach seinen Bestandteilen, z. B. ist *Freidenker* engl. *freethinker* nachgebildet.

Lehnwort, aus einer anderen Sprache aufgenommenes Wort, das lautlich das Gepräge eines einheimischen Wortes trägt; z.B. ist *Mauer* aus lat. *murus* entlehnt, aber dem Deutschen gemäß verändert; dagegen ist *Asphalt* noch deutlich als Fremdwort zu erkennen (ÜBERSICHT Deutsche Sprache. Die Entwicklung des deutschen Wortschatzes).

Lehr, Robert, Politiker (CDU), * Celle 20. 8. 1883, † Düsseldorf 13. 10. 1956, Jurist, war 1924–33 Oberbürgermeister von Düsseldorf, danach in der Widerstandsbewegung, 1945 Mitgründer der CDU und Oberpräsident der Provinz Nordrhein, 1947–50 Landtagsabg. in Nordrhein-Westfalen, wurde 1949 MdB, 1950–53 Bundesinnenminister.

Lehrauftrag, Verpflichtung, an einer Hochschule Vorlesungen und Übungen abzuhalten. Besoldete und unbesoldete L. werden vor allem in Ergänzungsfächern vom Kultusminister an außerplanmäßige und Honorarprofessoren, Privatdozenten, Assistenten, aber auch an außerhalb der Hochschule stehende Persönlichkeiten erteilt.

Lehrberufe, 1) Berufe von »Lehrpersonen« an Schulen und Hochschulen (→Lehrer); **2)** Berufe, für die eine Lehrzeit verlangt wird. Sie sind staatlich als solche festgelegt (→Anlernberufe, →Lehrling).

Lehrdichtung, →Lehrgedicht.

Lehre, 1) ein Meßwerkzeug, meist aus gehärtetem Stahl, zur Nachprüfung der Werkstückabmessungen. *Grenz-L.* weisen zwei Meßseiten auf, eine Gut- und eine Ausschußseite. Für die Prüfung von Wellen und Bohrungen werden z. B. *Grenzrachen-L.* und *Grenzlehrdorne* benutzt. **2)** *Bautechnik:* **Lehrbrett,** eine aus Brettern oder Blech gefertigte Schablone für die Herstellung von Profilen, z. B. für das Ziehen von Putzgesimsen.

Lehrer, Lehrerin, berufsmäßig Unterrichtende, im engeren Sinne die Lehrkräfte an Schulen und Hochschulen, insbes. an Volksschulen. L. an staatlichen Schulen sind fast durchweg Beamte.

Lehrerbildung. Die Ausbildung der L. aller Schularten setzt in der Bundesrep. Dtl. grundsätzlich die Reifeprüfung voraus.

Grund- und *Hauptschul-L.* (Volksschul-L.) werden in einigen Bundesländern an den Universitäten, in anderen an eigenständigen Pädagog. Hochschulen in mindestens 6semestrigem Studium ausgebildet; konfessionelle Bindungen wurden 1967–69 aufgehoben. Ein 1–2jähriges Referendariat wird zunehmend gefordert. Angestrebt wird der stärker auf eine Fächergruppe spezialisierte Lehrer.

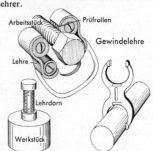

Lehren

Als *Realschul-L.* können zugelassen werden: Volksschullehrer nach der 2. Prüfung (fachl. Ergänzungsstudien und zusätzliche Prüfung), Studierende nach mindestens 6semestrigem Fachstudium (2 Fächer und Pädagogik) und 2–3semestrigem Referendariat; eine einheitl. Regelung wird angestrebt.

Gymnasial-L. werden in einem mindestens 8semestrigen Studium in 1 bis 3 Fächern an Universitäten (einschl. Techn. Universitäten) oder an Kunst-, Musik-, Sporthochschulen ausgebildet. Auf die wissenschaftl. oder künstlerische Prüfung folgt ein 2jähriger

Vorbereitungsdienst als Studienreferendar an Studienseminaren mit anschließender pädagog. Prüfung (Assessorenprüfung).
L. an Sonderschulen können Grund- und Hauptschul-L. nach Ergänzungsstudium und Prüfung werden; ebenso ist ein 8semestriges Direktstudium mit anschließendem Referendariat möglich. Über L. an berufsbildenden Schulen →Gewerbelehrer, →Handelslehrer.
Zur *L.-Fortbildung* werden Lehrgänge, Arbeitstagungen u. a. abgehalten; wichtig ist auch der Aufbau eines Kontaktstudiums (Weiterbildungsstudium) an den Hochschulen.
In der Dt. Dem. Rep. gibt es in den allgemeinbildenden Schulen drei Lehrergruppen: 1) Lehrer der Unterstufe (Kl. 1–4): nach Abschluß der Grundschule mit »gut« oder »sehr gut«4jähr. Schulung an einem *Institut für Lehrerbildung*. 2) Lehrer der Mittelstufe (Kl. 5–8): Hochschulreife und 3jähr. Studium an einem *Pädagogischen Institut*. 3) Lehrer der Oberstufe: 8semestriges Studium an der *Universität* und der *Pädagogischen Hochschule* in Potsdam in Pädagogik, Psychologie u. 2 Fächern. Leibesübungen sind für alle verbindlich. Sämtliche Institute haben Übungsschulen.
Lehrerseminar, seit dem 18. Jh. bis nach dem 1. Weltkrieg Ausbildungsstätte für Volksschullehrer; so noch in der Schweiz.
Lehrerverbände, Lehrervereine entstanden seit Ende des 18. Jhs. und gewannen im 19. Jh. durch Zusammenschlüsse an Bedeutung; ihre Aufgaben sind pädagogisch und standespolitisch. Dachorganisationen in der Bundesrep. Dtl. sind die *Arbeitsgemeinschaft Dt. L.* (seit 1949; Sitz Frankfurt a. M.) und die *Gemeinschaft Dt. L.* (Köln-Marienburg). Die wichtigsten internationalen Zusammenschlüsse sind die *World Confederation of Organizations of the Teaching Profession (WCOTP)*, 1952 gegr., mit 74 Verbänden aus 40 Ländern, und die *Fédération Internationale Syndicale d'Enseignement (FISE)* mit 28 Verbänden bes. der Ostblockstaaten und Chinas.
Lehrfilm, zu Lehrzwecken bestimmter Film. Das *Institut für Film und Fernsehen in Wiss. und Unterricht* in München stellt L. her und leiht sie aus. Für die Hochschulen besteht das *Institut für wissenschaftl. Film* in Göttingen. Beide Institute sind Mitglieder der ISFA (International Scientific Film Association) und der Internat. Arbeitsgem. für den Unterrichtsfilm (Bern).
Lehrfreiheit, 1) das Recht, die wissenschaftlich gewonnenen Einsichten und Überzeugungen frei von staatl. oder kirchl. Einmischung durch Lehre, Rede und Druck zu verbreiten *(Freiheit von Forschung und Lehre)*; in der Bundesrep. Dtl. als Grundrecht in Art. 5, Abs. 3 GG gewährleistet, in der Dt. Dem. Rep. durch Art. 34 der Verfassung, dort jedoch durch Verfolgung von der kommunist. Lehre abweichender Meinung weitgehend eingeschränkt. 2) das

kathol. Kirchenrecht kennt keine L., sondern nur eine nach dogmat. Gewißheitsgraden abgestufte Bindung an das →Dogma; auch im staatl. Bereich ist nach ihm die Wissenschaft, bes. Philosophie und Recht, an das Naturrecht gebunden. Das evangel. Kirchenrecht fordert eine Bindung der Amtsträger (Pfarrer) und Religionslehrer an die Bekenntnisse der einzelnen Landeskirchen (*Lehrverpflichtung*, außer für Hochschullehrer).
Lehrgedicht, Lehrdichtung, didaktische Poesie, Dichtung, die auf angenehme und unterhaltende Weise belehren will. Das L. ist nicht an eine bestimmte poetische Form gebunden, wenn auch Fabel, Epigramm und Parabel dem L. wesensmäßig zuneigen. In hellenistischer (›Theogonie‹ und ›Werke und Tage‹ von Hesiod) und röm. Zeit wurden bestimmte Wissensbereiche systematisch in poetischer Form vorgetragen, so von Lukrez (De rerum natura), Vergil (Georgica), Horaz (Ars poetica). Reich ist die geistliche und moralisch-praktische Lehrdichtung des MA.s (Freidank: ›Bescheidenheit‹, Hugo v. Trimberg:›Der Renner‹u.a.). In der Neuzeit gehören zur Lehrdichtung Boileaus ›L'art poétique‹, die philosoph. Lehrdichtung von Dryden, Pope, Thomson, Young, Brockes, Haller. In den philosoph. Gedichten Schillers erhebt sich die Lehrdichtung zum Rang hoher Dichtung (Die Künstler, Der Spaziergang). In jüngster Zeit lebte die lehrhafte Dichtung in der Lehrdramatik der Sowjetunion und bei Bert Brecht wieder auf.
Lehrgerüst, vorübergehend aufgebautes →Gerüst, dient beim Bau von Bogen und Gewölben zur Formgebung und zum Abstützen.
Lehrling, ein bei einem Meister oder in einem Industrieunternehmen in Ausbildung stehender angehender Handwerker, Kaufmann, Industriehandwerker o. a. Die Lehrlingszeit schließt gewöhnlich mit einer anerkannten Gesellen- oder Gehilfenprüfung ab. Von den Lehrberufen unterscheidet man heute die →Anlernberufe.
Frühere Bestimmungen über die Ausbildung von L. wurden durch das Berufsbildungsges. v. 14. 8. 1969 abgelöst, das eine einheitl. Regelung der Berufsbildung trifft. Nur für die Ausbildung im Handwerk gelten noch Bestimmungen der Handwerksordnung, die aber der neuen Regelung angepaßt sind. Das Gesetz kennt nicht mehr die alten Bezeichnungen Lehrling und Lehrherr. Es heißt jetzt der »Auszubildende« und der »Ausbildende«. Wenn der Ausbildende mit der Ausbildung einen anderen beauftragt, heißt dieser »Ausbilder«. Für anerkannte Ausbildungsberufe (Verzeichnis wird jährlich vom Bundesmin. für Arbeit veröffentlicht) werden Ausbildungsverordnungen erlassen; es darf nur nach diesen Ordnungen verfahren werden. Jugendliche unter 18 Jahren dürfen nur in anerkannten Ausbildungsberufen ausgebildet werden. Auf den

163

Berufsausbildungsvertrag ist das Arbeitsrecht anzuwenden. Bei Abschluß der Ausbildung hat der Ausbildende ein Zeugnis auszustellen über Art, Dauer und Ziel der Berufsausbildung sowie die erworbenen Kenntnisse und Fertigkeiten. Während der vorgeschriebenen Probezeit (1–3 Monate) können beide Teile vom Vertrag zurücktreten. Nach der Probezeit kann nur aus wichtigem Grund ohne Einhaltung einer Kündigungsfrist gekündigt werden: bei Berufswechsel oder wenn der Auszubildende die Berufsausbildung aufgeben will, kann der Auszubildende mit einer Kündigungsfrist von 4 Wochen kündigen. Für das Prüfungswesen und die sich hieraus ergebenden Pflichten gelten besondere Vorschriften.

Zuständige Stellen, die die Durchführung regeln, sind u. a. für Handwerksbetriebe die Handwerkskammern, für die anderen Gewerbebetriebe die Industrie- und Handelskammern, für landwirtschaftl. Betriebe die Landwirtschaftskammern, für den öffentl. Dienst die oberste Dienstbehörde.

Lehrmaschinen, →Lernmaschinen.

Lehrmittel und Lernmittel, Hilfsmittel, die dem Lehrer oder Schüler das Lehr- oder Lernwerk erleichtern sollen, z. B. Karten, Modelle, Lehrfilme. Nach 1945 wurde in Baden-Württemberg, Bayern, Berlin, Bremen, Hamburg, Hessen und Schleswig-Holstein *Lernmittelfreiheit,* d. h. unentgeltliche Überlassung von Lernmitteln, eingeführt; ebenso in der DDR.

Lehrrevier, besondere Abteilung einer Grube zur Ausbildung der Berglehrlinge und Neubergleute.

Lehrsatz, Theorem, ein bewiesener Satz, bes. in der Mathematik.

Lehrstuhl, planmäßige Stelle eines Hochschullehrers (Professor). L.-Inhaber sind in der Bundesrep. Dtl. die planmäßigen ordentlichen und außerordentl. Professoren, in der DDR die »Professoren mit L.«.

Lehrte, Stadt im Kr. Burgdorf, Niedersachsen, (1974) 21 000 Ew., Bahnknoten, hat AGer., höhere Schule; Kaliberbgau, Maschinen-, chemische, u. a. Industrie.

Lehrtruppe, Verbände des Feldheeres, die für Lehr- und Versuchsaufgaben an Truppenschulen und Heeresoffiziersschulen zur Verfügung stehen.

Lehrwerkstätten, Einrichtungen industrieller Betriebe zur Ausbildung von Lehrlingen und Anlernlingen (→Werkschulen).

L'ehtonen, Joel, finn. Erzähler, * Sääminki 27. 11. 1881,† Huopalahti 20. 11. 1934, schilderte in Romanen die sozialen Verhältnisse Finnlands (›Nöte des Elends‹, finn. 1924; ›Der rote Mann‹, finn. 1925).

Lei, Leie, Lay [dt. Stw.] *die* und *der, niederd.* Fels, bes. Schiefer.

Lei, Lïong, chines. Gewicht = $^1/_{240}$ Tael = 157,5 mg.

Leï, *Mz.* von →Lëu.

Leib [german. Stw.], 1) *Biologie:* im weiteren Sinn der Körper eines Lebewesens; im engeren Sinn der Bauch.

2) *Philosophie:* der als dem →Ich zugehörig erlebte menschl. Körper. Als L. findet sich der Mensch in seiner Umwelt, der L. ist das »körperliche Ich« (Hobbes), durch ihn hat das Ich an der Körperwelt teil. Durch ihn drückt sich der Mensch aus, lebt er nach außen. Da der L. das Ich in die Raum-Zeit-Welt bannt, wurde er früh als »Kerker der Seele« (Platon) empfunden. Die Philosophie hat zahlreiche Theorien über das **Leib-Seele-Problem** (→Seele) entwickelt, in radikaldualist. Sinne vor allem seit Descartes. Neuerdings wird die Einheit von L. und Seele betont, so in der →Psychosomatik. Eine ausführl. Analyse des L.-Bewußtseins haben E. Husserl, M. Scheler und insbes. J.-P. Sartre (L'être et le néant, 1943) gegeben.

3) Nach *christl. Auffassung* ist der L. eng mit der Seele verbunden: sie macht aus dem »Körper« den L., er wiederum beeinflußt aufs stärkste ihre geistige und sittl. Entwicklung und Haltung. Für den Christen ist der L. ein »Tempel des Hl. Geistes« und zur »Verherrlichung Gottes« berufen (1. Kor, 6, 19–20), jetzt noch ein »Leib der Niedrigkeit«, nach der Auferstehung aber ein »Leib der Herrlichkeit« (Phil. 3, 12). Die Leibfeindlichkeit der dualist. Lehren (Gnosis, Manichäismus usw.) ist daher von den christl. Kirchen abgelehnt worden, wenn auch die kath. Moraltheologie und Askese oft starke leibfeindliche Züge aufweisen.

4) der unterste Teil der gotischen Kreuzblume.

Leibeigenschaft, im mittelalterl. deutschen Recht die persönl. Abhängigkeit eines bäuerl. Hintersassen von seinem Herrn im Unterschied zur dinglichen Abhängigkeit des →Hörigen von einer Grundherrschaft. Der *Leibeigene* war zu bestimmten Abgaben und Frondiensten verpflichtet. Während die milde Form der L. in Süd- und Westdeutschland bestehenblieb, führte in Ostdeutschland seit dem 16. Jh. die Ausbildung der →Gutsherrschaft zu strengerer Abhängigkeit der Bauern in Form der →Erbuntertänigkeit. In Rußland glich die L. der Sklaverei. Über ihre Aufhebung →Bauernbefreiung.

Leiber, Robert, Jesuit, * Oberhomberg (Baden) 10. 4. 1887, † Rom 18. 2. 1967, war ständiger Mitarbeiter des Papstes Pius XII. für dt. Angelegenheiten (seit dessen Berliner Nuntiaturzeit), zugleich 1930 Prof. für Kirchengeschichte an der Gregoriana.

Leibeserben, die Abkömmlinge des Erblassers.

Leibesfrucht, das Kind im Mutterleib. Rechtlich wird die L. in bestimmten Fällen als schon geboren behandelt, z. B. gilt, wer zur Zeit eines Erbfalls gezeugt war, als vor dem Erbfall geboren. Zur Wahrung künftiger Rechte wird für die L. ein Pfleger eingesetzt, es sei denn, daß das Kind, wenn es schon geboren wäre, unter elterlicher Gewalt stände (§§ 844, 1777, 1912, 1923, 2108 BGB; →Geburt).

Ähnliche Grundsätze gelten im *österreich.*

(§§ 22, 612 ABGB) und *schweiz.* Recht (Art. 31, 393, 544, 605 ZGB).

Leibeshöhle, 1) *primäre L.*, Hohlraum zwischen innerem und äußerem Keimblatt (→Entwicklung). 2) *sekundäre L.*, *Zölom*, vom mittleren Keimblatt ausgekleideter Hohlraum, bes. gut ausgebildet bei Ringelwürmern und Wirbeltieren.

Leibesübungen, planmäßig betriebene körperliche Übungen zur Erhaltung oder Steigerung der Leistungsfähigkeit. Sie sind Ausgleich gegen die gesundheitlichen Schäden der industriellen Entwicklung. Man unterscheidet Gymnastik, Spiele und Sport. Die *Gymnastik* dient dazu, gute körperl. Anlagen zu entwickeln, schlechte durch planmäßige Bewegungsübungen zu bekämpfen und einen möglichst hohen Grad allgemeiner körperl. Leistungsfähigkeit zu erreichen. Die *Spiele* umfassen Scherz- und Tummelspiele aller Art bis zum harten Kampfspiel, wie Fußball, Handball, Rugby, Hockey, Kricket, Basketball, Baseball, Polo, Wasserball, Eishockey u. a. Die Kampfspiele leiten über zum *Sport*, der an sich die nach Zeit und Raum oder bestimmten Regeln meßbare Leistung in den Vordergrund stellt. Sportarten sind: Leichtathletik, Gewichtheben, Schwimmen, Rudern, Segeln, Kanufahren, Radfahren, Reiten, Eisschnellauf, Skilauf, Schießen; ferner Turnen am Gerät, Wasserspringen, Kunsteislauf, Skispringen und schließlich der Kampfsport mit Tennis, Golf, Fechten, Boxen, Ringen und Judo. Zum *Frauenturnen* gehören die der Eigenart des weibl. Körpers angepaßten L., neben Frei- und Geräteübungen Leichtathletik. Schwimmen, Rudern, Reiten, Turn- und Sportspiele und vor allem Gymnastik.

In den meisten Ländern sind die L. Bestandteil des Schulunterrichts und Aufgabe zahlreicher Turn- und Sportvereine. Dachverband der Landessportverbände und Fachverbände ist in der Bundesrep. Dtl. der 1950 gegr. *Deutsche Sportbund*; in der DDR der *Deutsche Turn- und Sportbund*.

GESCHICHTE. Schon auf altsteinzeitl. Felszeichnungen wurden Tänzer(innen), Bogenschützen und Schwimmer abgebildet. Aus der Jungsteinzeit stammen Funde von Knochenschlittschuhen und Ski sowie Felszeichnungen von Skifahrern. In Ägypten wurden zahlreiche Bilder von Tänzen, Spielen sowie von Ringkämpfern aus der Bronzezeit aufgefunden.

Bei den Naturvölkern und bei vielen Kulturvölkern sind L. wesentlicher Bestandteil des Kultes, vor allem bei Festen. Die urzeitl. Übungen und Tänze leben bei den *Naturvölkern* manchmal als »Brauchkunst« oder »Magie« fort (Bumerangwerfen der Australier, Jagd- und Fruchtbarkeitstänze, bes. in Masken). Spiele treten erst mit der Höherentwicklung der Kultur stärker auf. Die *Neger* pflegen Ringen, Fechten, Boxen, Rudern und sind hervorragende Läufer und Springer. Bei den *Ozeaniern* steht das Schwimmen, Tauchen und Rudern im Vor-

dergrund. Die *Malaien* sind gute Schwimmer und Fußkämpfer. Die *Indianer* waren das klass. Naturvolk der Ballspieler. Noch um 1830 wurden von den Tschokta Massenballspiele auf riesigen Spielfeldern ausgetragen, bei denen der Ball mit Netzschlägern (Rackets) geschlagen wurde. Weiter gab es Stockballspiele, Kopf- und Schulterballspiele. Die unwegsame Gebirgslandschaft in Mittelamerika hat zu einer einzigartigen Ausbildung der Dauerlaufes geführt (z. B. die noch heute übl. Wettläufe der Tarahumara bis zu 270 km).

In den *nichteurop.* Hochkulturen haben bes. die Chinesen und Japaner eigenartige L. ausgebildet, zu denen sie seit etwa 1900 auch noch europ. L. übernommen haben. So findet man z. B. in *China* Fußballspiel, Fechten (auch als Tanzspiel), Boxen, ein altes Heilturnen mit Freiübungen und Atemübungen. Bei den *Japanern* haben die Samurai als Wehrübungen das Bogenschießen (→Kyudo), Stock- und Schwertfechten (→Kendo), →Judo, Wehrschwimmen (z. B. Schwimmen mit der Abteilungsfahne) entwickelt. Im Kult hat ein Kreisfußballspiel (Kemari) in festl. Gewändern Platz gefunden. Sehr früh wurde ein Berufsringertum ausgebildet, ähnlich wie bei Persern und Türken. Die *Inder* haben die schwierigen Jogaübungen ausgebildet, ferner eigenart. Geräteübungen (am frei stehenden oder lotrecht aufgehängten Baumstamm), Übungen mit Keulen und mit Speeren, Spiele und Tänze. In ihren Heldenliedern spielen Leistungen in L. eine ähnl. Rolle wie in der Ilias oder im Nibelungenlied. Die *Perser* sind die Erfinder des Polospiels. Sie haben auch ein Berufsringertum (Hosenringen). Die *Azteken* haben ein kultisches Steißballspiel ausgebildet. Tempel, die zugleich Spielplätze sind, sind vielfach noch heute vorhanden.

In *Europa* erreichten die L. bei den *Griechen* die größte Blüte (Olympische Spiele), vor allem durch die harmon. Einfügung in das kulturelle Leben, in die Erziehung, in den Kult, in die Kunst usw. Sowohl ihre tägliche Gymnastik als auch ihre Kampfspiele dienten der Ehrung der Götter. Die *Römer* haben Wehr- und Gesundheitsübungen entwickelt und zeigten später meist blutige Schauvorführungen. Die alten Heldendichtungen der *Kelten* zeugen von einer erstaunl. Fülle von Künsten. Sehr viele Formen der L. wurden auch von den *Germanen* ausgeübt. Bemerkenswert war bei den Nordgermanen die Freude am Skifahren. Das Christentum war den L. nicht gewogen. Diese Ablehnung war die Hauptursache dafür, daß die L. im MA. und bis weit in die Neuzeit hinein bes. im städt. Mittelstand sehr an Bedeutung verloren und zeitweise sogar verboten wurden. Höhepunkte der L. im MA. und in der Frühneuzeit waren die Turniere, das städt. Fecht- und Schützenwesen, ferner die Übungen des Adels im 16. und 17. Jh. (Fechten, Voltigieren, Tanzen, Ballspiele). Nach einem durch Reformation, Gegenreformation und Dreißigjähr. Krieg beschleunigten Niedergang setzte ab 1760 der Neuaufschwung ein. Als Pioniere wirkten in der Schweiz: der Gelehrte Saussure, der 1787 den Montblanc bestieg, Pestalozzi und Clias; in Dtl.: die Philanthropen, die als erste die L. wieder in die Erziehung einführten (bes. Basedow, Salzmann, Guts Muths, Vieth) und »Turnvater« Jahn; in Schweden der »Turnvater« P. H. Ling, in Dänemark Nachtegall. In England entstanden Anfänge der Sportbewegung im Gentleman-, College- und Universitätssport; dieser führte gegen 1860 zum Vereinssport.

Die Zeit zwischen 1820 und 1850 brachte infolge polit. Umstände einen Rückschlag, den stärksten in Dtl. (»Turnsperre«, 1820 bis 1842).

Das Jahrhundert der Massenverbreitung der L. wurde in Dtl., Österreich und in der Schweiz durch das gewaltige Aufblühen des Turnens im 1860 eingeleitet. Von England aus verbreitete sich die aufstrebende Sportbewegung, zunächst das Rudern und die Spiele (Fußball, Tennis, Hockey usw.), dann die Leichtathletik, das Schwimmen, die Kampfübungen (Boxen, Ringen) u. a. über die ganze Welt. Um 1880 kam das Radfahren auf, 1891 wurde der norweg. Skilauf in den Schwarzwald und in die Alpen verpflanzt, von wo aus er sich die Welt eroberte. 1896 entstand die dt. Jugendbewegung (»Wandervogel«), 1905 kam das Faltboot auf. Die 1896 erstmals gefeierten neuen Olympischen Spiele wurden allmählich das Hochfest der gesamten L. der Welt. Die beiden Weltkriege konnten den fortdauernden Aufstieg der L. nur kurz unterbrechen.

Lit. Altrock-Karger: Schule und Leibeserziehung, 4 Bde. (1956–58).

Leibl: Die Wildschützen
(1882–86; Berlin, Nat.-Galerie)

Leibesvisitation, die körperliche Durchsuchung (z. B. von Mundhöhle oder After) oder das Abtasten des Körpers nach verborgenen Gegenständen.

Leibgarde, seit Ende des 15. Jhs. die zum persönl. Schutz der Monarchen bestimmten Truppen. Bis 1918 bestanden im Dt. Reich noch die preuß. und die württemberg. Schloßgarde-Kompanie, die bayer. L. der »Hartschiere und die zum Ordonnanz- und Wachtdienst beim dt. Kaiser und der Kaiserin bestimmte berittene preuß. **Leibgendarmerie,** in Österreich-Ungarn die L.-Kompanie und Eskadron, die Arcieren-L., Trabanten-L. und die ungarischen L., in Rußland die Palastgrenadier-Kompanie. **Leibtruppen** waren im 16./17. Jh. die Kompanien, deren Einkünfte der Regimentsinhaber als nomineller Komp.-Chef bezog. Später hießen im dt. Heer die erste Kompanie (Eskadron, Batterie) der Regimenter, deren Chef der Landesfürst oder ein Angehöriger seines Hauses war, Leibkompanie (usw.).

Leibgedinge [mhd. ›auf Lebenszeit Ausbedungenes‹], **Leibzucht,** das →Altenteil.

Leibholz, Scheuerleiste, starker Holzbalken mit Eisenbeschlag um den Schiffskörper zum Schutz gegen Beschädigungen.

Leibholz, Gerhard, Staatsrechtler, * Berlin 15. 11. 1901, Prof. in Greifswald (1929), Göttingen (1931–33), Oxford (1940) und wieder Göttingen (1947), 1951–71 Richter am Bundesverfassungsgericht.

Werke. Fichte und der demokrat. Gedanke (1921), Die Gleichheit vor dem Gesetz (1925), Zu den Problemen des faschist. Verfassungsrechts (1928), Das Wesen der Repräsentation (1929), Die Auflösung der liberalen Demokratie in Dtl. (1933), Christianity, politics and power (1942), Strukturwandel der modernen Demokratie (1952), Volk, Nation, Staat (²1964), Politics and law (1965).

Leibjäger, Bediensteter, der bei Treibjagden ein Gewehr des Jagdherrn hält und die Gewehre lädt.

Leibl, Wilhelm, Maler, * Köln 23. 10. 1844, † Würzburg 4. 12. 1900, war Schlosserlehrling, studierte an der Münchener Akademie und fand den Weg zum Realismus. In diesem durch die Anerkennung Courbets bestärkt, der sein Bildnis der Frau Gedon 1869 in München gesehen hatte (heute Neue Pinakothek), ging er im gleichen Jahr nach Paris. 1870 kehrte er nach München zurück. Hier schlossen sich ihm W. Trübner, C. Schuch, Th. Alt, K. Haider, zeitweilig auch H. Thoma an *(Leibl-Kreis)*. Seit 1873 lebte er mit dem Maler J. Sperl in Oberbayern auf dem Lande, wo er Menschen malte und sich sein Stil zu altmeisterlicher Sachtreue entwickelte (Die Dachauerinnen, 1874/75, Berlin, Nat.-Gal.; Der Jäger, 1876, ebd.; Die Dorfpolitiker, 1877, Winterthur, O. Reinhart; Drei Frauen in der Kirche, 1878–82, Hamburg, Kunsthalle). Im letzten Jahrzehnt malte er in wieder freierer und lockererer Art kleinere Bilder bäuerlicher

Menschen in Innenräumen (Küche in Kutterling, 1898, Stuttgart, Staatsgal.).

LIT. E. Waldmann: W. L. (²1930); J. Mayr: W. L. (⁴1935); A. Sailer: L. (1959).

Leibnitz, Bezirksstadt in der Steiermark, Österreich, in der von der Mur durchflossenen Ebene des *Leibnitzer Feldes*, mit (1971) 6600 Ew., BezGer., verschiedene Industrie. In der Nähe Schloß Seggau (Burggründung 9. Jh.) und Wein- und Obstbauschule Silberberg; Wallfahrtsort Frauenberg.

Leibniz, Gottfried Wilhelm, Freiherr von (seit 1709), Philosoph, * Leipzig 1. 7. 1646, † Hannover 14. 11. 1716, wurde 1676 Bibliothekar und Rat des Herzogs von Hannover, später Hofgeschichtsschreiber, regte die Gründungen der Akademie der Wissenschaften in Berlin (1700) und Petersburg (1711) an. L. war ein bedeutender Mathematiker (unabhängig von Newton Erfinder der Integral- und Differentialrechnung), Rechtsgelehrter, Politiker, Theologe, Physiker, Geschichts- und Sprachforscher. Mit fast allen bedeutenden Gelehrten Europas stand er in regem Briefwechsel. Als Philosoph hat L. ein rationalistisch-idealistisches Denkgebäude entworfen, das die mechanistische Naturerklärung des Descartes durch die Einführung des Begriffs der Zweckursachen mit dem religiösen Glauben zu versöhnen suchte. An die Stelle der toten Atome setzte L. lebendige, einfache Einheiten (Monaden), deren Lebensgrund die unendliche Zentralmonade der Welt, die Gottheit, bilde. In jeder dieser Monaden spiele sich das gleiche Weltgeschehen mit unbedingter Notwendigkeit ab, wenn auch stets in anderer Form. Die Weltvorgänge in den einzelnen Monaden sollen durch einen von vornherein von Gott angelegten Gleichklang aufeinander abgestimmt sein (prästabilierte Harmonie). Die Lehre L.' ist weltbejahend; die Ansicht, daß die Welt die vollkommenste unter allen möglichen Welten sei, benutzt er zur Rechtfertigung Gottes (Theodizee).

WERKE. Neue Abhandlungen über den menschl. Verstand (franz. 1704, 1768 veröffentlicht), Theodizee (franz. 1710), Monadologie (franz. 1714, veröffentl. 1840). Krit. Gesamtausgabe der Werke und Briefe, hg. v. der (Preuß.) Dt. Akad. der Wissensch., 40 Bde. (1923 ff.). Auswahl der philos. Werke in deutscher Sprache, hg. v. E. Cassirer und A. Buchenau u. a., 5 Bde. (1904–06, ³1929). LIT. K. Fischer: L. (⁵1920); R. Hönigswald (1928); G. Stieler (1950); G. Colerus (Roman, 43. Tsd. 1950); H. H. Holz (1958); J. O. Fleckenstein (1958); J. Ortega y Gasset: Der Prinzipienbegriff bei L. und die Entwicklung der Deduktionstheorie (1966); G. W. L., hg. von W. Totok und C. Hase (1967).

Leibniz-Kolleg, Collegium Leibnicianum, ein nach dem 2. Weltkrieg gegründetes Institut der Univ. Tübingen, das in zweisemestr. Kursen bes. durch Lektüre von Texten großer Denker und Forscher in die Grundzüge der Wissenschaften und deren Zu-

sammenhang einführt mit dem Ziel, die Studierenden auf eine dem Ganzen dienende, der Verantwortung bewußte Arbeit im Fachstudium vorzubereiten. Die wichtigste Unterrichtsform ist das Lehrgespräch (*Colloquium*). Fachassistenten aus allen Fakultäten wirken als *Tutoren*. Voraussetzung zur Bewerbung ist das gute Reifezeugnis einer höheren Lehranstalt.

Leibregiment, bis 1919 Ehrenbezeichnung einiger alter deutscher Regimenter, deren Chefs fürstliche Personen waren.

Leibrente, Lebensrente, eine Geldrente, die einem anderen auf dessen Lebenszeit an bestimmten wiederkehrenden Zeitpunkten zu leisten ist. Die Verpflichtung kann auf einem Leibrentenvertrag (§ 761 BGB), einer letztwilligen Verfügung oder unmittelbar auf Gesetz (z. B. Schadenersatz- oder Unterhaltspflicht) beruhen. In *Österreich* ist die vertragl. L. in § 1284ff. ABGB geregelt, in der *Schweiz* in Art. 516ff. OR.

Leibschmerz ist Anzeichen für Spannungszustände und Verkrampfungen der Eingeweidemuskulatur (→Kolik), Entzündungen im Bauchraum, Steinkrankheiten, bei Frauen auch für Störungen der Menstruation u. a.

Leibung, Laibung, bei Fenstern, Türen, Bogen die innere Fläche der Maueröffnung.

Leibwache, →Leibgarde.

Leibzoll, eine in Dtl. bis 1806 erhobene Abgabe, die vor allem die Juden beim Überschreiten von Zollgrenzen für ihren persönl. Schutz zu zahlen hatten.

Leicester [l′estə], Hauptstadt der engl. Grafschaft Leicestershire, mit (1971) 283500 Ew., am Soar, eine der ältesten Städte Englands; Universitäts-College; bedeutende Strumpf- und Schuhindustrie.

Leicester [l′estə], Robert **Dudley**, Earl of (seit 1564), * um 1533, † Cornbury (Oxfordshire) 4. 9. 1588, jüngster Sohn des Herzogs von Northumberland, war seit 1559 Günstling der Königin Elisabeth. 1585–87 befehligte er die engl. Hilfstruppen in den Niederlanden gegen Spanien, versagte aber militärisch völlig.

Leicestershire [l′estəʃiə], Grafschaft im mittleren England, 2553 qkm mit (1971) 799000 Ew. (einschl. Rutland, seit 1974).

Leich *der*, in der mittelhochdt. Lyrik Lied mit frei wechselnden Strophen, die meist zu zwei großen Strophensystemen zusammengefaßt werden. Man unterscheidet religiöse, Minne- und Tanz-Leiche.

LIT. A. Heusler: Dt. Versgeschichte, 3 Bde. (²1956); S. Beyschlag: Die Metrik der mhd. Blütezeit (⁵1963).

Leiche [german. Sinn, ›Körper‹, ›Leib‹], **1)** der abgestorbene menschl. oder tier. Körper. Der tote Körper kühlt ab (*Leichenkälte*), das Blut gerinnt, die Muskeln werden starr (→Totenstarre), das Blut senkt sich der Schwere nach, wodurch an den tiefgelegenen Stellen rotblaue Flecke der Haut (*Totenflecke*) entstehen. Später zersetzt sich der Körper unter dem Einfluß von Fermenten

(Selbstauflösung) und durch Einwirken von Bakterien (→Fäulnis, →Verwesung). Bei der Eiweißzersetzung entstehen *Leichenbasen (Ptomaine)*, die nur z. T. giftig sind. Bei L. Erwachsener sind durchschnittlich in 2–3 Jahren die Weichteile verschwunden, während die Knochen oft jahrhundertelang erhalten bleiben. Unbestattete L. können bei sehr trockener und warmer Luft eintrocknen *(Mumifikation)*. In Mooren können L. durch die fäulniswidrigen Humussäuren lange Zeit erhalten bleiben. Auch durch Einbalsamieren läßt sich die L. vor Zersetzung schützen. (→Feuerbestattung, →Totenbestattung).

Rechtliches. Für die Bestattung sind landesgesetzl. Fristen festgelegt. Die in amtl. Auftrag erfolgte Untersuchung eines Verstorbenen vor der Bestattung *(Leichenschau)* dient der Feststellung des Todes und der Todesursache; sie soll insbes. die Beerdigung Scheintoter verhüten. Bei der richterl. Leichenschau eines Unbekannten oder des eines gewaltsamen Todes Verstorbenen ist ein Arzt (in Österreich zwei) zuzuziehen (§ 87 StPO). Über die Leichenöffnung →Sektion. Zum Transport einer L. ist ein *Leichenpaß* erforderlich, der nach Vorlegung eines Sterberegister-Auszugs und der Bescheinigung über die vorschriftsmäßige Einsargung von der Polizei ausgestellt wird.

2) neu Setzer vergessene Wörter oder Sätze.

Leichenbitter, Person, die einen Todesfall im Ort bekanntgibt und zur Beerdigung einlädt.

Leichen|eule, der Steinkauz (→Eulen).

Leichenfledderer, Dieb, der Tote, Schlafende, sinnlos Betrunkene oder Bewußtlose bestiehlt; wird wegen →Unterschlagung oder →Diebstahl bestraft.

Leichenöffnung, die →Sektion.

Leichenpaß, →Leiche, Rechtliches.

Leichenraub, die unbefugte Wegnahme einer Leiche aus dem Gewahrsam der berechtigten Personen. Strafe: Freiheitsstrafe (§ 168 StGB).

Leichenschändung, an einer Leiche vorgenommene unzüchtige Handlungen. Das dt. StGB kennt die L. als besonderes Verbrechen nicht, meist ist Bestrafung wegen →Grabschändung oder →Leichenraub möglich. Nach *österreich.* Recht werden Mißhandlungen an Leichen mit strengem Arrest bestraft (§ 306 StGB). Nach *schweizer.* Recht ist die Störung des Totenfriedens strafbar (Art. 262 StGB).

Leichenschau, →Leiche, Rechtliches.

Leichensynode, →Formosus (Papst).

Leichenverbrennung, eine Form der Totenbestattung, →Feuerbestattung.

Leichenvergiftung, eine Wundinfektion durch Bakterien aus Leichen.

Leichenvogel, die Eule Steinkauz.

Leichenwachs, Adipocire, unter Luftabschluß in Leichen gebildeter wachsartiger Stoff, vorwiegend freie Fettsäuren und deren Alkali- und Erdalkalisalze.

Leichhardt, Ludwig, Forschungsreisender, * Trebatsch (Oberspree) 23. 10. 1813, verschollen in Australien 1848, erforschte dieses seit 1841 auf mehreren Entdeckungsreisen ins Innere.

Leichlingen (Rheinland), Stadt im Rhein-Wupper-Kreis, Nordrhein-Westfalen, mit (1974) 20400 Ew., an der Wupper, 58 m ü. M.; Obst- und Gemüsekonserven-, Textil-, Metallwaren- und Glasindustrie; Obstbau und -handel.

Leichnam [ahd., eigentl. ›Fleischhülle‹], toter Mensch, →Leiche.

Leicht|athletik, alle aus den natürlichen Bewegungen des Gehens, Laufens, Werfens und Springens entwickelten Übungen, die als Einzel-, Mehr- oder Mannschaftswettkämpfe ausgetragen werden.

Leichtbau, eine neuere Entwicklung der Bautechnik, bei der durch besondere Baustoffe, Bauarten und Formen das Gewicht verringert wird (Stahl-L., Leichtmetallbau, Leichtbetonbau, Holzbau, Leimbau). Im Fahrzeugbau bringt die Mischbauweise eine Gewichtsverminderung. Im allgemeinen Maschinenbau zählt auch die geschweißte Bauart von Gestellen *(Zellenbauweise)* zum Leichtbau.

Leichtbauplatten, aus mineralisierter Holzwolle oder Holzspänen mit Zement, Magnesit oder Gips gebunden, in Formen verpreßte Bauplatten. Ab 5 cm Stärke sind die Platten wandbildend. L. sind gute Wärme- und Kälte-Dämmstoffe und gehören unverputzt zu den porösen Schallschluckstoffen.

Leichte, Schulterriemen am Schubkarren.

leichten, ein Schiff teilweise entladen.

 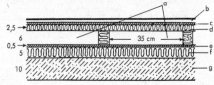

Leichtbauplatte: links *bei einer Außenwand:* a Ziegelwand, b Zementmörtelfuge, c *Leichtbauplatte, dicht gestoßen ohne Gewebestreifen,* d *Außenputz.* rechts *Dachdecke:* a belüftete Hohlräume, b *Abdeckung,* c *Zementestrich gedichtet,* d *Leichtbauplatte im Verband, dicht gestoßen ohne Gewebestreifen,* e *Zementglattstrich mit Dichtungszusatz,* f *Leichtbauplatte wie oben, auf frischer Stahlbetondecke verlegt,* g *Stahlbetondecke (Maße in cm)*

Leichter, Lichter [zu nd. lichten ›entladen‹], **Prahm, Schute,** Seeleichter, Wasserfahrzeug zur Übernahme der Ladung aus größeren.

Leichterlohn, Bezahlung für die Benutzung eines Leichters, um ein Schiff zu be- oder entladen oder zu »erleichtern«, damit es über eine Untiefe hinweg in den Hafen gelangen kann oder von ihr freikommt. In Seenotfällen kann der L. unter die große →Havarie fallen.

leichte Züge, kurze Durchgangs- und Nahgüterzüge ohne Zugbegleiter, seit 1929 bes. auch die Leigzüge (leichte Güterzüge) aus einer Lokomotive und einem großräum. Doppelwagen.

Leichtgewicht, Gewichtsklasse beim Kampfsport, →Boxen, →Gewichtheben, →Ringen.

Leichtgut, auf Seeschiffen eine Ladung (leichte Ladung, light cargo: durchschnittl. über 50 Kubikfuß je t), deren spezif. Gewicht unter dem des Wassers bleibt. Gegensatz: schwere Ladung (heavy cargo).

Leichtmatrose, Matrose im Rang zwischen Jungmann und Vollmatrosen.

Leichtmetalle, Metalle und Legierungen mit einem spez. Gewicht unter 3,5, also Alkali-, Erdalkali- und Erdmetalle. Technische Bedeutungen haben wegen ihrer chemischen und mechanischen Eigenschaften bes. Aluminium, Magnesium und ihre Legierungen erlangt. Beryllium wird hauptsächlich als Zusatz zu Schwermetall-Legierungen verwandt.

Leicht|öl, das zwischen 170 und 180° C siedende flüssige Anteil des Steinkohlenteers, im Verhältnis 1:100 im Teer enthalten.

Leichtsteine sind: poröse Ziegelsteine, gebundene Steine aus Leichtbeton, Korksteine oder Steine aus Torfmull mit Gips; Verwendung für Leichtwände.

Leichttraben, Englischtraben, eine Reitart, →Trab.

Leideform, Handlungsart des Zeitwortes Passiv).

Leiden, Stadt in der Prov. Südholland, Niederlande, an der Vereinigung zweier Rheindeltaarme (Oude Rijn und Nieuwe Rijn), mit (1971) 100100 Ew., von vielen Kanälen durchzogen, reich an schönen Bauten vor allem aus der Renaissancezeit, z. B. Gemeenlandshuis, St.-Pieters-Kirche, Tuchhalle mit Stadtmuseum, Rathausfassade. L. hat Universität (gegr. 1575), Sternwarte, Museen, botan. Garten, Textil-, Papier-, Metallindustrie, Verlagsgewerbe; Vieh-, Käsehandel. – L., eine der ältesten Städte der Niederlande, verteidigte sich 1573/74 heldenmütig gegen die Spanier.

Leidener Flasche [nach der Stadt Leiden], **Kleistsche Flasche** [nach dem Erfinder E. J. v. Kleist], ältere Form eines Kondensators, ein innen und außen mit leitenden Belägen versehenes Glasgefäß.

Leidenfrostsches Phänomen [nach dem Arzt Johann Gottlob Leidenfrost, * 1715, † 1794], die Erscheinung, daß kleine Wassertropfen, die auf eine glühende Platte fallen, durch einen sich bildenden Dampfmantel vor sofortiger Verdampfung geschützt werden.

Leidenschaft [Kw. von 1647, nach franz. passion von lat. passio], Gefühlsdrang, durch Vernunft schwer oder gar nicht bezwingliche Neigung. Die Bekämpfung der Leidenschaftlichkeit überhaupt (Stoiker) war eines der wichtigsten Anliegen der antiken, christl. und rationalistischen Ethik bis zum Ende der Aufklärung. Die »Vernunft« sollte Herr in der L. werden. Dann kündigte sich mit Rousseau, der »Sturm und Drang« und der Wiederentdeckung Shakespeares eine positive Wertung der L. an; ihre ethisch neutrale Darstellung ist möglich (Stendhal), Nietzsche ging bis zur vorbehaltlosen Bejahung. Die Wiede moderne Psychologie verwendet den Begriff L. nicht mehr, sondern den des Triebes oder Affektes.

Leie, franz. Lys, linker Nebenfluß der Schelde, 214 km lang, entspringt in Frankreich im Hügelland von Artois und mündet bei Gent in Belgien.

Leier [aus griech.-lat. lyra], 1) →Lyra. 2) Drehorgel. 3) Jägersprache: Schwanz der Sauen. 4) Lyra, Sternbild des nördl. Himmels, mit dem hellen Stern →Wega.

Leier|antilopen, Sippe der →Kuhantilopen.

Leierbank, Leierwerk, ältere Drahtziehmaschine.

Leierfisch, Callionymus lyra, 30 cm langer Bodenfisch im Mittelmeer und Atlant. Ozean mit leierart. Rückenflosse und prachtvollem Laichkleid beim Männchen.

Leierhirsch, Hirsch = →Zackenhirsch.

Leierkasten, die →Drehorgel.

Leierschwanz, Menura, Sperlingsvogelgattung der Wälder Ost-Australiens, fasanenähnlich. Bei der Balz spreizt das Männchen seinen leierförmigen Schwanz nach vorn zum Halbkreis. Der L. ahmt Geräusche täuschend nach.

Leif 'Eriksson, norweg. Seefahrer, der Sohn Erichs des Roten, fand um 1000 auf einer Fahrt nach Grönland die Küste Nordamerikas, die er ›Vinland‹ nannte. Er darf als erster Entdecker Amerikas gelten.

L'eifhelm, Hans, Schriftsteller, * Mönchengladbach 2. 2. 1891, † Riva (Gardasee) 1. 9. 1947, schrieb Naturgedichte.

Leifs [le:jfs], John, isländ. Komponist und Musikschriftsteller, * Sólheimar (Nordisland) 1. 5. 1899, studierte in Leipzig. Seine Musik ist von altisländ. Volksweisen beeinflußt.

Leigh [li:], Vivien, engl. Schauspielerin, * Darjeeling (Indien) 5. 11. 1914, † London 8. 7. 1967. Filme: Vom Winde verweht (1939), Caesar und Cleopatra (1944/45), Endstation Sehnsucht (1951).

Leigh [li:], Stadt in Nordengland, (1971) 46100 Ew.; Textil- u. a. Industrie, Kohlenbergbau.

Leighton [l'eitn], Sir (seit 1886) Frederick, Lord L. of Stretton (seit 1896), engl. Maler, Graphiker und Bildhauer, * Scarborough 3. 12. 1830, † London 25. 1. 1896, stand zeitweilig den Präraffaeliten nahe und wurde 1878 Präs. der Akademie. Er war der führende Künstler des akadem. Klassizismus in der engl. Malerei des 19. Jahrhunderts.

Leigzüge, →leichte Züge.

Leihbücherei, Leihbibliothek, gewerblich betriebene Bücherei, selbständig oder mit Sortimentsbuchhandlung verbunden, verleiht (rechtlich: vermietet) Bücher befristet gegen Einzelgebühr oder im Abonnement. Die L. bevorzugen meist die Unterhaltungsliteratur. Die L. der Bundesrep. Dtl. sind zusammengeschlossen in den *Verein. Leihbuchhändlerverbänden e. V.* (Dortmund). – Die ersten L. sind um 1700 in Berlin nachweisbar. Im 18. Jh. nahmen sie einen großen Aufschwung, im 19. Jh. bes. in England. Daneben gab es Leseräume in den Buchhandlungen (Lekturkabinette).

Leihe, die unentgeltliche Gebrauchsüberlassung einer Sache gegen die Verpflichtung zur Rückgabe (*Gebrauchsleihe*; § 598 ff. BGB). Gebrauchsüberlassung gegen Entgelt ist rechtlich Miete, auch wenn sie im Verkehr als L. bezeichnet wird, z. B. die Bücherverleihung gegen Entgelt. Ähnlich in *Österreich* (§ 971 ff. ABGB) und der *Schweiz* (Art. 305 ff. OR).

Leihezwang, *Lehnsrecht:* der im Sachsenspiegel formulierte, schon mit dem Prozeß Heinrichs des Löwen (1180) endgültig zur Anerkennung gelangte Satz, daß der König ein erledigtes *Fahnlehn* nicht länger als Jahr und Tag unverliehen in eigener Hand behalten durfte.

Leihhaus, Pfandanstalt, Staats- oder Gemeindeanstalt oder ein gewerbl. Unternehmen, das gegen Pfand Geldsummen auf kurze Zeit ausleiht. Der Wert der Pfänder wird durch vereidigte Sachverständige festgestellt. Das Darlehen einschließl. Zinsen liegt mindestens 20–25 % unter dem geschätzten Wert. Über Pfand und Darlehen werden Pfandscheine (*Leihscheine*) ausgestellt. Erfolgt die Rückzahlung nicht zum festgesetzten Zeitpunkt, so werden die Pfänder öffentlich versteigert; der Pfandschuldner erhält den etwaigen Überschuß nach Abzug der Kosten und Zinsen. In Deutschland entstand das erste L. 1402 in Frankfurt a. M. (→Montes).

Leih-Pacht-System, engl. Lend Lease System [-'li:z s'istim], die im 2. Weltkrieg von den USA getroffenen Maßnahmen (Gesetz vom 11. 3. 1941) zur Versorgung der Alliierten mit Kriegs- und Hilfsmaterial (Lebensmittel, Rohstoffe) ohne Bezahlung. Das L. erreichte bis zur Aufhebung (21. 8. 1945) rd. 47 Mrd. $, wovon England 31,5 und Rußland 11 Mrd. erhielten; die Abgeltungen betrugen etwa 17 %.

Leim [Nebenform von Lehm], Klebemittel. L. entsteht durch Kochen von entfetteten, gereinigten Knochen oder Hautabfällen (*Knochen-, Hautleim*), wobei die leimgebenden Bestandteile (bei Knochen: das Ossein, bei Hautabfällen: das Kollagen) in Glutin umgewandelt werden. Durch Vergießen der eingedickten Brühe in Tafeln erhält man

Tafelleim (Tischlerleim; soll muschelig brechen; braucht lange Zeit zum Quellen), durch Eintropfenlassen in Benzin den *Perlenleim* (in Form von kleinen Kugeln; quillt sehr rasch). *Fischleim* wird aus Hautabfällen und Fischblasen der Seefische hergestellt, mit Essigsäure versetzt und flüssig in Zinntuben in den Handel gebracht. *Pflanzenleime* enthalten kein Glutin, sondern Stärke, Dextrin, arabisches Gummi, Tragantschleim, Agar-Agar-Lösung u. a. *Synthetische L. (Kunstharzleime)* sind Polymerisations- und Polykondensationsprodukte.

H. Leinberger: Johannes der Täufer (Moosburg, Hochaltar)

Leimbau, Holz-Leimbau, eine Ingenieurholzbauweise, bei der zur Verbindung der Hölzer Kunstharzleime dienen, z. B. für Eisenbahnschwellen, Dach- und Deckenträger aus Vollholz-, Sperrholz- oder Hartplattenstegen.

Leimen, Gem. im Rhein-Neckar-Kreis, Baden-Württemberg, mit (1974) 10 700 Ew.; Portlandzementwerk, Eternitwerk.

Leimfarbe, Malerfarbe, die mit Leimwasser aufgetragen wird.

Leimkraut, 1) *Silene,* Gattung der Nelkengewächse, z. T. mit klebrigem Stengel; hierzu in Mitteleuropa u. a.: *gemeines L. (aufgeblasenes L., Taubenkropf, Klatschnelke, weißes Marienröschen,* S. inflata), auf trockenen Wiesen, graugrün, mit blasigem Kelch; *stengelloses L. (Stein-, Zigeunerkraut, Rosenmoos,* S. acaulis), polsterwüchsige Zwergstaude steiniger Matten, mit rosenroten Blüten; *nickendes L.* (S. nutans), drüsig-weichhaarig mit einseitswendigen Rispen nickender weißer Blüten, auf Matten, in trockenen Wäldern. **2)** die Pechnelke.

Leimring, mit Raupenleim bestrichener Papierstreifen, wird im Herbst gegen hinaufkletternde Insekten um die Stämme der Obstbäume gelegt.

Leimrute, leimbestrichener Zweig zum Vogelfang.

Lein [ahd., wohl Lw. aus lat.] *der,* der →Flachs (Pflanze, Faser, Gewebe, Samen).

Leinberger, Hans, Bildhauer, † Landshut 1531/35, dort seit etwa 1511 tätig. Sein Stil ist dem der Maler der →Donauschule verwandt. Stilgeschichtlich ist sein Werk ein wichtiges Bindeglied zwischen dem Ausgang der Spätgotik und der Kunst des dt. Frühbarock.

WERKE. Hochaltar des Münsters zu Moosburg (1511–14), Maria mit dem Kind (Landshut, St. Martin), Sitzender Jakobus (München, Nat.-Mus.), Hl. Georg (ebd., Frauenkirche).

LIT. G. Lill: H. L. (1942); Th. Müller: Alte baier. Bildhauer (1950).

Leindotter, Pflanzengatt., →Dotter.

Leine, 1) Schnur von verschiedener Dicke. **2)** die Zügel, mit denen der Fahrer vom Bock aus die Zugtiere leitet. Die **Deutsche (Kreuz-)L.,** deren Kreuzschnallen etwa über den Pferdekruppen liegen, ist veraltet. Die **Wiener (ungarische,** auch **Jucker-)L.** ist sicherer: jeder der 4 Zügel läuft bis hinter die Hand, eine verschiebbare Schnalle und zwei Schlaufen – eine am Ende, eine über den Kruppen der Pferde – verbindet je zwei Zügel zu einem Leinenteil. Die korrekte Wiener L. hat auf jedem Zügel 15–18 numerierte Löcher. Die **englische (Achenbach-)L.** ist als die praktischste allgemein anerkannt und auf allen dt. Reit- und Fahrschulen eingeführt. Sie besteht aus den beiden, zu den äußeren Ringen des Gebisses der Pferde durchlaufenden Außen-L. und den beiden auf diesen aufgeschnallten, über Kreuz zu den inneren Gebißringen laufenden Innen-L. In den Außen-L. sind je 11 ovale Schnallöcher angebracht. Die Verschnallbarkeit der engl. L. ermöglicht dem Fahrer einen für die Zugleistung wesentlichen Ausgleich je nach Temperament, Leistungsfähigkeit und Körperbau der Pferde.

Leine *die,* linker Nebenfluß der Aller, 241 km lang, entspringt auf dem Eichsfeld, mündet bei Schwarmstedt.

Leinen [zu Lein], leinwandbindiges Gewebe, →Leinwand. **leinen,** aus Flachs. **Leinendamast,** eine feine Leinwand mit Damastmuster. **Leinengarn,** aus Flachs gesponnenes Garn. **Leinenpapier,** mit Leinenprägung versehenes Papier.

Leinenband, Bucheinband, bei dem Buchdeckel und Rücken mit Leinen überzogen sind.

Leinenfischerei, Angelfischerei mit Lang-, Schlepp- oder Handleinen. *Langleinen* haben viele Angelhaken; oft werden mehrere in verschiedenen Tiefen ausgelegt (z. B. bei Neufundland auf Kabeljau, in der Ostsee auf Lachs und Dorsch). Die vom Schiff nachgezogenen *Schleppleinen* dienen bes. zum Fang von Makrelen und anderen schnellen Oberflächenfischen; ebenso die handbedienten *Handleinen.*

Leinfink, Vogel, →Zeisig.

Leiningen, rhein. Grafengeschlecht. Von den beiden Hauptlinien des Mittelalters wurde die jüngere 1779 in den Reichsfürstenstand erhoben und 1803 für ihre verlorenen linksrhein. Besitzungen mit Mosbach, Amorbach und Miltenberg entschädigt. Die ältere Linie starb im 15. Jh. aus; ihr Erbe fiel größtenteils an die Herren von Westerburg, aus denen nun das gräfl. Haus *Leiningen-Westerburg* entstand.

Leinkraut, Löwenmaul, *Linaria,* Pflanzengattung der Braunwurzgewächse, mit schmalen, sitzenden Blättern, die z. T. denen des Leins (Flachs) ähneln, und löwenmaulähnlichen, gespornten Blüten. Das *gemeine L.* (L. vulgaris, *Frauenflachs, gelber Dorant*), mehrjährig, mit blaugrünen Blättern und hellgelben, orangefarben gezeichneten Blüten, auf trockenem Brachland Europas und Westasiens, ist auch Ackerunkraut; harntreibende und abführende Volksarznei. Das liegende *Alpenleinkraut* (L. alpina, *Alpenlöwenmaul*) hat quirlig stehende Blätter und violette, teils orangegelbe Blüten. Das *Zimbelkraut* (L. cymbalaria) mit hellvioletter Krone und gelbem Gaumen stammt aus dem Mittelmeergebiet; es ist als Zierpflanze verwildert.

gemeines Leinkraut

Leinkuchen, Preßrückstände der Leinölgewinnung, auch in Mehlform; wertvolles Kraftfutter. L. wird auch für lindernde Umschläge gebraucht.

L'eino, Eino, finn. Schriftsteller, eigentlich *Lönnbohm,* * Paltamo 6. 7. 1878, † Tuusula 10. 1. 1926, naturverbundener Lyriker, den die Finnen als einen ihrer größten Dichter betrachten. – Gesammelte Werke, 16 Bde. (finnisch 1926–30).

Leinöl, aus Leinsamen gepreßtes goldgelbes, fettes Öl, besteht größtenteils aus Glyzeriden hochungesättigter Fettsäuren, wird als Speiseöl, zur Herstellung von Firnis, für Holzanstriche, Ölfarben, Linoleum verwendet. **Leinölkitte** sind pastöse Klebstoffe aus L. oder anderen nichttrocknenden Ölen mit Kreide oder mit Metalloxyden. Sie finden Verwendung als **Fensterkitt** (15% Öl und 85% Kreide) und Dichtungskitt für Installationen und Kesselanlagen.

Leinöl|liniment *das*, die →Brandsalbe.

Leinölsäure, Linolsäure, ungesättigte Fettsäure, deren Glyzerinester in den trocknenden Ölen wie Leinöl, Hanföl, Mohnöl, Nußöl, vorkommt. Die gelbliche, ölartige L. veranlaßt das Festwerden der Öle an der Luft.

Leinpfad [mhd. ›Seilpfad‹], **Treidelweg**, Weg längs eines Flusses oder Schiffahrtskanals, von dem aus früher die Schiffe an Seilen gezogen *(getreidelt)* wurden.

Leinsamen, Flachssamen, die hellbraunen, glänzenden Samen des Flachses. Die quellfähigen, schleimgebenden L. werden als *Leinsamenschrot* in Wasser eingeweicht, mit Suppe oder Fruchtsaft gegen Stuhlverstopfung genommen.

Leinster [l'ensta], irisch **Laighin** [l'ain], der südöstlichste der vier alten Prov. Irlands, 19 632 qkm, (1971) 1,4 Mill. Ew. Hauptstadt ist Dublin.

Leinwand, 1) Leinen, Linnen, ein Gewebe mit typischer L-Bindung *(Leinwandbindung)*, das als *Reinleinen (Ganzleinen)* ganz aus Flachs- oder Flachswerggarnen, als *Halbleinen* in der Kette aus Baumwolle und nur im Schuß aus Flachs besteht. Man unterscheidet nach der Dichte und Feinheit *Grobleinen, Feinleinen* und *Leinenbatist*, ferner *Rohleinen* und *Gebleichtleinen*. Verwendung: Leib-, Tisch- und Bettwäsche, Kleider- und Dekorationsstoffe, Wattierleinen für Schneiderbedarf, Zelt- und Segeltuche. Leinen ist sehr reißfest, haltbar und dauerhaft bei richtiger Waschbehandlung, glatt und nicht flusend (daher kühlhaltend und hygienisch) sowie schneeweiß bei Vollbleiche. 2) Die Bildwand als Auffangfläche für das projizierte Lichtbild.

Leinwandbaum, ein westind. seidelbastartiger Baum, dessen Rindenbast im natürl. Faserzusammenhang zu Matten, Stoffen, Papier verwendet wird.

Leip, Hans, Schriftsteller, * Hamburg 22. 9. 1893; sein Lied von der Lili Marleen wurde weltbekannt.

Leipa, Stadt, →Böhmisch-Leipa.

Leipheim, Stadt im Kr. Günzburg des bayer. RegBez. Schwaben, mit (1973) 5300 Ew.; gehörte 1453–1803 zur Reichsstadt Ulm, Schloß aus dem 13. Jh. (umgebaut 1559).

leipogrammatisch, lipogrammatisch, [grch. Kw.], Schrift mit bewußter Vermeidung gewisser Buchstaben, bes. des r.

Leipzig, 1) Bezirk der DDR, 1952 aus dem NW des Landes Sachsen und Gebietsteilen von Sachsen-Anhalt und Thüringen gebildet (ÜBERSICHT).
2) Hauptstadt des Bezirks L., mit (1974) 574 400 (1939: 707 400) Ew. (Wappen: TA-

FEL Städtewappen III), führende Großstadt Mitteldeutschlands, verkehrsgünstig in fruchtbarer Auenlandschaft der Elster und Pleiße inmitten der →Leipziger Tieflandsbucht gelegen. L. hat Bezirks- und Kreisbehörden; Sächs. Akademie der Wissenschaften, Universität, Hochschule für Musik (1843 bis 1946 Landeskonservatorium der Musik) u. a. Hochschulen (Bauwesen, Binnenhandel, Graphik und Buchkunst, Körperkultur, Literatur, Theater), dt. Institut und Museum für Länderkunde, Pädagog. Institut, höhere Schulen (darunter die Thomasschule, 1212 gegr.), Ingenieur- und Fachschulen, Taubstummenlehranstalt; Museen (Bildende Künste, Stadtgeschichte, Buch und Schrift, Völkerkunde, Naturkunde, Musikinstrumente u. a.), Bibliotheken (darunter die →Deutsche Bücherei), mehrere Theater; berühmt sind die Gewandhausorchester und Thomanerchor. Die *Leipziger Messe*, eine Mustermesse, wird alljährlich zweimal in den Messehäusern der Innenstadt abgehalten; in Hallen und auf einem Freigelände im SO der Stadt finden die Techn. Ausstellungen statt. Die Kürschnerei und Zurichterei – früher über 500 Betriebe, meist in der näheren Umgebung – erhielten sich in kleinerem Rahmen. Von dem einst weltumspannenden Buch- und Musikalienhandel und vom graph. Gewerbe sind nur Reste geblieben; nach den Kriegszerstörungen und den Verlagerungen bes. nach Westdeutschland hat Leipzig noch rd. 40 Verlage (1927: 401).

Kreise	qkm	Einw.[1]	
		1964[2]	1972[2]
Altenburg	345	113,4	112,5
Borna	368	94,4	96,5
Delitzsch	384	56,6	55,7
Döbeln	422	106,8	102,2
Eilenburg	489	50,9	51,7
Geithain	263	38,6	37,4
Grimma	465	70,6	69,8
Leipzig	141	594,9	577,5
Leipzig	442	174,9	167,5
Oschatz	458	55,3	54,7
Schmölln	224	40,3	38,1
Torgau	612	57,3	57,3
Wurzen	353	56,9	57,7
Bezirk L.	4966	1510,7	1476,7

[1] in 1000. [2] am 31. 12.

Der sehr ergiebige Braunkohlenabbau, der sich von S her immer mehr dem weiteren Umkreis der Stadt nähert, begünstigte im 19. Jh. den Aufbau der Industrie, bes. der Eisen- und Stahlindustrie (vor allem landwirtschaftl. und Druckereimaschinen, Ausrüstung für Bergbau, Aufzüge und Transportanlagen), nach 1945 enteignet und umgewandelt in Kirow-Werk, VTA vormals Bleichert, ABUS usw. – L. war bis zum 2. Weltkrieg einer der größten dt. Bahnknoten (Hauptbahnhof, 1909–15 errichtet, mit 267 m langer Front). Flughafen Halle-L. bei Schkeuditz.

Die Universität (Universitas Lipsiensis) wurde 1409 mit Förderung der Brüder Friedrich und Wilhelm, thüring. Landgrafen und meißn. Markgrafen, von dt. Magistern und Scholaren gegründet, die vor dem aufkommenden tschech. Nationalismus Prag verlassen mußten. Im 2. Weltkrieg erlitt die Universität starke Zerstörungen, wertvollste Bibliotheken gingen verloren. 1952 erhielt sie den Namen Karl-Marx-Universität.

GESCHICHTE. L., 1015 als befestigter Ort genannt (*urbs Libzi*, wohl »Lindenort«), entstand neben einer slaw. Fischersiedlung, die am sumpfigen Zusammenfluß von Pleiße und Parthe lag, als deutsche Siedlung auf benachbartem höherem Gelände. Stadtrecht zwischen 1156 und 1170. Die Lage an wichtigen Durchgangsstraßen begünstigte den Handel, 1268 ist die weitreichende Geltung der L.er Märkte bezeugt. Aus Oster- und Michaelismärkten entwickelten sich die Messen, die durch kaiserl. Privilegien (1497, 1507) bestätigt und gesichert wurden. Den wachsenden Reichtum zeigt der spätgot. Umbau älterer Kirchen: Nikolaikirche (13. Jh. bis 1555, Inneres seit 1785/97 klassizistisch), Thomaskirche (1212 und 1482–94; spätere Erneuerungen), Paulinerkirche (1229 und 1485–1521; Erneuerungen), Matthäikirche (1494–1504, 1943 zerstört). – 1485 kam L. an die albertin. Linie der Wettiner. 1539 wurde die Reformation eingeführt. 1550–67 Wiederaufbau der 1213 angelegten, 1547 zerstörten Pleißenburg (an deren Stelle seit 1899/1905 das Neue Rathaus), 1555 Bau der Alten Waage (zerstört 1943), 1556 des Alten Rathauses. Im 30jähr. Krieg wurde L. fünfmal belagert und besetzt (in der Umgebung die Schlachten von Breitenfeld und von Lützen). Von den seit dem ausgehenden 17. Jh. entstandenen Bürgerbauten und Handelshöfen sind u. a. erhalten geblieben die Alte Börse (1678–82), das Romanus- (1701–04) und das Königshaus (1705). Im 18. Jh. war L.s literar. Leben weithin bekannt (Gottsched, Gellert, Neuberin; Altes Theater 1766–1943); auch galt L. als Pflegestätte feiner Lebensart (Goethes »Klein-Paris«). Die Befestigung machte 1776 der Promenade Platz, dem Grüngürtel rings um den etwa 1 qkm großen Stadtkern. Vom 16. bis 19. 10. 1813 entschied die *Völkerschlacht bei L.* im Herbstfeldzug der →Freiheitskriege. 1825 wurde der Börsenverein der Dt. Buchhändler in L. gegründet, und die folgenden Jahrzehnte brachten L. eine neue Blüte als »Musenstadt«; bes. entwickelte sich die an J. S. Bachs Wirken anknüpfende Musikpflege und -tradition. Von L. gingen die revolutionären Bewegungen in Sachsen 1830 und 1848 aus; 1863 gründete Lassalle in L. den Allgm. Dt. Arbeiterverein. Das ehemal. Reichsgericht (1888–95 erbaut) enthält u. a. das Dimitrow-Museum. Neben dem Handel entwickelte sich im 19. Jh. auch eine bedeutende Industrie, die bes. die westl. Vororte Plagwitz, Lindenau, Leutzsch, Böh-

litz-Ehrenberg sowie den gesamten O überzog. Seit 1955 verstärkter Wiederaufbau der Innenstadt: Oper, Messeausstellungshäuser, Wohnungsbau, Hotels. Der stark zerstörte Hauptbahnhof ist wieder instand gesetzt, das histor. Rathaus weitgehend restauriert. Neue Universitätsbauten wurden im Gebiet zwischen Nürnberger Str. und dem Gelände der Techn. Messe errichtet, ferner neue Gebäude der Dt. Hochschule für Körperkultur, der Hochschule für Grafik und Buchkunst und der Hochschule für Bauwesen. Als Neubauten sind ferner nennenswert das »Stadion der Hunderttausend« im Westen der Stadt und das 1960 eröffnete Opernhaus auf dem Augustusplatz (jetzt Karl-Marx-Platz).

LIT. F. Schulze: Alt-L. (⁴1927); N. Pevsner: L.er Barock (1928); E. H. Lemper: Die Thomaskirche (1954); Leipziger Bautradition (Leipzig 1955).

Leipzig: Thomaskirche

Leipziger Allerlei, Gericht aus jungem Gemüse, Spargel und Morcheln, mit Grießklößchen garniert, auch mit Krebssoße gebunden.

Leipziger Allgemeine Zeitung, →Deutsche Allgemeine Zeitung.

Leipziger Disputation, Streitgespräch zwischen Eck und Karlstadt über den freien Willen, zwischen Luther und Eck über das Papsttum (1519 in der Pleißenburg zu Leipzig).

Leipziger Feuer-Versicherungs-Anstalt, gegr. 1819 in Leipzig; 1945 Bonn, seit 1955 in Frankfurt a. M.; Arbeitsgemeinschaft mit der *Leipziger Allgem. Transport- und Rückversicherungs AG*, Hamburg, gegr. 1906, und der *Alten Leipziger Lebensversicherungsgesellsch. a. G.*, jetzt Frankfurt a. M., gegr. 1830.

Leipziger Münzfuß, ein 1690 in Leipzig von Brandenburg, Kursachsen und Braunschweig-Lüneburg, denen sich später die meisten anderen dt. Staaten anschlossen, aufgestellter Münzfuß. Er löste den →Zinnaischen Münzfuß ab und geht zurück auf Brandenburg, das 1687 statt des Zinnaischen 10½- einen 12-Taler-Fuß einführte, nach dem die ⅔-, ⅓- und ⅙-Taler zu prägen waren. Der L. M. bestand offiziell bis 1740, hielt sich aber im Handel bis ins 19. Jahrhundert.

Leipziger Neueste Nachrichten, bürgerl.-nationale Tageszeitung, 1892 aus den *Leipziger Nachrichten* hervorgegangen, erscheint seit Mai 1954 in Frankfurt a. M.

Leipziger Tieflandsbucht, Bucht des Norddeutschen Tieflands zwischen Thüringen, Harz und Mittelsächs. Bergland. Die aufgelagerte diluviale Decke mit fruchtbaren Lehmen und Schwarzerden bietet Böden für Weizen-, Zuckerrüben- und Gartenbau. Die bodenständigen Industrien beruhen auf den tertiären Braunkohlenlagern bes. im S und W.

Leipziger Verein-Barmenia Krankenversicherung a. G., Wuppertal-Elberfeld, gegr. 1904.

Leirer [aus lat. lora ›Nachwein‹] *der*, Tresterwein.

Leise, *die*, **Leis**, *der*, kirchl. Bittgesang und geistl. Volkslied des MA.s, genannt nach dem »Kyrieleis« (→Kyrie eleïson), mit dem die einzelnen Strophen zu schließen pflegten. Die L. sind der Anfang des deutschen Gemeindegesangs.

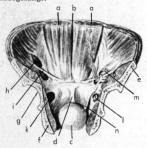

Leiste, Leistengegend: unterer Teil der vorderen Bauchwand beim Mann von innen, nach Entfernung des Bauchfells; a *gerader Bauchmuskel,* b *weiße Linie,* c *Harnblase,* d *Gegend der Schamfuge,* e *Darmbein,* f *Sitzbein,* g *Pfanne des Hüftgelenks,* h *innerer Leistenring,* i *Leistenband (durchscheinend),* k *innere Öffnung des Hüftkanals,* l *Hüftgefäße,* m *Blutgefäße, die gemeinsam mit dem Samenleiter* (n) *den Samenstrang bilden und in den Leistenkanal eintreten*

Leisegang, Hans, Philosoph, * Blankenburg 13. 3. 1890, † Berlin 5. 4. 1951, war 1930–34 und seit 1945 Prof. in Jena, seit 1948 in West-Berlin.
WERKE. Der Apostel Paulus als Denker (1923), Die Gnosis (1924, [4]1955), Denkformen (1928, [3]1967), Goethes Denken (1932), Meine Weltanschauung (1952).

L'eisewitz, Johann Anton, Dramatiker, * Hannover 9. 5. 1752, † Braunschweig 10. 9. 1806. Sein Bruderzwist-Drama ›Julius von Tarent‹ (1776; hg. 1889) steht in der Mitte zwischen dem Schauspiel Lessings und der ungebundenen Form des »Sturm und Drang«. – Tagebücher (2 Bde., 1916–20).

Leishman [ˈliːʃmən], Sir William Boog, engl. Mediziner, * Glasgow 6. 11. 1865, † das. 2. 6. 1926. L. entdeckte 1903 in Indien den Erreger der Kala-Azar, der nach ihm und Charles Donovan (* 1863, † 1951) *Leishmania Donovani* genannt wurde.

Leishmania [liːʃmˈæniːa] *die*, Gattung der →Geißeltierchen. **Leishmaniosen**, die von L.-Arten erregten Krankheiten (so →Kala-Azar, →Orientbeule).

Leisner, Emmy, Altistin, * Flensburg 8. 8. 1885, † das. 11. 1. 1958, war 1912–21 an der Staatsoper Berlin; auch hervorragende Liedsängerin.

Leisnig, Stadt im Kr. Döbeln, Bez. Leipzig, an der Freiberger Mulde, hat (1973) 11 000 Ew., Tuch-, Möbel-, Maschinen-, Zigarrenindustrie. Auf einem Bergsporn *Schloß Mildenstein* (jetzt Kreismuseum).

Leist *der*, Knochenauftreibung an der Krone des Pferdefußes.

Leiste [german. Stw.] 1) Randeinfassung, bes. profilierter Holzstab zu Einfassungen und Rahmen. 2) *Wappenkunde:* Balken von halber Breite. 3) *Salleiste, Egge, Selfkante,* der aus mehreren dichten Kettfäden gebildete und durch die Umkehr des Schusses entstehende feste Geweberand. 4) *Leistengegend,* bei Mensch und Säugetieren der unterste, dicht über dem Schenkel liegende Bauchteil, mit der *Leistenfurche (Schenkelbeuge),* in der das *Leistenband* unter der Haut als sehniger Strang tastbar). Am Leistenband befestigen sich oben die Bauchmuskeln; von unten her setzt sich die kräftige Oberschenkelbindung an. Die L. wird durchsetzt vom *Leistenkanal,* in dem beim Mann der Samenleiter verläuft. Über *Leistenbruch* →Eingeweidebruch; über *Leistenhoden* →Kryptorchismus.

Leisten [german. Stw., ›Fußspur‹], *Schuhherstellung:* Fußnachbildung aus Holz oder Metall, über die der Schuh gearbeitet wird.

Leistendrüsen, die Lymphknoten in der Leistengegend.

L'eistikow [-ko], Walter, Maler, * Bromberg 25. 10. 1865, † Berlin-Schlachtensee 24. 7. 1908, malte Bilder märkischer Seen.

Leistung, 1) *Physik:* früher auch *Effekt* genannt, die von einer Kraft in der Zeiteinheit geleistete Arbeit, gemessen in Watt (gesetzl. vorgeschriebene Einheit). Noch gebräuchlich sind die Einheiten mkp/sec (Meterkilopond je Sekunde, früher Meterkilogramm je Sekunde) und die Pferdestärke (PS). Es ist 1 Watt = 1 Joule/sec = 10 Mill. erg/sec, 1 PS = 735,5 Watt = 75 mkp/sec. 2) *Recht:* Gegenstand einer Schuldverpflichtung, bes. die Zahlung, ferner vom Schuldner zu bewirkende Handlungen oder abzugebende Willenserklärungen. Die L. kann auch in einem Unterlassen bestehen (§ 241 BGB).

Leistungsfähigkeitsprüfung, →Ergometer.

Leistungsfaktor, der Faktor, mit dem man bei Dreh- oder Wechselstrom das Produkt aus den Effektivwerten von Strom und Spannung, die Scheinleistung, multiplizieren muß, um die Wirkleistung zu erhalten. Er ist der Kosinus (cos φ) des Winkels (Phasenwinkels), um den bei beziehung von Kapazitäten oder Induktivitäten Strom und Spannung gegeneinander verschoben sind.

Leistungsmesser dienen zum Messen der elektr. Leistung. Sie sind meist als elektrodynam. Meßgerät gebaut, bei dem der Strom auf die Feldspule, die Spannung auf die Drehspule wirkt.

Leistungsprüfung, *Landwirtschaft:* die zahlenmäßige Feststellung der Leistungen von Nutztieren: etwa Arbeit, Milch, Wolle u. ä. (unmittelbare Leistungen) sowie Gesundheit, Fruchtbarkeit, Futterverwertung u. ä. (mittelbare Leistungen). L. werden von der Dt. Landwirtschafts-Gesellschaft und den Zuchtverbänden vorgenommen.

Leistungsschild, ein Schild auf elektr. Maschinen und Geräten, das die für deren Betrieb und Verwendung wichtigen Daten, wie bes. Leistungsaufnahme, Spannung, Drehzahl usw. angibt.

Leistungsschutzrecht hat bes. die Leistungen ausübender Künstler, der Schallplattenhersteller und der Sendeunternehmen zum Gegenstand; ähnlich dem →Urheberrecht.

Leistungsstufen, →Notenstufen.

Leitartikel, ein größerer Aufsatz an bevorzugter Stelle in den Zeitungen, der tagesaktuelle oder allgemeine Probleme des öffentl. Lebens mit meinungsbildender Absicht behandelt (meist vom →Columnisten verfaßt). Der L. setzte sich in Frankreich während der großen Revolution, in Dtl. um 1850 durch. Im Journalismus der frühliberalen Epoche bildete er in England (J. Wilkes, Juniusbriefe), Amerika (Hamilton, Jefferson, Greeley), Frankreich (St-Just, Chateaubriand) und Dtl. (Görres, Posselt, Gentz) den publizist. Kern der Zeitung.

Leitbaum, *Bergbau:* Spurlatte zur Führung der Förderschalen.

Leitbündel, Pflanzenteil, →Gefäßbündel.

Leiteinrichtungen auf verkehrsreichen Straßen umfassen: weiße *Leitlinien* und *-male,* *Leitpfosten* (meist mit Katzenaugen), *Leitplanken* und *-zäune, Leitpfeile* zum rechtzeitigen Einordnen.

L'eite de Vasconcelos [vaʃkösˈɛluʃ], José, portugies. Romanist, Völker- und Volkskundler, * Ucanha (Portugal) 7. 7. 1858, † Lissabon 17. 5. 1941, wurde 1893 Dir. der Nationalbibliothek, gründete und leitete 1893–1928 das Völkerkunde-Museum und wurde 1911 Prof. in Lissabon; hervorragender Förderer der portugies. Philologie, Volkskunde und Archäologie.

leitende Angestellte, Angestellte, die zur Betriebsleitung in einem besonders engen Verhältnis mit stark ausgeprägter →Treuepflicht stehen und arbeitgeberähnliche Funktionen ausüben (z. B. selbständige Einstellung und Entlassung von Arbeitnehmern; →Manager-System). Sie sind zwar Arbeitnehmer, werden arbeitsrechtlich aber wie Arbeitgeber behandelt; das Betriebsverfassungsgesetz, das Kündigungsschutzgesetz und die Arbeitszeitordnung gelten für sie nicht. Die nach 1945 für die einzelnen Industriezweige gegründeten Verbände l. A. sind seit 1950 in der *Union der l. A.* (ULA), Essen, zusammengeschlossen.

Leiter *der,* metallischer oder nichtmetallischer Stoff, der den elektr. Strom leitet, z. B. Kupfer, Silber, Kohle. Es gibt Stoffe, die bei sehr tiefer Temperatur vollkommen leiten (→Supraleitung). Zwischen den L. und den Isolatoren liegen die →Halbleiter. Je nach Art der die Elektrizitätsleistung vermittelnden Ladungsträger unterscheidet man *Elektronenleiter (Leiter 1. Klasse),* wie z. B. die Metalle, oder *Ionenleiter (Leiter 2. Klasse),* wie z. B. die Elektrolyte.

Leiter [german. Stw.; verwandt mit lehnen] *die,* Steiggerät aus zwei Leiterbäumen (Holmen) und deren Sprossen, die meist in etwa 25 cm Abstand an den Leiterbäumen befestigt werden. *Baum-L.* sind meist dreibeinig und nach oben stark verjüngt. *Steh-L.* haben zwei gelenkig miteinander verbundene Ständer, so daß sie frei stehen können. Die *Strick-L. (Jakobs-L.)* hat als Holme dienende Seile oder Taue, in die Sprossen aus Holz oder Leichtmetall eingebunden sind.

Leitfähigkeit, die Fähigkeit eines Stoffes, elektr. Strom oder Wärme zu leiten. Die *elektr. L.* ist gleich dem umgekehrten Wert des spezifischen Widerstandes. Über Wärmeleitfähigkeit →Wärme.

Leitfisch, der →Lotsenfisch.

Leitfossilien, *Erdgeschichte:* Tier- oder Pflanzenversteinerungen, die nur in einer bestimmten Schicht vorkommen und diese somit kennzeichnen. →geologische Formationen.

Leith [li:θ], urspr. *Inverleith,* Seehafen von Edinburgh, mit diesem seit 1920 vereinigt, am Firth of Forth, mit vielseitiger Industrie.

Leitha *die,* rechter Nebenfluß der Donau, 180 km lang, durchfließt das südl. Wiener Becken und mündet im oberungar. Tiefland. Das *Leithagebirge* ist ein bis 480 m hoher Waldrücken, der von den Zentralalpen durch die Pforte von Ödenburg getrennt. L. und Leithagebirge bildeten bis 1918 z. T. die Grenze zwischen Österreich *(Zisleithanien)* und Ungarn *(Transleithanien).*

Leitkabel, ein mit Wechselstrom beschicktes Kabel auf dem Grund von Gewässern, vor allem in Häfen, zum Anzeigen des Schiffswegs. Die vom Kabel abgestrahlten elektromagnetischen Wellen werden von einem Empfänger am Schiffsboden aufgenommen. Ähnlich sollen L. längs Fahrstraßen zur Führung von Kraftfahrzeugen verlegt werden. Versuche, hierdurch Kraftfahrzeuge zu steuern, sind im Gange. Es sollen Lenkung, Geschwindigkeit, Fahrzeugabstand, Halten, Anfahren u. a. überwacht werden.

Leitlinie, *Mathematik:* bei Kegelschnitten eine Senkrechte auf der Hauptachse, die so liegt, daß für alle Kurvenpunkte das Verhältnis ihres Abstandes von der L. und ihrer Entfernung vom Brennpunkten der Kurve unveränderlich ist, z. B. bei Parabeln = 1, bei Ellipsen größer als 1, bei Hyperbeln kleiner als 1.

L'eitmeritz, tschech. **Litoměřice,** Bezirksstadt in N-Böhmen, Tschechoslowakei, mit (1970) 20 100 Ew., an der Elbe, 171 m ü. M., mit Theresienstadt durch eine 550 m lange Brücke verbunden, hat BezVerw., BezGer., Kathedrale (1664–84), got. Rathaus (1539 erneuert), Dekanatskirche (13. Jh., barock umgebaut); Lebensmittelindustrie und Zementfabrik. – L. wurde im 13. Jh. Stadt, 1655 Bischofssitz.

Leitmotiv, in der Musik eine oft wiederkehrende Tonfolge, die in einem Tonstück durch ihr erstes Auftreten in Verbindung mit einer Gestalt, einem Vorgang, einer Naturstimmung oder einer Gefühlsäußerung eine bestimmte Bedeutung erhält und bei ihrer Wiederkehr die Erinnerung daran auslöst. Der Begriff ist von H. v. Wolzogen für die Hauptthemen in den Musikdramen R. Wagners geprägt worden (von Wagner Grundthemen genannt). Die »Idée fixe« in Werken von Berlioz hat eine ähnliche Funktion.

Leitpflanze, Pflanze, die die Bodenbeschaffenheit anzeigt.

Leitplanken, →Leiteinrichtungen.

Leitrad, bei einer Turbine der feststehende Teil, durch den mit Hilfe der Leitschaufeln das Treibmittel dem Laufrad zugeführt wird.

Leitrim [l'i:trim], irisch **Liathdruin,** Grafschaft im NO der Republik Irland, 1526 qkm, (1971) 28 300 Ew. Hauptort ist Carrick.

Leitspindel, Teil der →Drehbank.

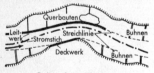

Leitwerk im Flußbau

Leitstrahlsender, Leitstrahlfunkfeuer, Navigationshilfsmittel, bei dem die Überlappungszone zweier abwechselnd modulierter oder verschieden modulierter Richtstrahl-Sender einen Leitstrahl festlegt, der einen bestimmten Kurs kennzeichnet. Eine Spezialausführung eines L. ist das *UKW-Landefunkfeuer* auf Flugplätzen.

Leit|tier, Kopftier, das einem Wildrudel voranziehende Alttier.

Leit|ton, *Musik:* ein Ton, der in einem Halbtonschritt zwingend zu einem anderen,

schwerer betonten und der Konsonanz näheren Ton hinleitet. In der Durtonart leitet die 3. Stufe zur 4. und als eigentl. L. der Tonart die 7. Stufe zur 8. hin (in C-Dur: h zu c); in der Molltonart die chromatisch erhöhte Septime zur Oktave. Im weiteren Sinn erzeugt jede chromatische Erhöhung einen L. mit aufwärts gerichtetem, jede chromatische Erniedrigung einen L. mit abwärts gerichtetem Bewegungstrieb.

Leit|trieb, Leitzweig, der Holztrieb eines Baumes, der den Hauptast der Krone verlängert (Verlängerungstrieb).

Leitung, 1) →leitende Angestellte. 2) Einrichtung zum Fortleiten von Stoffen oder Energien. Zur Leitung von festen Körpern, Flüssigkeiten oder Gasen dienen →Rohrleitungen. *Draht-L.* dienen als Wege für elektr. Energie (→Leiter); sie sind blanke oder isolierte Drähte, meist aus Kupfer. Außenleitungen sind →Freileitungen und →Kabel. Als festverlegte Innenleitungen verwendet man verschiedene Arten (→Gummiaderleitung, →Rohrdraht). *Bleimantel-L.* dienen zur festen Verlegung über Putz, desgl. *Panzeradern.* Für die Unterputzverlegung eignen sich flache, gummiisolierte L., bei denen die Leiter in bestimmtem, durch einen Gummisteg festgelegten Abstand nebeneinander liegen *(Steg-L.).* Als bewegliche Stromzuführungen dienen die *Gummischlauch-L.*

Leitungs|anästhesie, Art der →Schmerzbekämpfung.

Leitwerk, 1) beim Höhen- und Seitensteuer eines Flugzeugs die feste Flosse (früher Dämpfungsfläche genannt) und ein bewegliches, der Änderung der Bewegungsrichtung dienendes Ruder. 2) *Längswerk, Parallelwerk, Deckwerk,* dammartiges Bauwerk an Flüssen zur Festlegung der Streichlinie und zur Einschränkung des Querschnitts. Zum Schutz gegen Hinterspülung, zur Förderung der Verlandung und zum Ausgleich des Gefälles in der Fläche zwischen L. und Ufer ist das L. durch Querbauten ans Ufer angeschlossen. 3) Bauwerk an Schleusen, beweglichen Brücken, engen Durchfahrten zur Führung einfahrender Schiffe.

Leitz, Ernst L. GmbH, Optische Werke, Wetzlar, 1849 als Optisches Institut gegr., seit 1869 von *Ernst Leitz* (* 1843, † 1920) unter seinem Namen geführt; stellt u. a. Mikroskope, Objektive, Spektroskope, opt. Feinmeßgeräte, Prismengläser, seit 1925 die von dem Feinmechaniker O. Barnack entwickelte Kleinbildkamera LEICA (*Leitz Camera*) her. Tochtergesellschaft *Ernst Leitz (Canada) Ltd.* in Midland, Kanada.

Leitzahl, *Photographie:* eine zu jedem Blitzlichtgerät gehörende Hilfszahl, die von der Filmempfindlichkeit abhängt. Mit Hilfe der L. wird, in Abhängigkeit von der Entfernung zum Aufnahmegegenstand, die Blendenöffnung ermittelt.

Leitzmann, Albert, Germanist, * Magdeburg 3. 8. 1867, † Jena 16. 4. 1950, seit 1898 Prof. das., beschäftigte sich mit der mittelalterl. Dichtung und der Literatur des 18. Jahrhunderts.

Lek, das mittlere Stück des nördl. Rheinarmes in den Niederlanden.

Lek, Währungseinheit von Albanien, = 100 Quintar.

Lektion [lat.], 1) Lehrstunde, Vorlesung. 2) Zurechtweisung. 3) *kathol. Liturgie:* die in der Messe und beim Stundengebet vorgetragenen Lesungen aus der Hl. Schrift oder (nur beim Stundengebet) den Kirchenvätern (→Epistel 2; →Perikope). **Lektionar, Lektionarium,** das Buch, das die bei der kath. Messe vorzutragenden L. enthält.

Lektor [lat. ›Vorleser‹, 1) Hochschullehrer für Einführungskurse und Übungen, bes. in den philologischen und technischen Fächern. 2) *Verlag:* Angestellter oder nebenberuflich Tätiger, der Manuskripte auf ihre Brauchbarkeit prüft. 3) Ehrenamt in der *ev. Kirche:* Stellvertreter des Pfarrers.

L'ekythos [griech.] *die,* altgriech. Tongefäß, schlank, einhenklig, mit engem Hals, schon früh im Totenkult üblich; am schönsten sind die weißgrundigen L. des 5. Jhs. mit farbigen Bildern.

Leland [l'i:lənd], 1) Charles Godfrey, amerikan. Schriftsteller, * Philadelphia 15. 8. 1824, † Florenz 20. 3. 1902, wurde bekannt durch seine satirischen, in pennsylva Mundart geschriebenen, mit dt. Wörtern durchsetzten ›Hans Breitmann's Ballads‹. 2) John, engl. Altertumsforscher, * London 1506, † das. 18. 4. 1552, sammelte in langjährigen ausgedehnten Reisen Material für das geplante Werk ›History and Antiquities of this nation‹.

Lelantischer Krieg, zwischen →Chalkis und →Eretria (ca. 700–650 v. Chr.) um die fruchtbare Lelantische Ebene zwischen beiden Städten; endete nach wechselvollem Verlauf zugunsten von Chalkis.

L'eleger, vorhellen. Volksstamm in Kleinasien, auf den griech. Inseln und dem griech. Festland. Die L. waren Hörige der Karer.

Lel'ewel, Ignacy (Joachim), poln. Historiker, Begründer der modernen poln. Geschichtsschreibung, * Warschau 22. 3. 1786, † Paris 29. 5. 1861, stammt aus dem preuß. Geschlecht v. Lölhöffel. L. war Prof. in Warschau und Wilna, verlor 1824 seine Stellung als polit. Verdächtiger; 1830/31 einer der Führer des poln. Aufstands.

Leloir, Luis, argentin. Mediziner und Biochemiker, * Paris 6. 9. 1906, seit 1932 an der Universität Buenos Aires, seit 1941 Prof. für Physiologie, seit 1947 Leiter des biochem. Forschungsinstituts. L. erhielt den Nobelpreis für Chemie 1970 für die Aufklärung der Biosynthese von Polysacchariden.

Le Lorrain [lə lɔrɛ̃], Robert, franz. Bildhauer, * Paris 15. 11. 1666, † das. 1. 6. 1743, Schüler und Gehilfe von Girardon. Hauptwerk: Tränke der Sonnenrosse am Marstall des ehemal. Hôtel de Rohan in Paris.

Lely [l'i:li], Sir (seit 1680) Peter, niederländ.-engl. Maler, * Soest bei Utrecht 14. 9. 1618, begraben London 7. 12. 1680, Schüler

von Pieter de Grebber in Haarlem, seit 1641 (?) in England. L. war der führende Bildnismaler der Cromwell-Zeit und unter Karl II. 1661 erster Hofmaler.

Lem, Stanislaw, poln. Schriftsteller, * Lemberg 12. 9. 1921, schrieb utopische Romane und Erzählungen.

Lemaire de Belges [ləmɛːr də bɛlʒ], Jean de, franz. Dichter (Frührenaissance), * Bavay bei Avesnes 1473, † um 1525. Die Plejade erkannte ihn als bedeutenden Vorläufer an.

Lemaître [ləmɛtr], Jules, franz. Schriftsteller, * Vennecy (Loiret) 27. 4. 1853, † Paris 5. 8. 1914, schrieb literarkrit. Studien.

Léman, Lac L. [lemã], →Genfer See.

Lem'anische Republik, →Waadt.

Lemass, Sean F., irischer Politiker, * Dublin 15. 7. 1899, † das. 11. 5. 1971, 1927 Sekr. der republikan. Partei, 1959–66 MinPräs.

Lekythos: weißgrundige attische Grablekythen, links *um 470 v. Chr.,* rechts *um 450 v. Chr. (London, Brit. Museum)*

Lemberg, ukrain. **Lwiw,** russ. **Lwow,** poln. **Lwów,** Gebietshauptstadt in der Ukrain. SSR, (1973) 594000 Ew., am Peltew, 300 m ü. M. Sitz eines orthodoxen Bischofs, hat Universität (1661 gegr.), Hochschulen, Museen; Industrie: bes. Verarbeitung landwirtschaftl. Erzeugnisse, ferner Fabriken für Bohrturmausrüstung, Landmaschinen, Waggons; Erdölraffinerie; in der Nähe Abbau von Braunkohle. – Mittelpunkt ist die alte dt. Gründungsstadt mit dem Neuen Rathaus (1828–35), in der Nähe die latein. Kathedrale (1480, barock umgestaltet), die armenische Kathedrale (1370–1493) und die Dominikanerkirche (18. Jh).

L., um 1270 von den ukrain. Fürsten von Halicz gegründet, kam 1340 an Polen und erhielt 1352 deutsches Stadtrecht. 1772–1918 war L. die Hauptstadt des österreich. Kronlandes Galizien, 1919–39 war es polnisch.

Leme

1939 wurde L. von den Russen, 1941 von den Deutschen besetzt, 1944 von der Roten Armee erobert; die poln. Mehrheit wurde zum größten Teil ausgesiedelt. L. ist seither fast rein ukrainisch mit einer großruss. Beamtenschicht.

Lemercier [ləmɛrsje], Jacques, franz. Baumeister, * Pontoise um 1585, † Paris 4. 6. 1654. Er erweiterte den Louvre, entwarf die Pläne für Schloß und Stadt Richelieu und schuf in Paris die Kirche der Sorbonne und das Palais Richelieu (jetzt Palais Royal).

L'emgo, Stadt im Kreis Lippe, Nordrhein-Westfalen, (1974) 39800 Ew., hat spätgot. und Renaissancebürgerhäuser, got. Kirchen; AGer., Museum; Industrie: Holzwaren, Möbel, Zigarren, Textilien, Metall- und Dentalwaren, Konserven, Glaswaren, Konserven, Branntwein. – L. erhielt um 1190 Stadtrecht, seit dem 13. Jh. Hansestadt.

Lemke, genannt *von Soltenitz*, Helmut, Politiker (CDU), * Kiel 29. 9. 1907, Jurist, 1954 Kultus-, 1955 Innenmin., 1963–71 MinPräs. von Schleswig-Holstein, seit 1971 Präs. des Landtags.

Lemken, ukrain. Volksstamm in den unteren Beskiden; Hirtennomaden.

L'emma [grch.] *das, allgemein:* der in einer Überschrift oder als Motto ausgedrückte Hauptinhalt eines Aufsatzes, Bildes usw.; *Logik:* ein hypothetisch-disjunktiver Schluß, besonders in der Form des →Dilemmas; *Mathematik:* ein Hilfssatz, der bei den Beweisen eines oder mehrerer wichtiger Sätze verwandt wird und oft das methodisch Wesentliche der Beweise enthält.

Lemmer, Ernst, Politiker (CDU), * Remscheid 28. 4. 1898, † Berlin 18. 8. 1970, Gewerkschaftssekr., 1924–33 MdR (Dt. Demokrat. Partei), 1945 Mitgründer der CDU in der sowjet. Besatzungszone und Berlin, 1950 bis 1956 Fraktionsführer im Berliner Abg.-Haus, wurde 1952 MdB für Berlin, 1956 Bundespostminister; 1957–62 Bundesminister für gesamtdt. Fragen, Febr. 1964 bis Okt. 1965 Bundesvertriebenenminister, 1965 bis 1969 Sonderbeauftragter für Berlin.

Lemming [Lw. aus dän.] *der,* Art der →Wühlmäuse.

Lemnisk'ate [lat.] *die,* Kurve in Form einer Acht; sie ist der geometr. Ort aller Punkte, für die das Produkt der Abstände von zwei festen Punkten einen unveränderlichen Wert hat; Sonderfall der →Kassinischen Kurve.

Lemnitzer, Lyman L., amerikan. General, * Honesdale (Pa.) 29. 8. 1899, 1963–69 Oberkommandierender der NATO-Truppen in Europa.

L'emnius, Simon, rätoroman. Humanist, eigentl. **Lemm-Margadant,** * wahrscheinlich bei St. Maria im Münstertal (Graubünden) 1511, † Chur 24. 11. 1550. Seine Gegnerschaft zu Luther fand Ausdruck in seinen lat. Epigrammen (1538) und der Satire ›Monachoporomachia‹ (Mönchshurenkrieg; 1539). L. übersetzte die Odyssee ins Lateinische (1549).

L'emnos, neugriech. **Limnos,** Insel im nördl. Ägäischen Meer, 482 qkm groß. L. war zuerst von Karern, dann von Tyrrhenern bewohnt; auch Beziehungen zur etrusk. Kultur sind nachgewiesen. Um 510 v. Chr. wurde es von Athen unterworfen. 1204 kam es an Venedig, später an Genua, 1479 an die Türkei, 1912 an Griechenland. Im 1. Weltkrieg war die Bucht von Mudros 1915 der Ausgangspunkt des alliierten Unternehmens gegen die Dardanellen.

Lem'on|grasöl, ätherisches Öl aus der vorderind. Grasart Cymbopogon flexuosus, hat zitronenartigen Duft, ist Rohstoff für die Herstellung von Zitral und Seifenduftstoff.

Lemonnier [ləmɔnj'e], Camille, franz.-belgischer Schriftsteller, * Ixelles 24. 3. 1845, † das. 13. 6. 1913, Förderer der »Jeune-Belgique«-Gruppe, schilderte das Leben belgischer Arbeiter und Landleute.

Lemoyne [ləmwan]. **1)** François, franz. Maler, * Paris 1688, † (Selbstmord) das. 4. 6. 1737, Hofmaler Ludwigs XV. (Deckengemälde: Herkulessaal zu Versailles; Marienkapelle von St-Sulpice in Paris).

2) Jean-Baptiste, franz. Bildhauer, * Paris 15. 1. 1704, † das. 25. 5. 1778, Schüler von Le Lorrain.

Lemp'ira, Währungseinheit in Honduras, = 100 Centavos.

Lempp, Reinhart, Jugendpsychiater, * Esslingen 2L. 10. 1923, Prof. in Tübingen.

WERKE: Frühkindl. Hirnschädigung und Neurose (1964); Eine Pathologie der psych. Entwicklung (1967).

Lem'uren [lat.], **1)** in der altröm. Sage die Geister Verstorbener, nächtliche Gespenster, zu deren Versöhnung um Mitternacht des 9., 11. und 13. 5. das Fest der *Lemurien* gefeiert wurde. **2)** Halbaffen, →Makis.

L'ena *die,* Strom in Sibirien, 4264 km lang, entspringt im N des Baikalsees, mündet in ausgedehntem Delta ins Eismeer; schiffbar bis Katschug, etwa 6 Monate eisbedeckt.

Len'äen [grch.], **Lenaia,** ein im alten Athen im Monat Gamelion (etwa Januar) dem Dionysos gefeiertes Fest mit dramat. Aufführungen. Lenäos, der 5. Monat im Kalender der ionischen Griechen; auch Beiname des Dionysos.

Le Nain [lənɛ̃], drei französ. Maler, in Werkstattgemeinschaft arbeitende Brüder, * Laon, wo sie ihre Ausbildung erhielten, † Paris, wo sie seit etwa 1629 lebten und 1648 in die Akademie aufgenommen wurden: *Antoine* (* um 1588, † 25. 5. 1648) werden kleine, auf Kupfer gemalte Gruppenbilder fläm. Art zugeschrieben, *Louis* (* um 1593, † 23. 5. 1648), dem bedeutendsten der Brüder, Bilder aus dem Alltagsleben der Bauern, *Mathieu* (* um 1607, † 20. 4. 1677) mytholog. und Genreszenen.

L'enard, Philipp, Physiker, * Preßburg 7. 6. 1862, † Messelhausen (Baden-Württ.) 20. 5. 1947, Schüler von H. Hertz, Prof. in Breslau, Aachen, Heidelberg, Kiel, untersuchte die Kathodenstrahlen und die Wechselwirkungen zwischen Elektronen und

Licht (lichtelektr. Effekt, Phosphoreszenz, Lumineszenz). 1905 erhielt er den Nobelpreis für Physik. *Lenard-Effekt*, Entstehung elektrischer Ladungen beim Zerspritzen und Zerreißen von Wassertropfen. Infolge dieses Effektes ist die Luft in der Nähe von Wasserfällen negativ, das Wasser selbst positiv geladen.

L'enau, Nikolaus, eigentl. Nikolaus **Niembsch**, Edler von **Strehlenau**, Dichter, * Csatád (Ungarn) 13. 8. 1802, † Oberdöbling (Wien) 22. 8. 1850, gab in seinen stimmungsvollen Gedichten und Balladen eigenem Schmerz und dem Leid der Welt ergreifenden Ausdruck. 1831 weilte L. als gefeierter Gast des schwäb. Dichterkreises im Hause Kerners. 1832 machte er den Versuch, sich in Ohio als Kolonist zu behaupten, kehrte aber schon 1833 enttäuscht zurück; seit 1834 stand er im Bann leidenschaftlicher Liebe zu der Frau seines Freundes, Sophie von Löwenthal (geb. Kleyle). 1844 verfiel er in Wahnsinn und lebte fortan in Heilanstalten.

WERKE. Gedichte (1832), Neuere Gedichte (1838), Gedichte (1844), Savonarola (1837). *Epos:* Die Albigenser (1842), *Dramat.-epische Gedichte:* Faust (1836), Don Juan (zuerst in dem von A. Grün herausgeg. Nachlaß 1851). Sämtl. Werke, hg. v. A. Grün, 4 Bde. (1855), E. Castle, 2 Bde. (1900), Gesamtausg. krit. hg. v. E. Castle, 6 Bde. (1910–23), L.s Briefe an E. u. G. v. Reinbeck, hg. v. A. Schlossar (1896), Briefwechsel mit Sophie u. Max Löwenthal, hg. v. E. Castle, 2 Bde. (1906), Briefe an Karl Mayer, hg. von dies. selbst (1853). Sämtl. Werke und Briefe (1959).

LIT. A. X. Schurz (L.s Schwager): L.s Leben, 2 Bde. (1855, 1. Bd. neu v. E. Castle, 1913); E. Castle: N. L. (1902); H. Bischoff: L.s Lyrik, 2 Bde. (1920/21); H. Vogelsang: N. L.s Lebenstragödie (1952); W. Martens: Bild und Motiv im Weltschmerz (1957).

Louis Le Nain: Die Schmiede (Paris, Louvre)

Lenbach, Franz von (1882), Maler, * Schrobenhausen (Oberbayern) 13. 12. 1836, † München 6. 5. 1904, lernte bei Piloty in München, war 1863–68 in Italien und Spanien, wo er Bilder alter Meister für den Grafen Schack kopierte, und lebte dann meist in München als der erfolgreichste deutsche Bildnismaler seiner Zeit. Seine Bildnisse sammeln alle Aufmerksamkeit auf den scharf beobachteten Kopf und lassen andere, meist skizzenhaft behandelte Teile zurücktreten.

WERKE. Der Hirtenknabe (1860; München, Schack-Galerie); Bildnisse von Bismarck (etwa 80; BILD Bismarck), Wilhelm I., Leo XIII., Wagner u. a.

LIT. A. Rosenberg: F. L. (⁶1911); H. Kehrer: F. v. L. (1937).

L'enca, Indianerstamm in Honduras und Salvador mit eigener Sprache.

Lenclos [lãklo], Anne, genannt Ninon de L., * Paris 10. 11. 1620, † das. 17. 10. 1705, eine durch Bildung und Schönheit bekannte Kurtisane, deren Haus Treffpunkt bedeutender Personen war. – Briefe an den Marquis de Sévigné (2 Bde. 1763; dt. 1908 u. ö.).

Lende [german. Stw.], **1)** *Körperbau:* die hintere und seitliche Gegend der Bauchwand. Der stärkste Lendenmuskel ist der *große Lendenmuskel.* Über die *Lendenwirbel* →Wirbelsäule. **2) Lendenbraten**, das unterhalb des Rückgrats liegende Stück Fleisch, hauptsächlich vom Rind und Schwein, ist bes. zart, wird gebraten oder gedämpft.

Lendemain [lãdmɛ̃, franz.], der folgende Tag; Nachfeier (am Tag nach der Hochzeit).

Lend Lease System, →Leih-Pacht-System.

Lendner, **Lentner**, in der 2. Hälfte des 14. Jhs. enganliegender, bis auf die Oberschenkel reichender Waffenrock aus Leder; meist hemdartig und ärmellos.

Lendorff, Gertrud, Kunsthistorikerin, Schriftstellerin, * Basel 13. 5. 1900.

WERKE. Basel,mittelalterl. Weltstadt(1949), Basel. Die Biedermeierzeit (1956), Das Haus zum goldenen Engel (1962).

L'endringsen, Gem. im Kr. Iserlohn, Nordrhein-Westfalen, mit (1974) 14 400 Ew., im Sauerland; Eisen-, Kalkwerke, elektrotechn., Kunststoff-, Papier- und Holzfabriken.

Lenéru [lənery], Marie, franz. Dramatikerin, * Brest 2. 6. 1875, † Lorient 13. 9. 1918, war von Kindheit an taub und fast blind, schrieb Dramen.

Leng *der*, **Langfisch**, ein bis 2 m langer Schellfisch nordischer Meere.

Lengefeld, **1)** Charlotte von, verh. mit →Schiller.

2) Karoline von, Schwester von 1), →Wolzogen, Karoline.

Lengenfeld, Stadt im Vogtland, Kr. Reichenbach, Bez. Karl-Marx-Stadt (Chemnitz), an der Göltzsch, 400 m ü. M., mit (1964) 8400 Ew.; Textilindustrie.

L'engerich, Stadt im Kr. Tecklenburg, Nordrhein-Westfalen, mit (1974) 21 500 Ew., am Südfuß des Teutoburger Waldes, 80 m

Leng

ü. M. Industrie: Zement, Kalk, Maschinen, Herde.

Lenggr′ies, Gem. im Kr. Bad Tölz-Wolfratshausen, Bayern, 680–800 m ü. M., Sommerfrische und Wintersportplatz, mit (1973) 7400 Ew.; Kirche aus dem 14. Jh. (1722 umgebaut).

L′engua, südamerikan. Indianerstamm im Gran Chaco.

Lengyel [lendjel], Gem. im Verwaltungsbez. Tolna, Ungarn, bekannt durch eine Befestigung aus der frühen Eisenzeit. Ihr ging eine Siedlung der jüngeren Steinzeit voraus, die der *L.-Gruppe* den Namen gab.

Lenin

L′enin, eigentlich **Uljanow,** Wladimir Iljitsch, russ. revolutionärer Staatsmann, * Simbirsk 22. 4. 1870, † Gorki (bei Moskau) 21. 1. 1924, Sohn eines adligen Schulinspektors, kam durch den Tod seines Bruders Alexander, der 1887 als Verschwörer hingerichtet wurde, schon in der Schulzeit mit der revolutionären Bewegung in Berührung; nach jurist. Studium war er Advokat in Petersburg, wo er intensiv die Revolution vorbereitete. 1896–99 war L. nach Sibirien verbannt, wohin 1897 aus Petersburg auch *Nadeschda Krupskaja* (* 1869, † 1939), seit 1898 seine Frau und Mitarbeiterin, verschickt wurde. Hier entwickelte er nach den Lehren von Marx und Engels die theoret. Grundlagen eines revolutionären Programms. Nach 1900 propagierte L. vom Ausland her, bes. in der in München mit Martow und Plechanow herausgegebenen, für Rußland bestimmten Zeitung ›Iskra‹, die Organisation der Sozialdemokrat. Arbeiterpartei Rußlands als »aktionsfähige, revolutionäre Kampfpartei«. Auf deren Londoner Parteitag führte er 1903 die Spaltung in Bolschewiki und Menschewiki herbei. Als Führer der Bolschewiki verfolgte L. nach 1905 taktisch das Ziel, die »kommende bürgerlich-demokrat. Revolution« zum Durchbruch einer planmäßig vorbereiteten »proletar. Revolution« zu nutzen, und organisierte nach dem Sturz des Zarismus im April 1917 (aus der Schweiz mit Hilfe der dt. Regierung nach Rußland zurückgekehrt), unterstützt von Trotzki,

Bucharin, Kamenew, Sinowjew, Stalin u. a. den Aufstand vom 7. 11. 1917 (nach alter Zeitrechnung 25. 10., deshalb *Oktoberrevolution*) und die »Ergreifung der Staatsmacht« durch die Bolschewiki. Als Vorsitzender des Rates der Volkskommissare und als führender Kopf der Partei der Bolschewiki wurde L. in den Jahren des Bürgerkriegs zum Gründer der Sowjetunion (1922), deren Regierungschef er bis zu seinem Tod blieb. Die aus seinen Schriften entwickelte Lehre wurde als *Leninismus* zur Staats- und Parteidoktrin des Bolschewismus. Sein Leichnam wurde später im Mausoleum am Roten Platz in Moskau beigesetzt.

WERKE. Die Entwicklung des Kapitalismus in Rußland (1899), Der Imperialismus als höchstes Stadium des Kapitalismus (1915), Staat und Revolution (1917). Sämtl. Werke L.s wurden seit 1923 vom L.-Institut in Millionenauflagen in allen Weltsprachen herausgegeben, dt. seit 1925 und 1958 ff. (bisher 40 Bde.).

LIT. N. K. Krupskaja: Erinnerungen an L. (Zürich 1933); B. D. Wolfe: Drei Männer, die die Welt erschütterten (dt. 1951); G. v. Rauch: L. (³1962); J. Marabini: L., Organisation der russ. Revolution (dt. 1963); L. Trotzki: Über L. (1964); R. Payne: L. (1965); L. Fischer: Das Leben L.s (dt. 1965).

Lenin, Pik L., früher **Pik Kauffmann,** 7134 m hoher Gipfel im Transalai, Sowjetunion.

Leninab′ad, früher **Chodschent,** alte Oasenstadt und Gebietshauptstadt in der Tadschik. SSR, am Austritt des Syr-darja aus dem Fergana-Becken, mit (1972) 110000 Ew.; Baumwoll-, Seidenindustrie.

Leninak′an, früher **Alexandropol,** Stadt in der Armen. SSR, mit (1972) 171000 Ew., 1540 m ü. M., hat Textil-, chem. u. a. Industrie.

L′eningrad, bis 1914 **St. Petersburg,** bis 1924 **Petrograd,** Hauptstadt des Gebiets Leningrad der Sowjetunion, Hafenstadt und Knotenpunkt von 9 Bahnlinien, mit (1973) 4,1 Mill. Ew. Die Stadt liegt im innersten östlichen Winkel des Finnischen Meerbusens beiderseits der Newa, der Verkehrsader zu den großen Binnenwasserstraßen. Kern der Stadt ist die 1703 angelegte Peter-Pauls-Festung. Der wichtigste Stadtteil liegt links des Flusses, aufgelockert durch breite Straßen (Prospekte), große Plätze, Grünanlagen; nach W schließen sich auf der Insel Wassilewskij Ostrow die Universität und viele wissenschaftl. Anstalten an, weiterhin Industrieanlagen (Kriegsschiffbau der Ordschonikidse-Werft), nach SW Molen und Hafenviertel (mit Schdanow-Werft und den Kirow-Werken), nach S und SO Arbeitervorstädte. Auf der rechten Seite der Newa erstrecken sich Wohnviertel, durchsetzt von der Kleinindustrie. L. hat bedeutende Bauten aus der barocken und der klassizist. Zeit, u. a. die Admiralität (1704–1823), den Winterpalast (1754–68, ehemal. Zarenresidenz), die Universität (1722–33), die Akademie der

Wissenschaften (1784–87) und viele Adelspaläste, die Börse (1805–15), ferner die Peter-Pauls-Kathedrale (1714–33), das Smolnyjkloster (1744–57) mit Kathedrale, die Kasan- (1801–11) und die Isaaks-Kathedrale (1819 bis 1858). Die meisten der z. T. von italien. Architekten erbauten Paläste sind jetzt Museen, Universitätsinstitute oder dienen der staatl. Verwaltung. In Wissenschaft und Kunst steht L. nach Moskau an zweiter Stelle der Sowjetunion; neben der Universität (gegr. 1819) hat es Kernforschungsinstitute, rd. 50 Fach-Hochschulen, berühmte Museen (→Eremitage) und in der Staatsbibliothek eine der größten Buch- und Handschriftensammlungen der Welt. Außer den Werften sind bes. Elektro-, feinmechan., Textil-, Schuh- und chem. Industrie bedeutend.

GESCHICHTE. L. wurde 1703 von Peter d. Gr. in dem sumpfigen Delta der Newa, die sich in 2 größere und 3 kleinere Hauptarme teilt, gegründet. Die Stadt dehnte sich auch auf mehrere Inseln aus, viele Häuser stehen auf Pfahlrosten. 1712–1917 war sie Residenz der Zaren, 1825 Schauplatz des Dekabristenaufstands (→Dekabristen) und eines Aufstands 1905. Die Regierung wurde 1918 nach Moskau verlegt. Im 2. Weltkrieg war L. durch dt. und finn. Truppen eingeschlossen.

Leninog′orsk, 1) bis 1955 **Nowaja Pissmjanka,** Bezirkshauptstadt in der Tatarischen ASSR, Russ. SFSR, mit rd. 40 000 Ew., hat Erdöl- und Erdgasgewinnung, Reparaturwerkstätten, Fernsehstation.
2) bis 1941 **Ridder,** Industriestadt im Gebiet Ostkasachstan, Sowjetunion, (1972) 71 000 Ew., hat eines der größten Blei-Schmelzwerke der Sowjetunion, ferner Kupfer-, Zink-, Blei-, Silberbergbau.

L′eninsk-Kusn′ezkij, Bergbau- und Industriestadt in W-Sibirien, Russ. SFSR, am Tom, Mittelpunkt des Kusnezker Kohlenbeckens, mit (1973) 129 000 Ew.

Lenin-Werke, seit 1952 Name der →Skodawerke.

L′enis [lat.], *Lautlehre:* ein mit geringer Muskelspannung gesprochener Mitlaut. Gegensatz: Fortis.

Lenk, Kurort und Schwefelbad im Kanton Bern, Schweiz, mit (1970) 1900 Ew., an der Simme, 1070 m ü. M.

Lenk, Franz, Landschaftsmaler, * Langenbernsdorf (Vogtland) 21. 6. 1898.

Lenk|achsen, Achsen von Schienenfahrzeugen, die in ihrer Längsrichtung ver-

schiebbar gelagert sind, so daß sie Gleiskrümmungen folgen können.

Lenkflugkörper, unbemannt, bewegt sich mittels Eigenantrieb vorwärts. Richtung und Geschwindigkeit können durch Fernlenkung geändert werden. Man unterscheidet L., deren Antrieb auf Luftsauerstoff angewiesen ist (V 1, Matador, Mace, Regulus), und L., deren Antrieb von Luftsauerstoff unabhängig ist (Raketen, z. B. Corporal, Thor, Redstone, Atlas, Jupiter), nach der Verwendungsart: Boden-Boden-L., Boden-Luft-L., Luft-Luft-L. und Luft-Boden-L. Gegensatz: freie (ungelenkte) Flugkörper.

Lenkung eines Straßenfahrzeugs wird durch Schwenken des oder der Vorderräder bewirkt. Für Kraftwagen wurde die *Achsschenkel-L.* von Benz 1890 eingeführt. Durch Drehen des *Lenkrads* werden über ein Schrauben-, Schnecken- oder Zahnstangengetriebe und das *Lenktrapez* die Räder eingeschlagen. Die gelenkten Räder sind auf den *Achsschenkeln* gelagert, die um eine nahezu senkrechte Achse, den *Lenkzapfen,* geschwenkt werden können. Durch das Lenktrapez wird das kurveninnere Rad so viel stärker als das kurvenäußere eingeschlagen, daß alle Räder mit möglichst geringem seitlichem Gleiten abrollen.

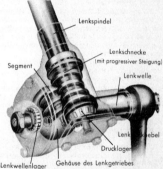

Lenkspindel

Lenkschnecke (mit progressiver Steigung)

Segment

Lenkwelle

Lenk(...)ebel

Drucklager

Lenkwellenlager

Gehäuse des Lenkgetriebes

Lenkung: Achsschenkel-Lenkung eines Kraftwagens

Bei Anhängern und Fuhrwerken wird meist die *Drehschemel-L.* verwendet. Die ganze gelenkte Achse wird um die Vertikalachse in der Fahrzeugmittelebene geschwenkt.

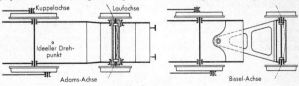

Kuppelachse · Laufachse

Ideeller Drehpunkt

Adams-Achse

Bissel-Achse

Lenkachsen

Für schwere Fahrzeuge (Omnibusse, Lastwagen, auch größere Pkw) wird oft auch die *Hydro-L. (Lenkhilfe)* angewandt. Das Lenkgetriebe erhält beim Drehen des Lenkrades eine durch Ventile gesteuerte, von der Drehung der Lenkspindel abhängige hydraul. Kraftunterstützung.

Lenné, Peter Joseph, Gartengestalter und Generaldirektor der kgl. preuß. Gärten, * Bonn 29. 9. 1789, † Potsdam 23. 1. 1866, schuf für die meisten preuß. Schlösser Parkanlagen im engl. Stil.

Lenne *die,* linker Nebenfluß der Ruhr, entspringt am Kahlen Asten, mündet bei Syburg, 131 km lang.

Lennegebirge, Teil des Sauerlandes.

Lennestadt, Stadt im Kr. Olpe, Nordrhein-Westfalen, mit (1974) 26200 Ew., am 1. 7. 1969 durch Zusammenschluß mehrerer Gemeinden gebildet (darunter →Elspe).

Lenngren, Anna Maria, geb. Malmstedt, schwed. Dichterin, * Uppsala 18. 6. 1754, † Stockholm 8. 3. 1817, schrieb Epigramme und Verserzählungen.

Lennox [ˈlenəks], Landschaft in Mittelschottland, mit den bis 577 m hohen **Lennox Hills.**

Lenoir, Jean Joseph Étienne, franz. Mechaniker, * Muny-la-Ville 12. 1. 1822, † La Varenne 7. 8. 1900, konstruierte 1860 den ersten betriebsfähigen Gasmotor.

Len´orensage, Märchen und Volkslied von einem Mädchen, dessen wilde Klagen den verstorbenen Liebsten aus dem Grab rufen, so daß er zu ihr reitet und sie auf seinem Geisterroß mit sich ins Grab führt. Ballade nur Bürger.

Lenormand [lənɔrmã], **1)** Henri René, franz. Dramatiker, * Paris 3. 5. 1882, † das. 18. 2. 1951, von Freud beeinflußt.
2) Marie-Anne-Adelaide, franz. Wahrsagerin, * Alençon 1772, † Paris 1843, genoß seit der Revolutionszeit Ansehen durch zutreffende Voraussagen (z. B. Josephine Beauharnais' Aufstieg).

Le Nôtre [lə noːtrə], André, franz. Gartenarchitekt, * Paris 12. 3. 1613, † das. 15. 9. 1700, schuf den franz. Gartenstil (→Gartenkunst). Seine Parkanlagen in Versailles (seit 1661), St-Germain u. a. blieben bis ins 18. Jh. für ganz Europa vorbildlich.

Lens [lɑ̃s], Stadt in Nordfrankreich, mit (1968) 42000 Ew.; Kohlenbergbau, Textil-, Metall-, Zuckerindustrie.

Lensch, Paul, Politiker, * Potsdam 31. 3. 1873, † Berlin 17. 11. 1926, war 1905–13 Schriftleiter der ›Leipziger Volkszeitung‹, 1912–18 sozialdem. MdR; trat dann auf den rechten Flügel der Partei über. 1919 wurde er Prof. in Berlin. 1922 schied L. aus der sozialdem. Partei aus, bis 1925 leitete er die ›Deutsche Allgem. Zeitung‹.

Lensing, Elise, Jugendgeliebte →Hebbels, * Lenzen (Elbe) 14. 10. 1804, † Hamburg 18. 11. 1854.

lentikular [lat.], linsenförmig.

l'ento [ital.], *Musik:* langsam; **l. assai,** sehr langsam.

L'en´ulus, Beiname einer röm. patrizischen Familie, die zum Geschlecht der Cornelier gehörte. Die Lentuli traten seit dem Ausgang des 4. Jhs. v. Chr. hervor und übten bis zum Ende der republikan. Zeit wiederholt Einfluß im Staat aus: *Publius Cornelius L. Sura* war 71 v. Chr. Konsul, 63 Prätor, wurde als Teilnehmer an der Verschwörung Catilinas hingerichtet. *Publius Cornelius L. Spinther* erwirkte 57 v. Chr. als Konsul die Rückberufung Ciceros. **L.-Brief,** eine im 13. oder 14. Jh. entstandene apokryphe Schilderung der äußeren Erscheinung Jesu, einem L., angeblich Vorgänger des Pontius Pilatus, zugeschrieben.

Lenya, Lotte, Schauspielerin und Sängerin, * Wien 18. 10. 1900, erste Erfolge als »Seeräuber-Jenny« in Brechts Dreigroschenoper. Sie emigrierte 1933 mit ihrem Mann Kurt Weill über Frankreich in die USA. Seit ihrer Rückkehr 1955 ist sie wesentlich an der Wiederaufführung der Werke K. Weills und B. Brechts beteiligt.

Lenz, 1) Fritz, Anthropologe. * Pflugrade (Pommern) 9. 3. 1887; arbeitet bes. auf den Gebieten der menschl. Erbpathologie und der Eugenik.
WERK. Menschliche Erblichkeitslehre und Rassenhygiene (mit E. Baur und E. Fischer, 2 Bde., 1: ³1927, 2: ⁴1927).
2) Hans, Politiker (FDP), * Trossingen 12. 7. 1907, † das. 28. 8. 1968, Neuphilologe, wurde 1953 MdB, 1961 Bundesschatz-Min., 1962–65 Bundesmin. für wissenschaftl. Forschung.
3) Heinrich Friedrich Emil, Physiker, * Dorpat 12. 2. 1804, † Rom 10. 2. 1865, stellte 1834 die nach ihm benannte Regel für die Richtung eines induzierten Stromes auf und gab auch eine Formel für die Abhängigkeit des elektr. Widerstandes von der Temperatur an (1835–38).
4) Jakob Michael Reinhold, Dichter, * Seßwegen (Livland) 12. 1. 1751, † Moskau 24. 5. 1792, begegnete als Hofmeister junger Adliger in Straßburg Goethe (1771) und folgte ihm 1776 nach Weimar. Dramatiker des *Sturm und Drangs.* (Der Hofmeister, 1774, Die Soldaten, 1776, beide neu bearb. v. B. Brecht). Er schrieb ›Anmerkungen übers Theater‹. Ges. Werke, 5 Bde. (1909 bis 1913), Auswahl (1911), Briefe, 2 Bde. (1918), Werke und Schriften, 2 Bde. (1966/1967); Gesammelte Schriften, 4 Bde. (1967ff.). – Erzählung ›Lenz‹ von Georg Büchner.
Lit. H. Kindermann: L. und die dt. Romantik (1925).
5) Leo, eigentl. *Joseph Rudolf Schwanzara,* Schriftsteller, * Wien 2. 1. 1878, † Berlin 29. 8. 1962, schrieb viele Lustspiele und Operettentexte: Heimliche Brautfahrt (1925), Ehe in Dosen (1934), Nächte in Shanghai (1944).
6) Max, Historiker, * Greifswald 13. 6. 1850, † Berlin 6. 4. 1932, Rankeschüler, war seit 1890 Prof. in Berlin und 1914–22 in Hamburg.
WERKE. Geschichte Bismarcks (1902,

⁴1913), Napoleon (1905, ⁴1924), Gesch. der Friedrich-Wilhelm-Universität Berlin, 4 Bde. (1910–18), Kleine histor. Schriften, 3 Bde. (1910–22).

7) Max Werner, eigentl. *Max Russenberger*, schweizer. Schriftsteller und Kabarettist, * Kreuzlingen 7. 10. 1887, schrieb Romane und Hörspiele.

8) Siegfried, Schriftsteller, * Lyck (Ostpr.) 17. 3. 1926, war Feuilletonredakteur der ›Zeit‹. Seine Werke, bes. der Roman ›Deutschstunde‹ (1968), fanden starke Beachtung.

WERKE. Romane: Es waren Habichte in der Luft (1951), Duell mit dem Schatten (1953), Der Mann im Strom (1957), Brot und Spiele (1959), Stadtgespräch (1963), Deutschstunde (1968), Das Vorbild (1973). Erzählungen: So zärtlich war Suleyken (1955), Jäger des Spotts (1958), Das Feuerschiff (1960), Lehmanns Erzählungen oder So schön war mein Markt (1964), Der Spielverderber (1965), Der Geist der Mirabelle (1975). Dramen: Zeit der Schuldlosen (1961), Das Gesicht (1964), Die Augenbinde (1970). Hörspiele.

Lenzburg, Stadt und Bezirkshauptort im Kanton Aargau, Schweiz, mit (1970) 7600 Ew., an der Hallwiler Aa, 397 m ü. M.; Konserven-, Kartonage-, Gewehr- u. a. Fabriken. Das Schloß der 1173 ausgestorbenen Grafen von L. kam an die Kyburger, dann an die Habsburger, 1415 an Bern, 1803 an den Kanton Aargau.

lenzen, 1) das in den Schiffsraum eingedrungene Wasser herauspumpen. 2) bei schwerem Sturm mit gerefftem oder ohne Segel vor dem Wind laufen.

Lenzerheide, romanisch **Lai,** Kurort im Kanton Graubünden, Schweiz, mit (1970) 1600 Ew., 1476–1551 m ü. M., in einem Hochtal zwischen Chur und Tiefenkastel.

Lenzsche Regel, →Induktion 2).

Leo [lat. ›der Löwe‹; auch Kurzform von Leonhard oder Leopold], männl. Vorname.

Leo [lat. ›Löwe‹], Sternbild →Löwe.

Leo, byzantinische Kaiser:
1) L. I., der Große (457–474), ursprünglich Militärtribun, kämpfte seit 468 unglücklich gegen die Wandalen in Afrika.
2) L. III., der Syrer, illyrisch **der Isaurier** (717–741), verteidigte Konstantinopel gegen die Araber (717/718), erneuerte das Heerwesen, die Rechtsprechung und die Finanzwirtschaft und verbot 726 den Bilderdienst.
3) L. V., der Armenier (813–820), besiegte die Bulgaren (817) und die Araber, starb als Bilderfeind 820 durch eine Verschwörung.

Leo, Päpste:
1) L. I., der Große (440–461), Kirchenlehrer, * Rom (?), † Rom 10. 11. 461, aus etrurischem Geschlecht, ein angesehener Prediger (96 *sermones* sind erhalten), energischer Diplomat und Vorkämpfer des Primatsgedankens, den er grundsätzlich entwickelte und im ganzen Abendland auch praktisch zur Geltung brachte (kaiserl. Anerkennung 445). Folgenreich war L.s Ein-

greifen in die Streitigkeiten der Ostkirche: im eutychianischen Streit unterstützte er den Patriarchen von Konstantinopel gegen das übermächtige Alexandrien und bereitete mit einer dogmat. Erklärung die Entscheidung des Konzils von Chalkedon vor. Hier wurde der Papst 451 theologisch gefeiert, kirchenrechtl. aber der Patriarch von Konstantinopel ihm bis auf den Ehrenvorrang gleichgestellt. 452 bewog L. Attila zur Umkehr, 455 hielt er Geiserich von weiterer Plünderung Roms ab. Heiliger; Tag: 11. 4.
2) L. III. (795–816), † Rom 12. 6. 816, krönte am 25. 12. 800 Karl d. Gr. zum röm. Kaiser. Heiliger; Tag: 12. 6.
3) L. IV. (847–855), † Rom 17. 7. 855, kämpfte erfolgreich gegen die Sarazenen und befestigte den Vatikan, die *Leoninische Stadt (Leostadt)*. Heiliger; Tag: 17. 7.
4) L. IX. (1049–54), vorher Graf Bruno von **Egisheim** (Elsaß), * Egisheim 21. 6. 1002, † Rom 19. 4. 1054, Verwandter Kaiser Heinrichs III., begann den Kampf gegen Priesterehe und Simonie. Unter ihm kam es zum Bruch mit der morgenländ. Kirche. Heiliger; Tag: 19. 4.
5) L. X. (1513–21), * Florenz 11. 12. 1475, † Rom 1. 12. 1521, vorher Giovanni de' **Medici** (Sohn Lorenzos I.), erhielt mit 17 Jahren Sitz und Stimme im Kardinalskolleg. In der Auseinandersetzung zwischen Frankreich und dem Reich in Italien neigte er zu Frankreich und schloß das für Frankreich günstige Konkordat von 1516 ab. Im Kampf um die Kaiserkrone suchte er den Kurfürsten Friedrich den Weisen von Sachsen als neutralen Kandidaten durchzubringen, trat aber nach dem Erfolg Karls V. zur kaiserl. Partei über. Da er vornehmlich mit der Regierung des Kirchenstaates, der ital. und europ. Politik in Anspruch genommen war, kamen die kirchl. Aufgaben zu kurz, z. B. die Stellungnahme zum Ausbruch der Reformation in Dtl. In der Geschichte der Kunst und Literatur ist seine Regierung eine Glanzzeit; er konnte die größten Geister der ital. Hochrenaissance nach Rom und in den Dienst seiner Familie (→Medici) verpflichten. Er ließ zur Vollendung der Peterskirche Ablaßbriefe verkaufen.
6) L. XII. (1823–29), * Schloß La Genga (bei Spoleto) 22. 8. 1760, † Rom 10. 2. 1829, verdammte die geheimen Gesellschaften, die Bibelgesellschaften und die Freimaurerei.
7) L. XIII. (1878–1903), * Carpineto (bei Anagni) 2. 3. 1810, † Rom 20. 7. 1903, vorher Gioacchino **Pecci**, bedeutender Gelehrter und Politiker, förderte die →christlichsoziale Bewegung und die Entwicklung der kath. Wissenschaft, beendete den →Kulturkampf und festigte die polit. und weltanschauliche Bedeutung der kathol. Kirche. Seine Enzykliken sind in 6 Sammlungen lat. und dt. veröffentlicht (1878–1904).
LIT. R. Fülöp-Müller: L. XIII. (1935); O. Schilling: Die Gesellschaftslehre L.s XIII. und seiner Nachfolger (1951).

Leo

Leo, Leonardo, ital. Komponist, * Neapel 5. 8. 1694, † das. 31. 10. 1744, gehört zu den Vertretern der älteren neapolit. Schule: zahlreiche komische Opern, auch Oratorien, Messen, Motetten, Miserere, Konzerte, Orgel- und Klavierstücke.

Le'oben, Bezirksstadt in der Obersteiermark, Österreich, an der Mur, 540 m ü. M., mit der (1938) eingegliederten Stadt Donawitz und der Marktgem. Göß (1971) 35100 Ew., hat KreisGer., Montanist. Hochschule (einzige Österreichs), Berg- und Hüttenschule, höhere Schule; Hochöfen, Hütten-, Walz- und Blasstahlwerk der Alpinen Montan-Gesellschaft, Metall- und Eisengießerei, Brauerei; Braunkohlenbergbau, Zellulosefabriken, Herstellung feuerfester Steine, Holzindustrie. – L. wurde 982 erstmals erwähnt, das ehemal. Kloster Göß vor 1020 gegründet.

L'eobschütz, Kreisstadt in Oberschlesien, am O-Rand der Sudeten, in fruchtbarer Landschaft, mit (1939) 13500 Ew.; landwirtschaftl. Verarbeitungsindustrie. L., 1107 genannt, gehörte zum schles. Herzogtum Jägerndorf; es war 1523–1621 im Besitz der fränk. Hohenzollern, wurde 1742 preußisch und kam 1945, zu 40% zerstört, unter poln. Verwaltung *(Glubczyce)*.

Leonardo da Vinci: Selbstbildnis (Rötel; Mailand, Ambrosiana)

Leoch'ares, griech. Bildhauer, arbeitete um 350 v. Chr. am Mausoleum in Halikarnaß, schuf Goldelfenbeinbilder der Familie Philipps von Makedonien für dessen Rundbau in Olympia (336), um 320 zusammen mit Lysippos eine Löwenjagd Alexanders d. Gr. (Delphi) und die Entführung Ganymeds. Auf ein Werk von ihm geht vermutlich der nur als Kopie erhaltene Apollo von Belvedere (Vatikan) zurück.

Leo Hebr'äus, →Abravanel.

León, 1) geschichtl. Landschaft Spaniens im W des altkastilischen Hochlands, umfaßt die Provinzen L., Zamora und Salamanca mit 36978 qkm und (1970) 1,17 Mill. Ew.

2) Hauptstadt der Prov. L., (1970) 89000 Ew., 832 m ü. M.; Kathedrale (13.–15. Jh.). GESCHICHTE. Die Könige von Asturien entrissen die Landschaft L. um 755 den Mauren und machten die Stadt L. später zu ihrer Hauptstadt; so entstand 925 das Kgr. L., das zuerst 1037, endgültig 1230 mit Kastilien vereinigt wurde.

3) Stadt im Staat Guanajuato, Mexiko, mit (1970) 365000 Ew., 1885 m ü. M.; Textilund Lederindustrie.

León, Luis Ponce de, span. Lyriker und Mystiker, * Belmonte (Cuenca) 1528, † Madrigal 23. 8. 1591, Augustiner, zeitweise von der Inquisition eingekerkert; verband in seinen Gedichten klassische Form mit Meditation. Sein myst. Hauptwerk ›Los nombres de Cristo‹ ist reich an theologisch-philosophischen Gedanken.

LIT. K. Vossler: L. de L. (1946).

Leon'ardo da Vinci [vint∫i], auch Lionardo da V., italien. Maler, Bildhauer, Baumeister, Naturforscher, Techniker, * Vinci (bei Empoli) 15. 4. 1452, † Schloß Cloux bei Amboise 2. 5. 1519, unehelicher Sohn eines Notars in Florenz und eines Bauernmädchens. Seine Ausbildung als Maler erhielt er bei Verrocchio in Florenz, wo er die Verkündigung (Florenz, Uffizien), das Bildnis der Ginevra Benci (Vaduz) und den hl. Hieronymus (unvollendet; Vatikan) malte. Die große Tafel der Anbetung der Könige (Uffizien) ließ er halbfertig zurück, als er 1482 in den Dienst des Herzogs Lodovico Sforza nach Mailand ging. Hier malte er die Felsgrotten-Madonna (Paris, Louvre) und das Wandbild des Abendmahls im Refektorium von S. Maria delle Grazie (sehr verfallen), beschäftigte sich mit architekton. Entwürfen (Zentralkirchen, Festungsbauten u. a.) und begann seine wissenschaftl. Studien (Anatomie, Optik, Mechanik u. a.) sowie sein Lehrbuch der Malerei. Für ein Bronze-Reiterdenkmal des ersten Sforza-Herzogs Francesco schuf er das originalgroße Modell (zerstört); zum Guß kam es nicht, da Lodovico Sforza 1499 gestürzt wurde. 1500 war L. wieder in Florenz, wo er das Gemälde der Anna Selbdritt begann (Paris, Louvre). Nach längeren Reisen als Festungsbauinspizient Cesare Borgias übernahm er 1503 den Auftrag, im Großen Saal des Rathauses zu Florenz ein Wandgemälde der Schlacht von Anghiari zu malen, das jedoch wie das gleichzeitig von Michelangelo für die gegenüberliegende Wand entworfene Schlachtenbild nicht zur Ausführung kam; Teile des verlorenen Kartons sind durch Nachzeichnungen vor allem von Rubens bekannt. Um dieselbe Zeit entstand das Bildnis der →Mona Lisa (Paris, Louvre). Dann wandte sich L. immer mehr wissenschaftl. Aufgaben zu. Er sezierte Leichen und begann einen großen Traktat über den Bau des menschl. Körpers mit anatom. Zeichnungen. Flugexperimente führten ihn zu Untersuchungen über den Vogelflug. Wie die Strömungsgesetze der Luft suchte er auch die des Wassers zu erforschen. 1506 kehrte er nach Mailand zurück, wo er seine anatom. Arbeiten fortsetzte, botanische und geolog. Studien trieb (u. a. über die Entstehung der Fossilien). Seit 1513 lebte er in Rom, ohne größere Aufträge zu erhalten, und folgte 1517 einer Einladung König Franz' I. nach Frankreich, wo er, vor allem mit der Ordnung seiner wissenschaftl. Aufzeichnungen beschäftigt, in dem Landschlößchen Cloux bei Amboise lebte.

Leonardo da Vinci: Christusknabe und Engel, Ausschnitt aus dem Gemälde ›Madonna in der Felsengrotte‹ (Paris, Louvre)

Als Maler war L. der erste Vollender des klass. Stils. Seine wenigen Werke galten allen nachfolgenden Zeiten als Beispiel höchster Vollkommenheit. Die ihm eigene Helldunkelmalerei, deren weiche Licht- und Schattenübergänge seine Bilder geheimnisvoll und ihre Formen zugleich plastisch erscheinen lassen, wirkte weit über den Kreis seiner Schüler hinaus. Als Naturforscher suchte er ein enzyklopäd. Wissen mit den Mitteln der Erfahrung und des Experiments zu gewinnen. Seine allumfassenden, seiner Zeit weit vorauseilenden Beobachtungen, die er auch zum Teil zeichnerisch darstellte, leiteten die systematisch beschreibende Methode in den Naturwissenschaften ein. Ebenso kann er auf dem Gebiet der angewandten Mechanik als Vorläufer einer elementaren Maschinenkunde gelten. – Schriften in dt. Übersetzung: Das Buch von der Malerei, dt. v. H. Ludwig, 3 Bde. (Wien 1882); Tagebücher und Aufzeichnungen, hg. v. Th. Lücke (²1952); Philos. Tagebücher, ital. u. dt., hg. v. G. Zamboni (1958).
Lit. L. H. Heydenreich: L. d. V., 2 Bde. (Basel 1954); J. Gantner: L.s Visionen von der Sintflut u. vom Untergang der Welt (Bern 1958); L. d. V., Gemälde und Zeichn., hg. v. L. Goldscheider (²1959); Sigrid Braunfels-Esche: L. d. V. Das anatom. Werk, mit krit. Katalog (1961); H. v. Einem: Das Abendmahl des L. d. V. (1961); R. Friedenthal: L. (²1966).

Leonardo Pisano, L. von Pisa, L. Fibonacci, ital. Mathematiker, * etwa 1180, † um 1240, der erste selbständige bedeutende Mathematiker des MA.s, verfaßte 1202 den ›liber abaci‹, die erste systemat. Einführung in das ind. Zahlenrechnen. und geometrische und zahlentheoretische Schriften.

Leonard-Schaltung, eine Schaltung zur Drehzahlregelung eines Gleichstrommotors in weitem Drehzahlbereich (Ward Leonard, 1893). Mit ihrer Hilfe kann die Drehzahl vom Höchstwert in der einen Richtung über Null bis zum Höchstwert in der anderen Richtung verändert werden. Anwendung beim Antrieb von Werkzeug-, Papiermaschinen, Förderanlagen, Walzwerken u. a.

L'eonberg, Stadt im Kr. Böblingen, Baden-Württ., mit (1974) 25400 Ew., unweit von Stuttgart, 386 m ü. M., eine altertümliche Stadt mit AGer., höherer Schule, verschiedener Industrie; traditioneller Pferdemarkt.

Leonberger, eine Hunderasse, →Hunde.

Leoncav'allo, Ruggiero, italien. Komponist, * Neapel 8. 3. 1858, † Montecatini 9. 8. 1919, ist mit Mascagni und Puccini der Hauptvertreter der veristischen Oper, die die Begebenheiten und Leidenschaften des täglichen Lebens musikalisch zu gestalten sucht. Weltberühmt wurde seine Oper ›I Pagliacci‹ (›Der Bajazzo‹; Text von L. selbst; 1892). Wenig Erfolg hatten die übrigen Opern L.s: u. a. ›La Bohème‹ (1897), ›Der Roland von Berlin‹ (1904; im Auftrag Kaiser Wilhelms II.).

Leone, Giovanni, ital. Politiker (DCI), * Neapel 3. 11. 1908, war mehrmals Min.-Präs.; seit 1971 Staatspräs.

Leone, Monte L., 3555 m hohe Gipfel der Simplongruppe auf der schweizer.-ital. Grenze.

L'eonhard [ahd. ›löwenstark‹], männl. Vorname.

L'eonhard, Heiliger des 6. Jhs., Einsiedler in Noblac bei Limoges, Patron der Gefangenen, Kranken und bes. der Bauern. Seine Verehrung lebt, bes. in Bayern, in vielen Volksbräuchen fort. Tag: 6. 11.

Leonhard, Rudolf, Schriftsteller, * Lissa (Posen) 27. 10. 1889, † Berlin 19. 12. 1953, Lyriker, Erzähler, Dramatiker und polit. Schriftsteller aus dem Kreis der ›Weltbühne‹; lebte seit 1927 in Frankreich.

Le'oni, 1) Leone, ital. Goldschmied, Medailleur, Bildhauer, Erzgießer, * Menaggio bei Como 1509, † Mailand 1590, als Münzmeister in päpstl. und mailänd. Diensten, auch für Karl V. und Philipp II. tätig.
2) Pompeo, ital. Bildhauer und Medailleur, Sohn von 1), * um 1533, † Madrid 13. 10. 1608, Schüler seines Vaters, vollendete dessen Arbeiten in Spanien und schuf viele selbständige Bildwerke.

Leon

Le′onidas, König von Sparta, fand 480 v. Chr. bei der Verteidigung der →Thermopylen den Tod.

Leoniden [lat. Kw.], im November auftretender Sternschnuppenschwarm, dessen Bahn mit der des ehemaligen *L.-Kometen* (1866 I) fast zusammenfällt.

Leon′inischer Vers, wahrscheinlich nach Papst Leo I. genannte Versform vieler mittellateinischer Gedichte: Hexameter und Pentameter, in denen Mitte und Schluß sich reimen.

leon′inischer Vertrag [lat. societas leonina ›Löwengesellschaft‹], ein Gesellschaftsvertrag, bei dem ein Teilhaber den gesamten Nutzen (*Löwenanteil*) zieht, der andere den evtl. eintretenden Schaden übernimmt. Eine solche Vereinbarung ist allenfalls als Schenkung gültig.

le′onische Waren [nach der span. Stadt León], aus Metalldrähten oder Metallgespinsten hergestellte Posamente und Stickereien. *Leonische Fäden* sind sehr fein ausgezogene Gold-, Silber- oder Aluminiumfäden, flachgedrückte Metallfäden (→Lahn) sowie Metallgespinste.

Leopard

Leonore, ursprüngl. Titel der Oper →Fidelio von Beethoven. Die Änderung des Titels L. in Fidelio geschah gegen den Willen des Komponisten. **Leonoren-Ouvertüren**, drei Ouvertüren, die Beethoven für den ›Fidelio‹ geschrieben, aber zugunsten einer vierten, der ›Fidelio-Ouvertüre‹ (E-Dur, op. 72b, 1814), als Einleitung der Oper verworfen hat. Die 1. (C-Dur, op. 138, 1805) ersetzte Beethoven bereits zur ersten Aufführung der Oper durch die 2. (C-Dur, op. 72a, 1805). Die 3. (C-Dur, op. 72a, 1806), die bedeutendste der vier Ouvertüren, ist eine Umarbeitung der zweiten zur Aufführung der Oper 1806.

Lit. W. Hess: Beethovens Oper Fidelio und ihre Fassungen (Zürich 1954).

Le′onow, 1) Alexej, sowjet. Astronaut, * Sibirien 30. 5. 1934, verließ als erster Mensch am 18. 3. 1965 während der Erdumkreisung ein Raumschiff und bewegte sich freischwebend im Raum.

2) Leonid Maximowitsch, russ. Schriftsteller, * Moskau 19. 5. 1899, schrieb die Romane ›Die Dachse‹ (1925; dt. Die Bauern von Wory, 1926), ›Der Dieb‹ (1927; dt. 1928), ›Sotj‹ (1930; dt. Das Werk im Urwald, 1949).

Leont′iasis [grch. Kw.] die, **Löwengesicht**, 1) die durch Knollenausatz (→Aussatz) bedingte wulstige Verdickung des Gesichts. 2) *L. ossea cranii*, Verunstaltung des Gesichts durch Verdickung der Schädelknochen, bes. der Kiefer- und Gesichtsknochen.

Le′ontief, Wassily, Nationalökonom, * St. Petersburg (Rußland) 5. 8. 1906, Prof. an der Harvard-Universität. L. hat großen Anteil an der Entwicklung und Anwendung neuer Methoden quantitativer empir. Analyse in der Volkswirtschaftstheorie und -politik (Input-output-Analyse). Er erhielt 1973 den Nobelpreis für Wirtschaftswissenschaften.

Le′ontodon [grch. Kw.], →Löwenzahn.

Leontop′odium [grch.-lat. Kw.], →Edelweiß.

Leont′opolis, antike ägypt. Stadt, nördl. von Heliopolis, benannt nach einem Tempel (um 160 v. Chr., zerstört 73 n. Chr.). Der dort geübte jüd. Kult wurde von Jerusalem nicht anerkannt.

Leop′ard [griech.-lat. ›Löwenpanther‹], 1) **Panther, Pardel**, *Panthera pardus*, eine Katzenart von 110–150 cm Kopf-Rumpf-Länge und 45–62 cm Schulterhöhe, meist gelblich, mit vielen Flecken, bisweilen ganz schwarz, verbreitet in Afrika und Südasien. Der L. ist ein ausgezeichneter Kletterer. Sein Fell wird zu Pelzwerk verwendet (auch nachgeahmt). 2) **Jagdleopard**, der gezähmte →Gepard.

Leopardenblume, die →Pantherblume.

Leopardennatter, bis 1 m lange, farbprächtige, ungiftige Schlange Südeuropas.

Leop′ardi, 1) **Leopardo**, Alessandro, ital. Goldschmied, Bildhauer, Erzgießer und Baumeister, * Venedig, † das. 1522 oder 1523.

WERKE. Guß, Ziselierung und Marmorsockel von Verrocchios Reiterdenkmal des Colleoni in Venedig (1496; BILD Colleoni); Fahnenhalter auf dem Markusplatz (1505).

2) Giacomo, Graf, ital. Dichter, * Recanati 29. 6. 1798, † Neapel 14. 6. 1837. Seine streng geformten Verse sind Ausdruck einer romantischen Schwermut. Stets kränklich, schlug er sich in verschiedenen Städten Italiens durch, bis sein Freund A. Ranieri den Schwerkranken zu sich nach Neapel nahm. L. gilt als der größte ital. Lyriker nach Petrarca.

WERKE. I Canti, hg. Florenz 1945. Gesamtausg. hg. v. F. Flora, 5 Bde. (Mailand 1934 bis 1949), Ausgew. Werke, dt. (1924).

LIT. A. Zottoli: L. (Bari ²1947).

Leopold, Fürsten:

Deutsche Kaiser. 1) L. I. (1658–1705), zweiter Sohn Ferdinands III., * 9. 6. 1640, † Wien 5. 5. 1705. Unter ihm stieg das Reich der österr. Habsburger zur europ. Großmacht, vor allem durch den siegreichen Türkenkrieg von 1683–99. Im Frieden von Karlowitz gewann der Kaiser ganz Ungarn und Siebenbürgen mit Ausnahme des Banats. Gleichzeitig mußte er in Westeuropa an den europ. Koalitionskriegen gegen Ludwig XIV. von Frankreich teilnehmen. 1701 trat L. in den Span. Erbfolgekrieg ein, um seinen zweiten Sohn Karl auf den span. Thron zu bringen, und erlebte noch den Sieg bei Höchstädt (1704). Sein strenger Katholizismus veranlaßte ihn zu harten Verfolgungen der ungar. Protestanten.

2) L. II. (1790–92), dritter Sohn Franz' I. und Maria Theresias, * Wien 5. 5. 1747, † das. 1. 3. 1792, wurde 1765 Großherzog von Toskana (als L. I.), 1790 Nachfolger seines Bruders Joseph II. in Österreich und als Kaiser. Die Unruhen in Belgien und Ungarn sowie den Konflikt mit Preußen wußte er beizulegen; 1791 beendete er auch den Türkenkrieg seines Vorgängers. Gegen die Franzôs. Revolution schloß er ein Schutzbündnis mit Preußen (7. 2. 1792).

Anhalt-Dessau. **3)** L. I., der *Alte Dessauer*, Fürst (1693–1747), preuß. Feldmarschall, * Dessau 3. 7. 1676, † das. 9. 4. 1747, volkstüml. Heerführer. Im preuß. Heer führte er 1698/99 den Gleichschritt und eiserne Ladestöcke ein; er zeichnete sich im Span. Erbfolgekrieg unter dem Prinzen Eugen und 1715 bei der Eroberung des schwed. Vorpommern aus. Mit Friedrich Wilhelm I. war er eng befreundet. Im Zweiten Schles. Krieg besiegte er die Österreicher bei Kesselsdorf (15. 12. 1745). ›Selbstbiographie‹ (bis 1703; hg. v. Siebigk, 1876). – K. Linnebach: König Friedr. Wilh. I. und Fürst L. I. zu A.-D. (³1907).

Belgien, Könige. **4)** L. I. (1831–65), * Coburg 16. 12. 1790, † Laeken (bei Brüssel) 10. 12. 1865, jüngster Sohn des Herzogs Franz von Sachsen-Coburg. Bei kluger Zurückhaltung gegenüber den belg. Parteikämpfen gewann er großen Einfluß im Lande; er galt als Muster eines konstitutionellen Herrschers. Mit seinem Vertrauten Stockmar trieb er eine weitgespannte Coburger Hauspolitik.

5) L. II. (1865–1909), Sohn von **4)**, * Brüssel 9. 4. 1835, † Laeken (bei Brüssel) 17. 12. 1909, war wie sein Vater ein sehr geschickter Diplomat. In seinem Auftrag gründete Stanley 1881–85 den Kongostaat.

6) L. III. (1934–51), Sohn Alberts I., * Brüssel 3. 11. 1901, löste 1936 die enge Bindung an die Westmächte, kapitulierte Ende Mai 1940 nach dem Einmarsch der Deutschen; war bis Juni 1944 in Schloß Laeken interniert, dis 1945 in dt. Kriegsgefangenschaft, danach im Ausland. Trotz der für seine Rückkehr günstigen Volksabstimmung (März 1950) übertrug er im Aug. 1950 seine Rechte auf seinen Sohn Baudouin (→Balduin). Er heiratete 1926 die schwed. Prinzessin Astrid († 1935), 1941 Marie Lilian Baels (Prinzessin Réthy).

Hohenzollern. **7)** Fürst, * Krauchenwies 22. 9. 1835, † Berlin 8. 6. 1905. Die Frage seiner Kandidatur für den span. Königsthron erregte die Franzosen und war einer der Anlässe des Deutsch-Französischen Kriegs von 1870/71.

Österreich. **8)** L. III., Markgraf (1095 bis 1136), aus dem Hause der Babenberger, † 15. 11. 1136, gründete das Chorherrenstift Klosterneuburg und das Zisterzienserkloster Heiligenkreuz. 1485 heiliggesprochen; Tag: 15. 11.; Landespatron von Nieder- und Oberösterreich.

9) L. **Wilhelm**, Erzherzog, Sohn Kaiser Ferdinands II., * Graz 6. 1. 1614, † Wien 20. 11. 1662, wurde 1625 Bischof von Passau und Straßburg, 1628 von Halberstadt, 1627 von Olmütz und 1655 von Breslau; seit 1642 war er auch Hoch- und Deutschmeister.

Leopold, Carl Gustaf af, schwed. Dichter, * Stockholm 23. 11. 1756, † das. 9. 11. 1829, vertrat den franz. und klassizistisch bestimmten Rationalismus.

Leopold'ina, älteste naturforschende Gesellschaft, 1652 gegr., seit 1742 *Kaiserlich Leopoldinisch-Carolinische Deutsche Akademie der Naturforscher,* seit 1879 mit Sitz in Halle.

Leopold-II.-See, Schwemmlandsee im W der Republik Kongo, 2320 qkm groß.

Leopoldshöhe, Gem. im Kr. Lemgo, Nordrhein-Westfalen, mit (1972) 10 600 Ew., 1969 durch Angliederung von 7 weiteren Gem. an L. entstanden, Industrie.

Leopoldstadt, II. Gemeindebezirk von →Wien.

Léopoldville [-vil], seit 1966 amtl. **Kinshasa,** Hauptstadt von Zaïre und der Prov. Kinshasa, 370 m ü. M., am unteren Kongo (S-Ufer des Stanley-Pool), mit (1970) 1,5 Mill. Ew. L. ist Sitz der obersten Landesbehörden, kathol. Erzbischofssitz; hat große Handelshäuser, Industrieanlagen, Flughafen; Hauptumschlagplatz zwischen Kongoschiffahrt und Bahn nach Matadi.

Leot'ychidas II., Leotychides II., König von Sparta 491–469 v. Chr., siegte 479 über die Perser bei Mykale.

Le'owigild, letzter arian. König der Westgoten in Spanien (568–586), stellte die bes. durch die Empörung seines kath. Sohnes →Hermengild gestörte Ordnung wieder her, unterwarf die Sueben in Galicien und verdrängte die Byzantiner aus den meisten ihrer span. Besitzungen.

L'epanto, griech. Ort, →Naupaktos.

Lepautre, Le Pautre [lə potr], Jean, franz. Radierer und Ornamentstecher, * Paris 28. 6. 1618, † das. 2. 2. 1682.

L'Épée, Charles Michel de, * Versailles 25. 11. 1712, † Paris 23. 12. 1789, errichtete die erste Taubstummenanstalt für arme Kinder (nach seinem Tod Staatsinstitut) und begründete eine wissenschaftl. Unterrichtsmethode der Gehörlosen.

Lepidod'endron [griech. Kw.] *das,* →Schuppenbaum.

Lepidopt'eren [griech. ›Schuppenflügler‹], die →Schmetterlinge.

Lepid'otus [grch.] *der,* ausgestorbene Fischgatt. mit rautenförmigen, dicken, schmelzglänzenden Schuppen und halbkugeligen Zähnen; verbreitet in Trias und Jura.

L'epidus, Marcus Ämilius, röm. Staatsmann, * um 87, † 13 v. Chr., schloß 43 v. Chr. mit Antonius und Oktavian das 2. Triumvirat, erhielt bei der Teilung der Provinzen Afrika, wurde bald abgesetzt, blieb aber Pontifex Maximus bis zu seinem Tode.

Lepont'inische Alpen, Gruppe der kristallinen Westalpen mit den Tessiner Alpen, der Simplon- und Gotthardgruppe, im Monte →Leone 3555 m hoch.

Lepor'ello, eine in Buchform harmonikaartig zusammenfaltbare Reihe von Bildern, benannt nach Don Juans Diener Leporello (in Mozarts ›Don Giovanni‹), der ein Verzeichnis der Geliebten seines Herrn anlegte.

Lepor'iden [lat. Kw.], die →Hasen.

Leppich, Johannes, Jesuit, * Ratibor 16. 4. 1915, ist seit 1946 in der Arbeiterseelsorge und in der Straßenmission (drastische Zeitkritik) für die »Randsiedler der Kirche« tätig. Seine erfolgreiche Predigtarbeit wird unterstützt durch eine von ihm entwickelte, vorwiegend in dt.-sprachigen Ländern wirkende besondere Form des Laienapostolats, die Zellenbewegung »action 365«.

L'epra [griech.] *die,* der →Aussatz. **leprös,** aussätzig.

Le Prince [lə prɛ̃s], Jean-Baptiste, franz. Maler und Kupferstecher, * Metz 17. 9. 1734, † St-Denis du Port 30. 9. 1781, Schüler von Boucher, ging 1754 nach Italien und 1757 nach Rußland.

Leproser'ie [franz. aus lat. leprosorium], Krankenhaus für Aussätzige.

L'epsius, Richard, Ägyptologe, * Naumburg 23. 12. 1810, † Berlin 10. 7. 1884, leitete die ägypt. Expedition, die 1842–46 das Niltal bis in den Sudan erforschte. Die Funde kamen in das nach seinen Plänen errichtete Ägypt. Museum in Berlin, dessen Direktor er 1855 wurde.

Lept'a, *Mz.* von →Lepton.

Leptinot'arsa [grch. Kw.], Gattung der Blattkäfer, zu der auch der →Kartoffelkäfer gehört.

L'eptis M'agna, alte phönikische Hafenstadt in Nordafrika, östlich von Tripolis, seit 107 v. Chr. unter röm. Herrschaft; er-

reichte ihre größte Blüte um 200 n. Chr. unter Septimius Severus, wurde im 4. und 7. Jh. zerstört, später verschüttet; seit 1920 wurden ihre Ruinen freigelegt. Der Hafen wurde erst in röm. Zeit zu der großen fünfeckigen Anlage ausgebaut. Röm. Bauten sind: das alte Forum mit dem der Capitolin. Trias geweihten Heiligtum, mit Tempeln der Magna Mater, der Kaiser u. a. Von dort verläuft in südwestl. Richtung die Hauptstraße, die von den Triumphbögen der Kaiser Tiberius, Trajan und Septimius Severus überwölbt ist; die von Säulenhallen beiderseits begleitete Straße entlang dem regulierten Flußlauf erweitert sich zu einem fünfeckigen Platz zwischen drei Bogentoren; westlich der Straße liegen die Basilika und das Kaiserforum. Die anschließenden großen Thermen wurden schon von Hadrian errichtet, das Theater im W der Stadt stammt aus augusteischer Zeit.

Lit. A. v. Gerkan: L. M. (Rom 1942).

lepto... [griech.], zart..., schmal..., dünn..., fein...

Lept'olepis [grch. Kw.] *die,* ausgestorbene Fischgattung.

Lept'om [griech.] *das,* Teil der →Gefäßbündel.

Lept'on *das, Mz.* **Lepta,** griechische Scheidemünze, = ¹/₁₀₀ Drachme.

Lept'onen [griech. Kw.], leichte Elementarteilchen, zusammenfassender Begriff für Elektronen, Positronen, Neutrinos und Myonen (μ-Mesonen).

leptos'om [griech,], schmalwüchsig (→Konstitution).

Leptosp'ira, Gatt. der →Spirochäten. **Leptospirosen,** die von L.-Arten erregten Krankheiten. Beim Menschen verlaufen die L. in wechselnder Schwere und gehen, wenn heftig, mit Gelbsucht einher; am wichtigsten ist die von Ratten übertragene →Weilsche Krankheit. In Europa kommen ferner vor: das von Feldmäusen verbreitete *Ernte-,*

Leptis Magna: Frigidarium der Therme

Schlamm- oder *Feldfieber*, eine gewöhnlich leichte Erkrankung ohne Gelbsucht, das *Canicola-Fieber* (»Stuttgarter Hundeseuche«) und die *Schweinehüterkrankheit.* In Reisgegenden tritt das von Mäusen übertragene *Siebentagefieber* auf.

L'eptscha, Bergbauernvolk der tibetobirmanischen Sprachgruppe in Sikkim, mongolid; Buddhisten.

Lepus [lat.], 1) Gatt. der →Hasen. 2) südl. Sternbild, →Hase.

Le Puy [lə pyi], franz. Stadt, →Puy, Le.

Lerbs, Karl, Schriftsteller, * Bremen 22. 4. 1893, † (Selbstmord) Untertiefenbach (Allgäu) 27. 11. 1946; Erzähler, Dramatiker, Filmautor.

Lerc'aro, Giacomo, Kardinal (1953), * Quinto al Mare (Prov. Genua) 28. 10. 1891, seit 1952 Erzbischof von Bologna.

Lerchen [german. Stw.], Fam. am Boden trippelnder, meist unauffällig gefärbter Singvögel, mit vielen Arten in Europa, Asien, Afrika, aber nur einer in Amerika. In Mitteleuropa brüten: Die *Feldlerche* (Alauda arvensis; FARBTAFEL Singvögel II) mit trillerndem, wechselreichem Fluggesang; die *Heidelerche* (Lullula arborea) auf Waldblößen, kleiner als die Feldlerche, mit lieblichem Fluggesang; die *Haubenlerche* (Galerida cristata) auf Ödflächen, durch spitzen Federschopf kenntlich. Die große *Kalanderlerche* (Melanocorypha calandra) gehört den Mittelmeerländern an.

Lerchenfeld, Teil des XVI. Bez. von Wien.

Lerchensporn, *Corydalis,* Gattung der Mohngewächse, niedrige Stauden mit geteilten Blättern, in einfachen Trauben stehenden Blüten und schotenähnlicher, zweiklappiger Kapselfrucht. Der bis 0,4 m hohe, purpurn oder rahmweiß blühende *hohle* oder *gemeine L. (Hohlwurz)* wächst in Laubwäldern Mittel-, Südeuropas und Nordasiens. Die giftige Knolle war früher Volksheilmittel gegen Eingeweidewürmer und Frauenkrankheiten. Der südeurop. *gelbe L.* ist Zierstaude.

L'érida, Provinzhauptstadt in Spanien, Katalonien, (1970) 75 800 Ew., am Segre; hat 2 Kathedralen (1203 – im Bürgerkrieg zerstört – und 1761); Textil- und Glasindustrie. L., das *Ilerda* des Altertums, wurde 713 von den Arabern und 1117 von den Christen erobert.

Ler'inische Inseln, franz. *Iles de Lérins,* eine Gruppe von kleinen Felseninseln vorCannes an der franz. Riviera. Die größte, *Sainte-Marguerite,* trägt ein Fort, wo der »Mann mit der →Eisernen Maske« und General Bazaine gefangensaßen; die zweitgrößte, *Saint-Honorat,* ist benannt nach dem hl. Honoratus v. Arles, der um 410 das Kloster **Lérins** stiftete (seit dem 7. Jh. Benediktinerkloster), das 1788 säkularisiert wurde und seit 1868 mit Zisterziensern besetzt ist.

L'erma, Francisco Gómez de Sandoval y Rojas, Herzog (seit 1599) von, span. Staatsmann und Kardinal (seit 1618), * Tordesillas 1553, † Valladolid 18. 5. 1625, be-

herrschte den König Philipp III. vollständig, dessen erster Minister er 1598 wurde. Er trieb Nepoten- und Günstlingswirtschaft und verschwendete die Staatsgelder, beendete aber durch den Friedensschluß mit England (1604) und den Waffenstillstand mit Holland (1609) die äußeren Kriege. 1618 wurde L. gestürzt.

Lermolieff, Iwan, Pseudonym für G. →Morelli.

Lerchen: Haubenlerche (18 cm lang)

L'ermontow, Michail Jurjewitsch, russ. Dichter, * Moskau 15. 10. 1814, † Pjatigorsk 27. 7. 1841, russ. Offizier, wurde zweimal strafweise in den Kaukasus versetzt, fiel im Zweikampf. L. ist neben Puschkin und Gogol der Begründer der neuen russ. Literatur. In seiner Lyrik hat er den strengen klassischen Stil Puschkins durch starke romantische Elemente (im Sinne Byrons) aufgelockert.

WERKE. Mziri (1840), Der Dämon (vollendet 1840), Ein Held unserer Zeit (1840; dt. 1963). Werke, dt., hg. v. A. Luther (1922).

L'ermoos, Gemeinde in Tirol, Österreich, mit (1970) 800 Ew., 995 m ü. M., in einem Becken am Fuß der Zugspitze; Sommerfrische, Wintersportplatz.

Lern'äische Schlange, →Hydra.

lernende Automaten, datenverarbeitende Geräte, die auf Grund neuer Daten ihre Arbeitsergebnisse verbessern können (→Rechenautomat).

L'ernet-Hol'enia, Alexander, Schriftsteller, * Wien 21. 10. 1897, schrieb Gedichte, Erzählungen, Dramen und Essays, meist mit Stoffen aus dem altösterreich. Gesellschafts- und Offiziersleben.

WERKE. Ich war Jack Mortimer (1933), Die Standarte (1934, verfilmt), Mars im Widder (1941), Seltsame Liebesgeschichten (1949), Die Inseln unter dem Winde (1952), Der junge Moncada (1954), Das Finanzamt (1956), mit dem 2. Teil: Das Goldkabinett (1957), Prinz Eugen (1960).

Lernmaschinen, Lehrmaschinen, sollen Lernen unabhängig von dem Lehrer ermöglichen. Sie bieten die Lehrinhalte (durch Programm, Lichtbild, Film, Schallplatte, Band) in kleinsten Schritten und überwachen zugleich den richtigen Lernfortschritt.

Lern

Lernmatrix, Schaltschema in lernenden Automaten (→Rechenautomat).

Lernmittel, →Lehrmittel.

Lerntheorie, die Lehre vom Lernen, meist im Sinne des →Behaviorismus, jetzt auch allgemein auf Prozesse des Verhaltens übertragen, die sich auf Grund von neuen Daten ändern.

Le roi est mort, vive le roi [lə rwa ɛ mər viv lə rwa], franz. ›Der König ist gestorben, es lebe der König‹], Ausdruck für den Rechtssatz, daß die Krone im Augenblick des Todes des Throninhabers auf den Thronfolger übergeht.

L'eros, ital. Lero, griech. Insel des →Dodekanes.

Leroux [ləru], Pierre, franz. Philosoph und Sozialist, * Bercy bei Paris 6. 4. 1797, † Paris 12. 4. 1871, gründete verschiedene Zeitschriften, darunter mit G. Sand die ›Revue indépendante‹. Um 1833 prägte er das Wort »Sozialist«.

Le Roy [lə rwa], Édouard, französ. Philosoph, * Paris 18. 6. 1870, † das. 11. 11. 1954, Prof. am Collège de France, seit 1944 Mitglied der Akademie, Anhänger Bergsons, übte Kritik an der kirchl. Dogmatik. WERKE. Le problème de Dieu (1929), La pensée intuitive, 2 Bde. (1929/30), Introduction à l'étude du problème religieux (1944).

Lerroux [ler'u], Alejandro, **L. y García,** span. Politiker, * La Rábida (Córdoba) 1864, † 27. 6. 1949, Rechtsanwalt, seit 1901 wiederholt Abg. der republikanischen Partei. 1931 wurde L. der erste republikan. Außenmin. Als Führer der radikalen Partei war er bis 1935 mehrmals MinPräsident.

Lersch, 1) Heinrich, Schriftsteller, * Mönchengladbach 12. 9. 1889, † Remagen 18. 6. 1936, Arbeiterdichter.
WERKE. Herz, aufglühe dein Blut (1916), Deutschland (1918), Mensch im Eisen (1925), Das dichterische Werk (1937), Nachlaß, 3 Bde. (1939–41), Ausgew. Werke, 2 Bde. (1966 ff.).
2) Philipp, Psychologe, * München 4. 4. 1898, † das. 15. 3. 1972, Prof. in Dresden, Breslau, Leipzig, seit 1942 in München, Begründer einer psycholog. Wissenschaft von der Person.
WERKE. Der Aufbau des Charakters (1938; [10]1966 u. d. T. Aufbau der Person), Gesicht u. Seele ([5]1961), Der Mensch als soziales Wesen ([2]1965).

Lerwick [l'ə:wik], Hauptort der schott. Shetlandinseln, an der Ostküste der Insel Mainland, mit rd. 6000 Ew., guter Hafen; Heringsfischerei.

Lesage [ləsa:ʒ], Alain René, franz. Schriftsteller, * Sarzeau (Morbihan) 8. 5. 1668, † Boulogne-sur-Mer 17. 11. 1747, schrieb Possen, die satir. Komödie ›Turcaret‹ (1709), den Roman ›Le diable boiteux‹ (Der hinkende Teufel, 1707; dt. 1910, 1924; Bearbeitung des span. Romans von Guevara) und vor allem den Schelmenroman ›Gil Blas de Santillane‹ (1715–35; dt. neu 1959).

Les|art, abweichende Textfassung.

lesbische Liebe [nach der Dichterin Sappho auf der Insel Lesbos], **Tribad'ie, Sapph'ismus,** die gleichgeschlechtliche Liebe unter Frauen. *Rechtliches* →Homosexualität.

L'esbos, Mytil'ene, griech. Insel vor der kleinasiat. Küste, 1630 qkm groß. Sie liefert Weizen, Öl, Wein, Südfrüchte; Hauptstadt: Mytilene. L. gehörte im 3. und 2. Jahrtausend zum kleinasiat. Kulturkreis, wurde im 11. bis 10. Jh. v. Chr. von äolischen Einwanderern besetzt und gehörte im 5. Jh. v. Chr. zum Attischen Seebund. 1354 kam es an die genues. Familie Gattilusi, 1462 an die Türkei, 1913 an Griechenland.

Lescot [lesko], Pierre, franz. Baumeister, * um 1510, † Paris 10. 9. 1578, baute den von Goujon mit Skulpturen geschmückten SW-Flügel des Louvre-Hofs in Paris (seit 1546), das Meisterwerk der frühen franz. Renaissance.

Lese, die Ernte der Weintrauben. *Spätlesen* sind die über den allgem. Lesezeitpunkt hinausgezögerten L., bei *Auslesen* werden bes. reife Trauben ausgesondert, als *Beeren-* oder *Trockenbeerenauslese* einzelne oder die vom Edelfäulepilz befallenen, eingetrockneten Beeren.

Lesebuch, Auswahlband mit Stücken aus der Literatur, bes. als Lesestoff für den Deutschunterricht.

Lesegerät, Projektionsgerät zur vergrößerten Abbildung von Mikrofilmen, auf denen Buchtexte u. ä. aufgenommen sind.

Lesemaschinen, Geräte zur Zeichenerkennung in elektron. Geräten.

Le Senne [lə sɛn], René, französ. Philosoph, * Elbeuf 8. 7. 1882, † 1. 10. 1954, entwickelte eine spiritualistische Wertphilosophie; u. a. ›Traité de morale générale‹ (1942).

Lesezirkel, gewerbl. Unternehmen, das Zeitschriften gegen Entgelt befristet verleiht (rechtlich: vermietet).

L'esgier, Lesghier, ostkaukas. Völkergruppe, bes. in der Dagestan. ASSR, etwa 200 000 Menschen mit fünf sprachlich geschiedenen Gruppen, darunter Dargwa und Küriner.

L'esina, ital. Name der Insel Hvar.

Les'ine *die,* Nebenform von →Lisene.

Leskow [-'ɔf], Nikolaj Semjonowitsch, russ. Schriftsteller, * Gorochow (Gouv. Orel) 16. 2. 1831, † Petersburg 5. 3. 1895, war erst Beamter, dann Angestellter einer engl. Firma. Er begann seine literar. Tätigkeit mit Erzählungen und Feuilletons (unter dem Pseudonym **M.** Stebnitzkij), kritisierte im ersten Romanen (Ohne Ausweg, 1864; Bis aufs Messer, 1870) die revolutionär gesinnte Intelligenz. In seinen Erzählungen schildert er russ. Menschen und Zustände seiner Zeit und der unmittelbar vorhergehenden Epoche (Lady Macbeth von Mzensk, 1865), auch russ. Geistlichkeit und Sektierer (Kleinigkeiten aus dem bischöfl. Leben, 1879; Der versiegelte Engel, 1873; Der ungetaufte Pope, 1877), bes. in dem Roman *Die Domgeistlichen* (1872). Kennzeichnend für ihn ist die virtuose Beherrschung der sprachl. Ausdrucksmittel (Der stählerne Floh, 1881).

WERKE. Gesammelte Werke, dt., mit Einleitung v. E. Müller-Kamp, 9 Bde. (1924 bis 1927); Gesammelte Werke, hg. v. J. v. Guenther, 3 Bde. (1963).

Lesky, Albin, österreich. Altphilologe, * Graz 7. 7. 1896, Prof. in Graz, Innsbruck und Wien.

WERKE. Geschichte der griech. Literatur (²1963), Die griech. Tragödie (³1964), Die tragische Dichtung der Hellenen (²1964).

Leslau, 1940–45 für →Włocławek.

Leslie [l′ɛsli], Charles Robert, engl. Maler, * London 19. 10. 1794, † das. 5. 5. 1859, malte Genrebilder in der Art von Wilkie.

Lesmian [l′ɛɕmian], Boleslaw, poln. Schriftsteller, * Warschau 12. 1. 1878, † das. 5. 11. 1937, Symbolist, wurde Vorbild des späteren poln. Futurismus und Surrealismus.

Lesort [ləsɔːr], Paul-André, franz. Schriftsteller, * Granville 14. 11. 1915, schrieb Romane.

Les′otho, früher *Basutoland*, Königreich in SO-Afrika (ganz eingeschlossen von der Rep. Südafrika), 30355 qkm, mit (1973) 990000 Ew.; Hauptstadt: Maseru.

L. ist größtenteils ein 2000–3000 m hohes Gebirgsland, das in den Drakensbergen bis 3482 m ansteigt.

Bevölkerung: meist Basuto; rd. 70 % Christen.

Wirtschaft: Viehzucht (Wollschafe, Mohairziegen, Rinder) sowie (im Tiefland) Getreide- und Gemüseanbau, ferner Diamantengewinnung. Über 100000 Ew. arbeiten in der Rep. Südafrika.

Verkehr: rd. 900 km Hauptstraßen, 1,6 km Eisenbahnlinie.

Staat. Verf. vom 4. 10. 1966 (seit 1970 suspendiert), konstitutionelle Monarchie im Brit. Commonwealth. Staatsoberhaupt ist König Moschesch II. (seit 1966 auf repräsentative Aufgaben beschränkt).

Verwaltungseinteilung in 9 Distrikte. *Währung:* südafrikan. Rand = 100 Cents.

Bildung: Rd. 50 % Analphabeten; Univ. in Roma (gemeinsam mit Swasiland und Botswana, gegr. 1964).

GESCHICHTE. Das unter Häuptling Moschesch um 1830 gebildete Basutoland wurde 1868 brit. Schutzgebiet. Es erhielt 1959 innere Autonomie und wurde am 4. 10. 1966 unabhängig. Nach einem Wahlsieg der Oppositionspartei am 27. 1. 1970 übernahm Premiermin. Leabua Jonathan durch einen Staatsstreich die Macht.

Lespinasse [lespinas], Julie-Jeanne-Eléonore de, * Lyon 9. 11. 1732, † Paris 23. 5. 1776, war dank ihrer Intelligenz und ihrem Charme Hauptanziehungspunkt im Salon der Mme. du Deffand, gründete später einen eigenen Salon. – Liebesbriefe (dt. neu 1920, übers. und eingeleitet von A. Schurig).

Lesseps, Ferdinand, Vicomte de, * Versailles 19. 11. 1805, † La Chesnaie 7. 12. 1894, französ. Konsul in Kairo und Madrid, führte 1859–69 unter erhebl. Aufwand

an Menschen und Geld den Bau des Suezkanals durch. 1879 versuchte er vergeblich, den Bau des Panamakanals in Angriff zu nehmen.

Lessing, 1) Doris, engl. Schriftstellerin, * Persien 22. 10. 1919, schrieb Romane und Kurzgeschichten.

2) Gotthold Ephraim, Kritiker, Dichter, Philosoph, * Kamenz (Lausitz) 22. 1. 1729, † Braunschweig 15. 2. 1781, Sohn eines Pastors, erwarb sich seine ersten Kenntnisse, bes. der alten Sprachen, auf der Fürstenschule St. Afra in Meißen. Seit 1746 studierte er Medizin in Leipzig, seit Ostern 1748 Theologie und erweiterte vor allem auch seine philolog. Bildung. Dichterische Versuche reichen bis in die Jugendzeit zurück. Ersten Ruhm erwarb L., angeregt durch Plautus und Terenz, mit Lustspielen im Stil der Aufklärungszeit (›Der junge Gelehrte‹, 1748 durch die Truppe der Neuberin mit Erfolg aufgeführt, 1754 gedruckt; ›Der Freigeist‹ und ›Die Juden‹, 1749). Antikisierende Fabeln und Erzählungen sowie erste anakreont. Gedichte erschienen 1747 (Sammlung der Fabeln und Epigramme u. d. T. ›Kleinigkeiten‹, 1751). Nov. 1748 ging L. nach Berlin. Als Nachfolger von Mylius wurde er Redakteur an der ›Berlinischen privilegierten Zeitung‹. 1754 begann er mit der Herausgabe der theatral. Bibliothek und vollendete 1755 die Tragödie ›Miß Sara Sampson‹, das erste dt. bürgerl. Trauerspiel nach dem Vorbild der Engländer. In der mit den Freunden F. Nicolai und M. Mendelssohn gegr. Zeitschrift ›Briefe, die neueste Literatur betreffend‹ (1759–65) sagte L. Gottsched und dem Drama der franz. Klassik ab und machte erstmals die Bedeutung Shakespeares für das dt. Drama geltend. 1759 erschienen seine ›Fabeln‹ (3 Bde., einschl. Abhandlungen zur Fabeltheorie) und das Prosadramolet ›Philotas‹, dessen Entstehung eng mit L.s Sophokles-Studien zusammenhängt.

G. E. Lessing (Gemälde G. O. May zugeschrieben, um 1767; Halberstadt, Gleimhaus)

Die Übernahme eines Sekretärpostens beim General Tauentzien in Breslau (1760 bis 1765) gab L. die Möglichkeit, sich seinen vielfältigen Plänen mit Intensität zu widmen. Ertrag dieser Jahre ist das Lustspiel ›Minna von Barnhelm‹ (1763, gedruckt 1767). In der krit. Studie ›Laokoon oder über die Grenzen der Malerei und Poesie‹ (1766) entwickelte er entgegen der damals üblichen These »ut pictura poesis« den prinzipiellen Unterschied zwischen Poesie als der Kunst des zeitl. Nacheinander und den bildenden Künsten, deren Prinzip das räuml. Miteinander ist. Die vielfach angezweifelten archäolog. Abschnitte dieser Schrift verwickelten L. in eine Literaturfehde mit Christian Adolf Klotz (Briefe antiquarischen Inhalts, 1768/69). Aus der von L. mit überlegener Dialektik geführten Auseinandersetzung ging die kurze Schrift ›Wie die Alten den Tod gebildet‹ (1769) hervor.

1765 übersiedelte L. wieder nach Berlin und ging im Frühjahr 1767 als Dramaturg an das in Hamburg neu eröffnete Deutsche Nationaltheater. In der ›Hamburgischen Dramaturgie‹ (2 Bde., 1767–69) verband er Rezensionen aufgeführter Stücke mit einer grundsätzl. Neubesinnung auf das Wesen von Tragödie und Komödie und die Bedeutung des Dichters. Im Rückgriff auf die aristotel. Gattungslehre versucht L. durch eine Erörterung der Begriffe »Mitleid und Furcht« zu beweisen, daß Shakespeare das Gattungsgesetz der Tragödie wahrer erfülle als die Bühne der franz. Klassik. Gegen »formale Regeln« stellt er das »innere Gesetz«, gegen den »witzigen Kopf«, der nur nachahmt, das schöpferische »Genie«. Beispielhafte Verwirklichung seiner theoret. Äußerungen ist das Trauerspiel ›Emilia Galotti‹ (1772).

Im April 1770 trat L. in Wolfenbüttel eine Stelle als Bibliothekar an. Aus der Bibliothek veröffentlichte er bedeutende Funde (zusammengefaßt in der Sammlung: Zur Geschichte und Literatur, 1773–81). Die Herausgabe der im Geiste des rationalist. Deismus abgefaßten ›Fragmente eines Ungenannten‹ (Verfasser war H. S. Reimarus) verwickelte L. in schwierige theolog. Auseinandersetzungen, bes. mit dem Hamburger Hauptpastor Goeze (11 der 15 Streitschriften gegen diesen erschienen 1778 u. d. T. Anti-Goeze).

1776 heiratete L. Eva König, geb. Hahn (* 1736, † 1778). Aus dem Schmerz um den plötzlichen Tod seiner Frau und seinen geistigen Kämpfen entstand 1779 das dramat. Gedicht ›Nathan der Weise‹. Die Form der 5füßigen Jamben (Blankvers) wird mit ihm für das dt. Drama vorbildlich.

L. ist Wegbereiter einer dt. Nationalliteratur. Der Kritiker L. führt unmittelbar zu Herder und Goethe. Sein klarer, durch Ironie bes. wirksamer Sprachstil wurde beispielhaft für die dt. Prosa, bes. für die Essayistik, wie seine Theorien über Drama, Theater und Kunst die Entwicklung der dt. Literatur, bes. der klassischen, entscheidend bestimmten. Seine Dramen sind beispielhafte Verwirklichungen seiner Theorien.

Darüber hinaus aber sind sie symptomatisch für die bürgerl. Entwicklung im 18. Jh.; L. überwand den einseitigen bürgerl. Optimismus durch das von ihm in Dtl. begründete »bürgerliche Trauerspiel«. L. glaubte an die Fähigkeit tätiger Humanität, alle Gegensätze, auch religiös-konfessionelle, überwinden zu können (Nathan der Weise).

WERKE. Sämtl. Werke, 23 Bde. (1886–1924, mit L.s Briefen), 25 Tle. (1925–35, ³1967/68). Ausgew. Werke, 3 Bde. (1950), 6 Bde. (1955), 2 Bde. (1957), 2 Bde. (1959). Ges. Werke, 10 Bde. (1954 ff.), 2 Bde. (1959).

LIT. P. Rilla: L. und sein Zeitalter (1960); O. Mann: L., Sein und Leistung (1961); W. Drews: G. E. L. (1962); K. S. Guthke: Der Stand der L.-Forschung (1965); W. Ritzel: G. E. L. (1966).

3) Karl Friedrich, Maler, Großneffe von 2), * Breslau 15. 2. 1808, † Karlsruhe 5. 6. 1880, seit 1826 in Düsseldorf, seit 1858 Direktor der Gemäldegalerie in Karlsruhe, gehörte der älteren Düsseldorfer Schule an.

4) Theodor, dt. Philosoph, * Hannover 8. 2. 1872, † (ermordet) Marienbad 31. 8. 1933, 1908–26 Prof. an der TH Hannover, war Sozialkritiker und Kulturpessimist.

Lessing-Hochschule, freie, polit. neutrale Bildungseinrichtung in Berlin, bestand 1899 bis 1945. Die L. veranstaltete Abendkurse, Vorträge, Konzerte und Studienreisen.

Lessinische Alpen, ital. *Monti Lessini,* auch *Vicentinische Alpen,* der östl. Teil des Etschbuchtgebirges der Südalpen.

Les Temps Modernes [le tã mɔdɛrn], franz. Monatsschrift, 1946 von J.-P. Sartre gegründet.

Lesueur [ləsyœːr], **1)** Eustache, franz. Maler, * Paris 18. 11. 1617, † das. 30. 4. 1655, Schüler von S. Vouet, beeinflußt bei Poussin und, obwohl er nie in Italien war, vor allem von Raffael. 1648 gehörte er zu den Mitbegründern der Akademie.

2) Jean François, franz. Komponist, * Drucat-Plessiel bei Abbeville 15. 2. 1760, † Paris 6. 10. 1837, Hofkapellmeister Napoleons I., dann Ludwigs XVIII., strebte in seiner Musik nach neuen klanglichen Möglichkeiten mit instrumentalen Mitteln; er ist darin ein Vorläufer seines Schülers Berlioz. Er schuf 8 Opern, darunter die Revolutionsoper ›La caverne‹ (1792) und die romant. Oper ›Les Tardes‹ (1804), Oratorien, Messen und andere Kirchenmusikwerke.

Lesum, Fluß, →Wümme.

Lesung, 1) die Beratung einer Gesetzesvorlage oder eines Antrags im Parlament; meist sind drei L. erforderlich.

2) Lektion, *kath. Liturgie:* ein beim Gottesdienst vorgetragenes Lesestück. Die L. der Messe entstammen der Bibel, während das Stundengebet auch L. aus den Kirchenvätern enthält. →Perikope.

Leszczyński [lɛʃt∫'inski], →Stanislaus I.

Leszno [l'ɛʃnɔ], poln. für →Lissa.

let'al [lat.], tödlich.

L'État c'est moi [leta sɛ mwa, franz. ›der Staat bin ich‹], angeblicher Ausspruch Ludwigs XIV. von Frankreich, den er am 13. 4. 1655 im Parlament dem Vorsitzenden, der das Staatsinteresse hervorhob, zugerufen haben soll; das Wort kennzeichnet den konsequenten Absolutismus.

Lethar gie [griech.], 1) eine Art Schlafsucht (→Gehirnentzündung). 2) Schläfrigkeit, Abgestumpftheit, Teilnahmslosigkeit.

L'ethe [griech. ›Vergessen‹] *die*, in der griech. Sage Fluß oder Quelle in der Unterwelt, woraus die Seelen der Verstorbenen Vergessen tranken.

Let'icia, Hauptstadt des VerwBez. Amazonas, der südamerikan. Rep. Kolumbien, der einzige Anlegeplatz am Amazonas. 1932–34 entbrannte der hundertjährige Konflikt um den ›Leticia-Zipfel‹ zwischen Kolumbien und Peru erneut und wurde 1935 im Vertrag von Rio de Janeiro endgültig beigelegt.

L'etmathe, Stadt im Kreis Iserlohn, Nordrhein-Westfalen, mit (1974) 28900 Ew., an der Lenne, 130–350 m ü. M., Heimatmuseum. Industrie: Kalk-, Walz-, Stahl-, Eisen- und Kettenwerke, Bakelitwerk, Gießerei, Metallwaren-, Polstermöbel- und Matratzenfabriken, Leichtmetallverarbeitung.

L'eto, lat. **Lat'ona** in der griech. Göttersage die Geliebte des Zeus, durch ihn Mutter des Apollo und der Artemis.

Le Trocquer [lə trɔke], André, franz. Politiker, * Paris 20. 10. 1884, † das. 11. 11. 1963, Advokat, wurde als Sozialist 1919 Stadtrat von Paris, 1936 Abgeordneter. Als Mitglied der beratenden Versammlung in Algier war er unter de Gaulle Kommissar für Krieg und Luftfahrt (1943) und für die Verwaltung der befreiten Gebiete (1944), 1945 Präs. des Pariser Stadtrates, 1946 Innen- und Kriegsminister; Jan. 1954 bis Jan. 1955 Präs. der Nationalversammlung.

Letten [german. Stw.] *der*, feuchtfette Schiefertone des Keupers.

Letten, die zu den balt. Völkern gehörenden Bewohner Lettlands, 1935 etwa 1,5 Mill., weitere 300000 L. in Litauen, Estland und in der Sowjetunion. Infolge der Annexion Lettlands wanderten bis 1944 etwa 125000 L. aus. 1959 lebten 1,4 Mill. L. in der Sowjetunion, davon rd. 1,3 Mill. in der Lett. SSR. In der materiellen Kultur unterscheiden sich die L. nur wenig von den Litauern. Neben der Volkskunst verfügen sie über einen reichen Schatz an Volksliedern und Brauchtum.

Letter [lat. Lw.] *die*, 1) Buchstabe. 2) eine Drucktype: ein viereckiger Schriftkörper aus einer Blei-Antimon-Zinn-Legierung (*Letternmetall*), der am Kopf den Buchstaben seitenverkehrt trägt.

Letter, Wohngemeinde im Kr. Hannover, Niedersachsen, mit (1972) 12 300 Ew.

Lette-Verein, ursprüngl. »Verein zur Förderung der Erwerbsfähigkeit des weibl. Geschlechts«, 1866 von *W. A. Lette* (* 1799, † 1868) in Berlin gegründet, unterhält Lehranstalten (Berufsfachschulen), Werkstätten

sowie Berufsberatung und Stellenvermittlung.

Lettg'allen, lett. **Latgale**, histor. Landschaft in der Lettischen SSR, ehemals eine Provinz Lettlands mit der Hauptstadt Dünaburg.

lettische Literatur. Die ersten in lett. Sprache gedruckten Bücher sind der kath. Katechismus von Canisius (Wilna 1585) und der Kleine Katechismus Luthers (Königsberg 1586). Die Letten besitzen eine reiche Volksdichtung: Sagen, Märchen und Volkslieder (Dainas). Ein eigentl. Schrifttum entwickelte sich erst Ende des 16. Jhs., es trug bis Ende des 18. Jhs. kirchl. Charakter und wurde von dt. Pastoren gepflegt: G. Mancelius († 1654), E. Glück († 1705), G. F. Stender (* 1714, † 1796). Eine bewußt nationale l. L. begann mit Juris Aulunans (* 1832, † 1864), Andrejs Pumpurs (* 1841, † 1902), den Brüdern Reinis und Matiss Kaudzite, dem Realisten Rudolfs Blaumanis (* 1863, † 1908). Etwa 1890 setzte mit Aspazija und Janis Rainis u. a. eine neuromant. Gegenbewegung ein. Neuere Dichter sind A. Niedra, V. Pludonis, J. Akuraters, K. Skalbe, A. Brigadere, E. Virza, Zenta Maurina, J. Medenis, A. Egilitis u. a.

Lɪᴛ. Lett. Volkslieder, ausgew. und übertragen v. Inga Bielenstein (1918); Lett.-litauische Volksmärchen, hg. v. M. Behm und F. Specht (6. Taus. 1924).

Lettische Sozialistische Sowjetrepublik, lett. *Latvijas Padomju Sozialistika Republika*, abgekürzt *LPSR*, russ. *LSSR*, Bundesrep. der Sowjetunion, 63700 qkm, (1972) 2,4 Mill. Ew.; Hauptstadt ist Riga.

Natur. Die L. SSR erstreckt sich beiderseits der unteren Düna von der Rigaer Bucht (gesamte Seegrenze 494 km) zu dem von eiszeitl. Moränen durchzogenen Hügelland (höchste Erhebung 313 m ü. M.). Wichtigste Flüsse sind Düna, Kurländische Aa, Livländische Aa (Gauja), Windau; die Seen (14 % der Landesfläche) und Moore sind in weite Becken eingelagert. Auf den vorwiegend sandig-lehmigen, oft stark mit Geröll und Findlingen durchsetzten Böden finden sich Laub- und Nadelwälder, Äcker, Wiesen, Weiden. Historische Landschaften sind Kurland (im W), Livland (im N), Lettgallen (im O), Semgallen (im S). – Die *Bevölkerung* besteht nach Umsiedlung von 62000 Deutschbalten (1939/40) nach Deutschland und nach Zwangsumsiedlung von Letten nach Rußland (seit 1945) zu 62% aus →Let-

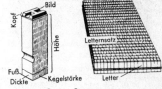

Letter, Lettersatz

ten, zu 27% aus Russen. Einzige Großstadt ist Riga. – *Wirtschaft.* Haupterwerbszweig ist die Landwirtschaft: Anbau von Roggen, Weizen, Hafer, Kartoffeln, Zuckerrüben, Futtermitteln, Flachs. Bedeutend ist die Viehzucht (bes. Rinder und Schweine) mit hochentwickelter Molkereiwirtschaft. An Bodenschätzen sind reiche Torflager im N vorhanden. Die Industrie (Maschinen-, Metall-, chem., Textil-, Leder-, Mühlen-, Fleisch-, Holz- und Zucker-Industrie, Schiffbau) ist in Riga konzentriert, das zugleich wichtigster Hafen und Verkehrsmittelpunkt ist; Kriegshafen ist Libau. – *Sowjetverfassung* vom 25. 8. 1940. Flagge: TAFEL Flaggen III. – Universität (gegr. 1919) und Lett. Akademie der Wiss. (1945) in Riga.

GESCHICHTE. →Lettland.

lettische Sprache, die zum balt. Zweig des indogerman. Sprachstamms gehörige Sprache der Letten. Drei Mundartgruppen: im NW die *tahmische Mundart,* in der Mitte das *Mittellettische,* auf dem die Schriftsprache beruht, in Lettgallen das *Hochlettische.* Die l. S. weist in Wortschatz und Satzbau starke deutsche, bes. niederdt. Einflüsse auf.

LIT. J. Endzelins: Grammatik der l. S. (lett., Riga 1951); K. Mühlenbach und J. Endzelins: Lettisch-dt. Wörterbuch (Riga 1923–45).

Lettner im Dom zu Halberstadt

Lettland, lett. Latvija, geschichtl. Landschaft im Baltikum, 1918–40 unabhängige Rep., 65800 qkm, hatte (1939) 2 Mill. Ew.; Hauptstadt war Riga.

GESCHICHTE. Die seit dem 9. Jh. ansässigen lett. Stämme (Lettgallen, Selen, Semgallen) gerieten Anfang des 13. Jhs. in Livland und Kurland unter dt. Herrschaft; die Vorherrschaft des Deutschtums blieb bestehen, als die Ostseeprovinzen im 18. Jh. an Rußland kamen. Eine lett. Nationalbewegung entstand Mitte des 19. Jhs.; sie wurde in der Revolution von 1905/06 marxistisch beeinflußt. 1915 besetzten dt. Truppen Kurland, bis Febr. 1918 Riga und Livland. Am 18. 11. 1918 wurde die unabhängige demokrat. Republik ausgerufen. Die eingedrungenen Bolschewisten wurden mit Unterstützung der Balt. Landeswehr und dt. Baltikumtruppen vertrieben (Frühjahr 1919; Frieden von Riga 11. 8. 1920). Der deutschbaltische Großgrundbesitz wurde 1920 enteignet. Im Mai 1934 führte Bauernführer Ulmanis eine autoritäre Herrschaft durch Staatsstreich ein. Nach dem erzwungenen Beistandspakt mit der Sowjetunion (23. 8. 1939) besetzte diese auf Grund des Hitler-Stalin-Paktes vom 28. 9. 1939 im Juni 1940 L. und gliederte es am 5. 8. 1940 als Sowjetrepublik ein. Juli/Aug. 1941 besetzten die Deutschen das Land und errichteten eine landeseigene Verwaltung. 1944/45 eroberte die Rote Armee L. und stellte die Sowjetrepublik wieder her (→Lettische Sozialistische Sowjetrepublik).

Lettner [von mlat. lectorium ›Lesepult‹], in mittelalterl. Kirchen die halbhohe Wand, die den Chor- vom Gemeinderaum trennt. Der L. entstand seit Ende des 12. Jhs. aus den seit frühchristl. Zeit üblichen Chorschranken. Mit ihm verbunden wurden die beiden Pulte zur Verlesung der Evangelien und Episteln auf einer von der Chorseite aus durch Treppen zugänglichen, zuweilen auch als Sängerbühne dienenden Empore. Der von einer Pforte, auch mehreren, durchbrochene L. wurde immer reicher ausgebildet und mit Skulpturen geschmückt. Im Barock wurden, bes. in Frankreich, die meisten L. entfernt.

Lʹ**ettow-V**ʹ**orbeck** [-to:-], Paul von, preuß. General, * Saarlouis 20. 3. 1870, † Hamburg 9. 3. 1964, war 1913–18 Kommandeur der Schutztruppe von Deutsch-Ostafrika.

WERKE. Heia Safari (1920), Meine Erinnerungen aus Ostafrika (1920).

Lettre [lεtr, franz.], Brief. *L. de change* [də ʃãʒ], Wechsel. *L. de créance* [də kreãs], Beglaubigungsschreiben.

Lettres de cachet [lεtr də kaʃε, franz.], in Frankreich bis zur Revolution 1789 im Auftrag des Königs geschriebene, mit seinem Siegel versehene Geheimbefehle, durch die Verbannung oder Verhaftung angeordnet wurde. Sie wurden durch Dekret vom 16. bis 26. 3. 1790 beseitigt. Die Beseitigung wurde später durch die Verfassungen von 1830, 1848 und 1852 ausdrücklich garantiert.

Lettrʹ**isme,** auch Lettrie [Ableitung von frz. lettre ›Buchstabe‹], eine literar. Bewegung, die 1945 von Isidore Isou (*Botosani, Rumänien, 31. 1. 1925) in Paris gegründet wurde. In konsequenter Weiterführung der dadaistischen Bestrebungen will der L. eine neue Dichtung hervorbringen, die nicht, wie die herkömmliche, mit bekannten Wörtern Empfindungen und Eindrücke »beschreibt«, sondern sie mit Hilfe neuer Lautgebilde erstmalig erzeugt.

letzen [zu mhd. letzen ›ein Ende mit etwas machen‹], erquicken, laben.

Letzlingen, Gem. in der Letzlinger Heide, im Kr. Gardelegen, Bez. Magdeburg, mit (1964) 1800 Ew. – Das ehemal. Jagdschloß des Kurprinzen Johann Georg (1560) hat seine heutige Gestalt seit 1843. Der Lindenwald im S der Heide steht unter Naturschutz.

Letzte Dinge, →Eschatologie.

Letzte Ölung, Krankensalbung, nach kath. Lehre ein Sakrament, durch das mit der Salbung der Sinne (Augen, Ohren, Mund, Nase, Hände) und Gebet dem Schwerkranken übernatürliche Hilfe zum Heile der Seele und des Leibes zuteil werden soll. Die Salbungen erfolgen mit dem vom Bischof geweihten Krankenöl.

Letzter Wille, →Testament.

letztes Dutzend, *Roulett:* die Ziffern 25 bis 36.

Leu [von lat. leo ›Löwe‹], *Mz.* Lei, die rumän. Währungseinheit, = 100 Bani.

Leu, 1) Hans, schweizer. Maler, * Zürich um 1490, † (gefallen) am Gubel 24. 10. 1531, stellte auf seinen Zeichnungen und den wenigen von ihm bekannten Tafelbildern (Orpheus, 1519; Basel) als einer der ersten einheim. Landschaften dar, die denen der Donauschule verwandt sind.
LIT. H. Debrunner: Der Zürcher Maler H. L. (1941).
2) Johann Jakob, schweizer. Staatsmann und Historiker, * Zürich 26. 1. 1689, † das. 10. 11. 1768, Verfasser des Allgem. Helvetischen Lexikons (20 Bde., 1747–65; 6 Suppl.-Bde., 1786–95).
3) Josef, › Ebersol (Luzern) 1. 7. 1800, † (ermordet) das. 20. 7. 1845, schweizer. kathol. und demokrat. Politiker.

Leube, Wilhelm Olivier, Internist, * Ulm 14. 9. 1842, † Langenargen (Württ.) 16. 5. 1922, Prof. in Würzburg, weltbekannt durch seine Arbeiten über die Erkrankungen des Magens und ihre diätet. Behandlung.

Leubingen, Gem. im Kr. Sömmerda, Bez. Erfurt, bekannt durch ein »Fürstengrab« der älteren Bronzezeit. Das Hügelgrab enthielt ein Totenhaus aus Holz mit reichen Totengaben aus Bronze und Gold. *Leubinger Kultur,* Kulturgruppe der frühen Bronzezeit in Mitteldeutschland.

Leubnitz, Industrieort im Kr. Werdau, Bez. Karl-Marx-Stadt (Chemnitz), mit (1964) 5000 Ew.; Spinnerei und Waggonfabrik.

L'eubus, Gem. im Kr. Wohlau, Niederschlesien, hatte (1939) 4200 Ew.; ehemaliges Zisterzienserkloster, gegr. um 1175, umgebaut 1695–1740, 1945 im Innern stark zerstört. L. steht seit 1945 unter poln. Verwaltung *(Lubiaz)*.

Leuchsenring, Franz Michael, Schriftsteller, * Langenkandel (Elsaß) 1746, † Paris Febr. 1827, war in Darmstadt Unterhofmeister beim Erbprinzen (→Darmstädter Kreis).

Leuchtbake, ein landfestes Seezeichen in Form eines Gerüstes mit oben angebrachter Leuchte.

Leuchtbakterien, Bakterien, die Licht (meist blaugrüner Farbe) erzeugen; sie leben vorwiegend im Meer, manche auf lagernden Speisen (Fleisch, Seefisch u. a.), andere schmarotzerisch in Schmetterlingsraupen, Zuckmücken, Garnelen.

Leuchtbombe, eine im wesentlichen aus Magnesium, Aluminium oder anderen, bei der Verbrennung stark leuchtenden Stoffen bestehende Fallschirmbombe mit Zeitzünder, die während 2–5 Minuten Brenndauer ein großes Gelände hell erleuchtet.

Leuchtdichte, die Lichtstärke einer leuchtenden Fläche, bezogen auf ihre →scheinbare Größe, wird gemessen in Stilb (sb) = Candela je qcm.

Leuchte, Gerät mit Lichtquelle (Lampe) für direkte *(Tief-* und *Breitstrahler),* für teilweise direkte und für indirekte Beleuchtung.

Leuchtenberg, Eugen Beauharnais [boarnɛ], Herzog von, Stiefsohn Napoleons I., * Paris 3. 9. 1781, † München 21. 2. 1824, wurde 1804 zum Franzós. Prinzen, 1807 von Napoleon als Sohn und Erbe des damaligen Kgr. Italien angenommen. Er vermählte sich mit einer bayer. Prinzessin. 1809 und 1813/14 zeichnete er sich als franzós. Heerführer aus. Sein Schwiegervater überließ ihm 1817 die Landgrafschaft Leuchtenberg und einen Teil des Fürstentums Eichstätt.

Leuchtenburg, Schloß bei Kahla in Thüringen, 395 m ü. M., mit einem Bergfried (12. Jh.).

Leuchtfarben, →Leuchtstoffe.

Leuchtfeuer, Lichtzeichen der See- und Luftfahrt: Anlage zur →Befeuerung, wie →Leuchtturm, →Feuerschiff, Leuchtbake, -boje, -tonne in Küstengewässern, Flußhäfen (auch als *Hafenfeuer*), auf Bergen, die zur Richtungsbestimmung und Leitung Leuchtsignale aussenden. Es gibt *feste* und *unterbrochene Feuer,* Blink-, Blitz- und *Funkelfeuer,* einzeln oder in Gruppen und farbig (weiß, rot und grün), sowie Kombinationen aus diesen. Zur Erreichung einer genügend großen Sichtweite werden die Strahlen parallel gerichtet, entweder durch ein besonderes, ringförmiges Linsensystem oder mit einem Parabolspiegel.

Leuchtgas, →Stadtgas.

Leuchtgasvergiftung, Vergiftung mit →Kohlenoxyd.

Leuchtkäfer, alle leuchtenden Käfer, bes. die Weichkäfersippe Glühwürmchen *(Johanniskäfer, -würmchen, Feuerfliegen),* deren Weibchen nur stummelhafte Flügel haben; beide Geschlechter und die Jugendstadien leuchten (→Leuchtbewesen).

Leuchtkondensator, Elektro-Lumineszenz-Lampe, elektronische Lichtquelle, bei der durch ein angelegtes elektr. Wechselfeld das

Leuc

zwischen zwei Elektroden (deren eine durchsichtig ist) liegende Dielektrikum zum Leuchten angeregt wird. L. besitzen relativ geringe Leuchtdichte, können aber in großen Flächen ausgeführt werden und sind daher als leuchtende Decken oder Wände verwendbar.

Leuchtkrebs, →Garnelen.

Leuchtkugel, Körper mit Leuchtsatz, wird als Signal oder zur Geländebeleuchtung aus besond. Pistolen oder Geschützen abgefeuert.

Leuchtlebewesen, Leuchtorganismen, Lebewesen, die durch Stoffwechselvorgänge Licht erzeugen; sie sind zum geringeren Teil Landbewohner, z. B. Glühwürmchen (→Leuchtkäfer), von Pflanzen z. B. →Leuchtpilze, →Leuchtbakterien. Meerbewohnende L. tragen z. T. zum *Meerleuchten* bei, dem nächtl. Funkeln des Meerwassers. Andere tierische L. im Meer sind die leuchtenden Schleim absondernden Bohrmuscheln und die leuchtenden Tiefseetiere, bes. Fische. Bei manchen L. leuchten alle Körperzellen, so bei den Leuchtpilzen, bei anderen fein entwickelte, als Lock- oder Schreckmittel dienende *Leuchtorgane* mit Blenden, Rückstrahlern und Linsen zum Gleichrichten und Vereinigen des Lichts. Das Licht kann durch selbstgebildete Leuchtstoffe, auch durch Leuchtbakterien, die in den L. leben, erzeugt werden. Das Leuchten der Glühwürmchen (an bestimmten Stellen des Fettkörpers) dient bes. dem Finden der Geschlechter.

Anlaß zu Sagenbildung und Schatzgräberei gegeben.

Leuchtmunition, mit einem Leuchtsatz versehener Körper, der aus der Leuchtpistole abgeschossen oder von einem Aufklärungsflugzeug abgeworfen wird, zur Erhellung des Geländes, zur Zielmarkierung oder zur Signalgebung.

Leuchtpilze, Hutpilze, die Stoffe unter Lichtbildung weiter oxydieren, z. B. Hallimasch, der moderndes Holz zum Leuchten bringt.

Leuchtpistole, einschüssige Pistole für Leucht- und Signalpatronen.

Leuchtröhre, eine →Gasentladungslampe mit Gasfüllung und kalten, nicht geheizten Elektroden. L. sind meist mit Edelgasen, hauptsächlich Neon (rotes Licht) oder Helium (rötlich gelbes Licht) gefüllt. Durch Zusatz von Quecksilber in ein Neonrohr erhält man bläulichweißes und bei gleichzeitiger Verwendung von gelben Glasröhren (Filterwirkung) grünes Licht. Durch Vereinigung mehrerer durch Glaswände getrennter Entladungsräume in einer Röhre entstehen die *Mehrfarbenröhren.* Die Edelgas-L. werden fast ausschließlich in der Werbebeleuchtung angewendet, Neonröhren wegen ihres auch bei trübem Wetter gut sichtbaren Lichts als Signalbeleuchtung, Warnlicht, Flugplatzumrandungsfeuer u. a. L. werden auch mit →Leuchtstoffen versehen.

Leuchtsatz, mit hell leuchtender, gefärbter Flamme verbrennende Feuerwerksmischung aus Kohlenstoffträgern, Oxydationsmitteln,

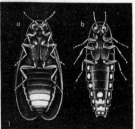

Leuchtlebewesen: 1 *Glühwürmchen (etwa 2fach vergrößert),* a *Männchen,* b *Weibchen.*
2 *Silberbeil, ein Tiefseefisch (etwas vergrößert)*

Leuchtmassen, →Leuchtstoffe.

Leuchtmittelsteuer, eine Aufwandsteuer auf elektr. Glühlampen, Entladungslampen, Brennstifte zu elektr. Bogenlampen und Glühkörper (z. B. Gasstrümpfe). Der Steuer unterliegen eingeführte und im Inland hergestellte Leuchtmittel (Ges. v. 6. 12. 1938 in der Neufassung v. 16. 8. 1961), das Aufkommen steht dem Bund zu.

Leuchtmoos, *Schistostega osmundacea,* ein an lichtarmen Orten Europas wachsendes 1 cm hohes Laubmoos; sein Vorkeim leuchtet grünlich, da das in seinen einschichtig stehenden linsenförmigen Zellen gesammelte Tageslicht zurückgestrahlt wird. Das L. hat

färbenden Zusätzen (meist Alkali- und Erdalkalimetallsalze) und Bindemitteln.

Leuchtschaltbild, Blindschaltbild, eine Vereinigung von Schaltbild und Schalttafel. Durch Einbau der Befehlsschalter und Meßinstrumente in das beim L. von hinten beleuchtete Schaltbild wird eine gute Übersicht über den Schaltzustand elektr. Anlagen erreicht.

Leuchtschirm, eine Glas-, Pappe- oder Metallplatte, auf der ein lumineszierender Stoff aufgebracht ist, z. B. Bariumplatinzyanür, Uranylverbindungen, mit Spuren von Silber, Mangan usw. aktivierte Zinkkadmiumsulfide, Zinksilikate; zum Sichtbarmachen von Röntgenstrahlen, Elektronenstrahlen und ultraviolettem Licht.

Leuchtspur|geschoß, Geschoß mit Leuchtsatz, macht die Flugbahn sichtbar; u. a. bei der Flak. BILD Geschoß.

Leuchtstoffe, Leuchtmassen, Leuchtfarben, meist pigmentartige Stoffe, die der Fluoreszenz oder Phosphoreszenz fähig sind. Die *nicht nachleuchtenden* L. wandeln die auffallende Strahlung in (meist) längerwellige um. So wird z. B. die UV-Strahlung zur Lichterzeugung (Leuchtstofflampen) oder für Bühneneffekte genutzt. *Nachleuchtende* L. leuchten nach Aufhören der Bestrahlung oft noch lange nach. Anorganische L. sind z. B. Zink- und Zinkkadmiumsulfide, die mit Schwermetallsalzen versetzt und geglüht werden, ferner Silikate, Molybdate, Wolframate, Erdalkalisulfide und -oxyde, Erdalkali- und Alkalihalogenide, Nitride u. a. Organische L. sind Lumogen L und das Luziferin der Leuchtkäfer und Leuchtbakterien.

Leuchtstofflampe, röhrenförmige →Gasentladungslampe mit Quecksilber-Niederdruckfüllung, bei der die Innenwand des Entladungsrohrs mit →Leuchtstoffen bedeckt ist, die durch die Ultraviolettstrahlung der Entladung zum Leuchten angeregt werden.

Leuchttonne, Leuchtboje, schwimmendes faßartiges Seezeichen mit ständig brennender Leuchte, dient zur Bezeichnung des Fahrwassers oder von Wracks *(grüne L.).*

Leuchtturm, ein weithin sichtbares Seezeichen an für die Schiffahrt wichtigen Punkten der Küste, auf Inseln oder gefahrvollen Untiefen. Bei Tage ist er an seiner Form und seinem den →Seezeichen entsprechenden Anstrich erkennbar. Für die Dunkelheit hat er ein starkes →Leuchtfeuer mit bestimmter →Kennung, zusätzl. meist Funkanlagen, Nebelsignale und Einrichtungen für Wetter-, Sturmwarnungs-, Schiffsmelde- und Seenotdienst. Als Lichtquellen dienen elektrische Bogen- oder Glühlampen sowie Gaslicht. Das Licht wird durch Fresnel-Linsensysteme (Gürtellinsen) gesammelt, zuweilen auch durch Scheinwerfer. Regelmäßige Unterbrechungen werden gewöhnlich durch Drehung erzeugt, farbiges Licht durch vorgeschaltete Farbgläser. Zur Betätigung von Blink-, Blitz- und Funkelfeuern dienen uhrwerkbetätigte Blenden.

Der L. war schon im Altertum bekannt; berühmt war der L. Pharos vor dem Hafen von Alexandria (279 v. Chr., 50 m hoch). Bedeutende deutsche L. sind: der L. »Roter Sand« vor der Wesermündung (1883–85; 27 m hoch; Reichweite: 22 km), für den als Ersatz $3^1/_2$ km nordöstlich der L. »Alte Weser« (Höhe des Feuers 38 m über mittlerem Hochwasser, 33 km Reichweite) gebaut wurde und der L. auf Helgoland« (1902; Höhe des Feuers 77 m über mittlerem Hochwasser, 44 km Reichweite).

Leuchtzifferblatt, Zifferblatt, dessen Ziffern mit →Leuchtstoff bestrichen sind.

Leuchtzirpen, →Laternenträger.

Leuenberger, Niklaus, * Rüderswil (Bern) um 1611, † (hingerichtet) 6. 9. 1653, war gegen seinen Willen Führer der Aufständischen im schweizer. Bauernkrieg 1653.

leuk . . ., leuko . . . [griech.], weiß . . .

Leuk, franz. *Loèche-la-Ville,* Bezirksstadt im Kanton Wallis, Schweiz, über der Rhone, 730 m ü. M., mit (1970) 2800 Ew., hat Regenschirmfabrik, Weinbau, Burgen aus dem Mittelalter. 12 km weiter aufwärts an der Dala liegt **Leukerbad** (franz. *Loèche-les-Bains*), 1404 m ü. M., mit Gipsthermen gegen Rheumatismus und Hautkrankheiten.

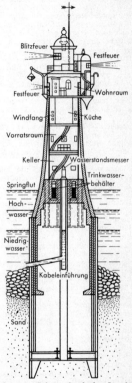

Leuchtturm: Schnitt durch den Leuchtturm »Roter Sand« vor der Wesermündung

Leukämie [griech. Kw.], Leukose, *Weißblütigkeit,* eine schwere Erkrankung, die mit stark vermehrter Bildung von weißen Blutkörperchen einhergeht. Die *myeloische* L. ist gekennzeichnet durch erhöhte Zahl der im Knochenmark gebildeten Myelozyten oder Granulozyten und die *lymphatische* L.

durch vermehrte Bildung der in den Lymphknoten erzeugten Lymphozyten. Es gibt akute und chron. Formen; die ersteren können stürmisch, mit hohem Fieber verlaufen, die chronischen ziehen sich über Monate und Jahre hin. Die chronisch-lymphat. Form, die sich im höheren Alter zu entwickeln pflegt, ist relativ gutartig und kann über ein Jahrzehnt bestehen. Die Zahl der weißen Blutkörperchen im strömenden Blut ist auf das Zehn- bis Zwanzigfache vermehrt. L. wird regelmäßig von Verminderung der roten Blutkörperchen begleitet, was die zunehmend bleiche Farbe des Kranken erklärt. Da auch die Zahl der Blutplättchen verringert ist, besteht Neigung zu Blutungen. Die Lymphknoten sind geschwollen, die Milz kann sich stark vergrößern. Die Ursache der L. ist unbekannt. *Behandlung* durch zytostatische Stoffe (z. B. Stickstofflost, Äthylurethan), die die Vermehrung der weißen Blutkörperchen hemmen, ferner Bluttransfusionen zur Behebung der Blutarmut. – Außer beim Menschen gibt es L. beim Rind und beim Geflügel.

L'eukas [neugriech. lɛfkʹaz], eine der Ionischen Inseln, 285 qkm groß, meist gebirgig.

Leukerbad, Ort in der Schweiz, →Leuk.

Leuk'ippos, in der griech. Sage ein König von Argos. Seine beiden Töchter wurden von den Dioskuren geraubt (Gemälde von Rubens).

Leuk'ippos von Milet, griech. Philosoph des 5. Jhs. v. Chr., Lehrer Demokrits, lehrte wie dieser, daß die Dinge aus Atomen zusammengesetzt seien.

L'eukobasen, chemische Verbindungen zur Herstellung künstlicher Farbstoffe. Die L. sind farblos, gehen aber durch Aufnahme von Sauerstoff aus der Luft in den Farbstoff über.

Leukod'erma [grch. Kw.] *das*, Leukodermie, Verlust des Hautfarbstoffes, so daß weiße Hautflecken inmitten normal gefärbter Haut erscheinen.

Leuk'om [griech.] *das*, weiße Narbentrübung der Hornhaut des Auges, nach Hornhautgeschwüren.

Leukonychie [grch. Kw.] *die*, punkt- oder streifenförm. Weißfärbung der Nägel, die auf Luftansammlung in der Nagelplatte beruht und keine besondere Bedeutung hat.

Leukopenie [grch. Kw.] *die*, Verringerung der Zahl der weißen Blutkörperchen im kreisenden Blut.

Leukoplakie [grch. Kw.] *die*, *Weißschwielen*, eine fast nur bei Männern (meist bei starken Rauchern) im vierten bis fünften Jahrzehnt an der Innenfläche der Wangen und Lippen, bes. auf dem Zungenrücken, vorkommende fleck- oder streifenförmige weiße Epithelverdickung.

Leukopl'ast [griech. Kw., ›Weißpflaster‹] *das*, Handelsname für ein Kautschukheftpflaster in Bandform.

Leukoth'ea, griech. Göttin, →Ino.

Leukotomie [griech. Kw.] *die*, operative Durchtrennung der vom Stirnhirn zu anderen Hirnteilen ziehenden Nervenbahnen. Das von E. →Moniz angegebene Verfahren wird bei schwer erregten Kranken (z. B. bei Schizophrenie), bei Zwangskranken und bei unheilbaren Schmerzzuständen angewandt.

Leukoz'yten [griech.], die weißen Blutkörperchen, →Blut.

L'euktra, Ort in Böotien, bekannt durch den Sieg der Thebaner 371 v. Chr. unter Epaminondas über die Spartaner.

Leumund [ahd. liumunt, ›Gerücht‹] *der*, der Ruf, die Nachrede. Im *Strafprozeß* können **Leumundszeugen** vernommen werden, die über den L. des Angeklagten auszusagen haben.

Leuna, Stadt an der Saale, im Kr. Merseburg, Bez. Halle, mit (1973) 10 800 Ew., Sitz des als *Leunawerke* bekannten Großbetriebs der Chemischen Industrie (früher *Ammoniakwerk Merseburg GmbH*, 1916/17 gegr.); Haupterzeugnis: synthet. Stickstoff, gewonnen im Haber-Bosch-Verfahren. Grundlage der Energieerzeugung ist die Braunkohle des Gebiets; Kohlehydrierung (L.-Benzin) seit 1926/27; Großkraftwerk. Vom Grundkapital waren ursprünglich 75% im Besitz der IG Farbenindustrie AG; 1945 wurde das Unternehmen enteignet, 1946 wurde es SAG, 1951 VEB, z. Z. unter dem Namen *Leunawerke Walter Ulbricht* das größte Chemiewerk der DDR.

Leupold, Jakob, Mechaniker, * Planitz 25. 7. 1674, † Leipzig 12. 1. 1727, baute Luftpumpen, Feuerspritzen und eine Fuhrwerkswaage und schrieb das umfangreiche ›Theatrum machinarum‹ (9 Bde., 1724–39).

Leuschner, 1) Bruno, Politiker, * Berlin 12. 8. 1910, † Berlin (Ost) 10. 2. 1965, Sohn von 2), seit 1931 in der KPD, 1936–45 im KZ, war nach 1945 der mächtigste Wirtschaftsfunktionär der DDR.

2) Wilhelm, Politiker (SPD), * Bayreuth 15. 6. 1890, † (hingerichtet) Berlin 29. 9. 1944, Bildhauer, Gewerkschaftssekretär, war 1928–32 hess. Innenminister, seit 1932 Vorstandsmitglied des ADGB; 1933 wurde er verhaftet und war bis 1934 im KZ. Danach wurde er der Führer der gewerkschaftl. Widerstandsgruppen gegen Hitler. Nach dem 20. 7. 1944 wurde er von neuem verhaftet und vom Volksgerichtshof zum Tode verurteilt.

Leussink, Hans, Bauingenieur, * Schüttorf (Gfsch. Bentheim) 2. 2. 1912, seit 1954 Prof. in Karlsruhe, seit 1969 Bundesmin. (parteilos) für Bildung und Wissenschaft, am 27. 1. 1972 zurückgetreten.

Leutenberg, Stadt und Sommerfrische im Kr. Saalfeld, Bez. Gera, 302 m ü. M., mit (1964) 2100 Ew., Schieferbergbau; über dem Ort die *Friedensburg*.

Leuthen, Dorf in Niederschlesien, westl. Breslau, seit 1945 unter poln. Verwaltung *(Lutynia)*. Bei L. besiegte Friedrich d. Gr. am 5. 12. 1757 durch ›schiefe Schlachtordnung‹ die zahlenmäßig überlegenen Österreicher unter Karl von Lothringen.

Leve

Leuthold, Heinrich, schweiz. Dichter, * Wetzikon (Kanton Zürich) 5. 8. 1827, † in der Irrenheilanstalt Burghölzli bei Zürich 1. 7. 1879, trat mit dem →Münchner Dichterkreis in Verbindung, schrieb Gedichte und Versepen. – Gesammelte Dichtungen (3 Bde., 1914).

Leutkirch, Stadt im Kr. Ravensburg, Baden-Württemberg, mit (1974) 20 100 Ew., im Allgäu, 655 m ü. M., hat alte Kirchen und Bürgerhäuser, Rathaus mit Laubengängen, landwirtschaftl. Schule, bischöfliches Knabenseminar. Industrie: Textilien, Metallwaren, Holzfaserplatten, Hartpapierwerk, Zeitungsverlag. – L. erhielt 1293 Stadtrecht und war bis 1803 Reichsstadt.

Leutnant [franz. lieutenant, ›Stellvertreter‹; um 1500], unterste Rangklasse der Offiziere. Ursprüngl. war L. ganz allgemein der Dienstgrad, der zur Stellvertretung des nächsthöheren bestimmt war; so sind auch die Rangbezeichnungen Generalleutnant, Oberstleutnant, Kapitänleutnant usw. entstanden. ÜBERSICHT Dienstgrade.

Leutpriester, lat. Plebanus, im MA. der Geistliche, der für einen nicht amtierenden Pfarrer die Seelsorge ausübte.

Leutschau, slowak. Levoča, tschechoslowak. Bezirksstadt in der mittleren Slowakei, mit etwa 7600 Ew., reich an künstlerischen Bauten (got. St.-Jakobs-Kirche, 14. Jh.; Renaissance-Rathaus). L. ist eine deutsche Gründung (12. Jh.) und war Vorort der 24 dt. Zipser Städte.

Leuven [l'ø:fə], fläm. Name der Stadt Löwen.

Leuwagen [nd.], 1) Leitwagen, auf Segelfahrzeugen querschiffs angeordneter kräftiger Bügel, auf dem der Schotblock des Segels von selbst nach Lee gleitet.
2) in Schleswig-Holstein Ausdruck für Schrubber.

Leuwerik, Ruth, Schauspielerin, * Essen 23. 4. 1926. Filme: Ein Herz spielt falsch (1953), Königliche Hoheit (1953), Die Trappfamilie (1956), Die Rote (1962).

Leuz'in [griech. Kw.] das, Aminokapronsäure, eine Aminosäure, die in Albuminen, Globulinen u. a. Eiweißstoffen vorkommt.

Leuz'it [griech. Kw.] der, Mineral in weißen Ikositetraedern, den Leuzitoedern, chemisch Kalium-Aluminiumsilikat mit etwas Natriumgehalt, als Gemengteil bes. in Basalten.

L'evacar [engl.] der, ein im Versuchsstadium befindl. Schnellverkehrsmittel: ein auf einer Schiene geführter Schlitten gleitet auf einem Luftpolster, das durch Druckluft erzeugt wird. Antrieb durch Düsentriebwerk.

Lev'ade [frz.] die, Pes'ade, Übung der Hohen Schule: ein Pferd hebt die Vorhand mit angezogenen Vorderbeinen auf der Stelle und fußt auf den stark untergesetzten Hinterbeinen.

Levalloisien [lavalwaziẽ, franz. nach Levallois-Perret], Kulturstufe der Altsteinzeit, gekennzeichnet durch Feuerstein-Abschlag-Geräte.

Levallois-Perret [ləvalwa pɛrɛ], Arbeitervorstadt im NW von Paris, m. rd. 75000 Ew.

Lev'ana, 1) röm. Schutzgöttin der Kinder.
2) Titel einer Erziehungslehre von Jean Paul (1806).

Lev'annagruppe, Teil der Westalpen, zu den Grajischen Alpen gehörig, in der Pointe de Charbonelle 3760 m hoch.

Lev'ante [ital. ›Morgenland‹] die, die Länder um das östl. Mittelmeer bis zum Euphrat und Nil, bes. die Küste Kleinasiens, Syriens und Ägyptens.

Lev'antetaler, Maria-Theresien-Taler, Handelsmünze der Levante und Afrikas (→Maria-Theresien-Taler).

Levau [ləvo], Le Vau, Louis, franz. Baumeister, * Paris um 1612, † das. 11. 10. 1670. WERKE. Hôtel Lambert und Hôtel Lauzun, Paris; Schloß Vaux-le-Vicomte (1655–61), La Salpêtrière, Paris; Collège de Mazarin (heute Institut de France), Erweiterungsbauten am Schloß Vincennes, Bauleitung beim Louvre, den Tuilerien, dem Schloß in Versailles.

Leveche [lev'ɛtʃɛ] der, trockener, heißer Südost- bis Südwestwind an der Südostküste Spaniens.

Levée [ləve, frz.] die, Aushebung von Rekruten, Aufgebot. Die L. en masse [ɑ̃ mas], Aufgebot der gesamten männl. Bevölkerung zum Kriegsdienst, zuerst im Aug. 1793 vom französ. Nationalkonvent durchgeführt.

Levellers [l'evələz, engl. ›Gleichmacher‹], eine zuerst 1647 so benannte radikale demokrat. Gruppe der Zeit Cromwells, die vollkommene bürgerl. und religiöse Freiheit erstrebte.

Levent'ina, Valle L., deutsch Livinental, das Tal des Tessin im Kanton Tessin, Schweiz, von Airolo (1142 m ü. M.) bis Biasca (305 m ü. M.), 34 km lang, von der Gotthardbahn durchzogen. – Die L. war 1441–1803 Untertanenland des Kantons Uri.

Lever [ləve, franz.] das, Aufstehen; am französ. Hof im 17. und 18. Jh. die Morgenaudienz beim Fürsten.

Lever Brothers Ltd. [l'i:və br'ʌðəz], brit.-niederländ. Seifen- und Margarine-Konzern, gegr. 1884 von W. H. Lever (später Lord Leverhulme); 1937–52 Zusammenschluß mit Unilever Ltd. zur Lever Brothers & Unilever Ltd. L. B. ist eine Holdinggees., deren Tochterges. Margarine, andere Speisefette, Seife, Waschmittel, Öle, Viehfutter usw. erzeugen.

Leverkusen, kreisfreie Stadt im RegBez. Düsseldorf, Nordrhein-Westf., mit (1974) 109 500 Ew., am rechten Ufer des Niederrheins; höhere Schulen, Museum; Werke der Farbenfabriken Bayer AG mit der angeschlossenen Agfa AG, Titan GmbH, außerdem verschiedene andere Industrien. – L. entstand erst 1930 durch Zusammenschluß der Stadt Wiesdorf mit den Gemeinden Schlebusch, Rheindorf und Steinbüchel.

Leverrier [ləverje], Urbain Jean Joseph, franz. Astronom, * St-Lô 11. 3. 1811, † Paris 23. 9. 1877, das. Leiter der Sternwarte, sagte aus den Störungen der Bewegung des Uranus das Vorhandensein des Planeten Neptun voraus (1846 von Galle entdeckt).

L'evetzow, Ulrike von, * Leipzig 4. 2. 1804, † Triblitz (Böhmen) 13. 11. 1899, →Goethe.

L'evi, im Alten Testament Sohn Jakobs und der Lea; nach ihm sind die Leviten genannt (→Levit).

L'evi, Carlo, italien. Schriftsteller, Maler und Arzt, * Turin 29. 11. 1902, † Rom 4. 1. 1975, war 1935 wegen seiner polit. Haltung nach Lukanien verbannt worden, schrieb darüber den Bericht ›Christus kam nur bis Eboli‹ (1945; dt. 1947).

Levi ben Gerschon, Gersonides, jüd. Religionsphilosoph, * Bagnols (Provence) 1288, † Perpignan um 1344, Kritiker des Aristoteles und rationalist. Bibelexeget, Mathematiker und Astronom. Er beschrieb zuerst den Jakobsstab.

Leviath'an, im Alten Testament die Chaosdrache (Ps. 74, 14; 104, 26; Jes. 27, 1; Hiob 3, 8), in dichter. Sprache Ungeheuer, Krokodil (Hiob 40, 25 ff.); auch Titel eines staatsphilosoph. Werkes von Th. Hobbes.

Lev'in, Rahel, →Varnhagen von Ense.

Levir'at [lat. levir ›Mannesbruder‹] *das,* **Leviratsehe,** Schwagerehe; *A. T.:* die gesetzlich vorgeschriebene Ehe eines Israeliten mit der Witwe seines kinderlos verstorbenen Bruders. Ein im L. erzeugtes Kind gilt als Kind des Toten (5. Mose 25, 5 ff.; Matth. 22, 24 ff.). Das L. findet sich auch bei anderen altoriental. und bei Naturvölkern.

Lévi-Strauss, Claude, franz. Ethnologe, * Brüssel 28. 11. 1908, seit 1959 Prof. am Collège de France, unternahm mehrere Forschungsreisen in Asien und Südamerika. Aus seiner »strukturalen Anthropologie« hat sich der Strukturalismus als Denkmethode entwickelt.

Lev'it [nach Levi] *der,* 1) *Mz.* israelit. Stamm, der mit Simeon die Stadt Sichem eroberte, später zersprengt wurde (1 Mos. 34; 49, 5 ff.); dann Name für israel. Priester, zuletzt für Priesterdiener. 2) *kath. Kirche:* Diakon und Subdiakon beim feierlichen Hochamt *(Levitenamt).* 3) *einem die Leviten lesen,* einen Verweis erteilen, nach dem 3. Buch Mose *Leviticus* (mit Gesetzen für Priester und L.), aus dem früher jeden Morgen der Bischof den Geistlichen ein Kapitel vorlas.

Lev'ita, Elias, eigentl. *Elia Levi ben Ascher,* jüd. Grammatiker und jüd.-dt. Volksschriftsteller, * Neustadt an der Aisch 13. 2. 1469, † Venedig 28. 1. 1549. Seine Lexika, Konkordanzen und Abhandlungen, von seinem Schüler S. Münster ins Latein. übersetzt, beeinflußten stark die damaligen christl. Hebraisten.

Levitati'on [engl.-lat. Kw.], das freie Schweben des menschl. Körpers, das einzelnen Heiligen, Fakiren und Medien in Berichten zugeschrieben wird; auch die Elevation von Gegenständen (→Psychokinese).

Lev'itikus [lat.], →Pentateuch.

Levk'oje [griech. leukoion ›Weißveilchen‹], *Matthiola,* Kreuzblütergattung; Kräuter oder Halbsträucher mit graufilzig behaarten Blättern. Die einjährige *Sommer-L.* und die ausdauernde *Winter-L.* sind Gartenblumen mit violetten, weißen, gelben, meist gefüllten, duftreichen Blüten.

Levoča [lev'otʃa], slowakischer Name der Stadt Leutschau.

Levy, 1) Emil, Romanist, * Hamburg 23. 10. 1855, † Freiburg i. Br. 28. 11. 1918, verfaßte das ›Provenzalische Supplement-Wörterbuch‹ (8 Bde., 1894–1924).
2) Ernst, Jurist, * Berlin 23. 12. 1881, † Seattle 25. 11. 1968, lehrte röm. Recht in Freiburg, Heidelberg, Seattle (USA). L. erforschte als erster die Verfallsformen des röm. Rechts, mit denen dieses nach dem Untergang der Antike auf das frühmittelalterl. Recht Westeuropas einwirkte.

Lévy-Bruhl [-bry:l], Lucien, franzöś. Soziologe und Psychologe, * Paris 10. 4. 1857, † das. 13. 3. 1939, war seit 1899 Prof. an der Sorbonne.
WERKE. Das Denken der Naturvölker (²1926), Die geistige Welt der Primitiven (1927).

Lew, Lev [von lat. leo ›Löwe‹] *der, Mz.* **Lewa,** bulgar. Währungseinheit, = 100 Stotinki.

Lewald, 1) Fanny, Schriftstellerin, * Königsberg 24. 3. 1811, † Dresden 5. 8. 1889, schrieb vielgelesene Unterhaltungsromane mit liberaler und frauenrechtlerischer Tendenz.
2 Hans, Jurist, * Leipzig 29. 5. 1883, † Basel 10. 11. 1963, Prof. in Würzburg, Lausanne, Köln, Frankfurt, Berlin, seit 1935 in Basel, einer der Begründer der modernen Wissenschaft vom internat. Privatrecht.

Lewand'owski, Louis, poln. Komponist, * Wreschen (Posen) 3. 4. 1823, † Berlin 4. 2. 1894, wurde bes. als Reformator des jüd. Tempelgesangs bekannt.

Lewes [l'uis], Hauptstadt der engl. Grafschaft East-Sussex, (1971) 14000 Ew., Marktort für landwirtschaftl. Produkte.

Lewes [l'uis], George Henry, engl. Philosoph, * London 18. 4. 1817, † das. 28. 11. 1878, langjähriger Lebensgefährte der engl. Schriftstellerin George Eliot, entschiedener Vertreter des Positivismus.

L'ewin, Levin [ahd. ›Liebfreund‹], männl. Vorname.

Lew'in, Kurt, Psychologe, * Mogilno (Posen) 9. 9. 1890, † Newton (Mass.) Febr. 1947, Begründer der Gruppendynamik.
WERKE. Vorsatz, Wille u. Bedürfnis (1926), Feldtheorie in den Sozialwissenschaften (dt. 1963), Die Lösung sozialer Konflikte (dt. ²1967).

Lewis [l'uis], 1) Clive Staples, engl. Erzähler und Literarhistoriker, * Belfast 29. 11. 1898, † Oxford 24. 11. 1963, seit 1954 Prof. in Cambridge; schrieb Romane, Essays, Studien aus christl.-eth. Grundhaltung.
2) Gilbert Newton, amerikan. physikal. Chemiker, * Weymouth (Mass.) 23. 10.

1875, † Berkeley (Cal.) 23. 3. 1946, Prof. in Berkeley, lieferte grundlegende Beiträge zur Theorie der chem. Bindung, entdeckte die elektrolyt. Gewinnung des schweren Wassers.

3) John Llewellyn, amerikan. Arbeiterführer, * Lucas (Iowa) 12. 2. 1880, † Washington 12. 6. 1969, Bergmann, seit 1906 in der Gewerkschaftsbewegung, 1910 bis Ende 1959 Präsident der größten Bergarbeitergewerkschaft, gründete 1935 den Congress of Industrial Organizations (CIO). →American Federation of Labor.

4) Matthew Gregory, engl. Erzähler, * London 9. 7. 1775, † (auf See an Gelbfieber) 14. 5. 1818, berühmt durch seinen Schauerroman ›Der Mönch‹ (1795; dt. 1799, 1963).

5) Saunders, walis. Schriftsteller, Kritiker und Politiker, * Wallasey 15. 10. 1893. seine Werke, die von franz. Schriftstellern (Claudel, Mauriac) beeinflußt sind, geben oft eindringlich psycholog. Charakterdarstellungen.

6) Sinclair, amerikan. Schriftsteller, * Sauk Center (Minn.) 7. 2. 1885, † Rom 10. 1. 1951, war mit der Journalistin Dorothy Thompson verheiratet, schrieb satirische Romane über die amerikan. Mittelklasse. Nobelpreis 1930.

Werke. Our Mr. Wrenn (1914; dt. 1931), The job (1917; dt. 1929), Free air (1919; dt. Die Benzinstation, 1927 u. ö.), Main Street (1920, dramatisiert 1921; dt. Die Hauptstraße, 1922 u. ö.), Babbitt (1922; dt. 1925 u. ö.), Arrowsmith (1925; dt. Dr. med Arrowsmith, 1925 u. ö.), Elmer Gantry (1927; dt. 1928 u. ö.), Dodsworth (1929; dt. 1930 u. ö.), Work of Art (1934; dt. Das Kunstwerk, 1934), It can't happen here (1935; dt. Das ist bei uns nicht möglich, 1936), The godseeker (1949; dt. Der einsame Kämpfer, 1951), World so wide (postum, 1951; Wie ist die Welt so weit, 1954).

7) Wyndham, engl. Schriftsteller und Maler, * Maine (USA) 17. 3. 1886, † London 7. 3. 1957, vertrat in der Malerei die abstrakte Richtung, kämpfte in satirischen Romanen und zeitkrit. Schriften gegen überkommene Vorstellungen, schrieb die Romantrilogie ›The human age‹ (1928–55).

Lewis [l'uis], nördlichste und größte Hebrideninsel, Schottland, 2273 qkm groß; Hauptort: Stornoway.

Lewis'it [Kw.] das, Chlorazetophenon, ein die Augen reizender Gaskampfstoff, angewandt als Tränengas.

L'ewitz die, waldreiche, moorige Niederung in Mecklenburg, südl. vom Schweriner See, teils Kulturland, teils Naturschutzgebiet.

Lex [lat. ›Bindung‹] die, Mz. Leges, Gesetz, im röhm. Recht das meist nach dem Geschlechtsnamen des Antragstellers benannte Volksgesetz. Auch im modernen Sprachgebrauch werden Sonder- oder Ausnahmegesetze vielfach nach dem Antragsteller im Parlament benannt oder nach demjenigen, der den Anlaß zum Antrag gegeben hat.

Über L. in der dt. Rechtsgeschichte →Germanische Volksrechte.

Lex, Hans, Ritter von, Verw.-Beamter, * Rosenheim 27. 10. 1893, † München 26. 2. 1970, 1961–67 Präs. des Dt. Roten Kreuzes.

Lexer, Matthias von, Germanist, * Liesing (Kärnten) 18. 10. 1830, † Nürnberg 16. 4. 1892, war Prof. u. a. in Würzburg, München, veröffentlichte ein kärntisches und mittelhochdeutsche Wörterbücher.

Lexikon [griech. Kw.] das, Mz. Lexika, Wörterbuch (→Enzyklopädie, →Konversationslexikon); der Verfasser eines L. heißt Lexikograph; lexikalisch, auf ein L. bezüglich, lexikonartig.

Lexington [l'eksiṇtǝn], 1) Stadt in Kentucky, USA, (1970) 108 100 Ew., Staatsuniversität; Pferde- und Tabakmarkt, Zigarettenindustrie. 2) Stadt in Virginia, USA, am James River, mit rd. 8 000 Ew., hat Washington- und Lee-Universität (1749 gegr.). 3) Stadt bei Boston in Massachusetts, USA, mit rd. 15000 Ew. Hier fand am 19. 4. 1775 das erste Gefecht im amerikan. Unabhängigkeitskrieg gegen die Engländer statt.

Ley, Robert, nat.-soz. Politiker, * Niederbreidenbach (Kr. Gummersbach) 15. 2. 1890, † (Selbstmord) Nürnberger Gefängnis 25. 10. 1945, Chemiker, seit 1932 als Nachfolger Strassers Stabsleiter der Polit. Organisation, seit 1934 Reichsorganisationsleiter. Im Mai 1933 löste er gewaltsam die Gewerkschaften auf und gründete die Dt. Arbeitsfront (DAF) sowie die Organisation »Kraft durch Freude« (KdF). 1945 wurde er vor dem Internat. Militärtribunal in Nürnberg angeklagt. Der Verurteilung entzog er sich durch Selbstmord.

Leyden, 1) Ernst Viktor von (1895), Internist, * Danzig 20. 4. 1832, † (Berlin-)Charlottenburg 5. 10. 1910, ursprüngl. Militärarzt, 1865 Prof. in Königsberg, 1872 in Straßburg, 1876–1907 in Berlin. Er arbeitete über die Erkrankungen des Rückenmarks, des Herzens und der Niere, war ein vorbildlicher Therapeut, bes. auf dem Gebiet der Ernährungstherapie und Diätetik, förderte die Heilstättenbehandlung der Tuberkulose und bemühte sich als Leiter eines Krebsforschungsinstituts seit 1903 um die Lösung des Krebsproblems.

2) Lucas van, holländ. Maler, →Lucas van Leyden.

3) Nicolaus Gerhaert von, Bildhauer, →Gerhaert von Leyden.

Leydig, Franz, Zoologe, * Rothenburg o. d. T. 21. 5. 1821, † das. 13. 4. 1908, war Begründer der vergleichenden Histologie.

Leyen, von der L., rhein. Fürstengeschlecht, zuerst 1272 erwähnt; die Stammburg L. (Gondorf) liegt an der Mosel. Die Familie bekleidete das Erbtruchsessenamt des Erzbistums Trier, wurde 1705 mit der Herrschaft Hohengeroldseck (→Geroldseck) belehnt, 1711 in den Reichsgrafenstand erhoben. Graf Philipp trat 1806 dem Rheinbund bei, wurde dadurch souverän und nahm den Fürstentitel an; 1815 wurde er mediatisiert.

Leye

Das Fürstentum v. d. L. kam (1819) an Baden.

Leyen, Friedrich von der, Germanist, * Bremen 19. 8. 1873, † Kirchseeon (Obb.) 6. 6. 1966, Prof. in München, dann Köln.
WERKE. Die dt. Heldensagen (²1923), Die Götter der Germanen (1938), Die Welt des Märchens, 2 Bde. (1: 1953, 2: 1954), Das dt. Märchen und die Brüder Grimm (1964).

Leyh, Georg, Bibliothekar, * Ansbach 6. 6. 1877, † Tübingen 19. 6. 1968, Fachmann für Bibliotheksverwaltung und Bibliotheksgeschichte, war 1921–47 Dir. der Universitätsbibl. Tübingen, Hg. des ›Zentralblatts für Bibliothekswesen‹ und des ›Handbuch der Bibliothekswissenschaft‹ (1940 ff.).

Leys, Hendrik, Baron, belg. Historienmaler, * Antwerpen 18. 2. 1815, † das. 26. 8. 1869, knüpfte an die niederländ. Maler des 16. und 17. Jhs. an.

Leyser, Augustin von, Jurist, * Wittenberg 18. 10. 1683, † das. 3. 5. 1752, Prof. in Helmstedt, seit 1729 in Wittenberg, bedeutender Vertreter der naturrechtl. Methode im Zivil- und Strafrecht.

Leysin [lezɛ̃]. Luft- und Lungenkurort im Kanton Waadt, Schweiz, über dem Tal von Ormont, 1400 m ü. M., mit (1970) 2800 Ew., hat viele Sanatorien, darunter die von A. Rollier gegr. Anstalten für Tuberkulöse und das schweizer. Universitätssanatorium.

Lhasa: Potala

Leyster [lˈɛjstər], Judith, holländ. Malerin, * Zaandam oder Haarlem um 1610, † Haarlem 18. 2. 1660, seit 1636 verh. mit dem Genremaler J. M. Molenaer, steht an der Spitze der unmittelbaren Schule des Frans Hals. Sie malte Halbfiguren, auch kleinfigürl. Bilder, Bildnisse und Stilleben.

Lˈeyte, vulkan. Insel der Visayas-Gruppe der Philippinen, 7213 qkm groß mit rd. 1,3 Mill. Ew.

Leyton [lˈeitn], bildet mit Chingford und Walthamstow den Londoner Stadtteil Waltham Forest.

Lezithˈin [Kw. von griech. lekithos ›Eigelb‹] *das,* cholinhaltige Verbindungen aus der Gruppe der Phosphatide, die zusammen mit den Zerebrosiden zu den fettähnl. Lipoiden gehören und in jeder tierischen und menschlichen Zelle vorkommen, am reichhaltigsten im Eigelb und in Gehirn und Nerven. Lezithinhaltige Zubereitungen (*Lezithinpräparate*) sind Kräftigungsmittel, bes. bei nervösen Schwächezuständen.

lfd., Abk. für laufend, z. B. **lfd. m,** laufendes Meter; **lfd. Nr.,** laufende Nummer.

L-Formen, die *L-(Lister-)Phase der Bakterien* wurde von E. Klieneberger-Nobel 1935 entdeckt und nach dem Listerinstitut in London benannt. Unter schädigendem Einfluß (Antibiotica, Metallsalze, antikörperhaltiges Blutserum u. a.) können L-F. als abweichende Formen bei mehreren Bakterienarten erzeugt und in der L-Phase fortgezüchtet werden; unter normalen Lebensbedingungen kehren die L-F. in die normale Gestalt zurück. Es gibt jedoch einige Stämme von L-F., die nicht wieder in die normale Form zurückschlagen (*stabile L-Formen*). Bei den L-F. handelt es sich um eine Stoffwechselstörung, die vor allem die Bildung der Zellwand betrifft; sie führt nicht zum Zelltod, wenn ein besonderer Nährboden ein Weiterwachsen in der L-Phase ermöglicht.

Lhˈasa [tibet. ›Ort der Götter‹], **Lhassa,** Hauptstadt von Tibet, mit rd. 50000 Ew., etwa 3600 m ü. M., an einem Nebenfluß des Tsangpo, die heilige Stadt der lamaistischen Buddhisten, bis 1959 Sitz des Dalai Lama mit Palastburg (Potala) und dem Jokhangtempel (7./8. Jh. n. Chr.). L. ist wichtiger Handelsplatz; in der Umgebung liegen bedeutsame lamaistische Klöster. Weiteres →Tibet.

L'Herbier [lɛrbjeː], Marcel, franz. Filmregisseur und Filmtheoretiker, * Paris 23. 4. 1890, war richtungweisend für den franz. Film der zwanziger Jahre.

L'hombre [lɔ̃br, franz.] *das,* span. Kartenspiel unter 3–5 Teilnehmern, mit franz. Karte ohne 8, 9 und 10. Durch *Reizen* wird der Hauptspieler, der *L.,* ausgesondert, der gegen die anderen zu spielen hat und, um zu gewinnen, mehr Stiche als jeder einzelne der Gegner machen muß.

L'Hôpital [lopital], Michel de, franz. Staatsmann, * Aigueperse (Puy-de-Dôme) 1507, † Schloß Bellébat (Seine-et-Oise) 13. 3. 1573, wurde 1554 Oberintendant der Finanzen und war 1560–68 Kanzler Katharinas von Medici; er war um Beilegung der Religionskämpfe bemüht und schuf das Toleranzedikt von 1562 zugunsten der Hugenotten.

Lhotse, Berg im Himalaja, 8510 m hoch, erstiegen 1956 von E. Reiß und F. Luchsinger.

Lhˈotzky, Heinrich, religiöser Schriftsteller, * Klausnitz 24. 11. 1859, † Ludwigshafen (Bodensee) 24. 11. 1930.

Li *das,* 1) chines. Wegemaß = 644.4 m.

2) chines. Gewicht = 37,8 mg. **3)** chines. Münze, →Käsch.

Li, chem. Zeichen für Lithium.

Li, Le, Loi, Klai, Li-mu, Stämme auf der südchines. Insel Hainan; die Sprache steht zwischen Tai und Indonesisch.

Liaison [liɛzõ, franz. ›Verbindung‹], **1)** Liebesverhältnis. **2)** *franz.* Sprachlehre: Hörbarwerden eines stummen Auslauts bei enger Verbindung zweier Wörter.

Li'ane [franz.] *die,* **Kletterpflanze,** Pflanze, die mit strangartigen Stengel emporwächst, z. B. durch Windebewegungen *(Schlingpflanze),* durch Ranken *(Rankenpflanze).*

Liang *das,* chines. Gewicht u. Geld, →Tael.

Liang Kai, chines. Maler um 1140–1210, tätig in Hang-tchou. Er trat aus der kaiserl. Akademie aus und schuf Tuschbilder buddhist. Figuren; meist aus der Legende des Meditationsbuddhismus. Sein Bildnis des Li Tai-po ist eines der bekanntesten Werke der ostasiat. Malerei.

Liangtschou, engl. **Liangchow, Wuwei,** Stadt in der Prov. Kansu, China, rd. 100000 Ew.

Liaquat Ali Khan, indisch-pakistan. Staatsmann, * Punjab 1. 10. 1895, † (ermordet) Rawalpindi 16. 10. 1951, Anwalt in England (1921), Abgeordneter im Landtag der Vereinigten Provinzen (1926–30), Generalsekr. der Moslemliga (1936); neben →Dschinnah war er Vorkämpfer eines selbständigen Pakistan. In der von Lord Wavell eingesetzten Nationalregierung (1946) war er Finanzmin. Nach der Trennung Pakistans von Indien wurde er der erste Premierminister des neuen Staates.

Liard [lja:r], *der,* franz. Silbermünze des 15. Jhs. zu 3 Deniers; seit 1649 eine Kupfermünze, die, 1658 auf 2 Deniers herabgesetzt, bis zur Franz. Revolution geprägt wurde.

Liard River [l'aiəd r'ivə], linker Nebenfluß des Mackenzie in Kanada, entspringt in den Pelly Mountains und mündet bei Fort Simpson, 885 km lang.

L'ias [in England der Name eines Kalksteins] *der* oder *die,* eine Schichtfolge der →Juraformation.

Liauho, Fluß in der südl. Mandschurei, 1300 km lang, mündet in den Golf von Liautung, 500 km für kleine Flußdampfer befahrbar.

Liaujang, postamtlich **Liaoyang,** Stadt in der Mandschurei, China, südl. von Mukden, mit rd. 160000 Ew. – Hier siegten im Russisch-Japan. Krieg die Japaner über die Russen (Großschlacht: 24. 8. bis 5. 9. 1904).

Liauning, Liaoning, chines. Prov. in der Mandschurei, 151000 qkm, mit (1967) 28 Mill. Ew.; Hauptstadt: Schenyang.

Liautung, Halbinsel in der südl. Mandschurei, trennt den gleichnamigen Golf von dem Koreabai des Gelben Meeres.

lib., Abk. für lat. **liber** [›Buch‹].

Lib'anios, Sophist, * Antiochia am Orontes 314 n. Chr., † um 393, bekanntester Rhetoriklehrer des 4. Jhs., Verteidiger des alten Glaubens gegen das Christentum, Anhänger

Julians; wirkte in Konstantinopel, Nikomedia und Antiochia.

L'ibanon, 1) arab. *Dschebel libnan* [›weißer Berg‹], *Dschebel Teltsch* [›Schneeberg‹], 160 km langes Gebirge in Vorderasien, im Dahr el-Chodib 3089 m hoch. Von den früheren ausgedehnten Zedernwaldungen sind nur noch Reste vorhanden.

2) amtl. arab. *al-Dschamhurijje al-Libnanije,* Republik an der Ostküste des Mittelmeeres, 10400 qkm mit (1973) 3,1 Mill. Ew.; Hauptstadt ist Beirut.

Natur. L. ist vorwiegend Gebirgsland. Die Gebirgszüge des L. und Antilibanon schließen die fruchtbare Ebene der Beka'a ein.

Die arabische *Bevölkerung* besteht aus Maroniten, aus sunnit. und schiit. Mohammedanern und aus Drusen. Großstädte sind Beirut und Tripoli.

Wirtschaft, Verkehr. L. ist vorwiegend Agrarland. Angebaut werden, z. T. in Terrassenkulturen, Zitrusfrüchte, Tafeläpfel, Oliven, Wein, Getreide, Zwiebeln, Kartoffeln, Bananen u. a.; ferner werden Viehzucht (bes. Schafe) und Seidenraupenzucht getrieben. Das Ackerland umfaßt 26%, der Wald nur noch 8,8% der Gesamtfläche. Die Industrie ist noch wenig entwickelt (Zement-, Baumwoll-Industrie, Erdölraffinerie). Ausgeführt werden vor allem Südfrüchte, Obst, Wein, Zement. Große Bedeutung haben Transithandel und Fremdenverkehr.

Für den Verkehr ist L. bes. durch Straßen gut erschlossen. Internat. Flughafen und Überseehafen ist Beirut; Ölhäfen Tripoli und Saida.

Staat. Nach der Verfassung vom 23. 5. 1926/21. 1. 1947 ist Staatsoberhaupt der auf 6 Jahre gewählte Präsident (ein Maronit), Der MinPräs. muß Sunnit sein.

Wappen: TAFEL Wappen IV, Flagge: FARBTAFEL Flaggen II. Amtssprache ist Arabisch. Währungseinheit ist das libanes. Pfund zu 100 Piaster. Verwaltungseinteilung in 5 Provinzen.

Das Recht wurde nach franz. Vorbild umgestaltet, mit religiösen Gerichten für die Minderheiten.

Das Schulwesen ist gut entwickelt, es gibt 4 Universitäten (in Beirut). Keine Wehrpflicht.

GESCHICHTE. Die Geschicke L.s waren bis in die Neuzeit mit denen →Syriens verbunden. 1862 erhielt es auf französ. Druck einen christl. Gouverneur. 1920 wurde es mit Syrien französ. Mandat (seit 1926 mit eigener Verwaltung). Nach Besetzung durch die Alliierten wurde am 26. 11. 1941 die Unabhängigkeit erklärt und am 1. 1. 1944 die Mandatsrechte auf die libanes. Regierung übertragen (Räumung Dez. 1946). 1945 wurde L. Mitglied der Arab. Liga und Gründermitgl. der Vereinten Nationen. Staatspräsident C. Schamun (1952–58) führte in Anlehnung an die Westmächte eine neutrale Politik. Seit 1956 geriet die radikale Opposition unter ägypt. und syrischen Einfluß; im Mai 1958 brachen schwere Unruhen aus.

Nach vergebl. Vermittlungsversuchen der Vereinten Nationen waren vom 15. 7. bis Ende Okt. 1958 amerikan. Truppen in L. stationiert. 1958 wurde General F. Schehab zum Präsidenten gewählt, 1964 Ch. Hélou, 1970 S. Franschijeh.

Israel unternahm seit dem Nah-Ost-Krieg vom Okt. 1973 mehrfach Vorstöße gegen palästinens. Guerilla-Kämpfer im Süd-L.

1945 wurde L. Mitgl. der Arab. Liga und Gründermitgl. der Vereinten Nationen.

Libellen: Teufelsnadel (etwa 4,5 cm lang)

Libation [lat.], Trankopfer, Spende.

L'ibau, lett. **Li'epaja,** Hafenstadt in der Lett. SSR, auf schmaler Nehrung zwischen Ostsee und Libauischem See, mit (1972) 95 000 Ew.; Kriegshafen, Werkstätten, Trockendocks, Industrie, Handel; Badestrand. L. wird um die Mitte des 13. Jhs. als Gründung des Schwertbrüderordens genannt. 1795 kam L. mit dem Hzgt. Kurland an Rußland. 1919–40 war es die Hauptstadt der lett. Prov. Kurland.

Lib'avius (Libau), Andreas, * Halle um 1550, † Coburg 1616, wirkte seit 1607 als Arzt und Lehrer am Gymnasium in Coburg. L. trug wesentlich zur Einführung der Chemie an den Hochschulen bei. Er plante ein chem. Laboratorium für Ausbildungszwecke.

WERKE. Alchemia collecta (1595, als Alchymia collecta erweitert 1606; erstes Lehrbuch der Chemie), Opera omnia medicochymica, 3 Bde. (1613–15).

Libby, Willard Frank, amerikan. Physiker und Chemiker, * Grand Valley (Col.) 17. 12. 1908, Prof. in Berkeley, Chicago und Los Angeles, erhielt für die Entwicklung der Radiokarbonmethode 1960 den Nobelpreis für Chemie.

Lib'ell [lat.] *das,* Klage- oder Schmähschrift.

Lib'ella [lat., Diminutiv von →libra], röm. Gewicht: svw. →As; als *Münze* galt die L. in der Buchführung ¹/₁₀ Denar, später ¹/₁₀ Sesterz.

Lib'elle [lat. ›kleine Waage‹], **1)** Wasserjungfer, →Libellen. **2) Wasserwaage,** Gerät zum Prüfen der waagerechten oder senkrechten Richtung einer Ebene; besteht aus einer zylindr. Glasröhre *(Röhren-L.)* oder einer runden Glasdose *(Dosen-L.)* mit Skala und ist bis auf eine kleine Gasblase mit Alkohol oder Äther gefüllt. Die Gasblase steht bei horizontaler Lage der L. genau in der Mitte.

Lib'ellen, Wasserjungfern, Schillebolde, *Odonaten,* Insektenordnung, starrflügelige, räuberische Tiere mit großem, beweglichem Kopf, mächtigen Facettenaugen, beiß- und kaukräftigen Mundwerkzeugen; die Färbung ist meist lebhaft (Metall- und Schillerfarben). Die Larven sind räuberische Wassertiere mit Tracheenkiemen. Zu den Gleichflüglern (mit gleichförmigen Flügeln) gehören Gattung *Seejungfer* (Calopteryx; FARBTAFEL Insekten I, Bd. 6, neben S. 161) und *Schlankjungfer* (Agrion), zu den Ungleichflüglern (Hinterflügel breiter als Vorderflügel) *Teufelsnadel* (Aeschna), *Plattbauch* (Libellula).

l'iber [lat.], Buch; libri, Bücher. **l. librorum** [›Buch der Bücher‹], die Bibel. **l. pontific'alis** [lat. ›Papstbuch‹], Sammlung von Lebensbeschreibungen röm. Päpste, wahrscheinlich im 6. Jh. entstanden, bis ins 9. Jh. ergänzt, auch vom 12.–15. Jh. fortgeführt. Ausgabe von Duchesne (2 Bde., 1886–92) und Th. Mommsen (›Monumenta Germaniae‹, Tl. 1, 1898). – In der Rechtsgeschichte oft Titel für Sammlungen von Rechtsquellen, z. B. **l. extra,** die Kodifikation von Dekretalen seit Gratian bis auf Gregor IX. im 13. Jh., fortgesetzt im L. Sextus; **l. papiensis,** eine Sammlung langobard. Rechtsquellen im 11. Jh.; **libri feudorum,** langobard. Lehnsrecht aus dem 12. und 13. Jahrhundert.

L'iber, altitalischer Gott der Fruchtbarkeit; später mit Dionysos gleichgesetzt. An seinem Fest, den **Liberalien** (17. 3.), erhielten die Jünglinge die Männertoga.

liber'al [lat.], **1)** freisinnig, nach Freiheit strebend. **2)** vorurteilsfrei. **3)** † freigebig.

liberale Parteien. 1) In *Deutschland* entwickelten sich liberale Gruppen seit 1815 zuerst in den südöstl. Staaten, später auch in Nord-Dtl. Schon vor 1848 waren sie in Gemäßigte und Radikale gespalten, die in Preußen nach 1859 mehrere Fraktionen bildeten, im Reichstag die →Fortschrittspartei, die Freisinnige Volkspartei (→Freisinn 1) und die →Nationalliberale Partei deren Nachfolger 1918 die →Deutsche Demokratische Partei und die →Deutsche Volkspartei waren. Dez. 1948 wurde in West-Dtl. die →Freie Demokratische Partei neugegründet, von der sich 1956 die →Freie Volkspartei abspaltete; in der Sowjetzone Juli 1945 die *Liberal-Demokratische Partei Deutschlands (LDPD)* unter W. Külz, die seit 1948 ihre Unabhängigkeit durch die Blockpolitik mit der SED verlor (Vors. 1952–60 H. Loch; seitdem M. Gerlach).

2) *Schweiz:* über die Freisinnig-Demokratische Partei →Freisinn 2).

3) In *Österreich* bildeten 1861 die Liberalen die Verfassungspartei, die 1881 in der »Vereinigten Linken« aufging. Diese spaltete sich 1885 wiederum und zerfiel 1895/96 gänzlich. Deutschliberale Gruppen, bes. die

Deutsche Fortschrittspartei, verbanden sich 1910 mit den Deutschnationalen (→Deutschnationale Bewegung). Nach dem 2. Weltkrieg machten sich liberale Tendenzen im Verband der Unabhängigen und in der →Freiheitlichen Partei Österreichs bemerkbar.

4) In *England* entwickelte sich eine l. P. in den 1830er Jahren aus den Whigs und den bürgerl. Radikalen, der »Manchesterpartei«. Sie setzten den Freihandel durch und waren bis 1874 unter Russell, Palmerston und Gladstone die vorherrschende Partei. Durch die irische Frage spalteten sich 1886 die »liberalen Unionisten« ab, die zu den Konservativen übertraten. 1906–18 gelangten die Liberalen wieder zur Regierung (Asquith, Lloyd George). Danach wurden sie von der Labour Party immer mehr zurückgedrängt. 1931 teilten sie sich in die Nationalliberalen, ein Anhängsel der Konservativen, und die eigentl. Liberalen (Wahlen 1974: 19,3 % Stimmen, aber nur 14 Sitze).

Im Commonwealth erlangten die Liberalen nur in Kanada ausschlaggebende Bedeutung; ihre zwanzigjährige Vorherrschaft (seit 1935; St. Laurent, Mackenzie King) ging 1957/58 an die Konservativen verloren. 1963 bildeten die Liberalen wiederum die Regierung (Pearson, seit 1968 Trudeau).

5) In den *nordischen* Ländern, in den Niederlanden und Belgien verloren die l. P. bes. seit 1945 ständig an Bedeutung. In Italien schlossen sich die meisten liberalen Gruppen nach 1922 der Opposition des Aventinians an (→Faschismus) und bildeten nach 1945 kleinere Gruppen. In Frankreich galten als l. P. die Unabhängigen Republikaner (Pinay, Laniel, Coty) und ein Teil der →Radikalsozialisten.

Weiteres →Liberalismus.

Liberalisierung [lat. Kw.], die Beseitigung von mengenmäßigen Beschränkungen (→Kontingent) bei der Einfuhr von Waren.

Liberalismus, die Staats-, Wirtschafts- und Gesellschaftslehre, die von der freien Entfaltung der Anlagen und Kräfte des einzelnen den ständigen Fortschritt in Kultur, Recht, Wirtschaft und Sozialordnung erhofft und deshalb für die Gestaltung der Gesamtordnung in freiheitl. Geist eintritt. Sie wurde im 18. Jh. geformt und im 19. Jh. im Kampf des Bürgertums gegen Legitimismus, Feudalismus, Klerikalismus und kirchl. Orthodoxie, Traditionalismus und Obrigkeitsstaat der entscheidende Träger des freiheitlich demokrat. Verfassungsstaats und der kapitalist. Wirtschaftsentwicklung.

Geistesgeschichtliche Grundlagen. Der L. wurzelt in dem »Individualismus, der naturrechtl. Staatsauffassung, dem Rationalismus der →Aufklärung, der engl. und franz. Staatstheorie des 18. Jhs. (Locke, Montesquieu, Rousseau), der reformator. Vorstellung der Gewissensfreiheit, dem Neuhumanismus und Idealismus (Kant, Schiller, W. v. Humboldt) und der Wirtschaftstheorie der klass. Nationalökonomie (A. Smith, Ricardo). Die naturrechtl. Lehre, daß der Staat auf einem Gesellschaftsvertrag freier Individuen beruhe, entwickelte sich im L. zu der Auffassung, daß der Staat nur ein Mittel sei, um Sicherheit und Glück der einzelnen zu gewährleisten (»das größte Glück der größten Zahl«). Die Beschränkung der Staatsgewalt durch Gewaltenteilung und Grundrechte zur Sicherung einer staatsfreien Sphäre wie der Anspruch der einzelnen auf Teilnahme an der Bildung des Staatswillens und der Ausübung der Staatsgewalt wurden liberale Grundforderungen. Mit dem Absolutismus, dem Merkantilismus und dem Polizeistaat wurde auch der die einzelnen bevormundende Wohlfahrtsstaat verworfen. Vom »freien Spiel der Kräfte« erhoffte man nicht nur allseitigen Fortschritt, sondern auch die Entfaltung zu einem ausgewogenen, harmon. Lebensganzen (Fortschritts-, Harmonie- und Totalitätsgedanke des L.). Im großen Sinne politisch wirksam wurde der L. zuerst in der Unabhängigkeitserklärung und Verfassung der USA, dann im ersten Abschnitt der Französ. Revolution (Erklärung der Menschenrechte von 1789, Verfassung von 1791). Die Französ. Revolution entfachte die bereits vorhandenen Bestrebungen auf Überwindung des staatlichen Absolutismus, verfassungsmäßige Sicherung der Grundrechte, Befreiung (Emanzipation) bisher gebundener Stände und Lebensordnungen (Bauern, Gewerbe). Die Stein-Hardenbergsche Reform in Preußen brachte die Bauernbefreiung und gab den Städten ihre Selbstverwaltung zum Teil zurück. In der Folgezeit konzentrierte sich der L., nunmehr von breiten Schichten des Bürgertums getragen, bes. auf die Forderung des Rechts- und Verfassungsstaats, außerdem auf Gewerbefreiheit, Freihandel u. a. Der L. wurde der geistige Gehalt der »bürgerlichen Revolutionen« (1830, 1848).

Die wirtschaftspolitischen Wurzeln liegen im franz. Physiokratismus und in der klassischen Volkswirtschaftslehre der Engländer, die gegenüber der Wirtschaftspolitik des absoluten Staates freie wirtschaftliche Betätigung forderte und den Staat auf die Aufgabe beschränkte, das freie Spiel der Kräfte, die persönliche Sicherheit und das Privateigentum zu schützen. Auf der Höhe des 19. Jhs. beherrschte der L. fast alle volkswirtschaftl. Theorien und die meisten Kabinette. Als einer seiner entscheidenden Durchbrüche in die Praxis wurde der Übergang Englands zum Freihandel empfunden.

In den staatlich noch nicht geeinten Ländern, bes. in Dtl., verband sich der L. mit der nationalen Bewegung, einerseits weil die polit. Einheitsforderung in der Forderung eines einheitlichen nationalen Wirtschaftsraums ohne Zollschranken eine kräftige Stütze fand (Zollverein), andererseits weil der Gedanke der Volksvertretung und des Rechtsstaats das stärkste Gegengewicht gegen die dynastischen Sonderbildungen und -interessen war. Das liberale Bürgertum wurde daher zugleich der Hauptträger der nationalen Einheitsforderung. Das Frankfurter Parlament zeigt den nationalen und den liberalen Gedankenkreis in engster Verbindung. Ähnlich lagen die Dinge in Italien.

Die anfangs einheitliche Gedankenwelt des L. spaltete sich in eine gemäßigte und eine radikale Richtung, je nachdem, ob der Rechtsstaat- und Verfassungsgedanke oder die demokratische Gleichheit und Volkssouveränität stärker betont wurden. Das wichtigste Ferment zur Aufspaltung wurde die soziale Frage. Die Arbeiterbewegungen, die sich anfangs überall den demokratisch-liberalen Gedanken angeschlossen hatten, setzten sich immer deutlicher von diesen ab, endgültig, nachdem sie im Sozialismus ihre eigene Zielsetzung gefunden hatten.

Die →liberalen Parteien spielten in allen Parlamenten des 19. Jhs. eine bedeutende Rolle. Im 20. Jh. führte die innere Fortentwicklung der industriellen Gesellschaftsordnung zu neuen wirtschaftl. und rechtl. Bindungen eine Krise des L. herauf, die in den meisten Ländern den Rückgang der liberalen Parteien zur Folge hatte. Wo totalitäre Systeme zur Macht gelangten, wurde der L. ideologisch scharf bekämpft, praktisch ausgeschaltet. Daß der L. den Gedanken notwendiger Bindungen, bes. den des sozialen Ausgleichs in sich aufnimmt, stellt eine neuere Phase seiner Entwicklung dar (→Neoliberalismus).

LIT. H. Lewy: Der Wirtschafts-L. in England (²1928); A. Rüstow: Das Versagen des Wirtschafts-L. (²1950); J. A. Schumpeter: Kapitalismus, Sozialismus u. Demokratie (²1950).

liberalistisch [Weiterbildung von liberal; zuerst 1807 von Goethe, allgemein seit dem 1. Weltkrieg gebraucht], im Geiste des Liberalismus.

Liberalität, 1) freie Gesinnung. **2)** † Freigebigkeit.

Liberec [l'iberets], tschech. für →Reichenberg.

Lib'eria [lat. Kw. ›Freiheitsland‹], Republik in W-Afrika, 111370 qkm mit (1971) 1,57 Mill. Ew.; Hauptstadt ist Monrovia.

Natur. L. erstreckt sich etwa 500 km entlang der Oberguineaküste und 160 bis 260 km tief ins Innere. Hinter der fast gradlinigen Mangrovenküste verläuft in etwa 40 bis 50 km breiter von Urwald bestandener Tieflandstreifen mit feuchtheißem Klima. Nach dem Innern steigt in Stufen ein Schiefergebirge an, in einzelnen Bergstöcken bis 700 m ü. M., von Savanne bedeckt, mit winterl. Trockenzeit.

Bevölkerung: Aus dem Sudan stammende Einwanderer (Kpelle, Bassa, Kru u. a.) und die Nachkommen ehem. Sklaven, die aus den USA zurückkehrten. Naturreligionen herrschen vor: rd. 18 % sind Moslems, 14 % Christen.

Wirtschaft. Für den Eigenbedarf Anbau von Bergreis, Maniok u. a.: für den Export wird Kautschuk (meist auf ausländ. Plan-

tagen), Kaffee, Kakao gewonnen. Das Land ist reich an wertvollen Hölzern (Mahagoni, Zedern). Von den reichen Bodenschätzen werden hochwertige Eisenerze, Gold und Diamanten gewonnen. Industrie: Eisenerz- und Kautschukverarbeitung.

Es gibt rd. 3600 km Straßen; Eisenbahnen nur für den Erztransport. Durch zahlreiche unter der Flagge L.s registrierte ausländ. Schiffe steht L. mit (1972) 44,4 Mill. BRT an erster Stelle der Welttonnage. Haupthäfen sind Monrovia und Buchanan; internat. Flughafen: Robertsfield.

Staat. Verfassung und amerikan. Vorbild vom 26. 7. 1847. Der Präsident wird auf 8 Jahre gewählt. Das Parlament besteht aus Senat (18 Mitgl.) und Abgeordnetenhaus (52 Abg.); Wahlrecht haben nur Neger, seit 1947 auch Frauen.

Amtssprache ist Englisch. Wappen: TAFEL Wappen IV, Flaggen: FARBTAFEL Flaggen II. Währungseinheit ist der liber. Dollar zu 100 Cents. Verwaltungseinteilung in 9 Bezirke.

Das Recht ist vom amerikan. Recht beeinflußtes Gewohnheitsrecht.

Trotz allgem. Schulpflicht (seit 1919) besuchen nur rd. 20 % der Kinder regelmäßig Schulen; Univ. in Monrovia (gegr. 1862/1951).

Streitkräfte: allgem. Wehrpflicht vom 16. bis 45. Lebensjahr, tatsächlich besteht nur freiwillige Miliz.

GESCHICHTE. L. wurde 1822 als Niederlassung freigelassener Negersklaven aus den USA gegründet und seit 1847/48 als unabhängige Republik anerkannt. Die tatsächl. Macht der herrschenden Oberschicht erstreckte sich bis zum 1. Weltkrieg nur über das Küstengebiet; seitdem hat sie sich dank der wirtschaftl. Unterstützung der USA (Finanzaufsicht 1908, Beteiligung am Leih-Pacht-System 1941) auf das Hinterland ausgedehnt. Staatsoberhaupt und Regierungschef war 1944–71 (gestorben) W. Tubman, seitdem W. R. Tolbert. L. ist Gründungsmitgl. der UN.

Lib'erius, Papst (352–66), Römer, † Rom 24. 9. 366, wurde 355 von Kaiser Konstantius II. als Anhänger des Nicaenums abgesetzt und verbannt, durfte 358 zurückkehren. Er gilt als Erbauer der Kirche S. Maria Maggiore. Heiliger; Tag (nicht mehr begangen): 23. 9.

L'ibero [ital. ›freier Mann‹], beim Fußball ein Spieler ohne direkten Gegenspieler.

Lib'ertas, altröm. Göttin der Freiheit; Kennzeichen: Zepter und der von den freigelassenen Sklaven aufgesetzte Hut (pileus). Ihr Bild findet sich auf vielen spätröm. Münzen: →Freiheitssymbole.

Libertät [lat.], Freiheit, Vorrecht.

Liberté, Égalité, Fraternité [franz. ›Freiheit, Gleichheit, Brüderlichkeit‹], das Losungswort der Franz. Revolution, Juni 1793 aufgestellt.

Libertin [libertɛ̃, franz. aus lat. ›Freigelassener‹ *der*, **Libert'iner, 1)** zügelloser, liederlicher Mensch, **2)** † Freigeist. **3)** Ketzername der Reformationszeit für Vertreter einer myst.-spiritualist. Auffassung des Christentums, bei der das innere Glaubenserlebnis stärker betont wird als die Bindung an Schrift und Tradition.

Libertinage [libɛrtinaːʒ], Liederlichkeit.

Liberty Island [lˈibəti ˈailənd], →Bedloe Island.

l'iberum arb'itrium [lat.], freies Ermessen.

l'iberum v'eto [lat. ›das freie: ich verbiete‹], im alten poln. Reichstag (1652–1791) das Recht jedes Mitgliedes, durch seinen Einspruch Beschlüsse aufzuheben.

Lib'ido [lat.] *die*, im geschlechtl. Verhalten Trieb, Begierde, im Unterschied zur →Potenz; nach S. Freud ist L. die seelisch nicht bewußte Triebkraft von ausgeprägt sexuellem Charakter und macht sie damit zur zentralen Energie des Unbewußten, nach C. G. Jung die in der Intensität psychischer Vorgänge sich äußernde Lebenskraft oder psychische Energie.

Lɪт. P. R. Hofstätter: Einf. in die Tiefenpsychologie (²1952).

Libit'ina, altröm. Göttin des Begräbniswesens, vermutlich etruskischen Ursprungs.

L'iblar, ehem. Gem. im RegBez. Köln, Nordrhein-Westf., Naturschutzpark mit Schloß Gracht, mit (1967) 8600 Ew.; Industrie; seit 1. 7. 1969 zu Erftstadt gehörig.

L'ibon, griech. Baumeister aus Elis, Erbauer des 457 v. Chr. vollendeten Zeustempels in Olympia, der ein Musterbeispiel des strengen dorischen Stils ist.

Lib'orius, Bischof von Le Mans im 4. Jh.; Schutzheiliger von Paderborn; Tag: 23. 7.

Libourne [liburn], Kreisstadt in Mittelfrankreich, mit rd. 22000 Ew., an der Mündung der Isle in die Dordogne; Weinhandelsmittelpunkt.

libra [lat.] *die*, **1)** die Waage, auch als Zeichen des Tierkreises und als Sternbild. **2)** L. **pondo**, altröm. Gewicht, das Pfund. Aus dem Latein. ging das Wort in die roman. Sprachen über (→Lira, →Livre).

Library of Congress [lˈaibrəri əv kˈɔŋgres], Kongreßbibliothek, Washington D. C., die Bibliothek der beiden Häuser des Kongresses der USA, eine der größten Bibliotheken der Welt. 1802 gegr., erhielt sie 1846 das Recht auf Pflichtexemplare und wurde seit der Errichtung des jetzigen Gebäudes (1897) und unter der Leitung von H. Putnam zur Nationalbibliothek ausgebaut. Mit der L. of C. ist das *Copyright Office* verbunden.

Libration [lat.], scheinbare Pendelung des Mondes, die bewirkt, daß man ⁴/₇ der Oberfläche sehen kann.

Libr'etto [ital. ›Büchlein‹] *das*, Opern-, Operettentext; Textbuch. **Librettist**, Verfasser eines L. Bekannte Librettisten: da Ponte, Schikaneder, Hofmannsthal u. a.

Libreville [librwil], Hauptstadt und Hafen der Republik Gabun, mit (1967) 45700 Ew.; kathol. Erzbischofssitz.

libri [lat.], Bücher, *Mz.* von →liber.

Libri Carrucci della Sommaia, Guglielmo, Graf, * Florenz 2. 1. 1803, † Fiesole 28. 1.

1869, als Franzose naturalisiert, berüchtigt durch seine Diebstähle von Handschriften aus franz. Bibliotheken. Seine Sammlung verkaufte er z. T. an Lord Ashburnham.

Lɪт. G. A. E. Bogeng: Die großen Bibliophilen (1922).

Lib'urne, ursprüngl. leichtes, auch zum Segeln geeignetes Ruderschiff der →Liburner, im 1. Jh. v. Chr. der Haupttyp der röm. Flotte Oktavians; Besatzung etwa 120 Mann. Als Hauptkampfschiff wurde die L. im Mittelmeer später durch die Galeere abgelöst.

Lib'urner, lat. *Liburni*, im Altertum ein Seeraub treibender illyr. Stamm im heutigen W-Kroatien und N-Dalmatien.

Lib'ussa, in der von →Cosmas von Prag überlieferten alttschech. Sage die Gründerin von Prag, Ahnherrin des Herrschauses der Przemysliden. Schauspiele von Clemens Brentano (Die Gründung Prags, 1815), Grillparzer (1873); Oper v. Smetana (1881).

L'ibyen, arab. *al-Libija*, Republik in Nordafrika, 1759540 qkm mit (1973) 2,16 Mill. Ew.; Hauptstädte sind Tripolis und Bengasi (jeweils für 2 Jahre). Die neue Hauptstadt El Beida ist im Ausbau.

Natur. L. umfaßt den mittleren Teil der S-Küste des Mittelmeers beiderseits der Großen Syrte, reicht südwärts bis zum Tibesti-Gebirge und gliedert sich in die Landschaften →Tripolitanien, →Cyrenaica und →Fessan. Nur die beiden genannten sind entlang der Küste kulturfähige Steppe und Weideland, zum weitaus größten Teil ist L. Stein- und Sandwüste. Die wichtigsten der zahlreichen Oasengruppen des Innern sind die von Kufra, Mursuk, Gadames, Gat.

Die *Bevölkerung*, die zu 95% im Küstengebiet wohnt, besteht aus z. T. nomadisierenden Arabern (darunter die →Senussi), Berbern und ital. Siedlern.

Wirtschaft, Verkehr. Wirtschaftsgrundlage ist die Erdölproduktion (1972: 105 Mill. t; 7. Stelle der Weltförderung). Die ausländischen Ölgesellschaften wurden 1973 verstaatlicht (L. übernahm gegen Entschädigung 51% des Kapitals). Landwirtschaft wird nur in den Küstengebieten, z. T. mit künstl. Bewässerung, und in den Oasen betrieben; Anbau von Getreide, Datteln, Feigen, Oliven, Erdnüssen, Zitrusfrüchten, Wein, Gemüse, in der Steppe Gewinnung von Espartogras. Viehzucht vor allem in der Cyrenaica, an der Küste Schwammfischerei, Fischfang (Thunfische, Sardinen); Salzgewinnung. Neben altem Handwerk (Teppiche, Lederwaren) besteht eine kleine Verbrauchsgüterindustrie. Die Ausfuhr umfaßt Erdöl, Erdnüsse, Olivenöl, Rohhäute.

Das im Ausbau befindliche Straßennetz (Küstenstraße und Stichstraßen zu den Oasen) hat eine Länge von rd. 8100 km; ferner rd. 7000 km Pisten. Die Eisenbahn (370 km) wurde 1965 stillgelegt. Haupthäfen und internat. Flughäfen sind Tripolis und Bengasi. L. besitzt eine eigene Luftfahrtgesellschaft, vorwiegend für den Inlandverk.

Staat. Nach der Verfassung vom 11. 12. 1969 ist der »Revolutionsrat« oberstes Organ der Arab. Rep. L.; Staatsoberhaupt ist der Vors. des Revolutionsrates.

Amtssprache: Arabisch. Staatsreligion: Islam. Wappen: Adler (ähnlich wie VAR, TAFEL Wappen V), Flagge: drei waagerechte Bahnen rot-weiß-schwarz (bis 1969: TAFEL Wappen IV, FARBTAFEL Flaggen II). Währung: lib. Dinar = 1000 Dirham. – Grundlage des Rechts war das italian. Recht, in Familien- und Erbsachen islam. Recht; oberster Gerichtshof in Tripolis. -- Staatsuniversität mit Fakultäten in Bengasi und Tripolis, islam. Univ. in El Beida.

GESCHICHTE. Im griech. Altertum war L. das ganze Afrika westl. von Ägypten. Während im O das griech. Reich von Kyrene entstand (→Cyrenaica), gehörte der westl. Küstenstrich (Tripolis) zum Röm. Reich. Die Araber eroberten 641–644 n. Chr. das ganze Land. Es kam 1551 unter türk. Oberhoheit. Tripolis wurde dann einer der Hauptsitze der nordafrikan. Seeräuber und bildete bis 1835 einen von Deis regierten Staat, der dann wieder türkisch wurde. Im italien.-türk. Krieg (1911/12) kamen die beiden türk. Provinzen Tripolitanien und Cyrenaica an Italien und wurden 1934 zur Kolonie L. *(Libia)* vereinigt. 1942/43 wurden sie von den Engländern, der Fessan von den Franzosen besetzt. 1947 verzichtete Italien auf L. Am 24. 12. 1951 wurde L. unabhängiges Königreich unter Mohammed Idris I. el-Senussi. Am 1. 9. 1969 wurde nach einem Staatsstreich panarabisch-sozialrevolutionärer Offiziere der König, der sich auf einer Auslandsreise befand, abgesetzt. Ein Revolutionsrat unter Oberst Moammer al Khadafi übernahm die Macht. Panarab. Vereinigungspläne (mit Ägypten und Syrien 1971, mit Tunesien 1974) wurden bisher nicht ausgeführt. Im April 1974 übernahm MinPräs. Oberst Dschallud (seit 1972) auch alle Aufgaben des Staatsoberhaupts.

1953 Mitgl. der Arab. Liga, Dez. 1955 der Vereinten Nationen.

L'ibysche Wüste, der nordöstliche, wasser- und pflanzenärmste Teil der Sahara, etwa 2 Mill. qkm, im O vom Nil, im W vom Fessan begrenzt; in ihrer Mitte die Oasen von Kufra. Der NW der L. W. gehört zu Libyen, der NO zu Ägypten, der S zum Sudan.

Lic., Lic. theol., Abk. für →Lizentiat.

Lic'ata, Stadt in Sizilien, (1971) 41 200 Ew., Ausfuhrhafen bes. für Asphalt und Schwefel.

Licence [lisãs, franz.] *die,* franz. akadem. Grad, erworben nach 2–3 jähr. Universitätsstudium geisteswissenschaftl. *(l. ès lettres),* naturwissenschaftl. Fächer *(l. ès sciences)* oder der Rechtswissenschaft *(l. en droit).* Die L. genügt für die Anstellung an kommunalen oder privaten Schulen oder zur Niederlassung als Rechtsanwalt. →Agrégation.

l'icet [lat.], es steht frei, es erlaubt.

Lich, Stadt im Kr. Gießen, Hessen, an der Wetter und am NW-Rand des Vogelsbergs, mit (1974) 10 400 Ew. – 788 erwähnt, besitzt L. seit 1300 Stadtrecht, alte Fachwerkhäuser, die spätgot. Marienstiftkirche, Reste der Stadtumwallung und das Schloß der Fürsten zu Solms-Hohensolms-L. (18. Jh.).

L'ichen [griech.-lat.] *der,* 1) Flechte (Pflanze). 2) *Knötchenausschlag,* Hautkrankheit, gekennzeichnet durch stark juckende Knötchen an Haut und Mundschleimhaut.

Lichfield [l'itʃfi:ld], Stadt in Mittelengland, mit (1971) 22 700 Ew., berühmte got. Kathedrale (13./14. Jh.).

Lichn'owsky, schles. Uradelsgeschlecht, seit 1773 fürstlich.

1) **Felix,** Fürst, * 5. 4. 1814, † Frankfurt a. M. 18. 9. 1848, anfangs preuß. Offizier, kämpfte im span. Bürgerkrieg 1834–40 für Don Carlos, war in der Frankfurter Nationalversammlung Führer des rechten Flügels. Beim Frankfurter Septemberaufstand wurde er – mit dem Gen. von Auerswald – von Anhängern der extremen Linken ermordet.

2) **Karl Max,** Fürst, Neffe von 1), * Kreuzenort (Kr. Ratibor) 8. 3. 1860, † Berlin 27. 2. 1928, war 1912–14 Botschafter in London.

3) **Mechtilde,** Fürstin, geb. Gräfin von und zu Arco-Zinneberg, Schriftstellerin, seit 1904 verh. mit 2), * Schloß Schönburg (Niederbayern) 8. 3. 1879, † London 4. 6. 1958, schrieb Erzählungen, Essays.

Licht [german. Stw.], **1)** *allgemein:* die Ursache der Sehwahrnehmungen; im gewöhnlichen Sprachgebrauch: Helligkeit, Beleuchtung. **2)** *Physik:* eine Strahlung, die sich im leeren Raum geradlinig ausbreitet. Körper, die für Lichtstrahlen fast durchlässig sind, werden als durchsichtig, solche, die die Lichtquelle nur schlecht erkennen lassen, als durchscheinend, und solche, die gar kein Licht hindurchlassen, als undurchsichtig bezeichnet. Der nicht hindurchgelassene Anteil des L. wird von den Körpern verschluckt (→Absorption) oder zurückgeworfen (→Reflexion), wobei das L. seine Farbe ändern kann. Gebündeltes weißes L. wird durch ein Glasprisma abgelenkt (→Brechung) und in Lichtbündel verschiedener Farbe zerlegt, die aus dem Prisma in verschiedenen Richtungen austreten (→Dispersion). Durch eine Linse können die getrennten Bündel wieder zu weißem L. vereinigt werden. Die Erscheinungen der →Interferenz, →Beugung und →Polarisation erweisen das L. als einen Wellenvorgang. Den verschiedenen Lichtfarben entsprechen Wellen verschiedener Wellenlänge. Die Grenzen des sichtbaren L. liegen etwa bei 0,40 μ Wellenlänge am violetten und bei etwa 0,75 μ am roten Ende des Spektrums. Nach der Maxwellschen Theorie ist das sichtbare L. der kleine Ausschnitt aus der Skala der →elektromagnetischen Schwingungen, für den unser Auge empfindlich ist. Man spricht daher in erweitertem Sinne auch vom (unsichtbaren) *Ultrarotlicht, Ultraviolettlicht, Röntgenlicht.* Nach der Quantentheorie verhält sich das L. bei seiner Ausbreitung im Raume wie Wellen, beim Entstehen (Emission) und Verschwinden

(Absorption) aber wie Teilchen *(Lichtquanten, Photonen)*. Wellen- und Teilchenbild sind im Sinne der Quantentheorie komplementäre Bilder (→Komplementarität). Die Vorgänge der Lichtaussendung und -verschluckung durch die Materie sind durch die quantenmechanische Atomtheorie aufgeklärt worden (→Atom).

Lit. L. de Broglie: L. und Materie ([7]1949); E. Buchwald: Das Doppelbild von L. und Stoff ([3]1950); E. Rüchardt: Sichtbares und unsichtbares L. ([2]1952); R. W. Ditchburn: Light (New York 1952).

3) *Religionsgeschichte:* in vielen Mythen beginnt mit dem L. die geordnete und lebendige Welt: oft kämpft der »L.-Held« mit den Mächten der Finsternis (Ägypten, Babylonien), die meist in Tiergestalt (Schlange, Drache) dargestellt werden. Bekannt ist im german. Mythos der L.-Gott Baldur, der von seinem blinden Bruder Hödr auf Anstiften des Loki getötet wird. Am ausgeprägtesten ist die Vorstellung von L. und Finsternis in der iranischen Religion (Zoroaster) und im Manichäismus, wobei der Kampf beider gleichbedeutend mit dem Streit der guten und bösen Kräfte in der Welt wird.

Im A. T. beginnt die Schöpfung mit der Schaffung von L. (1. Mos. 1, 3). Auch die Psalmen kennen das L. als religiösen Begriff und setzen ihn meistens dem der Finsternis entgegen, desgleichen das *N. T.* So heißt es von Gott, daß er in einem unzugänglichen L. wohnt (1. Tim. 6, 16), ja daß er das L. ist (1. Joh. 1, 5). Nach Johannes nennt sich weiter Christus »das L. der Welt« (öfters), auch die Jünger heißen so (Matth. 5, 14). Endlich bedeutet, zumal bei Johannes, L. soviel wie das messianische Heil; das Wort wird parallel zu »Leben« gebraucht und bedeutet das neue Element, in dem der Erlöste lebt. Der Kult der kath. Kirche hat schon früh das L. mit seiner symbolhaften Bedeutung theoretisch und praktisch (L. bei der Meßfeier, Kerzenweihe, Ewiges L. u. a.) in seinen Dienst gestellt. Für gewöhnlich bezieht sich das L. auf Christus, bes. deutlich in der Liturgie der Osternacht (1951 vom Hl. Stuhl neu redigiert).

Lichtablenkung, die von der Relativitätstheorie verlangte und beobachtete Ablenkung des Lichtes im Schwerefeld der Sonne; verursacht eine von der Sonne fortgerichtete scheinbare Verschiebung der Sterne nahe dem Sonnenrand. Am Sonnenrand selbst ergibt die Theorie eine L. von 1.75″. Die L. kann nur bei totalen Sonnenfinsternissen beobachtet werden.

Lichtanlage, die Gesamtheit aller fest verlegten Vorrichtungen, die zur (elektrischen) Beleuchtung erforderlich sind.

Für zentral mit Strom versorgte Anlagen wird heute fast nur Wechselstrom von 220 V Spannung und einer Frequenz von 50 Hz zur Verfügung gestellt. Die Frequenz 50 Hz genügt, um ein flimmerfreies Licht zu liefern. Gleichstrom von 110 oder 220 V ist selten. Bei Glühlampen ist die Stromart gleichgültig, die modernen elektr. Lichtquellen (Gasentladungslampen, Leuchtstofflampen) sind gleich für Wechselstrombetrieb entwickelt worden. Durch besondere Schaltungen mit den zugehörigen Schaltern werden eine oder mehrere Lampen von einer oder mehreren Stellen aus wahlweise ein- und ausgeschaltet. Weiteres →Leitung, →Sicherung, →Schalter, →Fassung, →Steckdose, →Glühlampe, →Gasentladungslampe, →Leuchtstofflampe.

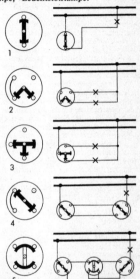

Lichtanlagen: Schalter und Schaltungen. **1** *Ausschalter.* **2** *Gruppenschalter.* **3** *Serienschalter.* **4** *Wechselschalter.* **5** *Kreuzschalter. In den zugehörigen Schaltungen bedeuten* x *die Lichtquellen (Leuchten)*

Lichtausbeute, das Verhältnis des von einer Lichtquelle abgegebenen →Lichtstroms (in Lumen, lm) zur Leistungsaufnahme der Lichtquelle (in Watt, W); kennzeichnet die Wirtschaftlichkeit der Lichtquelle: z. B. Kohlenfadenlampe 3–5 lm/W, Doppelwendelglühlampe 10–20 lm/W, Quecksilber-Hochdrucklampe 34–40 lm/W, Natriumdampflampe 40–65 lm/W, Leuchtstofflampe 28–50 lm/W, Xenon-Hochdrucklampe 25–30 lm/W.

Lichtbehandlung, die Anwendung des Lichts zu Heilzwecken; man verwendet das natürliche Sonnenlicht (→Sonnenbad) oder künstliche Lichtquellen (so →Höhensonne, →Blaulicht), die wirksame Strahlen abgeben. Eine eigentl. L. liegt nicht vor, wenn die

Lich

Wirkung hauptsächlich auf der von elektr. Lampen ausgestrahlten Wärme beruht (→elektrisches Lichtbad).

Lichtbild, die Abbildung eines Gegenstandes mit Hilfe lichtempfindlicher Stoffe, →Photographie.

Lichtbogen, Bogenentladung, eine Gasentladung hoher Stromstärke, wie sie z. B. zwischen den beiden Kohlen einer →Bogenlampe entsteht oder auch dann, wenn man zwei stromführende Kontakte voneinander trennt; der L. wird wegen der hohen Temperatur zum Schneiden, Schweißen und Schmelzen von Metallen benutzt.

Lichtbogenofen, →Industrieöfen.

Lichtdruck, 1) →Strahlungsdruck. **2)** ein Flachdruckverfahren zur Wiedergabe von Halbtönen. Auf eine mattierte Glasplatte wird eine Gelatineschicht aufgebracht, mit Ammonbichromatlösung lichtempfindlich gemacht und bei 50° C getrocknet, worauf die Oberfläche ein feines »Runzelkorn« zeigt. Nach Belichten unter einem Negativ quellen die einzelnen Teile der Schicht in Wasser verschieden stark und stoßen in gleichem Maße fette Druckfarbe verschieden stark ab. Durch vorsichtiges Einwalzen der Druckfarbe entsteht so eine Druckform, die alle Schattierungen und Einzelheiten wiedergibt. Der L. ist das edelste Druckverfahren zur Wiedergabe von Originalgemälden, jedoch nur für niedrige Auflagezahlen geeignet.

lichtecht, gegen die ausbleichende Wirkung des Sonnenlichts widerstandsfähig (Farben).

lichte Höhe [zu licht ›offen‹], Höhe im Lichten, →lichte Maße.

Lichteinheit, die Einheit der →Lichtstärke, bis 1947 in Dtl. die *Hefnerkerze (HK),* in Frankreich und den angelsächs. Ländern die *Internationale Kerze.* 1 HK ist die Lichtstärke einer genormten Amylazetat-Dochtlampe, 1 Internationale Kerze die eines genormten Satzes von Kohlenfadenlampen. 1948 wurde die *Neue Kerze (NK)* international eingeführt; sie wurde 1949 in →*Candela (cd)* umbenannt.

lichtelektrischer Effekt, die Lösung von Elektronen aus ihrer Bindung im Atom durch Lichtquanten, wird z. B. beobachtet, wenn ultraviolettes Licht auf eine Zinkplatte trifft *(äußerer l. E., Photoeffekt, Hallwachseffekt).* Der *innere l. E.* tritt auf, wenn bestimmte Kristalle (Zinksulfid, Diamant u. a.) bestrahlt werden: die vorher fest gebundenen Kristallelektronen werden frei beweglich, der vorher isolierende Kristall erhält plötzlich eine kleine elektrische Leitfähigkeit.

lichtelektrische Zelle, die →Photozelle.

lichte Maße, *lichte Höhe, lichte Weite,* die nutzbaren inneren Abstände zwischen den Begrenzungen einer Öffnung oder eines Raumes; die lichte Weite eines Rohres ist sein innerer Durchmesser.

Lichtenau, Wilhelmine, Gräfin von (seit 1796), Geliebte Friedrich Wilhelms II. von Preußen, * Dessau 19. 12. 1753, † Berlin 9. 6. 1820, Tochter des Musikers Enck.

Lichtenberg, der 17. VerwBez. der Stadt Berlin (Ost-Berlin), mit den Ortsteilen Karlshorst, Rummelsburg u. a.

Lichtenberg, Georg Christoph, Physiker und Schriftsteller, * Oberramstadt bei Darmstadt 1. 7. 1742, † Göttingen 24. 2. 1799, das. seit 1769 Prof. der Physik. L. wurde durch seine Vorlesungen über Experimentalphysik und die Entdeckung der nach ihm benannten **Lichtenbergschen Figuren** bekannt. Diese entstehen bei Bestäuben einer Platte aus Isolierstoff, längs deren Oberfläche eine elektr. Gleitentladung stattgefunden hat. Die Bekanntgabe dieser Erscheinung (1777) regte Chladni zur Darstellung seiner Klangfiguren an.

L. gab seit 1778 den ›Göttinger Taschenkalender‹ heraus, in dem er zahlreiche Aufsätze naturwissenschaftl. und popularphilosoph. Inhalts veröffentlichte, die ähnlich wie Benjamin Franklins kleine Abhandlungen der Aufklärung und der Bekämpfung des Aberglaubens dienten. Er war der erste große Meister des Aphorismus in Dtl. Als Aufklärer bekämpfte er Empfindsamkeit, Lavaters Physiognomik und das Genietreiben des Sturm und Drang. Literar. Ergebnisse zweier Reisen nach England (1770 und 1774/75) waren die ›Briefe aus England‹ mit dem Höhepunkt der Charakterisierung des Schauspielers Garrick sowie die ›Ausführliche Erklärung der Hogarthschen Kupferstiche‹ (5 Lieferungen von L., 1794–99, weitere bis 1835 von Bouterwek).

WERKE. Vermischte Schriften, hg. v. L. C. Lichtenberg u. F. Kries, 9 Bde. (1800–05), Aphorismen, 5 Hefte, hg. v. A. Leitzmann (1902–08), v. M. Rychner (1947), L.s Briefe, 3 Bde., hg. v. A. Leitzmann u. C. Schüddekopf (1901–04); Aus L.s Nachlaß, hg. v. A. Leitzmann (1899), Aphorismen, Briefe, Schriften, hg. v. P. Requadt (1938), Werke, hg. v. R. K. Goldschmit-Jentner (1947), hg. v. W. Grenzmann, 3 Bde. (1949), hg. v. W. Promies, 4 Bde. (1967ff.).

LIT. P. Hahn: L. und die exakten Wissenschaften (1927); W. Grenzmann: L. (1938); P. Rippmann: Werk und Fragment (1953); H. Schöffler: L. (1956); P. Requadt: L. (²1964); W. Promies, G. C. L. (1965).

Lichtenberger, 1) André, franz. Schriftsteller, Bruder von 4), * Straßburg 29. 11. 1870, † Paris 23. 3. 1940, schrieb Romane, Kinderbücher (Mon petit Trott, 1898; dt. 1901). **2)** Ernest, franz. Germanist, * Straßburg 22. 9. 1847, † Marseille 4. 12. 1913, begründete die germanist. Studien in Frankreich.

3) Frédéric, franz. Theologe, * Straßburg 21. 3. 1832, † Versailles 7. 1. 1899, war 1864 bis 1870 Prof. in Straßburg, 1873 gründete er in Paris mit anderen die *École libre des sciences théologiques.*

4) Henri, franz. Germanist, * Mülhausen 12. 3. 1864, † Paris 4. 11. 1941, gründete das

Institut d'Études Germaniques an der Sorbonne, schrieb über Nietzsche, Wagner, Heine, Goethe.

Lichtenfels, Kreisstadt im RegBez. Oberfranken, Bayern, am Main, mit (1974) 11 700 Ew.; AGer., Oberrealschule, Staatl. Fachschule für Korbflechterei; Korb-, Polstermöbel-, Bekleidungsindustrie. Alte Stadt mit Türmen, Stadtkirche (1483), Renaissancebau (Stadtschloß, 1556). In der Nähe liegen Banz und Vierzehnheiligen.

Lichtenr'ade, Ortsteil im 13. VerwBez. Tempelhof der Stadt Berlin (West-Berlin).

Lichtensteig, Bezirksort im Kanton St.Gallen, Schweiz, rechts der Thur, mit (1970) 2100 Ew., 650 m ü. M.; Textilindustrie und Bahnknotenpunkt.

Lichtenstein, bis 1938 *L.-Callnberg,* Industriestadt im Kr. Hohenstein-Ernstthal, Bez. Karl-Marx-Stadt (Chemnitz), am Rand des Erzgebirges, mit (1974) 14900 Ew., Textilfachschule und -industrie. In der Nähe Abbau von Nickelerzen.

Lichtenstein, Schloß auf der Schwäb. Alb, 817 m ü. M., südöstl. von Reutlingen, 1839 auf den Grundmauern der älteren Burg L. erbaut, die durch Wilh. Hauffs gleichnamigen Roman (1826) bekannt ist.

Lichtenstein, Alfred, expressionist. Lyriker und Erzähler, * Berlin 23. 8. 1889, † (gefallen) 25. 9. 1915, war Mitarbeiter der Zeitschrift ›Die Aktion‹. Seine Dichtungen haben groteske Züge, zeigen in ihrer Grundstimmung aber Schwermut.

WERKE. Die Geschichte des Onkel Krause (Kinderbuch 1910), Die Dämmerung (Gedichte 1913), Gedichte und Geschichten (1919), Ges. Gedichte (1962), Ges. Prosa (1966).

Lichtentanne, Industriegemeinde im Kr. Zwickau, Bez. Karl-Marx-Stadt (Chemnitz), mit (1964) 4700 Ew.; Textil-, Metallindustrie.

Lichter, 1) *Jägersprache:* die Augen des Schalenwildes. 2) *Malerei:* die hellsten Stellen eines Gemäldes.

Lichterfelde, Ortsteil im 12. VerwBez. Steglitz der Stadt Berlin (West-Berlin).

Lichterfest, das jüd. Fest →Chanukka.

Lichterführung, die international vorgeschriebene Kennzeichnung von Luft- und Wasserfahrzeugen bei Nacht durch Positionslaternen.

lichte Weite [zu licht ›offen‹], **Weite im Lichten,** →lichte Maße.

Lichtfilter, →Farbfilter.

Lichtgaden *der,* **Obergaden,** die von den Fenstern durchbrochene, die Seitenschiffdächer überragende Mittelschiffwand der Basilika.

Lichtgeschwindigkeit, Zeichen c, die Fortpflanzungsgeschwindigkeit des Lichtes im Vakuum, beträgt fast genau 300 000 km/sec. Die erste Ermittlung der L. gelang Römer 1672–75 auf Grund sorgfältiger Messung

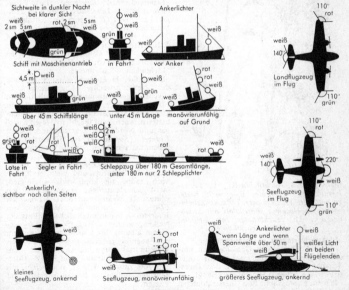

Lichterführung

der Zeiten, während der für uns der innerste Jupitermond durch den Schatten des Planeten verdunkelt wird. 1849 konnte Fizeau erstmals in Experimenten auf der Erde die L. messen; er benutzte ein Zahnrad zur period. Unterbrechung eines die Strecke von rd. 9 km hin und her durchlaufenden Lichtstrahls. Der neueste Wert auf Grund von Laboratoriumsmessungen ist 299 792 km/sec.

Die Tatsache, daß auch in den Gesetzen des *Elektromagnetismus* die Größe c auftritt, wurde von Maxwell theoretisch aufgeklärt; c ist allgemeiner die Fortpflanzungsgeschwindigkeit *elektromagnet. Wellen* im Vakuum. In der speziellen →Relativitätstheorie hat c darüber hinaus die Bedeutung der maximalen Ausbreitungsgeschwindigkeit *aller* physikal. Wirkungen *(Grenzgeschwindigkeit)* und kommt deshalb als eine der wichtigsten Naturkonstanten in allen Formeln der Relativitätstheorie vor.

Lichtgleichung, die an der astronom. Beobachtungszeit anzubringende Korrektion, die die durch die Bewegung um die Sonne verursachten Änderungen in der →Lichtzeit bei den Körpern des Planetensystems berücksichtigt.

Lichtnelke: 1 Nachtlichtnelke; 1a Längsschnitt der männl. Blüte, 1b der weibl. Blüte, 1c geöffnete Fruchtkapsel. 2 Kuckuckslichtnelke; 2a einzelnes Blütenblatt mit Staubgefäßen, 2b Fruchtknoten mit Griffeln, 2c geöffnete Fruchtkapsel

Lichtheilverfahren, →Lichtbehandlung.

Lichthof, 1) ein von Gebäudeteilen umschlossener Hof (mit Glasdach) oder Schacht *(Lichtschacht),* durch den Tageslicht in die anliegenden Räume gelangt. **2)** beim photograph. Bild Überstrahlungen von stark auf schwach belichtete Stellen, die

ähnlich wie atmosphärische Halos durch Streuung des Lichtes in der photograph. Schicht oder durch Reflexion an dem Schichtträger entstehen können.

Lichthupe, *Straßenverkehr:* Anzeige des Überholens durch Blinken mit dem Fernlicht des Scheinwerfers, das auch bei Tag im Rückspiegel des zu überholenden Wagens erkennbar ist.

Lichtjahr, die Strecke, die das Licht in einem Jahr zurücklegt, das sind 9,461 Billionen km; das L. wird als Einheit bei astronom. Messungen benutzt (1 L. = 63275 astronom. Einheiten = 0,3068 Parsec).

Lichtkranz, Hof, ein →Halo.

Lichtkuppel, ein- oder mehrschalige Kuppel, auch mit Lüftungsklappe oder Dachausstieg, zur Belichtung von Räumen unter Flachdächern.

Lichtleiter, gerader oder gekrümmter Stab aus glasklarem Kunststoff zur Fortleitung eines Lichtstrahls in seinem Innern mittels fortwährender Totalreflexion. Verwendung z. B. in der medizin. Diagnostik.

Lichtmaschine, am *Kraftfahrzeug* vom Motor angetriebener Gleichstromgenerator, der den Strom für die Ladung der Batterie und die übrigen elektr. Verbraucher liefert. Die L. wird auch mit der Zündanlage, dem Anlasser (BILD Anlasser) oder beiden zusammengebaut *(Lichtmagnetzünder, Lichtbatteriezünder, Lichtanlasser, Lichtanlaßzünder).*

Lichtmeß, *Mariä Reinigung, Mariä Lichtmeß,* richtiger: *Darstellung Christi im Tempel,* kath. Fest (2. 2.) zum Gedächtnis des Besuches Mariens mit dem Jesuskind im Tempel zu Jerusalem (Luk. 2, 22ff.), im 4. Jh. erstmals für Jerusalem bezeugt. Der Name L. bezieht sich auf die Lichterweihe und -prozession vor der Hauptmesse.

Lichtmühle, →Radiometer.

Lichtnelke, 1) *Lychnis,* staudige Gattung der Nelkengewächse. Die *Kuckucks-L.* (Lychnis oder Coronaria flos cuculi, *Gauch-, Fleisch-, Kuckucksnelke*) bis 0,9 m hoch, mit klebrigem Stengel und rosenroten Blütenblättern, wächst auf feuchten Wiesen Europas und Nordasiens. Gartenpflanzen sind: *Kranz-L. (Samtnelke),* aus Südeuropa und Asien, bis 1 m hoch, weißfilzig mit großen purpurroten, kaum zerschlitzten Blüten; *chalzedonische L. (Brennende Liebe, Feuernelke)* aus Osteuropa und Asien, bis 0,45 m hoch, rauh, mit kopfförmig vereinigte, meist scharlachroten, etwas geschlitzten Blüten. **2)** *Melandryum* oder *Melandrium (Tag-* oder *Nachtnelke, Marienröschen, Widerstoß),* leimkrautähnliche Gattung der Nelkengewächse; *weiße L.(Nacht-L.,* Melandryum album), bis 1 m hoch, mit weißen, nur abends geöffneten Blüten und als Waschmittel brauchbarer Wurzel, auf Brach- und Kulturland, und *rote L.* (Melandryum rubrum, *Tag-L., Waldnelke),* mit hellroten Blüten, in lichten Wäldern, auf Wiesen.

Lichtnuß, Ölsame des →Bankul-

Lichtpause, Kopie einer Vorlage (meist Zeichnung auf Transparentpapier) auf festes Papier (gebleichte Sulfit- und Sulfatzellstoffe) oder eine Transparentfolie, die mit lichtempfindl. Stoffen getränkt sind (Eisensalze, Diazoverbindungen). Beim *Eisenblaudruck (Blaupause)* wird Papier mit Ferriammoniumzitrat und Ferrizyankali getränkt und dann getrocknet. Beim Belichten entsteht Turnbulls-Blau. Durch Wässern wird der unbelichtete lichtempfindl. Stoff herausgelöst, so daß weiße Linien auf blauem Grund entstehen. Bei der neueren *Diazotypie* werden Diazoverbindungen während der Belichtung zersetzt. Beim Entwickeln kuppelt sich die unzersetzte Diazoverbindung in Gegenwart eines Alkalis mit in der Schicht vorhandenem Phenol so zu einem Farbstoff (blau, rot, braun, schwarz), daß farbige Linien auf weißem Grund entstehen. Zum Entwickeln werden bei den *Trockenpapieren* gasförmiges Ammoniak, bei den *Entwicklungspapieren* Sodalösung benutzt.

Lichtplatte, eine transparente Kunststoffplatte, in die feinste Glasfasern eingebettet sind. Die L. ist undurchsichtig, läßt jedoch bis zu 92% des Lichtes hindurch und verteilt es blend- und schattenfrei.

Lichtpunktabtaster, Leuchtschirmabtaster, Flying spot scanner, ein beim Fernsehen verwendeter Bildzerleger, bei dem das Bild von einem schnell bewegten Lichtpunkt beleuchtet wird, der vom Elektronenstrahl auf dem Leuchtschirm der Kathodenstrahlröhre geschrieben wird. Das von dem Bild durchgelassene oder reflektierte Licht wird von einer Photozelle in die Bildsignale umgesetzt.

Lichtquanten, masselose →Elementarteilchen, Träger des Lichts.

Lichtquellen sind Körper, die sichtbare Strahlung (Licht) aussenden *(Selbstleuchter)* infolge hoher Temperatur (Fixsterne, Glühlampe, Gaslicht), durch elektr. angeregte Gase (Gasentladungslampen), durch Leuchtstoffe (Leuchtstofflampen). *Nichtselbstleuchter* werfen auftreffendes Licht zurück, sie erzeugen kein eigenes Licht. Sie gelten als L. nur, wenn das zurückgeworfene Licht eine genügende Beleuchtungsstärke auf die Umgebung liefert (Mond, hell beleuchtete Wand).

Lichtraumprofil, *Eisenbahn:* die Umgrenzungslinie des Raumes über den Gleisen, der für die gefahrlose Benutzung der Gleise durch die Eisenbahnfahrzeuge freigehalten wird (→Lademaß, →lichte Maße).

Lichtrelais, in der Bildtelegraphie und beim Tonfilm verwendetes lichtelektr. Relais, das mit Hilfe von Stromschwankungen den Lichtstrom einer konstanten Lichtquelle steuert und so die Stromschwankungen in Helligkeitsschwankungen umsetzt.

Lichtrufanlagen, →Lichtsignalanlagen.

Lichtsäule, ein →Halo, entsteht durch Brechung des Sonnenlichts an säulenartigen Eiskristallen, die parallel, mit waagerechter Achse herabfallen.

Lichtschacht, →Lichthof.

Lichtschäden, *aktinische Krankheiten,* beruhen auf Schädigung durch Lichtstrahlen, die von Wellenlänge, Einwirkungsdauer der Strahlen und Empfindlichkeit des einzelnen abhängt. Die häufigste Form von L. ist der →Sonnenbrand, auf Schneeflächen, Gletschern als *Gletscherbrand.* Überempfindliche Menschen reagieren regelmäßig, bes. im Frühjahr, knötchenförmige Hautausschläge an unbekleideten Hautstellen *(Sommerprurigo).*

Lichtscheu, griech. *Photophobie,* gesteigerte Lichtempfindlichkeit der Augen, so bei Farbstoffmangel der Regenbogen- und Aderhaut (Albinismus) oder bei Augenkrankheiten.

Lichtschleuse, ein von einer Leuchte mit besonderer Optik erzeugter Lichtfächer, z.B. als Zebrastreifen zur besseren Beleuchtung der Fußgänger.

Lichtschranke, eine →Einbruchssicherung, bei der durch Unterbrechung eines auf eine Photozelle fallenden Strahlenbündels eine Alarmvorrichtung ausgelöst wird. L. dienen zur Überwachung und in Verbindung mit Zählwerken zur automat. Zählung.

Lichtsignalanlagen übermitteln sichtbare Nachrichten einfacher Art durch elektr. Lichtquellen: →Leuchtfeuer, Schienenbahn-Signale (→Eisenbahnsignale), Straßenverkehrs-Signale, Wanderschrift-Anlagen. *Lichtrufanlagen* mit mehreren farbigen Lampen dienen zur geräuschlosen Signalgabe, z. B. in Krankenhäusern oder in Räumen mit starkem Lärm, in denen akust. Zeichen nicht hörbar sind (Maschinenhallen, Schaltwerken u. a.). Mit *Personensuchanlagen* können Betriebsangehörige überall angerufen werden; sie besitzen als Anzeige-Organe oft L., bes. Lampentableaus oder-kombinationen. Als Geber von L. dienen Drucktasten, Schalter, automat. Kontaktvorrichtungen. Für die Übermittlung beliebig vielstelliger Zahlen dienen Lichtwechselzahlen.

Lichtstärke, 1) *Lichttechnik:* in →Candela gemessen, in einen sehr kleinen Raumwinkel ausgestrahlte Lichtstrom; er ist das Produkt aus Leuchtdichte und Größe der leuchtenden Fläche. 2) *angewandte Optik:* das Verhältnis des Durchmessers der wirksamen Öffnung eines Objektivs zur Brennweite.

Lichtsteuergeräte, *Tonfilmtechnik:* Geräte, die Mikrophonströme in veränderliche Lichtströme umwandeln. Entweder wird die Helligkeit des Lichtbündels gesteuert *(Intensitätsverfahren),* wobei die *Sprossenschrift* entsteht, oder die Länge der Ausleuchtung eines Spaltes wird geändert *(Transversalverfahren, Zackenschrift).*

Lichtstock, 1) lange, schnurartige Kerze, Wachsstock. 2) Vorrichtung zum Aufstecken von Kerzen.

Lichtstrom, 1) die von einer Lichtquelle in der sec in alle Richtungen des Raumes ausgestrahlte Lichtmenge; gemessen in Lumen

Lich

(Lm). 2) elektr. Strom für Beleuchtungszwecke.

Lichttechnik, die richtige und zweckmäßige Anwendung von Licht zur Beleuchtung. Bei der *unmittelbaren (direkten) Beleuchtung* wird der größte Teil des Lichts nach der zu beleuchtenden Fläche hingestrahlt; sie ist wegen der tiefen Schatten und der geringen Aufhellung in der Gesamtheit verhältnismäßig hart. Bei der *halb direkten Beleuchtung* wird nur ein Teil des Lichts auf die Fläche gestrahlt; der Hauptteil wird von der Decke zurückgestrahlt. Diese Beleuchtungsart ist weich, angenehm fürs Auge, wirkt ruhig, doch noch anregend, weil hinreichend Spiel zwischen Licht und Schatten besteht. Bei der *indirekten Beleuchtung* wird das volle Licht von der Decke reflektiert; sie ist sehr gleichmäßig und weich, verleiht aber dem Raum eine eigentümlich leblose Stimmung, weil jedes Spiel zwischen Licht und Schatten fehlt.

Lichttonorgel, →elektrische Musikinstrumente.

Lichttonverfahren, ein bes. beim Tonfilm benutztes Verfahren zur photograph. Aufzeichnung von Schallwellen, die in →Lichtsteuergeräten in Lichtschwankungen umgesetzt werden.

Lichtungsbetrieb, Lichtwuchsbetrieb, *Forstwirtschaft:* ein Hochwaldbetrieb, der bei starken Stammentnahmen im Bestand zu freier Kronenentwicklung und damit stärkerem Massenzuwachs (Lichtungszuwachs) führt.

Lichtverstärker, engl. **Laser** [Light Amplification by Stimulated Emission of Radiation], Gerät zur Verstärkung einer Lichtstrahlung durch erzwungene Strahlungsemission eines Kristalls. Ein Rubin wird von einer spiralförmigen Entladungsröhre umgeben, die periodisch grüne Lichtblitze aussendet. Dadurch werden bestimmte Kristallelektronen angeregt, die bei Einfall von rotem Licht die Anregungsenergie ebenfalls als rotes Licht wieder abstrahlen. Anwendung für störungsfreie Funkverbindungen, für die Lichtverstärkung in astronom. Fernrohren u. a. – In neuerer Zeit wurden Laser entwickelt, bei denen andere Festkörper oder Gasgemische (statt des Rubins) benutzt werden u. die kontinuierl. Licht aussenden. L. für das infrarote Spektralgebiet werden auch **Iraser** genannt. – Obwohl die Entwicklung erst in den Anfängen steckt, haben sich schon manche Anwendungsmöglichkeiten ergeben. So entstehen im Brennpunkt einer in den Laser-Strahl gestellten Linse außergewöhnlich hohe Feldstärken, die auch hochschmelzende Metalle verdampfen können; damit lassen sich auch feinste Löcher in härteste Werkstoffe bohren.

Lichtwark, Alfred, Kunsthistoriker, * Hamburg 14. 11. 1852, † das. 13. 1. 1914, Direktor der Hamburger Kunsthalle, einer der Führer der Kunsterziehungsbewegung, gründete 1886 die *Gesellschaft der Hamburger* Kunstfreunde, 1896 die *Hamburger Lehrervereinigung zur Pflege der künstler. Bildung in den Schulen.*

L'ichtwechsel, Veränderung der scheinbaren Helligkeit bei veränderlichen Sternen, Planeten und Kometen. Der L. wird in Form einer *Lichtkurve* dargestellt.

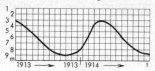

Lichtwechsel: Lichtkurve für den Stern Mira Ceti; m *Größenklasse,* t *Zeitkoordinate in julianischen Tagen (nach Strömgren)*

Lichtweg, optische Weglänge, das Produkt aus dem Weg eines Lichtstrahls in cm und der Brechzahl des Mediums.

L'ichtwer, Magnus Gottfried, Fabeldichter, * Wurzen 30. 1. 1719, † Halberstadt 7. 7. 1783, schrieb volkstüml. Fabeln: Vier Bücher Äsopischer Fabeln (1748; neu hg. 1884).

Lichtwert, bei automat. Kameraverschlüssen eine vom Belichtungsmesser angezeigte Hilfszahl (1 bis 20), mit der, in Abhängigkeit von der Filmempfindlichkeit, Belichtungszeit und Blende eingestellt werden.

Lichtzählrohr, Zählrohr, das auf Lichtquanten anspricht, also zum Messen von Lichtintensitäten geeignet ist. Es hat zu diesem Zweck ein durchsichtiges Fenster. Aufbau und Füllung entsprechen im übrigen den Zählrohren für Gamma-Quanten.

Lichtzeit, Aberrationszeit, die Zeit, die das Licht benötigt, um von einem Himmelskörper zur Erde zu gelangen. Die L. der Sonne in mittlerer Entfernung beträgt 8 min 18,72 sec. Beobachtungen innerhalb des Sonnensystems müssen verbessert werden *(Lichtgleichung),* wenn der Abstand sich während der Beobachtungszeit verändert hat. Bei Sternen wird die L. als Maß für die Entfernung benutzt (→Lichtjahr).

Lic'inier, ein röm. plebejisches Geschlecht, zu dem u. a. →Crassus und →Lucullus gehörten.

1) Gaius Licinius Stolo, brachte als Volkstribun mit Lucius Sextius 367 v. Chr. die *Licinisch-Sextischen Gesetze* durch, von denen das 3. den Plebejern den Zugang zum Konsulat eröffnete.

2) Lucius Licinius Murena, Konsul 62 v. Chr., wurde dank Ciceros Verteidigung 63 von der Anklage wegen gesetzwidriger Bewerbung um das Konsulat freigesprochen.

Lic'inius, Valerius Licinianus, röm. Kaiser (308–324), * in Dakien, † 325, wurde 308 von Galerius zum Augustus erhoben. Sein Herrschaftsbereich war Pannonien, nach Galerius' Tod die ganze Balkanhalbinsel; nach dem Sieg über Maximinus Daia 313 fielen ihm alle Ostgebiete zu. Mit Konstantin, dessen Schwester Konstantia er 313 heiratete und dem er 314 Illyricum (außer Thrakien) abtreten mußte, teilte er sich in die Reichsherrschaft. Nach der Schlacht bei Chrysopolis (Skutari) 324 wurde er mit seinem Sohn Val. Lic. Licinianus (seit 317 Cäsar) gefangen und 325 umgebracht. L. hatte die im Mailänder Toleranzedikt bekundete christenfreundl. Politik vorher zugunsten der heidn. Religion wieder aufgegeben.

Lick-Sternwarte, die Sternwarte auf dem Mount Hamilton in Kalifornien, benannt nach ihrem Stifter, dem amerikan. Industriellen James *Lick* (* 1796, † 1876). Hauptinstrumente sind ein Refraktor von 91 cm Öffnung und ein Parabolspiegel von 3 m Öffnung.

Lid [german. ›Verschluß‹], Hautfalte zum Schließen der Augen.

L'iderung [von Leder], im Maschinen- und Geschützbau →Dichtung, bes. bei Geschützen die Abdichtung des Rohres nach hinten.

Lidice [l'idjitse], tschech. Dorf im Bez. Kladno, hatte mit (1930) 446 Ew.; wurde am 10. 6. 1942 von der SS als Vergeltung für das Attentat auf →Heydrich zerstört, die Männer wurden erschossen, die Frauen und die meisten Kinder in Konzentrationslager gebracht.

L'idingö, Stadt im schwed. VerwBez. Stockholm, auf der Insel L., mit (1972) 35 700 Ew.; Ausflugsverkehr, Industrie.

Lidköping [l'i:tçøpiŋ], Stadt in Schweden, am Vänersee, (1972) 35 000 Ew.; Porzellanindustrie.

L'idlohn, Litlohn [mhd., vielleicht aus lat. lito ›Höriger‹], Gesindelohn, noch gebräuchlich im Konkurs und bei der Zwangsversteigerung von land- und forstwirtschaftl. Grundstücken.

Lidman, 1) Sara, schwed. Erzählerin, * Jörn (Bez. Västerbotten) 30. 12. 1923, schrieb Romane und Dramen.

2) Sven, schwed. Schriftsteller, * Karlskrona 30. 6. 1882, † Stockholm 14. 2. 1960, war führend in der Sekte »Die Pfingstfreunde«, von der er sich 1948 trennte; schrieb Gedichte und Erzählungen.

Lidner, Bengt, schwed. Dichter, * Göteborg 16. 3. 1757, † Stockholm 4. 1. 1793, schrieb Dramen und Erzählungen.

L'ido [ital. von lat. litus], Küste, Gestade; insbesondere der Landstreifen zwischen Lagunen und Meer (→Nehrung), wegen des feinen Sandes geeignet für Badeorte, z. B. L. von Venedig, L. von Jesolo.

Lie, 1) Jonas, norweg. Dichter, * Eiker 6. 11. 1833, † Stavern 5. 7. 1908, schrieb Romane.
WERKE. Der Geisterseher (1870; dt. ²1922), Die Familie auf Gilje (1883; dt. 1919), Eine Ehe (1888; dt. 1908), Böse Mächte (1890; dt. 1901).

2) Sophus, norweg. Mathematiker, * auf Nordfjordeid 17. 12. 1842, † Kristiania (Oslo) 18. 2. 1899, Prof. in Leipzig und Kristiania, schuf die Theorie der kontinuierl. Transformationsgruppen.

3) Trygve, norweg. Politiker, * Grogud (bei Oslo) 16. 7. 1896, † Geilo 30. 12. 1968, Rechtsanwalt, war 1935–46 mehrfach Minister; Jan. 1946 bis Apr. 1953 Erster Generalsekretär der Vereinten Nationen.

Liebau, Stadt im Kr. Landeshut, Niederschlesien, am Fuße des Rabengebirges, hatte (1939) 5700 Ew.; Textil-und Papierindustrie, Fremdenverkehr; seit 1945 unter poln. Verwaltung *(Lubawka).* Der **Liebauer Sattel,** 516 m, verbindet zwischen Riesengebirge und Ostsudeten das böhm. Aupatal bei Trautenau mit dem schles. Bobertal bei Landeshut.

Liebde, † Liebe. **Euer Liebden,** alte Anrede an Fürsten oder sonstige hochadlige Personen.

Liebe, die ursprünglichste menschl. Gemeinschaftsbindung. In naturhaften Triebstrukturen, die bis in die Tierwelt reichen, vorgeformt, bildet sie das Fundament für den Bau des menschl. Soziallebens. Sie ist durch den Drang zur Hingabe gekennzeichnet, die sich über die Dienstbereitschaft zum Opferwillen steigern kann. Der »Lohn« der L. ist eine beglückende Bereicherung des Ich, das sich aus seiner Vereinzelung befreit fühlt; vielfach wird der Gegenstand der L. als in irgendeiner Hinsicht höher stehend empfunden.

Im *Christentum* tritt dem griech. **Eros,** der ein begehrendes Hinstreben zu seinem Gegenstand ist, die **Agape** gegenüber, die Liebe Gottes, die zum Menschen herabsteigt und in der erlösenden L. Jesu Christi sichtbar wird. Ihr antwortet die L. des Menschen zu Gott, den zu lieben das größte Gebot ist (Matth. 22, 35–40); sie vollendet sich in der Nächstenliebe, die bis zur Selbstpreisgabe und Feindesliebe gehen soll (Matth. 5, 38–48; 1. Kor. 13). Gottes- und Nächstenliebe sind daher der Mittelpunkt der christl. Ethik geworden.

Lieben, Robert von, österreich. Physiker, * Wien 5. 9. 1878, † das. 20. 2. 1913, entwickelte 1906–10 die nach ihm benannte Verstärkerröhre.

Liebeneiner, Wolfgang, Theater- und Filmregisseur, * Liebau (Riesengebirge) 6. 10. 1905, wirkte zuerst in Berlin (Dt. Theater, dann Preuß. Staatstheater), seit 1954 am Theater i. d. Josefstadt in Wien. Filme: Der Mustergatte (1937), Versprich mir nichts (1937), Die Entlassung (1942), Liebe 47 (1949), Das tanzende Herz (1953).

Liebenstein, Bad L., Gem. im Kr. Bad Salzungen, Bez. Suhl, am SW-Abhang des Thüringer Waldes, 355 m ü. M., mit (1964) 8600 Ew., ältestes Heilbad Thüringens mit Eisen-Arsenquelle, Mangan-, Kochsalzquellen, Augenheilanstalt.

Liebenthal, Stadt im Kr. Löwenberg, Niederschlesien, mit (1939) 1700 Ew. Das Ursulinerinnenkloster (1278 als Benediktinerinnenkloster gegr., Neubauten 1517–23 und 1726–30) ist ein reich ausgestatteter Barockbau; auf dem Obermarkt die Heiligensäule (1712). Seit 1945 unter poln. Verwaltung *(Lubomierz).*

Lieb

Liebenwʼerda, Bad L., Kreisstadt im Bez. Cottbus, an der Schwarzen Elster, mit (1964) 6500 Ew., Eisenmoorbad. In Anlehnung an die im 11. Jh. errichtete Burg ist L. etwa im 12. Jh. entstanden. An der Stelle der im 17. und 18. Jh. zerstörten Burg wurde 1766 das Amtsgericht erbaut; erhalten ein Torturm (»Lubwart«).

Liebenzell, Bad L., Stadt im Kreis Calw, Baden-Württemberg, mit (1973) 5600 Ew., Heilbad mit hypothermischen Quellen (→Heilquellen) und Kurort im nördl. Schwarzwald, 320–380 m ü. M. Internat. Forum Burg Liebenzell; Uhrenindustrie u. a.

Lieber, Franz, deutsch-amerikan. Schriftsteller, * Berlin 18. 3. 1800, † New York 2. 10. 1872, wurde bei der preuß. »Demagogenverfolgung« (1819) gefangengesetzt, nahm 1822 am Freiheitskampf der Griechen teil, wanderte 1827 nach Amerika aus. 1835 wurde er Prof. in Columbia (Südkarolina) und 1857 an der Columbia-Universität in New York. Er gab die ›Encyclopedia Americana‹ (13 Bde., 1828–32) heraus. Er gilt in Amerika als »Vater der Staatswissenschaften« im Sinn einer akademischen Disziplin.

LIT. B. Sengfelder: F. L. (1949).

Liebermann, 1) Max, Maler und Graphiker, * Berlin 20. 7. 1847, † das. 8. 2. 1935, entstammte einer wohlhabenden jüd. Kaufmannsfamilie, studierte bei Steffeck in Berlin und an der Weimarer Kunstschule, bildete sich in Paris fort, lebte seit 1878 in München und seit 1884 in Berlin, wo er 1898 die »Sezession« gründete. L. begann mit realistischen, dunkeltonigen Bildern arbeitender Menschen, wandte sich dann aber einer helleren Farbigkeit zu, bes. in Bildern aus Holland, wo er alljährlich den Sommer verbrachte. Nachdem er sich zeitweilig auf wenige Grautöne beschränkt hatte, gelangte er in den 90er Jahren zu einem farbigeren, impressionist. Stil, in dem er Porträts, Strand-

und Dünenlandschaften u. a., später vor allem Bilder aus seinem Garten in Wannsee malte.

WERKE. Gänserupferinnen (1872; Berlin); Altmännerhaus in Amsterdam (1880; Stuttgart); Waisenhaus in Amsterdam (1881; Frankfurt); Schusterwerkstatt (1881; Berlin); Flachsscheuer in Laeren (1887; Berlin); Netzflickerinnen (1889; Hamburg); Frau mit Ziegen (1890; München). – Radierungen, Lithographien, Illustrationen (Goethe, Kleist). – Gesammelte Schriften (1922).

LIT. K. Scheffler: M. L. (⁴1953); F. Stuttmann: M. L. (1961); W. G. Oschilewski: M. L. (1962).

2) Rolf, Komponist, * Zürich 14. 9. 1910, schrieb Opern (Leonore 40/45, Penelope, Schule der Frauen), Orchesterwerke u. a. in der Zwölftonmusik nahestehendem Stil. 1959–73 Intendant der Hamburger Staatsoper, seit 1973 der Pariser Oper.

Liebertwʼolkwitz, Gemeinde im SO von Leipzig, Bez. Leipzig, mit (1964) 5800 Ew.; Gärtnereien, Ton-, Klinkerwerk. Am 14. 10. 1813 leitete ein Reitergefecht bei L. die Völkerschlacht ein.

Liebesapfel, die →Tomate.

Liebesblume, die →Schmucklilie.

Liebesgarten, eine seit dem 14. Jh. zuerst in Frankreich nachweisbare Darstellung der Pfeile in ihren Händen haltenden Frau Minne (Venus) inmitten von Liebespaaren. Anfänglich wurde der Garten nur durch einige Bäume angedeutet, später dicht geschildert, auch in Darstellungen des L., in denen Frau Minne fehlt und nur Liebespaare versammelt sind *(Meister der L.).* Der Garten wurde eine Art irdischen Paradieses. Rubens nahm das Thema wieder auf (›Schloßpark‹,Wien; ›Liebesgarten‹,Prado). Das dämonische Gegenbild zum L. gab im späten MA. H. Bosch (›Garten der Lüste‹, Escorial).

Liebesgötter, in der griech. Mythologie Aphrodite, Eros; in der röm. Venus, Cupido, Amor; in der german. Freya; in der babylon.-assyr. Ischtar; im Hinduismus Kaman.

Liebesgras, Zittergras u. a. zierliche Gräser.

Liebeshöfe, Minnehöfe, franz. **Cours d'amour,** höfische Kreise des MA.s, in denen Streitfragen um die Liebe, wie sie im 13. Jh. Andreas Capellanus lateinisch, im 15. Jh. Martial d'Auvergne franz. in Traktaten und Beispielsammlungen behandelten, als Gesellschaftsspiel von fingierten Gerichtshöfen mit allegor. Aufwand entschieden wurden.

Liebesknoten, *Wappenkunde:* in Form einer doppelten 8 geschürzte Schnur, Zeichen verheirateter Frauen.

Liebesmahl, 1) die →Agape. **2)** feierliche Abendmahlzeit der Brüdergemeine mit Gesang und Gebet.

Liebespfeil, ein bei vielen Lungenschnekken im Geschlechtsausführung gebildeter Kalkstab, der vor der Begattung in die Haut des Geschlechtspartners gestoßen wird.

Liebeszauber, ein Zauber, der helfen soll, die Liebe eines andern zu gewinnen, z. B.

Max Liebermann: Selbstbildnis, 1909 (Hamburg, Kunsthalle)

Liebestränke, zauberische Handlungen mit Gegenständen, die dem Geliebten gehören.

Liebfrauenmilch, Liebfraumilch, weiße Rheinweine (Rheinhessen) von bes. lieblicher Art; ursprüngl. nur die Weine der Lagen ›Liebfrauenstift‹, ›Liebfrauenkuchen‹ und ›Liebfrauenreich‹ in der Gemarkung Worms.

Liebhaber, 1) wer einen Sport, eine Kunst oder etwas anderes nicht beruflich ausübt (Amateur). 2) Sammler, Kunstfreund, z. B. von alten Drucken; **Liebhaberwert,** Wert, den eine Sache nur für einen Sammler hat. 3) Rollenfach beim Theater (jugendlicher L.; muntere, naive, sentimentale Liebhaberin). Das *Liebhabertheater* (Dilettantenbühne) wurde früher bes. von der Hofgesellschaft gepflegt, z. B. in Weimar, wo 1779 ›Iphigenie‹ mit Goethe selbst als Orest aufgeführt wurde. →Laienspiel.

Liebieghaus, städt. Skulpturensammlung in Frankfurt a. M. (in der ehem. Villa des Barons v. Liebieg).

Liebig, Justus von (1845), Chemiker, * Darmstadt 12. 5. 1803, † München 18. 4. 1873, Apothekerlehrling, studierte dann in Bonn, Erlangen, Paris und wurde mit Förderung durch A. v. Humboldt mit 21 Jahren Prof. der Chemie in Gießen. Durch mustergültigen Ausbau seines Laboratoriums machte er Gießen zu einem Mittelpunkt chem. Studiums, an dem eine Generation von Chemikern aus allen Ländern (u. a. A. W. Hofmann, Wurtz, Frankland, Kekulé, Gerhardt) ausgebildet wurde. 1852 folgte L. einem Ruf nach München, wo er vorwiegend schriftstellerisch tätig war. L. hat auf allen Gebieten der Chemie grundlegende Ergebnisse erzielt: Ausbau der theoret. Chemie und Grundlegung der Agrikulturchemie, Einführung der Mineraldüngung, Verbesserung der Ernährung durch Gewinnung von Fleischextrakt. Er entdeckte das Chloroform und Chloral, schuf neue Verfahren zur Analyse.

WERKE. Die organ. Chemie in ihrer Anwendung auf Agrikulturchemie und Physiologie (1840; ³1876), Die Tierchemie oder organ. Chemie in ihrer Anwendung auf Agrikultur und Physiologie (1842; Tl. 1, ³1847), Über Theorie und Praxis in der Landwirtschaft (1856), Chem. Briefe (1844). Reden und Abhandlungen (1874).

LIT. R. Wunderlich: Justus L. (in Bugges Buch der großen Chemiker, Bd. 2, 1930); Th. Heuss: J. v. L. (1942); H. v. Dechend: J. v. L. in eigenen Zeugnissen (1953).

Liebknecht, 1) Karl, Politiker, Sohn von 2), * Leipzig 13. 8. 1871, † Berlin 15. 1. 1919, seit 1912 MdR (SPD). Als Gründer und Führer des kommunist. →Spartakusbundes suchte er mit Rosa Luxemburg die →Novemberrevolution von 1918 bis zur Räterepublik weiterzutreiben. Bei dem mißglückten Aufstand der Januar 1919 wurde er gefangengenommen und ohne Verfahren erschossen.

WERKE. Militarismus und Antimilitarismus (1907), Antimilitarismus und Hochver-

rat (1908), Klassenkampf gegen den Krieg (geschrieben 1916, als Buch 1919), Das Zuchthausurteil (1919), Studien über die Bewegungsgesetze der gesellschaftl. Entwicklung (1922); Briefe aus dem Felde, aus der Untersuchungshaft und aus dem Zuchthaus (1919), Reden und Aufsätze (1921), Spartakusbriefe (1921), Polit. Aufzeichnungen (aus den Jahren 1917/18; erschienen 1921).

LIT. H. Schumann: Karl L. (¹⁰1923); E. Burns: K. L. (London 1934).

2) Wilhelm, Politiker, * Gießen 29. 3. 1826, † Charlottenburg 7. 8. 1900, lebte jahrelang mit Karl Marx in London, war neben Bebel der erste Führer der Sozialdemokratie; er leitete den ›Vorwärts‹.

LIT. K. Eisner: Wilhelm L. (²1906).

Liebmann, Otto, Philosoph, * Löwenberg (Schlesien) 25. 2. 1840, † Jena 14. 1. 1912, wurde 1872 Prof. in Straßburg, 1882 in Jena.

WERKE. Kant und die Epigonen (1865; Neudr. 1912), Zur Analysis der Wirklichkeit (1876, ⁴1911), Gedanken und Tatsachen, 2 Bde. (1882–1904).

L'iebstöckel [Volksdeutung von lat. levisticum aus griech. libystikos ›ligurisch‹] *das,* cum aus griech. libysticus ›ligurisch‹] *das,* 1) *großer Eppich, Badekraut* (Levisticum officinale), staudiger, sellerieartiger Doldenblüter aus Südeuropa, bis 2 m hoch, hat tiefgrüne, glänzende, dreiteilige oder gefiederte Blätter (Küchengewürz) und gelbliche Blüten. Der an ätherischen Ölen reiche Wurzelstock liefert harntreibende Mittel. Im Volksglauben gilt das L. als Liebespflanze. 2) andere Doldenblüter, so Mutterwurz.

Liechtenstein, Fürstentum in den Ostalpen, zwischen der Schweiz und Österreich, 157 qkm mit (1973) 21 000 Ew.; Hauptstadt ist Vaduz. – L. liegt rechts des Alpenrheins und reicht bis auf den Kamm des Rätikons (Naafkopf 2573 m). Die Bewohner sind alemann. Stammes; Hauptwirtschaftszweig ist die vielseitige Industrie; daneben Landwirtschaft (Weinbau), im Gebirge Viehzucht; Fremdenverkehr.

Nach der Verf. von 1921 (1965 geändert) ist der Fürst Staatsoberhaupt. Der Landtag (15 Abg.) wird auf 4 Jahre gewählt. Frauen haben kein Wahlrecht. Wappen: TAFEL Wappen IV, Flagge: TAFEL Flaggen III. Währung ist schweizerisch; mit der Schweiz besteht seit 1921/23 auch Post- und Zollgemeinschaft. Das Recht ist auch österreich. und schweizer. Vorbild gestaltet; Oberstes Gericht in Vaduz. Infolge niedriger Einkommensteuer ist L. Sitz vieler ausländ. Unternehmen. – Kirchlich gehört L. zum Bistum Chur (Schweiz).

GESCHICHTE. Das österr. Adelsgeschlecht L., seit Anfang des 17. Jhs. reichsfürstlich, erwarb neben großen Besitzungen in Österreich und Mähren auch 1699 und 1712 die reichsunmittelbaren Herrschaften Schellenberg und Vaduz, die 1719 zum Fürstentum L. erhoben wurden. Es gehörte 1815–66 zum Dt. Bund und bildete 1876–1918 mit dem österr. Vorarlberg ein Zoll- und Steuergebiet. In beiden Weltkriegen blieb es neutral. Regierender Fürst ist seit 1938 Franz Joseph II.

LIT. E. Schaedler: Fürstentum L. (Vaduz 1953–56).

Liechtenstein, österr. Fürstengeschlecht, benannt nach der Burg L. bei Mödling (Niederösterreich); um 1140 belegt, tritt es im 13. Jh. auf in der mähr. Linie L.-Nikolsburg und der steir. Linie L.-Murau (1619 ausgestorben), der der Minnesänger →Ulrich von Liechtenstein angehörte. Aus der mähr. Linie ging schließlich die im Fürstentum L. souverän herrschende Familie hervor.

Liechtensteinklamm, enge Durchbruchsschlucht des Großarlbaches im Klammkalk am N-Rand der Hohen Tauern bei St. Johann im Pongau, Österreich, die größte Klamm der O-Alpen (Wasserfall 60 m).

Lied [german. Stw.], 1) sangbare lyrische Kurzform, die als religiös-kultisches L., als Sieges-, Preis- und Klage-L., ferner als Arbeits-, Marsch-, Kampf- und Tanz-L. zu den frühesten poet. Ausdrucksformen aller Völker gehört. Das frühgerman. Helden-L. war episch-balladenartig; noch die aus Erweiterung und Vereinigung früher Helden-L. erwachsenen mhd. Versepen behielten die Bezeichnung L. (Nibelungenlied u. a.). Das literarisch greifbare deutschsprachige L. begann im 12. Jh. mit Marienliedern, setzte sich im Kunst-L. des →Minnesangs fort und ging dann in den spätmittelalterl. →Meistersang über. Das Anfänge bürgerl. Kultur im Spätmittelalter begünstigten die Blüte des →Volksliedes. Die Reformation führte zur Ausbildung vor allem des protestant. →Kirchenliedes (von Luther bis P. Gerhardt). Waren bis zum Spätmittelalter Text und Melodie beim L. noch unlöslich verbunden, der Dichter des L. zumeist auch sein Komponist, so trat in der Neuzeit das Kunst-L. als rein literar. Gebilde auf. Barock und Rokoko pflegten das unpersönliche, schulmäßige Gesellschaftslied. Seit der Goethezeit näherte sich das L. als Ausdruck persönlicher Stimmungen wieder dem Volkslied, wie denn die Blütezeit neuerer deutscher Lieddichtung in der Romantik mit der Wiederentdeckung des Volksliedes eng verknüpft ist. Während Realismus (Storm) und Impressionismus die L.-Dichtung noch weiterpflegten, tritt sie im 20. Jh. zurück.

LIT. G. Müller: Gesch. des dt. L. (1925, Nachdr. 1959); D. Sydow: Das L. (1962).

2) als musikal. Kunstwerk die Vertonung eines Gedichts mit einer ausgesprochen gesangsmäßig geführten Melodie von einheitl. Stimmung. Die ursprüngliche Form, das *Strophenlied,* hat für alle Strophen nur eine Melodie; beim *durchkomponierten L.* werden die einzelnen Strophen je nach ihrem Inhalt verschieden vertont. Das *Volkslied* ist in seiner Grundgestalt ein einstimmiges, unbegleitetes Strophenlied (→Volkslied). Dagegen ist das *Kunstlied,* von einem bestimmten Künstler geschaffen, in seiner Melodiebildung vielfältiger und bewußter, in seinem Ausdruck persönlicher gestaltet; es

geht vielfach auf das Volkslied zurück und kann verschieden gefaßt sein: als einstimmiges, als mehrstimmiges L., als mehrfach besetztes Chorlied; unbegleitet, mit polyphon geführten Instrumenten oder homophonakkordisch begleitet. Die in der neueren Musik wichtigste Sonderform ist das einstimmige Sololied mit Klavierbegleitung *(Klavierlied).* Das Altertum kannte nur das einstimmige L., das auch von Instrumenten, wesentlich im Einklang, unterstützt werden konnte. So wurde auch das geistl. und weltl. L. des Mittelalters vorgetragen. Melodien zu L. der Troubadours und der Minnesänger sind überliefert. Anfang 14. Jh. entstand in Italien das L. mit selbständig geführten Instrumentalstimmen (Madrigal, Ballata). Das 16. Jh. brachte in Deutschland die Hochblüte der mehrstimmigen Volksliedbearbeitung (Isaac, H. Finck, Hofhaimer, Senfl). In Italien trat das →Madrigal in den Vordergrund, das H. L. Haßler u. a. auch in Dtl. gepflegt haben. Gleichzeitig erwuchs in Deutschland das prot. Kirchenlied (→Choral). Das eigentl. Solokunstlied mit zunächst akkordischer (Klavier-)Begleitung entwickelten aus dem Volkslied auf der Grundlage der →Monodie H. Albert (* 1604, † 1651) und A. Krieger (* 1634, † 1666). Erst in der zweiten Hälfte des 18. Jhs. erstand mit der Blüte der neuen deutschen Lyrik (Herder, Goethe, Schiller u. a.) wieder eine deutsche Liedkunst in der Berliner Liederschule (Reichardt, Zelter, Schulz) und dem Süddeutschen Zumsteeg. Auch Haydn, Mozart, Beethoven vertonten Lieder; seine Vollendung aber erhielt das dt. L. durch Schubert (* 1797, † 1828) mit den Lieder-Zyklen (Die Winterreise, Die Schöne Müllerin) und den Vertonungen vieler Gedichte von Goethe u. a. Große Meister nach Schubert sind Schumann, Brahms und H. Wolf, der die melodische Linie dem inneren Wortrhythmus unterordnete. Ihnen folgen Strauss, Pfitzner, Reger. In Anlehnung an das dt. L. schrieben in Frankreich Duparc und Fauré, in der Schweiz O. Schoeck, in Finnland Sibelius und Kilpinen Lieder. Auch die meisten Komponisten der Gegenwart pflegen die Liedkomposition; im Konzertleben nimmt der Liedgesang einen bedeutenden Platz ein.

LIT. M. Friedländer: Das dt. L. im 18. Jh. (2 Bde., 1902); H. J. Moser: Das dt. L. seit Mozart (2 Bde., 1937); E. Bücken: Das dt. L. (1939).

Lied der Lieder, →Hohes Lied.

Lieder ohne Worte, Zyklus von Klavierstücken Mendelssohns.

Liederspiel, 1) Gattung des Schauspiels, in dem die vorkommenden Gesangstücke aus allgemein bekannten Melodien bestehen. 2) zyklische Folge von Liedern, die auf Einzelsänger (auch Chor) verteilt sind (Schumann: Spanisches L.; Brahms: Zigeunerlieder, Liebesliederwalzer; Zilcher: Volksliederspiel).

Liedertafel, Name des ersten, von Zelter in Berlin 1809 gegr. →Männergesangvereins, der viele ähnl. Gründungen unter gleichem Namen nach sich zog.

Liedform, musikalische Kompositionsform von einfacher, in sich geschlossener und gleichsam in sich ruhender Gestaltung; *zweiteilig,* wobei der erste Teil aus der Grundtonart in die Dominante (oder Paralleltonart), der zweite wieder in die Grundtonart zurückführt; *dreiteilig* mit einem in Tonart und Charakter gegenüber den meist grundsätzlich gleichen Außenteilen verschiedenen Mittelteil.

Liedtke, Harry, Filmschauspieler, * Königsberg 12. 10. 1880, † (von sowjet. Soldaten ermordet) Pieskow (Scharmützelsee) 28. 4. 1945, war Liebhaber im Stummfilm.

Lieferbarkeitsbescheinigung, die dem Eigentümer von der Depotbank ausgestellte Bescheinigung über das tatsächl. Vorhandensein eines Wertpapiers; als Nachweis für im 2. Weltkrieg verlorengegangene Wertpapiere von Bedeutung.

Lieferbedingungen, die zwischen Verkäufer und Käufer vereinbarten Einzelheiten hinsichtlich Transport, Auslieferung und Bezahlung der Ware.

Lieferfrist, die bei der Güterbeförderung einzuhaltende Frist; sie richtet sich nach Gesetz, Vertrag oder Ortsgebrauch (HGB § 428). Die Bahn ist bei Überschreitung der L. den nachgewiesenen Schaden bis zur Höhe der Fracht zu ersetzen (§§ 74, 88 Eisenbahnverkehrsordnung).

Lieferschein, Begleitpapier der Warenlieferung, oft verbunden mit einem vom Empfänger zu unterschreibenden Empfangsschein.

Lieferung, 1) geschäftliche Sendung, Zustellung gekaufter Waren an den Käufer. 2) einzelner Posten einer größeren Menge, bes. Teil eines Buches, das nach und nach ausgegeben wird.

Lieferungsgeschäft, ein Kaufvertrag, bei dem die verkaufte Sache erst einige Zeit nach Vertragsschluß geliefert werden soll.

Lieferungsort, →Bestimmungsort.

Lieferwagen, drei- oder vierrädriger Lastkraftwagen mit einer Nutzlast bis 1,5 t.

Liège [ließ], franz. Name für →Lüttich.

Liegegeld, *Schiffahrtsrecht:* eine vom Absender dem Frachtführer bei Überschreitung der Ladezeit zu zahlende Vergütung.

Liegekur, Ruhebehandlung durch Liegen, bes. im Freien in geschützten *Liegehallen,* z. B. bei Tuberkulose, Herz- und Kreislaufkrankheiten.

Liegendes, *Bergbau:* Schicht, die eine Lagerstätte begrenzt, ist geolog. älter als die Lagerstätte selbst.

Liegenschaft, Grundstück.

Lieger, 1) Schiffswächter. **2)** Schiff außer Dienst.

Liegestütz, eine Turnübung: Stützen des gestreckten Körpers auf Hände und Fußspitzen.

Liegnitz, 1) ehemal. RegBez. der Provinz (Nieder-)Schlesien, 14025 qkm, hatte (1939) 1,31 Mill. Ew.; umfaßte die Stadtkreise Glogau, Görlitz, Hirschberg, L. und die Landkreise Bunzlau, Fraustadt, Freystadt, Glogau, Görlitz, Goldberg, Grünberg, Hirschberg, Hoyerswerda, Jauer, Landeshut, Lauban, L., Löwenberg, Lüben, Rothenburg (O. L.) und Sprottau. **2)** ehemal. Hauptstadt des RegBez. L., Kreisstadt an der Katzbach, hatte (1939) 83 700 Ew., war Behördensitz, hatte höhere und Fachschulen, Museen, Botan. Garten, Theater, lag inmitten eines reichen Landwirtschaftsgebietes mit hatte landwirtschaftl. Veredelungsindustrie, daneben Textil-, Metall-, Pianofortefabriken. L. wurde als Stadt 1250 gegr., 9 Jahre nach der **Schlacht bei L.** (9. 4. 1241), in der Heinrich II. von Schlesien im Kampf gegen die Mongolen fiel. L. wurde bald der Hauptort eines Teilfürstentums der schles. Piasten. Nach 1333 entstand die Hallenkirche St. Peter und Paul, 1714–30 der Neubau der Johanneskirche mit der Gruft der letzten Piastenherzöge; aus dem 15., 16. und 17. Jh. stammt das Schloß. 1675 fiel L. an Österreich, 1742 mit dem Großteil Schlesiens an Preußen. Nach 1945 kam die Stadt, zu 60% zerstört, unter poln. Verwaltung *(Legnica),* wurde bevorzugt wieder aufgebaut; Kupferhütte, Lebensmittelindustrie. 1971: 76 800 Ew.

Liegnitz: Schloß

Liek [niederd.] *das,* Leine, mit der Segel eingefaßt und versteift oder schwere Netze gehalten werden.

Liemke, ehem. Gem. im Kr. Wiedenbrück, Nordrhein-Westf., mit (1961) 6700 Ew.; seit 1. 1. 1970 zu Schloß Holte-Stukenbrock gehörig.

Li'en [grch.] *der,* die Milz; **lienal,** die Milz betreffend.

Lienen, Gem. im Kr. Tecklenburg, Nordrhein-Westf., mit (1973) 7100 Ew.; Ind.

Lienert, Meinrad, schweiz. Schriftsteller, * Einsiedeln (Schweiz) 21. 5. 1865, † Küsnacht 26. 12. 1933, schrieb Mundartlyrik, später auch hochdeutsche Erzählungen.

Lien

Lienhard, Friedrich, Schriftsteller, * Rothbach im Elsaß 4. 10. 1865, † Eisenach 30. 4. 1929, war anfangs Anhänger der naturalist. Bewegung, die er später heftig bekämpfte. Mit seiner Flugschrift ›Die Vorherrschaft Berlins‹ (1900) entwickelte er sein Programm der →Heimatkunst.

L'ienz, Bezirksstadt in Ost-Tirol, Österreich, an der Mündung der Isel in die Drau, 675 m ü. M., mit (1971) 11700 Ew.; Bez.-Ger., Fremdenverkehr; Holzwirtschaft. L. erhielt 1252 Stadtrecht. Auf dem Stadtplatz steht die Lieburg (16./17. Jh.), oberhalb der Stadt die Pfarrkirche (15. Jh.), nordwestl. L. *Schloß Bruck* (13. Jh.) mit Museum.

L'ienzer Dolom'iten, nordwestl. Gruppe der Karn. Alpen über Lienz, in der Großen Sandspitze 2772 m hoch.

Li'epaja, lettischer Name von →Libau.

Liepmann, Moritz, Strafrechtler, * Danzig 8. 9. 1869, † Hamburg 20. 8. 1928, war Prof. in Kiel und Hamburg. L. gehörte der soziolog. Strafrechtsschule an und trat kriminalpolit. als Gegner der Todesstrafe und Befürworter eines pädagogisch vertieften Erziehungsstrafvollzugs hervor.

Lier, franz. Lierre, Stadt in der Prov. Antwerpen, Belgien, mit (1973) 28000 Ew., Bahnknoten, hat spätgot. Kirche (15./16. Jh.) mit schönen Glasmalereien; Messer- und Spitzenindustrie. L. ist die Heimatstadt von F. Timmermans.

Lier, Adolf, Maler, * Herrnhut 21. 5. 1826, † Vahrn bei Brixen 30. 9. 1882, malte, von Dupré beeinflußt, Landschaften in realist. Art.

Liesch [ahd., mlat. lisca] *das,* **Leesch, Lees,** die **Liesche, 1)** am und im Wasser wachsende Seggenarten und andere schilfförmige Pflanzen, wie Rohrkolben *(Kolbenliesch, Lieschkolben),* Igelkolben, Kalmus. **2)** *Lieschgras* (Phleum), Grasgattung trockner Standorte mit rohrkolbenähnl. Rispe, z. B. *Wiesenlieschgras (Timothygras),* BILD Gräser.

Liesche, Hüllblätter am Maiskolben.

Liese, *Bergbau:* enge Kluft.

Liesegang, Raphael Eduard, Chemiker, * Elberfeld 1. 11. 1869, † Homburg v. d. H. 13. 11. 1947, seit 1908 die Anwendung der Kolloidchemie in Technologie, Biologie und Mineralogie. L. erklärte die Maserung der Achate als rhythmische Fällungen bei chem. Reaktionen in Gallerten (**Liesegangsche Ringe**).

Lieselberg, 670 m hoher Berg im S-Teil des Mährischen Gesenkes (Oderquelle).

Lieser *die,* **1)** linker Nebenfluß der Mosel, mündet oberhalb von Kues. **2)** linker Nebenfluß der Drau, entspringt in den Hohen Tauern, mündet, 45 km lang, bei Spittal.

Liesing, der XXIII. Bezirk von Wien.

Liespfund [aus livisches Pfund], Schiffsfrachtgewicht, 7 bis 8 kg.

Liestal, Hauptstadt des Kantons Basel-Land, Schweiz, mit (1970) 12500 Ew., im Ergolztal, 328 m ü. M.; Textil-, chem., Eisenwaren-, Maschinen-, Motoren-, Uhren-

industrie. L., 1189 als Dorf genannt, im 13. Jh. zur Stadt erhoben, kam 1305 an den Bischof von Basel, 1400 an die Stadt Basel. 1833 erfolgte die Trennung von Basel und Erhebung zur Hauptstadt des neuen Kantons Basel-Land.

Lie-tse, chines. taoist. Philosoph, der im 4. Jh. v. Chr. gelebt haben soll. Zugeschrieben wird ihm ein Werk in 8 Büchern, das die Ethik und Kosmologie des frühen Taoismus in Gleichnissen darlegt.

Li'etuva, der litauische Name für →Litauen.

Lietz, Hermann, Pädagoge, * Dumgenewitz (Rügen) 28. 4. 1868, † Haubinda (Thüringen) 12. 6. 1919, gründete nach engl. Vorbild das erste deutsche →Landerziehungsheim.
LIT. E. Kutzer: H. L. (1961).

Łietzmann, Hans, evang. Theologe, * Düsseldorf 2. 3. 1875, † Locarno 25. 6. 1942, war Prof. in Jena (1905) und, als Nachfolger A. v. Harnacks, in Berlin (1924). Aus seinen Forschungen zur klass. Philologie, Archäologie und vergleichenden Religionsgeschichte in Verbindung mit dem N. T. entstand das ›Handbuch zum N. T.‹ (23 Abteilungen, 1906 ff.), in dem er die Briefe an die Römer, Korinther und Galater bearbeitete.

Lieven, deutsch-balt. Uradelsgeschlecht, 1799 in den russ. Grafenstand, 1826 in den russ. Fürstenstand erhoben. *Dorothea,* geb. v. Benkendorf (* 1785, † 1857), Gattin des russ. Gesandten Christoph L., Freundin Metternichs, entfaltete in ihren polit. Salons in Berlin, London und Paris eine rege Tätigkeit im russischen Interesse.

Lievens, Jan, holländ. Maler, * Leiden 24. 10. 1607, † Amsterdam 4. 7. 1674, lernte bei P. Lastman in Amsterdam wie auch der junge Rembrandt, mit dem er zusammen in Leiden arbeitete, bis er 1631 nach England ging. 1634/35 übersiedelte er nach Antwerpen und 1644 nach Amsterdam.

Liévin [ljevɛ̃], Stadt im franz. Dep. Pas-de-Calais, an der Deule, mit rd. 36000 Ew.; Kohlenbergbau.

Liezen, Stadt in der Obersteiermark, Österreich, im Ennstal, 659 m ü. M., mit (1971) 6200 Ew., hat BezGer., Eisen- und Stahlwerk.

Lifar, Serge, russ. Tänzer, * Kiew 2. 4. 1905, seit 1930 Choreograph und Ballettmeister an der Oper in Paris; schrieb ›Traité de danse‹ und ›Traité de Choréographie‹.

Life [laif], amerikan. illustriertes Wochenmagazin; gegr. 1936 von H. R. Luce, erschien in New York; Ende 1972 eingestellt.

Lift [engl.; Bismarckzeit], Aufzug, Fahrstuhl.

Lift-Slab-Methode, in den USA entwickelte Bauweise für Decken: sie werden übereinander auf der Kellersohle oder Kellerdecke betoniert und dann an einer Mittelsäule als Führung in Stockwerkhöhe gehoben.

Liga [span.], **1)** Bund, Bündnis, bes. die Fürstenbündnisse im 15.–17. Jh.; in Deutschland die 1609 gegründete *Katholische L.,* die unter Führung Maximilians I. von Bayern in der ersten Hälfte des Dreißigjährigen Krieges eine große Rolle spielte. 2) *Sport:* Sonderklasse im Fußball, Hockey u. a. 3) *L. der Nationen,* dt. Übersetzung für den engl. Namen des →Völkerbundes.

Liga für Menschenrechte, eine 1898 in Paris zur Revision des Dreyfus-Prozesses gegr. Vereinigung, die sich für Freiheit und Frieden einsetzt.

Ligam'ent [lat.] *das, Ligamentum, Anatomie:* sehniges Band.

Lig'and [lat.] *der,* →Komplexverbindung.

lig'ato, →legato.

Ligat'ur [lat.] *die,* 1) Vereinigung zweier Buchstaben, z. B. œ, ß. 2) *Buchdruck:* zusammengegossene Buchstabentypen, wie ff. 3) *Chirurgie:* Unterbindung von Blutgefäßen. 4) *Musik:* Zusammenziehung von zwei Noten gleicher Tonhöhe zu einem Ton; in der Mensuralmusik die Zusammenfassung mehrerer Notenzeichen zu einer Gruppe.

Lignano Sabbiadoro, [liŋ'ano -], ital. Badeort auf einer Landzunge östl. der Tagliamento-Mündung in Friaul, mit **L.** Pineta verschmolzen.

Ligne [liŋ], alte belg. Adelsfamilie aus dem Hennegau, benannt nach L. bei Tournai, 1545 reichsgräfl., 1602 reichsfürstlich.

1) **Charles Joseph,** Fürst von, österr. Offizier (Feldmarschall seit 1808), * Brüssel 23. 5. 1735, † Wien 13. 12. 1814, zeichnete sich im Siebenjähr. Krieg und im Bayr. Erbfolgekrieg aus. Auf diplomat. Sendungen nach Petersburg gewann er die Gunst der Kaiserin Katharina. L. stand mit fast allen führenden Geistern seiner Zeit in Briefwechsel, so mit Friedrich d. Gr., Rousseau, Voltaire, La Harpe, Katharina II., Goethe und Wieland.

2) **Eugène Lamoral de,** Fürst von *Amblise und Épinoy,* belg. Staatsmann, Enkel von 1), * Brüssel 28. 1. 1804, † Belœil 20. 5. 1880, lehnte bei der Trennung Belgiens von den Niederlanden die ihm angebotene Königskrone ab.

Lign'in [lat. Kw.], Bestandteil des Holzes, der bei der Darstellung von reiner Zellulose durch schweflige Säure entfernt werden muß. L. wird in geringem Maße zur Herstellung von Vanillin verwendet.

Lign'it [lat. Kw.] *der,* eine Art Braunkohle.

L'ignum [lat.], das Holz.

Ligny [liɲi], Gemeinde im NW der belg. Prov. Namur. Hier siegte Napoleon am 16. 6. 1815 über Blücher, aber Gneisenau lenkte den Rückzug der Preußen so, daß sie am 18. 6. rechtzeitig bei →Belle-Alliance eintrafen.

Lig'orio, Pirro, ital. Baumeister, Altertumsforscher, Maler, * Neapel um 1500, † Ferrara 13. 10. 1583, päpstl. Architekt 1564/65, seit 1572 in Ferrara, legte die Villa d'Este bei Tivoli mit Park und Wasserkünsten an (TAFEL Gartenkunst I) und baute das Casino Pius' IV. im Vatikan.

Lig'ozzi, Jacopo, ital. Maler, * Verona um 1547, † Florenz 26. 3. 1626, bildete sich an

Veronese und lebte seit 1578 in Florenz als großherzogl. Hofmaler.

Ligu'ori, Alfonso Maria di, Ordensstifter, * Neapel 27. 9. 1696, † Pagani 1. 8. 1787, kath. Moraltheologe, gründete 1732 den Orden der Redemptoristen. Hauptwerk: ›Theologia moralis‹ (Neapel 1748; Rom 1905–12). Heiliggesprochen 1839; Tag: 2.8.; 1871 zum Kirchenlehrer erhoben.

Ligurer, ein vorindogerman. Volk in Südfrankreich, den Westalpen und Oberitalien, das seit dem 5. Jh. v. Chr. durch die Kelten und in Italien durch die Etrusker auf das Küstengebiet etwa um den Golf von Genua zurückgedrängt wurde. Die Römer, seit etwa 240 v. Chr. in Kämpfen mit den L., errichteten nach Unterwerfung der ligur. Apuaner 177 die Kolonie *Luna* an der ligur.-etrurischen Grenze und schlugen 123 den mächtigsten ligur. Stamm, die Salyer oder Salluvier, in deren Gebiet sie 122 das Kastell *Aquae Sextiae* (Aix) anlegten. Augustus unterwarf 25 v. Chr. die keltisch-ligur. Salasser, deren Hauptort zur Kolonie *Augusta Praetoria* (Aosta) wurde, ebenso wie im Gebiet der Tauriner *Augusta Taurinorum* (Turin). Die ligur. Sprache ist nur durch Namen und wenige, einzelne, von antiken Schriftstellern überlieferte Wörter bekannt. Nach dem geograph. Namen umfaßte das Sprachgebiet ursprüngl. den W der Po-Ebene und des SO Frankreichs zwischen Alpen und Rhone.

Ligurien, 1) Region in Norditalien, um den Golf von Genua, 5415 qkm groß, mit (1971) 1,85 Mill. Ew. Hauptstadt ist Genua. 2) *im Altertum* das Land der →Ligurer. Landesname wurde L. erst durch Augustus, der die neunte Region Italiens so benannte; seit Diokletian die Provinz nördlich von Po mit der Hauptstadt Mediolanum (Mailand).

Ligurische Alpen, Teil der Westalpen, zwischen dem Golf von Genua und dem Tal des Tanaro, im Monte Marguareis 2651 m hoch.

Ligurische Republik, der von den Franzosen aus der Adelsrepublik Genua geschaffene Vasallenstaat mit demokratischer Verfassung (1797–1805).

Ligurisches Meer, der nördl. Teil des westl. Mittelmeers zwischen der Riviera und der Insel Korsika.

Lig'uster [aus lat.], Rainweide, *Ligustrum,* Gattung der Ölbaumgewächse, Sträucher oder Bäume. In Europa, Nordafrika, Westasien wächst der bis 5 m hohe *gemeine L. (Zaun-, Beinweide, Hunds-, Vogelbeere, Judenkirche, Hartriegel);* seine Blätter sind auf der Oberseite dunkelgrün, etwas ledrig, wintergrün, die milchweißen Blüten von süßlichem Geruch, die schwarzen, erbsengroßen Beeren zwei- bis viersamig. Das feste Holz *(weißes Beinholz)* gibt Drechslerware, das Rutenholz Körbe, und der ganze Strauch Hecken. BILD S. 222.

Lig'usterschwärmer, *Hyloicus* oder *Sphinx ligustri,* bis 12 cm spannender braun-rotschwarzer Schwärmerschmetterling. Die grüne, 10 cm lange Raupe lebt bes. an Liguster.

li'ieren [franz.], verbinden.

L'iinahamari, eisfreier Hafen am Petsamofjord, ehemals Endpunkt der Eismeerstraße, gehörte 1920–44 zu Finnland, seitdem zur Sowjetunion.

L'ikendeeler [nd. ›Gleichteiler‹], →Vitalienbrüder.

Li-ki [chines. ›Aufzeichnungen über Sitte‹], altchines. Sammlungen ritualist. Schriften, meist aus dem 4. und 3. Jh. v. Chr., zusammengestellt um 50 v. Chr. durch Tai Te (L. des Großen Tai) und seinen Neffen Tai Scheng (L. des Kleinen Tai; in den konfuzianischen Kanon aufgenommen).

Lik'ör [franz.; Goethezeit] *der,* **1)** Gewürz- oder Kräuterbranntwein von bes. süßer oder sämiger Beschaffenheit. **2)** Zusatz zu Schaumwein: Weinbrand, Kandis und Würzstoffe.

Likt'oren [lat.], Amtsdiener der höheren Beamten im alten Rom; die L. trugen ihnen die →Fasces (Liktorenbündel) voraus.

lila [arab. ›Flieder‹], hellviolett, fliederblau. Der **Lila, Lilak,** span. Flieder, →Syringe.

Liguster: a *Blüte,* b *im Längsschnitt,* c *Stempel mit Fruchtknoten,* d *junger Fruchtknoten im Querschnitt mit vier Samenanlagen,* e *Fruchtstand,* f *reifender Fruchtknoten im Querschnitt mit zwei entwickelten Samen (Hauptbild etwa ⅓ nat. Gr.)*

Lili'anische Ep'akten [grch.], im weiteren Sinne die Vorschriften zur Berechnung des Osterdatums im Gregorian. Kalender, im engeren Sinn Zahlen von I bis XXX, die das Alter des Mondes an einem bestimmten Datum angeben. In modernen Kalendern findet man eine Epakte, die für den 1. Jan. des betr. Jahres gilt. Die Vorschriften zur Berechnung dieser Epakten mit Hilfe der →goldenen Zahl gehen auf L. Lilio († Rom 1576) zurück.

L'ilie [ahd. aus lat. lilium], **Gilge, Jilge, Ilge,** *Lilium,* Gattung einkeimblättriger Pflanzen der Familie *Liliengewächse* (Liliazeen), mit Zwiebeln, großen Blüten, stumpf dreiseitiger Fruchtkapsel und flachen Samen. Die europ.-asiat. Laubwaldpflanze *Türkenbund* (*Goldwurzel,* L. martagon) hat quirlig stehende Blätter, gelbe Zwiebeln und hängende blau- bis braunrote Blüten; die europ. Bergwiesenpflanze *Feuerlilie* (*Berglilie,* L. bulbiferum) mit achselständigen Brutzwiebeln trägt Rispen aufrechter, feuerroter, braunfleckiger Blüten; beide Arten werden bis 1,5 m hoch. Gartenpflanzen sind die *weiße L.* (L. candidum) aus dem östl. Mittelmeerbereich, mit überhängenden Blüten, und Arten wie Tiger-, Goldband-, Riesenlilie. – Auch andere einkeimblättrige Gattungen werden L. genannt: Schwert-, Flachs-, Grün-, Hakenlilie.

Die L. war bei den Römern das der Juno heilige Sinnbild der Hoffnung. Im Judentum und Christentum gilt sie als Symbol der Reinheit; sie wird daher in der Malerei vor allem des MA.s häufig als Symbol der Jungfrau Maria dargestellt. In Brauchtum, Volkslied und Sage gilt die L. als Totenblume.

Wappenkunde: Seit 1179 findet sich die L. im Lilienbanner der Bourbonen. In gleicher Form erscheint sie als Symbol auf Kronen, Zeptern, Münzen, in Stadtwappen u. a.

L'iliencron, 1) Detlev, Freiherr von, Dichter, * Kiel 3. 6. 1844, † Altrahlstedt bei Hamburg 22. 7. 1909, nahm als preuß. Offizier an den Feldzügen von 1866 und 1870/71 teil; später war er Verwaltungsbeamter, zuletzt bis 1887 Kirchspielvogt in Kellinghusen. Seine Gedichte (Adjutantenritte, 1883; Der Heidegänger, 1890; Bunte Beute, 1903) halten Eindrücke und Augenblicksstimmungen fest. Er schrieb auch Novellen (Kriegsnovellen, 1895), Romane (Leben und Lüge, 1908), das »kunterbunte« Epos ›Poggfred‹ (1896), Schauspiele. Ausgewählte Werke (1964).

Lit. O. J. Bierbaum: D. v. L. (²1910); H. Spiero: L. (1913); H. Maync: D. v. L. (1920); H. Leip: D. v. L. (1938).

2) Rochus, Freiherr von, Germanist und Musikforscher, * Plön 8. 12. 1820, † Koblenz 5. 3. 1912, war Prof. in Kiel und Jena, wurde 1869 Leiter der ›Allgemeinen Deutschen Biographie‹. Neben seinen wissenschaftlichen Werken, bes. über das Volkslied, schrieb er Novellen.

L'ilienfein, Heinrich, Schriftsteller, * Stuttgart 20. 11. 1879, † Weimar 20. 12. 1952, war seit 1920 Generalsekretär der Deutschen Schillerstiftung in Weimar.

Lilienfeld, Markt und Luftkurort in Niederösterreich, in den Voralpen 377 m ü. M., mit (1971) 3100 Ew., BezGer. Das Zisterzienserstift mit spätroman. Stiftskirche und got. Kreuzgang wurde 1202 gegründet.

Lilienhähnchen, Lilienkäfer, Lilienpfeifer, *Crioceris,* Gattung bis 8 mm langer, roter und schwarzer, an Liliengewächsen schadender Blattkäfer.

Lilienstein, 416 m hoher Tafelberg des Elbsandsteingebirges, über Königstein.

Lilie: weiße Lilie

Lilienthal, Gem. im Kr. Osterholz, Nieders., (1974) 10900 Ew., Randgemeinde von Bremen; AGer., Industrieofenbau, Bekleidungswerk; ehemal. Zisterzienserinnenkloster (1232 gegr.).

Lilienthal, Otto, Ingenieur und Flugtechniker, * Anklam 23. 5. 1848, † Lichterfelde 9. 8. 1896, führte seit 1891 als erster Gleitflüge über mehrere 100 m Länge aus. 1896 stürzte er bei einem Flugversuch in den Stöllner Bergen tödlich ab. Die *Lilienthal-Gesellschaft für Luftfahrtforschung,* 1936–45, vereinigte alle an der Luftfahrtforschung interessierten dt. Wissenschaftler und Ingenieure.

Lil'iew, Nikolai, bulgar. Dichter, * Stara Sagora 8. 3. 1885, † Sofia 6. 10. 1960; seine Lyrik und seine Kritiken hatten großen Einfluß auf die bulgar. Dichtung.

L'iliput, in Swifts Satire ›Gullivers Reisen‹ (1726) ein Märchenland mit nur daumengroßen Bewohnern. **Liliputaner, 1)** Bewohner von L. **2)** Zwerg, der sich auf Jahrmärkten, in Varietés usw. zur Schau stellt.

Li Li-san, chines. Kommunist, * Prov. Hunan 1896, nahm an der Revolution von 1911/12 teil, gründete 1921 in Schanghai als Vorläufer der KP die *Kung schantang* (Alles-Verteilen-Partei); wegen seiner zu radikalen Forderungen wurde er 1927 aus der Komintern ausgeschlossen. Als polit. Berater General Lin Piaos hatte er maßgebl. Anteil an der kommunist. Eroberung der Mandschurei (1946) und Chinas. 1949–54 Arbeitsmin.; L. soll zu Beginn der Kulturrevolution (1966) Selbstmord begangen haben.

Lil'ith, weibl. böser Dämon des jüd. Volksglaubens (Jes. 34, 14), volksetymologisch als »die Nächtliche« gedeutet (tatsächlich jedoch der assyr. Sturmdämon *Lilitu*) und als blutsaugendes Nachtgespenst (Vampir) aufgefaßt. Nach der talmudischen Überlieferung war L. Adams erstes Weib (vgl. Goethes ›Faust‹, Walpurgisnacht).

Lilje, Johannes, evang. Theologe, * Hannover 20. 8. 1899, 1934–45 Generalsekretär, 1952–57 Präs. des Luther. Weltbundes; seit 1947–71 Landesbischof der evang.-luther. Kirche von Hannover, seit 1950 zugleich Abt zu Loccum. Gründer der Evang. Akademie Loccum, Hg. des Sonntagsblatts.

L'iljefors, Bruno, schwed. Maler, * Uppsala 14. 5. 1860, † das. 18. 12. 1939.

Lille [lil], fläm. **Rijssel,** Hauptstadt des Dep. Nord in Nordostfrankreich, die wichtigste Stadt Franz.-Flanderns, mit (1971) 189300 Ew. Die 1967 gebildete »Communauté urbaine« umfaßt die Städte L., Roubaix und Tourcoing sowie rd. 90 Gemeinden (rd. 900000 Ew.). (Wappen: TAFEL Wappenkunde II, 59); L. hat Universität, höhere Handels- und Techn. Hochschule, Landwirtschaftsschule; Museen. Es ist Mittelpunkt eines ausgedehnten Industriegebietes (bes. Textil-, Maschinen-, chem., Lebensmittelindustrie), wichtiger Umschlagplatz und Bahnknotenpunkt.

L., aus einer Siedlung um eine Burg Balduins I. von Flandern († 878) zwischen der Deule und der Lys entstanden, ist seit 1127 Stadt. Erhalten sind die Kirchen Saint-Maurice (14./15. Jh.) und Sainte-Cathérine (16. bis 18. Jh.). 1667 wurde L., das bis dahin zur Gfsch. Flandern gehört hatte, von Ludwig XIV. erobert und blieb seit 1713 endgültig bei Frankreich. Vauban legte die Zitadelle jenseits der Deule an. Zeugen dieser Zeit sind ferner die Alte Börse (1652), das Pariser Tor (1682), die Palais Lesueur (18. Jh.) und Rameau (1878). Bis 1914 war L. Festung ersten Ranges.

Lillo, George, engl. Dramatiker, * London 4. 2. 1693, † das. 3. 9. 1739, schuf das engl. bürgerl. Drama ›The London merchant‹ (1731), Vorbild für Lessings ›Miss Sara Sampson‹. – Sämtl. theatral. Werke, dt. 2 Bde. (1777/78).

Li Lung-mien, Künstlername des chines. Malers Li Kung-lin, * 1049, † 1106, bekannt auch als Dichter und Kalligraph, einer der größten, unakadem. Maler der Sung-Zeit.

Lilly, John, engl. Dramatiker, →Lyly.

Lilybäum, griech. *Lilybaion,* im Altertum Kriegs- und Handelshafen im W Siziliens, von den Karthagern 396 v. Chr. angelegt, ging 241 v. Chr. in röm. Besitz über als Militärstützpunkt gegen Afrika. Der heutige Name **Marsala** geht auf die Sarazenen zurück.

Lim, rechter Nebenfluß der Drina in Jugoslawien.

LIM, Abk. für französ. Livret-indicateur pour le service International de Marchandises par wagons complets, *Internationales*

Lim

Güterkursbuch, das für jeden Fahrplanabschnitt dreisprachig von der Europ. Güterzugfahrplankonferenz (L.-Konferenz) herausgegeben wird.

Lim., Abk. für →Limited.

Lima [lat. ›Feile‹], **Feilenmuschel**, zu den Kammuscheln gehörig; bereits im Karbon vorhanden, im Mesozoikum mit über 300 Arten vertreten (*Lima pectinoides*, TAFEL Geologische Formationen I, 16).

Lima, 1) Hauptstadt der Rep. Peru, mit (1972) 2,836 Mill. Ew. (Wappen: TAFEL Städtewappen III), 11 km von der pazif. Küste entfernt, 136 m ü. M., eine der schönsten Großstädte Südamerikas, Sitz eines kath. Erzbischofs, hat Kathedrale (1535 gegr.), San-Marcos-Universität, Kath. Universität, Tierärztliche Hochschule, Nationalbibliothek, Nationalmuseum; Baumwollspinnereien und -webereien, Möbel-, Leder-, Nahrungsmittelindustrie, Brauereien. – L., 1535 von Pizarro gegründet, war der Sitz der span. Vizekönige von Peru. 1821, endgültig 1824 wurde es von der span. Herrschaft befreit. Im »Salpeterkrieg« wurde es 1881–83 von den Chilenen besetzt.

2) [l'aima], Stadt in Ohio, USA, mit rd. 52000 Ew.; Erdölraffinerien, Lokomotivenbau u. a. Industrie.

Limagne [limaɲ], franz. Landschaft in der Auvergne, zwischen den Monts Dômes und dem Forezgebirge; fruchtbare, vom Allier durchflossene Niederung.

Lim'an [türk.] *der*, →Lagune.

Liman von Sanders, Otto, preuß. General und türk. Marschall, * Stolp 17. 2. 1855, † München 22. 8. 1929, verteidigte als Chef der dt. Militärmission 1915 erfolgreich die Dardanellen, konnte aber 1918 den Zusammenbruch des türk. Heeres nicht hindern.

Limbach-Oberfrohna, Stadt im Bez. Karl-Marx-Stadt (Chemnitz), auf der Hochfläche des Mittelsachs. Berglandes, mit (1973) 26 200 Ew.; Fachschule für Wirkerei; Wirkwaren- und damit verbundene Maschinenindustrie.

L'imburg, 1) **L. an der Lahn**, Kreisstadt in Hessen, 124 m ü. M., in weiter Öffnung des Tals, das von der Autobahn Frankfurt-Köln überquert wird, mit (1974) 20 900 Ew. L. hat LdGer., AGer., mehrere höhere und Fachschulen, Priesterseminar, Domschatz, Missionsmuseum, Stadtarchiv; Industrie: u. a. Eisengießerei, Maschinen, Blechwaren, Glas, Bekleidung. Über der Stadt liegt auf einem steil zur Lahn abfallenden Kalkhügel der 1215–35 erbaute Dom St. Georg, im Stil eine Vereinigung rhein. Spätromanik mit franz. Gotik (TAFEL Deutsche Kunst I, 2). Zu einer Baugruppe mit ihm verbunden ist die 1298 erwähnte Burg (jetzt Diözesanmuseum). Lahnbrücke (1315, 1657), Stadtkirche, bischöfl. Residenz (im 18. Jh. umgebautes Kloster), Teile der Stadtbefestigung, Rathaus, Adelshöfe und viele Fachwerkhäuser erinnern an das mittelalterl. Stadtbild. – L., 910 erwähnt, war im Besitz der Konradiner, um 1180 der Grafen von Leiningen, um 1220 der Isenburger (Stadtrecht: Anfang des 13. Jhs.). Kur-Trier erwarb 1322–85 wichtige Rechte durch Verpfändung und Kauf, bis es 1407 Erb- und Grundherr wurde. 1803 kam L. an Nassau. Seit 1821 ist es Bischofssitz.

2) franz. *Limbourg*, nordöstlichste Prov. des Kgr. Belgien, 2408 qkm, (1971) 656 500 meist fläm. Ew., Hauptstadt: Hasselt. GESCHICHTE →Limburg 3).

3) [l imbœrx], südöstlichste Prov. der Niederlande, von der Maas durchflossen, 2217,3 qkm, (1972) 1,022 Mill. Ew.; Hauptstadt: Maastricht.

GESCHICHTE. Das Hzgt. L. wurde 1288 mit Brabant vereinigt und kam 1430 an Burgund. Der nördl. Teil fiel 1648 an die Generalstaaten (Holland). 1839 wurde das Land zwischen Belgien und den Niederlanden geteilt; der niederländ. Teil gehörte bis 1866 zum Deutschen Bund.

Limburg, Brüder von L., Paul, Hermann und Jan, niederländ. Buchmaler, die vermutlich unter Pauls Führung am Hof des Herzogs von →Berry in Bourges tätig waren. Ihr Hauptwerk sind die ›Très riches heures du Duc de Berry‹, 1411 begonnen und beim Tod des Herzogs 1416 noch unvollendet. Niederländ. Schulung, ital. Einwirkungen, unmittelbare Anschauung vereinigen sich in den Kalenderlandschaften mit der Darstellung franz. Königsschlösser zu den ersten wirklichkeitsnahen Landschaftsschilderungen der europ. Malerei.

L'imbus [lat. ›Rand‹] *der*, 1) *kathol. Glaubenslehre*: die als Ort natürlicher Glückseligkeit gedachte Vorhölle, der Aufenthaltsort a) der Gerechten des A. T. bis zur Himmelfahrt Christi (L. patrum), b) der seit der Verkündigung des Evangeliums ungetauft verstorbenen Unmündigen (L. parvulorum), doch wird für diese heute vielfach die Gleichstellung mit den Getauften vertreten.

2) bei Meßinstrumenten der Meßkreis, auf dem die Größe eines Winkels abgelesen wird.

L'imerick, irisch **Luimneach** [l'imnax], 1) Grafschaft der Republik Irland, in der Prov. Munster, 2686 qkm mit (1971) 140 400 Ew. 2) Hauptstadt von 1), (1971) 57 100 Ew., im Hintergrund der Shannonbucht, wichtiger Hafen Westirlands; Schlächtereien, Eisengießerei, Schiffbau, Molkereien, Brauereien. – L. wurde im 9. Jh. von den Dänen gegründet.

L'imerick, engl. Strophenform, meist fünfzeilig, für Ulkverse. Die L.s, urspr. in Irland (Limerick) gesungene Stegreifverse, wurden volkstümlich durch Edward Lears Unsinn-Gedichte (Nonsense poetry, 1846 ff.).

L'imes [lat.] *der*, 1) Pfahlgraben, römischer Grenzweg; besonders die befestigte Grenzlinie der Römer in Deutschland, der obergermanisch-rätische L., der (548 km lang) die Prov. Obergermanien und Rätien zwischen Rhein und Donau gegen die germanischen Völker abschloß. Der L. wurde im 84 n. Chr. unter Domitian begonnen, unter Trajan und Hadrian erweitert. Er war mit Wall und Graben, in Süddeutschland sogar mit einer Steinmauer versehen und durch mehr als 1000 Wachtürme und über 100 hinter der Grenze liegende Kastelle gesichert. Die Anlage verfiel Ende des 3. Jhs. Ihre Reste sind streckenweise noch gut erkennbar. Verlauf des L.: der obergermanische L. begann nördlich von Rheinbrohl bei Neuwied, zog südöstlich über Ems zum Taunus, umschloß die Wetterau, überschritt die Kinzig bei Großkrotzenburg, benutzte den Main bis Wörth und ging südwärts zum Neckar (Mümlinglinie); später wurde er 20–30 km östlich in die Linie Miltenberg–Lorch verschoben. Im rechten Winkel schloß hier der rätische L. (Teufelsmauer) an, der die Donau bei Hienheim erreichte.

Lit. Berichte der Röm.-German. Kommission, zuletzt: 34. Bericht (1954); W. Schleiermacher: Der röm. L. in Dtl. ([2]1961).
2) *Mathematik:* →Grenzwert.

Limes Verlag, gegr. 1945, Wiesbaden: Moderne Lyrik. Romane.

L'imfjord, vielgewundene, buchten- und inselreiche Wasserstraße in Dänemark, führt von der West- nach der Ostküste Jütlands, 180 km lang.

Limina apostolorum, →Visitatio liminum.

L'imit [engl., aus lat. limes ›Grenze‹] *das,* Preisgrenze, die dem Kommissionär vom Auftraggeber gesetzt ist und beim Kauf nicht über-, beim Verkauf nicht unterschritten werden darf.

Limitation, Begrenzung. **limitieren,** ein L. festsetzen.

Limited [l'imitid, ›beschränkt‹], abgek.: **Ltd., Lim.** oder **Ld.,** Zusatz bei engl. Handelsfirmen, die etwa der dt. GmbH oder AG entsprechen.

L'immat *die,* rechter Nebenfluß der Aare, 140 km lang, entspringt als **Linth** am Tödi (3620 m) im schweiz. Kanton Glarus, durchfließt das breite **Linthtal** und ergießt sich durch den Escher-Kanal in das Westende des Walensees, den sie bei Weesen verläßt. Durch den alten Seeboden fließt sie im **Linthkanal** zum Zürichsee, den sie als L. bei Zürich verläßt, und mündet bei Brugg.

Limn'eaemeer, die Ostsee des subatlant. Abschnittes des Holozäns (etwa 500 v. bis 1000 n. Chr., **Limnäazeit**); damals brackisch und von der Schnecke *Limnaea ovata baltica* (Gatt. *Limnaea* der Süßwasserschnecken) belebt.

limnisch [von grch. limne ›Teich‹], im Süßwasser lebend, abgelagert. L. nennt man bes. Kohlenlager, die in Süßwasserbecken entstanden und mit anderen l. Bildungen wechsellagern, z. B. das Saarbrückener Kohlenbecken. Gegensatz: **paralische Kohlenlager,** die in Küstennähe entstanden und mit marinen Bildungen wechsellagern, z. B. Ruhrkohlenbecken.

Limnograph *der,* der Schreib-Pegel, **Limnimeter,** der Lattenpegel, →Pegel.

Limnologie [grch.], die →Seenkunde.

L'imnos, amtl. Name der griech. Insel →Lemnos.

Limoges [limo:ʒ], Hauptstadt des Dep. Haute-Vienne im mittleren Frankreich, mit (1971) 140 800 Ew., 250 m ü. M., Bischofssitz; mittelalterliche Bauwerke; freie Rechtsfakultät, Museum für Keramik und Emailmalerei; Herstellung von Fayencen, Porzellan, Emailwaren, Zellulose, Papier, Wolle, Kunstfasern, Küchen- und Elektrogeräten. – L., die gallo-römische *Civitas Lemovicum,* war der Hauptort der ehem. Gfsch. Limousin.

Limoges: Kathedrale St-Étienne

Limon'ade [franz.; Gottschedzeit], alkoholfreies Erfrischungsgetränk aus natürlichen Aromastoffen (urspr. Fruchtsaft von der Limone), Wasser und Zucker. Bei Zusatz von Kohlendioxyd entstehen *Brause-L.*

Lim'one, [ital., von arab. limun], Zitrone.

Limon'en [Kw.] *das,* ein flüssiger, angenehm riechender Kohlenwasserstoff, Hauptbestandteil zahlreicher ätherischer Öle.

Limon'it [lat. Kw.] *der,* Brauneisen.

Lim'ose *die, Limosa* [lat. ›Schlammfreundin‹], **Uferschnepfe,** Gattung hochbeiniger Watvögel.

Limose

Limos'i, Lemosi [von Limoges], im MA. das Provenzalische, auch die katalanische Literatursprache.

Limosin [limozɛ̃] oder **Limousin** [limuzɛ̃], Léonard, franz. Emailmaler, * Limoges um

Limo

1505, † das. (?) zwischen 1575 und 1577, tätig in Limoges und Paris, der bedeutendste und vielseitigste der Limoger Schmelzmaler des 16. Jhs. Seit 1548 Hofemailleur der franz. Könige, schuf er viele Bildnis-Emailminiaturen der Hofgesellschaft. Seine übrigen Arbeiten (Gefäße, Brettspiele, Jagdhörner, Altärchen u. a.) bemalte er nach Vorwürfen von Dürer, Raffael, Primaticcio und N. dell'Abate. Hauptwerke in Paris (Louvre und Musée Cluny).

Limos'iner Email, Erzeugnisse der Schmelzmalerei, die von der Familie Limosin in Limoges hergestellt wurden (16./17. Jh.).

Limousin [limuzɛ̃], geschichtl. Landschaft in Mittelfrankreich, am Westrand des Zentralmassivs, frühere Grafschaft; Hauptstadt: Limoges.

Limousine [limuz'inə, franz., nach der Landschaft Limousin] *die,* geschlossener Personenkraftwagen.

L'impias, Wallfahrtsort in der span. Prov. Santander mit einem seit 1919 als wundertätig verehrten Christusbild (17. Jh.; S. Cristo de la Agonía).

limp'id [lat.], klar, hell, durchsichtig.

Limp'opo, Strom in Südafrika, 1600 km lang, entspringt als *Krokodilfluß* unweit Johannesburg, mündet nordöstl. der Delagoabai in den Ind. Ozean.

Limpurg, ehemal. Gfsch. der Reichserbschenken im württemberg. und bayer. Franken. Die beiden Linien, Gaildorf und Speckfeld, erloschen 1690 und 1713.

Limpurger Berge, Bergzug im nördl. Württemberg, zwischen Kocher und Bühler, bis 556 m hoch.

L'inac, Abk. für englisch Linear Accelerator, Linearbeschleuniger.

Lin'aloeöl, Rosenholzöl, äther. Öl aus *Linaloeholz* (Bursera pechiana, Ocotea caudata), Hauptbestandteil *Linalool*; vielverwendeter Parfümerierohstoff.

Linal'ylazetat, Essigester des Linalools, Ersatz für Bergamotte- und Lavendelöl.

Lin'ard, Piz, der höchste Gipfel der Silvrettagruppe in Graubünden, 3411 m.

Lin'ares, 1) Stadt in Spanien, (1970) 51 900 Ew., am Rand der Sierra Morena, Mittelpunkt eines Bergbaugebiets (silberhaltiges Blei, Kupfer). 2) Hauptstadt der chilen. Prov. Maule, (1972) 68 000 Ew.

Lincei [lintʃ'ei], Abk. für *Accademia Nazionale dei L.,* die Akademie der Wissenschaften in Rom, 1603 gestiftet.

Lincke, Paul, Komponist, * Berlin 7. 11. 1866, † Clausthal-Zellerfeld 4. 9. 1946, schrieb Berliner Lieder, Schlager, Possen und Operetten: Frau Luna, Lysistrata, Venus auf Erden, Im Reich des Indra, Berliner Luft, Grigri, Casanova.

Lincoln [l'iŋkən], Abraham, 16. Präs. der USA (1861–65), * bei Hodgeville (Kentucky) 12. 2. 1809, † (ermordet) Washington 15. 4. 1865, wuchs unter den Grenzern des amerikan. Westens auf und arbeitete sich aus den einfachsten Verhältnissen empor; wurde 1836 Advokat, gehörte als Whig

1834–40 der Staatslegislatur von Illinois und 1847–49 dem Bundeskongreß an. Der Kampf um die Aufhebung der Sklaverei, der 1854 zur Gründung der Republikan. Partei führte, veranlaßte seine Rückkehr zur Politik. Seine Volkstümlichkeit, die vorsichtig vermittelnde Haltung in der Sklavenfrage, seine natürl. Rednergabe und vor allem innere Schwierigkeiten der Partei führten zur überraschenden Aufstellung L.s als Präsidentschaftskandidat (1860 in Chicago). Seine Wahl war der Anlaß zum Abfall der Südstaaten und zum Sezessionskrieg. Den Krieg führte L. mit dem Ziel, die Einheit der Nation wiederherzustellen; die Sklavenfrage trat dahinter zurück. Viele Rückschläge überwand er durch Ruhe und Einsicht, starken offenen und heimlichen Widerstand durch polit. Klugheit; das Volk gewann er durch seine Schlichtheit. Die Erklärung vom 22. 9. 1862 *(Emancipation Proclamation),* die den Sklaven der Südstaaten die Freiheit verlieh, war ein Kriegsmittel, zunächst ohne praktische Folgen. Am 19. 11. 1863 verkündete er auf dem Schlachtfeld von Gettysburg die freiheitl. Grundsätze seiner Politik *(Gettysburg-Address: »...government of the people, by the people, for the people...«),* die er in versöhnl. Geist nach dem Krieg zu führen gedachte. 1864 wurde er wiedergewählt, aber kurz nach dem völligen Sieg durch den südstaatl. Fanatiker J. W. →Booth im Theater erschossen.

Lɪᴛ. W. Richter: L. (1952); B. P. Thomas: L. (dt. 1956).

Lincoln [l'iŋkən], 1) Hauptstadt der engl. Grafschaft Lincolnshire, (1971) 74 000 Ew., Kathedrale (12.–14. Jh.), in den Hauptteilen im normann.-got. Stil; Herstellung landwirtschaftl. Maschinen und Geräte.
2) Hauptstadt von Nebraska, USA, mit (1970) 150 000 Ew.; Staatsuniversität; Druckereien, Schlachthäuser.

Lincoln Center for the Performing Arts [l'iŋkən s'entə fə ðə pə:f'ɔ:miŋ a:ts], Kulturzentrum in New York, entstanden 1962–69: Philharmonic Hall, New-York-State-Theater, Vivian-Beaumont-Theater, Bibliotheksmuseum für die ausübenden Künste, neues Metropolitan Opera House, Juilliard School of Music einschl. Alice Tully Hall.

Lincolnshire [l'iŋkənʃiə], Kurzform **Linc(s),** engl. Grafschaft zwischen Humber und Wash-Busen an der Nordsee, 5880 qkm, (1971) 503 000 Ew.

Lind, Jenny, Sopranistin, * Stockholm 6. 10. 1820, † Malvern Wells (England) 2. 11. 1887, in Europa und Amerika als »schwedische Nachtigall« gefeiert.

Lindau (im Bodensee), Kreisstadt im Regierungsbezirk Schwaben, Bayern, 400 m ü. M., Altstadt auf einer Insel im Bodensee, durch Brücke und Eisenbahndamm mit dem Festland verbunden, mit (1974) 24 900 Ew. (Wappen: ᴛᴀꜰᴇʟ Wappenkunde II, 62). L. hat LdGer., AGer., höhere Schulen, Industrie- und Handelskammer, Museum, Theater. Neben dem Fremdenverkehr (Station der Bodensee-Schiffahrt) besteht Industrie (Maschinen, Lebensmittel, Textilien, Elektrotechnik u. a.). – Aus dem 4. Jh. stammt die »Heidenmauer«. Zu dem im 9. Jh. errichteten Nonnenkloster (seit 11. Jh. Damenstift) gehörte die 1751 vollendete Marienkirche. Die Peterskirche (10. und 12. Jh.), die Stefanskirche (12. und 18. Jh.), das Rathaus (1422; umgebaut), Patrizierhäuser und Reste der Stadtbefestigung erinnern an das alte Stadtbild. L., 774 erstmals genannt, war 1220–1802 Reichsstadt, im MA. durch Handel und Schiffahrt bedeutend. Mit dem reichsunmittelbaren Stift lag L. häufig in Fehde. 1805 nahm Bayern Stadt und Stift in Besitz.

Lindau, 1) Paul, Schriftsteller, * Magdeburg 3. 6. 1839, † Berlin 31. 1. 1919, seit 1895 Intendant des Hoftheaters in Meiningen, seit 1899 Intendant und Dramaturg in Berlin, schrieb Novellen, Romane und Dramen. **2)** Rudolf, Diplomat und Schriftsteller, Bruder von 1), * Gardelegen 10. 10. 1829, † Paris 14. 10. 1910. In Reiseberichten, Romanen und Novellen schilderte er die Gesellschaft und Kultur der Völker in aller Welt.

Lindbergh, Charles A., amerikan. Flieger, * Little Falls (Minn.) 4. 2. 1902, † Honolulu 26. 8. 1974, überquerte am 20./21. 5. 1927 allein im Flugzeug den Atlant. Ozean auf der Strecke New York–Paris (rund 6000 km) in 33 Stunden.

WERKE: Wir zwei. Im Flugzeug über den Atlantik (1927), The »Spirit of St. Louis« (1953; dt. Mein Flug über den Ozean, 1954).

L'indblad, Bertil, schwed. Astronom, * Örebro 26. 11. 1895, † Stockholm 25. 6. 1965, seit 1927 Dir. der Sternwarte Stockholm, arbeitete über Methoden der Leuchtkraftbestimmung von Sternen und über Aufbau und Bewegungsverhältnisse von Sternsystemen, bes. der Spiralnebel.

Linde [german. Stw.], **1)** Tilia, Pflanzengattung der Familie *Lindengewächse* (Tiliazeen) in der nördl. gemäßigten und subtrop. Zone, etwa 25 Arten, Bäume und Sträucher mit schief-herzförmigen Blättern. Die gelblichen, duftreichen Blüten stehen in Trugdolden. Die Blütenstandsachse ist mit einem zungenförmigen Hochblatt halb verwachsen, das den ein- bis zweisamigen Früchtchen *(Lindennüssen)* als Flugmittel dient. In Dtl. heimisch nur zwei Arten: *kleinblättrige L. (Winter-, August-, Spät-, Stein-, Waldlinde,* T. parvifolia) und *großblättrige L. (Sommer-, Früh-, Graslinde,* T. grandifolia). Die Winterlinde, die bis 30 m hoch und 700–1200 Jahre alt werden kann, hat bei freiem Stand einen kurzen, dicken Stamm mit schwärzlicher, rissiger Borke, eine runde, dichte Krone und Blätter mit dunkelgrüner Oberseite. Sie blüht Ende Juni, trägt pfefferkorngroße, dünnschalige Früchte und wächst wild in Laubmischwäldern und Gebüschen Europas, im Osten stellenweise als fast reiner Bestand. Die bis

40 m hohe, in Nordeuropa nicht einheimische Sommerlinde hat eine lockere Krone, meist unterseits weichhaarige Blätter und hartschalige, kantige Früchte; sie blüht rund 14 Tage früher. Das gelbliche bis rötlichweiße, leichte, sehr weiche Holz beider Arten dient zu Möbeln, Bildschnitzereien, im Orgelbau.

L.-Holzkohle wird als Zeichenkohle, L.-Bast in der Gärtnerei und Landwirtschaft verwendet. Die Blüten enthalten viel Honig, Schleim, Wachs, Gerbstoff und Spuren eines ätherischen Öls, das als sehr teurer Duftstoff gewonnen wird. Sie geben schweißtreibenden *Lindenblütentee.* Als Parkbäume sind verschiedene nordamerik. und asiatische Arten beliebt, so mehrere Arten *Silberlinde.* Nach dem Volksglauben halten sich Elfen, Kobolde, Schlangen (als Schatzhüter) unter ihr auf. Sie soll gegen Gewitter schützen und Krankheiten an sich ziehen (Nagelzauber). – **2)** andere Pflanzen, so →Sparmannie, →Lorbeerlinde.

Linde: Zweig der Winterlinde mit Blüten- und Fruchtständen

L'inde, 1) Carl von (seit 1897), Ingenieur, * Berndorf (Oberfranken) 11. 6. 1842, † München 16. 11. 1934, seit 1872 Prof. an der TH München, erfand 1876 die Ammoniakkältemaschine und 1895 ein Verfahren zur Verflüssigung von Gasen im Gegenstromapparat. **Gesellschaft für Linde's Eismaschinen AG,** Wiesbaden, gegr. 1879 von C. von L.

2) Otto zur, Schriftsteller, * Essen 26. 4. 1873, † Berlin 16. 2. 1938, gründete 1904 mit R. Pannwitz die Dichtervereinigung ›Charon‹, deren gleichnamige Monatsschrift er leitete. Von Nietzsche beeinflußt, erstrebte L. eine Vereinigung von Dichtung und Philosophie in einem pantheistisch-idealist. Weltgefühl. – Ges. Werke (1910–25).

Lindegren, Erik, schwed. Lyriker, * Luleå 5. 8. 1910, † Stockholm 31. 5. 1968. Zeitkritik und erotische Ekstase sind tragende Elemente seiner symbolreichen Dichtung. – Gedichte, schwed. u. dt., übers. v. Nelly Sachs (1963).

Lindemayr, Maurus, Geistlicher und Mundartdichter, * Neukirchen (Oberösterr.) 17. 11. 1723, † das. Juli 1783, begründete die mundartl. Bauerndichtung in Österreich, indem er die Posseneinlagen der barocken Jesuitenspiele zu derb realistischen Mundartkomödien mit aufklärerisch-moralist. Tendenz weiterentwickelte.

Lindenberg (im Allgäu), Stadt im Kreis Lindau, RegBez. Schwaben, Bayern, 800 m ü. M., mit (1974) 10 200 Ew., hat höhere Schule, Industrie (Käse-, Hut-, Textilindustrie), Fremdenverkehr.

Lindenfels, Stadt im Kr. Bergstraße, Hessen, im Odenwald, mit (1973) 4700 Ew. – 1120 erwähnt, seit 1336 Stadtrecht.

Lindenschmit, 1) Ludwig (d. Ä.), Prähistoriker, * Mainz 4. 9. 1809, † das. 14. 2. 1893, gründete 1852 das →Römisch-Germanische Zentralmuseum, das er bis zu seinem Tode leitete.
2) Wilhelm, Maler, * Mainz 12. 3. 1806, † das. 12. 3. 1848, Mitarbeiter von Cornelius in München, malte histor. Fresken und Bilder zu Schillers Dichtungen.
3) Wilhelm von (1893), Maler, Sohn von 2), * München 20. 6. 1829, † das. 8. 6. 1895, lebte 1853–63 in Frankfurt, seitdem in München. Er malte Bilder aus der Geschichte, Mythologie und Dichtung, auch mehrere große Wandgemälde (Rathaus in München und Heidelberg).

Lindenschwärmer, *Mimas tiliae,* olivgrünlicher, etwa 7 cm spannender Schwärmerschmetterling; Raupe bes. auf Linden.

Lindenthal, Gustav, Bauingenieur, * Brünn 21. 5. 1850, † Metuchen (N. J.) 31. 7. 1935, seit 1874 in den USA, baute Brücken und Tunnel (Hellgate-Brücke über den East River, Tunnel unter Hudson und East River).

Linderhof, Schloß im Graswangtal, Kr. Garmisch-Partenkirchen, 948 m ü. M., 1869–78 für König Ludwig II. im Rokokostil erbaut.

L'indgren, Astrid, schwed. Schriftstellerin, * Vimmerby 14. 11. 1907, errang Welterfolg mit ihren Jugendbüchern (Pippi Langstrumpf, 1945, dt. 1960; Wir Kinder aus Bullerbü, 1946, dt. 1960).

L'indi, Hafenstadt in Tansania, mit rd. 10 000 Ew.; Ausfuhr von Baumwolle, Sisal, Kopra.

Lindisfarne, →Holy Island.

L'indlar, Gem. im Rhein.-Berg. Kreis, Nordrhein-Westfalen, mit (1974) 13 200 Ew., im Bergischen Land, hat AGer., Steinindustrie, Stahlwerk, Möbel- und Papierindustrie.

Lindman, Arvid, schwed. Admiral und Staatsmann, * auf Österby (Län Uppsala) 19. 9. 1862, † Croydon (Flugzeugunglück) 9. 12. 1936, Mitglied der Ersten Kammer (1905–11) und Führer der Konservativen in der Zweiten Kammer (1912–35). 1905 war er Marinemin.; als MinPräs. (1906–11) setzte er die Wahlreform durch. 1917 war er kurze Zeit Außenmin., 1928–30 wieder Min.-Präs. L. trat für Landesverteidigung, Schutzzölle und Agrarhilfen ein.

Lindos, ital. *Lindo,* kleine griech. Stadt an der O-Küste von Rhodos, mit etwa 1000 Ew. – Das antike L. war Mitglied des Att. Seebunds. Das Athena-Heiligtum (1903 durch

dän. Archäologen ausgegraben) auf einem Felsplateau wurde im MA. in die Johanniterfestung (später türk. Kastell) einbezogen. Wichtigster Fund ist eine Marmorinschrift, die »lindische Tempelchronik«. Reste des Tempels und zweier Propyläen sind erhalten.

Lindpaintner, Peter Joseph von, Kapellmeister und Komponist, * Koblenz 9. 12. 1791, † Nonnenhorn (Bodensee) 21. 8. 1856, komponierte 21 Opern, Ballette, Schauspielmusiken (Goethes ›Faust‹), Oratorien, Kantaten, Messen u. a.

Lindrath, Hermann, Politiker (CDU), * Eisleben 29. 6. 1896, † Mannheim 27. 2. 1960, Volkswirt, bis 1945 in der Stadtverw. Halle; wurde 1953 MdB, war 1957–60 Bundesschatzminister.

Lindsay [l'indzi], 1) John, amerikan. Politiker (Republikaner, seit Aug. 1971 Demokrat), * New York 24. 11. 1921, seit 1958 im Repräsentantenhaus, 1965–74 Oberbürgermeister von New York.
2) Philip, austral. Erzähler, * Sidney 1. 5. 1906, † London 1. 4. 1958, schrieb histor. Romane (Here comes the king, 1933).
3) Vachel, amerikan. Lyriker und Graphiker, * Springfield (Ill.) 10. 11. 1879, † das. 5. 12. 1931, durchwanderte Amerika als Sänger und Prediger. – Selected poems (1931).

Lindsey [l'indzi], Benjamin Barr, amerikan. Jugendrichter, * Jackson (Tenn.) 25. 11. 1869, † Los Angeles 26. 3. 1943, bemühte sich um prakt. Jugendfürsorge und Ehereform (»Kameradschaftsehe«).

Lindtberg, Leopold, Theater- und Filmregisseur, * Wien 1. 6. 1902, seit 1933 Regisseur, 1965–68 Direktor am Schauspielhaus Zürich, das als führende dt. Bühne außerhalb des nationalsozialist. Dtl. große Bedeutung erlangte.

Lindwurm [ahd. lint ›Schlange‹], 1) Ungeheuer der german. Dichtung und Sage, →Drache 1). 2) *Wappenkunde:* Drachen ohne Flügel.

line [lain], engl. Längenmaß = 2,117 mm.

Línea de la Concepción [-konθepθi'on], La, Stadt in Südspanien, mit rd. 62 000 Ew., am Nordende der Halbinsel Gibraltar; Gemüsebau.

Line'al, 1) ein Hilfswerkzeug zum Zeichnen. *Kurven-L.* haben so gekrümmte Kanten, daß sich die häufigsten Kurvenformen vorfinden oder leicht zusammensetzen lassen. Für schwach gekrümmte Kurven dienen *Straaklatten,* schmale Holzstreifen, die gebogen und durch aufgesetzte Gewichte festgehalten werden. 2) *Maschinenbau:* ein Stab aus Stahl mit rechteckigem Querschnitt, dient zum Anreißen gerader Linien, auch zum Prüfen von Kanten und Flächen auf Geradheit oder Ebenheit und zu Ausrichtarbeiten.

line'ar [lat.], auf Linien sich beziehend, durch Linien darstellbar; **lineare Ausdehnung,** die Ausdehnung der Länge nach; **lineare Gleichung,** Gleichung ersten Grades.

Line'arbeschleuniger, Gerät zur Beschleunigung geladener atomarer Teilchen auf gerader Bahn. Für Protonen und andere schwere Teilchen ordnet man eine Reihe von zylindr. Elektroden hintereinander an, die abwechselnd mit den beiden Kondensatorbelegungen eines elektr. Schwingungskreises verbunden sind, der von einem starken Zentimeterwellensender gespeist wird. Die Teilchen fliegen während der Beschleunigungsphasen durch je einen der Bereiche zwischen den Elektroden und werden dabei jedesmal schneller. L. für Elektronen sind so eingerichtet, daß ein in ein Rohr eingeschossenes Elektron von einem in Achsrichtung ausgebildeten elektr. Feld erfaßt und beschleunigt wird. Das Feld gehört zu einem intensiven Kurzwellenimpuls, der von einem Magnetron durch das Metallrohr geschickt wird. Einer der größten L. ist der Stanford Mark III (USA). Er ist 90 m lang und liefert Elektronen mit der Endenergie von 1 GeV (1 Mrd. Elektronenvolt). Die Beschleunigungsfrequenz ist 2856 MHz bei einer maximalen Hochfrequenzleistung von 300 Megawatt.

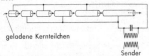

geladene Kernteilchen

Sender

Linearbeschleuniger (Schema)

Line Scan Tube [lain skæntju:b, engl.], eine Fernseh-Aufnahmeröhre, die das Bild in 120000000 Punkte zerlegt.

Ling, Pehr Henrik, schwed. Dichter und Begründer der schwed. Turnens, * Ljunga (Län Kronoberg) 15. 11. 1776, † Stockholm 3. 5. 1839. Sein Ziel war eine harmonische Körperformung durch Gymnastik. Die Ling-Gymnastik beherrschte bis 1914 das deutsche Schulturnen. Als Dichter behandelte L. Stoffe aus der nord. Götterlehre.

L'inga, Lingam [Sanskrit ›Geschlechtsglied‹] *das,* das in ganz Indien verehrte Sinnbild des Schiwa, entsprechend dem griech. Phallus; oft verbunden mit dem weibl. Gegenstück, der →Yoni.

Ling'ajats [›Linga-Träger‹] oder **Wiraschaiwas** [›Edel-Schiwaiten‹], im 12. Jh. n. Chr. von Basawa gegründete ind. Reformsekte, die Schiwa als einziges Gott unter dem Symbol des Linga verehrt und den Bilderkult, das Verbot der Wiederverheiratung der Witwen und manche Kastenbräuche verwirft.

Linge, Flußarm des Rheindeltas zwischen Lek und Merwede in den Niederlanden.

Lingelbach, Johann, holländ. Maler, * Frankfurt a. M. 1622, † Amsterdam Nov. 1674, seit 1637 in Amsterdam, später länger in Paris und Italien tätig, malte ital. Volksszenen und staffierte die Bilder holländ. Landschafter mit kleinen Figuren.

Lingen, Theo, eigentl. Theo *Schmitz,* Bühnen- und Filmschauspieler, * Hannover 10. 6. 1903, vorwiegend im komischen Fach tätig, schrieb mit F. Gribitz die Komödie ›Theophanes‹ (1947), mit F. Schwiefert das Lustspiel ›Die Silberhochzeit‹ (1955). Filme: Der Mann, von dem man spricht (1937), Opernball (1939,1956), Der ungetreue Eckehardt (1940), Sieben Jahre Pech (1940), Sieben Jahre Glück (1942), Johann (1943).

Lingen, Kreisstadt im RegBez. Osnabrück, Niedersachsen, mit (1969) 32 200 Ew., wirtschaftlicher und kultureller Mittelpunkt des Emslandes, Häfen am Dortmund-Ems-Kanal, 21 m ü. M., hat AGer., höhere Schule, Landwirtschaftsschule, Heimatmuseum. L. hat Eisenbahnausbesserungswerk; ist Sitz der Erdölraffinerie-Emsland, der Deutschen Schachtbau- und Tiefbohrgesellschaft u. a. Industrie; Viehmärkte. – Die Gfsch. L. gehörte bis ins 16. Jh. den Grafen von Tecklenburg, fiel 1578 an Nassau-Oranien und 1702 an Preußen. Der nördl. Teil (»Niedere Grafschaft«) mit der Stadt L. kam 1815 zu Hannover.

Lingg, Hermann von, Dichter, * Lindau im Bodensee 22. 1. 1820, † München 18. 6. 1905, urspr. Militärarzt, Mitglied des Münchner Dichterkreises um Maximilian II.; schrieb Gedichte und an geschichtlichen Stoffen orientierte Romane.

L'ingga-Inseln, Inselgruppe im NO Sumatras.

Lingiade [nach P. H. →Ling], Weltfest der Gymnastik und des Turnens ohne Wettkämpfe und Auszeichnungen, 1939 zum 100. Todestag von L. erstmals in Stockholm und Malma-Hed gefeiert (1949 wiederholt).

Lingner-Werke AG, Berlin-Tempelhof, früher Dresden, Unternehmen der pharmazeut. und kosmet. Industrie; gegr. von K. A. Lingner (* 1861, † 1916). Die L. sind seit 1932 ebenso wie die 1946 in Düsseldorf gegr. Lingner-Werke GmbH der Kohlensäure-Industrie AG, Düsseldorf, angegliedert.

L'ingonen, lat. *Lingones,* im Altertum kelt. Stamm auf der Hochebene von Langres, das nach den L. seinen Namen trägt. Die L. standen 52 v. Chr. auf seiten Cäsars und wurden 70 n. Chr. beim Aufstand des Julius Sabinus fast völlig vernichtet. Ein Teil der L. hatte sich im Lauf der kelt. Wanderungen in Oberitalien angesiedelt.

L'ingua [lat. und ital.] *die,* Zunge, Sprache. **L.** rustica [›bäuerliche Sprache‹], eine der vielen Formen der lat. Sprache, die in den roman. Sprachen nachwirkt. **L. franca** nannten die Araber die Sprache der roman. Völker, mit denen sie in Berührung kamen, vor allem die Italienisch, das seinen Ursprung in der Zeit der venezianischen und genuesischen Herrschaft in der Levante hatte und dort Verkehrssprache der einheimischen Bevölkerung und der Europäer war.

lingu'al [lat.], Zungen . . . **Lingual,** Zungenlaut.

Linguet [lɛ̃gɛ], Henri, franz. Publizist, Advokat, * Reims 14. 7. 1736, † (hingerichtet) Paris 27. 6. 1794, Polemiker, schuf sich

mit seinen Angriffs- und Verteidigungs-
schriften Feinde in allen Lagern.

Lingu'ist [zu lat. →Lingua], Sprachforscher.

Linguistik, die Sprachforschung, →Sprach-
wissenschaft.

Lingul'ella [lat. ›Zünglein‹], ausgestorbene
Gatt. der Armfüßer (TAFEL Geologische
Formationen II, 44) im Kambrium und
unteren Silur häufig.

Linie [lat. Lw.], 1) Strich, gleichbedeutend
mit →Kurve. 2) *Militär:* Truppenaufstel-
lung, bei der die Soldaten nebeneinander
stehen; früher: aktive Truppenteile im Unterschied zu Reserve, Landwehr. Linien-
regiment, bis 1919 nicht zur Garde gehöri-
ges Regiment. 3) Abstammungsreihe, Fami-
lienzweig. 4) Äquator. 5) früheres Längenmaß = $^1/_{144}$, später = $^1/_{100}$ Fuß.

Linienbetrieb, ein Betriebssystem der
Eisenbahn, bei dem die einzelnen Strecken
durch einen Bahnhof so geführt werden, daß
die Gleise jeder Strecke nebeneinander
bleiben. Gegensatz: Richtungsbetrieb.

Linienführung, →Trasse.

Linieninseln, Gilbert-Inseln.

Linienrichter, Gehilfen des Schiedsrichters
bei Ballspielen. Sie überwachen die Seiten-,
Tor- und Abseitslinien (→abseits) und können den Schiedsrichter auch auf Verstöße
gegen die Spielregel aufmerksam machen,
ohne daß dieser an ihre Entscheidung gebunden ist.

Linienriß, Darstellung der Schiffsform
durch Schnittlinien: senkrechte, längs-
schiffs verlaufende Ebenen (die in der Symmetrieebene liegende wird *Längsschnitt* genannt), zur Wasseroberfläche parallele
Ebenen (in der Wasseroberfläche die *Kon-
struktionswasserlinie, KWL),* senkrechte
Ebenen querschiffs *(Konstruktionsspanten).*

Linienschiffahrt, die fahrplanmäßige Schiffs-
verbindung zwischen gleichen Häfen. Gegensatz: Trampschiffahrt.

Linienschiffe, bis etwa 1918 die größten und
kampfkräftigsten Schlachtschiffe.

Liniensystem, in der Notenschrift die fünf
parallelen Querlinien, auf und zwischen denen die Noten eingetragen werden *(Fünf-
liniensystem).* Früher gab es L. mit mehr
und weniger Linien. In Musikhandschriften
des 9. Jhs. finden sich erstmals u. a. Linien
als Hilfsmittel zur Aufzeichnung von Musik.
Das heute gebräuchliche L. schuf Guido von
Arezzo († um 1050). In der älteren Zeit kam
man mit 3–4 Linien aus, später wurde die
Zahl gelegentlich (in italien. Orgeltabula-
turen) auf 7–8 vermehrt. Die Gregorianischen Gesänge werden mit nur vier Linien
notiert. Ein L. mit drei Linien verwendet die
indische Musik.

Linientaufe, →Äquatortaufe.

Linim'ent [lat.] *das,* weiche, fast flüssige
Salbe zum Einreiben; enthält meist Seife,
Fette, Öle, Ammoniak mit verschiedenen
Arzneimittelzusätzen (Jod, Chloroform,
Ichthyol u. a.).

Link [engl. ›Glied‹] *das,* engl. Längenmaß
= 20,117 cm.

Link, Wenzeslaus, Anhänger Luthers,
* Colditz 8. 1. 1483, † Nürnberg 12. 3. 1547,
war erst Augustinereremit, seit 1520 als
Staupitz' Nachfolger Generalvikar der dt.
Ordensprovinz. Er legte 1523 sein Amt nieder und wurde evang. Prediger in Altenburg,
1525 in Nürnberg.

Linke, 1) polit. Parteirichtungen, nach ihren
Sitzen auf der linken Seite des Hauses (vom
Vorsitzenden aus). 2) *Boxen:* **linke Gerade,**
ein gerader Stoß mit gestrecktem linkem
Arm; **linker Haken,** ein Kurzstoß mit recht-
winklig gebeugtem linkem Ellbogengelenk.

**linke Hand, Ehe zur linken Hand, morgan'a-
tische Ehe,** † beim Hochadel (bis 1918) die
standesungleiche Ehe, in der die Ehefrau
und ihre Kinder von den Standesvorrechten
des Mannes und der Erbfolge ausgeschlossen waren.

Linklater [l'iŋkleitə], Eric, schott. Erzähler,
* Dounby (Orkney-Inseln) 8. 3. 1899,
† Aberdeen 8. 11. 1974; schrieb Romane.

Linköping [l'intçøpiŋ], Hauptstadt des
schwed. VerwBez. Östergötland, mit (1972)
105 800 Ew., luther. Bischofssitz (gegr. im
12. Jh.), Dom (12.–15. Jh.), Schloß (15. Jh.);
Flugzeugindustrie.

Linkr'usta [Kw.] *die,* Handelsname für auf
festes Papier gepreßte, reliefartig gemusterte
Linoleummasse, abwaschbare Wandbeklei-
dung.

linksdrehende Stoffe, Stoffe, die die Ebene
des polarisierten Lichts nach links drehen,
→optische Aktivität.

Linkshändigkeit, Bevorzugung der linken
Hand vor der rechten, bei 2–5% aller Menschen.

Linksverkehr, das Benutzen d. linken Fahr-
bahnseite; heute noch in Großbritannien,
Irland, Island; auch in Schweden bis Sept.
1967.

Link-Trainer [-treinə], ein von E. A. Link
erfundenes Übungsgerät für Flugschüler,
bes. benutzt zur Vorschulung im Blindflug.
Der L. ist ein Flugzeugführerraum mit
Steuerung und Flug- und Triebwerksüber-
wachungsgeräten. Von außen her werden be-
liebige Flugzustände und Störungen der
Fluglage vorgetäuscht, die der Schüler
durch entsprechende Steuerbewegungen aus-
gleichen muß.

Linlithgow [linl'iθgou], Hauptstadt der
schott. Grafschaft West Lothian, (1971)
5700 Ew.; Papierfabriken. – L. hat eine im
12. Jh. gegr. got.-normann. St.-Michaels-
Kirche, Stadthaus und einen Palast, in dem
1542 Maria Stuart geboren wurde.

Linlithgow [linl'iθgou], Victor Alexander
John Hope, 2. Marquess of, brit. Staatsmann, * Abercorn 24. 9. 1887, † Hopetoun
5. 1. 1952, führte als Vizekönig von Indien
(1936–43) die Trennung Birmas von Indien
und die Selbstverwaltung der ind. Provinzen
durch (1937) und gab den Indern der Mehrheit im vizekönigl. Rat.

Linn'äe [nach Carl von Linné] *die,* **Moos-,
Erdglöckchen, Erdkrönchen,** *Linnaea borea-
lis,* ein auf moosigem Nadelwaldboden

kriechendes Geißblattgewächs mit weißen bis purpurnen Blütenglocken; in Dtl. und Österreich unter Naturschutz.

L'innankoski, Johannes, eigentl. Vihtori **Peltonen**, finn. Schriftsteller, * Askola 28. 10. 1869, † Porvoo 10. 8. 1913, einer der bedeutendsten finn. Dichter.

WERKE. Romane: Die glutrote Blume (1905; dt. 1936), Die Flüchtlinge (1908; dt. 1922).

Linné, 1) Carl von (1757), **Linnaeus**, schwed. Naturforscher, * Råshult (Småland) 23. 5. 1707 als Sohn eines Predigers, † auf seinem Gut Hammarby bei Uppsala 10. 1. 1778. Er bereiste 1732 Lappland, erwarb 1735 in Holland den medizin. Doktorgrad, wurde in Stockholm Arzt. 1739 Präsident der von ihm angeregten schwed. Akademie der Wissenschaften, 1741 Prof. der Medizin in Uppsala, 1742 der Botanik. L. hat die Grundlagen der botan. Fachsprache geschaffen, vorbildliche Pflanzenbeschreibungen gegeben und die binäre Nomenklatur durchgeführt, die jeder Pflanzen- und Tierart eine lat. Doppelbezeichnung aus einem Gattungs- und einem Artnamen gibt (z. B. Viola tricolor, Ackerstiefmütterchen). Hinter vielen Pflanzen- und Tiernamen besagt die Abkürzung L., daß L. diese Art als erster beschrieben und benannt hat. Das *Linnéische System* des Pflanzenreichs *(Sexualsystem)* beruht hauptsächlich auf Zahl und Anordnung der Staub- und Fruchtblätter. L. selbst hat es als künstlich angesehen und ein System gewünscht, das sich auf den Gesamtbau der Pflanzen gründet.

WERKE: Systema naturae (1735; Ausgabe 1766–68: Bd. I Tiere, II Pflanzen, III Mineralien), Genera plantarum (1737), Materia medica (1749–63), Philosophia botanica (1751), Species plantarum (1753).

LIT. K. Hagberg: Carl Linnaeus (Stockholm 1939, dt. ²1946).

2) Carl von, schwed. Botaniker, Sohn von 1), * Falun 20. 1. 1741, † Uppsala 1. 11. 1783, setzte das Werk seines Vaters fort. Die Abkürzung *L. fil.* (d. h. Linné Sohn) hinter lat. Pflanzennamen besagt, daß er die betreffende Art als erster wissenschaftlich beschrieben hat.

Linne'it *der*, der Kobaltkies.

Linnemann, Willy-August, dän. Schriftsteller, * Harreslevmark bei Flensburg 4. 6. 1914, schrieb Romane, Gedichte, Hörspiele, Novellen, Reisebeschreibungen und Chroniken.

Linnen, →Leinen.

Linnich, Stadt im Kreis Jülich, Nordrhein-Westf., mit (1974) 12900 Ew.; hat Abt. der Landespolizeischule; kath. Pfarrkirche St. Martin (beg. 1425).

Lin'oleum [lat. Kw.] *das*, **Korkteppich**, dauerhafter, elastischer, fußwarmer und hygienischer Belagstoff für Fußböden, Wände, Tische usw. aus Leinölfirnis, Kork, Harzen und Farbstoffen, auch Sojabohnenöl. Zur Herstellung wird Leinöl mit einem Zusatz von bleihaltigen Chemikalien zu

einem Firnis verkocht und dieser durch Herabrieselnlassen an eng gehängten Nesselbahnen durch die Einwirkung des Luftsauerstoffs oxydiert, wobei eine daumendicke, feste, bernsteinklare Masse, das *Linoxyn*, entsteht, das zwischen Walzen gemahlen und, mit Kolophonium und wenig Kopal gekocht, das kautschukartig zähe Bindemittel *Linoleumzement* ergibt. Nach Abkühlung und Lagerung wird die Masse in Knet- und Mischmaschinen mit gemahlenem Kork oder Holzmehl und Farben innig vermengt. Das körnige Gemisch wird dann zwischen heißen Walzen oder Preßblöcken auf oder in ein Jutegewebe gepreßt. Danach folgt eine Färbung der Rückseite und ein 4 Wochen dauernder Trockenprozeß.

Die zur chem. Industrie gehörende L.-Industrie umfaßt die Herstellung von L. und Feltbase *(fieltbaß)*. Wichtige L.-Erzeuger in der Bundesrep. Dtl. sind: Balamundi AG, Neuss, Dt. L.-Werke AG, Bietigheim, Rhein. L.-Werke Bedburg GmbH und Co. KG (RLB), Bedburg.

Lin'oleumschnitt, Linolschnitt, vom Holzschnitt abgeleitetes Hochdruckverfahren, bei dem in eine Linoleumplatte geschnitten wird.

Lin'olsäure, die, →Leinölsäure.

Linon [linõ, franz.] *das*, feinfädiges, leinwanddichtes Baumwollgewebe mit leinenartiger Glanzappretur.

L'inos, griech. *Mythologie:* ein Sänger, Sohn des Apollo, Musiklehrer des Herakles, Verkörperung des Linosliedes, das bei Homer und Hesiod als Lied zu Weinlese und Gastmahl, später als Trauerlied erscheint.

Linotype [l'ainotaip, engl.] *die*, eine →Setzmaschine für Zeilenguß.

Lin Piao, chines. kommunist. General, * Prov. Hupeh 1908, † (Flugzeugabsturz auf der Flucht nach Rußland) 12. 9. 1971, war am »Langen Marsch« Mao Tse-tungs von Mittel- nach Nordchina und am Partisanenkrieg gegen die Japaner beteiligt. Seit 1946 war er Oberbefehlshaber der kommunist. Armeen in der Mandschurei, mit denen er 1949 bis nach Südchina vordrang. L. P. hatte mehrere wichtige Ämter inne; im April 1969 wurde er zum designierten Nachfolger Mao Tse-tungs erklärt, trat jedoch infolge innerer Machtkämpfe seit 1971 nicht mehr hervor.

Linsang, asiat. →Schleichkatze.

Linschoten [l'insxo:tə], Jan Huyghen van, Forschungsreisender, * Haarlem 1563, † Enkhuizen 8. 2. 1611, förderte die niederländ. Versuche zur Auffindung der nordöstl. Durchfahrt nach Indien und nahm 1594 und 1595 an zwei Fahrten ins Karische Meer teil. Nach L. wurden die L.-Inseln, eine Gruppe der →Riukiu-Inseln, benannt.

Linse [ahd. linsi], **1)** *Pflanzenkunde:* Lens, Schmetterlingsblütengattung des Mittelmeergebiets und Südwestasiens, auch zu Ervum (Erve) oder Vicia (Wicke) gestellt. Die eigentliche, bis 20 cm hohe, ursprünglich rankende L. (*Linsenerve*, Lens escu-

Lins

lenta) wird in Europa und anderen Erdteilen als Hülsenfrucht angebaut. Die Blüten sind weiß, lila geadert oder hellbläulich, die Samen diskusförmig. (→Wicke). – Zu anderen Gattungen gehören: *Stein-*, *Wick-*, *Erven-*, *Algarobas-*, *Zitter-*, *Fadenlinse*, *schwarze*, *spanische*, *polnische L.* (Arten der Gattung Wicke), *böhmische*, *rumänische* und *walachische L.* (→Platterbse), *Schaf-L.* (eine Kronwicke), *Berg-L.* (ein Stragel) und →Wasserlinse.

2) *Optik:* Körper aus durchsichtigem Stoff (Glas, Steinsalz, Quarz, Kunststoff), der von zwei schwach gewölbten Kugelhauben oder einer Ebene und einer Kugelhaube, seltener von nichtkugeligen Umdrehungsflächen, begrenzt wird. *Sammel-* oder *Konvexlinsen*, in der Mitte dicker als am Rande, machen auffallende Lichtstrahlen konvergent (bewirken das Zusammenlaufen der Strahlen). *Zerstreuungs-* oder *Konkavlinsen*, in der Mitte dünner als am Rande, machen auffallende Lichtstrahlen divergent (bewirken Auseinanderlaufen der Strahlen). Je nach Art der Krümmung der L. unterscheidet man bikonvexe, plankonvexe und konkavkonvexe Sammellinsen und bikonkave, plankonkave und konvexkonkave Zerstreuungslinsen (BILD Brille). Eine Gerade durch die Krümmungsmittelpunkte einer L. heißt *Achse.* Alle parallel auf eine dünne L. auffallenden Strahlen vereinigen sich in einem Punkt, dem *Brennpunkt*; seine Entfernung von der Linsenmitte heißt *Brennweite.* Die von einem Gegenstand ausgehenden, durch eine L. tretenden Lichtstrahlen erzeugen ein Bild des Gegenstandes. Liegt bei einer Sammellinse der Gegenstand außerhalb der Brennweite, so ist das Bild wirklich (reell), umgekehrt, vergrößert oder verkleinert. Ist der Gegenstand im Brennpunkt, so liegt sein Bild im Unendlichen, d. h. die Strahlen werden durch die Linse parallel gemacht. Liegt der Gegenstand innerhalb der Brennweite, so entsteht ein scheinbares (virtuelles), aufrecht stehendes, vergrößertes Bild. Bei der Zer-

streuungslinse erhält man stets scheinbare Bilder. Für beide Linsenarten gilt die Gleichung $1/a + 1/b = 1/f$, wobei a die Entfernung des Gegenstandes *(Gegenstandsweite)*, b die Entfernung des Bildes *(Bildweite)* von der *Linse* und f die Brennweite ist. 3) *Kristalline des Auges*, →Auge.
4) *Gesteinskunde:* ein nach allen Richtungen rasch auskeilender Gesteinskörper.

Linsengericht, etwas Wertloses, wofür man etwas Wertvolles preisgibt, nach der biblischen Erzählung von der Schüssel Linsen, um die Esau den Jakob sein Erbrecht verkaufte (1. Mos. 25, 29–34).

Linsenkombination, optisches System, Vereinigung mehrerer Linsen, um die bei einfachen Linsen meist auftretenden Abbildungsfehler (Aberration, Dispersion, Koma, Astigmatismus, Verzeichnung u. a.) auszugleichen.

Linsenkranzabtaster, ein mechan. →Bildzerleger.

Linters [engl.], kurze, unverspinnbare Schutzhaare des Baumwollsamenkerns, dienen als Baumwollzellstoff für die Herstellung von Chemiefasern; L. sind auch Rohstoff für Papier.

Linth *die*, der Oberlauf der →Limmat.

Linth, Escher von der L., Arnold und Hans Konrad, →Escher von der Linth.

L'intorf, Gemeinde im Kreis Düsseldorf-Mettmann, Nordrh.-Westf., mit (1974) 12 700 Ew.

L'inum, Pflanzengattung, →Flachs.

L'inus, Heiliger, gilt als Nachfolger des hl. Petrus als Bischof von Rom; sein Pontifikat wird auf etwa 67–76 festgelegt. Tag: 23. 9.

Lin Yutang, eigentl. **Lin Yü-t'ang,** chines. Schriftsteller, * Tsch'angtschou 10. 10.1895, studierte in Schanghai, Harvard, Jena und Leipzig Sprachwissenschaft und empl. Philologie, emigrierte 1936 nach den USA, war 1948–54 bei der UNESCO, jetzt in Formosa; schrieb ›Mein Land und mein Volk‹ (1936), ›Weisheit des lächelnden Lebens‹ (1938); Romane, Essays und Anthologien (›Konfuzius‹, dt. 1957; ›Laotse‹, dt. 1955).

Linz, 1) L. an der Donau, Hauptstadt von Oberösterreich (Wappen: TAFEL Städtewappen III), beiderseits der Donau, 264 m ü. M., (1971) 205 000 Ew. L. ist Bischofssitz, hat Oberlandes-Ger., höhere Schulen, Kunst- und Musikschule, Hochschule f. Sozial- und Wirtschaftswissenschaften (seit 1962), Museen, Archive, Theater; Industriestadt (seit 1938) durch ein Hochofen-, Hütten- und Stahlwerk (Vereinigte Österreichische Eisen- und Stahlwerke AG, VÖEST), Stickstoffwerk, Schiffswerft, Maschinen-, Elektro-, Textil- u. a. Industrien. Außerhalb der Altstadt, auf dem rechten Ufer: Schloß und Martinskirche (erwähnt 799); Altstadt: Rathaus (1658–59), Dreifaltigkeitssäule (1723), Stadtpfarrkirche (13. Jh. und 1648), Alter Dom (1669–78), Minoritenkirche (1752–58), Landhaus (1564–71). Links d. Donau der Stadtteil *Urfahr,* dahinter der *Pöstlingberg* (537 m) mit Wallfahrtskirche. – L., aus dem

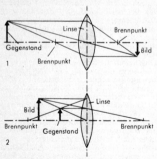

Linse: Abbildung durch eine Sammellinse, **1** *Gegenstand außerhalb,* **2** *innerhalb der Brennweite*

röm. Kastell *Lentia* erwachsen, kam um 1210 an Österreich und wurde im 13. Jh. Stadt.

2) L. am Rhein, Stadt im Kreis Neuwied, Rheinland-Pfalz, (1973) 6200 Ew., hat Konvikt, Schaumstoffind., Industrie für elektr. Verlegungsmaterial. Sitz der Linzer Basalt AG, des größten dt. Steinbruchunternehmens. Linz erhielt 1329 Stadtrecht.

Linzer Düsenverfahren, LD-, Linz-Donawitz-Verfahren, das Frischen des flüssigen Roheisens bei der Stahlherstellung durch Aufblasen von Sauerstoff in einem Konverter mit geschlossenem Boden.

Linzgau, Landschaft nördl. vom Bodensee.

L'ioba, Benediktinerin, * Wessex (England) um 710, † Schornsheim bei Mainz um 782, war Mitarbeiterin des hl. Bonifatius und Äbtissin von Tauberbischofsheim. Heilige; Tag: 28. 9.

Lion, Golfe du L. [gɔlf dy ljɔ̃], **Löwengolf,** Bucht an der franz. Mittelmeerküste zwischen dem span. Kap Creus und Toulon.

Lion'ardo da Vinci, →Leonardo da Vinci.

Lionne [ljɔn], Hugues de, Marquis de **Berni,** franz. Staatsmann, * Grenoble 11. 10. 1611, † Paris 1. 9. 1671, Mitarbeiter Mazarins, vertrat 1645–48 Frankreich auf dem Kongreß zu Münster und beim Abschluß des Pyrenäenfriedens (1659); Botschafter in Rom, Madrid, Frankfurt, Turin. Seit 1659 Staatsmin., nach Mazarins Tod (1661) leitete er die auswärt. Politik Ludwigs XIV.

Lions [laiənz], Kurzw. aus Liberty, Intelligence, Our Nations' Safety, 1917 gegr. Zusammenschluß von Persönlichkeiten des öffentl. Lebens zur internat. Verständigung; rd. 620000 Mitgl. in 111 Ländern; Sitz: Chicago.

Liotard [liota:r], Jean-Étienne, schweizer. Pastell- u. Emailmaler, * Genf 22. 12. 1702, † das. 12. 6. 1789, führte nach seiner Ausbildung in Paris ein Wanderleben, war 5 Jahre in Konstantinopel, lebte als Bildnismaler in Wien, Paris, London und seit 1758 meist in Genf.

J.-É. Liotard: Lesendes Mädchen (Pastell, 1746; Dresden, Gemälde-Galerie)

Lip'arische Inseln, Ä'olische Inseln, ital. **Isole Eolie,** Gruppe vulkan. Inseln nördl. von Sizilien: *Lipari, Salina, Vulcano, Alicudi, Filicudi, Stromboli* mit noch tätigem Vulkan (926 m), *Panarea* und 10 kleinere Inseln; insgesamt 117 qkm.

Lip'asen, Untergruppe der →Esterasen, bei Tieren und Pflanzen verbreitete Enzyme, die Fette in Glyzerin und Fettsäuren spalten.

Lip'atti, Dinu, Pianist und Komponist, * Bukarest 19. 3. 1917, † Genf 2. 12. 1950, war bes. als Bach- und Chopin-Interpret bekannt.

Lipchitz, Lipschitz, Jacques, Bildhauer, * Druskeniki (Litauen) 22. 8. 1891, † Capri 26. 5. 1973; war seit 1909 in Paris, seit 1941 in Amerika, schuf surrealistische Plastiken und Bildwerke an Gebäuden.

L'ipezk, Gebietshauptstadt in der Russ. SFSR, nördl. von Woronesch, mit (1972) 312000 Ew., Badeort (Eisenquellen), Hüttenwerk (Eisenerzvorkommen), Nahrungsmittelindustrie.

Lip'ine, poln. **Lipiny,** Gemeinde in Ost-Oberschlesien, nordwestl. von Königshütte, mit rd. 20000 Ew.; Steinkohlenabbau, Zinkhütten und -walzwerk, chem. Industrie.

Lip'iński, Karl, poln. Geiger und Komponist, * Radzyn 30. 10. (4. 11.?) 1790, † Orlow bei Lemberg 16. 12. 1861, neben Paganini einer der hervorragendsten Geiger seiner Zeit.

Lipitischtar, 5. König der altbabylon. Dynastie von Isin (etwa 1885–75 v. Chr.). Von ihm stammt eine Gesetzessammlung in sumer. Sprache, die z. T. als Vorlage für den Codex Hammurabi gedient hat.

Lip'izza, Lippiza, Lippizza, Gestüt bei Triest, bis 1918 k. k. Hofgestüt, dann nach Piber i. d. Steiermark verlegt, während in L. ein italien. Staatsgestüt eingerichtet wurde. Das Gestüt liefert auch heute noch die Warmblutpferde (Hengste der *Lipizzaner* Rasse, fast nur Schimmel) für die Spanische Hofreitschule in Wien.

Lipmann, Fritz Albert, Mediziner und Biochemiker, * Königsberg 12. 6. 1899, seit 1939 Prof. an der Harvard Medical School. L. erforscht bes. die Energetik des Stoffwechsels und der B-Vitamine; er entdeckte das Koenzym A. 1953 erhielt er mit H. Krebs den Nobelpreis für Medizin.

Lipochr'ome [griech. Kw.], vorwiegend rote oder gelbe Fettfarbstoffe des Tier- und Pflanzenreichs, z. B. *Xanthophyll, Karotin.*

Lipo'ide [von griech. lipos ›Fett‹], im Tier- und Pflanzenkörper lebenswichtige fettähnl. Stoffe, wie Phosphatide, Zerebroside, Sterine. Sie kommen in jeder Zelle vor und bilden dort infolge ihrer geringen Oberflächenspannung eine Lipoidmembran, die für die elektr. und osmotischen Vorgänge an der Zellgrenze von großer Bedeutung ist. Die fettlöslichen Vitamine sind an L. gebunden.

Lip'om [griech.] *das,* die →Fettgeschwulst.

Lipo

Lipow'aner, der im 18. Jh. in die Dobrudscha ausgewanderte Teil der →Filippo-
nen. L. und Filipponen heißen nach dem
Gründer der Sekte, dem Mönch Philipp.

Lippe [dt. Stw., urspr. niederd. oder mitteld.; Lutherzeit], 1) *Anatomie:* im engeren
Sinn fleischiger Rand der menschl. Mund-
spalte. Die L. bestehen aus dem kreisförmi-
gen Schließmuskel des Mundes, der nach
außen von der Gesichtshaut, nach innen
von der Mundschleimhaut bedeckt ist;
durch eine Schleimhautfalte *(Lippenbänd-
chen)* sind beide Häute in der Mittellinie
mit dem Zahnfleisch verbunden. *Lippen-
schrunden* (aufgesprungene Lippen), *Rhaga-
den,* sind schmerzhafte Einrisse am Lippen-
saum; der *Lippenkrebs* befällt meist Männer (bes. Pfeifenraucher) und ist durch früh-
zeitige Operation zu heilen. Über die *Lip-
pen-Kiefer-Gaumenspalte* →Gaumenspalte.
2) *Anatomie:* im weiteren Sinn paarige
Säume oder Falten, die eine spaltförmige
Öffnung begrenzen, z. B. Muttermundlip-
pen, Schamlippen. 3) *Botanik:* Blütenteil.

Lippe, 1) *die,* Nebenfluß des Rheins in
Westfalen, 237 km lang, entspringt am W-
Fuß des Egge-Gebirges, mündet bei Wesel;
als Schiffsweg durch der →Lippe-Seiten-
kanal erschlossen.
2) ehemaliges Land in NW-Deutschland,
westl. der Weser, im Weserbergland, 1215
qkm, mit (1939) 187300 Ew.; Hauptstadt
Detmold; bildet seit 21. 1. 1947 den Reg.-
Bez. Detmold, Nordrhein-Westfalen.
GESCHICHTE. Die Herren zur L. (1123 erstmals bekundet), wurden 1529 Reichsgrafen.
1621 entstanden durch Teilung die Linien
Detmold, Brake (1709 erloschen) und *Lip-
perode* (seit 1643 *Schaumburg-Lippe*). L.-
Detmold wurde 1720 in den Reichsfürstenstand für den Senior, 1789 für alle Glieder
erhoben. Der Lippische Erbfolgestreit (1897
bis 1905) brachte in Detmold die Linie *L.-
Biesterfeld* zur Regierung. 1918 wurde L.
Freistaat.
3) Kreis im RegBez. Detmold, Nordrhein-
Westfalen; Kreisstadt Detmold.

Lipp'ehne, Stadt im Kr. Soldin, Brandenburg, auf einer Halbinsel des Wendelsees,
mit (1939) 4400 Ew.; spätgot. Pyritzer und
Soldiner Tor, Backsteinbauten des 15. Jhs.;
seit 1945 unter poln. Verwaltung (*Lipiany*).

Lippenblüter, *Labiaten,* Pflanzenfamilie der
Ordnung Röhrenblüter; Kräuter, Sträucher, Bäume mit ätherischem Öl und würzi-
gem Geruch; Blätter kreuzweis-gegenstän-
dig oder quirlständig, meist symmetrische Blüten in den Blattachseln, Blumenkrone röhrig, meist zweilippig, Staubblätter
(meist 4; 2 verschieden lange Paare) der
Blumenkrone angewachsen, Fruchtknoten
oberständig, in 4 Nüßchen (Klausen) zer-
gliedert.

Lippenlaute, →Laut.

Lippenpflöcke, Scheiben oder Klötzchen
aus Holz, Knochen, Stein, Elfenbein u. a.,
getragen als Schmuck der Lippe, die mit
einem Pfriem durchstochen wird. Brauch

Lippenpflöcke: Frau vom mittleren Schari

bes. bei brasilian. Indianern und den Frau-
en meist afrikan. Negerstämme.

Lippenstift, Schminkstift zum Betonen der
Lippen, mit Farbstoffen (meist Eosin), die
die obersten Hautschichten färben. Den
Gebrauch des L. gab es schon im Altertum.

Lipperheide, Franz Josef, Freiherr von,
Verlagsbuchhändler, * Berleburg 22. 7. 1838,
† München 30. 7. 1906, hat sich auch schriftstellerisch auf dem Gebiet der Kostümkunde
betätigt. Seine Sammlungen schenkte er dem
preuß. Staat (*L.sche Kostümbibliothek*).
Ferner gab er ein Spruchwörterbuch heraus
(1907, neu 1962).

Lippe-Seitenkanal, der das linke Ufer der
Lippe begleitende Kanal zwischen Hamm
und Wesel. Er besteht aus dem Wesel-Dat-
teln-Kanal (60 km lang, 6 Schleusen, für
Schiffe bis 1350 t Tragfähigkeit) und dem
Datteln-Hamm-Kanal (47 km, 2 Schleusen,
bis 1000 t). Verlängerung bis Lippstadt ist
im Bau.

Lippfische, *Labridae,* eine etwa 400 Arten
umfassende Fam. der Haftkiefer; sie sind,
wie der *Streifenlippfisch* oder *gemeine L.,*
Bewohner des Mittelmeeres und der Westküste Europas, der Tangregion in allen
Meeren der trop. und gemäß. Zonen und
haben meist aufgeworfene, wulstige Lippen.

L'ippi, 1) Filippino, italien. Maler, Sohn
von 2), * Prato um 1457, † Florenz 18. 4.
1504, Schüler seines Vaters, dann Botticellis,
dessen Stil er in religiösen Bildern weiter-
bildete. Seine späteren Werke sind von oft
bizarrer Phantastik.
WERKE. Vision des hl. Bernhard (Florenz,
Badia), Madonna mit Heiligen (ebd., S.
Spirito), Fresken in S. Maria sopra Minerva
in Rom (1488–93) und S. Maria Novella in
Florenz (voll. 1503).
LIT. A. Scharf: F. L. (Wien 1950).
2) Fra Filippo, italien. Maler, * Florenz
um 1406, † Spoleto 9. 10. 1469, Karmeliter-
mönch, schied 1456 aus dem Klosterdienst
und heiratete mit päpstl. Dispens. L. hatte

bei Masaccio gelernt, fand aber bald einen eigenen Stil, der in der weiteren Entwicklung der Florentiner Malerei fortwirkte.

WERKE. Anbetung des Kindes im Walde (Berlin); viele Madonnenbilder; Fresken aus dem Leben des hl. Stephanus und Johannes des Täufers, Prato, Dom (1452–60).

LIT. R. Oertel: Fra F. L. (Wien 1942).

Filippino Lippi:
Fragment eines betenden Engels, 1495/98
(London, National Gallery)

L'ippie *die*, *Lippia*, Pflanzengattung der Eisenkrautgewächse; Halbsträucher mit bläulichen Blütchen. Die südamerikan. *zitronenduftende L. (Punschpflanze, Zitronenkraut)* ist Kalthauspflanze.

Fra Filippo Lippi: Ausschnitt aus einem Madonnenbild (Berlin, Staatl. Museum)

Lippincott [l'ipiŋkət], **J. B. L. Co.**, Philadelphia und New York, gegr. 1836, einer der führenden nordamerikan. Verlage auf den Gebieten: Belletristik, Geschichte, wissenschaftl. Nachschlagewerke, Lehrbücher und Jugendschriften.

Lippischer Wald, der südöstlichste Teil des Teutoburger Waldes.

Lippisches Hügelland, Teil des Weserberglandes nördl. des Lippischen Waldes.

Lippl, Alois Johannes, Schriftsteller und Theaterleiter, * München 12. 6. 1903, † Gräfelfing bei München 8. 10. 1957, war 1948 bis 1953 Oberspielleiter des Bayr. Staatsschauspiels. Seine Dramen (erneuertes Mysterienspiel, Volkskomödie) dienen bes. der Laienspielbewegung.

WERKE. Das Spiel von den klugen und törichten Jungfrauen (1926), Die Pfingstorgel (1933), Der Engel mit dem Saitenspiel (1938).

Lippmann, 1) Edmund Oskar von, Chemiker, * Wien 9. 1. 1857, † Halle 24. 9. 1940, Leiter einer Zuckerraffinerie in Halle und seit 1916 Prof.; arbeitete auf dem Gebiet der Zuckerchemie; bedeutender Wissenschaftshistoriker.

2) Friedrich, Kunsthistoriker, * Prag 6. 10. 1838, † Berlin 2. 10. 1903, seit 1876 Dir. des Berliner Kupferstichkabinetts; Hg. der Zeichnungen Dürers und Rembrandts.

3) Gabriel, Physiker, * Hollerich (Luxemburg) 16. 8. 1845, † auf einer Seereise 13. 7. 1921, war seit 1878 Prof. an der Sorbonne und entwickelte ein Kapillarelektrometer und seit 1891 das L.-Verfahren zur →Farbenphotographie nach der Interferenzmethode (Nobelpreis 1908).

4) [l'ipmæn], Walter, amerikan. Journalist und Politiker, * New York 23. 9. 1889, † das. 14. 12. 1974, war Mitarbeiter bei der Formulierung der 14 Punkte Wilsons und gehörte 1919 der amerikan. Friedensdelegation an, war dann bei der ›New Republic‹, 1923–31 Chefredakteur der ›New York World‹; danach schrieb er polit. Kommentare u. d. T. *Today and Tomorrow* für die ›New York Herald Tribune‹ (bis 1951). L. war der führende international bekannte republikan. Kolumnist.

Lipps, 1) Hans, Philosoph, * Pirna 22. 11. 1889, † (gefallen) Rußland 10. 9. 1941, seit 1936 Prof. in Frankfurt, arbeitete auf dem Gebiet der Logik und der Anthropologie.

2) Theodor, Philosoph, * Wallhalben (Pfalz) 28. 7. 1851, † München 17. 10. 1914, Prof. in Bonn (1884), Breslau (1890) und München (1894). L. gründete seine Philosophie auf die unmittelbare psychische Erfahrung; die Psychologie ist ihm die Grundwissenschaft der Logik, Ethik und Ästhetik. Zuletzt vollzog er eine Wendung in Richtung der Phänomenologie Husserls. Als Ästhetiker hob L. die Rolle der »Einfühlung« hervor.

Lippspringe, Bad L., Stadt im Kr. Paderborn, Nordrhein-Westfalen, mit (1974) 10 800 Ew., an Quelle und Oberlauf der Lippe, 140 m ü. M., Asthma-Spezialheilbad mit warmen erdigen Quellen (→Heilquellen), Asthma- und Allergie-Forschungsinstitut, Allergen-Testinstitut. Möbelindustrie, Spezialfabrik für Projektionswände. – Lippspringe erhielt 1445 Stadtrecht.

Lippstadt, Kreisstadt im RegBez. Arnsberg, Nordrhein-Westfalen, mit (1974) 42 800 Ew., an der Lippe, 75–80 m ü. M., hat AGer., höhere Schulen. Industrie: Eisen-, Metall-, Textil-, Möbel-, Keramikindustrie. – L. wurde nach 1185 von Bernhard II. zur Lippe gegründet und erhielt 1196 Stadtrecht. Die eine Hälfte der Stadt kam mit der Gfsch. Mark 1614, die lippische Hälfte 1850 an Preußen.

Lips, Johann Heinrich, schweizer. Kupferstecher und Maler, * Kloten bei Zürich 29. 4. 1758, † Zürich 5. 5. 1817, auf Goethes Veranlassung Prof. an der Zeichenakademie in Weimar, stach Bildnisse (Goethe, Wieland) und für Lavaters ›Physiognomische Fragmente‹.

Lipsanoth'ek [griech.] *die*, Reliquiar, Bezeichnung für das Reliquienkästchen im Museum in Brescia. Seine um 350 geschnitzten Elfenbeinreliefs sind ein Hauptwerk der altchristl. Kunst (TAFEL Elfenbeinschnitzerei, 1).

L'ipsia, neulat. für →Leipzig.

L'ipsius, Justus, **Joest Lips**, niederländ. klass. Philologe, * Overyssche bei Brüssel 18. 10. 1547, † Löwen 23. 3. 1606, Prof. in Jena, Köln, Leiden, Löwen, einer der bedeutendsten Vertreter der Altertumswissenschaft (Ausgaben des Tacitus, Valerius Maximus, Seneca).

L'iptauer, Schafmilch-Weichkäse aus Liptau (Tschechoslowakei).

L'iptovský (Sv'äty) M'ikuláš [- mikulaʃ], dt. **Liptau-St. Nikolaus**, Stadt in der Tschechoslowakei, an der oberen Waag, mit (1970) 16 600 Ew., Herstellung von Liptauer Käse.

l'iquet [lat.], es ist klar, leuchtet ein; **non liquet**, es läßt sich nicht entscheiden.

liqu'id [lat.], flüssig; verfügbar (Bargeld); im *Schuldrecht* eine Forderung, der der Schuldner nicht bestreitet. Gegensatz: illiquid.

Liquidation [lat.], 1) Kostenberechnung. 2) die Abwicklung der Rechtsverhältnisse einer aufgelösten Gesellschaft. Man spricht zwar auch von der L. einer Einzelfirma, ein rechtlich geregeltes Verfahren gibt es aber nur bei der OHG, der KG, der AG, der GmbH, den eingetragenen Genossenschaften, den eingetragenen Vereinen und den Versicherungsvereinen auf Gegenseitigkeit. Zweck der L. ist die Beendigung der laufenden Geschäfte, Einziehung der Außenstände, Umsetzung des übrigen Vermögens in Geld, Bezahlung der Schulden und Verteilung des übrigbleibenden Reinvermögens unter die Gesellschafter. Für die Dauer der L. besteht die aufgelöste Gesellschaft noch fort; es werden jedoch keine werbenden Geschäfte mehr getätigt. Der Firma muß der Zusatz »i. L.« oder ein ähnl. Hinweis auf die

L. beigefügt werden. 3) Rechnung, z. B. eines Arztes.

Liqu'iden, *Sprachlehre:* die Laute l und r.

liquidieren, 1) eine Geldforderung stellen. 2) (ein Geschäft) abwickeln, auflösen. 3) (einen Konflikt) beilegen. 4) (jemand) beseitigen, hinrichten.

Liquidit'ät [lat.], Flüssigsein; in der *Wirtschaft* die Möglichkeit, ein Vermögen oder Vermögensteile in flüssigere Form umzuwandeln; Bargeld hat die höchste L. Häufig wird der Zins als Preis für den Verzicht auf L., d. h. für Anlage von Vermögen in wenig liquider Form angesehen. Unter L. eines Unternehmens versteht man den Grad der Fähigkeit zur fristgerechten Erfüllung von Zahlungsverpflichtungen. Man unterscheidet zwischen der »objektiven« L.: Geld (Bargeld und Buchgeld), Geldsurrogate (Wechsel), Geldsubstitute (Geldmarktpapiere), relativ leicht in Geld umwandelbare Vermögenswerte, Kreditzusagen u. a., und der »subjektiven« L.: den individuellen Erwartungen der Wirtschaftssubjekte hinsichtlich der Möglichkeiten, über Bargeld und Buchgeld verfügen oder sich beides beschaffen zu können. Beide Arten der L. werden von der *Liquiditätstheorie* des Geldes (Schmölders) zur Erklärung der wirtschaftlichen Aktivität herangezogen. *Liquiditätspolitik* ist eine Geldpolitik, die sowohl die objektiven Rahmenbedingungen als auch die individuellen und kollektiven Erwartungen aller an der Wirtschaft Beteiligten zu beeinflussen sucht. **Illiquidität** bedeutet Zahlungsunfähigkeit. **Überliquidität** die überreiche Versorgung mit flüssigen Mitteln ohne produktive Verwendungsmöglichkeiten.

L'iquor [lat.] *der*, 1) flüssige Arznei. 2) *Liquor cerebrospinalis*, die →Gehirn-Rückenmarks-Flüssigkeit.

Lira, *Mz.* **Lire** [von lat. libra ›Pfund‹] *die*, abgek. L. 1) **L. italiana**, im MA. ital. Münzgewicht zu 12 Unzen, dann die Geldeinheit der norditalien. Staaten, seit 1859 in Italien; 1 L. = 100 Centesimi. 2) **L. Tron**, die unter dem venezian. Dogen Nicolò Tron (1471–73) in Silber ausgeprägte L. zu 20 Soldi, Vorläuferin der Guldengroschen und Taler. 3) **L. austriaca**, die im lombardisch-venetian. Kgr. 1814–58 gebräuchliche L. zu 20 Kreuzer oder 20 Soldi.

Liri, Quellfluß des →Garigliano.

Lisboa [liʃb'oa], amtl. Name von Lissabon.

Liscow [l'isko:], Christian Ludwig, Satiriker, * Wittenburg in Mecklenburg 26. 4. 1701, † Eilenburg 30. 10. 1760. WERKE. Sammlung satirischer und ernsthafter Schriften (1739), Die Vortrefflichkeit und Notwendigkeit der elenden Skribenten (1736). Werke (Auswahl, 1901).

Lis d'or, Lys d'or [lis dɔːr], ›goldene Lilie‹, 1656 von Ludwig XIV. geprägte Goldmünze, die 7 Livres galt; zugleich wurde der silberne **Lis d'argent** [lis darʒã], ›silberne Lilie‹ zu 20 Sols geschlagen.

Liselotte von der Pfalz, Elisabeth Charlotte, pfälz. Prinzessin, →Elisabeth 7).

Lis′ene *die,* ein senkrechter, wenig vortretender Mauerstreifen, im Gegensatz zum Pilaster ohne Basis und Kapitell.

Lisière [lisiæːr, franz.] *die,* Saum, Kante, Waldrand, Feldrain.

Lisieux [lizjø], Kreisstadt in Frankreich, Normandie, mit rd. 24 000 Ew.; Textilindustrie. Die Kirchen St-Pierre (12. Jh.) und St-Jacques (15. Jh.) sowie das Palais (17. Jh.) sind ganz oder z. T. erhalten. Seit dem Bau der Basilika der Hl. Theresia vom Kinde Jesu (1937) ist L. ein bedeutender Wallfahrtsort.

L′isola, Franz Paul, Freiherr von, österr. Diplomat, * Salins (Franche-Comté) 22. 8. 1613, † Wien 13. 12. 1674, trat 1638 in den Dienst Ferdinands III., brachte während des Nord. Krieges das kaiserl. Bündnis mit Polen und dem Großen Kurfürsten gegen Schweden zustande und wirkte für eine Koalition gegen Ludwig XIV., dessen Eroberungspolitik er in seiner Schrift ›Le bouclier d'État et de justice‹ das Europäische Gleichgewicht entgegenstellte; sein Werk war das österreichisch-spanisch-niederländ. Bündnis 1673.

Liss, Johann, früher auch **Jan Lys** genannt, Maler, * Oldenburg (Holstein) um 1597, † Venedig 1629/30, bildete sich im Kreis der Haarlemer Maler und lebte seit etwa 1621 in Venedig. L. malte in leuchtenden Farben frei gruppierte ländl. Szenen, mythologische und religiöse Bilder, die zu den besten der venezian. Malerei der Zeit gehören und ihre Entwicklung bis ins 18. Jh. beeinflußten (TAFEL Barock II, 4).
LIT. K. Steinbart: J. L. (1940).

L′issa, 1) italien. Name der dalmatin. Insel →Vis. In der Seeschlacht bei L. (20. 7. 1866) siegte der österreich. Admiral Tegetthoff über die Italiener.

2) poln. *Leszno,* Kreisstadt in Polen (Posen), mit (1971) 34 600 Ew.; Eisenmöbel-, Maschinen- u. a. Industrie. – L. erhielt 1547 deutsches Stadtrecht. Es war seit dem Dreißigjährigen Krieg Hauptsitz der Böhm. Brüder in Polen (Comenius). 1793–1920 gehörte es zu Preußen.

L′issabon, portug. Lisboa, Hauptstadt Portugals und der Prov. Estremadura, mit (1970) 782 000, mit Vororten 1,6 Mill. Ew., im W der Pyrenäenhalbinsel, an einer Bucht, die der Tejo (ÜBERSICHT Brücken) kurz vor seiner Mündung in den Atlantik bildet, kultureller und wirtschaftlicher Mittelpunkt des Landes (Wappen: TAFEL Wappenkunde II, 87). Die Stadt besteht aus vier Stadtteilen und den Vororten *Belem* und *Alcantéra.* Bemerkenswerte Bauten: das Kloster Dos Jeronymos de Belem (1499–1571), alte Kathedrale (1344/80; nach 1755 erneuert), die Kirchen São Vicente de Fora (1582–1627) und São Roque (1566), Necessidadespalast (früher königl. Schloß, jetzt Außenministerium), Belempalast (Sitz des Staatspräsidenten), Kongreßpalast, das alte Kastell São

Jorge. L. hat Universität (gegr. 1911), Akademie der Wissenschaften, Techn., Landwirtschaftl. und Tierärztl. Hochschule, Medizin. Akademie, Kernforschungsinstitute, Musikhochschule, Büchereien. Es ist Sitz eines Metropoliten mit dem Titel Patriarch. Industrie: Textilien, Tabak, Papier, Chemikalien, Lebensmittel, Keramik, Zucker, Eisenwaren, Zement- und Düngerfabrikation. Ausfuhr von Wein, Öl, Südfrüchten, Gemüse, Sardinen, Holz, Kork und Salz.

L., das *Olisipo* oder *Ulisipo* des Altertums, wurde 715 von den Arabern, die es *Aloschbuna* oder *Lischbuna* nannten, 1147 durch Alfons I. von Portugal erobert und war seit 1260 Residenz. Von etwa 1480–1580 war es einer der wichtigsten Handelsplätze Europas. Das Erdbeben vom 1. 11. 1755 vernichtete zwei Drittel der Stadt.

Lissabon: Kathedrale

Lissajous′sche Figuren [lisaʒu-, nach dem franz. Physiker Jules Lissajous, * 1822, † 1880], eigentüml. Figuren, die entstehen, wenn sich zwei in zueinander senkrechten Richtungen verlaufende period. Bewegungen überlagern.

Lißleine [niederd.], dünnes Tau zur Befestigung eines Stagsegels am Stag.

List, 1) Friedrich, Volkswirtschaftler, * Reutlingen 6. 8. 1789, † Kufstein (Selbstmord) 30. 11. 1846. Er entstammte einer Handwerkerfamilie, wurde 1817 Professor in Tübingen, geriet aber in Gegensatz zur württemberg. Regierung und mußte 1820 seine Professur niederlegen. Als Abgeordneter der württemb. Kammer wurde er 1822 wegen angeblich staatsfeindlicher Aufreizung zu Festungshaft verurteilt und nur gegen das Versprechen, nach Amerika auszuwandern, freigelassen. 1830 kehrte er als amerikan. Konsul nach Deutschland zurück. 1833 setzte er sich in Leipzig für die Errichtung eines deutschen Eisenbahnnetzes ein, was zur Gründung der Leipzig-

Dresdener Eisenbahn führte, ihm aber nicht die erhoffte sichere Stellung brachte. Er lebte nun als Schriftsteller in Paris, dann in Augsburg. Ende 1840 erschien sein Hauptwerk ›Das nationale System der polit. Ökonomie‹, das unvollendet blieb; doch sind seine Gedanken im Zollvereinsblatt (1843 bis 1846) aufgezeichnet. Als Wirtschaftspolitiker hat sich L. bes. durch sein Eintreten für die dt. Zolleinigung und die Mitbegründung des dt. Eisenbahnbaus große Verdienste erworben. Als Theoretiker suchte er die abstrakt-deduktive Methode der klass. Schule durch eine realistisch-historische zu ersetzen. Für die in Entwicklung stehende heimische Industrie verlangte er einen Schutz durch Erziehungszölle, bis diese sich aus eigenen Kräften behaupten könne. – L.s Werke hat die 1925 gegr. Friedrich-List-Gesellschaft herausgegeben: ›Schriften, Reden, Briefe‹ (12 Bde., 1927–36).

Lit. C. Brinkmann: F. L. (1949); F. Bülow: F. L. (1959).

2) Paul, Verleger, * Leipzig 1869, † 1929, gründete 1894 in Berlin den *Paul L. Verlag* (ÜBERSICHT Verlage).

3) Rudolf, Schriftsteller, * Leoben (Steiermark) 11. 10. 1901; seiner steirischen Heimat verbundener Lyriker und Literaturforscher.

4) Wilhelm, Gen.-Feldmarschall (1940), * Oberkirchberg (Württemberg) 14. 5. 1880, war seit 1938 Oberbefehlshaber einer Heeresgruppe, führte im 2. Weltkrieg eine Armee im Polen-, West- und Balkan-Feldzug und Juli–Sept. 1942 eine Heeresgruppe im Osten. 1948 zu lebenslängl. Haft verurteilt (1952 freigelassen).

Listenwahl, Wahlverfahren, bei dem in jedem Wahlbezirk mehrere Abgeordnete zugleich nach einer feststehenden gebundenen Liste gewählt werden.

Lister, linker Nebenfluß der Bigge im Sauerland (Westfalen), mit der 1909–12 erbauten Listertalsperre.

L'ister, Joseph, Baron (seit 1897), engl. Chirurg, * Upton (Essex) 5. 4. 1827, † Walmer (Gfsch. Kent) 10. 2. 1912, führte die →Antisepsis in die Wundbehandlung ein. L.s Theorie fußte auf Pasteurs Ergebnissen; er zeigte, daß die Eiterung nicht eine Folge der Quetschung der Weichteile ist, sondern von außen herangetragen wird.

Listeri'ose, eine seuchenhafte Gehirn-Rükkenmarksentzündung der Tiere (Wiederkäuer, Kaninchen, Hühner), deren Erreger, das Bakterium *Listeria monocytogenes (Listerella),* in seltenen Fällen auf den Menschen übergeht und Frühgeburt verursachen kann.

l'ist'esso t'empo [ital.], *Musik:* im gleichen Zeitmaß.

Liszt, 1) Franz von (1859), Komponist und Pianist, * Raiding (Ungarn) 22. 10. 1811, † Bayreuth 31. 7. 1886, trat bereits neunjährig als Konzertpianist auf und war 1821 bis 1823 in Wien Schüler von Czerny und Salieri und seit 1823 in Paris von Paër und

Reicha. Aus seiner Verbindung mit der Gräfin d'Agoult erwuchsen drei Kinder, darunter Cosima, die in erster Ehe mit Hans v. Bülow und in zweiter mit Rich. Wagner verheiratet war. 1839–47 wurde L. auf Konzertreisen in ganz Europa gefeiert; seit 1842 war er Hofkapellmeister in Weimar, wo er etwa 400 Schüler unterrichtet hat, u. a. Eugen d'Albert, Alexander Borodin, Friedrich Smetana, Arthur Nikisch und Felix Weingartner. Er hatte zusammen mit Rich. Wagner großen Einfluß auf die Vertreter der »neudeutschen Schule«. 1859 wurde er Ehrenpräsident des von ihm mitgegründeten Allgem. deutschen Musikvereins. 1861 ging er nach Rom, wo er 1865 die niederen Weihen empfing (Abbé) und Kirchenmusik schrieb; kehrte jedoch 1869 wieder nach Weimar zurück, um sich vornehmlich seinem kompositorischen Werk zu widmen. 1875 wurde L. Präsident der auf seine Anregung gegründeten Ungar. Landesmusikakademie.

In seinen Klavierstücken bahnte L. einen neuen Stil an (Sprünge, weitgriffige Akkorde, Ineinandergreifen der Hände, Tremoli, Glissandi), der von großer Bedeutung für die weitere Entwicklung der Klaviermusik war. Angeregt vor allem durch Berlioz wurde L. der dt. Vertreter der symphonischen Dichtung.

WERKE. *Klavier:* Années de pélerinage (Pilgerjahre, 1836, 1855), Consolations (1849). Sonate h-Moll; 19 Ungarische Rhapsodien, Phantasie und Fuge über Bach, Konzertetüden, 2 Klavierkonzerte. *Orchester:* Sinfonische Dichtungen (in einem Satz); Bergsinfonie (nach V. Hugo), Tasso (nach Byron, 1849), Mazeppa (nach V. Hugo, 1850), Heldenklage (1856), Hunnenschlacht (nach Kaulbach, 1857), Die Ideale (nach Schiller, 1857), Hamlet (1858). Sinfonien mit Chor: Faustsinfonie (nach Goethe, 1855), Sinfonie zu Dantes Divina Commedia (1856). *Kirchenmusik:* Graner Festmesse (1855), die Oratorien Legende von der heil. Elisabeth (1862 in Rom beendet) und Christus (1866 vollendet), Ungar. Krönungsmesse (1867), viele liturgische Gesänge, Kantaten. – Gesamtausg. der Schriften (deutsch, 6 Bde., 1880–83); L.s Briefe (8 Bde., 1893–1904).

Lit. P. Raabe: Wege zu L. (1944); S. Sitwell: F. L. (dt. 1958); W. G. Armando: F. L. (1961); L. Kusche: F. L. (1961); H. Weilgang und W. Handrick: F. L. (²1962).

2) Franz von, Rechtslehrer, Vetter von 1), * Wien 2. 3. 1851, † Seeheim a. d. Bergstraße 21. 6. 1919, war seit 1899 Prof. für Straf- und Völkerrecht in Berlin. L. war Begründer der dt. soziolog. Strafrechtsschule; an Stelle der Vergeltungsstrafe forderte er eine auf die Persönlichkeit des Täters abgestimmte Strafe, die Erziehung und Sicherung bezwecken sollte.

WERKE. Lehrbuch des deutschen Strafrechts (1881; ²⁶1932 hg. v. E. Schmidt), Das

Völkerrecht systematisch dargestellt (1898; ¹²1925 hg. v. M. Fleischmann).

Lit., Abk. für Litera [lat. ›Buchstabe‹], Bezeichnung der Ausgabeserie auf Banknoten und Wertpapieren, früher auch auf Zeitungen.

Li Tai-po, auch **Li-po, Li Tai-pe,** chines. Lyriker, * Westturkestan 701, † bei Nanking 762, führte ein unstetes Wanderleben, lebte zeitweilig am Kaiserhof und wegen angebl. Teilnahme an einem Aufstand in der Verbannung. Er schrieb Trinklieder und Naturgedichte, gilt als der bedeutendste Dichter der Tangzeit. Seine stark vom Taoismus beeinflußte Lyrik wurde in Dtl. vor allem durch die Nachdichtung Klabunds bekannt. – Li Tai-bo, Rausch und Unsterblichkeit, hg. v. G. Debon (1958).

L'It′alia farà da sé [ital. ›Italien wird allein fertig werden‹], Losungswort der ital. Einheitsbewegung, das aus einem Aufruf des Königs Karl Albert von Sardinien (1848) stammt.

Litan′ei [griech. litaneia ›das Beten‹] *die,* 1) *Christl. Liturgie:* Wechselgebet zwischen Vorbeter und Volk. 2) *kathol. Ritus:* →Bittgang. 3) *übertragen:* eintönig hergebetetes Gerede.

L'itauen, litauisch **Lietuva,** geschichtl. Landschaft im Baltikum, 1918–40 unabhängige Republik mit 55700 qkm, einschließlich des autonomen →Memelgebiets, und (1938) 2,55 Mill. Ew.; Hauptstadt war Kaunas.

GESCHICHTE. Mindaugas faßte Mitte des 13. Jhs. die lit. Stämme an oberer Memel und Düna zusammen. Großfürst Gedimin (1316–40) schuf ein großlitauisches Reich, das sich durch Eroberung weiter russ. Gebiete bis über den Dnjepr und ans Schwarze Meer ausdehnte. Großfürst Jagaila, der als Jagiello 1386 König von Polen wurde, vereinigte L. mit Polen, doch erst die Lubliner Union von 1569 brachte den völligen Zusammenschluß. Durch die Teilungen Polens (1772, 1793, 1795) kam das ganze lit. Gebiet an Rußland. Ende des 19. Jhs. erwachte ein lit. Nationalbewußtsein. Im 1. Weltkrieg wurde das 1915 von den dt. Truppen besetzte L. unabhängig unter dt. Schutz (Febr. 1918), am 2. 11. 1918 unabhängige Republik (1920 von der Sowjetunion anerkannt). Polen annektierte im Okt. 1920 das Wilna-Gebiet (von der Botschafterkonferenz am 15. 3. 1923 Polen zugesprochen, aber von L. nicht anerkannt). Im Febr. 1923 eignete sich L. das dt. →Memelgebiet an (im Febr. 1923 von der Botschafterkonferenz L. zugesprochen). Nach einem militär. Staatsstreich bildete die Nationalpartei (Tautininkai) im Dez. 1926 eine autoritäre Regierung; seit 1929 unter Woldemaras); Staatspräsident wurde Smetona. März 1939 gab L. das Memelgebiet an das Dt. Reich zurück. Auf Grund des Hitler-Stalin-Paktes vom 28. 9. 1939 wurde L. der sowjet. Einflußsphäre zugewiesen und um Wilna vergrößert (10. 10. 1939). Die von den Sowjets erzwungene

volkssozialist. Regierung rief am 21. 7. 1940 die Sowjetrepublik aus; am 3. 8. 1940 wurde diese der Sowjetunion eingegliedert. Im Juli/Aug. 1941 besetzten dt. Truppen L. und richteten eine landeseigene Verwaltung ein (»Generalbezirk L.«). 1944/45 stellte die Rote Armee die →Litauische Sozialistische Sowjetrepublik wieder her.

Litauer, eigener Name **Lietuviai,** balt. Volk; 2,6 Millionen L. leben in der Litauischen Soz. Sowjetrep., hinzu kommen etwa 95000 Emigranten (1944/45) und etwa 700000–800000 L. in Amerika. Litauische Stämme, schon in den ersten nachchristl. Jahrhunderten am Mittellauf der Memel und der Wilia ansässig, wurden von den Ostslawen allmählich nach N und NW gedrängt. Seit dem Frieden am Melnosee (1422) zwischen Großfürst Vytautas von Litauen und dem Dt. Orden wurden die Wildnis westlich des Mittellaufes der Memel bis zur preuß. Ostgrenze und der nordwestl. Teil des Hügellandes von Schamaiten besiedelt. Die vom Dt. Orden und den Herzögen von Preußen seit dem 15. Jh. im Memelgebiet und im nordöstl. Ostpreußen angesiedelten L. wurden als preuß. Untertanen evangelisch, während die im Mutterland katholisch blieben. Als Bauernvolk bewahrten sich die L. neben einer vielgestaltigen Sachkultur einen großen Schatz an Volksliedern, Märchen, Sprichwörtern, Rätseln.

Litauische Sozialistische Sowjetrepublik, lit. *Lietuvas Tarju Sozialistine Respublika,* Abkürzung *LTSR,* russ. *SSR,* Bundesrep. der Sowjetunion, 65200 qkm, (1972) 3,2 Mill. Ew.; Hauptstadt ist Wilna.

Natur. Das Gebiet ist ein Teil der Balt. Seenplatte, hügelig, im östl. Endmoränenland bis 258 m hoch und reich an Seen und Wäldern (bes. Nadelwälder). Der W (Schamaiten) ist eine flachwellige Grundmoränenlandschaft. Zwischen beiden erstreckt sich nord-südlich eine breite Niederung mit der Memel als Hauptfluß. Verbreitet sind Hochmoore und Sümpfe.

Die *Bevölkerung* besteht zu 79% aus Litauern und zu 8,5% aus Russen und Polen; 51000 Deutsche wurden 1939/40 ins Dt. Reich umgesiedelt.

Wirtschaft. Haupterwerbszweig ist die Landwirtschaft; Anbau von Roggen, Hafer, Gerste, Kartoffeln, Klee und Flachs; Obstbau. Bedeutend ist die Viehzucht (Rinder, Schweine, Geflügel). An Bodenschätzen sind reiche Torflager vorhanden. Die Industrie (bes. Lebensmittel, Holz und Papier, Zement, ferner Textilien, Maschinen, Lederwaren) ist in Wilna und Kaunas konzentriert, die Fischindustrie in Memel (zugleich einziger Hafen). Verkehrsmittelpunkt sind Wilna und Kaunas. – Sowjetverfassung vom 27. 8. 1940. Flagge: TAFEL Flaggen III. – Universitäten in Kaunas (1922) und Wilna (1940), Lit. Akademie der Wissenschaften (1941).

GESCHICHTE. →Litauen.

Lita

litauische Sprache und **litauische Literatur.**
Das Litauische bildet mit dem Lettischen und Altpreußischen den baltischen Zweig der indogermanischen Sprachen. Wegen seiner hohen Altertümlichkeit ist es für die Sprachwissenschaft von großer Bedeutung. Zwei große Mundartgruppen: das Niederlitauische oder *Schamaitische* im NW und das Hochlitauische oder *Aukschtaitische* im S, SO und O. Der Schriftsprache liegt das Hochlitauische zugrunde.

Die litauische Volksdichtung kennt viele Märchen und Volkslieder. Im 18. Jh. begann mit Chr. Donalitius eine weltliche Kunstpoesie. Im 19. Jh. ragen hervor S. Daukantas († 1864) und A. Baranauskas († 1902). Den Realismus vertraten V. Kudirka († 1899), Žemaitė († 1921) u. a. Symbolistische Dichter sind Sruoga († 1947), Vydūnas († 1953), Putinas. Romane schrieben Putinas, Krėvė-Mickevičius († 1954) u. a.

Lit. A. Senn: Kleine litauische Sprachlehre (1929); M. Niedermann, A. Senn, F. Brender: Wörterb. der litauischen Schriftsprache (1926–54); E. Fraenkel: Litauisches etymolog. Wörterbuch (1962ff.).

L'iten, Laten, Leten, Lassen, Lassiten, Lassi, auch *lazzi, lati* oder *liti* genannt, allgemein Zinsleute, im altgermanischen Recht die *Halbfreien,* die meist rechts- und vermögensfähig, aber dienst- und zinspflichtig und an die Scholle gebunden, sowie ohne polit. Rechte waren. Im MA. wuchsen die halbfreien *Laten* Norddeutschlands und die ihnen gleichstehenden *Barschalken* Süddeutschlands mit den freien Hintersassen und den auf einem Hof angesiedelten Unfreien zu einem Stand zusammen, der seine soziale Stellung zwischen den Gemeinfreien und den unfreien Eigenleuten erhielt. In den ostdt. Kolonisationsgebieten waren *Lassiten* im Unterschied zu den freieren Kolonisten den Gutsherrn dienst- und steuerpflichtige Bauern, die am Grund und Boden nur ein beschränktes, unveräußerl. Nutzungsrecht hatten. Das Recht der Lassiten wurde im preuß. ALR. neugeregelt; es galt bis zum Ablösungsges. vom 2. 3. 1850.

Liter [griech.-lat.; 19. Jh.] *das* oder *der,* abgek. *l,* ein von der Meterkonvention 1901 international vereinbartes Hohlmaß, der Rauminhalt von 1 kg luftfreien Wassers bei seiner größten Dichte (760 Torr, 3,98° C). 1 *l* = 1,000028 dm³.

Litera, Littera [lat.] *die,* Buchstabe. **Lit(t)erae,** *(Mz.)* das Geschriebene; Brief, Wissenschaften; Literatur, Schrifttum. **Literalsinn,** der unmittelbare, wörtliche Sinn eines Textes, bes. in der Exegese der Bibel. **Literae Apostolicae,** schriftl. Kundgebungen des Papstes.

liter'arisch, das Schrifttum betreffend, schriftstellerisch. *literarisches Eigentum,* →Urheberrecht.

Literarischer Verein in Stuttgart, gegr. 1839 (seit 1849 Sitz in Tübingen), Verein zur Herausgabe wertvoller und seltener älterer Denkmale der dt. und roman. Literatur, der Geschichte und Kulturgeschichte. Seine Veröffentlichungen erscheinen u. d. T.: *Bibliothek des L. V.* (bis 1967 Bd. 1–294).

Liter'at, lat. *literator, literatus,* zunächst der Gelehrte, dann der Berufsschriftsteller; in neuerer Zeit oft auch abschätzig gebraucht für einen federgewandten, vorwiegend gewerbsmäßigen Schreiber.

Literat'ur [lat.], Gesamtheit der schriftlich niedergelegten Äußerungen, im engeren Sinn das gesamte schöngeistige Schrifttum. Die L. wird nach Epochen, Völkern oder Sachgebieten geordnet. Vgl. die Übersicht europäische Literatur, Kunst, Musik und die Literaturartikel der einzelnen Länder.

Literaturkritik. Sie hat sich aus dem Gebrauch überlieferter künstler. Regeln im Zusammenhang mit der →Poetik entwickelt; der Dichter und der Grammatiker sind in der Antike und ansatzweise auch im MA. als Spezialisten ihres Handwerks die legitimen Kritiker, und sie prüfen das Kunstwerk am Bestand der überlieferten, kanonischen Gesetze, die die klassischen Werke und die Gesetzgeber der Poetik festlegten. Die neuere L. ging aus den Kommentaren hervor, die italien- und franz. Humanisten zu den Poetiken des Aristoteles und des Horaz schrieben. Im 17. und 18. Jh. entwickelte sich zugleich mit der Ästhetik als einer philosophischen Wissenschaft und mit der Philosophie als krit. Aufklärung in Frankreich (Boileau) und England (Pope, Johnson) eine L. im engeren Sinne. Durch die franz. →Enzyklopädie, die engl. Moralischen Wochenschriften und die nachfolgenden dt. krit. Revuen wie die ›Allgemeine Deutsche Bibliothek‹ entwickelte sich eine feste Methode der Kritik. Sie arbeitete mit verbindlichen Gesetzen der Form und Thematik. Sie hatte ihre Vorgänger in Theoretikern wie J. Chr. Gottsched (Versuch einer krit. Dichtkunst, 1730) und J. J. Bodmer, J. J. Breitinger (Krit. Dichtkunst, 1740) in der Schweiz. G. E. Lessing forderte statt der formalen Durchführung der Regeln die Beachtung des »inneren Gesetzes«. Der Sturm und Drang in Deutschland, die Vorromantik in England vertraten aus einer neuen Anschauung vom Wesen des Künstlerischen (Shaftesbury, Young u. a.) das Recht des ekstat. Empfindens, des sich unmittelbar aussprechenden Genies, das sich kraft seiner schöpfer. Individualität allen überkommenen Maßstäben entzieht. Auch in Frankreich vollzog sich diese Wendung zum Irrationalen (Rousseau, Diderot). Der neuen Kritik wurde zur Aufgabe, den Künstler nicht nur zu beurteilen, sondern vor allem zu verstehen (W. H. von Gerstenberg: Briefe über Merkwürdigkeiten der Literatur, 1766ff.). J. G. Herder betrachtete die Literaturkritik aus geschichtlicher und subjektiver Intuition. Der junge Kritiker Goethe in den ›Frankfurter Gelehrten Anzeigen‹ stand unter dem Einfluß der Erlebnistheorie Herders; der klassische Goethe und mit ihm Schiller suchten die Identität des Klassischen mit dem Modernen aus der Erkenntnis des Wesenhaften zu gewinnen. Sie forderten (Schillers Rezension der Gedichte G. A. Bürgers, Goethes zahlreiche krit. Aufsätze; Briefwechsel) vom Kritiker, daß er den Künstler helfend aus seiner schöpferischen Individualität heraus zur Allgemeinheit der künstler. Normen führe. Höhepunkte solcher Kritik bieten die Goethes Dichtung zugewandten Essays von W. von Humboldt und F. Schlegel. Ihnen war in der Entwicklung des literar. Essays nach franz. Vorbild Chr. M. Wieland im ›Teutschen Merkur‹ (1773 ff.) vorangegangen. Die Kritik wurde für die Romantiker (F. und A. W. Schlegel, Novalis, Solger) zur Kunst des Sicheinfühlens und Ausdeutens: an die Stelle der distanzierten Beurteilung trat die Charakteristik, die das Werk aus dem Geschichtlichen und dem Schaffensvorgang heraus zu werten versteht. Von der Romantik kommend, hat vor allem der franz. Kritiker Sainte-Beuve das Ästhetische mit dem Biographischen und Psychologischen verknüpft (Wertung des Kunstwerks als Ausdruck einer individuellen Seelenanlage).

Mit der Zerstörung der Autorität des Klassischen durch die Romantik, die Psychologisierung der Kunst und den Historismus verlor die Kritik zunehmend alle allgemeingültigen Maßstäbe. Um so mehr kamen politische oder naturwissenschaftl.-soziolog. Gesichtspunkte zur Geltung. Mit dem Anstieg der Publizistik, mit der Verbreitung der Bildungsschichten steigerten sich auch die Quantität und die Einflußkraft der Kritik, die sich jetzt mit einer entscheidenden Wandlung vom Künstler fort zum Publikum wandte. Die Kritik galt als die aktuelle Stimme des Zeitgeistes und ordnete sich ihm und seiner Fortschrittlichkeit unter. Im Feuilleton entstand ein geistreicher Subjektivismus, der auf den Tag, seine Tendenzen und Stimmungen gerichtet war und das literar. Urteil bis 1848 zur polit. Waffe aktivierte; zumal unter dem Druck einer Zensur. Diese Wendung haben in Dtl. L. Börne und H. Heine bestimmt. In Frankreich hat Taine das Verständnis und die Beurteilung des dichterischen Werkes auf die Erkenntnis gestichtl. Bedingungen zu gründen gesucht (Rasse, Milieu, Moment und Faculté maîtresse als bestimmende Faktoren des Kunstwerks). Realismus und Naturalismus beurteilten das Kunstwerk bes. nach seinem Wirklichkeitsgehalt (Zola in Frankreich; Belinski als Wegbahner der realist. russ. Literatur durch sozialkrit. Wertung). Der Marxismus lehrte die Literatur nach ihrer Funktion im geschichtlich-sozialen Entwicklungsprozeß (Lukács) werten. Poe, Walter Pater, Baudelaire, Wilde u. a. betonen die völlige Unabhängigkeit der Kunst (›L'art pour l'art‹), insbes. auch vom Moralischen.

In Deutschland bedeuten die ›Literar. Herzenssachen‹ (1877) des Österreichers Ferdinand Kürnberger und Theodor Fontanes Theaterbesprechungen Höhepunkte der bürgerl.-liberalen Kritik. Kürnberger begründete die Tradition der Wiener Kritik, die sich in L. Speidel, A. v. Berger, H. Bahr und dem Herausgeber der ›Fackel‹, K. Kraus, fortgesetzt hat. H. Bahr repräsentiert den Impressionismus des Nacherlebens, der sich allen Kunstströmungen anpaßte. J. Hofmiller knüpfte stärker an die Werte der klass.-romant. Überlieferung an, ebenso R. Borchardt, H. v. Hofmannsthal, M. Rychner. Am radikalsten verwirklichte der Berliner Theaterkritiker Alfred Kerr den aphoristisch-subjektiven Impressionismus.

Entscheidendes hat für die L. die →Literaturwissenschaft des 19. und 20. Jhs. geleistet in der Aufschließung und krit. Sichtung der Literaturgeschichte, insbes. auch in der Entwicklung neuer Methoden der Interpretation. Wesentliche Anregungen, Literaturwissenschaft als ästhet. Kritik zu betreiben, gingen von Herman Grimm, B. Croce und T. S. Eliot aus. Im Gegensatz dazu hat J. P. Sartre die »engagierte« L. verteidigt, das Funktionale der Kunst betont.

Lit. R. Wellek: Gesch. der L. 1750–1830 (1959); W. Emrich: Zum Problem der literar. Wertung (1961); J. P. Sartre: Was ist Literatur? (dt. 1961); A. Carlsson: Die dt. Buchkritik I (1963); N. Frye: Analyse der L. (1964); W. Müller-Seidel: Probleme der literar. Wertung (1965); R. Wellek: Grundbegriffe der L. (1965).

Literaturwissenschaft, Literaturgeschichte. Der Begriff *Literaturwissenschaft* erscheint schon 1842 bei Th. Mundt, bürgerte sich aber erst seit Beginn des 20. Jhs. neben der Bezeichnung *Literaturgeschichte* ein. Die L. erforscht die Entstehung literarischer, besonders dichterischer Werke, interpretiert sie, stellt sie in einen weiteren geschichtlichen Zusammenhang und entwirft Gesamtbilder vom geschichtl. Ablauf der Nationalliteraturen oder der Literatur einzelner Epochen. Erst die Entdeckung der wesensmäßigen Geschichtlichkeit des Geistes durch Vico und Herder beseitigte die bloß kunstrichterliche Betrachtung der Literatur und begründete die verstehende, auf die Eigenart des jeweiligen Werks eingehende Methode. Die deutsche Romantik (Gebrüder Schlegel) brachte die ersten großangelegten Versuche geschichtlicher Ordnung und Deutung der Literatur und Weltliteratur. Die deutsche Spätromantik wandte ihr Hauptinteresse dem Mittelalter und der ›Volkspoesie‹ zu und erhob auch erstmals die Literaturgeschichte zu derjenigen strengen Wissenschaft, die unter dem Namen →Germanistik nach dem Muster der klass. Philologie krit. Ausgaben herstellte und Quellenforschung betrieb (C. Lachmann, M. Haupt). H. Hettners ›Literaturgeschichte des 18. Jhs.‹ (1870) stellte den Zusammenhang zwischen Literatur, Gesellschaft, Kunst, Philosophie her. Wilhelm Scherers positivistische Methode hat dann die Arbeit der folgenden Forschergeneration stark bestimmt nach Ziel (krit. Ausgaben, Biographik usw.) und Methode (Herausarbeitung der literargeschichtl. Kausalzusammenhänge). Neue Richtungen der L. befaßten sich bes. mit der in der Dichtung enthaltenen Lebensdeutung, dem Zusammenhang der Dichtung mit der Ideengeschichte (Unger, Korff, Rehm), auch mit der charakterist. Eigenart der Literatur der Stämme und Landschaften (Nadler). Heute steht im Vordergrund der literaturwissenschaftl. Interesses, anknüpfend an Vossler, Spitzer, Strich, Auerbach, das Verstehen der Dichtung als Sprachkunstwerk (Stilanalyse) und, begründet von E. R. Curtius, die historische Toposforschung, die das Gewicht auf die Stellung eines Textes innerhalb der Kontinuität literarischer Topoi (= Denk- und Ausdrucksschemata) legt. In den sozialistischen Ländern wird Literatur als Niederschlag der geschichtlich-sozialen Verhältnisse gesehen. Die *Vergleichende L.* (die Bezeichnung wurde zuerst 1827 von Villemain gebraucht) sieht ihre Aufgabe darin, die gegenseitigen Berührungen der Nationalliteraturen aufzuzeigen und die Analogien eines Stils in den verschiedenen Literaturen eines Zeitraums zu erforschen.

Lit. J. Petersen: Die Wissenschaft von der Dichtung, 1 (²1944); W. Kayser: Das sprachl. Kunstwerk (⁵1959); R. Wellek u. A. Warren: Theorie der Literatur (dt. 1959).

Lit'ewka [polnisch ›litau. Jacke‹], blusenartiger Uniformrock mit Umlegekragen. Die L. trugen im dt. Heer bis 1920 bes. Offiziere im kleinen Dienst, ferner meist der Landsturm.

Litfaßsäule, Anschlagsäule, Säule mit Werbeanschlägen, genannt nach dem Drucker *Ernst Litfaß* († 1874), erstmalig 1855 in Berlin aufgestellt.

Lith..., Litho... [griech.], Stein... ...lith, ...stein.

Lith'am *der,* blauer Gesichtsschleier der männl. Tuaregs der Sahara zum Schutz gegen den Wüstenstaub.

Lithgow [li'iθgou], Stadt im Staate Neusüdwales, Australien, am W-Rand der Blauen Berge, (1970) 12 800 Ew., Mittelpunkt eines Steinkohlenreviers.

L'ithium [von griech. lithos ›Stein‹, da in vielen Gesteinen enthalten], chem. Element, Alkalimetall; Zeichen Li, Ordnungszahl 3, Massenzahlen 7 und 6, Atomgewicht 6,939. L. ist silberweiß, schmilzt bei 179° C, siedet bei 1372° C und ist mit einem spez. Gew. von 0,534 das leichteste aller Metalle. L. findet sich weitverbreitet in der Natur, wenn auch nirgends in größerer Menge. Lithiummineralien sind die Kieselsäureverbindungen Petalit, Spodumen, Lepidolith, ferner einige Turmaline. Lithiumreiche Mineralquellen befinden sich in

Deutschland in Aßmannshausen, Baden-Baden (Friedrichsquelle), Kreuznach (Elisabethquelle), Salzschlirf (Bonifaziusbrunnen). Dargestellt wird L. durch Elektrolyse eines Gemenges von geschmolzenem Kalium- und Lithiumchlorid. Verwendung als Legierungszusatz, in der Kernphysik und in seinen Verbindungen in der Glasindustrie und Keramik, in der Feuerwerkerei, in Akkumulatoren.

Lithogr'aph [griech.], Facharbeiter im graph. Gewerbe, der Zeichnungen, Landkarten u. a. auf Steinplatten überträgt zur Vervielfältigung durch den Drucker. Heute auch Facharbeiter im Reproduktionsbereich für den Kupfertief- und Offsetdruck.

Lithograph'ie, →Steindruck.

Litholog'ie [griech.], Gesteinskunde.

Lithophan'ie [grch.], Porzellanbild, das als Relief einer dünnen, unglasierten Porzellanplatte eingepreßt ist, so daß bei durchscheinendem Licht die dünnen Stellen als Lichter, die dicken als Schatten wirken. – Bei der verwandten **Lithoponie** sind die Reliefmulden mit Glasur aufgefüllt, so daß bei auffallendem Licht sich die Modellierung im Gegensinn zur Lithophanie ergibt.

Lithop'one [griech. Kw.] *die,* weiße, gut deckende Mineralfarbe, Gemisch aus Zinksulfid und Bariumsulfat; wird erhalten durch Fällen aus Lösungen von Zinksulfat und Bariumsulfid.

Lithosph'äre [griech. Kw.], der Gesteinsmantel der Erde.

Lith'urgik [griech. ›Steinverarbeitung‹], Lehre von Gebrauch und Verarbeitung der Gesteine.

Li Ti, chines. Maler, * 1089, † 1161, tätig am Kaiserhof in Hang-tschou, einer der ersten Meister der Sung-Akademie, die die Stimmungslandschaft schufen. Sein ›Heimkehrender Hirt im Schnee‹ gehört zu ihren ältesten erhaltenen Meisterwerken.

L'itiskontestation, lat. *litis contestatio* [›Bezeugung des Rechtsstreits‹], Ausdruck und Bestandteil des *römischen Prozeßrechts* für den zu Beginn des Zivilprozesses unter den Parteien geschlossenen Prozeßvertrag, der die schriftliche Festlegung der klägerischen Ansprüche und der vom Beklagten geltend gemachten Gegenrechte und Einreden enthielt, also den Streitgegenstand festlegte.

Litlohn, →Lidlohn.

Litoměřice [li'tomjerʒitsɛ], tschech. Name der Stadt Leitmeritz.

litor'al [lat.], Küste, Ufer, Strand betreffend.

Litor'ina, →Strandschnecke.

Litor'inameer [nach Litorina litorea, der für die Ablagerungen bezeichnenden Schneckenart], die durch Meeresspiegelhebung oder Landsenkung vergrößerte Ostsee während der jüngeren Alluvialzeit.

Lit'otes [griech. ›Einfachheit‹], die, Anwendung eines scheinbar schwächeren Ausdrucks (Verneinung des Gegenteils) zur stärkeren Hervorhebung, z. B. *nicht wenig* für *viel.*

L'itschi [chines.] *der*, Litschibaum, *Litchi chinensis*, ostasiat. Seifennußgewächs mit rotbraunen Früchten *(chinesische oder japan. Haselnuß)*, deren Samenmantel eßbar ist.

Litt, Theodor, Pädagoge und Philosoph, * Düsseldorf 27. 12. 1880, † Bonn 16. 7. 1962, war Prof. in Bonn (1919), Leipzig (1920), Bonn (1947). L. bekämpfte den Einfluß naturwissenschaftl. Denkens in Philosophie und Pädagogik.
WERKE. Individuum und Gemeinschaft (1919; ³1926), Kant und Herder (1930; ²1949), Denken und Sein (1948), Naturwissenschaft und Menschenbildung (1952; ³1959), Hegel (1953).

Little Rock [litl rɔk], Hauptstadt von Arkansas, USA, (1970) 132500 Ew. (¹/₃ Farbige); jurist. und medizin. Fakultät der Staatsuniversität; Baumwollsaatöl-, Möbel-, Tabak-, chem. Industrie.

Littlesche Krankheit [litl-], eine von dem engl. Arzt *W. J. Little* (*1810, † 1894) beschriebene Krankheit mit Krampfzuständen in Armen und Beinen; beruht auf einer Gehirnschädigung als Folge schwerer Geburt.

Littmann, Enno, Orientalist, * Oldenburg 16. 9. 1875, † Tübingen 4. 5. 1958, nahm an archäolog. Expeditionen nach Syrien und Abessinien teil; Übersetzer von ›1001 Nacht‹.

Litt'oria, →Latina.

Littré [litre], Maximilien, Paul Émile, franz. Philosoph und Sprachforscher, * Paris 1. 2. 1808, † das. 2. 6. 1881, war Positivist und Anhänger von A. Comte, berühmt durch seinen ›Dictionnaire de la langue française‹.

Litu'ites [lat. lituus ›Krummstab‹], zu den Nautiloideen gehörende ausgestorbene Gatt. der Kopffüßer, auf das Silur beschränkt, mit stabförmig-gestrecktem letztem Umgang des Gehäuses.

Liturg'ie [griech. Leiturgia ›Dienst am Volke‹], **1)** in altgriech. Staaten die unentgeltliche Leistung für das Gemeinwesen, erst freiwillig, später eine Steuer. **2)** der öffentliche, von der Kirche geübte Kultus. Seine Bezeichnung als L. ist in der griech. Kirche schon im Altertum üblich, seit dem 8./9. Jh. allerdings eingeschränkt auf die Feier der Eucharistie (→Messe); in der latein. Kirche bürgerte sich der Ausdruck erst seit dem 16. Jahrhundert ein.
Die *kathol.* L. wird als Handeln Christi betrachtet, der durch die Kirche die L. vollzieht. Die oberste Leitung und einheitl. Gestaltung der L. steht seit Ende des 16. Jhs. dem Hl. Stuhl zu, der 1960 die latein. Liturgie durch die *Rubrikenreform* neu ordnete. Die Hauptänderungen der *L.-Reform* des II. →Vatikan. Konzils von 1963 betreffen: stärkere Anpassung der L. an die versch. Völker und Kulturen, Verzicht auf die Einheitlichkeit des lat. Ritus, stärkere Mitwirkung der nationalen Bischofskonferenzen. Landessprache, auch in der Meß-feier, und Wortgottesdienst werden mehr berücksichtigt. In der *Ostkirche* ist die L., bes. im engen griech. Sinn der Eucharistiefeier, etwas Feststehendes, dessen Reform zu großen schismat. Bewegungen führte.
Die *evangel. Kirchen* haben seit den Anfängen der Reformation an die Stelle der mystisch verstandenen, in die Hand des Klerus gelegten altkirchl. L. den Gottesdienst der Gemeinde gesetzt, die auf Gottes Wort in der Predigt hört und in der L. mit Gott in Lob und Anbetung, Bitte und Dank redet (→Liturgische Bewegung). Das äußere Geschehen der L. im Gottesdienst ist auch in den evangel. Kirchen erhalten geblieben.

Liturgik, Liturgiewissenschaft, die Wissenschaft von der christl. →Liturgie.

Liturgische Bewegung, die liturg. Reformbestrebungen in der kathol. und den evangel. Kirchen, bes. seit dem Beginn des 20. Jhs. In der *kathol.* Kirche trat eine schon im 19. Jh. vorbereitete L. B. unter dem Einfluß der eucharistischen und kirchenmusikal. Reformen Pius' X. (1903–14) nachdrücklich hervor. Auf eine stärker von monastischen Zentren (in Dtl. von den Benediktinerklöstern Beuron und Maria Laach) her bestimmte Phase ist nach dem 1. Weltkrieg eine mehr volksseelsorglich ausgerichtete Arbeit gefolgt, in der nach dem 2. Weltkrieg die *Liturgischen Institute* (Trier, Paris, Genua, Salzburg, Nimwegen) die entscheidende Rolle zu spielen begannen. Pius XII. hat durch die Enzyklika ›Mediator Dei‹ (1947) für alle Bistümer der kathol. Kirche die Einrichtung von Kommissionen zur Förderung des ›Liturgischen Apostolats‹ angeordnet und damit den Bestrebungen der L. B. erstmals kirchenamtliche Form gegeben.
In der *evangel.* Kirche Deutschlands kann man seit dem 1. Weltkrieg von einer L. B. sprechen, die eine tiefgreifende theologische, liturgiegeschichtliche und Musik und Künste umfassende Besinnung ausgelöst und alle Fragen des gottesdienstl. Lebens neu gestaltet hat. Seit Beginn des Jahrhunderts hatte sich die Erkenntnis durchgesetzt, daß der evangel. Gottesdienst einen zu lehrhaften Charakter angenommen hatte. Bestrebungen, den Gottesdienst als Vergegenwärtigung Christi und seines Heilswerks zu verstehen, gingen insbes. von →F. Heiler und der Hochkirchl. Vereinigung (→Hochkirche), vom →Berneuchener Kreis sowie von der an K. Barth anknüpfenden *Alpirsbacher Bewegung* aus. Seit 1945 sind die dt. Landeskirchen selbst mit der gottesdienstl. Erneuerung befaßt; führend ist die *Lutherische Liturgische Konferenz* Deutschlands. Ähnliche Bestrebungen machen sich heute in der gesamten Ökumene geltend.

liturgische Bücher, in den *christl. Kirchen* die Vorlagen für die Feier der Liturgie. Sie enthalten die Vorschriften für die Gestaltung des gottesdienstl. Handlungen und die Gebete, Lesungen, Gesänge. Die hauptsächl. l. B. sind: *latein. Ritus:* Brevier, Caeremoniale Episcoporum, Graduale und Kyriale, Martyrologium, Missale, Pontificale, Rituale; *dt. evangel. Kirchen:* die Agende; *Anglikan. Kirche:* Common Prayer Book.

liturgische Farben, in der latein. Kirche die durch Pius V. (1570) vorgeschriebenen, nach liturg. Zeit und Charakter des Gottesdienstes wechselnden Farben der →Paramente: Weiß (Weihnachts- und Osterzeit; Freudenfeste Christi, Marienfeste, Heiligenfeste der Märtyrern), Rot (Pfingstfest; Leidensfeste Christi, Märtyrerfeste), Violett (Advents- und Fastenzeit; Buß- und Bittmessen), Schwarz (Karfreitag und Totenmessen), Grün (Sonntage außerhalb des Weihnachts- und Osterfestkreises). Die unierten oriental. Kirchen, die morgenländ. und die evang. Kirche haben keine festen Vorschriften.

liturgische Formeln, in einer bestimmten Form übliche Gebetsausrufe in den christl. Liturgien, wie Alleluja, Amen, die Doxologie, Kyrie.

liturgische Gefäße, in der kathol. und Ostkirche die für die Eucharistie gebrauchten Gefäße (Ciborium, Custodia, Kelch, Monstranz, eucharistische Taube). In den evangel. Kirchen gehören das Abendmahlgerät (Patene mit Hostiendose und Kelch mit Kanne) und das Taufgerät (Taufschale und Taufkanne) zu den l. G.

liturgische Gewänder, die Kleidung des Geistlichen beim christl. Gottesdienst. In der *lateinischen* Kirche gehören dazu bes. die l. G. für die Messe (Schultertuch, Albe, Zingulum, Manipel, Stola, Meßgewand); für den sonstigen Gottesdienst (Chorrock, Cappa), die Obergewänder des Diakons (Dalmatica) und Subdiakons (Tunicella), die Pontifikalien des Bischofs, die besonderen l. G. des Papstes und die liturgische Kopfbedeckung (Birett und Mitra). – In den dt. *evangel.* Kirchen ist an die Stelle der l. G. durchweg der Talar mit Beffchen oder Halskrause und Barett getreten. In den nordischen luther. Kirchen und in der Anglikan. Kirche werden hingegen l. G. noch heute getragen. BILD Amtstrachten.

liturgische Sprachen, in der kath. und morgenländ. Kirche die für die Liturgie vorgeschriebenen Kirchensprachen, hauptsächl. Lateinisch, Griechisch, Kirchenslawisch; →Liturgie.

L'ituus [lat.], **1)** im alten Rom der oben gekrümmte Stab der Auguren, mit dem diese den heiligen Bezirk für die Vogelschau abgrenzten. 2) altröm. Signaltrompete mit umgebogenem Schallstück.

Litvak, Michael Anatole, Filmregisseur, * Kiew 10. 5. 1902, † Neuilly (b. Paris) 15. 12. 1974, seit 1937 in Hollywood nach Tätigkeit am französ. und engl. Film. Filme: Mayerling (1935/36), Die Schlangengrube (1948/49), Entscheidung vor Morgengrauen (1950).

Litw'inow, Maksim, eigentl. **Wallach,** auch

Finkelstein, sowjet. Politiker, * Białystok 17. 7. 1876, † Moskau 31. 12. 1951, war 1930 bis Mai 1939 Volkskommissar des Äußeren, 1941–43 Botschafter in Washington.

Litze [lat. licium], **1)** schmales Geflecht, Tresse, Besatzschnur. **2)** Draht mit Öse (Auge) zur Führung der Kettfäden in der Schaft- und Jacquardweberei (*Schaft-* und *Harnischlitzen*). **3)** Seil aus einer oder mehreren umeinander gewickelten Drahtlagen. **4)** biegsamer elektr. Leiter aus dünnen miteinander verseilten oder verflochtenen Einzeldrähten.

L'iudgast, im Nibelungenlied König von Sachsen, unternahm mit seinem Bruder **Liudiger,** König von Dänemark, eine Heerfahrt nach Worms; beide wurden von den Burgunden unter Siegfried geschlagen und gefangengenommen.

L'iudger, Ludger, erster Bischof von Münster, * Friesland um 744, † Billerbeck 809, Missionar der Friesen, gründete das Kloster Werden (Ruhr). Heiliger; Tag: 26. 3.

L'iudolf, Ludolf, Herzog von Schwaben, Sohn König Ottos I., * 930, † Piombia 6. 9. 957, erhielt durch Heirat 950 das Herzogtum. Er empörte sich 953 gemeinsam mit Konrad von Lothringen gegen seinen Vater, wurde bezwungen und verlor sein Herzogtum. Seine Gestalt verschmolz in der Sage mit der des Herzogs Ernst von Schwaben.

L'iudolfinger, Ludolfinger, altsächs. Adelsgeschlecht, erlangte mit Graf Liudolf († 866) eine führende Stellung im O Sachsens, mit dessen Sohn Otto († 912) die sächs. Herzogswürde. Es stellte die deutschen Könige Heinrich I., Otto d. Gr., Otto II., Otto III. und Heinrich II. (sächsische Kaiser).

Liu Schao-tschi, chines. Politiker, * Prov. Hunan 1900, † 1971/72 (?). 1942 Generalsekretär der von ihm organisierter chines. KP; 1954–59 war er Vors. des Ständigen Ausschusses des Volkskongresses und Stellvertreter Mao Tse-tungs; seit April 1959 dessen Nachfolger als Staatsoberhaupt. Im Rahmen der Kulturrevolution als »Revisionist« wiederholt abgesetzt, 1968 aus der KP ausgeschlossen.

Liut'izen, ein Bund ostseeslaw. Kleinstämme, die gemeinsam mit den Abodriten 983 einen Aufstand gegen die dt. Oberherrschaft unternahmen und ihre Freiheit im wesentlichen bis 1150 wahren konnten.

L'iutprand, 1) Luitprand, einer der bedeutendsten Könige (712–44) der Langobarden, deren Macht unter ihm den Höhepunkt erreichte.

2) L. von Cremona, italien. Historiograph aus langobard. Adel, † um 972, seit 961 Bischof von Cremona; seine Werke (Antapodosis, Historia Ottonis, Legatio Constantinopolitana) gehören zu den wertvollsten Quellen des 10. Jahrhunderts.

L'iven, südlichster Zweig der Ostseefinnen, in Livland in den Letten aufgegangen, in Kurland um 1930 noch etwa 1500.

Liv'enza, Fluß in Venezien, 115 km lang, entspringt am Monte Cavallo (2247 m) und mündet, von Portobuffole an schiffbar, bei Caorle ins Adriat. Meer.

Liverpool [l'ivapu:l], Stadt an der Nordwestküste Englands, mit (1971) 1,26 Mill. Ew., am rechten Ufer der 1200 m breiten Mündung des Mersey in die Irische See, wichtiger Handelsplatz Großbritanniens und bedeutender Baumwollmarkt. Industrie: Maschinen, Instrumente, Zucker, Kornmühlen, Seife, Kerzen, Margarine, Tabak, Chemikalien, Glas, pharmazeut. und Elektroindustrie, Schiffbau u. a. L. ist Sitz eines anglikan. Bischofs und eines kath. Erzbischofs, hat Universität, Institute für Tropenmedizin und Ozeanographie, Museen, Bibliotheken. Im Stadtbild überwiegen Geschäftshäuser des 19. und 20. Jhs.; bemerkenswert ist die mächtige St. Georges Hall im klassizist. Stil. Mit Birkenhead am anderen Merseyufer ist L. durch zwei Tunnel (1,14 km und 3,2 km lang) verbunden. – L. erhielt 1207 Stadtrecht; Aufstieg zur bedeutenden Hafenstadt im 18. Jahrhundert.

Live-Sendung [laiv-, von engl. live ›lebendig‹], bei Rundfunk und Fernsehen die Original- oder Direktsendung; das Programm geht ohne Tonträger oder Film direkt über den Sender.

L'ivia Drus'illa, * 58 v. Chr., † 29 n. Chr., Gemahlin des Kaisers Augustus, der sie nach ihrer Scheidung von Tiberius Claudius Nero (dem Vater ihrer Söhne Tiberius und Drusus) und nach seiner eigenen Scheidung von Scribonia (der Mutter der Julia) 38 v. Chr. heiratete. Sie übte auf ihren Gatten großen Einfluß aus und sicherte ihrem Sohn erster Ehe, Tiberius, die Nachfolge.

Livinental, →Leventina.

Livingstone [l'iviŋstən], David, brit. Forschungsreisender, * Blantyre bei Glasgow 19. 3. 1813, † Tschitambo (Bangweolosee) 1. 5. 1873, ursprünglich Missionar, unternahm seit 1849 mehrere große Reisen ins Innere Afrikas. Er erforschte den Lauf des Sambesi, dessen Viktoriafälle er 1855 fand, und entdeckte ferner den Ngami-, den Schirwa-, den Njassa-, den Meru- und den Bangweolosee. 1866–71 erforschte er die Gebiete westlich des Njassa- und Tanganjikasees und kam völlig erschöpft am 23. 10. 1871 in Udjidji an, wo er am 28. 10. 1871 Stanley zusammentraf, der den Verschollenen suchte. Beide erreichten am 18. 2. 1872 die Ostküste. Seine Reiseberichte und Tagebücher erschienen auch in dt. Übersetzung.

Lit. R. J. Campbell: L. (1929).

Livingstone [l'iviŋstən], Stadt in Sambia, 907 m ü. M., 11 km vor den →Viktoriafällen entfernt, mit rd. 50000 Ew.

Livingstone-Fälle [l'iviŋstən-], Wasserfälle im Unterlauf des Kongo.

Livingstone-Gebirge [l'iviŋstən-], gebirgiges Hochland im NO des Njassasees, bis 2521 m hoch.

Livist'one die, *Livistona*, **Schirmpalme**, **Livistonie**, vom trop. Südostasien bis Australien reichende Fächerpalmengattung

mit den Warmhauspflanzen *Latanie*, *Saribupalme*.

L'ivius, Titus, röm. Geschichtsschreiber, * Patavium (Padua) um 59 v. Chr., † das. 17 n. Chr., hat in den 142 Büchern ›Ab urbe condita‹ die röm. Geschichte von der Gründung der Stadt (753 v. Chr.) bis zu Drusus' Tod (9 v. Chr.) dargestellt. Erhalten sind nur die Bücher 1–10 (bis 293 v. Chr.) und 21–45 (218–167 v. Chr.). Einen Überblick über das Ganze ermöglichen im Altertum gemachte Auszüge *(Periochae)* aller Bücher. Grundlage der Darstellung sind die staatl. Jahrbücher (Annalen); daneben sind röm. und griech. Historiker benutzt (z. B. Fabius, Pictor, Polybios), selten mit Nennung der Quellen. Die Erzählweise des L. ist bestimmt durch Isokrates und die peripatetische Schule, von der sowohl Kürze als auch Sparsamkeit der Mittel verlangt wurden. Die Sprache steht dem ciceronischen Ideal der Ausgewogenheit nahe.

Lit. F. Hellmann: L.-Interpretationen (1939); E. Burck: Die Erzählkunst des T. L. (Neudr. 1964); A. Klotz: L. und seine Vorgänger (Neudr. 1964); L., hg. von E. Burck (1966).

L'ivius Andron'icus, Lucius, der älteste bekannte latein. Dichter, ein Grieche aus Tarent, † zwischen 207 und 200 v. Chr.; übersetzte die Odyssee ins Latein. und bearbeitete griech. Tragödien und Komödien in latein. Versen; sein Prozessionslied für einen Mädchenchor war die erste Lyrik in Rom; zur Belohnung wurde dem Verband der Dichter und Schauspieler ein Tempel als Sitzungsraum angewiesen, womit der Stand der Dichter öffentlich anerkannt war.

Livland, 1) geschichtl. Landschaft an der Ostsee zwischen Estland und Kurland, benannt nach den →Liven. Es wurde zu Anfang des 13. Jhs. von Deutschen unterworfen und christianisiert. Der Deutsche Ritterorden teilte sich mit den Bischöfen des Landes in die Herrschaft. 1522 fand die Reformation Eingang. 1561 wurde L. polnisch, 1629 kam es an Schweden, 1721 an Rußland. Seitdem war das *Gouvernement L.* (45517 qkm, Hauptstadt Riga) eine der drei russ. →Ostseeprovinzen. Die deutsche Oberschicht (Ritterschaft und Städte) behielt ihre ständ. Selbstverwaltung bis Ende des 19. Jhs. Nach dem 1. Weltkrieg wurde L. zwischen Lettland und Estland nach der Sprachgrenze geteilt.

Lit. R. Wittram: Balt. Gesch. 1180 bis 1918 (1954).

2) lett. *Vidzeme*, ehemalige Provinz Lettlands, umfaßte die Kreise Riga, Wenden, Wolmar, Walk und Modohn.

Livländische Reimchronik, von einem Deutschordensritter gegen Ende des 13. Jhs. verfaßt, schildert die Kämpfe des Schwertbrüder- und Deutschherrenordens um Livland.

L'ivno, Stadt in der Volksrep. Bosnien und Herzegowina, Jugoslawien, an der Straße von Split nach Bosnien gelegen, war sowohl in röm. Zeit wie während des MA.s ein wichtiger Platz. Von den Türken erobert, wurde L. Ausgangspunkt für deren Angriffe auf das venezian. Staatsgebiet. L. besitzt ein spätmittelalterl. Schloß und die angeblich älteste Kirche Bosniens.

Livorn′eser, die Haushuhnrasse Leghorn.

Liv′orno, 1) Prov. Italiens an der Küste der Toskana, mit (1971) 335 300 Ew. **2)** Hauptstadt von 1) und wichtiger Hafen, mit (1971) 174 800 Ew., an der Westküste, bedeutender Handelsplatz. – L. kam 1421 an Florenz und war lange Zeit der wichtigste Hafenplatz der Toskana.

Livre [livr, von lat. libra ›Pfund‹] *die* oder *der,* **1)** frühere franz. Rechnungsmünze (= 20 Sous). Die l. tournois wurde 1796 durch den Franc abgelöst. **2)** frühere franz. Gewichtseinheit, zuletzt = 500 g.

Livr′ee [franz.], uniformartige Dienertracht.

Liw′adija, bekannter Erholungsort in der Nähe von Jalta, auf der Krim; früher Sommersitz des Zaren.

Liw′an, auch **Iwan** [pers.-arab.], in der Baukunst des Orients ein hoher, überwölbter Raum, dessen Außenseite offen ist und einen großen Bogeneingang bildet. Der L. kommt an Bauten der Parther und Sassaniden vor (→Ktesiphon) und wurde dann von der islam. Baukunst übernommen.

Lizard, Kap L. [-l′izəd], der südlichste Punkt Englands an der Kanalküste.

Lizenti′at [lat. ›mit Erlaubnis versehen‹], im MA. ein Gelehrter, der Lehrberechtigung erhalten hat; in der Neuzeit vereinzelt als akademischer Titel gebräuchlich. Der Lic. theol. wurde fast allgemein durch den Doktortitel ersetzt.

Liz′enz [lat.], Erlaubnis, Befugnis, Freiheit; **1)** im Gewerberecht die →Konzession. **2)** im Patentrecht die Erlaubnis, die der Patentinhaber einem anderen (Lizenznehmer) erteilt, das Patent zu benutzen.

Liz′enz|ausgabe, Sonderausgabe eines Werks durch einen Verlag, der von dem zunächst berechtigten Verlag eine Ermächtigung (Lizenz) erhielt.

Liz′enzpresse, die 1945–49 in Deutschland und Österreich von den Besatzungsmächten lizenzierten Zeitungen und Zeitschriften.

Lizitation [lat.], öffentl. Versteigerung.

Ljach′owsche Inseln, Gruppe der →Neusibirischen Inseln.

Lj′uberzy, Stadt im Gebiet Moskau, mit (1973) 148 000 Ew.; Maschinenbau und chem. Industrie.

Ljublj′ana, slowen. für →Laibach 2).

Ljubljanica [ljublj′anitsa], →Laibach 1).

Ljublin′o, Stadt im Gebiet Moskau, Sowjetunion, mit (1960) 90000 Ew.; wurde 1960 nach Moskau eingegliedert. L. hat Maschinenbaufabriken, Gießereien und Holzverarbeitungskombinat.

Ljunga [j′uŋa], Fluß in Mittelschweden, 350 km lang, entspringt in Jämtland, bildet

viele Seen und Wasserfälle, mündet in den Bottn. Meerbusen.

Ljungquist [j′yŋkvist], Walter, schwed. Schriftsteller, * Kisa (Bez. Östergötland) 11. 6. 1900, schreibt Romane; anfangs von Hemingway beeinflußt, später anthroposophische Tendenz.

Ljusna [j′y:sna], Fluß in Mittelschweden, 430 km lang, entspringt in Härjedalen, bildet Stromschnellen, mündet in den Bottn. Meerbusen; Holzflößerei, Lachsfang.

Llanelly [læn′ɛli], Stadt in England (Wales), mit rd. 36000 Ew.; Metall-, chem., Textil-Industrie, Schiffbau.

Llanos [λ′anɔs, span. ›Ebene‹], die Hochgrassteppen im tropischen und subtrop. Amerika. L. **Estac′ados** [span. ›abgesteckte Ebenen‹, nach den Pfählen, mit denen man die Pfade und wenigen Wasserstellen bezeichnete], 1000–1500 m hohe, wüstenartige Sandsteintafel in Texas und New Mexico.

Llewellyn [lu:′elin], Richard, Pseudonym von Richard D. Llewellyn *Lloyd,* engl. Erzähler und Filmproduzent, * St. Davids (Pembrokeshire) 1907, schrieb Romane aus der Bergarbeiterwelt von Wales (So grün war mein Tal, 1939; dt. 1950) und der Gangsterwelt von London und Los Angeles.

Llobregat [λɔbrɛg′at], Fluß in Katalonien, Spanien, 150 km lang, entspringt in den Pyrenäen, mündet mit fruchtbarem Bewässerungsdelta ins Mittelmeer.

Lloyd [lɔid], Schiffahrts- und Versicherungsgesellschaften, die sich nach dem Muster von →Lloyd's bes. mit der Schiffsklassifikation beschäftigen.

Lloyd [lɔid], **1)** George Ambrose, Lord *L. of Dolobran* (1925), brit. Politiker (Konservativer), * Olton Hall (Warwickshire) 19. 9. 1879, † London 4. 2. 1941, war 1918–23 Gouv. von Bombay, 1925–29 Oberkommissar für Ägypten. 1937 wurde L. Vors. des British Council, den er zu einer weltweiten Organisation ausbaute; 1940 wurde L. Kolonialminister und Führer des Oberhauses.

2) Harold, amerikan. Filmkomiker, * Burchard (Neb.) 20. 4. 1893. † Beverly Hills (Cal.) 8. 3. 1971. Filme: Grandma's boy (1922), The freshman (1925), Movie crazy (1931).

3) Ralph Waldo, amerikan. reform. Theologe, * Tennessee (USA) 6. 10. 1892, seit 1930 Präs. des Maryville College, war 1954 bis 1955 Moderator der Generalsynode der Presbyterian Church in den USA, wurde 1951 Mitgl. des Zentralausschusses des Ökumen. Rats, 1959–64 Präs. des Reform. Weltbunds.

4) Selwyn, brit. Politiker (Konservativer), * Liverpool 28. 7. 1904, Rechtsanwalt, 1939 bis 1945 im Heer (Brigadegeneral), wurde 1954 Beschaffungs-, dann Verteidigungsminister, Dez. 1955 bis Juli 1960 Außenminister; 1960–62 Schatzkanzler.

Lloyd George [lɔid dʒɔ:dʒ], David, Earl *L. G. of Dwyfor* (1945), brit. Staatsmann, * Manchester 17. 1. 1863, † Llanystumdwy 26. 3. 1945, walis. Abstammung, seit 1890 liberaler Abg. im Unterhaus, war 1908–15 Schatzkanzler; führte eine hohe Steuerbelastung der wohlhabenden Schichten sowie die Altersversorgung, die Kranken- und Arbeitslosenversicherung ein und beschränkte das Vetorecht des Oberhauses. 1914 war er Organisator der Kriegführung, wurde 1915 Munitions-, 1916 Kriegsminister. Als MinPräs. (seit Ende 1916) verkörperte er den entschlossenen Kriegswillen Englands. Auf der Pariser Friedenskonferenz (1919) trat er für die Belastung des Dt. Reichs mit allen Kriegskosten der Alliierten ein; dagegen widersetzte er sich in der Rheinlandfrage und in der oberschles. Frage einer Zerstückelung des Reichs. Der Plan L. G.s, eine wirtschaftspolit. Verständigung mit Sowjetrußland herbeizuführen (Konferenz von Genua 1922), scheiterte. Zum Mißerfolg führte seine Orientpolitik, die Griechenland im Kampf gegen die von Frankreich begünstigte Türkei unterstützte. Nur in der irischen Frage gelang ihm ein großer Erfolg mit dem Abschluß des Vertrags von 1920, der den Irischen Freistaat begründete, aber Nordirland bei Großbritannien beließ und damit die Frage des →Home rule praktisch löste. Er mußte 1922 zurücktreten. 1931 verlor er auch die Parteiführung.

WERKE. Die Wahrheit über Reparationen und Kriegsschulden (dt. 1932), War Memoirs, 6 Bde. (1933–36; dt. 3 Bde., 1936), The Truth about the Peace Treaties, 2 Bde. (1938).

Lloydie [l'ɔidjə, nach dem schott. Botaniker E. Lloyd], **Faltenlilie**, *Lloydia serotina*, kleines tulpenähnliches, weißblütiges Liliengewächs auf Hochgebirgsmatten.

Lloyd Motoren Werke GmbH [lɔid -], Bremen, 1949 gegr. Unternehmen der Kraftfahrzeugindustrie, gehörte mit den Goliath-Werken GmbH, Bremen, zur →Borgward-Gruppe.

Lloyd's, Abk. für **Corporation of Lloyd's** [kɔːpər'eiʃən ɔv lɔidz], eine Vereinigung von Einzelversicherern in England, die bes. die Seeversicherung börsenmäßig betreibt; benannt nach *Edward Lloyd*, dessen Londoner Kaffeehaus seit Ende des 17. Jhs. Zentrum der Schiffsinteressenten und Seeversicherer wurde. 1871 auch formell staatlich als Korporation anerkannt, ist L. trotzdem kein Versicherungsunternehmen. Jedes Mitglied von L. gehört mindestens einem der (meist spezialisierten) Syndikate an. Der *Underwriter* haftet mit seinem Vermögen für den übernommenen Risikoanteil, muß bei dem einer Aufsichtsbehörde ähnl. *Lloyd's Committee* Sicherheiten hinterlegen und sich Buchprüfungen unterwerfen. L. unterhält Vertreter in allen Welthäfen.

Lloyds Bank Ltd. [lɔidz bæŋk l'imitid], London, engl. Großbank, gehört zu den Big Five; gegr. 1765.

Lloydsche Waage, von dem engl. Mathematiker H. Lloyd (* 1800, † 1881) 1839 eingeführte Schneidenwaage, bei der ein auf Schneiden waagerecht gelagerter Magnet

zur Messung der Schwankungen der Vertikalintensität des Erdmagnetismus verwendet wird.

Lloyd's Register of Shipping, Gesellschaft für die Registrierung von Seeschiffen und für ihre Klassifikation (Bauausführung, Betriebssicherheit, Seefähigkeit, techn. Einrichtungen u. a.), gibt jährl. ein Verzeichnis aller registrierten Seeschiffe über 100 BRT heraus. L. R. o. S. geht ebenso wie →Lloyd's auf das Kaffeehaus von E. Lloyd in London zurück.

Lm, Abk. für →Lumen.

ln, Abk. für natürl. Logarithmus.

L'oa, 440 km langer Fluß in Nordchile, entspringt 4000 m ü. M. an der chilenischbolivian. Grenze, durchfließt in weitem Bogen das mittlere Längstal bei Calama und mündet südl. Guanillos in den Stillen Ozean.

Loanda, früher für →Luanda.

Lo'ango, Küstenlandschaft der Republik Mittel-Kongo, Äquatorialafrika; Haupthafen ist Pointe Noire; der benachbarte Hafenplatz Loango hat an Bedeutung verloren.

Lo'angwa, linker Nebenfluß des Sambesi in Südafrika, 800 km lang.

Lo'ase, trop.-südamerikan. Pflanzengattung mit zerteilten Blättern, strahlig-fünfzähliges, gelben oder orangefarbenen Blüten und mit Brennhaaren. Kletternde Arten (*Brennwinde*) sind Zierpflanzen.

Lob [lɔb, engl.], *Tennis:* Rückschlag des Balls hoch über den vorgelaufenen Gegner hinweg.

Loeb, 1) Jacques, deutsch-amerikan. Biologe, * Mayen b. Mainz 7. 4. 1859, † Hamilton (Bermudas) 11. 2. 1924, Prof. in Chicago, in Berkeley und am Rockefeller-Institut in New York. L. arbeitete über die chem. Entwicklungsanregung des tierischen Eis sowie über Regeneration und über Tropismen. 2) [ləːb], James, amerikan. Bankier und Gelehrter, * New York 6. 8. 1867, † das. 28. 5. 1933, gründete 1912 die *Loeb Classical Library*, eine Buchreihe griech. und lat. Klassiker mit gegenübergestellten engl. Übersetzungen; Erscheinungsort: Cambridge (Mass.) und London.

Lob'ärpneumonie [lat.-griech. Kw.], eine Form der →Lungenentzündung.

Lobatsch'ewskij, Nikolai Iwanowitsch, russ. Mathematiker, * Nischnij Nowgorod 2. 11. 1793, † das. 24. 2. 1856, Professor in Kasan, versuchte unabhängig von Gauß und Bolyai die nichteuklidische Geometrie als eine mit der Euklidischen gleichberechtigte aufzubauen.

Lob'au, Schwemmland zwischen der Donau und einem ehemal. Donauarm in Wien.

L'öbau, Kreisstadt im Bez. Dresden, im N des Lausitzer Berglands, 266 m ü. M., mit (1973) 17500 Ew., hat Industrie, bes. Spanund Bastflechtwaren, Textilien, Schuhe, Teigwaren, Zucker, Klavierbau. L., kurz vor 1221 gegr., gehörte zum alten Sechsstädtebund der Oberlausitz; ehemal. Franziskanerkirche (14. Jh.), Rathaus (18. Jh.).

L'öbbehobel, Gerät zur mechanischen Koh-

247

lengewinnung im Steinkohlenbergbau, besteht aus Hobelschlitten und schwenkbarem Oberteil mit verstellbaren Hobelmessern. Er wird mit seitl. Zwangsführung durch das Fördermittel am Kohlenstoß entlanggezogen und schält 5–15 cm breite Streifen von der Kohle ab, die unmittelbar in das Fördermittel fallen.

L'obberich, ehem. Industriegemeinde im RegBez. Düsseldorf, (1967) 10 700 Ew.; Textil- und Metallindustrie; seit 1. 1. 1970 Stadtteil von Nettetal.

L'obby [engl.], Vorhalle, bes. die Wandelhalle im Parlament, wo die Abg. mit Außenstehenden verhandeln können.

Lobby'ismus [von Lobby], der bestimmende Einfluß, den Interessenvertreter oder -verbände auf Gesetzgebung, Politik und Verwaltung durch persönl. Einflußnahme auf maßgebende Politiker nehmen. →pressure group.

Löbe, Paul, Politiker (SPD), * Liegnitz 14. 12. 1875, † Bonn 3. 8. 1967, Schriftsetzer, dann Chefredakteur der ›Vorwärts‹, war 1920–33 MdR (1920–24 und 1925–32 Reichstagspräsident), 1933 und 1944 in nationalsozialist. Haft. 1945 hatte er maßgebl. Anteil am Wiederaufbau der SPD; 1949–53 MdB, 1949–58 Präsident des Dt. Rats der Europ. Bewegung und (seit 1954) des Kuratoriums »Unteilbares Deutschland«.

L'obeda, Stadtteil (seit 1946) von Jena, früher Sitz der Grafen von L. Die untere *Lobdeburg* (1166 zuerst genannt, Ausbau 15.–17. Jh., mehrfach erneuert) ist wiederhergestellt, die obere Ruine (seit 1450).

Lobektomie [griech. Kw.], eine →Lungenoperation.

Lob'elie, *Lobelia,* Gattung der Glockenblumengewächse; Kräuter und Halbsträucher mit rachenförm. Blüten. In seichten Sumpfgewässern Nordwesteuropas wächst die ausdauernde *Wasserlobelie* (L. dortmanna) mit grasählichen, unter Wasser sitzenden Blättern und hochstehender Ähre bläulichweißer Blüten. Eine nordamerikan. L. liefert das Alkaloid *Lobelin,* das gegen Atemlähmung eingespritzt wird. Zu L. gehören ferner Djibarra und die Zierpflanze *scharlachrote L.*

Loeben, Otto Heinrich, Graf von, Schriftsteller, * Dresden 18. 8. 1786, † das. 3. 4. 1825, stand den Heidelberger Romantikern nahe. Unter dem Pseudonym *Isidorus Orientalis* schrieb er den Roman ›Guido‹ (1808).

Lobenstein, Kreisstadt im Bez. Gera, auf einem Bergrücken des Frankenwaldes, 505 m ü. M., (1964) 4400 Ew., Stahl- und Moorbäder, Zigarrenindustrie.

Lob'ito, Hafenstadt in Angola, 1905 an der *L.-Bucht* gegr., Ausgangspunkt der Bahn über Benguela nach Katanga (Zaïre), mit (1970) 59500 Ew.

Lobkowicz [l'ɔbkɔvits], **Lobkowitz,** böhm. Adelsgeschlecht, nannte sich nach der Burg L. (bei Prag), gelangte 1459 in den Reichsfreiherrnstand und erhielt 1624 die Reichs-

fürstenwürde. Nach wiederholten Teilungen nahm eine Linie, als sie das 1646 erworbene schles. Hzgt. Sagan verkaufte, 1786 den Titel eines Herzogs zu Raudnitz an.

1) **Bohuslaw von Hassenstein** (Hasištejnský) und L., böhm. Humanist, * 1460/61, † 11. 11. 1510, gründete die nach ihm benannte bekannte Bibliothek klass. und mittelalterl. Autoren (jetzt in der Universitätsbibliothek Prag), schrieb lat. Gedichte und philosoph. Schriften.

2) **Wenzel Eusebius,** Fürst von, österreich. Staatsmann, * 30. 1. 1609, † Raudnitz (Böhmen) 22. 4. 1677, wurde 1668 leitender Min. Kaiser Leopolds I., fiel als Anhänger der franz. Politik 1673 in Ungnade.

Lobnor, →Lopnor.

L'obositz, tschech. **Lovosice,** Stadt im nördl. Böhmen, Tschechoslowakei, (1970) 9300 Ew. – Bei L. besiegte Friedrich d. Gr. am 1. 10. 1756 die Österreicher.

Loburg, Stadt im Kr. Zerbst, Bez. Magdeburg, an der Ehle, mit (1964) 3300 Ew. – L. wird 965 zuerst als Burg zur Deckung des Übergangs über die sumpfige Ehlenniederung genannt.

Lobwasser, Ambrosius, geistl. Dichter, * Schneeberg im Erzgebirge 4. 4. 1515, † Königsberg 27. 11. 1585, bis 1580 Prof. der Rechte das. Seine Übertragung der franz. Psalmenbearbeitung von Marot und Beza wurde in die reform. Gesangbücher aufgenommen.

Loc'arno, deutsch **Luggarus,** Bezirksstadt im Kanton Tessin, Schweiz, mit (1970) 14 100 Ew., am Nordende des Lago Maggiore, 205 m ü. M., vielbesuchter Kurort mit altem Kastell. Nordwestl. über L. die Wallfahrtskirche Madonna del Sasso (355 m). Die Stadt hat mehrere Kirchen und Klöster und altes Kastell (15. Jh.) der Mailänder Herzöge. L., schon in vorgeschichtl. Zeit besiedelt, wurde 789 zuerst erwähnt, fiel 1342 an die Herzöge von Mailand und 1512 an die Eidgenossen, die es bis 1798 als Gemeine Herrschaft (Landvogtei) regierten; 1803 kam es zum neugeschaffenen Kanton Tessin.

Locarno-Verträge, die Vereinbarungen vom Oktober 1925 über ein Sicherheitssystem in Westeuropa. Hauptvertrag ist der am 1. 12. 1925 in London unterzeichnete Sicherheitsvertrag *(Locarno-Pakt),* durch den sich das Dt. Reich (Stresemann), Frankreich (Briand) und Belgien unter Garantie Englands und Italiens verpflichteten, die im Vertrag von Versailles festgelegten dt. Westgrenzen und die entmilitarisierte Rheinlandzone zu achten. Am 7. 3. 1936 erklärte Hitler den Pakt für hinfällig und ließ Truppen ins Rheinland einrücken.

Locat'elli, Pietro, italien. Geiger und Komponist, * Bergamo 1693, † Amsterdam 1764, schrieb als Schüler Corellis 12 Concerti grossi, Violinsonaten und andere Kammermusik.

L'occum, Gemeinde im Kreis Nienburg, Niedersachsen, mit (1973) 3100 Ew., zwischen Weser und Steinhuder Meer. L. hat ehemal. Zisterzienserkloser (1163 gegr., seit 1820 luther. Predigerseminar) mit roman. Klosterkirche (1842–48 stark erneuert); evangel. Akademie und Heimvolkshochschule. Der evang. Landesbischof von Hannover führt den Titel »Abt des Klosters Loccum«.

Loch [lɔx, auch lɔk; gälisch], irische Schreibung **Lough**, See, auch Meeresbucht.

Loch, Hans, Politiker (LDP), * Köln 2. 11. 1898, † Berlin 13. 7. 1960, Syndikus, 1945 Mitgründer der LDP in Thüringen, 1949–55 Finanzmin. in der DDR, seit 1950 auch stellvertretender MinPräs.; unter ihm erfolgte die Gleichschaltung der LDP mit dem SED-Regime.

Lochamer Liederbuch, Lochheimer Liederbuch, handgeschriebene Sammlung von Minneliedern, entstanden zwischen 1450 und 1460, genannt nach dem Nürnberger Wolflin von Lochamer, eine Hauptquelle des älteren deutschen Volkslieds und mehrstimmigen Gesangs. Faksimileausgabe 1925; kritische Bearb. 1926; Bearbeit. der Lieder mit neudt. Texten 1926.

L'ochauer Heide, ausgedehnter Kiefernforst nördlich von Torgau.

Locher, Jacob, Humanist, * Ehingen Ende Juli 1471, † Ingolstadt 4. 12. 1528, stand dem oberrhein. Humanistenkreis nahe, war jedoch als Herausgeber des Horaz und als Schüler und Nachfolger von Celtis an der Univ. Ingolstadt (1498) einem freieren Ideal verpflichtet, das er während einer kurzen Lehrtätigkeit in Freiburg i. Br. (1503–06) Wimpfeling gegenüber vertrat. Übersetzte S. Brants ›Narrenschiff‹ ins Lateinische (1497).

Löcherpilz, Porling, *Polyporus,* Gattung der Basidienpilze mit vom Hutfleisch kaum ablösbarer Röhrenschicht, meist an Holz lebend *(Baumschwamm).* Eßbar ist z. B. der →Eichhase. Sehr schädlich ist der →Hausschwamm. Andere L. zerstören das Holz der befallenen Bäume; ein nützlicher L. dieser Form ist der →Feuerschwamm. BILD S. 250.

L'ochien [von griech. lochios ›zur Geburt gehörig‹], der Wochenbettfluß (→Wochenbett).

Lochkamera, Lochkammer, Camera obscura, ein lichtdichter Kasten mit einem Loch in der einer Mattscheibe gegenüberliegenden Wand. Ist das Loch sehr klein gegen den Gegenstand, entsteht auf der Mattscheibe ein scharfes, umgekehrtes, seitenverkehrtes, sehr lichtschwaches Bild.

Lochkarte, ein Hilfsmittel zur Bearbeitung statistischer Zahlenangaben, zur Steuerung von Maschinen, Rechenautomaten u. a., erstmals von Jacquard zur Steuerung seines Webstuhls angewandt. Die Kennzeichen und Zahlenwerte werden durch Lochungen eingetragen. Die häufigste Ausführung für Buchungszwecke enthält 80 senkrechte Spalten. Einzellöcher oder Lochpaare kennzeichnen durch ihre Lage innerhalb der Spalte eine Ziffer oder einen Buchstaben. Der Kartenaufdruck dient nur zur Prüfung der Lochungen. *Verbundkarten* sind L. mit zusätzl. schriftl. Vermerken.

Lochkartenmaschinen, Hollerithmaschinen (nach Hollerith, 1880), sind Buchungsmaschinen für kaufmännische, statistische und wissenschaftl. Rechnungen; sie erledigen in großen Wirtschaftsunternehmen nahezu vollständig die Buchhaltung und Betriebsstatistik. Die L. werden von einem Stapel nacheinander in die Maschine eingezogen, Taster fühlen die gelochten Werte ab und leiten sie elektrisch oder mechanisch zu den Rechen- und Sortiervorrichtungen. Die *Sortiermaschine* bringt einen Kartenstoß in die gewünschte Ordnung: Nur eine der L.-Spalten wird abgefühlt, die Karte in das entsprechende Fach abgelegt. Die Arbeitsgeschwindigkeit beträgt 8000–30000 Karten je Stunde. – *Tabelliermaschinen* enthalten mehrere addierende und subtrahierende, manchmal auch multiplizierende Rechenwerke (Zählwerke) und ein Schreibwerk. Die abgefühlten Zahlen können den Rechenwerken und dem Schreibwerk zugeleitet werden, danach können Querübertragungen zwischen den Rechenwerken ablaufen, schließlich können die berechneten Zahlen vom Schreibwerk in Tabellenform aufgeschrieben und in neue L. eingestanzt werden. Buchstabenlochungen gestatten, zwischen die Rechenergebnisse vollständige Texte zu schreiben. Die Arbeitsgeschwindig-

Sektion	Betrieb-Nr.	Gef. Tarif Nr.	Jahr d. Unfalls / ersten Zahlg.	Sektion-Nr.
0 0	0 0 0 0 0	0 0 0 0	0 0	0 0 0 0 0
1 1	1 1 1 1 1	1 1 1	1 1 1	1 1 1 1 1
2 2	2 2 2 2 2	2 2 2 2	2 2	2 2 2 2 2
3 3	3 3 3 3 3	3 3 3 3	3 3 3	3 3 3 3 3
4 4	4 4 4 4 4	4 4 4 4	4 4	4 4 4 4 4
5 5	5 5 5 5 5	5 5 5	5 5 5	5 5 5 5 5
6 6	6 6 6 6 6	6 6 6 6	6 6	6 6 6 6 6
7 7	7 7 7 7 7	7 7 7	7 7 7	7 7 7 7 7
8 8	8 8 8 8 8	8 8 8 8	8 8	8 8 8 8 8
9 9	9 9 9 9 9	9 9 9	9 9 9	9 9 9 9 9
1 2	3 4 5 6 8	10 12 14 16	18 20	22 24 26

Lochkarte: Teil einer Lochkarte, eine Rentenzahlung betreffend. Sektion 02 = Schlüsselzahl der Sektionsverwaltung; Betrieb-Nr. 0203923 = Nummer des Unfallbetriebes; Gefahrentarif 0071 = Schlüsselzahl des Gewerbezweiges; Jahr des Unfalls 54; Sektion Nr. 02/54/03328 = Aktenzeichen der Sektionsverwaltung

Loch

keit beträgt je nach dem Umfang der Zwischenrechnungen bis zu 9000 Karten je Stunde.

Der *Rechenlocher* dient zum Multiplizieren, in manchen Ausführungen auch zum Dividieren. Er entnimmt die beiden miteinander zu verrechnenden Zahlen einer L. und locht das Ergebnis in die gleiche Karte. – Weitere Hilfsmaschinen sind *Lochprüfer*, *Lochkartenbeschrifter*, *Kartenmischer*. Locher mit *Markierungsfühler* fühlen Bleistift-Strichmarken auf der Karte ab und lochen die Karte danach. Zum Abfühlen wird die elektr. Leitfähigkeit des Graphits oder die Verdunklung einer Photozelle ausgenutzt.

Elektronische L.-Maschinen erledigen ohne zusätzl. Zeitaufwand mit den Zahlen aus jeder L. ein ganzes Rechenprogramm aus 60 bis 120 Rechenoperationen ähnlich den programmgesteuerten Rechenautomaten.

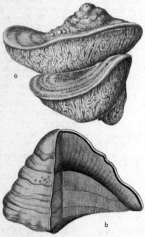

Löcherpilze: a *Eichenwirrling,* b *Feuerschwamm, angeschnitten ($^1/_4$ nat. Gr.)*

Lochner, Stefan, Maler, * Meersburg (?) um 1410, † Köln 1451 als Ratsmitglied, dort seit etwa 1430 tätig, der bedeutendste Meister der →Kölner Malerschule. Seine Kunst wurzelt in der oberrhein. Überlieferung, setzt aber auch die Kenntnis der niederländ. Malerei voraus. Seine Bilder enthalten viele neue Bewegungselemente, sind von ausgewogener Komposition und leuchtender Farbgebung; Stoffe und Dinge sind realistisch wiedergegeben. Er malte kleine Andachtstafeln (Maria im Rosenhag, Köln, TAFEL Deutsche Kunst IV, 2; Anbetung des Kindes, Samml. v. d. Heydt, u. a.), größere Altäre (Weltgerichts-Altar, Köln; Darbringung im Tempel, 1447, Darmstadt) und beherrschte wie kein anderer deutscher Maler

der Zeit auch das große Format (Dreikönigs-Altar, Köln, Domchor).
LIT. O. H. Förster: St. L. (²1941); H. May: St. L. (1948).

Loch Ness, →Ness, Loch.

L'ochow, Ferdinand von, Landwirt, * Petkus (Mark) 16. 9. 1849, † das. 8. 9. 1924, einer der erfolgreichsten Züchter landwirtschaftl. Nutzpflanzen (u. a. Petkuser Winter-, Kurzstroh- und Sommerroggen).

Lochstädt, Deutschordensburg südwestl. Fischhausen, Ostpreußen, auf der steilen Nordküste des Frischen Haffs; erbaut seit 1270, ein rechteckiges, mächtiges Bauwerk (54 × 48 m), S- und W-Flügel erhalten, restauriert 1937. Die Kapelle ist der besterhaltene Zierbau der älteren Ordensarchitektur, die Komturwohnung hat Fresken aus dem 14. Jahrhundert.

Lochstein, Lochziegel, Mauerstein mit Hohlräumen für leichte und trockene Wände.

Lochstickerei, Englische Stickerei, Schnurlochstickerei, Madeira-Stickerei, eine Weißstickerei, bei der die Muster aus aneinandergereihten Bindlöchern besteht, die mit Überwendlingstichen ausgenäht werden.

Lochstreifen, ein gelochtes Band, meist aus Papier, zum Steuern von Telegraphenapparaten, Rechengeräten, Werkzeugmaschinen usw. Jede Lochgruppe einer Zeile bedeutet in festgelegter Verschlüsselung einen Buchstaben, eine Zahl, einen Rechenbefehl oder einen Arbeitsgang der Maschine.

Lochstreifenkarte, eine Verbindung von Karteikarte und Lochstreifen; dient zur Bearbeitung statist. Zahlenmaterials, z. B. bei der Selex-Technik.

Lochzirkel, der →Innentaster.

Loci [lat. ›Stellen‹], *Philosophie* und *Theologie:* Grundbegriffe, →Locus.

Locke [lɔk], John, engl. Philosoph, * Wrington (bei Bristol) 29. 8. 1632, † Oates (Essex) 28. 10. 1704, studierte in Westminster und Oxford Naturwissenschaften und Medizin, lebte als Arzt und Erzieher im Hause des Grafen von Shaftesbury und war zeitweise in Staatsämtern tätig. 1675–79 hielt er sich in Frankreich auf, kehrte nach England zurück, mußte aber aus polit. Gründen wieder nach Holland fliehen. Mit Wilhelm von Oranien nach England zurückgekehrt, vertrat er die Grundsätze der »glorreichen Revolution« literarisch im Sinne der neuen liberalen Monarchie. Er erhielt ein Amt im Ministerium der Kolonien und gehörte zugleich mit Newton 1695 der königl. Kommission für die Münzreform an.

Sein Hauptwerk ›An Essay concerning human understanding‹ wurde 1690 veröffentlicht. L. begründete darin die Philosophie des engl. Empirismus: gegen Descartes bekämpfte er die Lehre von den angeborenen Ideen und ließ als Erfahrungsquelle nur die Sinneswahrnehmung *(sensation)* und die Selbstwahrnehmung *(reflection)* zu. Die wahrnehmbaren Sinnesqualitäten sind subjektiv, die Sprache ist ein System von Zeichen, die Vorstellungen und ihre Beziehungen vertreten *(Nominalismus)*. Mathematik und Moralwissenschaft erreichen nach L. einen höheren Grad der Gewißheit als die Naturwissenschaften. Der Schluß auf die Existenz Gottes als der Ursache des Daseins gilt als zwingend, doch bleibt das Wesen dieses Gottes unerkennbar. Daraus folgt die Forderung der Toleranz. L.s Staatslehre geht von einem vorstaatl. Naturrecht auf Eigentum aus, das der Staat zu schützen hat, dem folglich auch keinerlei Gewalt über Leben und Tod zusteht. Gegen Hobbes formulierte er den Grundsatz der Volkssouveränität, der monarchischen Exekutive, auch in der Außenpolitik, und des Repräsentativsystems. Seine Gedanken hierzu wurden für die Theorie der engl. Demokratie klassisch, sie beeinflußten über Voltaire und Montesquieu das europäische Denken, einige seiner Formulierungen gingen in die amerikan. Unabhängigkeitserklärung ein. In der Wirtschaftstheorie entwickelte er den Eigentumsbegriff aus der Arbeit, hierin A. Smith vorangehend.

WERKE. An Essay concerning human understanding, hg. v. A. C. Fraser, 2 Bde. (1894), An Essay concerning the understanding, knowlegde, opinion und assent, hg. v. B. Rand (1931), An early draft of L.s Essay, hg. v. R. I. Aaron u. J. Gibbs (1936), Epistola de tolerantia (1689), Two treatises of government (1690), Essays on the law of nature, hg. v. W. v. Leyden (1954), Some thoughts concerning education (1693), The reasonableness of Christianity (1695). – Works, 10 Bde. (1853, Neudr. 1963). – Original letters, hg. v. Th. Forster (²1847), Lettres inédites, hg. v. H. Ollion (1912), L.s travels in France, hg. v. J. Lough (Cambridge 1953).

LIT. H. Mac Lachlan: The religious opinions of Milton, L. and Newton (Manchester 1941); J. O'Connor: J. L. (Penguin Book, 1952); A. Klemmt: J. L. (1952); R. I. Aaron: J. L. (Oxford ²1954); R. Polin: La politique morale de J. L. (1960).

Lockjagd, 1) Jagdart, bei der durch Nachahmung von Tierstimmen mit Instrument *(Locke)* Wild und Raubzeug angelockt werden. 2) Jagdart, bei der abgerichtete Locktiere (z. B. *Lock-Enten)* verwendet werden.

Lockspitzel, Verdeutschung für →Agent provocateur.

Lockstoffe, →Attractants.

Lockyer [ˈɔkjə], Sir Joseph Norman, engl. Astrophysiker, * Rugby 17. 5. 1836, † Salcombe Regis 16. 8. 1920, 1885–1913 Direktor des Sonnenobservatoriums in South Kensington, gründete dann das Hill Observatorium in Sidmouth. L. entwickelte die spektroskop. Beobachtung der Sonnenprotuberanzen und entdeckte 1868 im Sonnenspektrum das Helium.

Locle, Le L. [lə lɔkl], Bezirksstadt im Kanton Neuenburg, Schweiz, mit (1970) 14500

Ew., ein Hauptsitz der Uhrenindustrie des Jura. Uhrenmuseum im Schloß Les Monts.

l'oco [lat.], 1) am Orte. **loco citato,** abgekürzt **loc. cit.,** am angeführten Ort, a. a. O. 2) *Musik:* Bezeichnung für die Aufhebung eines vorausgegangenen Oktavenzeichens.

Locus [lat. ›Ort‹] *der, Mz.* **Loci,** in der älteren *Logik* und *Rhetorik* Fundstätte für Beweise oder Mittel der Stoffsammlung. Der Ausdruck geht auf die Topik und Rhetorik des Aristoteles zurück. Bei ihm ist **topos** [›Ort‹] ein allgemeiner Satz, eine logische Regel, die zur Auffindung von Beweisen dient, z.B.: Was der Gattung widerspricht, widerspricht auch der Art. Im MA. wird locus, l. **dialecticus,** fast gleichbedeutend mit Beweis. Im Sprachgebrauch der Rhetoriker waren **loci communes** Gesichtspunkte zur Auffindung und Gliederung des Stoffs. – In der Theologie des 16. Jhs. wurde der Stoff in Loci gegliedert. Die »Loci communes« Melanchthons waren inhaltlich bestimmt (Sünde, Gesetz, Gnade, Rechtfertigung), die »Loci theologici« M. Canos hatten formale Bedeutung (die Erkenntnisquellen der Theologie: Offenbarung, kirchl. Lehramt usw.). Von Wieland wurde »locus communis« durch »Gemeinplatz« verdeutscht; der Ausdruck gewann später den Sinn einer abgegriffenen Autorstelle. **Locus classicus,** Hauptoder Beweisstelle aus einem Buch.

Lode [lat.] ›Schößling‹], **Lohde** *die,* Laubholzpflanze bis 1½ m Höhe.

Loden [german.] *der,* in Tuch- oder Köperbindung hergestelltes meliertes Streichgarngewebe aus Wolle oder Halbwolle (Tirtyeloden) für Wettermäntel, Sportanzüge u. ä. *Melton-L.* hat wolliges Aussehen, *Strich-L.* eine »in Strich gelegte« Haardecke.

Lodève [lɔdɛːv], Kreisstadt im franz. Dep. Hérault, mit rd. 7500 Ew.; Kathedrale (13. bis 16. Jh.), Krypta des Hl. Fulcran (975).

Lodge [lɔdʒ], 1) Henry Cabot, amerikan. Politiker (Republikaner), * Boston 12. 5. 1850, † Cambridge (Mass.) 9. 11. 1924, bekämpfte als Vors. des auswärtigen Ausschusses des Senats (1918) und als Vertreter des Isolationismus (→Isolation 3) den Beitritt zum Völkerbund und den Versailler Vertrag; hatte wesentl. Anteil am Abschluß des Friedensvertrags mit Deutschland.

2) Henry Cabot, amerikan. Politiker (Republikaner), Enkel von 1), * Nahant (Mass.) 5. 7. 1902, war 1937–42 und wieder 1946–52 republikan. Senator, 1952–60 Hauptvertreter der USA bei den Vereinten Nationen, 1963/64 und von 1965–67 Botschafter in Südvietnam. 1967–69 Botschafter in der Bundesrep. Dtl.; 1970 persönl. Vertreter des amerikan. Präs. beim Hl. Stuhl.

Lodgman von Auen [lˈɔdʒmən], Rudolf, Politiker, * Königgrätz 21. 12. 1877, † München 11. 12. 1962, war 1920–25 Abg. im tschechoslowak. Parlament (Dt. Nationalpartei), 1920–38 Geschäftsführer der dt. Selbstverwaltungskörper in der Tschechoslowakei, nach 1945 in der Vertriebenenorgan. in der Bundesrep. Dtl. tätig.

Lodi

L′odi, Stadt in der ital. Prov. Mailand, mit (1971) 44 400 Ew., an der Adda; Majolikaherstellung, landwirtschaftl. Industrie. – L. wurde 1162 unter Barbarossa gegr. (Dom aus dieser Zeit). 1796 siegte bei L. Napoleon über die Österreicher.

Lodom′erien, der latinisierte Name des russ. Teilfürstentums Wladimir in Wolhynien, das im späteren Galizien aufging.

Lodz, poln. **Łódź,** Hauptstadt der Woiwodschaft L. in Polen, mit (1971) 765 000 Ew., hat Universität (gegr. 1946), Hoch- und Fachschulen, Rundfunksender. Textilindustrie.

Loèche-la-Ville [lɔɛ:ʃ la vil], →Leuk.

Lofer, Luftkurort und Wintersportplatz im Bez. Zell am See, Salzburg, Österreich, mit (1970) 1 600 Ew., an der Saalach, am Fuß der *Loferer Steinberge* (Ochsenhorn 2513 m), 639 m ü. M.

Löffel [german. Stw.; ahd. leffil], Eß- und Schöpfgerät, schon aus der Jungsteinzeit bekannt. Erst im 16. Jh. wurde der L. gleichzeitig mit dem Teller Allgemeingut. Sonderformen werden zu ärztlichen Zwecken und in der Technik bes. bei Bohrungen und Baggerungen verwendet.

Löffel|ente, Löffelgans, Wildente des nördl. Europas, Asiens und Nordamerikas, im Winter südlicher; metallisch grün, grau, weiß, braun, mit Löffelschnabel.

Löffelente

Löffelgarde, Spottname der franzõs. Infanterie in den ersten Jahren der Revolutionskriege, nach der Gewohnheit, den Löffel an die Kopfbedeckung zu stecken, später schlechthin Spottname für undisziplinierte Truppen.

Löffelkraut, *Cochlearia,* Kreuzblütergattung der nördl. gemäßigten Zone und der Arktis. Das etwa 15 cm hohe, saftig-zarte, weißblütige *echte L.* (*Lungen-, Bitter-, Löffelkresse, Quellen-, Scharbockskraut,* C. officinalis) wächst an feuchten Stellen, bes. auch auf Salzwiesen. Das scharfe Kraut ist Volksarznei, bes. gegen Skorbut.

Löffelreiher, fälschl. für →Löffler 2).

Löffler [zu Löffel] *der,* **1)** der junge Damhirsch, bevor er Schaufler wird. **2)** fälschlich auch **Löffelreiher,** *Platalea,* den Ibissen nahestehende Schreitvögel. Der *weiße L.,* weiß mit schwarzem, vorn verbreitertem Schnabel, lebt in Brutkolonien in Europa und Asien; der rosenrote *Rosen-L.* in Mittel- und Südamerika.

weißer Löffler (80 cm lang) mit Jungen

Löffler, Großer L., 3382 m hoher vergletscherter Gipfel der Zillertaler Alpen.

Löffler, Friedrich, Hygieniker, * Frankfurt a. d. O. 24. 6. 1852, † Berlin 9. 4. 1915, entdeckte 1882 den Erreger der Rotzkrankheit der Pferde, 1884 das Diphtheriebakterium.

Löffelkraut: a Blüte, b Blütenknospe, c Schötchen, d Schötchenquerschnitt (Hauptbild etwa ¹/₃ nat. Gr.)

Lofoten [l′ufutən, norweg. ›der Luchsfuß ‹], **Lofot-Inseln,** Inselkette vor der Küste N-Norwegens. Die felsigen, baumlosen, bis 1266 m ansteigenden Inseln sind von Strandflächen umgeben, auf denen Fischereiplätze liegen. Hauptorte: Svolvaer, Kabelvåg. Die

L. haben Fischindustrie und etwas Schafzucht; die *Lofotfischerei* (von Mitte Jan. bis April) geht auf Kabeljaufang. Im N der L. die Gruppe der Vesterål-Inseln mit den großen Inseln Hinnöy (Hauptort: Harstad) und Langöy.

log, Abkürzung von →Logarithmus.

Log [engl.] *das*, die **Logge**, ein Gerät zum Messen der Geschwindigkeit von Schiffen. Das *Hand-L.* besteht aus einem mit Blei beschwerten Brettchen in Form eines Viertelkreisausschnittes, das an der *Logleine* vom Heck ins Wasser geworfen wird. Die in gleichen Abständen durch Knoten markierte Leine läuft der Fahrgeschwindigkeit entsprechend ab, wobei mit Hilfe des *Logglases,* einer Sanduhr, in der 14 sec durch die Hand des Messenden durchgehenden Knoten gezählt werden. Ihre Zahl entspricht der Anzahl der Seemeilen je Stunde; darauf beruht die Geschwindigkeitsangabe in Knoten. Das *Patentlog* ist ein Schraubenpropeller, dessen Umdrehungen über ein Räderwerk als zurückgelegter Weg auf einem Zifferblatt angezeigt werden. Mit einem L. kann nur die Geschwindigkeit durchs Wasser, nicht die über Grund gemessen werden.

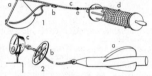

Log: 1 *Handlog,* a *Logscheit (unten mit Blei beschwert),* b *Hülse und Holzpflock (durch Ruck an der Leine lösbare Verbindung, um L. leicht einholen zu können),* c *Logleine,* d *Handrolle,* e *Knoten.* 2 *Patentlog,* a *Schraube,* b *Schwungrad,* c *Zählwerk*

Logan, Mount L. [maunt l´ougən], Gipfel der Eliasalpen an der Grenze Alaskas und Kanadas, 6050 m hoch, stark vergletschert.

loga´ödische Verse [griech. logaoidikos, ›zwischen Prosa und Vers‹], Verse, in denen verschiedene Versgeschlechter (Daktylen, Jamben u. a.) gemischt sind.

Logar´ithmus [griech.] *der*, abgekürzt **log,** der Exponent einer →Potenz, z. B. ist in der Gleichung $5^3 = 125$ die Zahl 3 der L. des Numerus 125 zur Basis 5 ($3 = {}^5$log 125); allgemeiner: in der Gleichung $n = b^a$ ist a der L. des Numerus n zur Basis b, als Gleichung: $a = {}^b$log n. Da z. B. $32 = 2^5$ ist, so ist $5 = {}^2$log 32. Alle L. für dieselbe Basis oder Grundzahl b bilden ein *Logarithmensystem.* Die meistbenutzten Briggschen oder dekadischen L. (abgekürzt lg) haben die Basis $b = 10$; es ist ^{10}log $10 = $ lg $10 = 1$, lg $100 = 2$, lg $1000 = 3$, da $10^1 = 10$, $10^2 = 100$, $10^3 = 1000$, usw. Hieraus folgt, daß die Briggschen L. aller Zahlen zwischen 1 und 10 mit 0, …, zwischen 10 und 100 mit 1, …, zwischen 100 und 1000 mit 2,… usw. beginnen. Die Zahl vor dem Komma, die *Charakteri-*

stik oder *Kennziffer,* ist gleich der um 1 verminderten Anzahl von Stellen der Zahl, deren L. zu bestimmen ist. So ist lg $2 = 0{,}30103$, lg $20 = 1{,}30103$, lg $200 = 2{,}30103$ usw. Die Stellen hinter dem Komma heißen *Mantissen.* Mit Hilfe der in *Logarithmentafeln* zusammengestellten L. lassen sich alle Aufgaben des Vervielfältigens auf Zusammenzählen der L., des Teilens auf Abziehen der L., des Potenzierens auf Vervielfältigen der L., des Wurzelziehens auf Teilen der L. zurückführen. *Beispiel:* Da $100 \times 1000 = 10^2 \times 10^3 = 10^{2+3} = 10^5 = 100000$ ist, braucht man nur die Exponenten 2 und 3, also lg 100 und lg 1000, zusammenzuzählen, um den L. des Produkts zu finden. – Die für die theoret. Physik wichtigen *natürlichen L.* (abgekürzt ln oder log nat) benutzen die aus einer Reihenentwicklung folgende Zahl $e = 2{,}71828…$ als Basis.

Logau, Friedrich, Freiherr von, Dichter, * Brockut bei Nimptsch in Schlesien im Juni 1604, † Liegnitz 24. 7. 1655 als Regierungsrat des Herzogs von Brieg. L. gilt mit seinen prägnanten satirischen Gedichten, in denen er scharfe Kritik an den Mißständen seiner Zeit übte, als bedeutendster Epigrammatiker der Barockliteratur.

WERKE. Erstes Hundert Teutscher Reimen-Sprüche Salomons von Glogau (1638), Deutscher Sinngedichte dreitausend (1654).

Logbuch, das gesetzlich vorgeschriebene Schiffstagebuch (»Journal«), in das alle nautisch wichtigen Beobachtungen und Vorkommnisse eingetragen werden; ist in ähnlicher Form auch in der Luftfahrt vorgeschrieben.

Loge [lo:ʒə, franz.; dort Lw. aus *Laube*], *die,* 1) **Laube,** im Theater kleiner, teilweise abgeschlossener, nach der Bühne hin offener Raum mit wenigen Sitzplätzen; auch Raum für Pförtner (Portierloge). 2) Bund und Versammlungsort der →Freimaurer.

Logger, Lugger [niederl.] *der,* bes. in der Heringsfischerei benutztes Spezialschiff (rd. 200 BRT) mit Dieselmotorantrieb und Hilfsbesegelung, auf dem der Hering sofort nach dem Fang zu Salzhering verarbeitet wird.

Logger: Motor-Fischlogger: a *Segelkoje,* b *Kajüte,* c *Motorraum,* d *Laderaum,* e *Netzraum,* f *Hauptladeraum,* g *Reepraum (backbord),* h *Mannschaftslogis,* k *Kettenkasten,* m *Bugruder,* n *Frischwasser,* p *Spill,* q *Steuerapparat*

Logg

Loggia [l'ɔdʒa, ital. von ahd. laubia ›Laube‹] *die,* 1) eine offene, von Säulen oder Pfeilern getragene, meist gewölbte Bogenhalle, die allein keinen Bau, sondern auch einem Erd- oder Obergeschoß einbezogen sein kann. Zu den bekanntesten der frei stehenden gehört die *Loggia dei Lanzi* in Florenz (1376 bis 1381, ursprünglich Ratshalle, dann Wache der Landsknechte; nachgeahmt in München als →Feldherrnhalle). Die *Loggien Raffaels* im Vatikan, die von dessen Schülern ausgemalt wurden, befinden sich im Obergeschoß des Damasushofs. 2) bei Wohnhäusern nach nach vorn (evtl. auch nach den Seiten) offener überdeckter Raum.

L'ogia Jesu [grch.], **Sprüche Jesu,** sind schon früh zusammengestellt worden, wobei neben echtem Überlieferungsgut auch schon vorjesuanische und Gemeindetraditionen eingeflossen sind. Die Bergpredigt (Matth. 5–7) ist eine Spruchsammlung dieser Art. Eine große Zusammenstellung zu katechet. Zwecken war die von Papias (Eusebius, Historia ecclesiastica 3, 39, 16) bezeugte hebr. Urfassung des Matthäusevangeliums.

...*log'ie*[grch.], an *Fremdwörtern:* ...*kunde.*

logieren [lɔʒ'i:rən, franz.], wohnen.

Logis [lɔʒi:] *das,* 1) Wohnung. 2) Wohn- und Schlafraum der Matrosen an Bord.

Logik [grech.] *die,* 1) Fähigkeit, folgerichtig zu denken. 2) die Lehre von den formalen Beziehungen zwischen Denkinhalten, deren Beachtung im tatsächlichen Denkvorgang für dessen (»logische«) Richtigkeit entscheidend ist. Solche Beziehungen sind z. B. Identität, Gegensatz, Disjunktion (p oder q), Grund-Folge-Beziehung (p gilt, also gilt q); da diese Beziehungen zwischen Begriffen, in und zwischen Aussagen und im Schluß bestehen, unterscheidet die überlieferte L. als Hauptteile die Lehre vom Begriff, vom Urteil (genauer: von der Aussage), vom Schluß. Letztere ist geschichtlich das wichtigste Teilgebiet der L. (Syllogismus). Der Begründer der L. als eines eigenen Teils der Philosophie wurde Aristoteles, indem er die Lehre von den Begriffen, Urteilen und Schlüssen als den Grundformen alles wissenschaftlichen Denkens entwickelte (Analytik). Im späteren Altertum wurde die L. vor allem in der Stoa und im Neuplatonismus, im Mittelalter durch Abálard, Duns Scotus und Wilhelm von Ockham gefördert. Schon im Mittelalter und in der Renaissance, dann bes. bei Leibniz wurde der Versuch unternommen, die L. durch Annäherung an die Mathematik zu einer universalen Wissenschaftslehre auszugestalten. Kants *transzendentale L.* überschritt den Charakter der formalen L., indem sie aus den Urteilsformen Kategorien für die Gegenstandserfassung zu gewinnen suchte. Dies wurde ein Ansatzpunkt für die Fortbildung der L. zur *metaphysischen L.,* die der deutsche Idealismus vornahm und die bei Hegel zur *dialektischen L.* führte.

Bereits von Fr. Bacon, bes. im 19. Jh. (J. St. Mill), wurde eine *induktive L.* entwickelt, die die in den Erfahrungswissenschaften gehandhabten Verfahrensweisen behandelte. Gleichzeitig entstand die Tendenz, die Denkprozesse vorwiegend als Bewußtseinsvorgänge zu untersuchen *(psychologistische L.).* Husserl stellte im Anschluß an Bolzano sein Programm einer »reinen L.« als Wissenschaft von den idealen Bedingungen der Möglichkeit von Wissenschaft überhaupt entgegen. Außerdem wurde die neuere L. vor allem als Lehre von den allgemeinsten Grundsätzen und den Methoden der Einzelwissenschaften (Methodologie) ausgebaut. →mathematische Logik.

Lit. B. v. Freytag-Löringhoff: L. (1955); I. M. Bocheński: Formale L. (1956); G. Jacoby: Die Ansprüche der Logistiker auf die Logik und ihre Geschichtsschreibung (1962).

Log'istik [griech.], →mathematische Logik.

Log'istik [aus franz.] *die,* der Zweig der militär. Führung, der die materielle Versorgung, die Materialerhaltung, das Transport- und Verkehrswesen, den Abschub der Verwundeten und Kranken, die Infrastruktur und das logist. Verbindungswesen der Streitkräfte zur Aufgabe hat. Die L. wird wahrgenommen durch die General-(Admiral-)stabsabteilung GH (AH) der Kommandobehörden.

Logizismus [griech. Kw.], in der mathemat. Grundlagenforschung der Versuch, die Mathematik auf ein System logischer Grundsätze zu gründen (→Formalismus). Der L. wurde bes. von Frege, Dedekind und Russell, in neuerer Zeit vor allem von Quine vertreten.

Logogr'aphen [griech.], 1) die ältesten griech. Geschichtsschreiber (z. B. Hekataios, Hellanikos). Der Ausdruck wurde zuerst, z. B. von Thukydides, abwertend gebraucht; später in mehr wertfreiem Sinn für die alten Prosaiker als Vertreter des aneinanderreihenden, noch nicht unterordnenden Satzbaus.

2) Die Tätigkeit der **rhetorischen** L. (z. B. Lysias) bestand im Entwerfen von Reden; da sie das attische Bürgerrecht nicht besaßen, konnten sie z. B. in Athen vor Gericht nicht selbst auftreten.

Logogr'iph [griech. Kw.] *der,* Buchstaben- oder Worträtsel.

Logopädie [grch.], Sprachheilpflege.

Logos *der,* 1) *Philosophie:* Das Wort L. ist seit Heraklit eines der Grundworte der griech. und hellenist. Philosophie. Es umfaßt eine Reihe verschiedener Bedeutungen. Einerseits bedeutet L. »Erzählung«, so bei Homer, und daher dann auch »Rede«, »Wort«. Andererseits bedeutet es »Zählung«, »Rechnung« (in der Mathematik auch »Proportion«) und insbes. auch die »Abrechnung über Gelder«. Insofern darin alles Erforderliche berücksichtigt werden muß, nimmt L. Bedeutungen wie »Rücksicht«, »Wertschätzung«, dann aber auch »Überlegung«, »Bedingung«, »Grund«, »Sinn« an. L. ist dabei immer auf eine Sache bezogen, gelegentlich diese selbst. Bei Heraklit sind die Bedeutungen noch ungeschieden: L. ist ihm das aufzeigende Wort, das Aufzeigen des Sachverhalts und dieser selbst in seinem Sinn oder Wesen oder auch die ihn beherrschende Norm. In der zweiten Hälfte des 5. Jhs. v. Chr. nimmt L. auch die Bedeutung des Vermögens zum Wort, zum Aufzeigen des Sinnes an, des »Verstandes«, der »Vernunft« (grch. nus) und wird damit gleichbedeutend. Aber seine Bedeutungen treten nun auch schärfer auseinander. Auf das in der Rede sich äußernde rationale Vermögen des Menschen zielen die *Sophisten* ab; L. wird fester Begriff der *Rhetorik*, als Kraft der Menschenführung erscheint er bei Isokrates, der L. ermöglicht die Polis und die Entstehung von Kultur. Dieser individualist. Auffassung treten Sokrates und Platon entgegen, indem sie den L. wieder an das Sein knüpfen. Für Aristoteles entspringt die Tugend und damit die Glückseligkeit des Menschen dem L., der jener allein von allen Lebewesen besitzt.

Ein wesentlich neues Element tritt in der *Stoa* hinzu. Der L. wird zum »Weltgesetz«, ja als *L. spermatikos* zur Kraft, die alles durchwirkt und hervorbringt, also Gott. Die Anknüpfung der Stoiker an Heraklit führt zu einer Umdeutung. Die Vorstellung des L. als einer aktiven Kraft rührt vermutlich aus semitischen Quellen her (Gründer der Schule, Zenon, war Semit). Im hebräischen »Wort« liegt die Vorstellung einer dinglichen Macht. Verwandte Gedanken finden sich in der L.-Spekulation des *Neuplatonismus* (Plotin), und über ihn beeinflussen sie die weitere Geschichte der Metaphysik. Bei Philon von Alexandria verschmelzen griech.-hellenist. und jüdische Vorstellungen (»L. Gottes«); der L. nimmt bei ihm anthropomorphe Züge an.

LIT. M. Heinze: Die Lehre vom L. in der griech. Philosophie (1872); A. Aall: Gesch. der L.-Idee, 2 Bde. (1896–99); F. E. Walton: Development of the L.-doctrine in Greek and Hebrew thought (1911); W. Nestle: Vom Mythos zum L. (²1948).

2) *Neues Testament:* Neben dem Gemeinbegriff »Wort« und der Offenbarung Gottes oder Jesu bedeutet L. im Johannesevangelium auch den Sohn Gottes (Joh. 1, 1. 14; 1. Joh. 1, 1; Apokal. 19, 13). Der johanneische L. ist präexistent (schon vor der Erschaffung der Welt da), hat die Welt erschaffen, hat (als Jesus von Nazareth) Fleisch angenommen und hat denen, die ihn aufnahmen, die Macht gegeben, Kinder Gottes zu werden. Über die geschichtl. Wurzeln der johanneischen L.-Aussagen ist bis heute kein Einverständnis erzielt; sie berühren sich mit der Lehre des A. T. von der personifizierten Weisheit und mit der Spekulation Philons, stellen ihnen jedoch den L. als vom Vater verschiedene göttl.

Person scharf gegenüber. Die frühchristl. Apologetik hat die Vorahnung des christl. L.-Begriffs in der heidnischen L.-Spekulation gern betont, Augustinus ihn zu einem Pfeiler seiner Trinitätslehre gemacht.

LIT. E. Krebs: Der L. als Heiland im 1.Jh. (1910); R. G. Bury: The 4th Gospel and the L.-Doctrine (1940).

Logroño [loɡrˈonjɔ], Provinzhauptstadt in Spanien (Altkastilien), (1970) 71100 Ew., 320 m ü. M., am oberen Ebro; Weinbau.

Lohblüte, *Fuligo varians (Aethalium septicum)*, ein Schleimpilz, der auf Gerberlohe honigähnliche Fladen bildet.

Lohde *die*, Lode.

Lohe [Grundbedeutung ›Lichtung‹], lichte Glut, flackernde Flamme.

Lohe [ahd. lo, Grundbedeutung ›Baumrinde‹], **Gerberlohe**, zerkleinerte und gemahlene pflanzliche Gerbmittel (Eichenoder Fichtenrinde, Früchte u. a.).

Löhe, Johann Konrad Wilhelm, evang. Theologe, * Fürth 21. 2. 1808, † Neuendettelsau 2. 1. 1872, war führend in der diakon. Arbeit, strebte eine Neugestaltung von Hauptgottesdienst und Stundengebet an. – Ges. Werke (1951 ff.).

Loheland, Schule für Gymnastik, Landbau und Handwerk, in Dirlos (Rhön), gegr. 1912; angegliedert ist ein Landerziehungsheim für Kinder bis zu 14 Jahren.

Lohengrin, Sagenheld aus dem Gralskreis, Sohn des Parzival, kommt auf Geheiß des Königs Artus der bedrängten Herzogin Elsa von Brabant in einem von einem Schwan gezogenen Schiff zu Hilfe; doch muß er sie nach glücklicher Ehe wieder verlassen, als sie die verbotene Frage nach seiner Herkunft stellt. Wolfram v. Eschenbach fügte die Sage in seinen ›Parzival‹ ein. Weitere Bearbeitung in der zweiten Hälfte des 13. und im 15. Jh. Romantische Oper von Richard Wagner (Urauff. Weimar 1850).

Lohenstein, Daniel Casper von (geadelt 1670), Dichter, * Nimptsch (Niederschlesien) 25. 1. 1635, † Breslau 28. 4. 1683, schrieb heroisch-pathetische Trauerspiele (Ibrahim Bassa, 1650; Sophonisbe, 1669) und den Roman ›Großmütiger Feldherr Arminius‹ (1689/90). L. gilt als der bedeutendste dt. Dramatiker des Spätbarock.

Lohfelden, Gemeinde im Kreis Kassel, Hessen, mit (1974) 11 300 Ew.

Lohkäfer, ein →Nashornkäfer.

Lohkrankheit, Baumkrankheit, bei der an Zweigen und Wurzeln durch abnormen Wassergehalt der Gewebe Auftreibungen entstehen, die zu gerberlohähnlichem Pulver zerfallen.

Lohmar, Gem. im Rhein-Sieg-Kreis, Nordrhein-Westfalen, mit (1974) 20 700 Ew.

Lohn [german. Stw.], das auf Arbeit beruhende Einkommen, bes. das Entgelt für die Arbeitsleistung der gewerblichen Arbeitnehmer.

Der L. ist in der Regel *Geldlohn*. Entscheidend für den Lebensstandard ist bei

Lohn

schwankendem Geldwert nicht der *Nominallohn*, d. h. der rein zahlenmäßige Geldbetrag, sondern der *Reallohn*, d. h. die Menge von Gütern, die dafür gekauft werden kann. Maßstab für den Wert des Reallohns ist der Index der →Lebenshaltungskosten (→gleitender Lohn). Beim *Naturallohn* wird mit lebensnotwendigen Gütern (z. B. freier Wohnung und Verpflegung) bezahlt. Für gewerbl. Arbeiter, Bergarbeiter und techn. Angestellte ist die Naturalentlohnung verboten (Truckverbot), für landwirtschaftl. Arbeiter, Hausgehilfen und Seeleute zulässig.

Bei *Zeitlohn (Wochenlohn, Stundenlohn)* wird der L. nach der Arbeitszeit berechnet. Er ist vor allem da angebracht, wo die Arbeit eine besondere Sorgfalt erfordert, wo die Arbeitsgeschwindigkeit von der Maschine bestimmt wird oder allgemein, wo die Leistungsbasis schlecht errechenbar ist. Dagegen wird dem *Akkord-, Stück-* oder *Gedingelohn* die normale Arbeitsleistung zugrunde gelegt, so daß bei Mehrleistung ein höherer L. erreicht wird. Als Akkordbasis gilt die nach arbeitswissenschaftl. Grundsätzen (Refa-Verfahren) festgestellte Vorgabezeit. Der *Prämienlohn* ergänzt den Zeit- oder Akkordlohn durch eine Prämie für besondere Leistungen. Ähnlichen Anreiz bietet die →Gewinnbeteiligung. – Der Sozial- oder →Familienlohn berücksichtigt den Familienstand des Lohnempfängers. Die →Kostenrechnung unterscheidet *Fertigungslohn*, den L. für direkt am Einzelerzeugnis geleistete Arbeit, und *Hilfslohn*, den L. für diejenige Arbeit, die der Fertigung indirekt zugute kommt.

In den →Tarifverträgen werden die Arbeiter entsprechend ihrer Arbeit in Lohngruppen *(Tariflohn)* eingestuft, wobei jede Gruppe in ein prozentuales Verhältnis zum →Ecklohn gesetzt wird. Lohnzuschläge werden für Mehrarbeit, Sonn- und Feiertagsarbeit, Nachtarbeit u. a. gewährt.

Die L. werden meist wöchentlich, Gehälter monatlich ausgezahlt. Große Firmen gehen dazu über, auch die L. monatlich auszuzahlen. Bei der Auszahlung wird ein Beleg *(Lohnzettel, -tüte, -buch)* ausgehändigt, auf dem der festgesetzte L. *(Bruttolohn)*, die Abzüge (Lohn-, Kirchensteuer, Beiträge zur Sozialversicherung) und der danach auszuzahlende Lohnbetrag *(Nettolohn)* verzeichnet sind.

Die L.-Theorien erklären das Wesen und die Höhe des L. sowie die Ursachen und Wirkungen von L.-Veränderungen. – Die L.-Politik umfaßt die Bestrebungen und Maßnahmen zur Beeinflussung des gesamten L.-Niveaus oder des L. einzelner Arbeitnehmergruppen. Ziel ist der Abschluß eines neuen oder die Revision eines bestehenden Tarifvertrags. Die L.-Politik liegt in der Bundesrep. Dtl. bei den Gewerkschaften und den Arbeitgeberverbänden. Die gewerkschaftl. L.-Politik ist auf Erhaltung und Steigerung des Real-L. gerichtet; ihre Mittel sind L.-Forderungen und L.-Kämpfe (Streiks). Auf seiten der Arbeitgeberverbände ist der betriebswirtschaftl. Kostengesichtspunkt in den lohnpolitischen Diskussionen bestimmend.

Lit: F. Fürstenberg: Probleme der L.-Struktur (1958); H. Timme: Löhne und Gehälter nach Leistung (1961); E. Kosiol: Leistungsgerechte Entlohnung ([2]1962).

Lohne, Stadt im Kr. Vechta, VerwBez. Oldenburg, Niedersachsen, mit (1974) 17 300 Ew., hat Handelslehranstalten, Freilichtbühne; versch. Industrie.

Löhne, Stadt im Kr. Herford, Nordrhein-Westfalen, mit (1974) 38 300 Ew., vielseitige Industrie. L. ist 1969 durch Zusammenlegung von 5 Gemeinden Stadt geworden.

Lohnnebenkosten, gesetzliche, tarifliche und betriebseigene (betriebsbedingte und zusätzl.) Sozialaufwendungen, die über Lohn und Gehalt hinaus von den Betrieben übernommen werden.

Lohnpfändung, Gehaltspfändung, in der →Zwangsvollstreckung in beschränktem Umfang mögliche Pfändung noch nicht ausgezahlter Lohn- und Gehaltsforderungen (§ 850 ff. ZPO). Unpfändbar sind Renten, bestimmte Sonderzulagen, das Nettoeinkommen bis 338 DM monatlich (78 DM wöchentlich, 15,60 DM täglich). Für höheres Einkommen gilt eine Tabelle (Anhang zur ZPO). Von diese Beträge übersteigenden Arbeitseinkommen sind $^3/_{10}$ des Mehrverdienstes unpfändbar, sowie weitere $^2/_{10}$ für die erste, $^1/_{10}$ für jede weitere unterhaltsberechtigte Person, der der Schuldner zu versorgen hat, wobei aber $^1/_{10}$ des Mehrverdienstes immer pfändbar bleiben muß.

Wegen bestimmter gesetzl. Unterhaltsansprüche ist die L. erleichtert; dem Schuldner muß aber der notwendige Bedarf belassen werden.

In *Österreich* gilt eine im wesentlichen ähnliche Regelung. In der *Schweiz* besteht keine gesetzl. Pfändungsgrenze; der Betreibungsbeamte entscheidet nach Ermessen über die Festlegung des Existenzminimums. Die L. ist aber auf die Dauer eines Jahres beschränkt.

Lohn-Preis-Spirale, bildl. Ausdruck für das Anziehen der Löhne als Folge von Preissteigerungen und für das Steigen der Preise als Folge von Lohnerhöhungen.

Lohnsteuer, die →Einkommensteuer für Einkünfte aus nichtselbständiger Arbeit; sie wird durch Steuerabzug vom Arbeitslohn erhoben, ist vom Arbeitgeber bei der Lohnzahlung einzubehalten und an das Finanzamt abzuführen. Der L. unterliegen alle Einnahmen eines Arbeitnehmers, die diesem aus einem Arbeitsverhältnis in bar oder in Sachwerten, mit oder ohne Rechtsanspruch zufließen. Durchlaufende Gelder zählen nicht als Arbeitslohn, ebensowenig in gewissen Grenzen Reisekostenentschädigungen, Zuschüsse zu Mahlzeiten u. a. Steuerfrei sind die Zuschläge für Sonntags- oder Nachtarbeit (→Feiertag). Ab 1. 1. 1965 wird ein Arbeitnehmer-Freibetrag gewährt, der in der Lohnsteuertabelle eingebaut ist. In der amtl. Lohnsteuertabelle sind Pauschbeträge für →Werbungskosten und →Sonderausgaben bereits berücksichtigt; für darüber hinausgehende Beträge sowie für →außergewöhnliche Belastungen können Freibeträge auf der Lohnsteuerkarte eingetragen werden. 1964 wurden sechs *Steuerklassen* geschaffen. Ab 1. 1. 1975 (Steuerreformgesetz von 1974) fallen in Steuerklasse I: Unverheiratete unter 50 Jahre und ohne Kinder; Klasse II: Unverheiratete über 50 Jahre oder mit Kindern sowie Verwitwete; Klasse III: Verheiratete, wenn nur ein Ehegatte erwerbstätig ist oder für den anderen Ehegatten Klasse V eingetragen ist; Klasse IV: Verheiratete, die beide erwerbstätig sind; Klasse V: auf Antrag ein Ehegatte, wenn beide erwerbstätig sind (für den anderen wird Klasse III eingetragen); Klasse VI: Arbeitnehmer, die in mehr als einem Dienstverhältnis stehen.

Die von der Gemeindebehörde jährlich ausgestellte *Lohnsteuerkarte* hat der Arbeitnehmer dem Arbeitgeber bei Beginn des Arbeitsverhältnisses oder zu Anfang des Kalenderjahres zu übergeben. Die Gesamtbeträge des Lohns und der L. werden zum Jahresende auf der L.-Karte bescheinigt; Arbeitnehmer mit schwankendem Arbeitslohn können auf Antrag im *Lohnsteuerjahresausgleich* vom Finanzamt, z. T. auch vom Arbeitgeber die zuviel gezahlte L. rückvergütet bekommen.

Lohnsummensteuer, →Gewerbesteuer.

Lohnwerk, eine Form des Handwerks, bei der der Auftraggeber die Rohstoffe selbst liefert und der Handwerker nur die Arbeit leistet, entweder im Hause des Kunden oder in der eigenen Werkstatt; z. B. in der Maßschneiderei üblich. Gegensatz: Preiswerk.

Lohr (am Main), Kreisstadt (Main-Spessart-Kreis) im RegBez. Unterfranken, Bayern, mit (1974) 16 700 Ew., hat A Ger., staatl. Forstschule; mannigfaltige Industrie; Stadtpfarrkirche (13. bis 15. Jh.), Rathaus (1599 bis 1601).

Löhr, Alexander, dt. GenOberst, * Turn-Severin 20. 5. 1885, † (hingerichtet in Jugoslawien) 16. 2. 1947. Aus der österreich. Wehrmacht hervorgegangen, führte er im 2. Weltkrieg bis Juni 1942 eine Luftflotte, seit Jan. 1943 war er Oberbefehlshaber Südost.

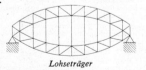

Lohseträger

Lohseträger, Fachwerkträger, dessen Ober- und Untergurte durch Hängestäbe verbundene Fachwerke sind.

Loi, Ureinwohner von Hainan, →Li.

Loibl, Karawankenpaß, 1366 m hoch, verbindet Klagenfurt in Kärnten mit Krainburg in Jugoslawien.

Loir [lwa:r] *der*, linker Nebenfluß der Sarthe in Westfrankreich, 310 km lang, 115 km schiffbar.

Loire [lwa:r], **1)** *die*, größter Fluß Frankreichs, 1020 km lang, entspringt am Westabhang der Cevennen und mündet bei St-Nazaire in den Atlant. Ozean; 825 km schiffbar, durch Kanäle mit der Seine, der Saône, der Brest und dem Oberlauf des Cherry verbunden; unregelmäßige Wasserführung.
2) Departement in Mittelfrankreich, 4799 qkm, mit (1970) 725 700 Ew.; Hauptstadt: Saint-Étienne.
3) Haute-Loire [ɔ:t-], Dep. in Mittelfrankreich, 5001 qkm, mit (1970) 207 300 Ew.; Hauptstadt: Le Puy.
4) Loire-Atlantique [-atlɑ̃tik], Dep. im westl. Frankreich, 6980 qkm, mit (1970) 878 800 Ew.; Hauptstadt: Nantes.
Loiret [lwarɛ], Departement in Mittelfrankreich, 6812 qkm, mit (1970) 445 400 Ew.; Hauptstadt: Orléans.
Loir-et-Cher [lwa:rɛfɛ:r], Departement in Mittelfrankreich, 6422 qkm, mit (1970) 274 000 Ew.; Hauptstadt: Blois.
Loisach *die*, Nebenfluß der Isar, 120 km lang, entspringt bei Lermoos (Tirol), mündet bei Wolfratshausen.
Loiseleuria [lwazl'œria] *die*, →Azalee.
Loisy [lwazi], Alfred, franz. Religionshistoriker und -philosoph, * Ambrières (Marne) 28. 2. 1857, † Ceffonds (Haute-Marne) 1. 6. 1940, lehrte am Collège de France, wurde von der kathol. Kirche 1908 namentlich exkommuniziert, kirchengeschichtlich gilt er heute als »Vater des Modernismus«.
WERKE (waren sämtl. auf dem Index). L'évangile et l'église (1902, ⁵1930), Religion et humanité (1926), Les origines du Nouveau Testament (1936).
Lojang, Stadt in der chines. Prov. Honan, am mittleren Huangho, 250000 Ew., Wiege des chines. Buddhismus; großes Traktorenwerk.
lok'al [lat.], örtlich, räumlich, auf einen Ort beschränkt. **Lokal,** Wirtschaft, Gaststätte.
Lokalität, Örtlichkeit, Raum.
Lok'al|anästhesie [lat.-griech. Kw.], die örtliche Betäubung (→Schmerzbekämpfung).
lokale Nebelgruppe, eine selbständige, zusammengehörige Gruppe von etwa 15 nahen Sternsystemen, die mit der Milchstraße eine lokale Verdichtung in dem allgemeinen Feld der Nebel bilden. Zu ihr gehören der Andromedanebel und die beiden Magellanschen Wolken.
Lokalfarbe, die in einem Bild wiedergegebene Eigenfarbe eines Gegenstandes, unverändert durch Licht und Schatten oder durch Angleichung an einen Gesamtton.
Lokalisation, 1) örtliche Begrenzung, Beschränkung auf einen Ort. **2)** Ortsbestimmung. **3)** *Psychologie:* Zuordnung von see-

257

Loka

lischen Geschehnissen zu bestimmten Stellen im Gehirn.

lokalisieren, 1) beschränken, begrenzen. 2) den Ort feststellen.

Lokalstück, heiter-realistisches Theaterstück, das Ereignisse und Sitten einer Gegend oder einer bes. Stadt meist in Mundart darstellt *(Lokalposse).*

Lokaltermin, gerichtlicher Termin außerhalb des Gerichts zur Augenscheinseinnahme oder Zeugenvernehmung.

Lokalzug, Vorortzug; Zug einer Kleinbahn.

Lokao, *Chinesisches Grün,* ein Farblack, der aus der Rinde von ostasiat. Kreuzdornarten gewonnen wird. L. läßt sich leicht pulvern und ist wasserlöslich; dient in China zum Grünfärben von Stoffen.

L'okativ [lat.] *der,* Kasus in manchen Sprachen, der auf die Frage »wo?« antwortet.

Lok'ator [lat. ›Vermieter‹], im MA. allgemein der vom Landes- oder Grundherrn mit der Durchführung einer Städtegründung beauftragte Unternehmer; in der ostdt. Kolonisation des MA.s ein vom Landes- oder Grundherrn Beauftragter, meist ein Ritter, der das Siedlungsland an die Ansiedler verteilte.

Loki, die rätselvollste Gestalt der german. Götterwelt. An ihr ist fast alles unklar, und die starken Analogien zu Gestalten anderer religiöser Umkreise erhellen sie nur wenig. Der Name knüpft an das german. Verbum luka = schließen an. L. wäre demnach der Endiger, der Schließer, also ein Unterwelts- und Todesdämon – vielleicht mehr noch: der Dämon der Vernichtung überhaupt, des Weltunterganges. In diesem Licht zeigt ihn die →Völuspa, in der er als Feldherr der dämonischen, götterfeindl. Kräfte erscheint. Die weitverbreitete Vorstellung des Untergangs der Welt im Feuer läßt L. auch als Feuerdämon erscheinen, und der wortspielende, nordgerman. Nebeneinandersetzung von L. (Endiger) und Logi (Lohe) hat zu einer starken Vermischung der Vorstellungen geführt. Religionsgeschichtlich beheimatet glaubt man die Gestalt im asiat. Osten, etwa im Kaukasusgebiet, wo auch eine Art Angleichung an den Prometheus-Mythos stattgefunden haben mag (der an den Felsen gefesselte Unhold). L. ist aber auch das andere Extrem seiner Erscheinungsform, der Spaßmacher unter den Göttern. Im stärksten Gegensatz zu dem geheimen oberen Welt zeigt ihn das Götterlied *Lokasenna* (die Zankreden des L.), in dem er Götter und Göttinnen mit Spott und Schmähungen überschüttet. L.s unsühnbares Verbrechen ist die Tötung des Licht- und Jugendgottes Baldr, eine Tat, die schon auf das bevorstehende Ende der Götter hinweist. Tükkisch bedient er sich dabei des ahnungslosen und blinden Gottes Hödr. Im ganzen mutet L. als Fremdling im german. Götterkreis an. Der Germane sah im allgemeinen die bösen und menschenfeindlichen Elemente in der Welt in der Gestalt der Riesen oder Jötunn.

Zu ihnen wird L. meist nur in späteren Quellen gerechnet.

L'okogeschäft [von lat. locus ›Ort‹], ein →Kassengeschäft in Waren.

Lokohofpreis, Verkaufspreis bei Abnahme eines landwirtschaftl. Erzeugnisses auf dem Hof des Erzeugers.

Lokomob'ile [lat. Kw.] *die,* eine fest mit dem Dampfkessel verbundene Dampfmaschinenanlage, fahrbar oder ortsfest. Der Kessel ist meist ein kombinierter Flammrohr- oder Rauchrohrkessel mit herausnehmbarem Heizrohrsystem und oft mit Überhitzer. L. werden meist mit Ein- oder Zweizylinder-Heißdampfmaschinen ausgeführt, mit einer Dauerleistung bis 900 PS.

Lokomotion [lat. Kw.], Ortsveränderung, Fortbewegung. **lokomot'orisch,** 1) nicht ortsfest, beweglich. 2) der Fortbewegung dienend.

Lokomotive [lat. Kw.], abgekürzt **Lok,** Zugmaschine der schienengebundenen Bahnen. Der auf dem Laufwerk ruhende Rahmen trägt das Triebwerk und den übrigen Aufbau. Das Laufwerk umfaßt Lauf- und Treibachsen. Bei Dampfantrieb sind die letzteren gekuppelt. Bei geringer Achsenzahl werden die Achsen im Rahmen fest gelagert. Zum Erreichen der nötigen Kurvenläufigkeit bei mehr als zwei gekuppelten Achsen dienen verschiedene Maßnahmen. Laufachsen werden kurvenläufig gelagert als →Lenkachsen (Adamsachse und Bisselachse); ferner→Drehgestell.

Antrieb. Die *Dampf-L.* erzeugt den Dampf selbst durch Verbrennung von Holz, Torf, Kohle oder Öl in einem →Dampfkessel. Ihr Triebwerk ist im wesentlichen eine →Dampfmaschine. Durch den Langkessel ziehen sich die Heiz- und Rauchrohre; in den Rauchrohren von größerem Querschnitt liegen die Überhitzerrohrschlangen. Auf dem Langkessel sitzen der Dampfdom und meist noch der Speisedom; neuere Bundesbahn-L. haben einen hinter dem Überhitzer liegenden Heißdampfregler. Im Speisedom wird das Speisewasser in den Dampfraum eingeführt und zerstäubt. Im →Blasrohr wird durch Auspuffdampf ein dem Dampfverbrauch entsprechender Unterdruck zur Feueranfachung erzeugt. Durch die Windleitbleche beiderseits der Rauchkammer wird das Niederschlagen von Dampf und Rauch vor den Fenstern des Führerhauses verhindert.

Dampfbetriebene *Schnellzug-L.* haben Treibraddurchmesser von 1800–2000 mm, in der Regel drei Kuppelachsen, vorauslaufendes Laufdrehgestell und teilweise hintere Laufachse; *Personenzug-L.* 1500–1750 mm Treibraddurchmesser, drei oder vier Kuppelachsen, vorauslaufendes Drehgestell oder Laufachse und teilweise hintere Laufachse; *Güterzug-L.* 1250–1600 mm Treibraddurchmesser, bis zu sechs Kuppelachsen und vordere, seltener auch hintere Laufachse; *Verschiebe-L.* 1000–1100 mm Treibraddurchmesser, drei bis fünf Kuppelachsen und in der Regel keine Laufachsen. *Schlepptender-*

L. führen im Tender größere Kohlen- und Wasservorräte für längere Streckenfahrten mit; *Tender-L.* haben die Kohlen (bis etwa 7 t) in Kästen an der Führerhausrückwand und das Wasser (bis 30 cbm) in Behältern beiderseits des Kessels und innerhalb des Rahmens. *Gelenk-L.* besitzen mehrere gelenkig miteinander verbundene Triebgestelle.

Turbo-L. verwenden eine Dampfturbine, die über ein Zahnradgetriebe und eine Blindwelle die Kuppelachsen antreibt. Bes. in England und den USA werden *turbo-elektrische L.* großer Leistung gebaut, bei denen in turbinengetriebenen Generatoren der Strom für Elektro-Fahrmotoren erzeugt wird.

Feuerlose Dampf-L. (z. B. in größeren Werken) haben einen zu 80–90 % mit Wasser gefüllten zylindr. Kessel, in den aus einem ortsfesten Kessel Dampf eingeführt und das Kesselwasser auf etwa 200° C (entsprechend 12–14 atü) erhitzt wird. Bei Dampfentnahme siedet das Wasser, der neu entstehende Dampf wird zum Antrieb benutzt.

Die *elektrische L.* erhält den Strom entweder aus einer Leitung oder Schiene über Stromabnehmer oder aus Akkumulatoren-Batterien. Heutige elektr. L. haben Einzelachsantrieb. Die größte Verbreitung hat die meist mit Kollektormotoren betriebene Einphasen-Wechselstrom-L. für $16^2/_3$ Hz (in einigen Ländern auch 50 Hz) gefunden. Der Strom wird aus der Fahrleitung mit 15000

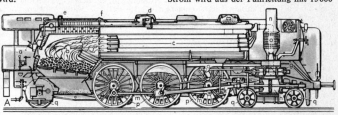

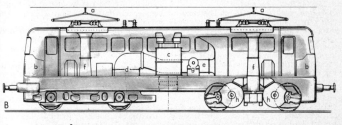

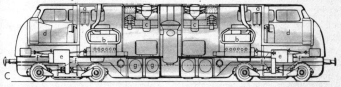

Lokomotive: A *Schematischer Schnitt durch eine Schnellzug-Dampflokomotive 2'C1' der Deutschen Bundesbahn (DB) Baureihe 01, Höchstgeschwindigkeit 140 km/h (1937):* a *Führerstand,* b *Feuerung,* c *Rauchrohrkessel,* d *Dampfdom,* e *Dampfpfeife,* f *Sicherheitsventil,* g *Schieberkasten,* h *Zylinder mit Kolben,* k *Treibstange,* m *Kuppelstange,* n *Schornstein,* o *Funkenfänger,* p *Treibräder,* q *Laufräder*
B *Schematischer Schnitt durch eine Elektrische Schnellzuglokomotive Bo'Bo' (DB) Baureihe E 10, Höchstgeschwindigkeit 130 km/h (1950):* a *Stromabnehmer,* b *Führerstände,* c *Hauptumspanner,* d *Ölkühler,* e *Lüfter für Ölkühler,* f *Vertikallüfter für Fahrmotoren,* g *Motorluftpumpe,* h *Fahrmotoren*
C *Schematischer Schnitt durch eine 2000-PS-Diesellokomotive B'B' (DB) Baureihe V 200, Höchstgeschwindigkeit 140 km/h (1954):* a *Kraftstoffbetriebsbehälter,* b *Dieselmotoren,* c *Kühler,* d *Führerstände,* e *Flüssigkeitsgetriebe,* f *Gelenkwellen,* g *Kraftstoffbehälter*

Loko

(20000 oder 25000) Volt Spannung von zwei Stromabnehmern mit Kohleschleifstücken entnommen. Er fließt über einen Hauptschalter in die Hochspannungswicklung des Transformators und von dort durch die Schienen zur Speisestelle zurück. Im Transformator wird der Fahrdrahtstrom in den wesentlich stärkeren Motorenstrom mit regelbarer Spannung von 0 bis 600 V umgewandelt. Die Spannungsabstufung wird ermöglicht durch mehrere Anzapfungen der Niederspannungswicklung des Transformators mit Hilfe eines Stufenschaltwerks. In Verbindung mit den Hauptstrommotoren ist auf diese Weise eine fast stetige und verlustlose Regelung des Antriebs möglich. Der Transformator hat außerdem noch Anzapfungen für den Betrieb der Hilfsmaschinen (meist 220 V), für die Zugheizung (800 und 1000 V) und die Beleuchtung. Die meisten elektr. L. haben Fernsteuereinrichtung, durch die über ein Kabel entweder eine zweite unbemannte L. mitgesteuert oder die L. von einem Steuerwagen aus ferngesteuert werden kann.

Akkumulatoren-L. werden für den Verschiebedienst vor allem in feuergefährdeten Betrieben und in Bergwerken verwendet. *Akku-elektrische L.* sind sowohl für Akkumulatoren- wie für Fahrleitungsbetrieb eingerichtet und werden im Verschiebedienst auf Bahnhöfen verwendet.

Die *Brennkraft-L.* wird durch Dieselmotoren, Vergasermotoren oder auch durch Gasturbinen angetrieben. Von diesen hat die *Diesel-L.* die größte Verbreitung gefunden und in den Ländern mit Erdölvorkommen die Dampf-L. weitgehend verdrängt. Zahnradstufengetriebe mit einem Wechselgetriebe für Fahrtrichtungswechsel werden für Leistungen bis etwa 500 PS und für einfache Betriebsverhältnisse verwendet. Bei den 800- und 2000-PS-Diesel-L. der Dt. Bundesbahn werden zur Kraftübertragung Flüssigkeitsgetriebe benutzt. Die elektr. Übertragung wird in den außerdeutschen Ländern fast allgemein bevorzugt. Bei ihr ist der Dieselmotor mit einem Gleichstromgenerator gekuppelt, der den Strom für die Fahrmotoren liefert.

Die *Gasturbinen-L.* ist die jüngste Entwicklung im L.-Bau. Bei der vorwiegend verwendeten Ausführung treiben die mit Heizöl betriebenen Gasturbinen Gleichstromgeneratoren, die den Strom für die Tatzlagerfahrmotoren liefern. Ihre Leistungen betragen bis zu 4500 PS. Die *Druckluft-L.* hat starkwandige Kessel oder Stahlflaschen, die aus ortsfesten Anlagen mit Druckluft von 100 bis 200 atü gefüllt werden (vorwiegend in Bergwerken). Über *Zahnrad-L.* →Zahnradbahn.

Die Bezeichnung der L. richtet sich nach der Achsanordnung: Laufachsen werden durch arab. Ziffern, Treib- und Kuppelachsen durch große latein. Buchstaben bezeichnet. Einzelachsantrieb wird durch eine kleine 0, vom Hauptrahmen unabhängige Lagerung durch einen hochliegenden Beistrich gekennzeichnet.

GESCHICHTLICHES. Die erste Dampf-L. wurde 1804 in England von Trevithick erbaut. Die 1813 von Hedley gebaute »Puffing Billy« war die erste brauchbare L. Die Urform aller späteren L. schuf Stephenson mit der 1829 für den Wettbewerb der Liverpool-Manchester-Bahn erstellten »Rocket«; 1835 lieferte er auch die »Adler« für die erste dt. Eisenbahn Nürnberg–Fürth. 1876 baute Mallet in Frankreich die erste Verbund-L., 1921 F. Ljungström die erste brauchbare Turbinenlokomotive. Um etwa 1930 wurden die Versuche mit Kohlenstaub-L. aufgenommen, 1934 bauten Henschel und Borsig die ersten Stromlinien-L. für hohe Geschwindigkeiten. Die erste elektr. L. wurde 1879 von W. v. Siemens auf der Berliner Gewerbeausstellung vorgeführt. Mit einem Dreiphasen-Drehstrom-Triebwagen wurde 1903 eine Geschwindigkeit von 210 km/h erreicht. Die ersten Versuche, den Dieselmotor für L. zu verwenden, gehen auf Rud. Diesel selbst zurück, der 1908 eine 1000-PS-Diesel-L. entworfen hat. Die erste größere dieselhydraul. L. wurde 1935 für die Dt. Reichsbahn gebaut.

LIT. F. Meineke und Fr. Röhrs: Die Dampflokomotive, Lehre und Gestaltung (1949); Henschel-Lokomotiv-Taschenbuch (1954). *Zeitschriften:* Die Lokomotivtechnik; Eisenbahntechnische Rundschau; Glasers Annalen; Elektrische Bahnen.

Lokomotivführer, Maschinist, dessen Aufgabe die Führung von Lokomotiven ist.

L'okoware [zu ital. loco], sofort verfügbare Ware.

Lokri, altgriech., von *Lokrern* gegr. Kolonie an der O-Küste Unteritaliens, am Zephyrion-Vorgebirge. Nach Zerstörung durch den jüngeren Dionysios sank es zur röm. Provinzialstadt herab; jetzt nur noch wenige Überreste.

L'okris, zwei Landschaften im alten Griechenland: 1) das *hypoknemidische,* auch *epiknemidische* oder *opuntische* L. an der Küste gegenüber Euböa; 2) das *ozolische* L. am N-Ufer des korinth. Golfs. Beide wurden von *Lokrern* bewohnt.

L'okrum, italien. **Lacroma,** kleine, vor Dubrovnik liegende Insel Jugoslawiens mit Mittelmeervegetation.

Lok Sabha [›Versammlung des Volkes ‹], das Unterhaus in Indien.

Lolch [mhd.; Lw. aus lat.] *der, Lolium,* eine Gattung von Gräsern mit zweiseitig abgeflachter Ähre. Der *ausdauernde L. (Wiesenlolch, englisches Raygras,* deutsches *Weidelgras,* L. perenne), bis 0,7 m hoch, grannenlos, in Europa, Nordafrika, im gemäßigten Asien (in Nordamerika, Australien eingeführt). Das ausdauernde *italienische Raygras (welsches Weidelgras,* L. italicum), begrannt, mit sehr langer Ähre, einheimisch in West-, Südeuropa, Nordafrika und Vorderasien, angebaut (auch verwildert) in Mitteleuropa, ist ein gutes Mähwiesengras. Der einjährige *Taumellolch* (*Tollgerste*, L. temulentum), bis 0,8 m hoch, begrannt, ist Unkraut des Sommergetreides. Sein giftiger Samen wirkt im Mehl gesundheitsschädlich.

Lolland, Laaland [l′ɔlan], dän. Insel südl. von Seeland, 1241 qkm groß, mit rd. 90 000 Ew.

Lollh′arden, 1) anfängl. Beiname für die →Alexianer. **2)** in England die Anhänger →Wiclifs.

Lollobrigida [-dʒ-], Gina, ital. Filmschauspielerin, * Subiaco 4. 7. 1928. Filme: Fanfan der Husar (1951), Die Schönen der Nacht (1952).

L′olo, Nosu, eine Völkergruppe mit tibetobirmanischer Sprache in SW-China und N-Hinterindien. Sie sind Ackerbauer und Viehzüchter, wohnen in Holz- oder Lehmhäusern, besitzen eine eigene Schrift.

Lom′ami, etwa 1500 km langer linker Nebenfluß des Kongo in Afrika, 390 km (bis Litoko) schiffbar.

Lombard [nach den Lombarden] *der* oder *das,* **1)** Beleihung (→Lombardgeschäft). **2)** † Leihhaus, Darlehensbank.

Lombard′ei, italien. **Lombard′ia** [nach den Langobarden], geschichtl. Landschaft Oberitaliens mit der Poebene als Kerngebiet, 23 804 qkm mit (1971) 8,543 Mill. Ew., Region mit 9 Provinzen, Hauptstadt: Mailand.

GESCHICHTE. Die L. war der Mittelpunkt der langobard. Herrschaft in Italien (568 bis 774). Durch Karl d. Gr. wurde sie ein Teil des Fränk. Reichs, Otto d. Gr. vereinigte sie 951 mit dem Deutschen Reich. Im 11. Jh. blühten die Städte, bes. Mailand, rasch empor; sie unterstützten, im Lombard. Bund zusammengeschlossen, die Päpste im Investiturstreit und im Kampf gegen die Staufer. Im späteren Mittelalter geriet der östl. Teil des Landes unter die Herrschaft Venedigs, während die übrige L. das Hzgt. Mailand bildete. Der Wiener Kongreß gab 1815 die L. als *Lombardisch-Venezianisches Königreich* an Österreich, das aber 1859 die L. und 1866 auch Venetien an das Kgr. Italien abtreten mußte.

Lomb′arden [ital.], **1)** Bewohner der →Lombardei. **2)** im späteren Mittelalter Geldwechsler und Pfandleiher, die ursprünglich aus Oberitalien kamen und neben den Juden Kreditgeschäfte gegen Zins übernahmen (daher →Lombard,→Lombardgeschäft,→Lombard Street).

Lomb′ardgeschäft [nach den Lombarden], ein Aktivgeschäft der Banken durch Gewährung kurzfristiger Darlehen gegen leichterveräußerliche, in ihrem Wert jederzeit feststellbare Faustpfänder (Waren, Wertpapiere, Edelmetalle usw.). Beliehen werden durch die Dt. Bundesbank insbesondere die in Lombardlisten zusammengestellten »lombardfähigen« Wertpapiere; der Lombardzinsfuß *(Lombardsatz)* liegt in der Regel 1 % über dem Diskontsatz.

lombardieren, 1) verpfänden. **2)** beleihen.

Lomb′ardo, italien. Baumeister- und Bildhauerfamilie vom Luganer See, tätig in Venedig: *Pietro* (* um 1435, † 1515) schuf Grabmäler in Venedig und Padua und baute die Kirche S. Maria dei Miracoli in Venedig (1481–89) gemeinsam mit seinen Söhnen *Antonio* († um 1516) und *Tullio* († 1532); von Tullio stammen das Grabmal Vendramin in SS. Giovanni e Paolo, der Fassadenschmuck der Scuola di S. Marco in Venedig und die Chorkapelle im Dom in Treviso.

Pietro Lombardo: Fassade von S. Maria dei Miracoli in Venedig

Lombard Street [l′ɔmbəd stri:t; nach den Lombarden], Straße in der Innenstadt Londons, Sitz großer Banken; danach: der engl. Geldmarkt überhaupt.

Lombardus, Petrus, →Petrus Lombardus.

L′ombok, eine der Kleinen Sunda-Inseln in Indonesien, 5435 qkm groß, durch die *Lombokstraße* von Bali getrennt.

Lombr′oso, Cesare, ital. Arzt, * Verona 18. 11. 1836, † Turin 19. 10. 1909 als Prof. der gerichtl. Medizin und Psychiatrie; wurde bekannt durch seine Lehren vom »geborenen Verbrecher« und von den Beziehungen zwischen Genie und Irrsinn.

WERKE. Genie und Irrsinn (1864; dt. 1920), Der Verbrecher (1876; dt. 2 Bde., 1887–90).

L′ome, Hauptstadt der Republik Togo, mit (1970) 148 400 Ew., ist Ausfuhrhafen und Ausgangspunkt von 3 Bahnlinien; Erzbischofssitz.

L′ommatzsch, Stadt im Kr. Meißen, Bez. Dresden, mit (1964) 5400 Ew., am lößbedeckten Saum des mittelsächs. Hügellandes in der fruchtbaren *L.er Pflege* (Obst, Gemüse, Zuckerrüben, Weizen); Glasindustrie; Pfarrkirche (1504–14), Rathaus (1734).

L′ommatzsch, Erhard, Romanist, * Dresden 2. 2. 1886, Prof. in Frankfurt a. M., gibt das ›Altfranzös. Wörterbuch‹ heraus (seit 1925).

Lommel, Ludwig Manfred, Komiker, * Jauer 10. 1. 1891, † Bad Nauheim 19. 9.

1962, wurde bes. bekannt durch seine Rundfunkparodien ›Sender Runxendorf‹.

Lomnitz, Marie Louise, geb. Klamroth, * Moskau 14. 12. 1863, † Leipzig 17. 5. 1946, förderte den Blindenunterricht; schrieb ›Lehrb. der system. Punktschrift-Typographie‹ (1930).

Lomnitzer Spitze, der zweithöchste Gipfel der Hohen Tatra, 2634 m hoch, mit Observatorium und Schwebebahn.

Lomond [l′oumənd], **1)** Ben L., Berg in Schottland, 973 m hoch. **2)** Loch L., See im mittleren Schottland, der größte Großbritanniens, 85 qkm groß, bis 192 m tief.

Lomon′ossow, bis 1948 **Oranienbaum,** Hafenstadt am Finnischen Meerbusen, Sowjetunion, mit rd. 30000 Ew.; Gießereien; ehem. Zarenschloß (1714).

Lomon′ossow, Michail Wasiljewitsch, russ. Gelehrter und Schriftsteller, * Denissowka b. Cholmogory 19. 11. 1711, † Petersburg 15. 4. 1765, Prof. in Petersburg, bemühte sich um die Ausbildung einer wissenschaftl. Chemie, war Anhänger einer atomist. Theorie und in vieler Hinsicht Vorläufer Lavoisiers. Als Dichter schrieb er Oden, versuchte sich auch in Epos und Drama. Seine philologischen Arbeiten sind von größter Bedeutung für die Entwicklung der russ. Schriftsprache.

Lomon′ossow-Land, russ. Name des →Franz-Joseph-Landes.

London [engl. l′Andən], **1)** Hauptstadt Großbritanniens und des Commonwealth, Mittelpunkt des zum 1. 4. 1965 geschaffenen Verwaltungsbezirkes *Greater London,* als Groß-London mit (1972) 7,350 Mill. Ew., das die *City of L.* sowie 32 Stadtbezirke (*L.-Boroughs*) umfaßt. L. ist einer der bedeutendsten Handels- und Verkehrsmittelpunkte der Welt (Wappen: TAFEL Wappenkunde I, 43). L. liegt im Londoner Becken auf den Ufern der Themse, 75 km oberhalb ihrer Mündung; der Hafen ist für Seeschiffe erreichbar.

Stadtbild. Der ursprüngl. Kern, die City, ist fast ausschließlich Geschäftsstadt (1971:

4200 Ew.). Hier sind die großen Banken, bes. an der Lombard Street, die Bank von England, Börse (Royal Exchange), Mansion House (Amtswohnung des Lord Mayors), das Hauptpostamt, das Rathaus (Guildhall; 1411–31), am östl. Ende der →Tower, an bemerkenswerten Kirchen die St.-Pauls-Kathedrale (1675–1710; TAFEL Englische Kunst II, 1) und St. Mary le Bow (1670–80). Von den im 2. Weltkrieg zerstörten Kirchen sind St. Bride, St. Clement Danes, St. Stephen Walbrook, Temple Church und Chelsea Old Church wiederaufgebaut.

Die verkehrsreichen Hauptstraßen Fleet Street und Strand führen zur City of Westminster, dem Regierungsviertel. Vom Trafalgar Square mit der Nelsonsäule (1843) laufen Whitehall, an der die verschiedenen Ministerien liegen, und Parliament Street, wo das Kenotaph, das Grabmal des unbekannten Soldaten, steht, zum Parliament Square. Hier liegen das ausgedehnte Parlamentsgebäude (1840–52) mit der Westminster Hall (1399 umgestaltet), gegenüber die frühgot. →Westminster-Abtei. Die breite Mall führt am St. James′ Park und St. James′ Palast, dem früheren Wohnsitz der Könige, vorüber zum Buckinghampalast (seit 1837 königl. Residenz). Im W liegen Hyde Park und Kensington Gardens mit dem Kensingtonpalast und dem Albertdenkmal, umgeben von vornehmen Wohnvierteln. Von der City führt der Holbornviadukt nach Holborn und die nordwestl. Stadtteilen in der Nähe des Regent′s Parks mit botan. und zoolog. Gärten. Die nördl. und nordöstl. Stadtteile, vor allem Islington, Finsbury, Whitechapel, Hackney, sind Arbeiter- und Industrieviertel. Im O befinden sich die großen Hafenanlagen, Docks und Werften. Einheitlicheres Gepräge trägt die Südseite von L. (vorwiegend Industrie und Großhandel). In Lambeth befindet sich der Lambethpalast, der Sitz des Erzbischofs von Canterbury. Brücken: London Bridge, Waterloo Bridge, Tower Bridge.

Wirtschaft. Die günstige Verkehrslage L.s

London: Themse mit St.-Pauls-Kathedrale

zum Innern Englands und vor allem zu den Häfen des Festlandes hat die Stadt seit der Römerzeit zum Handelsmittelpunkt Englands gemacht. Das Londoner Börsenwesen ist von Weltbedeutung. L. steht unter den brit. Einfuhrhäfen an 1. Stelle. Die Industrie beschränkt sich auf Verbrauchsgüter (Bekleidungs-, Schuh-, Automobil-, Rundfunk-, Elektrogeräte-Industrie, Buchverlage). Der Londoner Flughafen liegt in Middlesex.

Bildungsanstalten. Universität (gegr. 1836) mit Colleges und Instituten, Gresham College mit 4 Fakultäten, 4 Rechtsschulen, College of British Architects, Hochschule für Lehrerbildung, Hochschulen für Mediziner, Tierärzte, Königl. Militärakademie, Königl. Marine-College, Musikhochschulen, viele wissenschaftl. Gesellschaften. Unter den Museen steht an erster Stelle das →Britische Museum; weiter sind zu erwähnen das Viktoria-und-Albert-Museum (Kunstgewerbe, Gemälde u. a.), das Museum für Naturkunde, an Gemäldesammlungen die Nationalgalerie, die Tategalerie, die städt. Galerie, die Wallace Collection, die National-Porträtgalerie; viele Theater (darunter Royal Opera in Covent Garden) und Konzertsäle (wie die Royal Festival Hall).

GESCHICHTE. Bis zum Beginn der Neuzeit beschränkte sich L. auf die heutige City. Die uralte Keltensiedlung wurde als *Londinium* die Hauptstadt der röm. Prov. Britannien, »ein geschäftiger Handelsplatz« (Tacitus) und der Ausgangspunkt des röm. Straßennetzes mit dem Tower als Zitadelle. Unter den Sachsen entwickelte sich die städt. Selbstverwaltung. Wilhelm der Eroberer konnte sich der Stadt nur durch Vertrag und Bestätigung ihrer Rechte bemächtigen. Das Bürgermeisteramt und der Stadtrat entstanden Ende des 12. Jhs. Obwohl der Tower immer im Besitz der Krone gewesen ist, wurde nicht L., sondern die Nachbarstadt Westminster seit Eduard dem Bekenner der Sitz des Herrschers und später des Parlaments. Schon im 14. Jh. eine der volkreichsten Städte Europas (1377: 35000–40000 Ew.), dehnte sich L. seit etwa 1500 nach allen Richtungen aus. Die Pest von 1665 und das Große Feuer von 1666 hemmten die Entwicklung nur vorübergehend; die Bevölkerung wuchs von etwa 500000 um 1650 auf etwa 900000 um 1800 und 1,5 Mill. um 1830. Der Wirrwarr der Verwaltung des Riesengebiets, in dem während des 18. und 19. Jhs. Hunderte von Kleinstädten, Dörfern, Landgütern, Forsten aufgingen, wurde durch den L. Government Act von 1899 geklärt, der die Verwaltungsorganisation schuf, die bis 1963 gültig war (Neuordnung mit Wirkung um 1. 4. 1965).

LIT. W. Kent: Lost treasures of L. (Kriegsschäden, 1947); H. Gernsheim: Beautiful L. (1951); K. Baedeker: L. and its environs (²⁰1952); E. W. White u. M. Hürlimann: L. (Zürich ²1959); D. Piper: London (1966).

2) Stadt in Kanada mit (1963) 170000 Ew.; Universität; Industrie: Radioapparate,

Kühlschränke, Textilien, Eisenwaren, Maschinen, Nahrungsmittel.

London [lˈʌndən], Jack, eigentlich John Griffith, amerikan. Erzähler, * San Francisco 12. 1. 1876, † (Selbstmord) Glen Ellen (Cal.) 22. 11. 1916, führte ein abenteuerliches Leben. Von Marx und Nietzsche beeinflußt, schrieb er sozialist. Romane, Elendsschilderungen, Goldgräber- und Südseegeschichten sowie hervorragende Tiergeschichten.

Romane: Der Sohn des Wolfs (1900), Ruf der Wildnis (1903), Wolfsblut (1906), Lockruf des Goldes (1910); autobiographisch: Martin Eden (1909), König Alkohol (1913). Alle Romane auch in dt. Übersetzung.

LIT. Charmian London: J. L., 2 Bde. (1921; dt. 1928); J. Stone: Zur See und im Sattel (1938; dt. 1948).

Londonderry [lˈʌndəndˈeri], **Derry**, 1) Grafschaft in Nordirland, 2074 qkm, (1971) 130300 Ew. 2) Hauptstadt von 1), (1971) 51900 Ew., am Foyle, bedeutender Hafenplatz, Sitz eines prot. Bischofs; Kathedrale, vielseit. Industrie. – L. geht auf eine Klostergründung (546) des Columbanus zurück.

Londoner Konferenzen und Vereinbarungen.
1) Londoner Vertrag vom 26. 7. 1827, in dem England, Frankreich und Rußland die Autonomie Griechenlands garantieren.
2) L. K. vom 6. 10. 1831, auf der die europ. Großmächte die Unabhängigkeit und Neutralität Belgiens garantieren.
3) Vertrag vom 11. 5. 1867 über die Neutralität Luxemburgs.
4) Konferenz der Großmächte (4. 12. 1908 bis 26. 2. 1909) zur Regelung von Fragen des Seekriegsrechts (Blockade, Konterbande u. a.). Die beschlossene *Londoner Deklaration* trat nicht in Kraft.
5) Reparationskonferenzen vom 1.–7. 3. 1921, auf der das *Londoner Ultimatum* (4.5.) an das Dt. Reich beschlossen wurde, und vom 7.–14. Aug. sowie vom 8.–11. Dez. 1922, auf denen sich Großbritannien einer Forderung von »produktiven Pfändern« widersetzte (Ruhrbesetzung).
6) Flottenkonferenz (21. 1.–22. 4. 1930), auf der Großbritannien, USA, Frankreich, Italien und Japan ihre Flottenneubauten begrenzten (*Fünfmächtevertrag; Dreimächtevertrag* zwischen USA, Japan, Großbritannien).
7) deutsch-brit. *Flottenabkommen* vom 18. 6. 1935, in dem das Verhältnis der dt. Flottenstärke zur brit. auf 35:100, der U-Boot-Tonnage auf 45:100 festgelegt wurde.
8) Abkommen zwischen Frankreich, Großbritannien, Sowjetunion, Verein. Staaten v. 8. 8. 1945 über die Aburteilung von →Kriegsverbrechen.
9) die Londoner Schuldenkonferenz (28. 2. bis 8. 8. 1952), führte zum →Londoner Schuldenabkommen.
10) Neunmächtekonferenz, auf der nach dem Scheitern der →Europäischen Verteidigungsgemeinschaft die Beendigung des

Besatzungsregimes in der Bundesrep. Dtl. und die Aufstellung dt. Streitkräfte in neuen Formen beschlossen wurde (*Londoner Schlußakte* v. 4.10.1954); vertraglich festgelegt in den →Pariser Verträgen v. 23.10.1954. Die Schlußakte behält ihre selbständige Bedeutung durch die darin aufgenommene Zusicherung Großbritanniens, auf dem europ. Festland (einschließlich der Bundesrep. Dtl.) 4 Divisionen und die dazugehörigen takt. Luftstreitkräfte zu belassen.

11) die 3 Konferenzen der 22 Benutzernationen des →Suezkanals (16.–23. 8., 18. bis 21. 9., 1.–4.10. 1956) zur Klärung der durch die Verstaatlichung des Kanals entstandenen Lage. Auf der 3. Konferenz gründeten 15 Nationen die Vereinigung der Suezkanal-Benutzer (Suez Canal Users' Association, SCUA).

12) die Abrüstungsverhandlungen des Abrüstungsausschusses der Verein. Nationen (USA, Großbritannien, Kanada, Frankreich, Sowjetunion; 13. 5. 1954–6. 9. 1957 in 5 Abschnitten).

Londoner Schuldenabkommen vom 27. 2. 1953, regelt die Rückzahlung der dt. Vorkriegs- (bes. Auslandsanleihen des Dt. Reichs, private Sonderkredite und Handelsschulden) und Nachkriegsschulden (bes. aus der Wirtschaftshilfe der USA) unter Erlaß eines Teils der Schulden.

London School of Economics and Political Science [l'ʌndən sku:l ov i:kən'ɔmiks ænd pol'itikəl s'aiəns], 1895 von Sidney Webb als Abendschule für Sozialwissenschaften gegr., 1900 der Universität London angegliedert; pflegt Volkswirtschaft, Rechts- und Staatswissenschaften, Geschichte, Geographie, Literatur. Ihren Aufschwung verdankt sie bes. Sir William Beveridge, der sie 1919–37 leitete. An ihr lehrten u. a. Attlee, Cripps, Dalton, Gaitskell, Laski, Pethick-Lawrence.

L'onga [lat., zu ergänzen nota ›lange Note‹] *die, Mensuralmusik:* die zweitlängste Note.

Long'ane [aus chines. Longjen ›Drachenauge‹] *die,* **Longanpflaume,** *Linkeng,* die beiden südostasiat. Gattungen *Nephelium* und *Euphoria* der Seifennußgewächse, z. T. tropische Obstbäume mit pflaumengroßen Früchten, deren fleischiger Samenmantel gegessen wird.

Long Beach [lɔŋ bi:tʃ], Hafen und Seebad in Kalifornien, USA, (1970) 358 600 Ew.; Erdölquellen.

Longchamp(s) [lõʃã], bekannte Pferderennbahn im Bois de Boulogne bei Paris.

Longe [lõʒ, franz.], **Laufleine,** eine Leine, an der man Pferde zur Ausbildung im Kreis herumlaufen läßt. Das **Longieren** wird bes. als erste Arbeit bei jungen und bei schwierigen Pferden angewendet.

Longfellow [l'ɔŋfelou], Henry Wadsworth, amerikan. Dichter, * Portland (Maine) 27. 2. 1807, † Cambridge (Mass.) 24. 3. 1882, war 1836–54 Prof. an der Harvard-Universität. Er reiste viel in Europa und übersetzte europ. Poesie (u. a. Dante). L.s Dichtung ist von der dt. Romantik, der schott. Balladendichtung und den Dichtern des Viktorianischen England, bes. Tennyson, beeinflußt. Mit seinen Verserzählungen (Evangeline, 1847; Hiawatha, 1855) erreichte er die Popularität Scotts und Byrons. Als formbegabter Repräsentant des bürgerl. Idealismus gehörte L. bis zum 1. Weltkrieg zu den meistgelesenen Dichtern in engl. Sprache.

WERKE. Riverside Edition, 11 Bde. (Boston 1886), Werke, dt. von H. Simon, 2 Bde. (1883, Neudr. 1916). – The Poets and Poetry of Europe (seine Übers., 1870). – Sonnets, hg. v. F. Greenslet (Boston 1907), Evangeline, krit. Ausg. v. E. Sieper (1905; dt. von P. J. Belke 1854, 1947), Hiawatha (1855; dt. v. F. Freiligrath, 1857, 1871).
LIT. E. Wagenknecht: H. W. L. (1955).

Longford [l'ɔŋfəd], irisch **Longphort** [l'ɔŋfərd], Grafschaft in der Republik Irland (Prov. Leinster), 1044 qkm, (1971) 28 200 Ew. Hauptstadt: L. (1971) 3900 Ew.

Longhena [lɔŋg'ena], Baldassare, ital. Baumeister, * Venedig 1598, † das. 18. 2. 1682, schuf mit der Zentralkuppelkirche S. Maria della Salute (1631–82) einen Hauptakzent im Stadtbild von Venedig.

Longhena: S. Maria della Salute, Venedig

Longhi [l'ɔŋgi], Pietro, ital. Maler, * Venedig 1702, † das. 8. 5. 1785, Schüler von G. M. Crespi in Bologna, malte das häusl. und gesellschaftl. venezian. Leben seiner Zeit. Sein Sohn *Alessandro* (* 1733, † 1813) war Bildnismaler.

Longinus [vielleicht von grch. lonche ›Lanze‹], nach den Pilatus-Akten der Name des Hauptmanns unter dem Kreuz (Mark. 15, 39) und des Soldaten, der Jesu Seite mit der Lanze öffnete (Joh. 19, 34). Die spätere Legende faßte beide oft zusammen. L. wird als erster heidnischer Bekenner des Christentums und als Märtyrer verehrt; Tag: 15. 3. Seine Lanze (→Heilige Lanze) spielte im MA. als Reliquie eine so große Rolle wie er selbst in der Abendmahlsliteratur, der Sage

(Gral), der Kunst, dem Volksschauspiel. Bernini schuf von ihm 1629–38 für den nordwestl. Kuppelpfeiler von St. Peter in Rom eine monumentale Statue.

Longinus, neuplatonischer Philosoph und Grammatiker, * um 213, † 273, lehrte im Unterschied zu Plotin, daß die Ideen getrennt von der göttlichen Vernunft *(nus)* existieren.

Long Island [- ailənd], größte Insel an der Ostküste der USA, gehört zum Staat New York, 3780 qkm groß, durch den bis 40 km breiten *Long-Island-Sund* vom Festland getrennt. Auf L. I. liegen Teile der Stadt New York (Brooklyn und Long Island City), viele Seebäder; Kernforschungszentrum Brookhaven.

longitudin′al [lat. Kw.], längs . . ., auf den Längengrad bezüglich.

Long-run-Analyse [-rʌn-, engl.], die Untersuchung eines sich über einen längeren Zeitabschnitt erstreckenden Wirtschaftsprozesses.

long ton [l′ɔŋ tən], abgek. *lg./t.*, engl. Gewicht = 1,016 t.

L′ongus, griech. Schriftsteller, vermutlich des 3. Jhs., erzählte in einem Schäferroman die Liebe des →Daphnis und der Chloë. Dt. von F. Jacobs (neubearb. v. H. Floerke, ²1946), von L. Wolde (1949). In Byzanz und in der ital. Renaissance wurde der Roman viel gelesen, in der Rokokozeit nachgeahmt (Paul et Virginie), von Goethe sehr bewundert; vielfach illustriert (A. Maillol, R. Sintenis).

Pietro Longhi:
Die Apotheke (Venedig, Akademie)

Longwy [lɔ̃vi], Stadt in Nordfrankreich, mit (1968) 21500 Ew., nahe der belg. Grenze; wichtiger Bergbau- und Industrieort (Eisenerzabbau, Hochöfen). – L. gehörte zum Hzgt. Bar und kam 1679 an Frankreich.

Longyearbyen [-ji:əb′yən], der Hauptort von Spitzbergen.

Löningen, Gemeinde im Kr. Cloppenburg, Niedersachsen, mit (1974) 10100 Ew., hat AGer.; Metallwaren-und andere Industrie.– Um 800 als Missionskirche gegr.

L′onja, linker Nebenfluß der Save in Jugoslawien.

Lönnrot [l′œnrut], Elias, finn. Volkskundler und Sprachforscher, * Sammatti (Nyland) 9. 4. 1802, † das. 19. 3. 1884, war Arzt, später Prof. der finn. Sprache und Literatur, stellte aus erzählenden finn. Volksliedern das Volksepos →›Kalevala‹ und in den ›Kanteletar‹ (3 Bde., 1840; dt. 1882) alte lyrische und balladenartige Dichtungen zusammen.

Löns, Hermann, Schriftsteller, * Culm (bei Graudenz) 29. 8. 1866, † (gefallen) bei Reims 26. 9. 1914.

WERKE. Mein grünes Buch (1901), Mein braunes Buch (1906), Mümmelmann (1909), Mein buntes Buch (1913), Der Wehrwolf (1910). Gedichte.

Lons-le-Saunier [lɔ̃ lə sɔnje], Hauptstadt des Dep. Jura im östl. Frankreich, (1968) 18800 Ew.; Badeort (schwefelhaltige Solquellen).

L′onza, Nebenfluß der Rhone, →Lötschental.

LONZA Elektrizitätswerke und Chemische Fabriken AG, Gampel (Wallis) und Basel; schweizer. Unternehmen, gegr. 1897.

Loo, van L., später Vanloo, niederländ.-franz. Malerfamilie.

1) Charles Amadée Philippe, Sohn von 4), * Turin 21. 8. 1719, † Paris 15. 11. 1795, seit 1748 in Berlin für Friedrich d. Gr. tätig.

2) Charles André, gen. Carle, Enkel von 3), * Nizza 15. 2. 1705, † Paris 15. 7. 1765, Erster Maler Ludwigs XV.; schuf Historienbilder und Bildnisse.

3) Jakob, * Sluis bei Brügge um 1614, † Paris 26. 11. 1670, seit 1642 in Amsterdam, seit 1662 in Paris ansässig, dort 1663 Akademiemitglied; malte mytholog. Aktkompositionen und Bildnisse, auch Gruppenporträts.

4) Jean-Baptiste, Bruder von 2), * Aix 11. 1. 1684, † das. 19. 9. 1745, auch in Italien und London als Historien- und Bildnismaler tätig.

5) Louis Michel, Sohn von 4), * Toulon 2. 3. 1707, †Paris 20. 3. 1771, war 1735–52 in Madrid, dann in Paris Hofbildnismaler.

Look [luk], amerikan. Unterhaltungsmagazin, gegr. 1937, mit einer Auflage von rd. 4 Mill. eine der größten Zeitschriften der Welt.

Looping [l′u:piŋ, engl.] *der*, auch **Looping the loop** [θe lu:p. ›eine Schleife schlingen‹], Figur im Kunstflug, die im Fliegen eines senkrechten Kreises aus der Waagrechten nach oben oder nach unten besteht.

Loos, 1) Adolf, Architekt, * Brünn 10. 12. 1870, † Wien 24. 8. 1933, Vorkämpfer einer neuen und sachlichen, auf jedes Ornament verzichtenden Bauweise. Schriften: Orna-

Loos

ment und Verbrechen (1908), Trotzdem (²1931), Ins Leere gesprochen (²1932), Sämtliche Schriften, 2 Bde. (Bd. 1: 1962).
Lıt. A. L., hg. v. H. Kulka (1931); F. Glück: A. L. (1931).

2) Cécile Ines, schweizer. Schriftstellerin, * Basel 4. 2. 1883, † Basel 21. 1. 1959, schrieb Romane (Die leisen Leidenschaften, 1934; Jehanne, 1946; Leute am See, 1951).

3) Theodor, Schauspieler, * Zwingenberg (Bergstraße) 18. 5. 1883, † Stuttgart 27. 6. 1954, war zuerst Kaufmann, kam in Leipzig zum Theater und über Danzig und Frankfurt a. M. nach Berlin (bei Brahm am Lessingtheater, später bei Jessner, Reinhardt und Hilpert).

Loosli, Carl Albrecht, schweizer. Schriftsteller, * Schüpfen (Bern) 5. 4. 1877, † Bümpliz 22. 5. 1959, Erzähler und Lyriker in Berner Mundart und Schriftsprache, Zeitsatiriker und Polemiker.

L'ope de V'ega, span. Dramatiker, →Vega.

Lopes [l'opeʃ], **Craveiro** L., Francisco, portugies. General und Politiker, * Lissabon 12. 4. 1894, † das. 2. 9. 1964, war Aug. 1951 bis Juni 1958 Staatspräsident.

López [l'opeð], Diktatoren von Paraguay:
1) Carlos Antonio, * Asunción' 4. 11. 1790, † das. 10. 9. 1862, Neffe des Diktators Francia, 1844–62 Staatspräsident, öffnete das Land den Fremden, schuf ein Heer nach preuß. Muster.

2) Francisco Solano, Sohn von 1), * Asunción 24. 7. 1827, † am Rio Aquidabán 1. 3. 1870, wurde 1862 Staatspräsident. Durch seine ehrgeizige Machtpolitik getrieben, geriet er in einen Krieg (1864–70) mit Brasilien, Uruguay und Argentinien, in dem Paraguay vernichtend geschlagen wurde.

López de Ay'ala [l'opeð -], Pedro, span. Schriftsteller, * Vitoria (Alava) 1332, † Calahorra 1407, seit 1398 Kanzler von Kastilien, war ein bedeutender Chronist. Sein ›Rimado del Palacio‹ ist eine beißende Satire auf die Zeitverhältnisse.

López y Portaña [l'opeθ i pɔrt'aɲa], Vicente, span. Maler, * Valencia 19. 9. 1772, † Madrid 22. 6. 1850, Schüler von Maella, beeinflußt von Mengs, seit 1802 Kammermaler Karls IV.
WERKE. Karl IV. nimmt die Huldigung der Universität Valencia entgegen (Madrid, Palacio Real), Fresken in Madrid, Prado u. Palacio Real.

Lopnor, Lobnor, weites Seen- und Sumpfgelände im östlichen Chinesisch-Turkestan, Mündungsgebiet des Tarim, wanderte infolge der Laufveränderungen im 4. Jh. nach S, jetzt wieder nordwärts.
Lıt. S. Hedin: Der wandernde See (⁶1940).

Lorain [lor'ein], Hafenstadt in Ohio, USA, am Eriesee, (1970) 78 200 Ew. Umschlag von Kohle und Eisenerz; Hochofen-, Stahl- u. Röhrenwalzwerk.

LORAN-System, Abkürzung für **L**ong **ra**nge **n**avigation, ein Funkortungsverfahren, während des 2. Weltkriegs in den USA entwickelt, überdeckt heute fast vollständig den Nordatlantik, den Nordpazifik sowie große Teile des Indischen Ozeans. Es dient zur Peilung bei Langstreckenflügen durch 2 ortsfeste, synchronisierte, mit gleicher Amplitude arbeitende Sender. Die Laufzeit ihrer Impulse wird verglichen. Für ein Senderpaar liegen die Orte gleicher Laufzeitdifferenz auf einer Hyperbel. Der jeweilige Standort wird als Schnittpunkt von zwei oder drei Hyperbeln ermittelt; die Hyperbelscharen sind in mitgeführte Spezialkarten eingedruckt. Die Ortungsgenauigkeit beträgt etwa 5 km. Die Reichweite der Sender beträgt bei Tage 750 Seemeilen, bei Nacht unter Benutzung der Raumwelle das Doppelte.

Lorbeer [aus lat. laurus und dt. Beere] *der,*
1) *Laurus,* Pflanzengattung der *Lorbeergewächse* (Laurazeen); Bäume mit ledrigen, würzigen, immergrünen Blättern, kleinen weißlichen, gehäuften, getrenntgeschlechtigen Blüten und blauschwarzen, steinfruchtartigen Beeren. Der *edle L.* (L. nobilis), ein 5–7 m hoher Baumstrauch, kommt im Mittelmeergebiet vor (noch in Südtirol), bes. in der Macchie. In Mitteleuropa wird er als Kalthauspflanze im Kübel gezogen. Blätter und gedörrte Beeren dienen als Küchengewürz. Die Beeren enthalten das grünline *Lorbeeröl (Loröl)* ; es dient als Schutz gegen Insekten und als Anregungs- und Reizmittel.

In der *Symbolik* ist der L. Sinnbild des Sieges, schon im Altertum auch Symbol des Ruhms; mit L. wurden Sänger und Dichter bekränzt. Im *Brauchtum* diente der L. im Altertum als Sühnungsmittel, bes. bei Blutschuld, als Spender der Wahrsagung und musischer Begeisterung sowie als Blitzschutz.

2) Bäume und Sträucher mit l.-ähnlichen Blättern: *Bastard-* oder *Steinlorbeer* (Schnee-

Lorbeer: a Zweig mit weibl. Blüten, b weibl. Blüte, c männl. Blüte, d Fruchtstand, e Frucht im Querschnitt (a und d etwa ¹/₄ nat. Gr.)

ball), *Rosenlorbeer* (Oleander), *Sommerlorbeer* (Sassafras), *Giftlorbeer* (Sternanis), *wilder L.* (Stechpalme), *Kampferlorbeer* (Kampferbaum), *Kirschlorbeer* (Lorbeerkirsche).

Lorbeerlinde, Steinlinde, *Phillyrea,* in Laub, Blüte und Frucht dem Lorbeer etwas ähnliche Gattung der Ölbaumgewächse im Mittelmeerbereich.

Lorber, Jakob, Mystiker, * Kanischa b. Marburg (Steiermark) 22. 7. 1800, † Graz 24. 8. 1864, hielt sich unter dem Einfluß J. Kerners und der Schriften von J. Böhme und Swedenborg für ein Medium göttl. Offenbarungen. Seine Ideen wurden später durch die 1937 verbotene Neu-Salem-Gesellschaft verbreitet; seit 1945 besteht eine L.-Gesellschaft.
LIT. W. Lutz: Die Grundfragen des Lebens nach J. L. (1930).

L'orca, Bezirksstadt in Südostspanien (Murcia), (1970) 60 600 Ew., hat Textil- und chem. Industrie; maurisches Kastell, alte Paläste.

Lorca, span. Dichter, →García Lorca.

Lorch, 1) **L. in Württemberg,** Stadt im Ostalbkreis, Baden-Württemberg, mit (1973) 9400 Ew., an der Rems; Holz-, Metall-, Kartonagen- und andere Industrie. Die spätgot. Stadtkirche steht auf dem Grunde eines röm. Kastells am Schnittpunkt des obergerman. und rät. Limes. Östlich von L. liegt die ehemal. Benediktinerabtei L. mit roman. Basilika, gegr. 1102, mit Gräbern der Hohenstaufen.

2) **L. am Rhein,** Stadt im Rheingaukreis, Hessen, an der Mündung der Wisper unter der Ruine Nollich, im Rheindurchbruchstal, mit (1973) 4000 Ew., Weinbau, Weinhandel. Im Mittelalter traf hier der Handelsweg, der das unbefahrbare Binger Loch umging, wieder auf den Fluß; Martinskirche (13.–16. Jahrhundert), Hilchenhaus (1546–48).

Lorchel *die,* die morchelartigen Pilzgattungen *Gyromitra* und *Helvella,* bei denen der Hut hirnähnlich gewulstet oder auch einem Dreispitzhut ähnlich ist; so die *Bischofsmütze* (Gyromitra infula) und die als Morchelersatz sehr gebräuchliche braunkohlenfarbige, weißstielige *Speiselorchel* (Helvella esculenta); letztere enthält die giftige Helvellasäure, die durch Abgießen des Kochwassers entfernt werden muß.

Lörcher, Alfred, Bildhauer, * Stuttgart 30. 7. 1875, † das. 26. 3. 1962, schuf vor allem Aktfiguren.

Lord [lo:d, engl., eigentlich ›Brotherr‹], in England der allgem. Titel des hohen Adels; er ist allen Peers gemeinsam und wird, außer für den Duke, auch in Anrede und Umgangssprache gebraucht (so auch für den Baron). In der engl. Kirchensprache entspricht »The Lord« unserem »Gott der Herr«. Der Titel L. wird auch von den anglikan. Bischöfen geführt sowie von den Richtern der höheren Gerichtshöfe in Schottland, ferner vielfach in Verbindung mit Amtstiteln, z. B. *First L. of the Admiral-*

ty (Erster L. der Admiralität, der Marineminister), *First L. of the Treasury* (Erster L. des Schatzes, Nebentitel des Premierministers), *L. Chancellor* (Lordkanzler, der Justizminister), *L. Chief Justice* (L.-Oberrichter, der Vorsitzende des Londoner Obergerichts), *L. Justice* (ein Richter des Berufungsgerichts), *L. Mayor* (der erste Bürgermeister von London, York, Liverpool, Manchester und Belfast), *L. Chamberlain* (der Haushofmeister des engl. Königs, zugleich oberster Aufsichtsbeamter über die Theater).

Lord-Howe-Inseln [-hau-], 1) Inselgruppe in der Südsee, gehört zu dem 800 km entfernten Neusüdwales.
2) auch *Luangiua* oder *Ongtong Java,* Gruppe der Salomoninseln.

Lord'ose [griech.], Krümmung der Wirbelsäule nach vorn; krankhaft als →Buckel.

Lore [engl.], 1) offener, zweiachsiger Wagen mit Kippmulde für den Baubetrieb, allgemein ein offener Güterwagen. 2) in Mitteldeutschland auch Maß für Kohlen (200 Zentner).

Lorel'ei, Loreley [mhd. lur›Elfe‹, lei›Fels‹], Name des kurz vor St. Goarshausen aus dem Rhein 132 m hoch aufsteigenden Schieferfelsens. Die Sage von einer die Menschen ins Verderben lockenden Zauberin L., die durch Heines, von F. Silcher vertontes Gedicht bes. bekanntgeworden ist, gehört zu den unechten Rheinsagen und ist vermutlich eine Erfindung Clemens Brentanos (Ballade ›Die Lore Lay‹, 1802).

Loreleykreis, seit 1962 Name des Landkreises St. Goarshausen, Rheinland-Pfalz.

Loren, Sophia, eigentl. *Scicolone,* ital. Filmschauspielerin, * Neapel 20. 9. 1934. Filme: Schade, daß du eine Kanaille bist (1955), Stolz und Leidenschaft (1956), La ciociara (... und dennoch leben sie, 1961).

Lorentz, Hendrik Antoon, niederländ. Physiker, * Arnheim 18. 7. 1853, † Haarlem 4. 2. 1928, Prof. in Leiden, stellte 1895 die Elektronentheorie auf und erklärte mit ihrer Hilfe den Zeemaneffekt sowie die Drehung der Polarisationsebene des Lichtes im magnet. Feld. Er gab ferner eine erste Erklärung des Ergebnisses des Michelsonschen Versuches durch die nach ihm benannte *Lorentzkontraktion* (→Relativitätstheorie) und stellte Formeln für den Übergang von einem ruhenden Koordinatensystem zu einem gleichförmig-geradlinig zu diesem bewegten auf *(Lorentztransformation).* L. erhielt 1902 gemeinsam mit Zeeman den Nobelpreis.
WERKE. Versuch einer Theorie der elektr. und opt. Erscheinungen in bewegten Körpern (1895), Ergebnisse und Probleme der Elektronentheorie (²1905), Abhandlungen über theoret. Physik, 1 (1907), Das Relativitätsprinzip (1914).

L'orenz, 1) Adolf, Orthopäde, * Weidenau (Österr.-Schlesien) 21. 4. 1854, † Altenberg (Österr.) 12. 2. 1946, 1889–1924 Direktor der Orthopäd. Universitätsklinik Wien, bekannt durch seine Methode zur unblutigen Behandlung der angeborenen Hüftgelenkverrenkung.

2) Alfred, Musikforscher, * Wien 11. 7. 1868, † München 20. 11. 1939, seit 1925 Prof. in München, bekannt durch sein Werk: Das Geheimnis der Form bei Rich. Wagner (4 Bde., 1924–33).

3) Konrad, Verhaltensforscher, Sohn von 1), * Wien 7. 11. 1903, Prof. in Königsberg, München, Dir. am M.-Planck-Inst. für Verhaltensphysiologie in Seewiesen (Obb.), führender Vertreter der Verhaltensforschung in Dtl. L. erhielt den Nobelpreis f. Medizin 1973 (zus. mit K. v. Frisch u. N. Tinbergen).

WERKE. Die angeborenen Formen möglicher Erfahrung, in: Ztschr. für Tierpsychologie, 5 (1943), Er redete mit dem Vieh, den Vögeln und den Fischen (1949 u. ö.), So kam der Mensch auf den Hund (1950 u. ö.), Das sogenannte Böse (16. Ts. 1965), Gesammelte Abhandlungen, 2 Bde. (1965), Darwin hat recht gesehen (1966).

4) Ottokar, Geschichtsforscher, * Iglau 17. 9. 1832, † Jena 13. 5. 1904, wurde 1862 Prof. in Wien, 1885 in Jena. Er begründete die wissenschaftl. Genealogie; in seiner *Generationslehre* suchte er einen Rhythmus von 300–600 Jahren als den gesetzmäßigen Ablauf geschichtl. Lebens nachzuweisen.

Lorenz, C. L. AG, Stuttgart, früher Berlin, elektrotechn. Unternehmen, gegr. 1880 von *Carl Lorenz;* erzeugt u. a. Fernmelde-, Rundfunkgeräte, elektr. Spezialmaschinen. Seit 1958 fusioniert mit der Standard Elektrik AG zur →Standard Elektrik Lorenz AG.

Lorenz'etti, zwei italien. Maler in Siena: *Pietro* und sein wohl jüngerer Bruder *Ambrogio,* † beide vermutlich 1348. Pietro, als Maler von Altarwerken vielseitig tätig, schuf die Fresken aus der Passion Christi in der Unterkirche von S. Francesco zu Assisi. Ambrogio malte außer Altarbildern (TAFEL Gotik IV, 2) vor allem die Fresken des guten und schlechten Regiments im Rathaus zu Siena (um 1338/39), die allegor. Figuren darstellen und das Leben in Stadt und Land schildern.

Lorenz'ini, Carlo, →Collodi.

Lorenzkraut, Schwalbenwurz, Sanikel, Günsel.

Lor'enzo Monaco, eigentl. **Piero di Giovanni,** ital. Maler, * vielleicht Siena um 1370, † (laut Vasari) Florenz 1425, wo er seit 1391 Kamaldulensermönch war. Er lernte bei Agnolo Gaddi und wurde der bedeutendste Maler des →weichen Stils in Florenz.

L'orenzstrom, →Sankt-Lorenz-Strom.

Lor'eto, Wallfahrtsort in der Prov. Ancona, Italien, nahe der Adria, mit rd. 9000 Ew. In der Kirche das »Heilige Haus«, das angebliche Wohnhaus der Hl. Familie, das 1295 von Engeln nach L. gebracht worden sein soll.

Lor'ettohöhe, Anhöhe nördlich von Arras (Frankreich) mit Wallfahrtskapelle, 1914/15 schwer umkämpft.

Lorgnette [lɔrɲɛtə, franz.] *die,* bügellose Brille mit Stielgriff. **Lorgnon** [lɔrɲõ] *das,* Einglas mit Stiel.

L'ori [ostind.] *der,* 1) Papagei, →Pinselzüngler. 2) Halbaffe, →Loris.

Lorient [lɔriã], Stadt im nordwestlichen Frankreich, an der Südküste der Bretagne, (1968) 66 400 Ew., Kriegs-, Fischereihafen; Austern-, Sardinenfischerei, Schiffbau. – 1664 für die Ostind. Kompanie gegr. Die Altstadt wurde im 2. Weltkrieg fast völlig zerstört.

Loriot, Pseudonym für Vicco *von Bülow,* dt. Karikaturist, * Brandenburg a. d. Havel 12. 11. 1923, zeichnet und schreibt satirische Gesellschaftskritik (Der gute Ton, Der Weg zum Erfolg, Umgang mit Tieren, Neue Lebenskunst u. a.).

L'oris, Gruppe der Halbaffen; langsame Greifkletterer; nächtlich lebende frucht- und kleintierfressende Baumbewohner Afrikas (z. B. *Potto*) und Asiens (z. B. *Plumplori* .

Loris: Plumplori (bis 39 cm lang)

Loerke, Oskar, Schriftsteller, * Jungen (Westpr.) 13. 3. 1884, † Berlin 14. 2. 1941, war Lektor im S. Fischer Verlag. Seine Lyrik ist Ausdruck eines kosmischen Naturgefühls.

WERKE. Gedichte: Panmusik (1929), Der Silberdistelwald (1934), Der Wald der Welt (1936), Abschiedshand (Nachlaß 1949). Erzähltes: Der Turmbau (1910), Der Oger (1911). Essays: Bruckner (1957). Gedichte und Prosa, 2 Bde. (1958), Der Bücherkarren (1965), Essays über Lyrik (1965), Literarische Aufsätze aus der ›Neuen Rundschau‹ (1966).

Lorm, Hieronymus, Pseudonym für Heinrich *Landesmann,* Schriftsteller, * Nikolsburg (Mähren) 9. 8. 1821, † Brünn 3. 12. 1902, Lyriker und Essayist.

L'orokonto [ital. loro ›ihr‹], Konto, das eine Bank für eine andere Bank als Kunden (*Lorobank*) führt. Gegensatz: Nostrokonto.

Lörrach, Kreisstadt im RegBez. Freiburg, Baden-Württemberg, mit (1974) 33 900 Ew., im Markgräflerland, an der schweizer. Grenze, 290 m ü. M., hat AGer., Hauptzollamt, Wasserwirtschaftsamt, höhere und Fachschulen, Heimatmuseum; Textil-, Maschinen-, pharmazeut. u. a. Industrie.

Lorrain [lɔrɛ̃], Claude, französ. Maler, →Claude Lorrain.

Lorraine [lɔrɛn], franz. für →Lothringen.

Lorraine-Escaut [lɔrɛnɛsko], Paris, franz. Stahlkonzern, 1953 durch Zusammenschluß entstanden, mit Hochöfen, Stahlwerken, Weiterverarbeitungsfabriken, Bergwerken.

Lorre, Peter, Schauspieler, * Rosenberg (Ungarn) 26. 6. 1904, † Hollywood 23. 3. 1964, wurde bes. bekannt durch die Darstellung pathologischer Verbrecher, so in ›M – eine Stadt sucht einen Mörder‹ von Fritz Lang (1931). Weitere Filme: Der Mann, der zuviel wußte (1935), Casablanca (1943), Der Verlorene (1951), Scent of mystery (1959).

Lorr'is, Guillaume de, altfranz. Dichter, →Guillaume de Lorris.

Lorsch, Stadt im Kr. Bergstraße, Hessen, im Hess. Ried, mit (1974) 10 600 Ew.; Tabak-, holz-, metallverarbeitende u. a. Industrie; Rathaus (1714) u. a. Fachwerkhäuser. Von dem 763 gegr., von Karl d. Gr. zum Reichskloster erhobenen Benediktinerkloster (geweiht 774), einem der bedeutendsten des Mittelalters, sind nur Ruinen vorhanden, unversehrt ist die Torhalle, einst Audienzstätte ostkarolingischer Könige. Lɪᴛ. F. Behn: Kloster L. (1949).

Lorsch: Tor- oder Königshalle

Lortz, Joseph, kath. Kirchenhistoriker, * Grevenmacher (Luxemburg) 13. 12. 1887, Prof. in Braunsberg (1929), Münster i.Westf. (1935), Mainz (1950, em.); führend in der kath. Reformationsforschung.

Lortzing, Albert, Komponist, * Berlin 23. 10. 1801, † das. 21. 1. 1851, war Sänger, Schauspieler und Theaterkapellmeister in Detmold, Leipzig, Wien, Berlin. Von Mozart und der französ. komischen Oper ausgehend, wurde L. mit seinen volkstümlich-humorvollen Schöpfungen der Meister der dt. Spieloper des 19. Jahrhunderts.

Wᴇʀᴋᴇ. Opern: Die beiden Schützen

(1835), Zar und Zimmermann (1837), Der Wildschütz (1842), Der Waffenschmied (1846), Die Opernprobe (1851); Undine (1845). – Briefe, hg. v. G. R. Kruse (²1913).

Los [german. Stw.], **1)** Geschick, Schicksal. **2)** vom menschlichen Willen unabhängige Mittel der Schicksalsbefragung. **3)** Urkunde über die Rechte eines Spielers bei Lotterien, Anteilschein in der Lotterie. **4)** Anteil, z. B. Mengeneinheit bei Versteigerungen; kleineres Landstück (Parzelle); Warenposten.

Los 'Alamos, Ort im Staat New Mexico, USA, (1970) 11300 Ew., in den Bergen nordwestl. von Albuquerque gelegen, hat Forschungs- und Versuchsanlagen für Atomzertrümmerung.

Los Angeles, Stadt in den USA, →Angeles, Los.

Losbücher, Sammlungen von Orakelsprüchen zur moralischen Ermahnung oder geselligen Unterhaltung. Die mittelalterl. L. gehen auf griech. und röm. Orakelbücher zurück. L. sind aus dem 14. und 15. Jh. vorhanden, erste Drucke seit 1483. Ihre Nachwirkungen reichen bis ins 20. Jh. Die moralisierende Art ist seit Wickrams ›Weltlich Losbuch‹ (1539) charakteristisch für Deutschland.

Loschan, früher **Kiating,** Stadt in der Prov. Szetschuan, China, am Min, mit rd. 200 000 Ew.; Ausgangsort für die buddhist. Wallfahrten auf den Omei.

L'oschmidtsche Zahl, Avog'adrosche Zahl, die 1865 von dem österr. Physiker *Jos. Loschmidt* (* 1821, † 1895) aus der kinetischen Gastheorie bestimmte Anzahl der Moleküle eines Gases in einem Kubikzentimeter. Heute bezeichnet man die Loschmidtsche Zahl L je Mol; sie hat (in der chem. Atomgewichtsskala) den Wert $L = 6,02 \cdot 10^{23}$.

Löschpapier, →Fließpapier.

Löschung, *Recht:* die Beurkundung, daß ein in ein öffentl. Register eingetragenes Recht aufgehoben wird.

Löschzug, Feuerwehrabteilung: gewöhnlich zwei Fahrzeuge (Motorspritze, mechan. Drehleiter).

Loseblattausgaben, Loseblattbücher, Veröffentlichungen, die auf Einzelblättern erscheinen und durch Fortsetzungs- und Berichtigungsblätter auf dem laufenden gehalten werden; bes. für Gesetzessammlungen und wissenschaftl. Berichte üblich. L. gibt es auch in Karteiform. Über *Loseblattbuchführung* →Buchführung.

lösen, *Bergbau: Wasser lösen,* ableiten.

Loser [zu losen ›hören‹] *der,* Ohr des Hochwilds (Lauscher).

Löser *der,* **1)** der Blättermagen der →Wiederkäuer.

2) Juliuslöser, breite Silbermünze von 2½–16 Talern, die Herzog Julius von Braunschweig-Wolfenbüttel von 1574–88 prägen ließ. Sparmünze, die nach Höhe des Vermögens erworben werden mußte, um sie in Notzeiten dem Staat zur Verfügung zu stellen. Die Braunschweiger Fürsten haben im 17. Jh. solche L. weitergeprägt.

Losfest, das →Purimfest.

Lošinj [l'oſinj, kroat.], dt. **Lussin,** ital. **Lussino,** Insel vor der Küste Kroatiens, Jugoslawien, langgestreckt, 190 qkm groß, hat Wein-, Öl-, Südfruchtanbau.

Loskauf, die Befreiung vom Militärdienst gegen eine Geldsumme, für die der Staat einen Stellvertreter beschaffte; üblich in Deutschland – außer in Preußen – bis 1867, in Frankreich bis 1870, in Rußland bis 1873.

Löß [zu lösch, schweiz. ›locker‹] der, gelblicher mergeliger Sand, größtenteils aus mehlfeinen Quarzkörnchen, vermischt mit Kalkspat, Splittern von Silikatmineralien und Tonflittern, ist locker, durchlässig und zerreiblich und enthält z. T. Gehäuse von Landschnecken, Säugetierreste und Kalkkonkretionen (*Lößkindel, Lößpuppen*). Er überkleidet Berg und Tal deckenförmig, bricht oft in senkrechten Wänden ab und ist ein sehr fruchtbarer, trockner Boden. Durch Auslaugung des Kalkgehalts entsteht *Lößlehm.* L. ist durch Winde verfrachteter Staubabsatz aus eiszeitl. Moränenschutt. Er ist bes. in Asien verbreitet (Chinas »gelbe Erde«), in Dtl. z. B. in der Magdeburger Börde, im Rheintal.

Losskij, Nikolaj, russ. Philosoph, * Kreslavka 6. 12. 1870, † Geneviève de Bois 24. 1. 1965, war Prof. in Petersburg, nach seiner Ausweisung (1922) in Prag und New York; er lehrte erkenntnistheoret. einen Intuitionismus, metaphysisch einen Personalismus.

L'ößnitz, 1) *die,* Landschaft am rechten Elbufer zwischen Dresden und Meißen; Obstgärten, Erdbeer-, Spargelplantagen, Weinbau. 2) Stadt im Kr. Aue, Bez. Karl-Marx-Stadt (Chemnitz), im unteren Erzgebirge, mit (1964) 8500 Ew., Industrie (Holzschnitzerei; Textilien, Schuhe; Landmaschinen).

Losonczi, Pál, ungar. Politiker, * Bolho (Komitat Somogy) 1919, war 1960–67 Landwirtschaftsmin., seit 1967 Staatspräsident.

Lost [Kw.] *der,* einer der gefährlichsten Kampfstoffe, chem. Dichlordiäthylsulfid; L. wirkt als Hautgift und als →Keimgift.

L'os|tage, Lurtage, die Tage des Jahres, die im Volksglauben als bes. bedeutsam für das Wetter gelten, z. B. Lichtmeß (2. Febr.), die Eisheiligen (11.–15. Mai), Siebenschläfer (27. Juni), Allerheiligen (1. Nov.).

Losung, 1) Losungswort, als Erkennungszeichen dienendes Wort (Kennwort, Parole). 2) täglicher Bibelspruch; L. werden seit 1731 von der Brüdergemeine zusammengestellt und gedruckt.

Losung, 1) Kot des Wildes und Hundes. 2) die Gesamttageseinnahme eines Ladengeschäfts.

Lösung, *Chemie:* in den kleinsten Teilchen gleichartiges (homogenes) Stoffgemisch, das den gelösten Stoff in molekularer Verteilung enthält. *Lösungsmittel* im weitesten Sinn sind feste Körper, Flüssigkeiten oder Gase, im engeren Sinn nur Flüssigkeiten; der *gelöste Stoff* kann fest, flüssig oder gasförmig sein. Flüssigkeiten mischen sich teils in jedem Verhältnis, d. h. sind gegenseitig unbegrenzt lös-

lich (Wasser und Alkohol), teils ist ihre gegenseitige *Löslichkeit* beschränkt (Äther und Wasser). Die Löslichkeit fester Stoffe in Flüssigkeiten ist stets begrenzt; jeder einheitl. Stoff besitzt bei bestimmter Temperatur für ein und dasselbe Lösungsmittel eine ganz bestimmte Löslichkeit. Enthält die L. diese Höchstmenge, so heißt sie *gesättigt,* bei geringerem Gehalt an gelöstem Stoff *ungesättigt.* Mit steigender Temperatur nimmt die Löslichkeit der meisten Stoffe zu. Eine *übersättigte L.,* die mehr gelösten Stoff enthält als der Sättigung entspricht, besteht nur kurze Zeit und geht unter Ausscheiden des zuviel gelösten Stoffes (meist in Kristallform) in den gesättigten Zustand über. Die Wärmemenge, die bei der Auflösung von 1 Mol einer chem. Verbindung gebunden oder frei wird, heißt *Lösungswärme.* L. haben einen höheren Siedepunkt und einen tieferen Gefrierpunkt als das Lösungsmittel; diese *Siedepunktserhöhung* und *Gefrierpunktserniedrigung* ist von der Zahl der in 1 *l* des Lösungsmittels gelösten Mole abhängig. Beide Erscheinungen gestatten daher die Bestimmung des Molekulargewichts gelöster Stoffe. Lösungsmittel im *technologischen Sinn* sind Flüssigkeiten, die sich im Überschuß mit chemisch einheitl. Stoffen so mischen, daß im Gemisch keine Phasengrenzen auftreten. Im engeren Sinn versteht man unter ihnen oft nur organische Flüssigkeiten zur Lösung von Stoffen im Verarbeitungsgang der chem. Großindustrie. Die wichtigsten sind Benzine, Hexalin, Tetralin, Dekalin, Terpentinöl, Hydroterpin, Benzol, Alkohole, Ester, Äther, Tetrachlorkohlenstoff (Tetra), Trichloräthan (Tri), Chloroform, Nitromethan, Azetonitril u. a. m. Sie können durch Einatmen, Aufnahme über den Magen-Darmkanal oder durch die Haut zu *gewerblichen Lösungsmittelvergiftungen* führen, die z. T. als Berufskrankheiten anerkannt sind. Gegenmaßnahmen: Ersatz durch harmlosere Arbeitsstoffe, Deklarationszwang, geschlossene Apparaturen, gute Raumhygiene, Hautpflege, regelmäßige ärztl. Untersuchung Gefährdeter; Verordnungen.

Los-von-Rom-Bewegung, die Ende des 19. Jhs. in den deutschsprachigen Gebieten Österreich-Ungarns einsetzende romfeindliche Richtung, die zu zahlreichen Übertritten zum Altkatholizismus und Protestantismus führte (1898–1927: 150000). Nach dem 1. Weltkrieg ging die Bewegung zurück.

Lot [german. ›Blei‹; wohl Lw. aus keltisch], 1) eine gerade Linie, die auf einer anderen Geraden senkrecht steht. 2) **Senklot, Senkel,** an einem Faden mit der Spitze nach unten hängendes kegelförmiges Metallgewicht zum Messen und Bestimmen des senkrechten Verlaufs einer Mauer, eines Balkens. 3) Gerät zum Messen der Wassertiefe (**loten**) vom Schiff aus. Das *Hand-L.* ist ein Senkblei von 5 kg mit einer Höhlung an der Unterfläche für das Gewinnen einer Grundprobe des Meeresbodens; in die Lotleine sind alle

2 Meter farbige Marken eingeflochten und alle 10 Meter Lederstreifen mit entspr. Anzahl Löcher. Es kann nur bei niedriger Schiffsgeschwindigkeit und geringen Tiefen gebraucht werden. *Tief-L.*, bis 30 kg schwer, sind nur bei fast stehendem Schiff benutzbar. Bei der *Lotmaschine* hängt der Lotkörper an einem dünnen, auf eine Trommel gewickelten Lotdraht. Am Lotkörper, der eine Höhlung für Grundproben besitzt, wird eine dünne, unten offene Glasröhre befestigt, in die das Meerwasser beim Loten entsprechend der erreichten Tiefe eindringt. Das *Schall-L.* (»Freilot«) ist ein kleiner Fallkörper in Form einer Fliegerbombe, der im Wasser mit bestimmter Fallgeschwindigkeit sinkt und am Grunde detoniert. Aus der Zeit zwischen dem Eintritt ins Wasser bis zur Aufnahme des Schalls läßt sich die Tiefe errechnen. Die Anwendungsmöglichkeit geht bis etwa 40 m, →Echolot. 4) *Lötmetall,* →löten. 5) altes kleines Gewicht $^1/_{30}$, $^1/_{32}$ (Pfund). 6) als Probengewicht für Gold und Silber war 1 L. = 18 Grän = $^1/_{16}$ Mark.

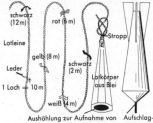

schwarz (12m) rot (6 m)
Lotleine
gelb (8 m)
Leder
schwarz (2 m)
1 Loch = 10 m
weiß (4 m)
Stropp
Lotkörper aus Blei
Aushöhlung zur Aufnahme von Talg (Lotspeise) für Grundproben
Aufschlag-Zündstift

Lot: links *normales Seil-Lot*; rechts *Frei-Lot mit Aufschlagzünder*

Lot [lɔt], 1) *der,* Nebenfluß der Garonne in Südfrankreich, 480 km lang, entspringt in den Cevennen.

2) Departement. Südfrankreich, 5226 qkm, (1970) 150 200 Ew.; Hauptstadt: Cahors.

Lot, nach 1. Mos. 11–14 Neffe Abrahams, wohnte in Sodom; er ist Stammvater der Moabiter und Ammoniter.

Lot|ablenkung, Lotabweichung, Lotstörung, eine dauernde örtl. Abweichung des Lotes von der normalen Lotrichtung (Richtung zum Erdmittelpunkt), hervorgerufen durch störende Massen in der Nähe des Beobachtungsortes, z. B. durch Gebirge.

löten, Metallteile durch flüssiggemachtes Metall *(Lot)* verbinden, wobei dieses einen wesentlich niedrigeren Schmelzpunkt hat als das Metall der zu verbindenden Teile. Durch Erwärmen der Lötstelle wird das Lot zum Schmelzen gebracht.

Beim *Weichlöten* werden unter 400° C schmelzende Lote (Weichlote) verwendet, die hauptsächlich Blei, Zink oder Zinn, daneben kleine Anteile von Kupfer, Silber, Kadmium, Antimon enthalten. Der Schmelzpunkt der beim *Hartlöten* verwendeten Lote

(Hartlote) liegt über 500° C. Ihr Hauptbestandteil ist meist Messing (Kupfer und Zinn), ferner enthalten sie Silber, Kadmium, Silizium, auch Phosphor.

Um eine einwandfreie Lötung zu erhalten, müssen von den Oberflächen die Verunreinigungen, meist Oxyde, durch Flußmittel entfernt werden. *Flußmittel* sind: *Lötwasser* (Salzlösungen), *Lötstein* (Ammoniumchlorid), *Lötfette, Lötpasten, Borax* u. a. Bei Leichtmetallen (Aluminium, Magnesium) kann die Oxydhaut durch Flußmittel nur schwer beseitigt werden. Sie muß mechanisch entfernt werden. Dazu wird entweder die Lötkolbenspitze durch Ultraschall in Schwingungen versetzt, so daß sie die Oxydhaut durchstößt, oder die Haut wird durch eine mit dem Lötkolben verbundene Bürste entfernt. Auf die oxydfreie Metalloberfläche wird vom Lötkolben das Lot aufgebracht.

Zum Weichlöten dient meist der im Feuer oder elektrisch erhitzte *Lötkolben* aus Kupfer, für größere Lötstellen die *Lötlampe.* Zur Erreichung der beim Hartlöten notwendigen höheren Temperaturen verwendet man meist den *Schweißbrenner.* Zur Massenfertigung werden *Lötöfen,* für bes. Zwecke *Lötmaschinen,* eingesetzt.

Soll nur die Lötstelle und diese schnell erhitzt werden, wird die *Induktionslötung* angewendet. Temperaturen von etwa 3400° C können erreicht werden in einem hochfrequenten Lichtbogen (*Hochfrequenzlötung*).

Lɪᴛ. E. Lüder: L. und Lote (^{2}1936); R. v. Linde: Das L. (1954).

Lot-et-Garonne [lɔtegaʀɔn], Departement in Südfrankreich, 5385 qkm, (1970) 291500 Ew.; Hauptstadt: Agen.

L'othar [ahd. ›der Heerberühmte‹], männl. Vorname.

Lothar, Fürsten: 1) L. I., röm. Kaiser (840 bis 855), ältester Sohn Ludwigs des Frommen, * 795, † Kloster Prüm 29. 9. 855, wurde 817 zum Nachfolger im Kaisertum bestimmt, befehdete später seinen Vater und seine Brüder, strebte nach des Vaters Tod (840) nach Alleinherrschaft, wurde aber von seinen Brüdern Ludwig dem Deutschen und Karl dem Kahlen 841 bei Fontenoy geschlagen, erhielt im Vertrag von Verdun (843) mit der Kaiserwürde Italien und das ganze Land zwischen Rhein, Schelde und Rhone. 855 verteilte er sein Reich an seine drei Söhne.

2) L. II., fränk. König (855–69), zweiter Sohn von 1), † Piacenza 8. 8. 869, erhielt das nördl. Drittel des väterlichen Reichs, das nach ihm Lotharingien (Lothringen) genannt wurde.

3) L. III., L. von Supplinburg oder **von Sachsen,** deutscher König und röm.-deutscher Kaiser (1125–37), † Breitenwang (am Lech) 3. 12. 1137, seit 1106 Herzog von Sachsen, erhob sich 1112 gegen Kaiser Heinrich V., der ihn 1115 am Welfesholz besiegte. 1125 zum deutschen König gewählt, wurde er von den Staufern bekämpft; sein Schwiegersohn und Erbe war der Welfe Heinrich der Stolze. L. förderte die ostdeutsche Kolonisation und verlieh Albrecht dem Bären 1134 die Nordmark (Altmark). 1133 und 1136 zog er nach Italien, wo er 1133 zum Kaiser gekrönt wurde. Er liegt im Kloster Königslutter bei Helmstedt begraben.

Frankreich. 4) König (954–86), Sohn Ludwigs IV., * 941, † Laon 2. 3. 986, stand bis zum Tod seines Onkels, Otto II., unter dt. Einfluß. Er beherrschte nur karoling. Restgebiete und versuchte vergeblich, die durch Angriffe auf Lothringen zu erweitern (978, 984/85).

Lothar, 1) Ernst, eigentl. E. **Müller,** Schriftsteller und Theaterleiter * Brünn 25. 10. 1890, † Wien 30. 10. 1974, kehrte 1945 aus der Emigration zurück; Regisseur bei den Salzburger Festspielen; schrieb österreich. Gesellschafts- und Zeitromane (Der Engel mit der Posaune, 1946; Verwandlung durch Liebe, 1951), z. T. verfilmt.

2) Hanns, Schauspieler, * Hannover 10. 4. 1929, † Hamburg 11. 3. 1967, war in Hannover, Frankfurt a. M. und Hamburg; bes. bekannt durch seine Fernsehrollen. Filme: Buddenbrooks, Der letzte Zeuge.

3) Mark, Komponist, * Berlin 23. 5. 1902, war musikal. Leiter der Staatstheater in Berlin, 1946 in München, schrieb Opern (Tyll, 1928; Schneider Wibbel, 1938), Singspiele (Die Freier, nach Eichendorff; Die gefesselte Phantasie, nach Raimund) und Kammer-, Schauspiel- und Filmmusik.

4) Rudolf, ursprünglich **Spitzer,** Schriftsteller, * Budapest 23. 2. 1865, † Budapest 2. 10. 1943, schrieb Lustspiele, z. T. mit O. Blumenthal u. a., und Operntextbücher (Tiefland, Musik von E. d'Albert, 1903).

Lothar'ingien, →Lothringen, Geschichte.

Lothian [l'ouðiən], fruchtbare Landschaft Schottlands, südl. des Firth of Forth, besteht aus den drei Gfsch. East-, Mid- und West-Lothian.

Lothringen [nach König Lothar II.], franz. **Lorraine,** geschichtl. Landschaft zwischen Mittel- und Westeuropa, reicht von der Champagne im W bis zu den Vogesen im O, von den Ardennen im N bis zu den Monts Faucilles im S. L. wird von mehreren nach W flach, nach O steiler abfallenden Landstufen (Côtes) in Richtung NW–SO durchzogen. Die mittlere Stufe ist reich an Erzlagern (Minette); im übrigen herrschen Viehzucht, Waldwirtschaft und Ackerbau mit Anbau von Hafer, Obst, Gemüse, Hopfen. Die Industrie umfaßt Bergbau, Schwer- und Gewebeindustrie. Die vor dem 1. Weltkrieg noch ziemlich klare Sprachgrenze, die den kleineren O von dem größeren W scheid, ist infolge der beiden Weltkriege in Auflösung begriffen. Größere Städte sind Nancy und Metz.

GESCHICHTE. Der Name L. (Lotharingien) bezeichnete ursprünglich das ganze Land zwischen Schelde, Rhein, Maas und Saône, das der Karolinger Lothar II. bei der Teilung unter den Söhnen Kaiser Lothars I. 855 als Königreich erhielt. Es kam durch den

Vertrag von Mersen (870) teilweise, durch den Vertrag von Ribemont ganz an das Ostfränkische (Deutsche) Reich, endgültig aber erst 923–925 durch König Heinrich I. Als deutsches Herzogtum wurde es 959 in *Oberlothringen* und *Niederlothringen* geteilt. Niederlothringen umfaßte die heutigen Niederlande, Belgien (außer Flandern), Luxemburg und den größten Teil der späteren Rheinprovinz; es wurde sehr bald in selbständige Territorien aufgespalten. Der Kampf der Grafen von Limburg und von Löwen (später Brabant) um die Herzogswürde endete 1152 damit, daß der herzogl. Titel beider Fürsten anerkannt wurde. Herzog von L. nannten sich seitdem nur noch die Herzöge von Oberlothringen, der jetzigen Landschaft L. mit Metz und Nancy, seit 1431 auch Herzöge von Bar. 1552 riß Frankreich an sich. 1670–97 besetzte Ludwig XIV. ganz L. Franz Stephan, der spätere Kaiser Franz I., Stammvater des Hauses Habsburg-Lothringen, mußte 1735 das Land im Austausch gegen Toskana dem König Stanislaus Leszczynski von Polen überlassen; nach dessen Tod fiel es 1766 an Frankreich. Im Deutsch-Französ. Krieg von 1870/71 war L. der Schauplatz der großen Schlachten um Metz. Ein Teil L.s mit Metz gehörte 1871–1918 wieder zum Dt. Reich (→Elsaß-Lothringen), danach wieder zu Frankreich. Im Mai/Juni 1940 wurde L. von dt. Truppen besetzt und dt. Zivilverwaltung unterstellt. Im Febr. 1945 wurde die franz. Verwaltung wiederhergestellt.

Lothringer, mit Alemannen stark gemischter Teil des fränk. Stammes auf keltoroman. Grundlage. Die Bewohner der Städte sind völlig französisiert, in der Bauernbevölkerung haben sich deutsche Sprach- und Kulturreste erhalten. Die L. sind fast ausschließlich katholisch.

Lothringergeste, Gruppe von fünf altfranz. Heldenepen des 12. Jhs. um *Garin le Loherenc* mit Vasallenfehden in Nord- und Südfrankreich zwischen Lothringern und Bordelaisen.

Lothringer Kreuz, →BILD Kreuz, 19.

Loti [lɔti], Pierre, eigentl. Julien Viaud, französ. Schriftsteller, * Rochefort 14. 1. 1850, † Hendaye 10. 6. 1923, bereiste als Marineoffizier bes. den Nahen und Fernen Osten, der den Hintergrund vieler seiner romantischen Romane bildet.

Lot'ichius, Petrus L. **Secundus,** neulat. Dichter, * Niederzell bei Schlüchtern 2. 11. 1528, † Heidelberg 7. 11. 1560 als Prof. der Medizin; mit Ovid und Vergil wetteifernder neulat. Lyriker; schrieb 1551 ›Elegiarum liber et carminum libellus‹.

Lötigkeit [von Lot], † Feinheit des Silbers.

Lötkolben, Lötlampe, Gerät zum Löten (→löten).

Loto|ph'agen [griech. ›Lotosesser‹], sagenhaftes Volk, das sich von Lotos nährte. Die Gefährten des Odysseus vergaßen nach dem Genuß dieser Blumenspeise Heimat und

Freunde; Odysseus mußte sie zur Rückkehr zwingen.

L'otos [griech., wohl aus ägypt.] *der*, verschiedene Pflanzen, die in der Kultur des griech. und ägypt. Altertums hervortraten: **1)** Fruchtbäume ungewisser Art, durch die →Lotophagen berühmt, vielleicht Jujube, Zürgelbaum, Dattelpalme; **2)** die in Ägypten und in Indien heimischen Arten von →Seerose

Lotos: blaue ägyptische Lotosblume

(*Lotosblume*). — Die Lotosblume ist in Ägypten und Indien eine heilige Pflanze. Bei den Ägyptern ist sie Sinnbild des Nils. Bei den Indern ruht der Weltenschöpfer auf einer Lotosblüte; ferner gilt der L. als Sinnbild für Schönheit, Reinheit, Sonne, ewiges Leben, im Buddhismus als Religionssinnbild. — Blume und Knospe des L. sind vielfach als Ornamentformen verwendet worden, so in der ägyptischen (Lotossäulenkapitell), assyrischen (Lotosfriese), indischen Kunst.

L'otospflaume, eine →Götterpflaume.

l'otrecht, senkrecht (→Lot).

Lötkolben

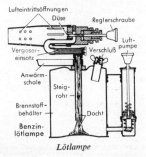

Lötlampe

Lotrechtstarter, →Senkrechtstarter.

Lötrohr, ein winkelig abgebogenes Blasrohr mit Düse am Ende; dient zum Erzeugen einer Stichflamme beim Löten.

Lötrohranalyse, *Chemie:* ein Verfahren zur Feststellung eines Metalls aus einer Verbindung, z. B. einem Salz. Der zu untersuchende Stoff wird allein oder mit Salmiak gemischt auf Holzkohle gestreut und durch ein Lötrohr erhitzt. Hierbei bilden sich freie Metalle in Form kleiner geschmolzener Kügelchen, oder es entstehen Sauerstoffverbindungen, an deren eigentümlicher Färbung das Metall zu erkennen ist.

Lötschental, das Tal des rechten Rhonezuflusses *Lonza* im Kanton Wallis, Schweiz. Der *Lötschenpaß*, ein 2690 m hoher Gletscherpaß, führt ins Kandertal. Die *Lötschbergbahn*, eine 1907–13 erbaute, elektrisch betriebene Eisenbahn mit dem 14,5 km langen *Lötschbergtunnel*, führt von Spiez nach Brig ins Rhonetal, wo sich die Simplonbahn anschließt.

Lotschwankungen, zeitliche Veränderungen der Lotrichtung an einem Ort, im wesentlichen durch Gezeitenkräfte verursacht.

Lotse [engl. Lw. ›Steuermann‹; verwandt mit leiten; Gottschedzeit], erfahrener, mit dem höchsten Befähigungszeugnis (Patent) ausgestatteter Seemann, der für einen bestimmten Bereich eine Sonderausbildung erhalten hat und eingehende Ortskenntnis in seinem Revier besitzt. Er dient der Schiffsführung als nautischer Berater. Für bestimmte Fahrwasser besteht *Lotsenzwang.* Man unterscheidet *See-, Hafen-, Kanal-* und *Binnenlotsen.* Die Entlohnung (*L.-Geld*) bestimmt sich tarifmäßig nach der Schiffsgröße. Bei der *L.-Station*, dem *L.-Dampfer* oder *L.-Schoner* wird ein L. von einem Schiff durch Setzen der weiß umränderten Nationalflagge (*L.-Flagge*) angefordert, nachts durch Abbrennen eines Blaufeuers; das *L.-Boot* bringt ihn an Bord. Die L. sind teils beamtet, teils in *L.-Brüderschaften* vereinigt; Vorgesetzter ist der *L.-Kommandeur.* Die Ausübung des Lotsengewerbes ist von einem Befähigungsnachweis abhängig (§ 31 GewO). Die Verletzung der Lotsenvorschriften war strafbar nach § 145 StGB (1970 aufgehoben).

Lotsenfisch (TAFEL Fische IV, 2), **Leitfisch, Pilot,** *Naucrates ductor*, 20–30 cm lange Stachelmakrele, Begleitfisch der Haie.

Lott, Lot, russ. Gewicht = $1/_{32}$ Pfund = 12,797 g.

L'otta Svärd [nach der Heldin eines Gedichtes von L. Runeberg], uniformierte finn. Frauenorganisation im Dienste der Landesverteidigung (1919–44). Die *Lottas* leisteten im 2. Weltkrieg als freiwillige Sanitäts-, Feldküchen- und Verwaltungshelferinnen ausgezeichnete Dienste.

Lotte [Nebenform von Lode] *die*, unverholzter, beblätterter Reb- oder Obstbaumtrieb.

Lotter, Melchior d. Ä., Buchdrucker und Verleger, * Aue (Erzgebirge), † Leipzig um 1542, druckte 1517 Luthers Thesen, gründete 1519 in Wittenberg eine von seinen Söhnen geführte Filialfirma, die bis 1524 für Luther und Melanchthon tätig war und um 1529 nach Magdeburg verlegt wurde.

Lotter'ie [von franz. lot ›Los‹], 1) eine Auslosung, die von einem Unternehmer für eine Mehrheit von Spielteilnehmern veranstaltet wird und bei der durch Ziehen von Losen oder Nummern nach einem bestimmten *Ziehungs-* (oder *Spiel-*)*Plan* der Zufall über Verlust des Spieleinsatzes oder Ziehen eines Gewinnes entscheidet. Der Einsatz ist eine Geldsumme; der Gewinn besteht bei der *Geldlotterie* aus Geld, bei der *Warenlotterie* aus beweglichen oder unbewegl. Sachen (→Lotterievertrag). – Abgesehen von der Unterscheidung zwischen *Staats-* und *Privatlotterien* gliedert man die L. nach ihrer techn. Betriebsform in Klassen-, Zahlen- und Zinsenlotterien.

a) *Klassenlotterie* (holländ. *L.*). Zahl und Preis der Lose, die vielfach wieder in Halb-, Viertel-, Achtellose geteilt sind, wie auch Zahl und Höhe der Gewinne sind von vornherein bestimmt, ebenso die nach Zahl und Zeit getrennt stattfindenden Ziehungen (Klassen), für die der Spieler durch Erwerb eines Klassenloses spielen kann. An den Ziehungstagen werden aus dem Nummernrad die Losnummern und aus dem Glücksrad die Gewinne für jedes mit dem Nummernrad ermittelte Los gezogen. Für die Schlußziehung sind bei inzwischen kleiner gewordener Loszahl mehr und höhere Gewinne, darunter der Hauptgewinn, das ›große Los‹, eingesetzt.

b) *Zahlenlotterie* (*Zahlenlotto*, genues. *L.*). Der Spieler wählt aus der Zahlenreihe 1–90 Nummern aus, und zwar eine (Auszug), zwei (Ambe), drei (Terne), vier (Quaterne) oder fünf (Quinterne) und wettet unter Einsatz einer innerhalb bestimmter Grenzen beliebig hohen Summe darauf, daß die gewählten Zahlen sich unter den fünf Zahlen befinden, die bei der nächsten Ziehung gezogen werden.

Bei dem 1952 genehmigten *Berliner Zahlenlotto* wurden 5 von 90 Nummern ausgewählt (inzwischen auch auf 6 aus 49 umgestellt); 50 % der Einsätze wurden, verteilt auf 4 Ränge (5–2 richtige Voraussagen), als Gewinne ausgeschüttet.

Im Bundesgebiet (*Deutscher Lottoblock*) wurde das Zahlenlotto seit 1955 (seit März 1958 in allen Ländern) zugelassen. Der Spieler hat 6 Nummern aus der Zahlenreihe 1–49 auszuwählen und im Wettschein bei genormtem Einsatz einzutragen. Gezogen werden 6 Nummern und eine Zusatzzahl. Die Gewinne (50 % aller Einsätze) werden entsprechend der 6–3 richtigen Voraussagen in 5 Gewinnklassen ausgezahlt; Höchstgewinn ist (seit 1974) 1,5 Mill. DM. Die Länder erhalten 20 % der Einsätze für soziale, kulturelle und sportl. Zwecke.

c) Unter *Zinsenlotterie* versteht man die *Lotterieanleihen*. Bei der *Losanleihe* (unverzinsl. Lotterieanleihe) erhält eine bestimmte

Anzahl der nach Serien und Nummern ausgelosten Teilschuldverschreibungen statt der Zinsen gleichzeitig mit der Kapitalrückgabe verschieden hohe Gewinne ausgezahlt. Bei den *Prämienanleihen* (verzinsl. Lotterieanleihen) bleibt die Verzinsung unter der landesüblichen; sie wird meist bei der im Rahmen des Tilgungsplans erfolgenden Kapitalrückgabe ausgezahlt, außerdem werden auf eine nach einem Gewinnplan festgelegte Anzahl von ausgelosten Teilschuldverschreibungen Gewinnzuschläge (Prämien) gewährt.

Die Anfänge der L. gehen bis ins 16. Jh. zurück. In England und Frankreich wurde die L. im 17. Jh. abgeschafft, in der Schweiz dient sie vorwiegend Wohltätigkeitszwecken.

2) Glücksspiel mit zwei Kartenspielen: von dem einen kauften sich die Spieler Karten vom Bankhalter, der dann neun Karten vom zweiten Spiel abzieht und der Reihe nach paarweise auflegt; die aufgelegten Karten gewinnen, die unpaare neunte Karte ist das »große Los«.

Lotterieanleihe, →Lotterie.

Lotteriesteuer, →Rennwett- und Lotteriesteuer.

Lotterievertrag, Ausspielvertrag, ein Vertrag, bei dem nach einem bestimmten Plan der Zufall über Gewinn oder Verlust der Einsätze entscheiden soll *(Ausspielung)*; bedarf zur vollen Wirksamkeit der staatl. Genehmigung, andernfalls wird zwar keine Verbindlichkeit begründet, doch kann das Geleistete nicht zurückgefordert werden (§ 763 BGB). Öffentliche Ausspielungen ohne staatl. Erlaubnis sind strafbar (§ 286 StGB).

L'otti, Antonio, ital. Komponist, * Venedig um 1667, † das. 5. 1. 1740, Vertreter der venezian. Schule, komponierte mehrstimmige Kammer- und Kirchenmusik, Opern und Madrigale.

L'otto [ital.] *das,* 1) Zahlenlotterie, →Lotterie 1). 2) Gesellschaftsspiel mit Karten, die mit Zahlen von 1–90 oder Bildern versehen sind. Jede vom Spielleiter ausgerufene Zahl (oder Bild) wird mit dem betr. Blättchen bedeckt. Gewinne werden ausgezahlt, wenn eine bestimmte Anzahl Nummern oder Bilder derselben Reihe oder erst, wenn die ganze Karte bedeckt ist.

L'otto, Lorenzo, ital. Maler, * Venedig um 1480, † Loreto 1556, geschult in Venedig, beeinflußt von Raffael und Correggio, entwickelte unter Vermischung von Elementen venezian. und lombard. Hochrenaissance einen Stil, der von phantasievoller Poetik im Frühwerk bis zu einer bizarren Manieriertheit mit kräftigem Helldunkel und spannungsvoller Komposition in der Spätzeit reicht.

Lɪᴛ. B. Berenson: L. L. (²1956).

L'otus [zu Lotos] *der,* der →Hornklee.

Lotze, Rudolf Hermann, Philosoph, * Bautzen 21. 5. 1817, † Berlin 1. 7. 1881, Prof. in Leipzig, Göttingen, Berlin, betrachtete die Welt als eine von göttlichen Zwecken beherrschte geistige Einheit. Sein System ist ein Versuch, die Tradition des dt. Idealismus mit der Naturwiss. in Einklang zu bringen. WERKE. Mikrokosmos, Ideen zur Naturgesch. und Gesch. der Menschheit, 3 Bde. (1856–64; ⁶1924); Logik (1874), Metaphysik (1879; beide neu hg. 1912).

Lötzen, Kreisstadt in Ostpreußen, zwischen Mauer- und Löwentinsee, mit (1939) 16 300 Ew., hatte regen Landhandel, Fremdenverkehr; Ordensschloß (1377 vollendet). Südwestlich die Festung *Boyen* (1844), früher vor strateg. Bedeutung. L., das 1914 (8.–11.9.) einer der Brennpunkte der Schlacht an den Masur. Seen war, kam teilzerstört 1945 unter poln. Verwaltung (*Gizycko,* 1971: 18 500 Ew.).

Lotzer, Sebastian, Kürschnergeselle, * Horb 1490, verfaßte Febr. 1525 als Feldschreiber der Baltringer Bauern die *Zwölf Artikel,* die alle Haufen des →Bauernkriegs übernahmen.

Loubet [lube], Émile, 7. Präs. der franz. Republik (1899–1906), * Marsanne (Dep. Drôme) 31. 12. 1838, † Montélimar (Dep. Drôme) 20. 12. 1929, war 1876–85 als gemäßigter Republikaner Abgeordneter, seit 1885 Senator, wiederholt Minister und 1892 MinPräs.; infolge des Panamaskandals wurde er gestürzt. 1896 wurde er Senatspräsident.

Loughborough [lʹʌfbərə], Stadt in Mittelengland, mit rd. 36000 Ew.; Glockengießerei, Textil-, Maschinenindustrie, Eisen- und Farbwerke.

Louis [franz. lwi, deutsch luːis], franz. Form von Ludwig, männl. Vorname.

Louisdor [lwidoːr], **Ludwigsdor** *der,* franz. Goldmünze seit Ludwig XIII. (1641), mit wechselndem Goldgehalt; seit 1803 durch das 20-Francs-Stück ersetzt.

Lorenzo Lotto: Bildnis eines jungen Mannes (ehemal. Staatl. Mus. Berlin)

Louis Ferdinand [lwi], **1)** eigentlich *Friedrich Ludwig Christian,* Prinz von Preußen, * Friedrichsfelde 18. 11. 1772, † 10. 10. 1806, Sohn des Prinzen Ferdinand, des jüngsten Bruders Friedrichs d. Gr. In den Franz. Revolutionskriegen zeichnete er sich 1792 aus,

kommandierte am 10. 10. 1806 vor der Schlacht bei Jena die preuß. Vorhut, die bei Saalfeld vernichtet wurde. LIT. K. v. Priesdorff: Prinz L. F. von Preußen (1935); B. Nadolny: L. F. (1967).

2) Enkel Kaiser Wilhelms II., Chef des Hauses Hohenzollern, * Potsdam 9. 11. 1907, verh. mit Kira, Großfürstin von Rußland († 1967).

Louisi'ade-Archipel [lwi-], engl. **Louisiade Islands,** Inselgruppe vor der O-Spitze von Neuguinea, zu Papua gehörig, 220 qkm, z. T. gebirgig, z. T. niedrige Koralleninseln, bewohnt von Papuas mit melanes. Einschlag.

Louisiana [luizi'ænə], abgek. **La.,** einer der südwestl. Mittelstaaten der USA, am Golf von Mexiko und im Deltagebiet des Mississippi, 125674 qkm, mit (1972) 3,697 Mill. Ew., davon etwa ein Drittel Neger und Mulatten. Die Landschaft ist überwiegend Ebene, ein fruchtbares Schwemmland der Flüsse; die südwestliche Prärie ist vorzügliches Weideland. Die Pflanzenwelt ist subtropisch, etwa die Hälfte des Landes ist mit Wald bedeckt. Angebaut werden Zuckerrohr, Baumwolle, Reis, Mais, Hafer, Tabak, Obst. Bedeutende Fischerei und Holzgewinnung. Bodenschätze: Schwefel, Erdöl, Erdgas, Salz. Die Industrie verarbeitet die heimischen Bodenerzeugnisse. Hauptstadt ist Baton Rouge, größte Stadt New Orleans.

GESCHICHTE. L. umfaßte ursprünglich das ganze Stromgebiet des Mississippi. Es wurde seit 1681/82 von den Franzosen erforscht, besiedelt und nach Ludwig XIV. benannt. 1763 mußte Frankreich L. östl. vom Mississippi an England, L. westl. vom Mississippi an Spanien abtreten. England verlor seinen Anteil 1783 an die USA; den span. Anteil erwarb Frankreich 1800 zurück, verkaufte ihn aber 1803 ebenfalls an die USA. Der südlichste Teil des alten L. wurde 1812 als (18.) Staat L. in die Union aufgenommen. Er gehörte im Sezessionskrieg zu den abgefallenen Südstaaten.

Louisianamoos [lui-], Pflanze, →Tillandsie.

Louis Napoléon [lwi napɔleõ], Prinz Bonaparte, der spätere Kaiser →Napoleon III.

Louis Philippe [lwi filip], franz. Name für König Ludwig Philipp, →Ludwig 30).

Louis-Quatorze [lwi katoːrz, franz. ›Ludwig XIV.‹] *das,* der klassisch gemäßigte Barockstil unter Ludwig XIV. (1643–1715). Schloßbauten, Innenraumgestaltungen und Parkanlagen galten in vielen Ländern Europas als Vorbild.

Louis-Quinze [lwi kẽːz, franz. ›Ludwig XV.‹] *das,* der unter Ludwig XV. (1723–74) in Frankreich herrschende Stil, gleichbedeutend mit Rokoko.

Louis-Seize [lwi sɛːz, franz. ›Ludwig XVI.‹] *das,* der schon in den 60er Jahren des 18. Jhs. einsetzende, vom Rokoko in den Klassizismus übergehende Stil der französ. Kunst.

Louisville [lʹuisvil], größte Stadt in Kentucky, USA, am Ohio, (1970) 361500 Ew., hat Universität, medizin. und jurist. Schulen,

Loul

ist Sitz eines Erzbischofs; Mittelpunkt eines weiten landwirtschaftl. Gebiets. Herstellung von Whisky, Zigaretten, Möbeln, Chemikalien, landwirtschaftl. Maschinen, Lederwaren; Großschlächtereien, Mühlen; Kupferindustrie, Gerbereien. – L. wurde 1778 gegründet und nach dem franz. König Ludwig XVI. benannt.

Loulan, alter Stadtstaat in Chinesisch-Turkestan, wohl im 4. Jh. n. Chr. infolge Verlegung des →Lopnor verlassen; Ruinen 1901 von Hedin entdeckt.

Lourdes [lurd], Stadt in Südfrankreich (Hautes-Pyrénées), (1968) 18300 Ew., einer der berühmtesten kathol. Wallfahrtsorte mit wundertätiger Quelle (→Bernadette).

Loure [lu:r, franz.] *die,* langsamer, der Sarabande verwandter Tanz, häufig als Satz der Suite im ⁶/₄-Takt, mit schwerem Auftakt und punktierten schweren Taktteilen.

Lourenço Marques [loresu mark'eʃ], Hauptstadt und Hauptausfuhrhafen von Mosambik, an der Delagoa-Bai, (1971) 338 800 Ew. Sitz des Gen.-Gouverneurs und eines kath. Erzbischofs, weiträumig angelegte Stadt.

Louth [lauθ], irisch **Lughmhaighe** [l'u:və], die kleinste Grafsch. der Republik Irland, 821 qkm, (1971) 74 900 Ew.; Hauptstadt: Dundalk.

Louvain [luvɛ̃], franz. Name der belg. Stadt →Löwen.

Louvet de Couvray [luvɛ də kuvrɛ], Jean-Baptiste, franz. Schriftsteller, * Paris 12. 6. 1760, † das. 25. 8. 1797, nahm aktiv Anteil an der Revolution. In seinem vielgelesenen Roman ›Les amours (auch: aventures) du chevalier de Faublas‹ (1787ff. viele Ausg.; dt. gekürzt 1948) stellt er die Zustände der vorrevolutionären Gesellschaft bloß.

Louvière, La L. [luvjɛ:r], Industrieort in der belg. Prov. Hennegau, mit rd. 25000 Ew., Mittelpunkt eines Kohlenbeckens, hat Glas-, Metall- und keram. Industrie.

Louvois [luvwɑ], François Michel **Le Tellier,** Marquis de, Kriegsminister Ludwigs XIV., * Paris 18. 1. 1641, † Versailles 16. 7. 1691, erhielt 1668 das Staatssekretariat des Kriegs. Er machte das französ. Heer zur stärksten Kriegsmacht Europas, wirkte für die gewalttätige Kriegspolitik Ludwigs, befürwortete 1689 die Verwüstung der Pfalz.

Er veranlaßte und leitete den Bau des Hôtel des Invalides in Paris und des Schlosses von Versailles.

Louvre [lu:vr] *der,* ursprünglich das Schloß der französ. Könige in Paris, jetzt Museum. Der älteste Bau war die um 1200 errichtete Königsburg. Von der unter Franz I. begonnenen neuen Residenz *(Alter Louvre)* baute P. Lescot seit 1546 den südl. Teil der westl. Hofseite (mit den Skulpturen von J. Goujon), J. Lemercier seit 1624 unter Ludwig XIII. den nördl. Teil mit dem Pavillon de l'Horloge. Erst unter Ludwig XIV. wurde der quadrat. Hof von L. Levau geschlossen und 1667–74 die östl. Außenfassade nach Plänen von C. Perrault erbaut. Mit dem im W gelegenen Palais der →Tuilerien wurde der L. durch eine Galerie verbunden, in deren östl. Teil sich die unter Leitung von Ch. Lebrun seit 1661 geschaffene Galerie d'Apollon befindet. Die Verlegung der Residenz nach Versailles (1682) beendete jede weitere Bautätigkeit. Durch die von Napoleon I. begonnenen und unter Napoleon III. entstandenen Erweiterungsbauten im W *(Neuer Louvre)* wurde der Seineflügel z. T. verbreitert und der alte L. auch im N mit den Tuilerien verbunden, die beim Aufstand der Kommune 1871 niedergebrannt wurden. – Das 1793 eröffnete Museum des L., das den zum Nationalbesitz erklärten königl. Kunstbesitz zugänglich machte, wurde durch die in der Revolution und von Napoleon I. geraubten Werke, durch Schenkungen, Ankäufe und Ausgrabungen ständig gemehrt und entwickelte sich zu einer der größten Kunstsammlungen der Welt.

Louys [lu'i], eigentl. Louis, Pierre, franz. Schriftsteller, * Gent 10. 12. 1870, † das. 4. 6. 1925, schrieb Gedichte und Romane.

Werke. Les chansons de Bilitis (1895; dt. 1923), Aphrodite (1896; dt. 1929), Les aventures du Roi Pausole (1901; dt. ²1902). Œuvres complètes, 13 Bde. (1929ff.). Eros. Ausgew. Romane u. Erzählungen (dt. 1960).

Lovčen [l'oftʃən], Kreidekalkberg in Jugoslawien, südl. Hauptgipfel Montenegros, über der Bucht von Kotor, 1750 m hoch.

Lövenich, ehem. Gem. im Kr. Köln, Nordrhein-Westfalen, mit (1972) 25400 Ew.; gehört ab 1. 1. 1975 zu Köln.

Louvre

Lovosice [l'ɔvəsitsɛ], tschech. Name der Stadt →Lobositz.

Low [lou], David, engl. Karikaturist, * Dunedin (Neuseeland) 7. 4. 1891, † London 20. 9. 1963, als polit. Karikaturist in Neuseeland tätig, dann in Australien; seit 1919 an führenden engl. Zeitungen. Eine seiner Gestalten, Colonel Blimp, ist in den engl. Wortschatz eingegangen.

Löw, der Hohe Rabbi, eigentl. Jehuda Löwe ben Bezalel, * Posen um 1525, † Prag 1609, Rabbiner und Kabbalist, entwickelte eine kosmologische Geschichtsphilosophie mit Zion als Mittelpunkt der Welt (Nezach Jisrael, Prag 1599). Nach der Sage verfertigte er einen Golem.

Low Church [lou tʃə:tʃ, engl.], →Anglikanische Kirche.

Lowe [lou], Sir (1814) Hudson, engl. General, * Galway (Irland) 28. 7. 1769, † Chelsea (London) 10. 1. 1844, war 1814 brit. Kommissar im Hauptquartier Blüchers, 1815–21 Gouv. von St. Helena. Als Hüter des verbannten Napoleon I. wurde er von diesem und dessen Gefährten wegen seiner Strenge heftig angegriffen. Seine ›Letters and Journals‹ gab W. Forsyth Harris heraus (3 Bde., 1853).

Löwe [ahd. aus lat. leo], 1) *Panthera leo* (FARBTAFEL Raubtiere, 5), große Wildkatze, deren Verbreitungsgebiet (Afrika, Persien, Mesopotamien und NW-Vorderindien) sich noch in histor. Zeit nach Südosteuropa erstreckte. L. und →Tiger können miteinander gekreuzt werden. Erwachsene männliche L. haben eine Widerristhöhe von 80 bis 100 cm und eine Länge von 150–190 cm. Die Fellfarbe ist gelb in verschiedenen Tönungen. Die Stärke der Mähne bei den männl. L. wechselt. Der L. raubt größeres Wild. Das Weibchen zieht in Gefangenschaft leicht Junge auf. Im dt. Märchen ist der L. der König der Tiere. Er bedeutet schon in vorchristl. Zeit Stärke und Wachsamkeit und gilt allgemein als Sinnbild der Tapferkeit und des Heldentums; als solches erscheint er häufig auf Wappen, Grabsteinen, Denkmälern (TAFEL Indische Kunst I). Im Christentum bedeutet er die Auferstehung Christi, zu Füßen eines Heiligen auch den überwundenen Satan. 2) das fünfte Sternbild im Tierkreis mit dem hellsten Stern, α, Regulus; nördlich des L. der *Kleine Löwe.*

Lowe, 1) Frederick, amerikan. Komponist, * Wien 10. 6. 1904, studierte bei Busoni, arbeitete mit Reznicek, wanderte 1924 nach den USA aus. Er schrieb Musicals, zusammen mit A. J. Lerner ›My fair Lady‹ und die Filmmusik zu ›Gigi‹.

2) Karl, Komponist, * Löbejün bei Halle a. d. S. 30. 11. 1796, † Kiel 20. 4. 1869, Kantor, Musiklehrer und städt. Musikdirektor in Stettin, ist der Hauptmeister der neueren Ballade. Die bekanntesten der rd. 400 Balladen sind: Erlkönig, Herr Oluf, Heinrich der Vogler, Prinz Eugen, Der Nöck, Archibald Douglas, Tom der Reimer.

LIT. H. Sietz: C. L. (1948).

Loewe & Co., Ludwig L. & Co AG, Berlin, früher Mittelpunkt des *Loewe-Konzerns*, Unternehmen des Maschinenbaus, gegr. 1869 von L. Loewe (* 1837, † 1886), seit 1893 AG.

Lowell [l'ouəl], Stadt in Massachusetts, USA, mit rd. 92 100 Ew.; Maschinenbau, Schuhindustrie.

Lowell [l'ouəl], 1) Amy, amerikan. Lyrikerin, * Brookline (Mass.) 9. 2. 1874, † das. 12. 5. 1925, gehörte zum Londoner Dichterkreis der →Imagisten. – Selected poems (hg. 1928).

2) James Russell, amerikan. Schriftsteller, * Cambridge (Mass.) 22. 2. 1819, † Elmwood 12. 8. 1891, Gesandter in Madrid und London. Seine im Yankee-Dialekt geschriebenen Verssatiren ›The Biglow Papers‹ (1. Reihe 1848, 2. Reihe 1867) richteten sich gegen den mexikan. Krieg und gegen Englands Haltung im Bürgerkrieg. Als Prosaschriftsteller schrieb er Aufsätze für die Sklavenbefreiung und literarkrit. Bücher.

Löwen, fläm. *Leuven*, frz. *Louvain*, Stadt in der Prov. Brabant, Belgien, mit (1973) 31 100 Ew., an der Dyle. Bemerkenswerte Gebäude: das Rathaus, die Peters-, Jakobs-, Gertrudskirche, die Universität, sämtlich spätgotisch (15. und 16. Jh.), ferner die Michaelskirche (barock, 17. Jh.). L. hat freie kathol. Universität (1835 aus der 1425 gegr. Hochschule entstanden); Getreidehandel, chem., Waggon-, Elektro-, Möbel-, Schuh-, Nahrungsmittel-, Spitzen-, Tuchindustrie, Bierbrauereien. – Bei L. besiegte König Arnulf am 1. 11. 891 entscheidend die Normannen. Die Grafen von L. stiegen im 12. Jh. zu Herzögen von Brabant auf. Im 14. Jh. erlebte L. als Hauptstadt Brabants und Mittelpunkt der Tuchindustrie seine Blütezeit. Im Aug. 1914 wurde die Stadt von dt. Truppen der Teilnahme an Franktireurüberfällen beschuldigt und teilweise zerstört.

Löwen, Johann Friedrich, Schriftsteller und Theaterleiter, * Clausthal 13. 9. 1727, † Rostock 23. 1. 1771, gründete 1767 das Hamburger Nationaltheater, an das er Lessing als Kritiker und Dramaturgen berief.

LIT. O. D. Potkoff: J. F. L., der erste Direktor eines dt. Nationaltheaters (1904).

Löwen|äffchen, Art der Krallenaffen, eichhorngroßes Waldtier Brasiliens, mit orangegelber Mähne.

Löwenberg (in Schlesien), Kreisstadt in Niederschlesien, hatte (1939) 6300 Ew., Luftkurort, 210 m ü. M.; Pfarrkirche (15. Jh.), Rathaus (1523, Anbau 1908 von H. Poelzig), Wohnhäuser (16. Jh.) und Tortürme (um 1600). – L. erhielt 1217 deutsches Stadtrecht; seit 1945 steht es unter poln. Verwaltung (*Lwówek Śląski*).

Löwenbräu München, größtes süddt. Brauereiunternehmen, in München, gegr. 1383; AG seit 1872.

Löwengolf, →Lion, Golfe du.

Löwenherz, Beiname des engl. Königs Richard I.

Löwenmaul [nach der Blütenform], verschiedene Pflanzen: 1) *Antirrhinum*, Gattung der Braunwurzgewächse, so das aus dem Mittelmeergebiet stammende, bis 70 cm hohe *große L.* (*Gartenlöwenmaul*, A. majus), farb- und formenreiche Gartenblume und Versuchspflanze der Vererbungsforschung, ferner das kleinere, rosenrot blühende Ackerunkraut *Feld-L.* (A. orontium). 2) Gattung Leinkraut. 3) Arten von Hohlzahn, Glockenblume, Sturmhut.

Löwenritter, in der german. und roman. Epik des MA.s Bezeichnung für →Iwein, seit dem 16. Jh. für →Amadis von Gaula.

Löwenschwanz, →Herzgespann.

Löwensteiner Berge, Teillandschaft der fränk. Keuperberge südöstl. von Heilbronn, bis 595 m hoch.

L'öwenstein-Wertheim, süddeutsches Fürstengeschlecht, 1494 in den Reichsgrafenstand erhoben. Zu den Grafsch. Löwenstein und Wertheim erhielt es 1803 noch Freudenberg und Bronnbach. Die evang. Linie *Löwenstein-Wertheim-Freudenberg* ward seit 1812 fürstlich, die kath. Linie *Löwenstein-Wertheim-Rosenberg* seit 1711/12. Fürst *Karl* (* 1834, † 1921), sein Sohn *Aloys* (* 1871, † 1952) und sein Enkel *Karl* (* 1904) sind als kathol. Politiker hervorgetreten.

Hubertus, Prinz zu L.-W.-Freudenberg, * Schönworth bei Kufstein 14. 10. 1906, Politiker und Historiker, 1937–46 Gastprof. in den USA, war 1953–57 MdB (FDP, dann DP). WERKE. Nach Hitlers Sturz, Deutschlands kommendes Reich (1943), Das Kind und der Kaiser (1947), Die Lanze des Longinus (1948), Der Adler und das Kreuz (1950), Stresemann (1952). Die röm. Tagebücher des Privatdozenten Dr. Remigius v. Molitor (1956), Deutsche Geschichte (⁴1962).

Löwent'insee, See in Masuren, Ostpreußen, durch Kanäle mit Spirding- und Mauersee verbunden; 27 qkm groß.

Löwenzahn [wegen des Blattrandes], zwei Korbblütergattungen, milchige Pflanzen mit am Boden gehäuften Blättern und schaftständigen Köpfen aus gelben Zungenblüten: 1) *Leontodon*, Pflanzen mit federigen Pappusteilen, hierzu u. a. *Herbstlöwenzahn* (L. autumnale), meist mit ästigem, mehrköpfigem Blütenschaft, und *steifhaariger L.* (L. hispidus), meist mit einköpfigem Schaft, beide bes. auf Magerrasen. 2) *Taraxacum*, mit borstigen Pappusteilen, darunter der sehr weit verbreitete, formenreiche, in Mitteleuropa auf Fettwiesen, Kleefeldern häufige, bis 0,5 m hohe *L.* oder *Kuhblume* (T. officinale oder Leontodon taraxacum), mit dikkem Wurzelstock und hohlem Schaft, als Futter nahrhaft, doch im Heu bröcklig und deshalb auf Wiesen unerwünscht; wegen seines Bitterstoffes Volksarznei.

Lowestoft [l'oustəft], Seebad in Ostengland, an der Nordsee, (1971) 52 200 Ew.; Fischerei und Motorenbau.

Loewi, Otto, Physiologe und Pharmakologe, * Frankfurt a. M. 3. 6. 1873, † New York 25. 12. 1961, war seit 1938 in New York. L.

bewies (1921) als erster die chem. Übertragung der Nervenimpulse auf die zugehörigen Organe. 1936 erhielt er mit H. H. Dale den Nobelpreis.

Löwith, Karl, Philosoph, * München 9. 1. 1897, † Heidelberg 25. 5. 1973, Prof. in Sendai (Japan), Hartford (Conn.), New York und Heidelberg (seit 1952). Kritiker des Historismus und des Existentialismus. WERKE. Von Hegel zu Nietzsche (1941, ⁵1964), Weltgeschichte u. Heilsgeschehen (1953), M. Heidegger. Denker in dürftiger Zeit (1953), Nietzsches Philosophie der ewigen Wiederkehr des Gleichen (1956), Wissen, Glaube und Skepsis (²1963), Vorträge und Abhandlungen zur Kritik der christlichen Überlieferung (1966).

Lowlands [l'oulǝndz], das schott. Tiefland; Gegensatz: Highlands (Hochland).

Loxodr'ome [griech. ›schieflaufende (Linie)‹], die auf einer Umdrehungsfläche (Kugel, Ellipsoid) gezogene, doppelt gekrümmte Linie, die alle Meridiane unter gleichem Winkel schneidet und sich dem Pol spiralförmig nähert; wichtig in der Navigation.

loyal [lwaja:l, fran.z], 1) gesetzlich, gesetzestreu; zur Regierung haltend. 2) redlich, bieder. Gegensatz: illoyal.

Loyal'isten [lwaja:l-], im amerikan. Unabhängigkeitskrieg die Kolonisten, die zur brit. Krone hielten; 1783 wanderten viele nach Kanada aus.

Loyalty-Inseln [l'oiǝlti-], französ. Iles de la Loyauté [i:l də la lwajote], französische Inselgruppe im Stillen Ozean, zum Überseegebiet →Neukaledonien gehörend, 2080 qkm mit rd. 11 000 Ew. Hauptinseln: Lifou (1150 qkm), Maré (650 qkm), Ouvéa.

Loy'ola, Ignatius von, span. Iñigo Lopez de L., Ordensstifter, * Schloß Loyola (span. Prov Guipúzcoa) vor dem 23. 10. 1491, † Rom 31. 7. 1556, war Offizier in span. Kriegsdiensten, wurde 1521 schwer verwundet, widmete sich dann asketischen Übungen, studierte 1528–35 in Paris und stiftete hier 1534 den Jesuitenorden, der 1540 von Papst Paul III. bestätigt wurde. 1537 über-

Ignatius v. Loyola (Holzplastik v. J. M. Montañéz; Sevilla, Universitätskirche)

L. Priester, 1541 wählte man ihn zum ersten General der Jesuiten. Heiliggesprochen 1622; Patron der Exerzitien; Tag: 31. 7. L. schrieb: Geistliche Übungen (Exercitia spiritualia, 1548; dt. von Feder-Raitz v. Frentz, ¹²1957).

Lɪᴛ. H. Rahner: I. v. L. (²1949); H. Böhmer: I. v. L. (²1951); A. Guillermon: I. v. L. (1963).

Lozère [lɔzɛːr], Departement in Südfrankreich, 5180 qkm mit 82000 Ew.; Hauptstadt: Mende.

Lpfd, Abk. für →Liespfund.

LPG, in der DDR Abk. für →Landwirtschaftliche Produktionsgenossenschaften.

LSD, →Lysergsäure.

L. S., l. s., Abk. für lat. *loco sigilli,* an Stelle des Siegels, für lat. *lectori salutem,* Gruß dem Leser, für lat. *legi scriptum,* ich habe (vorstehendes) Schreiben gelesen.

LSP, *Leitsätze für die Preisermittlung auf Grund von Selbstkosten,* enthalten Richtlinien für die Preisbildung bei öffentl. Aufträgen, die nicht zu Marktpreisen abgerechnet werden können.

L. St., Lst., Lstr., meist £, Abkürzung für Pfund Sterling (engl. livre sterling).

LT, amtl. Abk. für →Brieftelegramm.

Ltd., Abkürzung für engl. →Limited.

Lu, chem. Zeichen für →Lutetium.

Lual'aba *der,* Hauptquellfluß des →Kongo.

Lu'anda, São Paulo de L., **Loanda,** Hauptstadt und Hauptausfuhrhafen von Angola, (1970) 475 300 Ew., ist Sitz des Gouverneurs, eines kath. Erzbischofs; Flughafen, Ausgangspunkt der Bahn nach Malange. L. wurde 1576 gegründet.

Luang Prab'ang, Residenz des Königs von Laos, in Hinterindien, links am Mekong, (1970) 25000 Ew., Handelsplatz und buddhist. Wallfahrtsort mit großer Pagode.

Luap'ula *der,* ein Quellfluß des →Kongo, im Unterlauf *Luvua* genannt.

L'uba, Baluba, Gruppe von Bantu-Negerstämmen im südl. Kongo, in Angola und Sambia.

Lübars, Ortsteil im VerwBez. Reinickendorf der Stadt Berlin (West-Berlin).

L'übbecke, Stadt im Kreis Minden-Lübbecke, Nordrhein-Westfalen, mit (1974) 21 300 Ew., am Mittellandkanal, 91 m ü.M., hat AGer., höhere Schule, Landwirtschaftsschule, Heimatmuseum. Industrie: Zigarren, Maschinen, pharmazeut. Erzeugnisse, Papier.

Lübben (Spreewald), Kreisstadt im Bez. Cottbus, Niederlausitz, an der Mündung der Berste in die Spree, mit (1973) 13400 Ew.; Gurkenverarbeitung, Weberei, Pappenindustrie; spätgot. Nikolaikirche (erneuert im 17. und 18. Jh.), Schloß (gegr. im 14. Jh., wiederholt erneuert). Im 2. Weltkrieg wurde Lübben stark zerstört.

Lübben'au, Stadt im Kr. Calau, Bez. Cottbus, Niederlausitz, an der Spree, am Rande des Oberspreewaldes, mit (1973) 22100 Ew.; Gurkenverarbeitung, Gemüsebau; Pfarrkirche (1744). Heimatmuseum.

Lübbesee, Großer L., See in Hinterpommern, südöstl. von Dramburg, 15 qkm groß, bis 46 m tief, wird von der Drage durchflossen.

Lubbock [l'ʌbək], Stadt im NW von Texas, USA, (1970) 149100 Ew.; Baumwollpressen, Ölmühlen, Schlachthäuser und Molkereien; Sitz des Texas Technological College.

Lübeck, Hansestadt L., 1) Stadtkreis in Schleswig-Holstein, mit (1974) 236000 Ew., 16 m ü. M., an der schiffbaren unteren Trave, reicht seit der Eingemeindung des Ostseebades Travemünde und weiterer Gemeinden mit seinem Stadtgebiet bis zur Küste (Wappen: Tᴀꜰᴇʟ Wappenkunde II, 73). L. ist einer der Hauptverkehrsplätze der Ostsee, durch den Elbe-Lübeck-Kanal Hafen (für die größten Ostseeschiffe zugänglich) der Elbe und ihres Hinterlandes, sowie Ausgangspunkt mehrerer Schiffahrtslinien nach den Ostseeländern. Handel: Holz, Steine und Erden, Eisen- und Kupfererze, Steinkohlen, Braunkohlenbriketts, Eisenwaren, Maschinen, Kolonialwaren, Getreide, Vieh; seit alter Zeit Rotwein. Industrie: Metallhüttenwerke (früher Hochofenwerk), Zement, Metall, Holzwaren, Baumwollspinnerei (seit 1950), Lebensmittel (wie Marzipan, Gemüse, Fleisch-, Fischkonserven). – Die Altstadt L.s, eine Hauptstätte der dt. Backsteingotik, wurde durch die Bombenangriffe des 2. Weltkriegs schwer beschädigt. Das gotische, aus schwarzglasierten Ziegeln errichtete Rathaus (13. bis 15. Jh.) mit Renaissanceanbauten (16. Jh.) wurde leicht beschädigt, die hochgot. Marienkirche (seit 1251) wurde vernichtet (Wiederaufbau vollendet); der im 13./14. Jh. gotisch erweiterte roman. Dom wurde teilweise zerstört (Wiederaufbau vollendet). Erhalten blieben das →Holstentor (1478) und das Burgtor (1444). Behörden und öffentl. Einrichtungen: LdGer., AGer., Arbeits-Ger., Sozial-Ger., Seeamt, Handwerkskammer, Industrie- und Handelskammer, Landesversicherungsanstalt (Schleswig-Holstein), Seefahrtschule, Physikal.-Techn. Lehranstalt, Medizin. Akademie, Staatsbauschule für Hoch- und Tiefbau, Musikakademie, Orgelschule, Museen, Theater, Bibliotheken; Spielkasino im Stadtteil Travemünde.

Gᴇsᴄʜɪᴄʜᴛᴇ. L. wurde als deutsche Handelsstadt 1143 durch Graf Adolf II. von Holstein angelegt und 1158/59 durch Heinrich den Löwen und westfäl. Kaufleute in größerem Umfang neu gegründet; seinen Namen erhielt es nach der wend. Burg *Liubice* [›die Liebliche‹] an der Mündung der Schwartau in die Trave. Es wurde durch Kaiser Friedrich II. 1226 freie Reichsstadt, wirkte führend bei der Gründung vieler deutscher Ostseestädte und war seit Ende des 13. Jhs. das unbestrittene Haupt der Hanse. Das →Lübische Recht übernahmen mehr als 100 Städte im Ostseeraum, deren Oberhof L. wurde. L. war führend durch seine Bildhauerkunst (Bernt Notke,

Lube

Claus Berg), seine Tafelmalerei und seinen Buchdruck. 1530/31 wurde die Reformation eingeführt. Kurz darauf gelangte Wullenwever an der Spitze einer Volksbewegung zur Regierung; seine Niederlage in der dän. »Grafenfehde« (1534–36) versetzte der polit. Machtstellung L.s in Nordeuropa den entscheidenden Stoß. Auch trat der lüb. Handel hinter dem auf dem Atlantik immer mehr zurück. 1810–13 gehörte L. zum napoleon. Kaiserreich, seit 1815 als Freie und Hansestadt zum Deutschen, seit 1867 zum Norddeutschen Bund, den späteren Deutschen Reich. 1868 trat L. dem Deutschen Zollverein bei. Am 1. 4. 1937 kam es an die preuß. Prov. Schleswig-Holstein.

Lit. F. Rörig: Der Markt v. L. (1922); H. A. Gräbke: L. (1953); A. v. Brandt: Geist u. Politik in der Lübeck. Gesch. (1954); M. Hase und W. Castelli: L. (³1963).

2) Bistum L. Das von Otto d. Gr. 948 in Oldenburg in Holstein gegr. Bistum wurde 1160 nach L. verlegt. Die Bischöfe residierten seit der Mitte des 13. Jhs. in Eutin; seit 1555 waren sie protestant. Administratoren, seit 1586 aus dem Hause Holstein-Gottorp. 1803 kam das evangel. geistl. Fürstentum L. an Oldenburg, 1937 an Preußen (Prov. Schleswig-Holstein).

Lübeck, Vincent, Komponist, * Padingbüttel bei Bremen Sept. 1654, † Hamburg 9. 2. 1740, einer der bedeutendsten norddeutschen Orgelmeister seiner Zeit, schrieb Kantaten, Orgel-, Klavierstücke.

Lübecker Bucht, die am weitesten nach SW gegen Hamburg vordringende Ostseebucht mit Lübeck-Travemünde als Haupthafen.

Lüben, Kreisstadt in Niederschlesien, am O-Rand der Heide, hatte (1939) 10800 Ew.; mit höheren und Fachschulen, Pianofabrik; kam, zu 60 % zerstört, 1945 unter poln. Verwaltung (*Lubin*; 1971: 31 900 Ew.).

Lub'entius, Heiliger, von Bischof Maximinus von Trier (4. Jh.) zum Priester geweiht, als Missionar an der unteren Mosel (Kobern) und Lahn (?) tätig. Von Kobern wurden seine Gebeine im 8. Jh. nach Dietkirchen gebracht. Tag: 13. 10.

Lübisches Recht [nach der Stadt Lübeck], nach dem Magdeburger das wichtigste mittelalterl. dt. Stadtrecht, das im ganzen Ostseeraum bis nach Reval, Narwa und Nowgorod Geltung hatte. Die letzte amtl. Fassung von 1586 galt bis 1900.

Lubitsch, Ernst, Filmregisseur, * Berlin 28. 1. 1892, † Hollywood 30. 11. 1947, Bühnenausbildung bei Max Reinhardt, ging 1923 nach Hollywood und wurde 1935 Produktionschef der Paramount Pictures Corporation. Filme: Madame Dubarry (1919), Rausch (1919), Der Patriot (1928), Liebesparade (1931), Ninotschka (1939), Sein oder Nichtsein (1942).

Lübke, 1) Friedrich Wilhelm, Politiker (CDU), * Enkhausen (Westf.) 25. 8. 1887, † Kiel 16. 10. 1954, Kapitän, dann Landwirt; 1951–54 MinPräs. von Schleswig-Holstein.

2) Heinrich, Bundespräsident, Bruder von 1), * Enkhausen (Westf.) 14. 10. 1894, † Bonn 6. 4. 1972, Agrarpolitiker, 1931–33 Mitgl. des preuß. Landtags (Zentrum), danach wiederholt in Haft; war 1947–52 Ernährungs- und Landwirtschaftsminister in Nordrhein-Westf., 1949/50 und wieder seit 1953 MdB (CDU), seit 1953 Bundesmin. für Ernährung, Landwirtschaft und Forsten. L. wurde am 1. 7. 1959 in Berlin zum Bundespräsidenten gewählt (wieder 1. 7. 1964); zum 30. 6. 1969 trat H. L. (vorzeitig) zurück.

Heinrich Lübke

Lübker, Friedrich, klass. Philologe, * Husum 18. 8. 1811, † Flensburg 10. 10. 1867. Das von ihm zuerst 1851 herausgegebene ›Reallexikon des klass. Altertums‹ (⁸1914, völlig neu bearbeitet von J. Geffcken und E. Ziebarth) ist ein wichtiges Nachschlagewerk.

L'ublin, Hauptstadt der poln. Woiwodschaft L., mit (1971) 241 900 Ew., zwischen Weichsel und Bug, an der Bystrzyca; Schloß, Kathedrale (16. Jh.), Universität; Textil-, Lastkraftwagenfabrik, elektrotechn., Metall-, Automobil-, landwirtschaftl. Maschinen- und Zementindustrie, Gerberei, Müllerei; Getreide- Woll- und Viehhandel. – L. erhielt 1317 Magdeburger Stadtrecht und war im alten Polen eine blühende Handelsstadt, der Sitz mehrerer Reichstage. Auf dem von 1569 kam die *Lubliner Union* zustande, die die Personalunion Litauens und Westpreußens mit Polen in eine Realunion umwandelte. 1944/45 war L. Sitz des »Polnischen Komitees der Nationalen Befreiung« *(Lubliner Komitee)*. →Polen, Geschichte.

Lubumbaschi [-b'aʃi], älteste Kupferhütte (seit 1912) in Katanga (Kongo). Seit 1966 Name von →Elisabethville.

Lübz, Kreisstadt im Bez. Schwerin, an der Elde, mit (1964) 6900 Ew.; Maschinenbau, Zuckerfabrik: Pfarrkirche aus dem 16. Jh. Vom ehemal. Schloß Eldenburg ist nur der Bergfried (13. Jh.) erhalten.

Luc'anus, lat. Dichter, →Lukan.

Lucas, 1) August, Maler und Graphiker, * Darmstadt 7. 5. 1803, † das. 28. 9. 1863, arbeitete 1825/26 bei Cornelius in München und war 1829–34 in Italien, wo er sich an J. A. Koch anschloß.

2) Eduard, Obstforscher, * Erfurt 19. 7. 1816, † Reutlingen 24. 7. 1882, gründete 1860 das Pomologische Institut Reutlingen; förderte durch Erfindungen und Schriften den Obstbau.

3) Leopold, Rabbiner, * Marburg 17. 9. 1872, † Theresienstadt 10. 9. 1943, war 1899 bis 1940 Rabbiner in Glogau, Urheber der *Gesellschaft zur Förderung der Wissenschaft des Judentums.*

Lucas van Leyden, holländ. Maler und Graphiker, * Leiden 1494, † das. 1533, schuf vorwiegend Kupferstiche, deren erster datierter bereits 1508 entstand. In seiner Frühzeit regte ihn vor allem Dürer an, später näherte er sich ital. Stechern. Auch Holzschnitte und Radierungen stammen von ihm. Er schuf Genrebilder, Porträts und vor allem religiöse Bilder. (Schachpartie, Berlin; Flügelaltar mit dem Jüngsten Gericht, um 1526, Leiden, Museum.)

Lɪᴛ. M. J. Friedländer: L. v. L. (Meister der Graphik, 1925).

L'ucca, 1) Prov. Italiens in Toskana, 1772 qkm, mit (1971) 380 400 Ew. **2)** Hauptstadt von L.), mit (1971) 91 000 Ew., Erzbischofssitz; Seiden-, Papier-, Tabak-, Textilindustrie.

Aus dem röm. *Luca* (an der Stelle einer etrusk. Siedlung) sind die Reste eines Amphitheaters erhalten. Drei Mauerringe (ein röm., zwei mittelalterl.) umgeben die Altstadt, die ihre Blütezeit vom 11.–15. Jh. erlebte. In der Zeit der Markgräfin Mathilde von Tuszien, die in L. residierte, entstand 1060–70 der schon im 6. Jh. gegr. Dom, dem 1204 Guidetto die Fassade anfügte. 1119 wurde L. freie Stadt. Aus dem 12. Jh. stammen die Kirchen (meist Basiliken) San Frediano, San Michele (mit Kunstwerken von Filippino Lippi und Luca della Robbia), San Giusto, San Giovanni. 1314 mußte sich L. dem ghibellin. Pisa unterwerfen, 1316 machte sich Castruccio Castracane zum Herrn, den Ludwig der Bayer 1327 zum Herzog ernannte. 1370 wurde L. mit Hilfe Karls IV. wieder freie Stadt. Zeugen dieser Zeit sind der Palazzo Pretorio (1492–1509) und der Palazzo della Prefettura (1578), ferner die Villa Guinigi (1418), in der die Pinakothek und das Museo Civico untergebracht sind. Napoleon gab L. 1805 als Fürstentum seiner Schwester Elisa Bacciocchi. 1815 kam es als Hzgt. an Maria Luise von Etrurien, deren Sohn Karl II. von Parma L. 1847 an Toskana abtrat.

L'ucca, Pauline, Sopranistin, * Wien 25. 4. 1841, † ebd. 28. 2. 1908, seit 1861 in Berlin, international gefeiert.

Lucchesini [lukeʒˈiːni], Girolamo, Marchese, Diplomat, * Lucca 7. 5. 1751, † Florenz 19. 10. 1825, wurde 1780 Kammerherr und Vorleser Friedrichs d. Gr. und unter Friedrich Wilhelm II. neben Bischoffwerder der einflußreichste Politiker in Preußen. Seit 1802 Gesandter in Paris, betrieb er den An-

schluß Preußens an Napoleon I.; Ende 1806 wurde er entlassen.

Luce [lju:s], Henry Robinson, amerikan. Verleger, * Schantung (China) 5. 4. 1898, † Phoenix (Arizona) 28. 2. 1967, Gründer der Zeitschr. Fortune, Life, Time. Seine Frau, *Clare Boothe-Luce,* * New York 10. 4. 1903, war 1953–57 amerikan. Botschafterin in Rom.

Lucebert [lys-], eigentl. Lambertus Jan Swaanswijk, niederländ. Dichter und Maler, * Amsterdam 15. 9. 1924, Vertreter der experimentellen Literatur.

Lucera [lutʃˈera], Stadt in der ital. Prov. Foggia, mit rd. 27000 Ew.; Bischofssitz, Dom nach 1300 erneuert. In beherrschender Lage über der Stadt und dem Tavoliere (»Schachbrett«, Ebene von Foggia) liegt die von den Anjous angelegte Befestigung mit den Resten eines Kastells Friedrichs II., der 1233–45 in L. Sarazenen aus Sizilien ansiedelte.

Luchian [lukjˈan], Stefan, rumän. Maler, * Stefanesti bei Botosani 1. 2. 1868, † Bukarest 28. 6. 1916, nach dem Besuch der Akademien in München und Paris Mitbegründer der modernen rumän. Malerei.

Luchon [lyʃˈɔ̃], franz. Thermalbad, →Bagnères 2).

Lüchow [lˈyço:], Kreisstadt im RegBez. Lüneburg, Niedersachsen, mit (1973) 9500 Ew., an der Jeetze, hat AGer., höhere Schule, Landwirtschaftsschule, Heimatmuseum; Kugellagerfabrik; Viehmärkte.

Luchs, lat. **Lynx,** Sternbild des nördl. Himmels.

Luchse [german. Stw.; zu leuchten], Katzensippe, mit hohen Beinen, Haarpinsel auf den Ohren und kurzem Schwanz. Der rötlichbraune und weiße, oft über 100 cm lange *echte L.* (Lynx lynx) ist ein gefürchtetes Waldraubtier Nord- und Osteuropas und Asiens. Zu den L. gehören ferner der schmächtigere, bis 70 cm lange *Wüstenluchs (Karakal)* Afrikas und Südasiens, der *Polarluchs* und der *Rotluchs* Nordamerikas, der wildkatzenähnliche *Sumpfluchs* Afrikas und Asiens und der südeurop. *Pardelluchs.* Für

Luchse: echter Luchs

Pelzwerk sind am wertvollsten die Felle des L. im nördl. Nordamerika und in Sibirien.

Luchterhand, Hermann L. Verlag, OHG, Berlin, Zweigstelle in Neuwied, Buch- und Zeitschriftenverlag, gegr. 1924. ÜBERSICHT Verlage.

L'ucia, Luzia, Heilige, Jungfrau und Märtyrerin aus Syrakus, auf Anzeige ihres Verlobten hingerichtet, wahrscheinlich unter Diokletian; Tag: 13. 12. Ihr Tag wird noch heute in Schweden durch Geschenke gefeiert, die ein mit Lichtern geschmücktes Mädchen, die Luc'ia-Braut, austeilt. In Dantes ›Divina Commedia‹ (Purgatorio 9, Inferno 2) ist L. Sinngestalt der himml. Gnade, die den Dichter an den Ort der Entsühnung führt. Von der Kunst wurde sie erst im späteren MA. dargestellt, als Einzelfigur zuweilen mit dem Schwert im Hals und ihre Augen, die sie um Christi willen opferte, in einer Schale tragend (P. Lorenzetti, D. Ghirlandajo), doch auch mit Palme und Öllampe (Cima da Conegliano). Domenico Veneziano und noch Caravaggio schilderten Szenen aus ihrer Legende.

Luci'anus, griech. Schriftsteller, →Lukian.

l'ucida interv'alla [lat.], die »lichten Zwischenräume«, in denen Geisteskranke normales Bewußtsein zeigen; in l. i. abgeschlossene Rechtsgeschäfte sind gültig, wenn der Kranke nicht entmündigt ist.

Lucid'arius, dt. Prosadialog vom Ende des 12. Jhs., bearbeitet nach dem ›Elucidarium‹ des Honorius von Autun und anderen lat. Quellen, eine Art Katechismus des Glaubens und Wissens, der zum beliebten Volksbuch wurde.

L'ucifer, Bischof von Calaris (Cagliari) auf Sardinien, † 370/71, wurde vom arianisierenden Kaiser Constantius II. verbannt und verfaßte Streitschriften gegen ihn.

Luc'ilius, Gajus, röm. Dichter, aus Suessa Aurunca in Kampanien, † 102/101 v. Chr., gehörte zum Freundeskreis der jüngeren Scipio, gab der röm. Satire ihre bestimmende Form. Horaz sah in L. sein Vorbild. Ausgabe, 2 Bde. (1904/05).

Lucius, Heiliger, nach der Legende ein engl. König, von Timotheus bekehrt, Missionar in Rätien, erster Bischof von Chur, Märtyrer; Tag: 3. 12.

Lucka, Stadt im Kr. Altenburg, Bez. Leipzig, mit (1964) 6700 Ew.; Wellpappenfabrik, Braunkohlengruben. – Als Stadt wurde L. 1331 erstmals erwähnt.

Lucka, Emil, Schriftsteller, * Wien 11. 5. 1877, † das. 1941, schrieb Romane (Isolde Weißhand, 1908; Der Tag der Demut, 1929) und Essays.

L'uckau, Kreisstadt im Bez. Cottbus, Niederlausitz, mit (1964) 6300 Ew.; landwirtschaftl. Schule, Gärtnereien; Eisenmoorbad. Aus dem MA. stammen die Pfarrkirche (15. Jh., z. T. erneuert im 17. und 18. Jh.), das Rathaus (1851 umgebaut), das ehemal. Dominikanerkloster (1291 gegr., jetzt Strafanstalt), Stadtmauer.

Lücke, Paul, Politiker (CDU), * Schöneborn (Rheinland) 13. 11. 1914, Ingenieur und Kommunalbeamter, wurde 1949 MdB; 1957–65 Wohnungsbaumin. Der Lücke-Plan zur Lockerung und Aufhebung der Wohnungszwangswirtschaft trat am 1. 8. 1960 in Kraft (Ges. v. 23. 6. 1960); war 1965–68 Bundesinnenminister.

Luckenw'alde, Kreisstadt im Bez. Potsdam, mit (1973) 28 800 Ew.; Tuch-, Hut-, Metall-, Maschinen-, Schuh-, Papierwaren-, Möbelindustrie; Pfarrkirche (16. Jh.) mit frei stehendem Glockenturm.

Luckner, Felix, Graf von, Seeoffizier, * Dresden 9. 6. 1881, † Malmö 13. 4. 1966, durchbrach im 1. Weltkrieg als Kommandant des Hilfskreuzers Seeadler, eines Dreimastvollschiffes, die engl. Blockade und brachte 30 000 BRT Schiffsraum auf. Seit Kriegsende machte er zahlreiche Vortragsreisen (z. T. auf Segelschiffen), bes. in den USA.

WERKE. Seeteufel (1921), Seeteufel erobert Amerika (1928), Aus 70 Lebensjahren (1955).

Lucknow [l'aknau], engl. Schreibung der ind. Stadt Lakhnau.

Lucr'etia, nach der röm. Sage die schöne und tugendhafte Gattin des Lucius Tarquinius Collatinus. Von Sextus Tarquinius entehrt, tötete sie sich selbst. Dies soll den Sturz des Königtums veranlaßt haben. Das MA. rechnete L. zu den neun Heldinnen (→Held). Oft dargestellt wurde sie erst der Renaissance, in zykl. Kompositionen auf Cassoni (Botticelli), in der Bedrängung durch Sextus Tarquinius (Aldegrever, Palma Vecchio, Rubens), am häufigsten, wie sie sich erdolcht (Palma Vecchio, Raimondi, Dürer, Cranach, Baldung, Rembrandt).

Lucr'ezia Borgia [b'ərdʒa], →Borgia 3).

Luc'ullus, Lucius Licinius, röm. Feldherr, * 117, † 57 v. Chr., kämpfte seit 87 unter Sullas Oberbefehl im 1. Krieg gegen Mithridates, war 78 Prätor, 74 Konsul und erhielt anschließend den Oberbefehl im 3. Krieg gegen Mithridates, den er trotz anfänglicher großer Erfolge nicht beenden konnte. 67 wurde er abberufen, doch ermöglichten ihm die im Osten erworbenen Reichtümer nach seiner Rückkehr nach Rom ein glanzvolles und üppiges Leben (sprichwörtlich: Lukullisches Mahl); er soll den Kirschbaum nach Europa eingeführt haben. Lebensbeschreibung von Plutarch.

Luden, Heinrich, Historiker, * Loxstedt bei Bremen 10. 4. 1780, † Jena 23. 5. 1847, war seit 1806 Prof. in Jena; nationaler Geschichtsschreiber im Sinne eines nationalen Liberalismus.

L'udendorff, Erich, preuß. General, * Kruszewnia bei Posen 9. 4. 1865, † München 20. 12. 1937, war 1908–12 Chef der Aufmarschabt. im Gr. Generalstab, seit 22. 8. 1914 Generalstabschef Hindenburgs, mit dem er von der Schlacht bei Tannenberg an die Operationen gegen die Russen leitete; 1916 wurde er in die Oberste Heeresleitung berufen und erhielt als 1. Generalquartiermeister die Mitverantwortung für die militär. Kriegführung. Die Leitung der Heerführung lag in der Folgezeit wesentlich in seiner Hand. Er gewann auch weitreichenden, nicht immer günstigen Einfluß in polit. und wirtschaftl. Fragen (Sturz Bethmann Hollwegs). Am 29. 9. 1918 verlangte er von der Reichsregierung ein Waffenstillstandsangebot; am 26. 10. 1918 wurde er vom Kaiser entlassen. Nach 1918 betätigte sich L. politisch und schriftstellerisch in der deutsch-völkischen Bewegung, beteiligte sich auch am Hitler-Putsch (Nov. 1923). 1924–28 war er MdR. 1925 wurde er von den Nationalsozialisten bei der Reichspräsidentenwahl aufgestellt. 1926 gründete er in Zusammenarbeit mit seiner 2. Frau *Mathilde* (vordem verh. von Kemnitz, geb. Spieß, * 1877, † 1966) im Kampf gegen die »überstaatlichen Mächte« (Freimaurer, Juden, Jesuiten, Marxisten) den »Tannenberg-Bund« (1933 aufgelöst), später die »Gotterkenntnis«. Die *L.-Bewegung* wurde Mai 1961 in der Bundesrep. Dtl. verboten.

WERKE. Meine Kriegserinnerungen (1919), Kriegführung und Politik (1922), Mein militärischer Werdegang (1933), Der totale Krieg (1935).

L'üdenscheid, 1) Stadt im Kreis L., Nordrhein-Westfalen, mit (1974) 79000 Ew., im westl. Sauerland, 120 m ü. M.; AGer., höhere und Fachschulen, Heimatmuseum, Theater; elektrotechn., Kunststoffpresserei. Die früher kreisfreie Stadt wurde am 1. 1. 1969 mit der Gemeinde L.-Land (1967: 24000 Ew.) zusammengeschlossen und dem Landkreis L. eingegliedert. **2)** Landkreis im RegBez. Arnsberg, Nordrhein-Westfalen, 679 qkm mit (1974) 242000 Ew., am 1. 1. 1969 aus dem Landkreis Altena und der ehem. kreisfreien Stadt L. gebildet. Kreisstadt ist Altena.

Luder [mhd. luoder ›Lockspeise‹ *das,* weidmännisch für Aas. **Luderplatz,** Ort, an dem Aas zum Anludern von Raubwild ausgelegt wird (→Hüttenjagd). **Luderschacht,** eine senkrechte, ziemlich tief in die Erde gegrabene Röhre, in die man Aas legt, um Raubwild anzulocken und in der Röhre zu fangen.

Lüder, *Jägersprache:* das →Federspiel 1).

L'üderitz, Adolf, Großkaufmann, * Bremen 16. 7. 1834, † (ertrunken im Oranje) Okt. 1886, beteiligte sich am Afrikahandel, kaufte 1883 den Hafen von Angra Pequena (seit 1886 *Lüderitz-Bucht,* seit 1920 *Lüderitz*) mit seinem Küstengebiet, das 1884, unter den Schutz des Dt. Reiches gestellt, die Grundlage von Dt.-Südwestafrika wurde.

Lüders, 1) Günther, Schauspieler und Regisseur, * Lübeck 5. 3. 1905, † Düsseldorf 1. 3. 1975, spielte in Dessau, Frankfurt a. M., Berlin, Düsseldorf und Stuttgart (Schauspieldirektor 1960–63).

2) Heinrich, Indologe, * Lübeck 25. 6. 1869, † Badenweiler 7. 5. 1943, war Prof. in Rostock, Kiel und Berlin, 1920 ständiger Sekretär der Preuß. Akademie der Wissenschaften; Bearbeiter und Hg. der in Ostturkestan aufgefundenen Sanskrithandschriften.

3) Marie-Elisabeth, Politikerin, * Berlin 25. 6. 1878, † Berlin 23. 3. 1966, führend in der dt. Frauenbewegung, war 1919/20 Mitglied der Weimarer Nationalversammlung, 1920–30 MdR (Dt. Demokrat. Partei), 1949–51 im Abgeordnetenhaus und Magistrat von Berlin; 1953–61 MdB (FDP), Alterspräsidentin.

Ludger, Heiliger, →Liudger.

Ludhi'ana, Stadt in Indien, im Pandschab, (1971) 401000 Ew., Textil-, Metallindustrie und Weizenbau.

ludi [lat., Mz. von ludus ›Spiel‹], im alten Rom Festspiele aller Art, bes. Tierkämpfe und Gladiatorenspiele; auch die Kasernen der Gladiatoren.

Lüdinghausen, Kreisstadt im RegBez. Münster, Nordrhein-Westfalen, mit (1974) 12700 Ew., in der Münsterer Tieflandsbucht, 52 m ü. M.; AGer., höhere Schulen, Landwirtschaftsschule; Holz-, Eisen-, Textil-, Lebensmittelindustrie.

Ludm'illa, Gemahlin eines böhm. Herzogs, als Christin von der heidn. Partei 921 ermordet. Ihr Enkel war der heilige Wenzel. Als Heilige ist sie die Schutzherrin Böhmens. Tag: 16. 9.

Ludolf von Sachsen, † Straßburg 10. 4. 1377, Dominikaner, seit 1340 Kartäuser in Königshofen-Straßburg, Koblenz, Mainz und wieder Straßburg. Sein ›Leben Jesu‹ hatte großen Einfluß auf die Entwicklung der Methode der geistlichen Lebens.

L'udolfinger, Liudolfinger.

L'udolfsche Zahl [nach dem holländ. Mathematiker Ludolf van Ceulen, * 1540, † 1610], die mit dem Buchstaben π bezeichnete Zahl, die das Verhältnis des Kreisumfangs zum Durchmesser angibt. Die L. Z. ist irrational, die ersten 10 Stellen lauten π = 3,1415926536.

Ludov'isischer Thron, ein im Gebiet der früheren Villa Ludovisi (angelegt von Kardinal Ludovisi, →Gregor XV.) gefundenes reliefgeschmücktes griech. Marmorwerk um 470–450 v. Chr. (jetzt Thermenmuseum, Rom).

Ludwig [jüngere Form von Chlodwig ›kampfberühmt‹], männl. Vorname.

Ludwig, Fürsten:
Römische und römisch-deutsche Kaiser. **1) L. I., der Fromme** (814–840), dritter Sohn Karls d. Gr., * 778, † Ingelheim 20. 6. 840, wurde 813 zum Kaiser und Mitregenten ernannt, teilte das Frankenreich unter seine Söhne Lothar, Pippin und Ludwig, veranlaßte durch eine nochmalige Teilung (829) zugunsten seines Sohnes Karl aus zweiter Ehe eine Empörung seiner Söhne erster Ehe und unterlag infolge des Abfalls seines Heeres 833 auf dem ›Lügenfeld‹ bei Colmar; er wurde nach Soissons ins Kloster gebracht, von seinen beiden jüngeren Söhnen aber bald wieder in die Herrschaft eingesetzt. 837 verständigte sich L. mit seinem ältesten Sohn

Lothar zu einer neuen Teilung. Die Söhne Lothar, Ludwig und Karl teilten das väterliche Reich im Vertrag von Verdun (843); als Kaiser folgte Lothar I.

Lit. E. Mühlbacher: Deutsche Geschichte unter den Karolingern (1896).

2) L. II. (855–875), fränkischer König, ältester Sohn Lothars I., Enkel von 1), * um 822, † 12. 8. 875, erhielt 855 Italien, wo er erfolgreich gegen die Sarazenen kämpfte.

3) L. III., der Blinde (901–905), Karolinger weibl. Linie, Sohn des burgundischen Königs Boso, Enkel von 2), * um 882, † 924, wurde nach dem Tod Kaiser Lamberts nach Italien gerufen, 901 zum Kaiser gekrönt, 905 in Verona von Berengar I. geblendet.

4) L. IV., der Bayer (1314–47), Sohn von 10), * 1287, † bei München 11. 10. 1347, seit 1302 Herzog von Oberbayern. 1314 wurde er gegen den Habsburger Friedrich den Schönen zum deutschen König gewählt. L. besiegte ihn bei Mühldorf 1322, nahm ihn gefangen, ließ ihn aber 1325 frei. Inzwischen war L. 1324 von dem franz. Papst Johann XXII. in Avignon gebannt worden, weil er ohne päpstl. Approbation kaiserl. Herrschaftsrecht in Italien beanspruchte. Doch ließ er sich 1328 von Vertretern des röm. Volkes zum Kaiser krönen; bedeutende Schriftsteller wie Marsilius von Padua verteidigten seine Sache gegenüber der Kurie, und die Kurfürsten wiesen im Kurverein von Rhense 1338 jede Einmischung des Papsttums in die deutsche Königswahl zurück. 1346 wurde der Luxemburger Karl IV. als päpstl. Gegenkönig aufgestellt. Für das wittelsbachische Haus erwarb L. 1323 die Mark Brandenburg, 1342 Tirol, 1346 die Grafschaften Holland, Seeland und Hennegau; 1340 erbte er Niederbayern.

Ostfränkische Könige. **5) L. der Deutsche** (843–876), Sohn von 1), * um 804, † Frankfurt a. M. 28. 8. 876, erhielt bei der ersten Reichsteilung (817) Bayern, nötigte nach dem Tod seines Vaters im Bund mit Karl dem Kahlen seinen Bruder Lothar I. zum Vertrag von Verdun (843), wodurch L. die Lande östl. von Rhein u. Aare erhielt. Nach dem Tod Lothars II. zwang L. Karl den Kahlen zur Teilung Lothringens im Vertrag von Mersen (9. 8. 870). Als Kaiser L. II. gestorben war, siegte Karl der Kahle bei der Bewerbung um die Kaiserkrone. L.s Verdienst blieb die Festigung des Ostfrankenreichs.

6) L. III., der Jüngere (876–82), zweiter Sohn von 5), † Frankfurt a. M. 20. 1. 882, erhielt Thüringen, Franken und Sachsen mit den tributpflichtigen Grenzvölkern. Er schlug Karl den Kahlen, der ganz Lothringen zu erobern hoffte, bei Andernach (8. 10. 876), gewann 879 Bayern und im Vertrag von Ribémont (880) ganz Lothringen.

7) L. IV., das Kind (900–911), Sohn Arnulfs von Kärnten, * 893, † 24. 9. 911, der letzte der deutschen Karolinger, stand unter Vormundschaft Erzbischof Hattos von Mainz. Während seiner Regierung begannen die

Ungarneinfälle, und die Stammesherzogtümer erhoben sich wieder.

Baden, **8) L. Wilhelm I.,** der »Türkenlouis«, Markgraf (1677–1707), * Paris 8. 4. 1655, † Rastatt 4. 1. 1707, zeichnete sich als Reichsfeldmarschall (seit 1682) in den Türkenkriegen und als Oberbefehlshaber der Reichsarmee (seit 1693) gegen die Franzosen aus.

Bayern, Herzöge. **9) L. I.,** der Kelheimer (1183–1231), Sohn Ottos I. von Wittelsbach, * 23. 12. 1174, † Kelheim 15. 9. 1231, meist Parteigänger der Staufer, 1226 Reichsverweser, erwarb 1214 die Rheinpfalz für sein Haus. L. entzweite sich mit Kaiser Friedrich II. und wurde ermordet.

10) L. II., der Strenge (1253–94), Enkel von 9), * 13. 4. 1229, † Heidelberg 1. 2. 1294, erhielt bei der Teilung von 1255 Oberbayern-München und die Pfalz, bereicherte sich am stauf. Erbe seines Neffen Konradin, förderte die Königswahl Rudolfs von Habsburg.

11) L. IV. (1302–47), Sohn von 10), röm.-deutscher König, →Ludwig 4).

12) L. V. (1347–61), Sohn von 4), →Ludwig 17).

13) L. IX., der Reiche, Herzog von Bayern-Landshut (1450–79), * 21. 2. 1417, † 18. 1. 1479, besiegte Albrecht Achilles 1462 bei Giengen und gründete 1472 die Universität Ingolstadt.

Bayern, Könige. **14) L. I.** (1825–48), Sohn König Maximilians I. Joseph, * Straßburg 25. 8. 1786, † Nizza 29. 2. 1868, machte München wieder zur Kunststadt und 1826 auch zum Sitz der Landesuniversität. Er ließ zahlreiche Bauten ausführen, vor allem durch seinen Hofbaumeister Leo v. Klenze, die noch heute das Gesicht der Stadt bestimmen, außerdem die Walhalla bei Regensburg und die Befreiungshalle bei Kelheim. L. begeisterte sich für die Befreiung der Griechen, denen er seinen zweiten Sohn Otto 1832 zum König gab. Innenpolitisch bekämpfte er seit 1831 die Liberalen und regierte 1837–47 mit dem klerikalen Minister Abel. Seine Beziehungen zur der Tänzerin Lola Montez lösten Anfang 1848 in München die Revolution aus; L. dankte zugunsten seines Sohnes Maximilian II. ab.

Lit. E. C. Conte Corti: L. I. (⁶1960).

15) L. II. (1864–86), Enkel von 14), * Nymphenburg 25. 8. 1845, † 13. 6. 1886, nahm 1866 am Krieg gegen Preußen teil, vollzog aber 1870/71 den Eintritt Bayerns in das Deutsche Reich. L. holte Richard Wagner vorübergehend nach München und setzte sich leidenschaftlich für seine Kunst ein (Festspielhaus in Bayreuth). Durch die Schloßbauten in den bayer. Bergen (Herrenchiemsee, Neuschwanstein, Linderhof) stürzte sich L. in untragbare Schulden. Da seine Geisteskrankheit immer schlimmer wurde, übernahm am 10. 6. 1886 sein Oheim Luitpold die Regentschaft; L. fand zusammen mit dem Irrenarzt v. Gudden den Tod im Starnberger See. – Briefwechsel mit Richard Wagner (4 Bde., 1936–39).

Lit. W. Richter: L. II. (⁸1963).

16) L. III. (1913–18), Vetter von 15),* München 7. 1. 1845, † Sarvar (Ungarn) 18. 10. 1921, folgte 1912 seinem Vater Luitpold in der Regentschaft, erklärte diese aber am 5. 11. 1913 für beendet. Im Nov. 1918 mußte er außer Landes gehen, dankte aber nicht ab.

Brandenburg, Markgrafen. **17) L. der Ältere** (1323–51), als Herzog von Bayern L. V. (1347–61), ältester Sohn von 4), * 1315, † 18. 9. 1361, wurde nach dem Aussterben der Askanier mit der Kurmark belehnt; er überließ sie 1351 seinen Brüdern, die sie 1373 an Karl IV. verkauften.

Frankreich, Könige. **18) L. VI., der Dicke** (1108–37), * 1081, † 1. 8. 1137, verband sich, beraten von dem Abt Suger von Saint-Denis, mit der Kirche und den nordfranzös. Städten gegen den Adel; mit ihm begann der Aufstieg des franz. Königtums.

19) L. VII., der Junge (1137–80), Sohn von 18), * 1120, † 19. 9. 1180, nahm am zweiten Kreuzzug von 1147–49 teil. Seine geschiedene Gattin Eleonore, Erbin des Herzogtums Aquitanien, vermählte sich mit Heinrich Plantagenet, der 1154 auch den engl. Thron bestieg; so kam Westfrankreich an die engl. Könige.

20) L. VIII., der Löwe (1223–26), Sohn Philipps II. August, * Paris 5. 9. 1187, † Montpensier 8. 11. 1226, führte den entscheidenden Schlag gegen die Albigenser.

21) L. IX., der Heilige (1226–70), Sohn von 20), * Poissy 25. 4. 1214, † 25. 8. 1270, einer der bedeutenden Herrscher des MA.s, unternahm 1248–54 den sechsten Kreuzzug, eroberte 1249 die ägypt. Nilfestung Damiette, mußte sie aber 1250 infolge seiner Gefangennahme aufgeben. Bei einem neuen Kreuzzug starb er vor Tunis. Seine Lauterkeit und polit. Moral hatten Frankreichs Ansehen gehoben. 1297 heiliggesprochen; Tag: 25. 8.

22) L. XI. (1461–83), Sohn Karls VII., * Bourges 3. 8. 1423, † Plessis-lès-Tours 30. 8. 1483, führte einen zähen und erfolgreichen Kampf gegen den Hochadel. Er wurde zum Vorbereiter des königl. Absolutismus und Zentralismus. Gegen Karl den Kühnen gewann er die schweizer. Eidgenossen für sich. Aus der burgund. Erbschaft fielen die Bourgogne und die Pikardie an L. (Friede von Arras, 1482). Außerdem konnte er 1481 Anjou und die Provence mit dem Kronland vereinigen.

23) L. XII. (1498–1515), * Blois 27. 6. 1462, † Paris 1. 1. 1515. Seine Politik war ganz auf Italien gerichtet; er eroberte 1499 Mailand, verlor aber 1503–05 das ebenfalls beanspruchte Kgr. Neapel an Ferdinand von Aragonien; die »Heilige Liga«, die Papst Julius II. gegen ihn vereinigte, entriß ihm im Krieg von 1512/13 auch Mailand.

24) L. XIII. (1610–43), Sohn Heinrichs IV., * Fontainebleau 27. 9. 1601, † Saint-Germain-en-Laye 14. 5. 1643, stand anfangs unter der Vormundschaft seiner Mutter Maria von Medici. Er hielt 1614/15 eine Tagung der Generalstände ab (die letzte vor 1789), die aber den Widerstand des Adels

gegen das absolutist. Regiment nicht minderte. Sein leitender Minister war seit 1624 der Kardinal Richelieu, der den Absolutismus in Frankreich durchsetzte.

25) L. XIV. (1643–1715), der »Sonnenkönig«, Sohn von 24), * Saint-Germain-en-Laye 5. 9. 1638, † Versailles 1. 9. 1715, stand anfangs unter Vormundschaft seiner Mutter Anna von Österreich und übernahm erst nach dem Tod des Kardinals Mazarin (1661) selbst die Leitung des Staats. L. verkörperte und steigerte – wenn auch das Wort ›L'État c'est moi‹ wahrscheinlich nicht von ihm stammt – die Lehre vom königl. Absolutismus zu einem fast religiösen Dogma. Den Adel entfremdete er durch Hofdienst dem Lande; das Demonstrationsrecht der Parlamente drückte er zur Bedeutungslosigkeit herab. Aber er rechtfertigte seinen Anspruch der unteilbaren Souveränität durch die Verpflichtung, dem Staatswohl zu dienen. Die Überspannung seiner Machtpolitik und die andauernden Kriege führten schließlich zur völligen Erschöpfung des Landes und riefen eine der ersten schweren Krisen des absoluten Systems hervor (→französische Geschichte).

Ludwig XIV. (Marmorbüste von G. L. Bernini, 1665; Versailles, Schloß)

LIT. L. de Saint-Simon: Der Hof L.s XIV. (dt. ³1925); Ph. Sagnac u. A. de Saint-Leger: L. XIV. (³1949).

26) L. XV. (1715–74), Urenkel von 25), * Versailles 15. 2. 1710, † das. 10. 5. 1774, stand bis 1723 unter der Regentschaft des Herzogs Philipp von Orléans und überließ 1726–43 dem Kardinal Fleury die polit. Leitung, geriet aber dann unter den Einfluß seiner Geliebten, bes. der Pompadour und der Dubarry. In allen polit. und kriegerischen Unternehmungen wie auch in der Tradition des höfischen Glanzes suchte er den Absolutismus fortzusetzen, ohne die persönl. Voraussetzungen dazu zu besitzen (französische Geschichte). Außenpolit. Mißerfolge und Mißwirtschaft im Innern machten ihn schließlich beim Volk verhaßt.

LIT. A. Leroy: L. XV. (1938).

27) L. XVI. (1774–92), Enkel von 26), * Versailles 23. 8. 1754, † (hingerichtet) Paris 21. 1. 1793, vermählt mit der österr. Kaisertochter Marie Antoinette. Seine Regierung wurde mit Hoffnung begrüßt, da er, persönlich bescheiden, der am Hof herrschenden Sittenlosigkeit ein Ende machte und ehrlichen Reformwillen zeigte. Die Berufung der Generalstände wurde der Anlaß der Ereignisse, die die Franz. Revolution auslösten (→französische Geschichte).

28) L. XVII., Sohn von 27), * Versailles 27. 3. 1785, † Paris 8. 6. 1795, wurde durch den Tod seines älteren Bruders 1789 Thronfolger (Dauphin). Die Revolutionäre übergaben ihn 1793 einem Schuster, dessen Behandlung den frühen Tod des Prinzen herbeiführte. Später haben sich mehrere Abenteurer für ihn ausgegeben. →Naundorf.

29) L. XVIII. (1814/15–24), Bruder von 27), * Versailles 17. 11. 1755, † Paris 16. 9. 1824, erhielt als Prinz den Titel Graf von Provence. Er floh 1791 ins Ausland, war mit seinem jüngeren Bruder, dem Grafen von Artois, das Haupt der Emigranten in Koblenz und war dann jahrelang zu einem unsteten Wanderleben gezwungen. Nach der Abdankung Napoleons I. gelangte er 1814 auf den Thron und erließ eine liberale Verfassung, die Grundlage einer konstitutionellen Monarchie; doch zwang ihn Napoleons Rückkehr 1815 noch einmal für kurze Zeit zur Flucht.

30) L. Philipp, französ. Louis Philippe, der »Bürgerkönig« (1830–48), * Paris 6. 10. 1773, † Claremont (bei Windsor) 26. 8. 1850, schloß sich mit seinem Vater, dem Herzog von Orléans, anfangs der Revolution von 1789 an, ging aber 1793 mit dem General Dumouriez zu den Österreichern über. Nach einem wechselvollen Leben im Ausland kehrte er 1817 nach Frankreich zurück, wo er seinen Hof zu einem Sammelpunkt der liberalen Opposition machte. Als die Julirevolution von 1830 König Karl X. zur Abdankung zwang, bestieg L. als *König der Franzosen* den Thron. Die Regierung führte er, gestützt auf das kapitalistische Großbürgertum, in liberalen Formen, aber in konservativem Geist; in der Außenpolitik vertrat er mit Entschiedenheit die Erhaltung des Friedens. Durch die Februarrevolution von 1848 wurde er gestürzt und floh nach England.

Lit. P. de la Gorce: Louis Philippe (1931).

31) L. XIX., →Angoulême 2).

Hessen-Darmstadt, Landgrafen und Großherzöge, →Hessen, Geschichte.

Holland. 32) L. Bonaparte, König (1806 bis 1810), dritter Bruder Napoleons I., Vater Napoleons III., * Ajaccio 2. 9. 1778, † Livorno 25. 7. 1846, war mit Napoleons Stieftochter Hortense de Beauharnais verheiratet. Nach schweren polit. Zerwürfnissen mit seinem Bruder dankte er ab.

Thüringen, Landgrafen. 33) L. der Springer (1076–1123), * um 1042, † Kloster Reinhardsbrunn 1123, gehörte zu den Gegnern der Kaiser Heinrich IV. und V. Als er auf Schloß Giebichenstein bei Halle gefangengesetzt wurde, soll er durch einen Sprung mit dem Pferd in die Saale die Freiheit gewonnen haben.

34) L. II., der Eiserne (1140–72), Enkel von 33), Schwager Kaiser Friedrichs I., soll der Sage nach auf die Mahnung des Schmieds von Ruhla: »Landgraf, werde hart« gegen den gewalttätigen Adel eingeschritten sein.

Ungarn, Könige. 35) L. I., der Große (1342 bis 1382), aus dem Hause Anjou-Neapel, * 1326, † Tyrnau 11. 9. 1382, befestigte die ungar. Oberhoheit über die nördl. Balkanländer und kämpfte erfolgreich mit Venedig um Dalmatien. 1370 erhielt er auch die poln. Königskrone. Unter ihm hatte Ungarn seine größte Ausdehnung.

36) L. II. (1516–26), aus dem poln. Hause der Jagiellonen, * 1506, † 29. 8. 1526, war auch König von Böhmen. Er verlor bei Mohács gegen die Türken Schlacht und Leben. Ihm folgten die Habsburger.

Ludwig, 1) Alfred, Indologe, * Wien 8. 10. 1832, † Prag 12. 6. 1912, war 1871–1901 Prof. in Prag.

Werke. Die erste vollständige Verdeutschung des Rigveda mit Einleitung und Kommentar, 6 Bde. (1876–88).

2) Carl Friedrich, Wilhelm, Physiologe, Witzenhausen (Hessen) 15. 12. 1816, † Leipzig 24. 4. 1895, Prof. in Marburg, Zürich, Wien und Leipzig. Er entdeckte die Rolle des Sauerstoffs im Blut und die Bedeutung der inneren Sekretion.

3) Emil, Schriftsteller, * Breslau 25. 1.1881, † Moscia b. Ascona 7. 2. 1948, Sohn des Augenarztes Herm. Cohn; schrieb zahlreiche Biographien.

Werke. Goethe (1920), Napoleon (1925), Wilhelm II. (1926), Bismarck (1926).

4) Friedrich, Musikforscher, * Potsdam 8. 5. 1872, † Göttingen 3. 10. 1930, Prof. in Straßburg und Göttingen, veröffentlichte grundlegende Studien über die Musik des MA.s.

5) Otto, Schriftsteller, * Eisfeld a. d. Werra 12. 2. 1813, † Dresden 25. 2. 1865, lebte 1844–49 in Meißen, dann in Dresden. Von seinen dramat. Arbeiten brachte ihm nur der ›Erbförster‹ (1850) Bühnenerfolg. Er bemühte sich auch theoretisch um die dramat. Form (Shakespearestudien, hg. 1891, 1901).

Werke. Die Heiterethei (1854), Zwischen Himmel und Erde (1856), Sämtl. Werke, erschienen 6 Bde. von 18 (1912–22); Auswahl, 4 Bde. (1908).

6) Paula, Schriftstellerin, * Altenstadt bei Feldkirch (Vorarlberg) 5. 1. 1900, † Darmstadt 27. 1. 1974, emigrierte 1933, kehrte 1953 zurück, schrieb Gedichte und Prosa.

Werke. Auswahl 1920–58 (1958), Träume, Aufzeichnungen aus den Jahren 1920 bis 1960 (1962).

Ludwigsburg, Kreisstadt im Regierungsbezirk Stuttgart, Baden-Württemberg, hat (1974) 77 300 Ew., auf der Muschelkalkhochfläche zwischen Neckar, Enz und

Glems, 295 m ü. M., eine seit 1709 planmäßig angelegte Stadt, die wiederholt Residenz der württemberg. Fürsten war. Das Schloß (1704–33) ist der größte deutsche Barockbau; in den Schloßgärten finden die »Ludwigsburger Schloßkonzerte« statt, von April bis Okt. die Gartenschau »Blühendes Barock«; 1958 wurde in L. die »Zentrale Stelle der Landesjustizverwaltungen zur Verfolgung nationalsozialist. Gewaltverbrechen« errichtet. Im 19. Jh. wurde L. zur Industriestadt; hergestellt werden Metallwaren, Maschinen, Werkzeuge, Strickwaren, Orgeln und anderes. L. hat AGer., höhere und Fachschulen, darunter Meisterschule für Instrumentenbau. Zu L. gehört das Heilbad *Hoheneck* mit einer Kochsalzquelle.

Ludwigsburger Porzellan, das Porzellan der 1756 gegr. Manufaktur in Ludwigsburg, die, seit 1758 in herzogl. Besitz, bis 1824 bestand und außer vorzüglich bemaltem Geschirr genrehafte Kleinplastik herstellte. Der bekannteste Modelleur war W. Beyer.

Ludwigs-Eisenbahn, die erste deutsche Eisenbahnlinie, verband Nürnberg und Fürth (6 km); sie war in Betrieb vom 7. 12. 1835 bis 31. 10. 1922.

Ludwigsfelde, Gem. im Kr. Zossen, Bez. Potsdam, mit (1974) 18 500 Ew.

Ludwigshafen am Rhein, Stadtkreis und Kreisstadt im RegBez. Rheinhessen-Pfalz, Rheinland-Pfalz, mit (1974) 173 100 Ew., Wirtschaftszentrum der Pfalz, Bahnknotenpunkt, Rheinhafen (Wappen: TAFEL Städtewappen). BASF-Hochhaus 101,63 m. Industrie: chemische und pharmazeut. Erzeugnisse (Badische Anilin- und Sodafabrik), Metall-, Textil- und Mühlenindustrie, Brauereien. L. hat AGer., Arbeitsgericht, Industrie- und Handelskammer, Pfalz-Orchester, höhere und Fachschulen. – L. entstand als bayerische Konkurrenzgründung zum bad. Mannheim, erhielt 1843 nach König Ludwig I. von Bayern seinen Namen und wurde 1859 Stadt (1864: 3900 Ew.).

Ludwigskanal, 1836–45 erbauter Kanal, →Rhein–Main–Donau-Großschiffahrtsweg.

Ludwigslied, althochdeutsche (rheinfränkische) epische Dichtung, in 2- und 3teiligen gereimten Strophen, von einem Geistlichen 881/882 als Preislied auf den Sieg Ludwigs III. von Frankreich (* um 863, † 882) über die Normannen bei Saucourt (881) gedichtet; ältestes histor. Lied in dt. Sprache. – W. Braune: Althochdt. Leseb. (¹¹1965).

Ludwigslust, Kreisstadt im Bez. Schwerin, in flacher Niederung am L.er Kanal zwischen Elde und Rögnitz, mit (1974) 13 000 Ew.; Viehmärkte, Fleischkonserven-, Landmaschinenfabrik. L., 1756 gegr., war bis 1837 Sitz der Großherzöge von Mecklenburg-Schwerin; das ehemal. Residenzschloß wurde 1772–76 erbaut.

Ludwigstadt, Stadt im Kreis Kronach, Oberfranken, Bayern, im Frankenwald, 458 m ü. M., mit (1973) 2600 Ew.; Schiefertafel- u. a. Ind. L. wurde von einem Saalfelder Abt als *Ludwigsdorf* gegr., wurde 1377

Stadt, hat frühroman. Zentralbau der Marienkapelle (jetzt Schmiede).

L'u|eg, Paß L., 9 km langer Engpaß der Salzach zwischen Tennen- und Hagengebirge in Salzburg, Österreich.

L'u|eger, Karl, österreich. Politiker, * Wien 24. 10. 1844, † das. 10. 3. 1910, Rechtsanwalt, Führer der Christlich-Sozialen Partei, war zunächst im Gegner des herrschenden großbürgerl. Liberalismus, gewann für sein demokratisch-antisemitisches Programm das Kleinbürgertum und wurde 1897 Bürgermeister von Wien. Er erwarb sich Verdienste mit sozialen Maßnahmen auf allen Gebieten kommunaler Verwaltung und um den Ausbau der Stadt. L. bekannte sich zum österreich. Reichsgedanken und milderte dadurch seine frühere Spannung zum kaiserlichen Hof.
LIT. R. Kuppe: K. L. und seine Zeit (Wien 1933).

L'u|es [lat. ›Seuche‹ *die*, die →Syphilis.

L'uffa [arab.], kürbisähnl. Frucht, deren entfleischtes Gefäßbündelnetz Schwammersatz liefert.

Lufft, Hans, Buchdrucker in Wittenberg, * 1495, † Wittenberg 2. 9. 1584, druckte von etwa 1523 an die Schriften Luthers, nachdem sich dieser mit Melchior →Lotter entzweit hatte. Bedeutende Künstler wie Cranach schufen den Buchschmuck. 1549 wurde L. von Herzog Albrecht von Preußen zur Errichtung einer Druckerei nach Königsberg berufen und erhielt das erste preuß. Druckprivileg; dieses Zweigunternehmen bestand bis 1553.

Luft [german. Stw.], das die Erdatmosphäre bildende Gasgemisch aus rd. 78 % Stickstoff, 21 % Sauerstoff, 0,9 % Edelgasen, 0,03 % Kohlendioxyd, wechselnden Mengen Wasserdampf, Staub, Stickstoff- und Schwefelverbindungen, Abgasen, Schwebstoffen, Mikroorganismen.

Luft, Friedrich, Schriftsteller, * Berlin 24. 8. 1911, wirkt das. als Theater- und Filmkritiker; Theater- und Filmkommentator am Sender RIAS Berlin; Essayist; schrieb: Berliner Theater 1945 bis 1961 (1962).

Luftballon, 1) Kinderspielzeug, meist eine Blase aus dünnem Gummi, die mit Leuchtgas, Wasserstoff oder einem anderen Gas, das leichter als Luft ist, gefüllt wird. **2)** Ballon, →Fesselballon, →Freiballon.

Luftbild, das von einem Flugkörper aus aufgenommene photograph. Bild (Schräg- und Senkrechtbild) eines Teiles der Erdoberfläche. Die Auswertung des L. (*L.-Interpretation*) ist wichtiges Hilfsmittel verschiedener Wissenschaftszweige (Geographie, Geologie, Landesplanung, Vorgeschichtsforschung u. a.). In der Archäologie z. B. gelingt oftmals die Entdeckung von Objekten (z. B. vorgeschichtl. Fundstätten in Großbritannien und im Nahen Osten), die in normaler Bildhöhe nicht sichtbar sind. Deutl. Merkmale im L. sind: Schattenwurf, der Höhenunterschiede erkennen läßt, Verfärbungen, die durch unterschiedl. Bodenfeuchtigkeit entstehen oder durch Unterschiede im Pflanzenwuchs. Infracolorbilder, deren Farben von den natürlichen abweichen (z. B. rot statt grün), liefern bei Gegenüberstellung mit farbentreuen Bildern zahlreiche zusätzl. Einzelheiten. Kartographische Darstellungen werden aus Einzelbildern, Bildpaaren oder Bildreihen abgeleitet (→Photogrammetrie). Die entzerrten L. lassen sich zu einem *L.-Plan* zusammensetzen, der zur *L.-Karte* ausgearbeitet werden kann.

Luftbrücke, engl. **Airlift,** die Versorgung abgeschnittener Gebiete aus der Luft, in bisher größtem Umfang angewandt anläßlich der Blockade W-Berlins durch die Sowjetunion (24. 6. 1948 bis 12. 5. 1949; im Durchschnitt alle 2–3 Min. ein Flugzeug).

Luftbrust, der →Pneumothorax.

Luftdruck, der Druck, den die atmosphärische Luft infolge der Schwerkraft auf ihre Unterlage ausübt; er wird mit dem →Barometer gemessen. Der L. nimmt mit steigender Höhe über dem Meeresspiegel ab und schwankt mit den Bewegungsvorgängen in der Atmosphäre. Er weist tägliche und jährliche Schwankungen auf. Ein Gebiet geringen L.s heißt barometrisches Tief, ein Gebiet hohen L.s barometrisches Hoch.

Luftelektrizität, die in den unteren Schichten der Atmosphäre und den obersten Schichten des Erdbodens sich abspielenden elektr. Vorgänge. Zwischen jedem Punkt der Atmosphäre und dem Erdboden besteht eine elektr. Spannung, das *luftelektrische Potentialgefälle,* das in Volt auf 1 m gemessen wird. Es beträgt am Erdboden rund 100 Volt/m; mit der Erhebung nimmt dieser Wert sehr rasch ab. In der Regel ist die Luft durch ihren Gehalt an positiven Ionen positiv gegen die Erde.

Lüfter, Vorrichtung zum Lüften von Räumen, →Fliehkraftlüfter, →Schraubenlüfter.

L'ufterhitzer sind Wärmegeräte in Gestalt von Rippenrohren, die in einen Stahlprofilrahmen oder ein -gehäuse eng nebeneinander eingebaut sind und vom Heizmittel (Heizdampf, Heizwasser oder Gas) durchflossen werden. Um die Rippenrohre wird die zu erwärmende Luft mittels Fliehkraftlüfter gedrückt. *Elektrolufterhitzer* enthalten statt der Rippenrohre Widerstandsdrähte oder Heizstäbe.

Luftfahrt, die Gesamtheit des Flugverkehrs, wird heute fast ausschließlich mit Flugzeugen durchgeführt. Die Versuche des Menschen, sich in die Luft zu erheben, sind uralt. Zahlreich sind die dazu entwickelten Pläne und durchgeführten Versuche (Leonardo da Vinci um 1500 mit von Muskelkraft bewegten Flügeln, F. de Lanas 1670 mit Vorrichtungen, die leichter als Luft sind). Die Erfindung der Warmluftballons durch die Brüder Montgolfier 1783 (Montgolfière) leitete die eigentl. L. ein. Die Entdeckung dieser Geräte führte zum →Freiballon und zum →Luftschiff. Mit Apparaten, die schwerer als Luft sind, führte O. Lilienthal seit 1891 Gleitflüge durch, die das erste Wissen über das Fliegen vermittelten. Darauf aufbauend, gelangen 1903 den Brüdern Wright die ersten gesteuerten Motorflüge. Ein bedeutender Abschnitt der Entwicklung begann mit dem Bau des Ganzmetallflugzeugs von H. Junkers (1915). Die Leistungssteigerung der Motoren und die Verbesserung der Navigation und Nachrichtenübermittlung ermöglichten Flüge über Ozeane, Polargebiete, Urwälder, Wüsten. Erster Atlantikflug in West-Ost-Richtung 1919 von Alcock und Brown, 1927 von Lindbergh, in Ost-West-Richtung 1928 von Hünefeld, Köhl, Fitzmaurice; 1935 Aufnahme des Luftverkehrs mit Flugzeugen über den Pazifik, 1939 über den Nordatlantik; 1939 erstes Flugzeug mit Turbinen-Luftstrahltriebwerk (Heinkel, He 178) und erstes Raketenflugzeug (He 176); 1947 erster Überschallflug mit Raketenflugzeug; 1952 Beginn des Luftverkehrs mit Strahlflugzeugen; 1954 erste Luftverkehrslinien über den Nordpol; 1957 erster Senkrechtstarter; 1969 Einführung der Großraumflugzeuge (Jumbo-Jets); 1969 Erstflug des ersten Überschallverkehrsflugzeugs.

Luftfahrtindustrie, Flugzeugindustrie. Führend auf dem Gebiet der L. sind die USA und die Sowjetunion; in Europa nehmen Frankreich und Großbritannien eine bedeutende Stellung ein.

In Deutschland wurde die Luftfahrtindustrie bes. nach 1933 stark gefördert. Dornier, Fokker, Junkers, Klemm, Henschel, Fieseler, Messerschmitt und Heinkel hatten bes. Bedeutung. 1945 wurden in Dtl. der Flugzeugbau verboten und die Werke demontiert. 1955 sind diese Einschränkungen aufgehoben worden. Die produktionstechn. Angleichung an den internat. Stand konnte 1962 wieder erreicht werden.

Bedeutende Unternehmen in der Bundesrep. Dtl.: Dornier AG; Messerschmitt-Bölkow-Blohm GmbH; Motoren- und Turbinen-Union Friedrichshafen/München GmbH; Vereinigte Flugtechnische Werke – Fokker GmbH, Bremen (Zentralgesellschaft VFW-Fokker mbH).

Luftfahrtkarten geben allen Luftfahrzeugen und Bodenstellen kartograph. Hilfen. Sie werden in Flugsicherungs-Navigations-, Flugsicherungs-Arbeits- und Flugsicherungs-Sonderkarten eingeteilt; die Maßstäbe betragen 1:500000 bis 1:5000000 in der geograph. Luftfahrt-Kartographie und 1:20000 bis 1:1500000 in der techn. Luftfahrtkartographie. Die L. müssen winkeltreu sein und die generalisierten Landschaftsmerkmale sowie reichhaltige Flugsicherungsinformationen enthalten.

Die *Luftfahrt-Kartographie* wurde 1909 von H. Moedebeck und Graf Zeppelin begr. und 1919 in der *Commission Internationale de Navigation Aérienne,* abgek. *CINA,* in Paris gefestigt; seit 1947 wird sie von der *International Civil Aviation Organization,* abgek. *ICAO,* in Montreal, einer Sonderorganisation der Vereinten Nationen, ausgebaut.

Luftfahrtmedizin, ein junges medizin. Forschungsgebiet, das sich mit dem physiologischen und patholog. Verhalten des Menschen bei dem mit der Höhe rasch sinkenden Luftdruck, dem Sauerstoffmangel und der Kälteeinwirkung befaßt.
Lit. S. Ruff und H. Strughold: Grundriß der L. (³1957).

Luftfahrt-Meßtechnik, mißt diejenigen physikal. Größen, die bei der Führung von Luftfahrzeugen laufend überwacht werden müssen. Die wichtigsten Flugüberwachungsgeräte sind: *Geschwindigkeitsmesser, Höhenmesser, Steig- und Sinkgeschwindigkeitsmesser, Neigungsmesser.* Mit Triebwerken angetriebene Luftfahrzeuge benötigen außerdem *Triebwerks-Überwachungsgeräte.* Zu diesen gehören als wichtigste: Drehzahlmesser, Thermometer für Kühl- und Schmierstoffe, Ladedruckmesser, Schmierstoffdruckmesser, Treibstoff-Vorratsmesser. Luftfahrt-Bordmeßgeräte für besondere Aufgaben sind: Vereisungswarngeräte, die aus Temperatur und Luftfeuchte drohende Vereisung anzeigen, Kollisionswarngeräte und Entfernungsmesser nach dem Funkmeßprinzip (→Funkmeßtechnik, →Funknavigation), die mit Impuls-Echomessung die Entfernung zu Echobaken ermitteln.

Luftfahrtpersonal, umfaßt Flug- und Bodenpersonal. Zum Flugpersonal gehören: Flugzeugführer (private, gewerbl., Verkehrsflugzeugführer), Segelflugzeug-, Freiballonführer, Fluglehrer, Flugnavigatoren, Bordmechaniker, Flugingenieure, Flug- und Bordfunker. Zum Bodenpersonal gehören: Flugzeugmechaniker und -ingenieure, Luftverkehrsüberwachungsbeamte, Flugleiter. Zur Ausübung der Tätigkeit des L. bedarf es besonderer Erlaubnis. Auch ist ein Tauglichkeitszeugnis notwendig, das bei Privatflugzeug-, Segelflugzeug- und Freiballonführern alle 24 Monate, bei gewerbl. Flugzeugführern, Flugnavigatoren, Bordingenieuren und -mechanikern, Bordfunkern und Luftverkehrsüberwachungsbeamten alle 12 Monate, bei Verkehrsflugzeugführern alle 6 Monate erneuert werden muß.

Luftfahrtversicherung, Luftversicherung, umfaßt: Luftfahrt-Unfallversicherung, Haftpflichtversicherung, Kaskoversicherung, Gütertransportversicherung. Die Luftversicherer der meisten Länder haben sich zu *Versicherungspools* zusammengeschlossen. Die L. der Fluggäste ist im Flugpreis einbegriffen.

Luftfeuchtigkeit, die Menge des in der atmosphärischen Luft enthaltenen Wasserdampfes. Zu ihrer Bestimmung dienen die →Hygrometer.

Luftfilter, Filter zur Abscheidung von Staub u. a. Verunreinigungen aus der Luft. Sie werden in Absaug- und Lüftungsanlagen, in die Saugleitung von Verbrennungsmotoren u. dgl. eingebaut. *Tuchfilter* werden angewendet bei feinen Staubarten und als *Nachfilter* bei Zyklonen und Sandstrah-

lereien. Beim *Bethfilter* wird die Luft durch Filterschläuche, die in einem Blechgehäuse aufgehängt werden, hindurchgesaugt. *Ölbenetzte Zellen-* oder *Plattenfilter* bestehen aus mit einem Spezialöl benetzten Metallgeweben, Wellblechen, Blecheinsätzen mit labyrinthartigen Luftwegen oder Düsen *(Labyrinthfilter)*, Metallringen, Metallwolle u. ä. Der Staub scheidet sich in Winkeln und Ecken ab und bleibt am Öl hängen. *Elektrofilter* beruhen darauf, daß in einem Hochspannungsfeld von 30–80 kV Gleichspannung die Staubteilchen durch Gasionen aufgeladen werden, an die Niederschlagselektrode wandern und von dieser durch Klopf- oder Schüttelvorrichtungen entfernt werden können.

Luftgewehr, Windbüchse, Sportgewehr, bei dem ein Bleigeschoß oder Bolzen durch Druckluft aus dem Lauf getrieben wird. Treffsicherheit etwa bis 25 m. Entsprechend gibt es auch *Luftpistolen.*

Lufthammer, ein Maschinenhammer: das Fallgewicht (Bär) wird gehoben, indem der Zylinderraum über einem Kolben durch eine Kolbenluftpumpe leergepumpt wird; bei Umkehr des Luftpumpenkolbens wird die Luft zusammengepreßt; der Überdruck der Außenluft wird hierdurch aufgehoben, und der Bär fällt frei herunter. Durch Regelung des Spieles zwischen Unter- und Überdruck kann man die Stärke der Schläge abstufen.

L'ufthansa AG, Deutsche L. AG, am 1. 6. 1926 durch Zusammenschluß von *Junkers Luftverkehr* und *Deutscher Aero Lloyd* gegründet als alleinige Trägerin des dt. zivilen Luftverkehrs. Im Personen-, Post- und Frachtverkehr wurden Strecken im Inland und nach dem Ausland beflogen. Während des 2. Weltkriegs wurde die Tätigkeit stark eingeschränkt, 1945 durch Kontrollratsbeschluß eingestellt. Am 6. 1. 1953 wurde als eine Art Nachfolgerin die *AG für Luftverkehrsbedarf (Luftag)* gegründet, die am 6. 8. 1954 den Namen *Deutsche L. AG,* Köln (Hauptverwaltung) erhielt. Nach Rückgabe der Lufthoheit nahm sie am 1. 4. 1955 den planmäßigen Luftverkehr auf. Das Streckennetz umfaßte zunächst nur die Flughäfen der Bundesrep., wurde kurz darauf auf europäische und außereuropäische Zielorte ausgedehnt.

Luftheizung, eine →Heizung.

Lufthoheit, das Recht jedes souveränen Staates, die Benutzung des über seinem Staatsgebiet liegenden Luftraums bindend zu regeln.

Luftkabotage [-ta:ʒə] *die,* die entgeltliche Beförderung von Fluggästen, Post und Fracht innerhalb eines fremden Hoheitsgebietes. Durch das Chicagoer Abkommen vom 7. 12. 1944 ist die L. nicht grundsätzlich verboten.

Luftkissenfahrzeug, das →Bodeneffekt-Fluggerät.

Luftkorridor, festgelegte Einflugstrecke, z. B. die L. von Hamburg, Hannover und Frankfurt a. M. nach (West-)Berlin.

Luft

Luftkreislauf, die unter dem Einfluß der Sonnenstrahlung, der Verschiedenheit von Land und Meer und der Erddrehung auftretenden Luftströmungen. Dem tropischen L. gehören die Passate und Monsune an.

Luftkriegsrecht. Die Aufstellung völkerrechtl. Einzelregeln hat mit der techn. Entwicklung des Luftkriegs nicht Schritt gehalten (über die mit dem Landkriegsrecht gemeinsamen Regeln →Kriegsrecht). Luftangriffe im Bereich der Landoperationen sind auf militär. Ziele, Verkehrsmittel und Häfen zulässig, im Hinterland auf militär. Objekte. Über Art und Umfang des Luftbombardements von Städten und Wirtschaftsanlagen besteht keine Übereinstimmung; unzulässig ist es zu Zwecken der moral. Schockwirkung und gegen Einzelpersonen. Das Überfliegen seines Staatsgebiets durch Fernraketen kann jeder Staat untersagen. Der Einsatz von Ferngeschossen gegen militär. Objekte ist nur zulässig bei hinreichender Zielgenauigkeit, bes. bei Verwendung atomarer Geschosse, gegen die Zivilbevölkerung außerhalb militär. Ziele ist er unzulässig. Eine Konvention des Roten Kreuzes (Okt. 1957) fordert die Beschränkung der Waffenanwendung auf militär. Ziele und den Verzicht auf Zerstörungsmittel.

Luftkurorte, Klimakurorte (→Klima).

Luftlandetruppen, Truppen, die durch die Luft zum Einsatzort gebracht werden, mit dem Fallschirm vom Flugzeug abspringen und ihre Ausrüstung (meist unter Verwendung von Fallschirmen) abwerfen, oder die gelandet werden. Mit Lastenseglern (von Flugzeugen geschleppt) wird häufig ein Teil der Ausrüstung mitgeführt.

Luftlinie, die kürzeste oberirdische Entfernung zwischen zwei Punkten der Erdoberfläche.

Luftmasche, eine Häkelmasche, →Häkelei.

Luftmassen nennt man im Wetterdienst ausgedehnte Luft-Quanten (Durchmesser einige 1000 km) mit einheitlichen Eigenschaften (Temperatur, Trübungszustand, Feuchtigkeit, vertikale Stabilität, Wolkenformen) über der bodengestörten Schicht.

Luftmine, Abwurfmunition mit hoher Sprengwirkung.

Luftnavigation, die Bestimmung von Ort und Kurs von Luftfahrzeugen durch Navigation. Neben der Orientierung nach Landmarken und nach dem →Kompaß ist auch das in der Seefahrt übliche astronom. Navigationsverfahren (→Navigation) anwendbar. Die heute wichtigsten L.-Mittel gehören zur →Funknavigation.

Luftpool [pu:l], **Deutscher L., DLP,** eine Rückversicherungsgemeinschaft der dt. Luftfahrtversicherungen in Form einer Gesellschaft des bürgerl. Rechts, gegr. 1920, aufgelöst 1945. Er wurde für Unfall und Haftpflicht 1950 und für Kasko 1951 neu gegründet.

Luftpost, die Postbeförderung auf dem Luftweg, heute eine Einrichtung der meisten Länder der Erde. In Dtl. wurden erstmals 1912 Postsendungen durch Flugzeuge und Luftschiffe befördert. Durch die Dt. Lufthansa konnte Dtl. bereits 1929 mit fast allen europ. Ländern L.-Verkehr unterhalten. Nach dem 2. Weltkrieg nahm der Welt-L.-Verkehr einen großen Aufschwung. Seit 1. 9. 1961 werden innerhalb der Bundesrep. Dtl. einschließlich West-Berlin auch gewöhnliche Sendungen zuschlagfrei mit Nachtpost auf dem Luftweg befördert.

Luftpumpe, 1) ein Verdichter, bes. zum Aufpumpen von Fahrzeugreifen mit Druckluft. **2)** eine Vorrichtung zur Herstellung eines Vakuums. Bei der *Kolben-L.* (Otto v. Guericke, um 1640) geht in einem Zylinder ein luftdicht schließender Kolben hin und her. Durch ein Saugventil im Boden des Zylinders wird aus dem leerzupumpenden Raum Luft angesaugt. Beim Rückgang des Kolbens schließt das Ventil, die Luft wird verdichtet und gelangt durch ein Ventil im Kolben nach außen. Verdünnung bis 1 mm Quecksilbersäule (1 Torr). *Wasserstrahlpumpen* werden mit Wasserleitungswasser betrieben. An einer Stelle mit kleinerem Querschnitt (Düse) wird der Druck verringert, die Geschwindigkeit vergrößert, so daß aus einem seitl. Rohr Luft angesaugt wird. Verdünnung bis 10 Torr. *Kapsel-L.* sind Kapselverdichter; sie erreichen Ver-

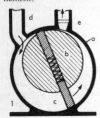

Luftpumpe: 1 Kapsel-L.: a *Gehäuse,* b *Vollzylinder, exzentrisch gelagert,* c *Schieber,* d *Lufteintritt,* e *Luftaustritt.* 2 Quecksilber-L. v. Gaede; a *Gehäuse,* b *Schaufelrad,* c *Lufteintrittsöffnungen,* d *Luftaustritt.* 3 Molekular-L.: a *Gehäuse,* b *Rotationskörper,* c *Nut,* d *Lufteintritt,* e *Luftaustritt*

dünnungen bis 10^{-3} Torr. Die *Quecksilberpumpe* von Gaede besteht aus einem bis über die Hälfte mit Quecksilber gefüllten zylindr. Gehäuse, in dem eine aus drei Schaufeln bestehende Trommel rotiert. Die Schaufeln bilden drei Kammern, die jeweils beim Drehen der Trommel in das Quecksilber tauchen; beim Austauchen wird aus dem zu entleerenden Raum Luft angesaugt und beim Eintauchen ins Freie ausgestoßen; erreichbare Verdünnung etwa 10^{-5} Torr. Bei der *Molekularpumpe* von Gaede läuft in einem Gehäuse mit zwei Stutzen ein zylindr. Kolben mit sehr kleinem Spiel. Ein Stutzen ist mit dem zu entleerenden Raum, der andere mit der Außenluft verbunden. Zwischen beiden ist in der Gehäusewand eine schraubenförmige Nut eingefräst, durch die bei rascher Drehung des Kolbens die Luft durch die Reibung vom Saug- in den Druckstutzen gefördert wird. Es werden mehrere solcher Pumpelemente in einem Gehäuse untergebracht; erreichbare Verdünnung 10^{-6} Torr. Quecksilber- und Molekular-L. benötigen Vorvakuumpumpen (→Diffusionspumpe).

Luft|rate, die in Versammlungsräumen, Kinos, Theatern, Gaststätten, Festsälen u. ä. Räumen je Person zuzuführende stündl. Luftmenge. Als Mindest-L. gilt für Räume mit Rauchverbot 20 cbm/Stunde je Person und ohne Rauchverbot 30 cbm/Stunde je Person.

Luftrecht, das für die Luftfahrt geltende Sonderrecht.
1) Die Bundesrep. Dtl. hat praktisch durch Erklärung der Besatzungsmächte im Rahmen der Londoner Abmachungen (1954) die Lufthoheit wieder erlangt. Die Gesetzgebung über den Luftverkehr liegt beim Bund (Art. 73 Nr. 6 GG), die Ausführung der Bundesgesetze meist bei den Ländern. Maßgebend ist das Luftverkehrs-Gesetz i. d. F. v. 4. 11. 1968.
Für die Sicherung des Luftverkehrs wurde 1953 die *Bundesanstalt für Flugsicherung* (Sitz Frankfurt), für die Zivil-Luftfahrt als oberste Behörde am 30. 11. 1954 das *Luftfahrt-Bundesamt* (Sitz Braunschweig) errichtet und dem Bundesverkehrsminister unterstellt. Es erteilt nach Feststellung der Verkehrssicherheit die Zulassung zum Luftverkehr und die Kennzeichen. Diese bestehen aus dem Staatszugehörigkeitszeichen sowie (durch einen waagerechten Strich getrennt) vier weiteren Buchstaben als Eintragungszeichen. Sie sind deutlich sichtbar auf der Oberseite der rechten und auf der Unterseite der linken Tragfläche sowie an beiden Seiten des feststehenden Leitwerks zu führen. An den freien Flächen der Flugzeuge des öffentl. Linienverkehrs dürfen nur die Firmenzeichen der Luftverkehrsgesellschaften und der Name des Flugzeugs angebracht werden.
2) Privatrechtlich ist allgemein wichtig das Warschauer Abkommen von 1929 zur Vereinheitlichung der Beförderungsregeln im

internat. Luftverkehr (Beförderungsscheine, Haftpflicht, Personen- und Sachschäden); die Haftungshöchstbeträge wurden von der ICAO festgesetzt. Für die Luftverkehrsgesellschaften, die in der →IATA zusammengeschlossen sind, gelten abgesehen davon die Beförderungsbedingungen der einzelnen Gesellschaften. Das Interesse der Fluggäste wird durch Lufttüchtigkeitsvorschriften wahrgenommen, bei deren Festlegung alle beteiligten Länder und internat. Organisationen mitwirken.
3) Völkerrechtlich wird der internat. Luftverkehr im Abkommen von Chicago geregelt (7. 12. 1944). Oberste internat. Behörde ist danach die *Internat. Zivilluftfahrt-Organisation (ICAO)* in Montreal (Kanada) als Sonderorganisation der Vereinten Nationen. Sie befaßt sich mit Luftverkehrsregeln, Kennzeichnung der Flugzeuge, Flugtüchtigkeit, Nachrichten- und Wetterdienst, Such- und Notdienst u. a.
Das Abkommen von Chicago gewährt ferner jedem Staat die ausschließliche Staatsgewalt in seinem Luftraum. Eine allgem. Luftverkehrsfreiheit wird nicht gewährt. Der Betrieb planmäßiger Luftverkehrslinien bedarf einer besonderen Erlaubnis der Vertragsstaaten, die angeflogen werden sollen (→Luftkabotage).

Luftreifen, mit Luft gefüllte Gummireifen; Abfederungsmittel für Kraftfahrzeuge, Ackerwagen, Flugzeuge und Fahrräder. Den Schlauch, der durch das Ventil hindurch mit Luft aufgepumpt wird, schützt die Decke (Mantel) aus in Gummi gebettetem festem Gewebe, das an der Lauffläche mit einer dicken Gummischicht (dem Protektor) und Gleitschutz versehen ist. *Ballonreifen* haben ein großes Luftvolumen und verhältnismäßig geringen Innendruck (1,2 bis 3 atü); *Hochdruckreifen* haben großen Innendruck (4–6 atü). Bei *L. ohne Schlauch* ist die Innenseite der Decke mit einer weichen Gummischicht belegt, die bei Beschädigung ein nur langsames Absinken des Reifendrucks bewirkt. BILD S. 292.

Luftröhre, lat. *Trachea,* bei Mensch und Wirbeltieren die Verbindung zwischen Kehlkopf und Lungen, beim Menschen ein etwa 12 cm langes Rohr; es teilt sich in die beiden Bronchien, die sich in die rechte und linke Lunge verzweigen. Die L. ist innen mit Schleimhaut überzogen und erhält ihre Festigkeit durch hufeisenförmige Knorpelspangen, die in ihre Wand eingelagert sind.
Die häufigste Krankheit der L. ist die Entzündung ihrer Schleimhaut, der *Luftröhrenkatarrh,* der meist zu →Bronchialkatarrh führt. Eine *Luftröhrenverengung* kann von außen durch den Druck einer Geschwulst, z. B. eines Kropfes, von innen durch Auflagerungen, z. B. bei Diphtherie, oder durch Narben entstehen. Bei Erstickungsgefahr wird Intubation oder das operative Eröffnen der L., der *Luftröhrenschnitt* (griech. *Tracheotomie*), ausgeführt. BILD S. 292.

Luftröhrenwurmkrankheit, eine durch den

Luft

roten Luftröhrenwurm (einen Fadenwurm) erzeugte Geflügelkrankheit, äußert sich in Husten, Atemnot.

Luftrolle, *Turnen:* Überschlag am Barren.

Luftsattel, die zeichnerische Ergänzung des abgetragenen Teils einer geologischen →Falte.

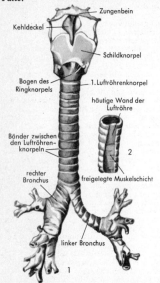

Luftröhre: 1 *Kehlkopf mit Luftröhre und dem Anfang ihrer Verästelung, von vorn gesehen; 2 ein Stück der Luftröhre, von hinten gesehen (¹/₃ nat. Gr.; nach Rauber-Kopsch, Lehrbuch der Anatomie des Menschen)*

Luftschauer, →Kaskadenschauer.

Luftschiff, ein Luftfahrzeug, das durch Füllung mit einem Gas, das leichter ist als Luft (Helium, Wasserstoff), einen Auftrieb erhält und deshalb in der Luft schweben kann, aber nicht wie ein Freiballon durch den Wind, sondern durch eigenen Antrieb bewegt wird.

Starr-L. besitzen ein Innengerüst (Gerippe, Gitterwerk) aus Leichtmetall (z. B. Duraluminium), wodurch am sichersten die zum Steuern unerläßliche symmetrische Gestalt gewahrt wird. Starrluftschiffe waren: die L. des Luftschiffbaues Zeppelin (Z-Schiffe), die im 1. Weltkrieg benutzten Schütte-Lanz-Luftschiffe (SL-Schiffe) und die in England und Amerika gebauten R-Schiffe.

Prall-L. erhalten ihre Gestalt durch inneren Überdruck. Sie besitzen Luftkammern (Luftballonetts), die durch Ventilatoren unter Druck gehalten werden. Der typische Vertreter der *unstarren L.* war in Deutschland das Parseval-L. (P-Schiffe). *Halbstarre L.* wurden in Deutschland als erster Militär-L.-Typ (M-Schiffe) gebaut. Zuletzt wurde für Werbezwecke in Dtl. das von Naatz vervollkommnete PN-Luftschiff gebaut. Die Prall-L. wurden ursprünglich *Lenkballone* genannt.

Angetrieben werden L. durch Verbrennungsmotoren mit Luftschraube, die meist in Gondeln außerhalb des L.-Körpers angeordnet sind.

Luftschiffbau Zeppelin GmbH, Friedrichshafen, 1908 von Ferd. Graf v. Zeppelin als Bauwerft für Zeppelin-Luftschiffe aus den Mitteln einer Volksspende errichtet. Führend waren neben Zeppelin Hugo Eckener, Ludwig Dürr und Alfred Colsman. Zum Zeppelin-Konzern gehörte bes. die Maybach-Motorenbau GmbH. Die *Zahnradfabrik Friedrichshafen AG* gehört heute zu 90% der *Zeppelinstiftung,* Friedrichshafen.

LIT. L. Dürr: 25 J. Zeppelin-Luftschiffbau (1925).

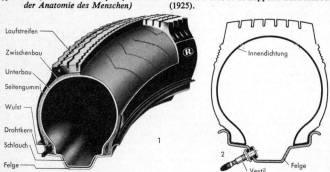

Luftreifen: 1 *Aufbau eines Reifens mit Schlauch.* 2 *Schematischer Querschnitt durch einen schlauchlosen Pkw-Reifen (Dunlop)*

Luftschleuse, bei Druckluftgründungen (→Gründung) benutzte Stahlkammer, die entweder gegen den Senkkasten oder die Außenluft luftdicht abgeschlossen werden kann. Sie ermöglicht den Verkehr zum Senkkasten.

Luftschlucken, grch. *Aerophagie,* das Verschlucken von Luft mit der Nahrung oder allein, wodurch der Magen aufgebläht wird. Der Druck auf das Zwerchfell ruft Kurzatmigkeit und Herzbeschwerden hervor. L. ist ein Zeichen einer Neurose, manchmal auch der Anfang eines chron. Magenleidens. Durch psychische Beeinflussung läßt sich der fehlgeleitete Reflex oft unterbrechen.
L. bei Säuglingen bewirkt häufiges Aufstoßen, das von Erbrechen begleitet sein kann.

Luftschraube, Propeller, das Vortriebsmittel der Luftfahrzeuge; besteht aus auf einer Drehachse gelagerten, meist symmetrisch

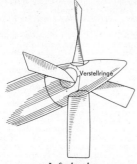

Luftschraube

angeordneten tragflügelartigen Flächen, durch deren Umlauf eine Kraft in Achsrichtung entsteht. Vorwärts- und Drehbewegung ergeben für den L.-Flügel eine schraubende Bewegung. Früher herrschten Holz-L. vor, heute werden Metall-L. bevorzugt, und zwar meist *Verstell-L.,* bei denen der Anstellwinkel der Flügelblätter während des Fluges verändert werden können.

Luftschutz, der Begriff L. wird seit 1964 amtlich nicht mehr verwendet; er ging in dem umfassenderen Begriff Zivilschutz auf.
L. meint die für den Kriegsfall vorgesehenen Maßnahmen zum Schutz des Lebens, des Eigentums und der Gesundheit der Zivilbevölkerung gegen feindl. Angriffe aus der Luft und zur Beseitigung der Notstände nach Luftangriffen. In der Bundesrep. Dtl. ist der L. Aufgabe des Bundes, der im wesentl. auch die Kosten trägt. Einzelmaßnahmen werden meist von den Landes- und Ortsbehörden durchgeführt. Der Neuaufbau wurde 1951 begonnen (Gründung des »Bundes-Luftschutzverbandes« mit aufklärenden Aufgaben); 1953 wurde eine »Bundesanstalt für den zivilen L.« errichtet für die einheitl. Ausbildung der leitenden L.-Kräfte und Auswertung aller wissenschaftl. und techn. Erkenntnisse. In Gemeinden mit mindestens 10000 Ew. sind bei Errichtung von Gebäuden bestimmte Bauvorschriften zu beachten; Vorschriften über Errichtung von Schutzräumen und über L.-Einrichtungen in Betrieben sollen noch erlassen werden, ebenso über die Finanzierung baul. Maßnahmen im sozialen Wohnungsbau. Bestimmte Verstöße gegen L.-Vorschriften sind strafbar (Gesetz v. 9. 10. 1957). Durch Verordnung wurde die Ersatzleistung an die zum Luftschutzdienst herangezogenen Personen (15. 12. 1959) festgelegt, der Luftschutzverband zur Körperschaft des öffentlichen Rechts erklärt (1. 7. 1960) und der Anschluß von Behörden und Betrieben an den Luftschutzwarndienst geregelt (20. 7. 1961).

Luftspiegelung

Luftspiegelung, eine atmosphär. Erscheinung, entsteht durch Krümmung der Lichtstrahlen beim →Brechung in Luftschichten wechselnder Dichte und damit wechselnder Brechkraft, wie sie sich z. B. über stark erhitzten oder gekühlten Ebenen

Luftschiff: Zeppelinluftschiff ›L. Z. 129‹ (schematisch). Länge 247,2 m; Durchmesser 41 m; Prallgasinhalt 200000 cbm; 4 Motoren, 1200 PS; Reisegeschwindigkeit 125 km/h; Reichweite 14000 km

bilden. L. sind zu beobachten in der Wüste (*Fata morgana*), auf erwärmten Landstraßen, an sonnenbestrahlten Mauern, über dem Watt und über Wasser. Seemännisch heißt die L. *Kimmung*.

Luftspitzen, →Ätzspitzen.

Luftsport, Flugsport, die sportliche fliegerische Betätigung, umfaßt im allgemeinen Modellflug, Gleit-, Segelflug, Motorflug. Dem »Deutschen Aero Club e. V.« (1950 gegr.) obliegt die Pflege der sportl. Beziehungen mit dem Ausland.

Luftsprudelverfahren. Aus feinen Düsen und Leitungen auf der Gewässersohle wird das dort wärmere Wasser mit Druckluft nach oben befördert, um Wehre, Häfen, Schleusen u. ä. vom Eis freizuhalten, ölbedeckte oder gefährdete Wasserflächen, auch die Druckwirkungen von Unterwassersprengungen, zu begrenzen.

Luftströmungen, →Wind.

Lufttanken, das Auftanken eines Flugzeugs im Flug bis zur Grenze seiner Tragfähigkeit, die etwa 10–20% höher liegt als die beim Start. Beim L. fährt das vorausfliegende Tankerflugzeug einen Schlauch oder ein starres Rohr mit Trichtermundstück nach hinten aus. Das zu tankende Flugzeug fliegt mit einem Gegenmundstück den Trichter an und kuppelt sich automatisch ein (nur bei Kriegsflugzeugen üblich).

lufttrocken ist ein Körper, wenn er in trockner Luft bei normaler Temperatur und normalem Druck keine Feuchtigkeit mehr abgibt.

Luftüberwachung, die Überwachung des Luftraumes und -verkehrs über einem Staatsgebiet; im besonderen: die laufende Messung und Kontrolle der Radioaktivität der Luft. Nach der Filtermethode wird eine bekannte Menge Luft mit einer Pumpe durch ein Filter gezogen und anschließend die auf dem Filter sitzende Radioaktivität mit Zählrohren gemessen. Auch mit klebrigen Papierflächen, die man im Freien aufstellt, kann die Radioaktivität bestimmt werden. Derartige *Luftüberwachungsgeräte* werden heute in großer Zahl betrieben.

Lüftung, die Zuführung frischer und die Beseitigung verbrauchter Luft in geschlossenen Räumen. Bei Wohnräumen genügt im allgemeinen neben der *Selbst-L.* durch die Undichtigkeiten von Fenstern und Türen das zeitweilige Öffnen der Fenster. Bei größeren Räumen kann eine geringe, aber ständige Lufterneuerung erreicht werden durch Lüftungsschächte. Bei diesen Arten der *freien L.* wird die Luftströmung durch den Temperaturunterschied von Raum- und Außenluft sowie durch Wind hervorgerufen. Für Versammlungsräume, Kinos, Theater u. ä. wendet man *Zwangs-L.* an. Während bei der *Entlüftung (Saug-L.)* nur Luft aus dem Raum abgesaugt wird und die Frischluft durch die Undichtigkeiten an Fenstern und Türen nachströmt, wird bei der *Belüftung (Druck-L.)* frische Luft von außen angesaugt und durch den im Raum entstehenden Überdruck die Abluft durch die Undichtigkeiten an Fenstern und Türen ins Freie gedrückt. Im Winter wird die Frischluft im Lufterhitzer auf Raumtemperatur erwärmt; außerdem wird sie fast stets in Luftfiltern gereinigt. Soll die Luft im Sommer gekühlt werden, ist ein *Luftkühler* mit *Luftwäscher* mit Kühlwasser erforderlich. Sollen Temperatur und Luftfeuchtigkeit im Raum auf gleichbleibenden Werten gehalten werden, wird die L.-Anlage zu einer →Klimaanlage.

Bei der *Strahl-L.* wird die Luft durch Düsen mit höheren Luftgeschwindigkeiten auf einer Seite des Raumes eingeblasen und auf der anderen Seite oben abgesaugt. Um Zug zu vermeiden, werden die Luftauslässe regulierbar und in der Richtung verstellbar gemacht. →Luftrate.

Luft|unruhe, die hauptsächlich durch die Sonneneinstrahlung verursachte turbulente Bewegung der Atmosphäre, durch die das *Flackern* oder *Szintillieren* der Sterne entsteht.

Luftverflüssigung, die Erzeugung flüssiger Luft durch Abkühlung unter die kritische Temperatur (– 140,7° C) unter gleichzeitiger Kompression auf den kritischen Druck (38,4 at). Entsprechend der Dampfdruckkurve der flüss. Luft erniedrigt sich bei tieferen Temperaturen der aufzuwendende Druck bis zum Siedepunkt bei – 194,4° C auf 1 at. Die heutigen Anlagen arbeiten nach zwei Verfahren: 1) Entspannung unter Leistung innerer Arbeit und unter Wärmeaustausch im Gegenstrom (Ausnutzung des Joule-Thomson-Effekts, *Linde-Prinzip*); 2) Entspannung unter Leistung innerer und äußerer Arbeit, *Claude*- (bis 60 at Arbeitsdruck) und *Heylandt-Messer-Verfahren* (bis 270 at Arbeitsdruck).

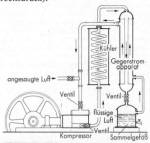

Luftverflüssigung nach Linde (Schema)

Luftverkehr, umfaßt Einrichtungen zur Beförderung von Personen, Fracht und Post auf dem Luftwege. Neben dem öffentlichen, planmäßigen L., der in der Regel bildet, besteht für besondere Zwecke ein Bedarfsluftverkehr für nicht öffentl. Zwecke. L. für Berufs-, Geschäfts-, Vergnügungs- und sportl. Zwecke (privater Reiseflug und Sportflug).

Der L. ist gekennzeichnet durch Schnelligkeit, aber auch hohe Transportkosten. Es lassen sich drei verkehrswirtschaftliche Zonen unterscheiden: eine wenig günstige Zone von 0 bis 500 km, eine günstige Zone von 500 bis 1000 km, vorwiegend für den kontinentalen L., eine sehr günstige Zone von mehr als 1000 km, vorwiegend für den transkontinentalen und transozeanischen L. In den durch Eisenbahnen und Straßen gut erschlossenen europ. Ländern fällt der Bedarf des L. erst auf Entfernungen von mehr als 300 km ins Gewicht. Für das L.-Netz ergibt sich daraus die Notwendigkeit, den Verkehrsbedarf in wenigen Flughäfen aufzufangen. Den höchsten Bedarf haben die Großstädte. Der L. der USA ist besonders hoch.

Das allgemeine Einzugsgebiet eines *Flughafens* ergibt sich aus etwa dem halben Abstand zu Nachbarhäfen. Ein engeres Einzugsgebiet ist der Umkreis von 50 km um den Flughafen. Von 50 bis 100 km im Umkreis sinkt die Nachfrage etwa auf ein Drittel, über 100 km bis auf ein Zehntel. Flughäfen, die zugleich Weltverkehrsbedeutung haben, rechnen mit einem Zusatzverkehr.

Im *Luftfrachtverkehr* werden Güter mit hohem Kosten- und Eilwert befördert.

Die *Sicherheit* des L. ist fortlaufend gestiegen. Ihr dienen regelmäßige Aus- und Fortbildungslehrgänge für das fliegende Personal, genaue und sorgfältige Überwachung des fliegenden Materials mit festgelegten Kontroll-, Wartungs- und Überholungsterminen. – Zur *technischen Flugsicherung* gehören L.-Kontrolle, Fernmeldewesen und Funknavigation, Flugstreckenfeuer, Einrichtung und Betrieb von Luftfahrtkennzeichen, zur *meteorologischen Flugsicherung* die Flugwetterdienste (Bundesrep. Dtl.: *Bundesanstalt für Flugsicherung*, Frankfurt, *Zentralamt des Dt. Wetterdienstes*, Offenbach).

Die L.-Gesellschaften werden als gemischtwirtschaftl., privatwirtschaftl. oder staatl. Ges. betrieben. Die Leitung einer L.-Ges. setzt sich aus Verkehrs-, Flugbetriebs-, techn. und Wirtschaftsleitung zusammen. Die *Planmäßigkeit* liegt bei vielen L.-Ges. bei 99,7%. Die *Pünktlichkeit* ist u. a. vom Wetter abhängig. Seit 1957 trat durch Einsatz von Strahlflugzeugen eine grundlegende Wandlung im Welt-L. ein. Die Flugdauer Frankfurt–New York sank von 16 auf 8 Stunden, die Sitzplatzkapazität stieg auf 150 Plätze je Flugzeug.

Haftpflicht. Nach dem Luftverkehrsgesetz (→Luftrecht) hat der Fahrzeughalter Schäden an Personen oder Sachen, die durch Betrieb des Luftfahrzeugs entstanden sind, bis zu bestimmten Höchstbeträgen zu ersetzen; bei Mitverschulden des Geschädigten kann die Ersatzpflicht entfallen. Die Luftfahrtunternehmen sind verpflichtet, die Fluggäste gegen Unfälle zu versichern.

Der *technischen Betreuung* der Flugzeuge und ihrer Ausrüstung dienen die Werkstättenanlagen mit vielen Spezialabteilungen. Um eine Überlastung der Werften zu vermeiden, wird zu dem System der progressiven Überholung übergegangen, die Teile der Grundüberholung mit den Teilüberholungen verbindet.

Die Unternehmungen des L. gliedern sich in L.-Gesellschaften, Flughafen-Gesellschaften und sonstige Organisationen zur Sicherung, Entwicklung und Förderung des

LUFTVERKEHR: STAATSZUGEHÖRIGKEITSZEICHEN

Land	Zeichen	Land	Zeichen	Land	Zeichen
Afghanistan	YA	Haiti	HH	Norwegen	LN
Ägypten	SU	Honduras	HR	Österreich	OE
Albanien	ZA	Indien	VT	Pakistan	AP
Argentinien	LQ, LV	Indonesien	PK	Panama	HP
Äthiopien	ET	Irak	YI	Paraguay	ZP
Australien	VH	Iran	EP	Peru	OB
Belgien	OO	Irland	EI, EJ	Philippinen	PI
Birma	XY, XZ	Island	TF	Polen	SP
Bolivien	CP	Israel	4X	Portugal	CS, CR
Brasilien	PP, PT	Italien	I	Rumänien	YR
Bulgarien	LZ	Japan	JA	Salvador	YS
Bundesrep. Dtld.	D	Jordanien	JY	Saudi-Arabien	HZ
Ceylon	4R	Jugoslawien	YU	Schweden	SE
Chile	CC	Kanada	C, CF	Schweiz	HB
China (Volksrep.)	XT	Kolumbien	HK	Sowjetunion	CCCP
China (Nat.)	B	Korea (Süd-K.)	HL	Spanien	EC
Dänemark	OY	Kuba	CU	Südafrika, Rep.	ZS, ZT, ZU
Deutsche Dem. Rep.	DM	Libanon	OD	Sudan	ST
Dominik. Rep.	HI	Liberia	EL	Syrien	YK
Ecuador	HC	Libyen	5A	Thailand	HS
Finnland	OH	Luxemburg	LX	Tschechoslowakei	OK
Frankreich	F	Marokko	CN	Türkei	TC
Ghana	9G	Mexiko	XA, XB, XC	Ungarn	HA
Griechenland	SX	Monaco	3A	Uruguay	CX
Großbritannien	G, VP, VQ, VR	Neuseeland	ZK, ZL, ZM	Venezuela	YV
Guatemala	TG	Nicaragua	AN	Vereinigte Staaten	N
		Niederlande	PH	Vietnam (Süd)	XV

Luft

L. Die Flughafen-Gesellschaften nehmen sich in vermehrtem Maße der Abfertigung an, die früher ausschließlich eine Angelegenheit der Luftverkehrsgesellschaften war.

Luftwaffe, die Gesamtheit der zum Kampf in der Luft, zu Luftangriffen und zu deren Abwehr bestimmten militär. Verbände; umfaßt in der Bundesrep. Dtl. die Fliegertruppe, die Flakartillerie, die Fernmeldetruppe und die Versorgungstruppen der L.
Die *Fliegertruppe* bilden die fliegenden Einheiten der L., die meist in Staffeln mit 18 bis 25 Flugzeugen und Geschwader mit 2 Staffeln gegliedert sind und nach ihrem Aufgabenbereich näher bezeichnet werden. Man unterscheidet z. B. Jagd-, Allwetterjagd-, Jagdbomber-, Bomber-, Aufklärungs-, Verbindungs- und Transportverbände.
Von einer bescheidenen Hilfswaffe im 1. Weltkrieg hat sich die L. bis zum 2. Weltkrieg zu einem dem Heer und der Marine ebenbürtigen Wehrmachtteil und zu einem entscheidenden Mittel der Kriegführung entwickelt.

Luftwaffenschulen, Ausbildungsschulen für das Personal der Luftwaffe. Das Kommando der L. der Bundesrep. Dtl. befindet sich in Fürstenfeldbruck. Flugzeugführer-Schulen gibt es in Landsberg und Wunstorf, Technische Schulen in Kaufbeuren, Lechfeld und Faßberg, eine Truppenschule in Hamburg, Offizierschule und Technische Akademie in Neubiberg bei München.

Luftwege, Nasenhöhle, Rachen, Kehlkopf *(obere L.),* Luftröhre, Bronchien *(untere Luftwege).*

Luftwerbung, die Werbung durch Ballons, Luftschiffe und Flugzeuge mit Tragflächen-Beschriftung, Schlepp-Band, Himmels-Schrift *(Himmelsschreiber).*

Luftwirbel, atmosphärische Wirbel, wirbel- oder spiralförmige Luftbewegungen, wie sie als Wind- und Wasserhosen, als Tromben und Tornados, in Großformen als Wirbelstürme, Zyklone (→Tiefdruckgebiet) und Antizyklone (→Hochdruckgebiet) der gemäßigten Breiten erscheinen.

Luftwurzel, oberirdisch entstehende Wurzel.

Luftziegel, falsche Bezeichnung für an der Luft getrocknete Lehmbausteine (Ziegel werden gebrannt).

Lug'ano, deutsch **Lauis,** Bezirksstadt im Kanton Tessin, Schweiz, mit (1970) 22 300 Ew., 274 m ü. M., am Nordufer des Luganer Sees, an der Gotthardbahn; kathol. Bischofssitz. L., mit mildem Klima in besuchter Kurort, zeigt italien. Gepräge: Kathedrale S. Lorenzo (Renaissance-Fassade), Klosterkirche S. Maria degli Angioli, Kunstsammlung→Thyssen-Bornemisza in L.-Castagnola; Schokolade-, Tabak- und Seidenindustrie. – L., erstmals im 6. Jh. erwähnt, wurde dem Hzgt. Mailand 1512 von den Schweizern entrissen und bis 1798 als Gemeine Herrschaft verwaltet.
Der **Luganer See,** ital. *Lago di Lugano* oder *il Ceresio,* liegt zum größeren Teil im Kanton Tessin, Schweiz, zum kleineren in der

Prov. Como, Italien, 271 m ü. M.; 48,9 qkm groß, bis 288 m tief, reich gegliedert; Dampferverkehr.

Lug'ansk, 1935–58 **Woroschilowgrad,** Gebietshauptstadt in der Ukrain. SSR, an der Luganka, mit (1965) 330 000 Ew., Industriezentrum des Donez-Beckens mit mehreren Hochschulen; Kohlengruben, Hüttenwerke, Schwerindustrie, größte Transport- und Lastwagenfabrik der Ukraine.

Lug'anskij, Kasak, →Dahl 5).

Lugau, Industriestadt im Kr. Stollberg, Bez. Karl-Marx-Stadt (Chemnitz), am N-Saum des Erzgebirges, 350 m ü. M., mit (1967) 10 400 Ew.; Abbau von Steinkohle im *Lugau-Oelsnitzer Becken,* Eisen-, Textilindustrie.

Lügde, Stadt im Kr. Lippe (bis 1. 1. 1970: Höxter), Nordrhein-Westf., Luftkurort in unmittelbarer Nähe von Bad Pyrmont, mit (1974) 10 100 Ew. (mit 9 angeschlossenen Gemeinden); roman. Kilianskirche (12. Jh.). L. wurde im 13. Jh. als Stadt gegründet. Westlich von L. liegt die Herlingsburg, als die altsächs. »Skidroburg« 784 genannt.

Lugd'unum, antiker Name von Lyon; L. **Batavorum,** antiker Name von Leiden.

Lügendetektor, auch **Polygr'aph,** volkstümlicher Ausdruck für ein Gerät, das zum Entlarven unwahrer Angaben verwendet wird. Der L. zeichnet die Schwankungen der Atmung, des Blutdrucks u. a. bei Erregungszuständen auf. Da die meßbaren Schwankungen der verschiedensten Ursachen haben können, weisen sie nicht eindeutig auf eine Unwahrheit der Aussage hin. Die Anwendung von L. ist in der Rechtspflege der Bundesrep. Dtl., in Österreich und in der Schweiz nicht gestattet.

Lügendichtung, Dichtung, die so übertreibt, daß der Leser die Lüge erkennt. Sie begegnet schon in der Antike (Schiffersagen der ›Odyssee‹, Antiphanes von Berga, Lukian, spätantiker Reiseroman) und ist in der oriental. Literatur in den ›Märchen von Tausendundeiner Nacht‹ (Abenteuer Sindbads des Seefahrers) in vollendeter Form vertreten. In Dtl. kommt die L. zuerst in der mittellat. Dichtung des 11. Jhs. mit den Märchen vom ›Lügenschwaben‹ (modus florum, Blumenweise) und vom ›Schneekind‹ (modus Liebinc) vor und hat später im Märchen vom ›Schlaraffenland‹ (Hans Sachs) und in G. A. Bürgers ›Münchhausen‹ (1786) Höhepunkte. Minnesänger, Meistersinger und Spruchdichter trugen zur Vermehrung der **Lügenlieder** bei, die noch heute ein Bestandteil des Volksgesangs bilden. Viele L. sind zyklischer Art: die Helden suchen einander in einem Lügenwettstreit zu übertreffen. Um die Wirkung zu steigern, wird häufig die Form der Ich-Erzählung verwendet. Die L. dient auch der Satire (Plautus: Miles gloriosus; Chr. Reuter: Schelmuffsky, 1696). Der L. verwandt sind die nach dem Muster Lukians geschriebenen phantast. Reiseberichte Cyrano de Bergeracs und Swifts.

Lügenfeld, →Ludwig der Fromme.

L'uggarus, dt. für Locarno.

L'ugier, griech. Lygier, erstmals um Chr. Geburt (von Strabo, Tacitus, Ptolemäus) erwähnte Kultgenossenschaft wandal. Einzelvölker im heutigen Schlesien und Westpolen.

L'ugo, Provinzhauptstadt in Spanien (Galicien), (1970) 62400 Ew.; Kathedrale (12.–18. Jh.); Schwefelquellen.

Lugo, 1) Emil, Landschaftsmaler, * Stockach 26. 6. 1840, † München 4. 6. 1902, Schüler von Schirmer in Karlsruhe, 1871–75 in Rom, bis 1888 in Freiburg, dann in München tätig.
   2) Juan de, kath. Theologe, * Madrid 25. 11. 1583, † Rom 20. 8. 1660, Jesuit (seit 1603), lehrte Philosophie und Theologie in Léon, Salamanca, Valladolid und von 1621 bis 1643 am Collegium Romanum; seit 1643 Kardinal. L. führte das Chinin in Europa ein.

L'ugosch, rumän. Lugoj [l'ugɔʒ], Stadt in Rumänien, im Banat, mit rd. 33000 Ew.

Luhe die, linker Nebenfluß der Ilmenau in der Lüneburger Heide, mündet unterhalb von Winsen.

Luick, Karl, Anglist, * Wien 27. 1. 1865, † das. 20. 9. 1935, seit 1908 Prof. in Wien. Seine Arbeiten auf dem Gebiet der engl. Sprachgeschichte waren bahnbrechend (Histor. Grammatik der engl. Sprache, 1914 bis 1940).

Luik [lœjk], fläm. Name für Lüttich.

Luimneach [l'imnəx], irischer Name von →Limerick.

Lu'ini, Bernardino, ital. Maler, * Luino (?) um 1480/85, † Mailand 1532. von Leonardo da Vinci beeinflußt (Fresken aus Mailänder Kirchen und einer Villa bei Monza, Mailand, Brera).

Luise, Fürstinnen:
   Baden. 1) Großherzogin, Tochter des späteren Kaisers Wilhelm I., * Berlin 3. 12. 1838, † Baden-Baden 23. 4. 1923, heiratete 1856 Großherzog Friedrich I., an dessen Politik sie wesentlichen Anteil nahm.
   Lit. F. Hindenlang: Großherzogin L. (²1926).
   Brandenburg. 2) L. Henriette, Kurfürstin, Tochter des Prinzen Friedrich Heinrich von Oranien, * am Haag 27. 11. 1627, † 18. 6. 1667, wurde am 7. 12. 1646 die erste Frau des Großen Kurfürsten.
   Preußen. 3) Königin, Prinzessin von Mecklenburg-Strelitz, * Hannover 10. 3. 1776, † Schloß Hohenzieritz bei Neustrelitz 19. 7. 1810, heiratete 1793 den späteren König Friedrich Wilhelm III. von Preußen und ist die Mutter Friedrich Wilhelms IV. und Wilhelms I. Nach der Niederlage 1806 mußte sie mit ihren Kindern nach Ostpreußen fliehen. Um mildere Friedensbedingungen für Preußen zu erreichen, ließ sie sich zu einer (vergeblichen) Unterredung mit Napoleon I. in Tilsit (Juli 1807) bewegen. Ihr Lebensschicksal und ihr anmutiges Wesen verklärten das Andenken an sie; sie war die einzige preuß. Königin, die Popularität besaß.
   Lit. P. Bailleu: Königin L. (³1926).
   Schweden. 4) L. Ulrike, Königin, Schwester Friedrichs d. Gr., * Berlin 24. 7. 1720, † Svartsjö 16. 7. 1782, heiratete 1744 den späteren König Adolf Friedrich von Schweden (1751–71). Sie stiftete 1753 die Akademie der schönen Literatur und Geschichte in Stockholm.
   Lit. F. Arnheim: L. Ulrike, 2 Bde. (1909/1910).

Luisenburg [nach der Königin Luise von Preußen], früher Luchsburg, granitisches Felsenlabyrinth, 783 m hoher Berg bei Alexandersbad im Fichtelgebirge, mit Freilichtbühne.

L'uitpold [ahd. ›kühn im Volk‹], männl. Vorname.

L'uitpold, Prinzregent von Bayern (1886 bis 1912), dritter Sohn König Ludwigs I., * Würzburg 12. 3. 1821, † München 12. 12. 1912, führte die Regierung für seine geisteskranken Neffen Ludwig II. und Otto.

L'uitpoldhütte AG, Amberg/Opf., Unternehmen für Schleuderguß und Kunststoffprodukte, gegr. 1883. Die Hochofenanlagen wurden 1968 stillgelegt.

L'uitprand, →Liutprand.

Lukács [l'ukatʃ], Georg (von), ungar. Philosoph und Literarhistoriker, * Budapest 13. 4. 1885, † das. 4. 6. 1971, war während der ungar. Räterepublik 1919 Volkskommissar für Unterrichtswesen, lebte dann im Ausland, wurde 1945 Prof. in Budapest, galt lange als ein führender Vertreter kommunist. Literaturwissenschaft. Da er der Bewegung (Petöfi-Kreis) nahestand, die zur ungar. Volkserhebung 1956 führte (1956 Kultusminister unter Imre Nagy), wurde er vom orthodoxen Marxismus-Leninismus angegriffen.
   WERKE. Die Theorie des Romans (1920), Geschichte und Klassenbewußtsein (dt. 1923), Der junge Hegel (1948), Der russ. Realismus in der Weltliteratur (²1952), Dt. Realisten des 19. Jhs. (⁴1953), Die Zerstörung der Vernunft (1954), Der historische Roman (1955), Wider den mißverstandenen Realismus (1958). Werke, 12 Bde. (1962ff.).

Luk'an, Marcus Annaeus Lucanus, latein. Dichter, * Corduba (Spanien) 39 n. Chr., † 65 n. Chr., ein Neffe Senecas; wurde von Nero zum Selbstmord gezwungen. Sein Epos ›Pharsalia‹ behandelt den Bürgerkrieg zwischen Caesar und Pompejus.

Luk'anien, lat. Lucania, antike Landschaft in Unteritalien.

Lukas, nach der altkirchl. Überlieferung der Verfasser des Lukasevangeliums und der Apostelgeschichte, war Arzt und Gefährte des Apostels Paulus und ist mehrfach in dessen späteren Briefen erwähnt. Nach der Legende war L. der ungenannte Emmausjünger (Luk. 24, 13ff.) und starb als Märtyrer; Tag: 18. 10. Kennzeichen als Evangelist: der Stier.

Lit. A. Harnack: L. der Arzt (1906).

L'ukaschek, Hans, Politiker (CDU), * Breslau 22. 5. 1885, † Freiburg i. Br. 26. 1. 1960, Verwaltungsjurist, war 1929–33 Oberpräs. von Oberschlesien (Zentrumspartei), als Angehöriger des Kreisauer Kreises 1944/45 in Haft, 1945 Mitgründer der CDU in Thüringen, 1949–53 Bundesvertriebenenminister.

Lukasevangelium, das dritte Evangelium im N. T., das gemäß Luk. 1, 1–4, und Apostelgesch. 1, 1 ff., sowie durch Wortschatz und Stil mit der Apostelgeschichte eng zusammengehört. Die neuere Forschung datiert die Abfassung um 80. Kommentare: *kathol.:* J. Schmidt (⁴1960); *protest.:* K. Rengstorf (⁹1958).

Łukasi'ewicz [wukaʃj'evitʃ], Jan, poln. Logiker, * Lemberg 21. 12. 1878, † Dublin 23. 2. 1956, war Prof. in Lemberg, Warschau und Dublin (Irland); Begründer der mehrwertigen Logik.

Luke [verwandt mit Lücke, Loch] *die*, *Luk das*, Öffnung im Deck eines Schiffes, zum Hinabsteigen, zum Ein- und Ausladen (Ladeluke) oder zur Lüftung.

Luki'an, lat. Lucianus, 1) griech. Schriftsteller, * Samosata am Euphrat um 120 n. Chr., † nach 180. Nachdem er Bildhauerlehrling, dann Anwalt in Antiochia gewesen war, vervollkommnete L. sich in Ionien in der sophist. Rhetorik; später hielt er in Asien, Griechenland und Gallien öffentl. Vorträge und ließ sich dann dauernd in Athen nieder. Im Alter war L. kaiserl. Sekretär in Ägypten. In seinen zahlreichen kleinen Schriften kritisierte er mit den Mitteln der Satire, Parodie und Ironie die Gebrechen seiner Zeit, den religiösen Wahn, die Nichtigkeit der Tagesphilosophen, die Eitelkeit der Rhetoren und die Leichtgläubigkeit des Publikums. Er schrieb Dialoge, Erzählungen und Briefe. Dt. Übers. v. Chr. M. Wieland (1788/89, Neudr. 5 Bde., 1911, Auswahl 1948). Hauptwerke griech. und dt. v. K. Mras (1954). Sämtl. Werke, 3 Bde., dt. (1966 ff.). – 2) L. von Antiochien, † Nikomedien 7. 1. 312 als Märtyrer; Theologe und Textkritiker, Gründer der *antiochenischen Exegetenschule* und Lehrer des Arius. Heiliger; Tag: 7. 1.

Lukiang, →Saluen.

Lukm'anier, ital. Passo di Lucomagno, Alpenpaß (1916 m) der Gotthardgruppe, verbindet das Medelser Tal in Graubünden mit dem Val Blenio im Tessin.

lukrat'iv [lat.], gewinnbringend, vorteilhaft.

Lukr'ez, Titus Lucretius Carus, latein. Dichter, * 55 v. Chr. (durch Selbstmord), schrieb das vielleicht bedeutendste Lehrgedicht des Altertums, ein hexametrisches Epos in 6 Büchern: Über die Natur ‹De rerum natura›. Es stellt dichterisch das materialistische Weltbild Epikurs dar, um die Menschheit von Götterfurcht und Aberglauben zu befreien. L. hat stark auf die Renaissance und bes. auf die französ. Materialisten des 17. Jhs. (Gassendi) gewirkt. – Ausg. mit Übers. v. H. Diels, 2 Bde. (1923/24); De

rerum natura libri sex, 3 Bde., hg. v. C. Bailey (Oxford 1947).

lukrieren [lat.], gewinnen, Vorteil bei einem Geschäft haben; es lukriert, wirft Gewinn ab, gedeiht.

L'uksor, Luxor, arab. El-Uksur [›die Burgen‹], Kreisstadt in der Prov. Kena, Oberägypten, rechts am Nil, mit rd. 40000 Ew., liegt mit dem Nachbarort Karnak auf der Stelle des alten →Theben. Der von Amenophis III. um 1400 v. Chr. erbaute und von Ramses II. erweiterte Tempel gehört zu den schönsten Denkmälern altägypt. Architektur.

Luk'uga *der*, Nebenfluß des Lualaba in Kongo, Abfluß des Tanganjikasees.

lukul'ent [lat.], lichtvoll, klar.

luk'ullisch [nach →Lucullus], genießerisch, üppig, schwelgerisch.

Lul, Lullus, Erzbischof von Mainz, † 786, stammte aus England, war Schüler des Bonifatius. Er gründete das Kloster Hersfeld (nach 765). Heiliger; Tag: 16. 10.

L'ule, südamerikan. Indianerstamm im Gran Chaco, hat eine eigene Sprache.

Luleå [l'yleo], Hafen- und Hauptstadt des Verw.-Bezirks Norrbotten, Schweden, an der inselreichen Mündung des Luleälv, mit (1972) 59500 Ew.; luther. Bischofssitz, Museum; Eisenerzausfuhr (von Malmberget), Elektrostahlwerk, Schiffbau. – Von L. nach Narvik führt die Lappland-Bahn.

Luleälv [l'yleelf], Fluß in Nordschweden, entsteht aus den Quellflüssen *Stora L.* und *Lilla L.* in den Eisfeldern und Gebirgsseen nördl. von Sulitjelma, 450 km lang, gewaltige Wasserfälle, z. T. in Kraftwerken genutzt.

L'uli, mohammedan. turkestan. Zigeuner, die tadschikisch sprechen; im MA. auch in Iran, z. B. von →Hafis als Lustknaben erwähnt.

L'ullus, Raimundus, span. Ramón Lull, katalan. Mystiker, Dichter und Missionar, * Palma (Mallorca) 1235, † (von Mohammedanern gesteinigt) 29. 6. 1316, wirkte in Afrika für die Bekehrung der Mohammedaner zum Christentum. Er gilt als Vater des katalanischen Schrifttums. Als Philosoph wandte er sich gegen die rationalist. Philosophie der Araber (Gegner des Averroes) und war von Einfluß auf Nikolaus von Kues. L. erfand die *Ars magna* oder *Lullische Kunst*, ein Verfahren, durch schematische Anordnung der Begriffe übersichtliche Erkenntnis und sichere Beweisführung zu lehren. Seliger; Tag: 3. 7.

Lɪᴛ. Keicher: L. (1909).

Lully [lyli], Jean-Baptiste, franz. Komponist, * Florenz 28. 11. 1632, † Paris 22. 3. 1687, das. Orchestergeiger, Leiter der Hofkapelle und schließlich im Dienst Ludwigs XIV. Leiter der Oper und des gesamten franz. Musiklebens, der erste Großmeister der franz. Nationaloper. In seinen prunkvollen, reich mit Chören und Balletten ausgestatteten Opern überwiegt das der Sprache und ihrem Rhythmus angepaßte Rezitativ die arienhaften Teile (Airs; meist dreiteilig). Das Orchester gelangt zu erhöhter Bedeutung in den Tänzen, in deren Reihe L. das Menuett einführte, und in den großangelegten Ouvertüren, der »franz. Ouvertüre« (Grave – fugiertes Allegro – Grave), als deren Schöpfer L. gilt. Die Ouvertüren und Tanzstücke seiner Opern wurden zu Suiten zusammengestellt. Diese Orchestersuite (auch »Ouvertüre« genannt) in »Lullyscher Manier« hat nachhaltigen Einfluß ausgeübt, vor allem auf die dt. Musik, wo die Lullyschüler Kusser, G. Muffat, Joh. Fischer sie heimisch machten und Meister wie Bach, Händel, Telemann sie übernahmen.

Lul'ua der, rechter Nebenfluß des Kassai, Kongo, etwa 900 km lang, 58 km schiffbar.

Lul'uaburg, seit 1968 Kan'anga, Provinzhauptstadt in Zaire, (1970) 150000 Ew.

Lumb'ago [lat.] die, Lendenschmerz. **lumb'al**, die Lenden betreffend. **Lumbalanästhesie**, →Schmerzbekämpfung. **Lumbalpunktion**, eine →Punktion unterhalb des Rückenmarks im Bereich der Lendenwirbelsäule, zum Entnehmen von Gehirn-Rückenmarksflüssigkeit.

Lumbeckverfahren [nach dem Erfinder], eine fadenlose Klebebindung von Büchern, bei der einzelne Blätter, nicht Bogenteile, durch Spezialleim verbunden werden.

Lumberjack [lʹʌmbədʒæk, engl.] der, lose fallende Jacke mit Taillenbund und Ärmelbündchen, ursprünglich der Arbeitsbekleidung der amerikan. Holzfäller (Lumberjacks); als Uniform von der amerikan. Armee übernommen.

L'umen [lat.] das, 1) Leuchte (der Wissenschaft), großer Gelehrter. 2) abgek. Lm, Maßeinheit für den Lichtstrom: derjenige Lichtstrom, den eine punktförmige Lichtquelle der Stärke 1 Candela in den Raumwinkel ausstrahlt.

L'umie, Citrus medica var. lumia, eine süße Form der Zitrone.

Lumière [lymjɛ:r], Auguste, franz. Chemiker, * Besançon 19. 10. 1862, † Lyon 10. 4. 1954, schuf gemeinsam mit seinem Bruder Louis Jean (* Besançon 5. 10. 1864, † Bandol (Var) 6. 6. 1948) zahlreiche Neuerungen auf dem Gebiet der Photographie: kinematograph. Aufnahmeapparat (1894), Autochromplatte für Farbphotographie (1903).

Lumin'al [lat. Kw.] das, Handelsname für Phenyläthylbarbitursäure. Anwendung bei schwerer Schlaflosigkeit, zur Dämpfung der Erregbarkeit bei Epilepsie, Veitstanz, Basedowscher Krankheit, Krampfzuständen an inneren Organen, Migräne und Hypertonie.

Luminesz'enz [von lat. lumen ›Licht‹] die, das Leuchten von Körpern ohne Temperaturerhöhung, kann hervorgerufen werden durch Bestrahlung mit andersartigem Licht (Photolumineszenz), mit radioaktiven Strahlungen (Radiolumineszenz) oder durch chemische (→Chemilumineszenz), elektrische (Elektrolumineszenz) oder mechanische Vorgänge (Tribolumineszenz beim Zerbre-

chen von Kristallen). Die Biolumineszenz verschiedener Pflanzen und Tiere ist eine Chemilumineszenz. Tritt die L. praktisch nur während der Erregung auf, so spricht man von →Fluoreszenz, sonst von →Phosphoreszenz.

Luminoph'or [griech.] der, Leuchtstoff.
lumin'ös [franz.], lichtvoll.
L'umme [nord. Lw., oberd.] die, 1) Vogelsippe, →Alke. 2) Kerbe im Fels.

Lummer, Otto, Physiker, * Gera 17. 7. 1860, † Breslau 5. 7. 1925, Prof. in Breslau, entdeckte die Interferenzerscheinungen an planparallelen Glasplatten, erfand gemeinsam mit Brodhun den Photometerwürfel, stellte grundlegende Untersuchungen über die Verteilung der Energie im Spektrum eines schwarzen Strahlers an, die Planck zur Aufstellung der Quantenhypothese führten.

Lummer-Gehrke-Platte, ein Interferenz-Spektralapparat höchster Auflösung, besteht aus einer planparallelen Glas- oder Quarzplatte a, in die das Licht b durch ein totalreflektierendes Prisma c so eingeleitet wird, daß es innerhalb der Platte mehrfach teilweise reflektiert wird. Die bei jeder Reflexion aus der Platte fast streifend austretenden Wellen d interferieren miteinander und ergeben im Unendlichen parallele Interferenzstreifen, die durch eine Sammellinse e in die Brennebene f der Linse verlegt werden und dort photographiert werden können.

Lummer-Gehrke-Platte

Lump'azivagabundus, scherzhafte Nebenform von Lump; Landstreicher. – Posse von Nestroy (1833).

Lumpenproletariat, bei Marx jene unterhalb des Proletariats vorhandenen fluktuierenden, bes. asozialen Elemente der Großstädte, von denen kein Klassenbewußtsein zu erwarten ist.

Lumpfisch, ein Stachelflosserfisch, →Seehase.

lump sum [lʌmp sʌm, engl.], runde Summe; Pauschale.

Lum'umba, Patrice, kongolesischer Politiker, * Katoko (Kassai) 1925, † bei Kolwezi (Katanga) 17. (?) 1. 1961, war zuerst Postangestellter, später Brauereidirektor, wurde 1946 Führer der national. Unabhängigkeitsbewegung, war 1959/60 in Haft und wurde am 30. 6. 1960 erster MinPräs. des unabhängigen Kongo-Leopoldville. Er war ein entschiedener Vertreter der national. Einheit des Kongo, Gegner Belgiens. Mit der UdSSR sympathisierend, wurde L. am 5. 9. 1960 von Staatspräs. Kasawubu seines Amtes enthoben. Am 10. 2. 1961 wurde L.s Flucht, und am 13. 2. sein Tod bekanntgegeben. Wahrscheinlich wurde er am 17. 1. von politischen Gegnern ermordet. Von der seit Nov. 1965 herrschenden Regierung Mobutu

Luna

wurde L. am 30. 6. 1966 zum Nationalhelden erhoben.

L'una [lat.], 1) der Mond. 2) die röm. Mondgöttin.

lunar, lunarisch, auf den Mond bezüglich.

lunatisch, mondsüchtig.

Lunation [neulat.], die Zeit, in der die Mondphasen einen vollen Wechsel durchlaufen; ihr Durchschnitt ist der synodische Monat.

Lunatsch'arskij, Anatoli Wassiljewitsch, sowjetruss. Politiker und Schriftsteller, * Poltawa 24. 11. 1875, † Mentone 27. 12. 1933, wurde als Sozialist 1898 nach Wologda verschickt. Mit Gorki auf Capri befreundet, nahm er an den Diskussionen der Emigrantenintelligenz in Italien, Frankreich und der Schweiz teil. Ende 1917 nach Rußland zurückgekehrt, förderte er als Volkskommissar für Erziehungswesen Kunst- und Schulexperimente, Versuche einer proletarischen Kultur (Proletkult) und Wissenschaft, bis er seit 1929 nur noch die Aufsicht über die wissenschaftl. Institute behielt. Er starb vor Antritt des Botschafterpostens in Madrid.

Lunch [lʌntʃ, engl.] *das* oder *der*, Gabelfrühstück (zur Mittagszeit).

Lund, Stadt im VerwBez. Malmöhus, Schweden, im Moränengebiet Schonens, mit (1971) 57 300 Ew., Sitz eines luther. Bischofs, hat roman. Dom (1080–1145, Türme um 1200; Teilerneuerung im 19. Jh.), Universität (1668 gegr.), Kernforschung, Museum, neuerdings auch Industrie (Papier, Textilien). L., im 11. Jh. gegr., war bis 1536 kathol. Erzbistum, es gehörte bis 1658 zu Dänemark.

L'unda, Alunda, Balunda, Kalunda, Bantuvolk von etwa 63 000 Menschen im S des Kongobeckens, NO-Angola und N-Rhodesien; Ackerbauer und Jäger, ehem. Staatsvolk des *Lunda-Reichs* (16.–19. Jh.).

Lundberg [-berj], 1) Gustaf, schwed. Pastellmaler, * Stockholm 17. 8. 1695, † das. 18. 3. 1786, Schüler von Rigaud, Largillière und R. Carriera in Paris, wo er seit 1717 lebte und Mitglied der Akademie wurde. 1745 kehrte er nach Stockholm zurück, wurde das. 1750 Hofmaler und 1776 Akademiedirektor. Er war der führende schwed. Bildnismaler seiner Zeit.
2) Teodor, schwed. Bildhauer, * Stockholm 1852, † Rom 1926, schuf realist. Marmorgruppen und Bronzegruppen, Standbilder.

L'undenburg, tschech. Břeclav, Bezirksstadt im südl. Mähren (Tschechoslowakei), mit rd. 12000 Ew., Grenzstation gegen Österreich.

Lundisten [lœd'istan, von frz. lundi ›Montag‹], die franz. Theaterfeuilletonisten im 19. Jh., deren Kritiken stets erst montags in den Zeitungen erschienen im Unterschied zu den am Morgen nach der Aufführung veröffentlichten *Nachtkritiken*.

Lundkvist [lynd-], Artur, schwed. Lyriker und Erzähler, * Oderljunga 3. 3. 1906.

Lund-Quist, Carl Elof, evang. Theologe, * Lindsborg (Kansas) 19. 9. 1908, † Fremont (Nebr.) 26. 8. 1965, wurde 1941 Studentenpfarrer, 1946 Direktor der Abteilung Public Relations im National Lutheran Council. L.-Q. war von 1952–60 Generalsekr. des Luth. Weltbundes.

Lune [luːn], Fluß in England, 72 km lang, mündet in die Irische See; bis Lancaster schiffbar.

Lüne, ehemal. Kloster nahe Lüneburg, als Nonnenkloster (Benediktinerinnen) 1172 gegr. und nach einem Brand um 1380 an seiner heutigen Stelle wieder aufgebaut. Das Kloster – heute evang. Damenstift – besitzt wertvolle Kunstschätze (Teppiche, um 1500 und früher).

Lüneburg, 1) Regierungsbezirk in Niedersachsen.

Kreise	qkm	Einw.[1]	
		1961[2]	1970[3]
Burgdorf ...	825	115,1	137,7
Celle.......	49	58,7	57,2
Celle.......	1542	93,6	104,9
Fallingbostel	958	60,9	63,2
Gifhorn ..	1605	119,4	135,6
Harburg[4] ..	1348	116,1	144,5
Lüchow-Dannenberg	1209	53,0	50,6
Lüneburg ..	42	60,3	59,5
Lüneburg ..	1001	56,6	63,4
Soltau ..	924	59,3	65,1
Uelzen ..	1446	95,4	95,9
Wolfsburg ..	35	64,6	88,7
RegBez. L.	10983	1038,9	1066,3

[1] in 1000. [2] am 6. 6. [3] am 27. 5. [4] Kreisstadt Winsen.

2) Hauptstadt des RegBez. L., Stadtkreis und Kreisstadt, mit (1974) 59 500 Ew., eine an alten Bauwerken reiche Stadt am Nordrand der Lüneburger Heide, 17 m ü. M., an der schiffbaren Ilmenau (zur Elbe), hat Oberverwaltungs-Ger., VerwGer., LdGer., AGer., Industrie- und Handels-, Handwerkskammer, Pädagog. Hochschule, höhere und Fachschulen, Sitz der Nordostdeutschen Akademie, 2 Museen, Ratsbücherei; holz- und eisenverarbeitende, Elektro-, chemische, Bekleidungsindustrie, Brauerei; Sol- und Moorbad, Saline. Geschichte. L. erhielt wahrscheinlich von Heinrich dem Löwen Stadtrecht, wurde in der 2. Hälfte des 14. Jhs. Mitglied der Hanse und behauptete bis 1637 eine große Selbständigkeit gegenüber den welf. Landesherren. Durch deren Erbteilung von 1267 war das Fürstentum L. entstanden, dessen Sitz 1378 nach Celle verlegt wurde. Im Lüneburger Erbfolgekrieg (1369–88) wurde es gegen die adam. Herzöge von SachsenWittenberg verteidigt, schließlich 1705 mit dem Kurfürstentum Hannover vereinigt. L. ist die einzige unversehrte Stadt der norddeutschen Backsteingotik.
Lit. W. Reinecke: Gesch. d. Stadt L., 2 Bde. (1933); J. Matthaei: L. (1950).

Lüneburger Heide, der zwischen Aller und

300

Elbe gelegene niedrige eiszeitliche Landrücken, der im Wilseder Berg (Naturschutzgebiet) 169 m Höhe erreicht. Durch Kiefernaufforstungen und landwirtschaftliche Nutzung mit Hilfe künstl. Düngung wurde das Landschaftsbild stark verändert. Bemerkenswert sind die zahlreichen Hünengräber. Im Untergrund finden sich Erdöl (um Wietze) und Salz (bei Lüneburg).

Lüneburger Silberschatz, das Ratssilber der Stadt Lüneburg aus dem 15. und 16. Jh., meist Tafelgerät, gestiftet von vornehmen Familien (Berlin, Staatl. Museen).

Lünen, kreisfr. Stadt im RegBez. Arnsberg, Nordrhein-Westf., (1974) 70700 Ew., an der Lippe, 54 m ü. M., hat AGer., Bergrevieramt, Stadttheater, höhere Schulen, Fachschule; Steinkohlenbergbau, Aluminiumwerk, Eisengießereien, Maschinenbau, Großkraftwerk.

Lünersee, 102 m tiefer See in Vorarlberg, Österreich, im Rätikon am Fuß der Scesaplana (2967 m), 1970 m ü. M., mit großer Stauanlage.

Lün′ette [franz. ›Halbmond‹] *die,* 1) *Baukunst:* ein halbkreisförmig begrenztes Bogenfeld, bes. über Türen und Fenstern. **2)** Befestigungswerk, dessen Grundriß feindwärts drei stumpfe Winkel zeigt. 3) *Setzstock,* →Drehbank.

Lunéville [lynevil], Stadt in Ostfrankreich, (1968) 25400 Ew., Schloß der letzten Herzöge von Lothringen (18. Jh.; heute Museum); Fayence-, Maschinen-, Waggon- und Textilindustrie. – Im *Frieden von L.* (9. 2. 1801), der die ›Französischen Revolutionskriege abschloß, erhielt Frankreich das linke Rheinufer und die Anerkennung der Batav., Helvet. und Ligur. Republik. Österreich wurde mit Venetien, Istrien und Dalmatien entschädigt; die Entschädigung der dt. Fürsten für linksrhein. Gebietsverluste wurde später durch den →Reichsdeputationshauptschluß geregelt.

L′ungau, rauhe Tallandschaft der oberen Mur in Salzburg. Durch den L. führt die alte Straße über die Radstädter Tauern (1738 m) und den Katschberg.

Lunge [german. Stw.], das paarige Atmungsorgan des Menschen und der luftatmenden Wirbeltiere (Säugetiere, Vögel, Kriechtiere, Lurche, Lungenfische). Beim Menschen und den Säugetieren wird die Oberfläche beider Lungen von dem als *Lungenfell* bezeichneten inneren Blatt des Brustfells überzogen, dessen äußeres Blatt, das *Rippenfell,* die innere Brustwand überkleidet. Lungen- und Rippenfell zusammen bilden die allseitig geschlossene *Brustfell- (Pleura-) Höhle.* Zwischen den einwärts gekehrten Flächen beider L. liegt das Herz und die großen Gefäße. Etwa in der Mitte dieser Flächen befindet sich beiderseits der *Lungenhilus,* die Stelle, wo der Stammbronchus und die Lungenschlagader in die L. ein- und die Lungenblutadern aus der L. austreten. Die rechte L. ist in drei, die linke in zwei Lappen gesondert; sie ist ein schwam-

miges Organ, das dazu neigt, sich zusammenzuziehen, wenn es nicht durch den in der Brustfellhöhle herrschenden Unterdruck an der Brustwand festgehalten wird. Der *Stammbronchus,* der zu jeder L. tritt, teilt sich in je einen *Hauptbronchus* für jeden L.-Lappen, in dem er sich weiter verzweigt bis zu mikroskopisch kleinen *Lungenbläschen.* Ein kleinster Bronchus (von 1 mm Durchmesser) bildet mit den anschließenden Röhrchen und Bläschen ein *Lungenläppchen.* Um die L.-Bläschen herum ist ein feines Haargefäßnetz ausgebreitet, in das sich die kohlensäurereiches Blut führenden Lungenschlagadern auflösen; durch die Wandungen der Haargefäße hindurch gibt das Blut hier Kohlensäure ab und nimmt dafür Sauerstoff auf. Die Lungenblutadern führen dieses sauerstoffreiche Blut dem Herzen zu, von wo es in den Körper gelangt (→Kreislauf).

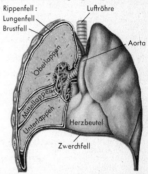

menschliche Lunge (rechter Flügel im Schnitt, die gestrichelte Linie begrenzt den Hilus)

Lunge, Georg, Chemiker, * Breslau 15. 9. 1839, † Zürich 3. 1. 1923, Prof. in Zürich, verdient um den Ausbau der chem. Industrie (Soda- und Mineralsäurefabrikation) und der chemisch-techn. Arbeitsmethoden.

Lungenabszeß, umschriebene Eiterhöhle im Lungengewebe. Bei Anwesenheit von Fäulniserregern kommt es zu *Lungenbrand,* dem brandigen Absterben eines Lungenteils.

Lungenblähung, Lungenemphysem, krankhafte Erweiterung der Lungenbläschen (→Emphysem).

Lungenblutung, Blutspucken (→Bluthusten).

Lungenegelkrankheit, *Paragonimiasis,* eine hauptsächlich in Ostasien vorkommende Lungenerkrankung des Menschen und verschiedener Säugetiere. Ihr Erreger ist der zu den Saugwürmern gehörende *Lungenegel* (Paragonimus westermanni). Der Lungenbefall führt u. a. zu chron. Husten mit rostbraunem, bluthaltigem Auswurf.

Lungenembolie, →Embolie.

Lungenentzündung, griech. *Pneumonie,* die Durchsetzung des Lungengewebes und Ausfüllung der Lungenbläschen mit entzündli-

Lung

cher Ausschwitzung aus den Blutgefäßen. Bei den bakteriellen L. unterscheidet man die meist durch Pneumokokken hervorgerufene *kruppöse L.* (griech. *Lobärpneumonie*), die meist einen ganzen Lungenlappen befällt, von der *katarrhalischen L.* (griech. *Bronchopneumonie*), deren entzündliche Herde in der Lunge verstreut sind und die durch verschiedene Bakterien verursacht wird. Die kruppöse L. beginnt plötzlich mit Schüttelfrost, hohem Fieber und Bruststichen (bes. beim Husten), Atemnot und bald auch rostbraunem Auswurf. Das Fieber hält ohne Behandlung 7–11 Tage an und kann dann plötzlich in der Krise abfallen. Die Bronchopneumonie kommt meist als Begleiterscheinung anderer Krankheiten vor oder bei Bewußtseinstrübungen und Eindringen von Fremdkörpern in die Lunge (*Schluckpneumonie*). – Die *Viruspneumonien* begleiten Viruskrankheiten wie Grippe, Masern.

Lungenfische, Lurchfische, *Dipnoer,* Knochenfische, die mit ihrer lungenartigen Schwimmblase durch Schlund und Nase Luft atmen und längere Zeit auf dem Land aushalten, so der 1–2 m lange *Molchfisch* (Protopterus).

Lungenflechte, Lungenmoos, Grubenflechte, Flechtenpflanze der Gebirge Mitteleuropas, an Felsen oder Laubbäumen, großlappig, oben braungrün, unten bräunlich und netzartig; volkstümliches Lungenheilmittel.

Lungengangrän, der Lungenbrand (→Lungenabszeß).

Lungeninfarkt, ein →Infarkt.

Lungenkraut, 1) *Pulmonaria,* Gattung der Borretschgewächse, kleine, weichhaarige Stauden mit anfangs roten, später violetten bis blauen Blüten. Das bis 20 cm hohe *echte L.* (P. officinalis, *Kuckucks-, Osterblume, Hundszunge*), das in lichten Gehölzen Europas wächst, hat hellfleckige Blätter; es wurde früher zu Tee u. a. gegen Lungen-, Brust-, Halskrankheiten verwendet. 2) andere, ähnlich verwendete Pflanzen, so Aronstab, Huflattich, Habichtskraut, Arnika, Dost, Gänsefuß, Isländisches Moos, Lungenflechte.

Lungenkrebs, bösartige Geschwulst (→Krebs) der Lunge, meist von der Schleimhaut der Bronchien (*Bronchialkrebs*) ausgehend; bei Männern etwa siebenmal häufiger als bei Frauen. Kennzeichnend für L. ist ein anfangs oft als »Raucherkatarrh« verkannter Husten mit zunächst geringem Auswurf.

Lungenkresse, das →Löffelkraut.

Lungenmoos, Isländisches Moos und Lungenflechte.

Lungenödem, die Anfüllung des Lungengewebes und der Lungenbläschen mit Flüssigkeit (aus den Blutgefäßen ausgetretenem Serum). L. kommt vor beim Versagen des Herzens, z. B. oft bei Sterbenden, ferner bei Phosgenvergiftung. Kennzeichnend sind hochgradige Atemnot, blutig-schaumiger Auswurf, Blauwerden an Gesicht, Händen und Füßen, Röcheln.

Lungenoperationen, 1) im engeren Sinne: Eingriffe an den Lungen selbst, wie das vollständige Entfernen eines Lungenflügels (*Pneumonektomie*), z. B. bei Lungenkrebs oder Lungentuberkulose, das Entfernen eines Lungenlappens (*Lobektomie*) oder des Abschnitts (Segmentes) eines Lappens (*Segmentresektion*), wenn nur ein Bezirk der Lunge erkrankt ist. 2) L. im weiteren Sinne: Eingriffe am Brustkorb, so das Entfernen von Rippenteilen (*Rippenresektion*), z. B. bei Brustfelleiterung.

Lungenpest, eine als Lungenentzündung fast stets tödlich verlaufende →Pest.

Lungenprobe, das Eintauchen der Lungen eines toten Neugeborenen in Wasser, um festzustellen, ob das Kind nach der Geburt geatmet und also gelebt hat (z. B. bei Verdacht auf Kindesmord). Lungen, die geatmet haben, schwimmen im Wasser.

Lungenschlag, →Embolie.

Lungenschnecken, *Pulmonaten,* artenreiche Ordnung landbewohnender Schnecken, bei denen das blutgefäßreiche Dach der Mantelhöhle als lungenähnliches Atmungsorgan dient; teils beschalt (z. B. Schnirkelschnecke), teils ohne Schale (z. B. Wegschnecke). Alle L. sind zwittrig und haben als Reizmittel für die Begattung dolchförmige Kalkgebilde, die dem Partner eingebohrt werden (Liebespfeile).

Lungenseuche, eine ansteckende Lungen- und Brustfellentzündung des Rindes; durch veterinärpolizeil. Maßnahmen in Dtl. seit längerem getilgt.

Lungenspitzenkatarrh, →Tuberkulose.

Lungensucht, die →Tuberkulose des Rindes.

Lungentuberkulose, Lungenschwindsucht, →Tuberkulose.

Lungenwürmer, schmarotzende Fadenwürmer bei Rind, Schaf, Ziege, Schwein, Wildschwein, Hirsch, Reh. L. erzeugen in den tiefen Luftwegen Bronchialkatarrh und in den Lungen eine Lungenentzündung (*Lungenwurmkrankheit, Lungenwurmseuche*).

Lungenfische: junger Molchfisch, etwa 35 cm lang (Institut Français d'Afrique Noire, A. Cocheteux)

Lunker *der* Hohlräume in Gußstücken, entstehen nach Erstarrung der Außenzonen durch die meist starke Volumenabnahme bei der Kristallisation von Schmelzen.

Lunte [niederd. ›Fetzen‹] *die*, **1)** mit Salpeter getränkter und mit Bleizucker gebeizter, langsam glimmender Hanfstrick, einst Zündmittel bei Handfeuerwaffen und Geschützen. **2)** *Jägersprache:* Schwanz des Fuchses. **3)** *Spinnerei:* schwach gedrehtes Vorgarn.

L'unula [lat. ›Halbmond‹] *die*, **1)** halbmondförmiger Halskragen aus Gold, Schmuckform der älteren Bronzezeit Irlands, später auch des nordischen Kreises der Bronzezeit. 2) der weiße Fleck an der Wurzel der Fingernägel.

Lun-yü [chines. ›Erörterungen und Gespräche‹], Titel eines wohl im 4. Jh. v. Chr. verfaßten Werks, in dem die Gespräche des →Konfuzius mit seinen Schülern und Zeitgenossen überliefert werden. Das L. ist das wichtigste Quellenwerk des älteren Konfuzianismus.

L'uossavaara [-va:ra], 729 m hoher Magneteisenberg bei Kiruna in Nordschweden.

Lupan'ar [lat] *das*, altrömisches Bordell.

Lupe [franz.], **Vergrößerungsglas**, eine Sammellinse kleiner Brennweite zur Beobachtung kleiner Gegenstände. Die Vergrößerung ist annähernd gleich dem Verhältnis der deutlichen Sehweite (für das normale Auge 250 mm) zur Linsenbrennweite; eine Linse von der Brennweite 50 mm vergrößert also $\frac{250}{50} = 5$mal.

Lup'ercal [lat.], Höhle am Fuß des palatin. Hügels in Rom, wo der Sage nach Romulus und Remus von einer Wölfin gesäugt wurden.

Lup'erci [lat. ›die Wolfsabwehrer‹], altröm. Priestergilde, die anfangs durch magischen Umlauf um die Hürden das Vieh gegen Wölfe schützen sollten; die L. wurden dann auch dem Dienste des Hirtengottes Faunus und des diesem zu Ehren veranstalteten Festes **Lupercalia** (Luperkalien) am 15. 2. eingeordnet, das mit einem Opfer im Lupercal begann.

Lup'ine *die*, lat. *Lupinus*, Wolfs-, Feigbohne, Gattung der Schmetterlingsblütler mit gefingerten Blättern und großen, quirlgliedrigen Blütenähren, bes. im Mittelmeergebiet und im nordwestl. Nordamerika, dient als Gründüngungs-, Futter-, Körner- und Zierpflanze. Die landwirtschaftlich wichtigen einjähr. Arten *blaue* oder *schmalblättrige L.*, *gelbe L.* und *weiße L.* stammen aus dem Mittelmeergebiet, in dem ausschließlich die weiße L. angebaut wird; im allgem. werden kultiviert: gelbe L. auf sauren, sandigen Böden, blaue L. auf weniger sauren Böden an luftfeuchten Standorten, weiße L. auf besseren, nicht zu kalkhaltigen Böden. Der Futterwert der Körner ist wegen des Eiweißgehalts (40–48 %) bei der gelben, des Fettgehalts (12–15 %) bei der weißen L. hoch, doch beeinträchtigt durch leichte Giftigkeit

(→Lupinenkrankheit) und Bitterstoffe. Die Samen werden durch Dämpfen und Wässern entbittert. Die Zuchtsorten der ›Süßlupinen‹ sind bitterstoffarm. Als Wildfutter und Gründüngung im Walde wird eine staudige, blaublütige nordamerik. Art angesät, die *ausdauernde L.*; andere staudige Arten dienen als Gartenblumen.

Lupinenkrankheit, *Lupinose*, eine nach Verfütterung von →Lupinen bei Haustieren (bes. Schafen) bisweilen auftretende schwere Erkrankung, die unter Gelbsucht verläuft.

Lupow [l'upo:], *die*, Küstenfluß in Pommern, 120 km lang, durchfließt den Garder See, mündet in die Ostsee.

L'uppe [franz. loupe] *die*, der bei der Schweißstahlherstellung aus dem Puddelofen kommende rohe Stahlklumpen.

Lupul'in [lat. Kw.], **Hopfenmehl**, braungelbes, würziges, bitteres Pulver, die abgeschüttelten Drüsenperlen von den Schuppen der weibl. Kätzchen des Hopfens. L. dient außer zur Bierbereitung als Bitter- und Beruhigungsmittel.

L'upus [lat.] *der*, **1)** Raubtier, →Wolf; **L. in fabula**, »der Wolf in der Fabel«, Zitat aus Terenz, Adelphi, 4, 1, 21. In der Erklärung des Sprichwortes besteht Unsicherheit, ob der Wolf unverhofft erscheint, wenn man von ihm spricht, oder ob man bei seinem Anblick verstummen muß. **2)** *L. vulgaris*, Hautwolf, →Hauttuberkulose. **3)** *L. erythematodes*, *Schmetterlingsflechte*, eine langwierige Hautkrankheit, bei der meist vom Nasenrücken her schmetterlingsförmige, blaurote, flache Herde entstehen.

Lü Pu-wei, chines. Staatsmann, * um 300 v. Chr., † 235 v. Chr., Großkaufmann, Ratgeber und später Kanzler des Königs Tschuang-siang von Tsin (250–247) und des ersten chines. Kaisers Tsin Schi-huang-ti. In Hofintrigen verwickelt, beging er Selbstmord. Um 240 ließ er eine Enzyklopädie, das *Lü-schi tschun-tsiu* verfassen, die eine wertvolle Quelle für die Gedankenwelt des alten China ist.

Lur'ago, Carlo, ital. Baumeister, * Laino um 1618, † Passau 12. 10. 1684, kaiserl. Hofbaumeister, seit 1638 in Böhmen (Collegium Clementinum in Prag 1654–58), schuf 1668 bis 1683 den Neubau des Passauer Doms mit seiner reichen Stuckdekoration.

Lurçat [lyrsa] Jean, franz. Maler, * Bruyères 1. 7. 1892, † St-Paul-de-Vence 6. 1. 1966, malte zeitweilig surrealistisch und trug mit seinen Entwürfen für die Gobelinmanufaktur in Aubusson zur künstlerischen Erneuerung des Bildteppichs bei.

Lurche, *Amphibien*, Klasse wechselwarmer Wirbeltiere, umfaßt →Blindwühlen, Froschlurche (→Frösche) und →Schwanzlurche. Den L. dient die nackte, drüsenreiche Haut neben den meist vorhandenen Lungen zur Atmung und auch zur Wasseraufnahme; zum Schutz gegen Austrocknen oder zur starke Sonneneinwirkung sind die Eier mit einer Gallerthülle umgeben. Die geschlüpften Jungen tragen als Larven anfangs äußere Kiemen und einen Ruderschwanz; Gliedmaßen fehlen vorerst. Später verwandeln sich die Larven im Verlaufe einer Metamorphose, während der sie von der Kiemen zur Lungenatmung übergehen; bei den Frosch-L. verschwindet dabei auch der Schwanz (BILD Frösche). Alle L. sind Räuber und fressen vorwiegend Insekten, Würmer und Schnekken; größere L. überwältigen auch Fische, junge Vögel und Mäuse.

Lurchfische, die →Lungenfische.

Lure [altnord.] *die,* mächtige Bronzetrompete der nordischen Bronzezeit, die aus einem gewundenen Rohr mit Mundstück und verzierter Scheibe an der Schallöffnung besteht. L. wurden meist paarweise sowie gleichgestimmt benutzt.

Lure (Folvisdam, Dänemark; Höhe etwa 1m)

Luren, Loren, Volksstamm in Luristan, Chusestan und im Poscht-e Kuh, etwa 350000, wohl Nachkommen einer den Kurden verwandten Rasse arischen Einschlags, Nomaden.

L'uria, Salvador E., amerikan. Bakteriologe, * Turin 13. 8. 1912, seit 1940 in den USA, erhielt den Nobelpreis für Medizin 1969 (zus. mit M. Delbrück und A. Hershey) für seine Arbeiten über genetische Strukturen.

Luria, Isaak ben Salomon, auch Ari (der Löwe), * Jerusalem 1534, † Safed 1572, jüd. Mystiker und Begründer der jüngeren Kabbalistenschule. Seine mündlich gegebenen Lehren sind durch seinen Schüler Chajim Vital Calambrese (* 1543, † 1620) u. a. aufgezeichnet worden.

Lurist'anbronzen [nach der pers. Prov. Luristan], dem 1. Drittel des 1. Jahrtausends v. Chr. angehörende Bronzen (Streitäxte, Nadeln mit kunstvoll gestalteten Köpfen, Anhänger, Pferdegeschirr, Stangenaufsätze u. a.) von ungewöhnlicher Beherrschung des Gusses und außerordentlichem Gestaltungsvermögen. Sie gehören einer nach Vorderasien orientierten Kultur an.

Lus'aka, Hauptstadt von Sambia (1935–64 von Nordrhodesien), 1280 m ü. M., mit (1972) 347900 Ew., inmitten eines fruchtbaren Farm- und Bergbaugebiets. Kath. Erzbischofssitz; Flughafen.

Lus'ambo, Hauptort der Prov. Kasai, Kongo (Kinshasa), am schiffbaren Sankuru, mit rd. 15000 Ew.

Lus'atia, lat. Name (seit dem 13. Jh.) für die Lausitz.

L'uschan, Felix von, Völkerkundler, * Hollabrunn (Nied.-Öst.) 11. 8. 1854, † Berlin 7. 2. 1924, unternahm 1883–1902 die Ausgrabung von Sendschirli, war Prof. und Museumsleiter in Berlin.
WERKE. Völker, Rassen, Sprachen (1912, ²1927), Die Altertümer von Benin, 3 Bde. (1919), Sendschirli, 5 Bde. (1893–1925).

Lusche [Lw. aus slaw.] *die,* 1) [lu: ʒə] Pfütze. 2) Spielkarte ohne Zählwert.

L'uschin von Ebengreuth, Arnold, Numismatiker und Rechtshistoriker, * Lemberg 26. 8. 1841, † Graz 6. 12. 1932, Prof. das. (1882–1912), hob die Numismatik aus ihrer deskriptiven Phase und machte sie zu einem wertvollen Hilfsmittel der polit. Geschichte und der Wirtschaft.

Luschnitz *die,* Fluß in Böhmen, →Lainsitz.

Lusen *der,* Berg im Böhmer Wald, 1370 m hoch.

Lus'erke, Martin, Pädagoge und Schriftsteller, * Berlin 3. 5. 1880, † Meldorf (Holstein) 1. 6. 1968, gründete 1925 die »Schule am Meer« auf Juist (1934 aufgelöst), schrieb Seegeschichten, Märchenspiele, förderte das Laienspiel.

L'usici, ehemal. westslaw. Volksstamm in der heutigen Lausitz.

Lusignan [lyzinã], franz. Adelsgeschlecht, Grafen von Marche, seit 1186 König von Jerusalem, seit 1192 von Zypern. Der letzte L., Jacob II., heiratete 1472 Caterina →Cornaro.

lusing'ando [ital.], *Musik:* schmeichelnd, lieblich.

Lusit'ania, engl. Fahrgastdampfer von 30400 BRT, im 1. Weltkrieg (7. 5. 1915) vor der irischen Südküste durch U 20 torpediert, wobei die mitgeführte Munitionsladung explodierte; hatte eine Einschränkung des U-Boot-Krieges zur Folge.

Lusitanien, lat. Lusitania, röm. Prov. auf der Pyrenäenhalbinsel (etwa das heutige Portugal), zwischen Durius (Duero) und Anas (Guadiana). Die Lusitanier wurden 139 v. Chr. nach dem Tod ihres Anführers Viriathus von den Römern unterworfen, ihr Land unter Augustus röm. Provinz; Hauptstadt war Augusta Merita (Mérida), weitere Städte Olisipo (Lissabon), Pax Iulia (Beja), Scallabis (Santarem).

Lust [german. Stw.], ein Zustand gesteigerten Daseins und erhöhter Lebendigkeit, im engeren Sinne die in diesem Zustand auftretenden Gefühle, die nach Tiefe, Umfang, Fülle und Dauer wechseln (Gegensatz: Unlust). Die L.-Gefühle sind mit bestimmten körperl. Begleiterscheinungen (Gefäßerwei-

Luth

terung, Beschleunigung der Herztätigkeit, Verstärkung der Bewegungsimpulse) verbunden. Während der →Hedonismus in der L. die Triebfeder des ethischen Handelns sieht, betonen andere Richtungen der Ethik, so vor allem Kant, die Gegensätzlichkeit der nach L. strebenden Neigungen und des durch die Pflicht bestimmten Willens, mindestens aber die ethische Vieldeutigkeit der L., die sich ebenso mit wertvollen wie mit wertlosen Zielen verbinden könne; daß die L. als Antrieb und Wegweiser des Handelns sittlich bedeutsam sei, lehren zahlreiche Richtungen der Ethik (→Eudämonismus). Eine Regulierung der gesamten Seelentätigkeit durch das Streben nach L. wurde z. B. von der Psychoanalyse angenommen *(Lustprinzip)*.

Lustbarkeitssteuer, die→Vergnügungssteuer.

Lustenau, Marktgem. in Vorarlberg, Österreich, mit (1971) 15 400 Ew., im Rheintal, 408 m ü. M.; Textilindustrie.

Lüst, Reimar, dt. Physiker, * 25. 3. 1923, Dir. des Inst. für Extraterrestrische Physik, München, Präs. der Max-Planck-Gesellschaft seit 1. 7. 1972.

Lüster [franz.], **1)** Kronleuchter. **2)** ein tuchbindiger Futter-, Joppen- und Schürzenstoff mit Baumwollkette und Glanzwolle (Lüstergarn), Alpaka oder Mohair im Schuß. *Lüstrine* ist ein glänzendes Halbfutter in Taftbindung aus Chemiefasern. **3)** schillernder Überzug auf Glas, Porzellan oder Tonwaren. **4)** *Lederfabrikation:* Lösungen oder Emulsionen von Fetten oder Wachsen, denen Farbstoffe zugesetzt sein können, ferner Kollodium- oder Chlorkautschukappreturen, die Farbpigmente enthalten.

Lusthaus, ein in Parkanlagen errichteter kleinerer Bau für Freuden des gesellschaftl. Lebens oder der Jagd, z. B. die drei Burgen des Nymphenburger Parks.

Lustig, Arnošt, tschech. Erzähler, * Prag 21. 12. 1926, schildert das Leben im Ghetto von Theresienstadt in der Nazizeit: Nacht und Hoffnung (1958), Diamanten der Nacht (1958).

Lustige Blätter, illustriertes Witzblatt, das 1886–1924 in Berlin erschien; Auflage zuletzt 33 800.

Lustigen Weiber von Windsor [wi´nzə], **Die,** engl. The merry wives of Windsor, Lustspiel von Shakespeare. Oper von Nicolai (1849), als ›Falstaff‹ von Verdi (1893). →Falstaff.

Lustige Person, der Spaßmacher im Theater (Hanswurst, Harlekin, Kasper).

Lustmord, Tötung eines Menschen aus Geschlechtslust.

lustrieren [lat.], **1)** prüfen, mustern, nachsehen. **2)** reinigen, läutern, weihen.

lüstrieren, Veredlungsverfahren, um Baumwoll- oder Zellwollgarne und -zwirne durch Appretieren, Strecken, Bürsten zu glätten.

L´ustrum [lat.] *das,* **1)** bei den alten Römern der feierl. Akt der Tierprozession, ein alle 5 Jahre wiederkehrendes Sühneopfer. **2)** danach ein Zeitraum von fünf Jahren.

Lustseuche, die →Syphilis.

Lustspiel, →Komödie.

Lut, Descht-i-Lut, Salzwüste im östl. Iran, eins der ödesten, völlig wasser- und vegetationslosen Trockengebiete der Erde.

Lüta, der Zusammenschluß der Städte Port Arthur und Talien mit (1968) 3,5 Mill. Ew.

Lutchen, auch Lutki [›kleine Leute‹], →Zwerge. *Lutchenberge,* vorgeschichtl. Gräber. *Lutchentöpfe,* vorgeschichtl. Urnen.

Lut´etia Parisi´orum, kelt.-röm. Name von Paris.

Lut´etium, früher **Kassiopeium,** chem. Element, Zeichen **Lu,** Ordnungszahl 71, Massenzahlen 175, 176, Atomgewicht 174,97; in der Yttererde enthalten, gehört zu den Lanthaniden.

Luther, 1) Arthur, Literaturhistoriker, * Orel (Rußland) 3. 5. 1876, † Baden-Baden 28. 5. 1955, schrieb ›Geschichte der russ. Literatur‹ (1924), Abhandlungen und Essays, machte sich verdient durch Textausgaben, Übersetzungen. Herausgabe von Bibliographien.

2) Hans, Politiker, * Berlin 10. 3. 1879, † Düsseldorf 11. 5. 1962, 1918–22 Oberbürgermeister von Essen, 1922/23 Reichsernährungs-, 1923–25 Reichsfinanzminister; mit Reichsbank-Präs. Schacht stabilisierte er 1923/24 die Währung. Als Reichskanzler (Jan. 1925 bis Mai 1926) schloß er, zusammen mit Stresemann, den Locarno-Pakt ab. 1930 wurde er Reichsbank-Präs., 1933 Botschafter in Washington (bis 1937). 1953 wurde er Vorsitzender eines Ausschusses zur Neugliederung der Länder *(L.-Ausschuß)*.

3) Martin, Reformator, Begründer des Protestantismus, * Eisleben 10. 11. 1483, † das. 18. 2. 1546, Sohn des Bergmanns Hans L. aus Möhra, wo die Familie einen Erbzinshof besaß. L. besuchte in Mansfeld (1488 bis 1497), Magdeburg (1497/98) und Eisenach (1498–1501) die Schule, bezog 1501 die Universität Erfurt, wurde 1505 Magister, wandte sich auf Wunsch des Vaters dem Rechtswissenschaft zu, trat auf Grund eines Gelübdes am 17. 7. 1505 ins Kloster der Erfurter Augustinereremiten ein und empfing 1507 die Priesterweihe. Von 1508–10 hielt er philos. und theol. Vorlesungen in Wittenberg und Erfurt und wurde nach seiner Romreise (1510/11) 1512 Doktor und als Nachfolger des ihm befreundeten Joh. v. Staupitz Prof. für Bibelerklärung in Wittenberg. Die Jahre zwischen 1512 und 1514 bringen den Abschluß seiner »Klosterkämpfe«. Ohne sich vorerst eines grundsätzlichen Gegensatzes gegen die Kirche bewußt zu werden, hat er in den großen Vorlesungen der Jahre 1513–18 (Psalmen, Römer-, Galater-, Hebräerbrief) seine Rechtfertigungslehre ausgebaut: Wir können uns nicht durch unsere Werke Vergebung unserer Schuld verdienen, die Gnade Gottes allein rechtfertigt uns im Glauben an sie (Rechtfertigung aus dem Glauben). Am 31. 10. 1517 schlug L. an die Schloßkirche zu Wittenberg die 95 Thesen über den Ablaß an, um zu einer öffentlichen Disputation darüber aufzufordern. Erst die sich daran anschlie-

ßende Ablaßstreit mit Joh. Tetzel und Joh. Eck, der mit der Frage verknüpft wurde, ob das Papsttum göttlicher Einsetzung und die allgemeinen Konzilien unfehlbar seien, drängte L. Schritt für Schritt vorwärts in der Entwicklung zum kirchlichen Reformator. Die abschließende innere Entscheidung fiel 1519 auf der Leipziger Disputation, die der Luther zu der Behauptung geführt wurde, daß das Papsttum eine menschl. Institution sei und daß selbst die Konzilien irren könnten. 1520 entstanden die drei großen Reformationsschriften ›An den christlichen Adel deutscher Nation‹, ›Von der Freiheit eines Christenmenschen‹ und ›De captivitate Babylonica‹ (Von der babylon. Gefangenschaft der Kirche). Inzwischen hatte die Kurie 1518 den Prozeß gegen L. eröffnet. L. mußte sich Okt. 1518 vor dem päpstl. Legaten, Kardinal Cajetan, verantworten, unterwarf sich aber nicht, verbrannte die päpstl. Bannandrohungsbulle am 10. 12. 1520 vor dem Elstertor in Wittenberg und vollzog damit den Bruch mit Rom. Er wurde am 3. 1. 1521 gebannt, verteidigte sich am 17. und 18. 4. 1521 vor dem Reichstag zu Worms, lehnte auch hier den Widerruf ab und wurde in die Reichsacht getan. Von seinem Landesherrn, Kurfürst Friedrich dem Weisen, wurde er auf die Wartburg gerettet; hier übersetzte er das Neue Testament (zuerst gedruckt 1522). Im März 1522 kehrte er trotz Acht und Bann nach Wittenberg zurück, um dort den religiösen Wirren zu steuern. Im Jahre 1525 vermählte er sich mit der früheren Nonne Katharina von Bora. Scharf wandte sich L. gegen die Wiedertäufer (›Wider die himmlischen Propheten‹) und gegen die bloße Bildungsreligion des Humanismus (›De servo arbitrio‹, ›daß der freie Wille nichts sei‹) und gegen den Aufstand des Landvolks im Bauernkrieg (›Wider die räuberischen und mörderischen Rotten der Bauern‹). In den Jahren 1526–30 half L. mit an der Einrichtung der kursächs. Kirchen- und Schulvisitation, die dem Aufbau einer kursächs. Landeskirche diente und für die Durchführung der Reformation auch in den anderen evang. Gebieten vorbildlich wurde. Der Versuch, den Abendmahlstreit mit Zwingli durch ein Religionsgespräch in Marburg 1529 beizulegen, scheiterte. L. starb in Eisleben 1546, nachdem er dort einen Erbstreit der Mansfelder Grafen geschlichtet hatte; er wurde in der Schloßkirche zu Wittenberg beigesetzt.
In L.s Lehre erwächst aus dem Glauben, der in der Erkenntnis der eigenen Nichtigkeit und Sünde sich die von Gottes Gnade dargebotene Gabe der Vergebung dankbar aneignet, die freudige Hingabe des eigenen Willens an den göttlichen. Damit ist nach L.s Auffassung der Kerngedanke des christl. Gottesbegriffes wiederhergestellt, daß Gott nicht mit dem Gerechten, sondern mit dem Sünder in Gemeinschaft tritt. In den Mittelpunkt der Lehre von den Gnadenmitteln rückt das »Wort Gottes« als Gesetz

und Evangelium, d. h. in seiner die Sünde strafenden und die Vergebung verheißenden Wirkung (→Sakrament). In der Abendmahlslehre lehnt er die →Transsubstantion ab, hält aber gegen Zwingli an der wirkl. Gegenwart von Leib und Blut fest. Die unmittelbare Glaubensbeziehung zwischen Gott und Mensch, die jede priesterliche Mittlerschaft unnötig macht, führt zur Aufstellung des Satzes vom allgemeinen Priestertum aller Gläubigen. Wie im Staat, so ist nach L. in allen gottgewollten Ordnungen des natürlichen Lebens die Mitarbeit des Christen gefordert; nicht in frommen Sonderwerken, sondern im weltl. »Beruf«, der im Glauben und in der Liebe getan wird, erfüllt sich das Christliche.
In dem Schriftsteller L. ist die Genialität des theolog. Denkers und Bibelauslegers mit der des Dichters und Sprachschöpfers vereinigt. Auch seine Schriften sind »Bruchstücke einer großen Konfession«, doch zugleich ein Wort in die Situation und an den Menschen seiner Gegenwart. Durch seine Bibelübersetzung, seine dt. Schriften und geistl. Dichtungen hat er die Entwicklung der dt. Sprache entscheidend beeinflußt.
Seine Absicht, das Deutsche ebenbürtig neben die drei »heiligen« Sprachen des MA.s (Hebräisch, Griechisch, Latein) zu stellen, entsprach einer Grundforderung der Zeit; das verstärkte Bemühen, den Bereich des Religiösen von der *Muttersprache* (für dieses Wort bietet L. 1523 den ersten hochdt. Beleg) aus zu erschließen, erfüllte ein verbreitetes Verlangen; die Verwendung der L. von Geburt und Wirkungskreis her naheliegenden Sprachform des Raumes Erfurt – Meißen führte über L.s Bibel die Form der aus der Ostsiedlung erwachsenen Ausgleichssprachen zum Sieg. L. ist Bahnbrecher einer gemeindeutschen Hochsprache, in die zugleich viele seiner Prägungen eingingen.
Zu seinem literar. Schaffen kommen noch die Predigten, Tischreden und Briefe hinzu. Von L.s geistl. Liedern, die z. T. Nachbildungen von Psalmen oder mittelalterl. lat. Hymnen sind, sind am bekanntesten: ›Nun freut euch, lieben Christen g'mein‹, ›Ein feste Burg ist unser Gott‹, ›Herr Gott, dich loben wir‹, ›Aus tiefer Not schrei ich zu dir‹, ›Gelobet seist du, Jesu Christ‹, ›Christ lag in Todesbanden‹, ›Nun bitten wir den Heiligen Geist‹, ›Erhalt uns, Herr, bei deinem Wort‹. In den Liedern schuf L. das Vorbild für die Entwicklung des protestant. →Kirchenlieds. Ebenso wurde L.s Beispiel entscheidend für die Flugschriftenliteratur des 16. Jhs. und für die Fabeldichtung, die durch seine volkstümlich anschaulichen Prosafabeln angeregt wurde.
WERKE. Gesamtverzeichnis der Schriften L.s, hg. von G. Kawerau (²1929); Weimarer Ausgabe der Werke L.s (maßgebende kritische Gesamtausgabe, seit 1883); Braunschweiger Volksausgabe von Buchwald,

Kawerau u. a. (⁴1929); Münchener Ausg. von H. H. Borcherdt u. a. (³1948 ff.); Die Hauptschriften, hg. v. K. Aland (1951). LIT. Biographien: J. Köstlin: M. L., 2 Bde. (⁵1903); H. Preuss: Lutherbildnisse (²1918); J. Lortz: Die Reformation in Dtl., 2 Bde. (³1949; kath.); G. Ritter: L. (⁶1959); H. Lilje: M. L. (1964); R. Friedenthal: L. – Sein Leben und seine Zeit (1967); R. Stupperich: Die Reformation (1967). Lit. zur Lehre: Th. Harnack: L.s Theologie, 2 Bde. (²1926/27); R. Seeberg: Dogmengeschichte, Bd. 4, 1 (³1917); E. Hirsch: L.s Gottesanschauung (1918); P. Joachimsen: Sozialethik des Luthertums (1927); G. Wingren: L.s Lehre vom Beruf (1952); H. Bornkamm: L.s geistige Welt (⁴1960); G. Wünsch: L. und die Gegenwart (1961); P. Brunner: L. und die Welt des 20. Jhs. (1961).

Luther (Holzschnitt von L. Cranach d. Ä.)

Luther (Luder) von Braunschweig, Hochmeister (1331–35) des Deutschen Ordens, Sohn Herzog Albrechts I., förderte als Komtur von Gollub (1308), Marienburg (1313), Christburg (1314) und als Oberster Trappier die dt. Besiedlung des Ordenslandes sowie die Ordens-Dichtung, an der er mit eigenen Werken beteiligt war (›Barbara-Legende‹, nicht erhalten).

Lutheraner, die Anhänger Luthers. *L'utherische Kirchen*, die an Luthers Lehre festhaltenden evangelischen Kirchen, vor allem in Deutschland, Dänemark, Skandinavien und Nordamerika, im Unterschied zu den von Zwingli und Calvin bestimmten reformierten Kirchen. Die Bekenntnisschriften der L. sind seit 1580 im Konkordienbuch gesammelt; am wichtigsten ist die →Augsburgische Konfession. Dem Streben Melanchthons nach Verständigung mit den Reformierten traten die strengen L. entgegen, bes. durch die Konkordienformel. Im 19. Jh. führte der Gegensatz zur evang. →Union zur Trennung der Altlutheraner von

der Landeskirche. Die luth. →Landeskirchen Deutschlands sind seit 1948 in der →Vereinigten Evangelisch-Lutherischen Kirche Deutschlands zusammengeschlossen. →Lutherischer Weltbund.

Luthergesellschaft, 1918 von R. Eucken gegr. Gesellschaft zur Vertiefung in Luthers Gedankenwelt; 1954 neu gegr., Sitz: Hamburg. Ztschr.: Luther.

Lutherische Kirchen, →Lutheraner.

Lutherischer Weltbund, engl. *Lutheran World Federation*, die Vereinigung fast aller luther. Kirchen der Welt. 1923 kam es anläßlich der 1. *Luther. Weltkonferenz* in Eisenach zur Gründung des *Luther. Weltkonvents* (weitere Konferenzen 1929 in Kopenhagen, 1935 in Paris). Bei der Weltkonferenz in Lund 1947 wurde die bisher lockere Arbeitsgemeinschaft des Weltkonvents in einen fester verfaßten L. W. umgewandelt. Von (1970) rd. 77 Mill. luth. Christen gehören rd. 53 Mill. dem L. W. an. Sitz ist Genf.

Lutherrock, der fälschlich nach Luther genannte hochgeknöpfte, einreihige schwarze Gehrock; Amtstracht der evangel.-luther. Geistlichen (BILD Amtstrachten).

Luthuli, Albert, südafrikan. Politiker, * Grountville (Südrhodesien) 1899, † (Unfall) Stanger (Südafrika) 21. 7. 1967, Zulu, Christ, wurde 1952 Präsident des 1960 verbotenen Afrikanischen Nationalkongresses, vertrat den gewaltlosen Widerstand gegen die Rassentrennungspolitik der Regierung; erhielt Okt. 1961 den Friedensnobelpreis für 1960.

Lütjens, Günther, Admiral, * Wiesbaden 25. 5. 1889, † Nordatlantik 27. 5. 1941, führte als Flottenchef im Mai 1941 die zum Kreuzerkrieg im Nordatlantik bestimmte Kampfgruppe, deren Schlachtschiff ›Bismarck‹ am 27. durch engl. Kampfgruppen versenkt wurde.

Luton [lju:tn]. Stadt in England, nördl. von London, mit (1971) 161 200 Ew.; Gießereien, Kraftwagen- und Staubsaugerindustrie.

L'ütschine *die*, linker Nebenfluß der Aare, gebildet aus den Quellflüssen *Schwarzer* (durch das Tal von Grindelwald) und *Weißer L.* (durch das Lauterbrunner Tal); Kraftanlagen an beiden Quellflüssen.

Lutte *die, Bergbau:* meist ringförmige Leitung zur Versorgung abgelegener Betriebspunkte mit Frischluft; auch zur Ableitung des Wassers.

Lutter [von lauter] *der*, erster dünner Abzug beim Branntweinbrennen.

Lutter am Barenberge, Flecken im Kr. Gandersheim, Nieders., vor dem nordwestl. Harzrand, mit (1973) 2000 Ew. L. hat Sandstein- und Lederwarenindustrie. – Bei L. schlug Tilly am 27. 8. 1626 den Dänenkönig Christian IV.

L'üttich, franz. **Liège**, fläm. **Luik**, **1)** Prov. Belgiens, 3876 qkm mit (1970) 1,0 Mill. Ew. **2)** Hauptstadt von 1), mit (1970) 147 300 (Groß-Lüttich: 440 400) Ew., an der Mündung der Ourthe in die Maas, 62–168 m ü. M. Wappen: TAFEL Städtewappen III. Wichtige Maasfestung, geistiger Mittelpunkt Walloniens, mit Universität (gegr. 1817), Techn. Hochschule, Kunstakademie, Konservatorium. L. beherrscht ein ausgedehntes Steinkohlen- und Industriegebiet (Eisen- und Glashütten, Waffen-, Waggon-, Maschinen-, feinmechan. und chem. Fabriken). Der ältere Teil der Stadt mit den got. Kirchen St-Jacques und St-Paul, dem Justizpalast (16. Jh.) und dem Stadthaus (18. Jh.) liegt links der Maas.

GESCHICHTE. L. ist seit etwa 721 Bischofssitz. Die Bischöfe wurden Reichsfürsten; ihr reichsunmittelbares Gebiet, das von Hoorn bis Bouillon reichte, kam 1797/1801 an Frankreich, 1815 an die Niederlande und 1830 an Belgien.

Lutz, Joseph Maria, Schriftsteller, * Pfaffenhofen (Ilm) 5. 5. 1893, † das. 30. 8. 1972, schrieb Gedichte, Dramen, Volksstücke, Romane.

Lützelburg [›kleine Burg‹], ehemal. dt. Name von Luxemburg.

Lützelburger, Hans, Formschneider, * Basel 1526, war in Augsburg und seit 1522 für Holbein d. J. in Basel tätig, nach dessen Zeichnungen er u. a. das Totentanzalphabet und den Totentanz schnitt.

Lützen, Stadt im Kr. Weißenfels, Bez. Halle, südwestl. von Leipzig, mit (1964) 4800 Ew. In der *Schlacht bei L.* (16. 11. 1632) fiel König Gustav Adolf von Schweden. Herzog Bernhard von Sachsen-Weimar und Knyphausen behaupteten jedoch das Schlachtfeld gegen Wallenstein.

L'ützow, Adolf, Freiherr von, preuß. Reiteroffizier, Freischarführer in den Freiheitskriegen, * Berlin 18. 5. 1782, † das. 6. 12. 1834, bildete im Frühjahr 1813 das *Lützowsche Freikorps (Schwarze Schar)*, in das Th. Körner, Jahn, Friesen und viele Studenten eintraten; es wurde von französ. Truppen am 17. 6. bei Kitzen unweit Leipzig teilweise aufgerieben, später neu aufgestellt. Gedicht von Th. Körner (›L.s wilde Jagd‹, 1813; vertont von C. M. v. Weber, 1814).

Luv [niederd. ›Ruderseite‹] *die,* dem Wind zugekehrte Seite des Schiffes; Gegensatz: Lee. **luven, anluven,** mit dem Schiff höher an den Wind gehen, nach Luv drehen. **luvgierig,** Neigung eines Schiffs (Bes. Segelschiffs), anzuluven.

Luvier, indogerman., den Hethitern nächstverwandtes Volk im SO des hethit. Kleinasien. Proben ihrer Sprache enthalten die hethit. Keilschrifttexte.

L'uvwinkel, Vorhalte-Winkel, der Winkel, den ein Fahrzeug vorhalten muß, um bei Seitenkräften (Wind, Wasserstrom) den vorgesehenen Kurs einzuhalten.

Lux [lat. ›Licht‹] *das,* abgek. Lx, Einheit für die →Beleuchtungsstärke.

Luxation [lat.] *die,* →Verrenkung.

Luxembourg, Palais du L., Schloß mit Park (Jardin du L.) in Paris, 1615–20 für die Königinwitwe Maria von Medici von S. de Brosse erbaut, 1804 für den Senat eingerich-

tet, jetzt Sitz des Rats der Republik. In der ehemal. Orangerie befand sich das 1818 für Werke der zeitgenöss. Kunst bestimmte **Musée du Luxembourg,** das nach dem 2. Weltkrieg in das Musée d'Art Moderne übergeführt wurde.

Luxemburg, 1) ältere Form *Lützelburg,* mundartl. *Letzeburg,* franz. amtl. **Luxembourg** [lyksãbu:r], Großherzogtum in W-Europa, 2586 qkm, mit (1972) 350000 Ew.; Hauptstadt ist Luxemburg.

Natur. Der nördl. Teil L.s, Ösling oder Eisling, ein Teil der Ardennen, ist reich an Wald und Heide. Der größere und niedrigere südl. Teil, das Gutland, gehört zum lothring. Stufenland. Es ist fruchtbar und hat wertvolle Eisenerze (Minette). Hauptfluß ist die Sauer (zur Mosel).

Die zu 95% kathol. *Bevölkerung* ist deutschstämmig und spricht eine moselfränk. Mundart (Letzeburgisch). Französisch ist Amtssprache, doch wird viel Hochdeutsch gesprochen. In der Wirtschaft sind neben Ackerbau (Weizen, Roggen, Kartoffeln, Futterrüben, Wein) und Viehzucht im S des Landes der Erzbergbau und die Hüttenindustrie von großer Bedeutung (1972: 4,670 Mill. t Roheisen, 5,457 Mill. t Rohstahl). Ausgeführt werden bes. Gußeisen und Stahl, Leder, Holz.

Staat. Nach der Verf. v. 17. 10. 1868 (Änderungen 1919/48/56/72) ist L. eine konstitutionelle Erbmonarchie. Staatsoberhaupt ist der Großherzog (1919–64 Großherzogin Charlotte, seit 1964 Großherzog Jean). Die Mitgl. der Abgeordnetenkammer werden auf 5 Jahre gewählt (1 Abg. für je 5500 Ew.). Wahlpflicht ab 18 Jahre.

Verwaltungseinteilung in 12 Kantone. Wappen: FARBTAFEL Wappen II, Flagge: TAFEL Flaggen III. Maße und Gewichte metrisch. Währungseinheit ist der luxemburg. Franc zu 100 Centimes. Rechtsprechung nach französ. Vorbild. – Die kath. Kirche bildet das exemte Bistum L.

Neunjährige Schulpflicht (vom 6. bis 15. Lebensjahr); Europaschule, Internat. Universität. 1944–67 bestand allgemeine Wehrpflicht, seitdem Berufsheer (ca. 600 Mann).

GESCHICHTE. Die Grafen von L., die *Luxemburger,* wurden durch Kaiser Heinrich VII. (1308–13) eins der führenden deutschen Herrscherhäuser und gewannen 1310 die böhmische Königskrone mit Mähren und Schlesien; aus diesem Geschlecht stammten ferner die deutschen Könige und Kaiser Karl IV. (1347–78), Wenzel (1378 bis 1400) und Sigismund (1410–37). Sie herrschten auch 1373–1415 in Brandenburg und 1387–1437 in Ungarn. Mit Kaiser Sigismund starb das luxemburgische Haus im Mannesstamm aus, und die Grafschaft (seit 1354 Herzogtum) L. kam 1443 an die Herzöge von Burgund, 1482 an die Habsburger, 1555 an deren span. Linie, die 1659 den S von Diedenhofen bis Montmédy an Frankreich abtreten mußte. 1684–97 war das Land infolge der Reunionen Ludwigs XIV.

in französ. Besitz. Seit 1713 gehörte L. zu den Österreich. Niederlanden, 1794/1801–14 zu Frankreich. Als Großherzogtum wurde es 1815 mit dem Kgr. der Niederlande in Personalunion verbunden und in den Deutschen Bund aufgenommen. 1830 schloß es sich der belg. Revolution an; die wallon. Westhälfte wurde 1839 an Belgien abgetreten. Auch nach der Auflösung des Deutschen Bundes (1866) blieb L. weiterhin im Deutschen Zollverein (1843–1919). Gegenüber den Einverleibungsabsichten Napoleons III. wurde es durch den Londoner Vertrag von 1867 neutralisiert. Nach dem Erlöschen des Mannesstammes des niederländ. Königshauses gelangten 1890 die früheren Herzöge von Nassau in L. zur Regierung. 1914–18 (und wieder 1940–44) war L. von dt. Truppen besetzt. 1922 schloß es mit Belgien eine Zoll- und Wirtschaftsunion ab, die nach dem 2. Weltkrieg schrittweise auf die Niederlande ausgedehnt wurde (→Benelux-Länder). 1948 wurde formell die »immerwährende Neutralität« (seit 1867) aufgegeben. Unter den Kabinetten Dupong (1945 bis 1953) und Bech (1953–58) wurde L. Mitgl. der Vereinten Nationen (1945), des Europarats, der OEEC, der NATO und der Europ. Gemeinschaften. 1959–74 war P. Werner (Christl.-Soz. Partei), seit Juni 1974 ist G. Thorn (Liberaler) MinPräs.

2) franz. *Luxembourg*, Hauptstadt von 1), mit (1970) 76100 Ew., an der Alzette, 240 bis 335 m ü. M. Wappen: TAFEL Städtewappen III; Sitz der Landesregierung, der ausländ. Missionen, des Europ. Gerichtshofes; Internat. Universität, Radiostation, Priesterseminar, Lehrerbildungsanstalt, Konservatorium, Technikum, Museen, Staatsbibliothek. Auf der steil ansteigenden Hochfläche liegt die alte festungsartige Oberstadt mit dem großherzogl. Schloß (16.–18. Jh.) und der Kathedrale (16. Jh.); Stahl-, Maschinen-, Steingutfabriken und Brauereien.

3) *Bistum*. Das Gebiet von L. gehörte früher kirchlich zum Erzbistum Trier und zu den Bistümern Lüttich und Namur, seit 1801 ganz zu Metz, seit 1823 zu Namur. 1833 wurde für die Stadt, 1840 für das Großherzogtum ein Apostol. Vikariat errichtet, das 1870 Bistum wurde.

4) franz. *Luxembourg*, Provinz Belgiens, 4418 qkm mit (1970) 217300 Ew.; Hauptstadt ist Arlon.

Luxemburg, Rosa, sozialist. Politikerin, * Zamość (Polen) 5. 3. 1870, † (erschossen) Berlin 15. 1. 1919, stammte aus einer wohlhabenden jüd. Kaufmannsfamilie, schloß sich frühzeitig dem Sozialismus an, kam dann nach Dtl., beteiligte sich 1905 an der russ. Revolution und gehörte danach im Kampf gegen den Revisionismus zu den Führern der radikalen Richtung in der dt. Sozialdemokratie. Sie trug wesentlich zur wissenschaftl. Theorie des Marxismus bei und lehrte marxist. Nationalökonomie an der sozialdemokrat. Berliner Parteischule. Während des 1. Weltkriegs bekämpfte sie die vaterländ. Haltung der Mehrheitssozialisten und gründete 1917 mit K. Liebknecht den Spartakusbund, dessen Programme sie entwarf; nach der Revolution von 1918 trat sie zur kommunist. Partei über und nahm am kommunist. Januaraufstand 1919 in Berlin teil. Mit K. Liebknecht wurde R. L. nach der Festnahme von Regierungstruppen ohne Verfahren erschossen.

WERKE. Die industrielle Entwicklung Polens (1898), Sozialreform oder Revolution (1899), Massenstreik, Partei und Gewerkschaften (1906), Die Akkumulation des Kapitals (1913), Die Krise der Sozialdemokratie (1916), Die russ. Revolution, hg. v. P. Levi (1922; neu ²1965, hg. v. O. K. Flechtheim), Briefe aus dem Gefängnis (1919, ³1922), Briefe an Karl und Luise Kautsky (1923), Briefe an Freunde (1958), Politische Schriften, 2 Bde. (1966).

LIT. K. Radek: R. L., K. Liebknecht, L. Jogiches (1921); Luise Kautsky: R. L. (1929); M. Hochdorf: R. L. (1930).

Luxemburger, die dem Geschlecht der Grafen von →Luxemburg entstammenden dt. Könige; Heinrich VII., Karl IV., Wenzel und Sigismund.

Luxmeter [lat.-griech. Kw.] *das*, ein Meßinstrument der Lichttechnik zum Ermitteln der Beleuchtungsstärke, benutzt bes. in der Film- und Fernsehtechnik, seltener in der Photographie statt Belichtungsmesser.

Luxor, →Luksor.

luxurieren [von lat. luxuria ›Überfluß‹], ein Mischling luxuriert, *Vererbungslehre:* übertrifft in manchen Eigenschaften (z. B. an Körpergröße) die entsprechende Durchschnittsbeschaffenheit beider Elternrassen. – Gegensatz: →pauperieren.

Luxus [lat.; →Barockzeit], Üppigkeit, Wohlleben, ein Aufwand, der die als normal empfundene Lebenshaltung weit überschreitet; oft mit dem Nebensinn der Verschwendung. Nach *Sombart* gelten je nach Kultur, Volk, sozialer Schicht verschiedene Güter als L.-Güter; auch ist die Zurechnung dazu vielfach subjektiv. Häufig wird Verschwendung dem L. gleichgesetzt. Wo die Askese oder die Bedürfnislosigkeit und »Härte« als Ideal persönlicher Lebensführung gelten, liegt eine religiös oder weltanschaulich begründete Ablehnung des L. vor. Die Bekämpfung eines nicht »standesgemäßen« L., also die Beschränkung einzelner Formen der Lebenshaltung (Kleidung, Speisen, Getränke) auf bestimmte Schichten ist eine polit. Maßnahme, die häufig ins Wirtschaftliche gewendet wird. Staatl. Maßnahmen, die ihn verbieten oder durch Steuern beschränken, sind schon im Altertum bekannt. Sie finden sich bei allen Kulturvölkern, z. B. in den Gesetzen Solons, in Sparta und in Rom (Cato, *Lex Iulia* Cäsars usw.). In Antike und MA. sollten solche Gesetze vor allem die gesetzten Unterschiede der sozialen Schichten oder Stände wahren (z. B. Kleiderordnungen). Im Fürstenstaat wurden sie zu Maßnahmen der merkantilen Wirtschaftspolitik gegen den überflüssigen Verbrauch ausländ. Waren (Kaffee, Tee, Tabak usw.). Seit dem 18. Jh. lösen Luxussteuern diese ältere Gesetzgebung ab. Die *Luxusbesitzsteuer* knüpft an den Besitz von L.-Gütern an, z. B. von Reitpferden, Jagden, Motorbooten, Hunden, Tennisplätzen, Schußwaffen u. ä. Sie ist vom Besitzer der L.-Güter direkt zu entrichten. Die *Luxusumsatzsteuer* erfaßt den Kauf von L.-Gütern oder L.-Leistungen; sie wird regelmäßig vom Verkäufer gezahlt und belastet den Verbraucher nur auf dem Wege der Überwälzung. – Die Schwierigkeit der L.-Besteuerung liegt in der Abgrenzung des Begriffes L., manchmal auch in einer gewissen Gegenläufigkeit des weltanschaulichen und des fiskalischen Motivs. Zu hohe Steuersätze führen zu Steuerausweichungen und beeinträchtigen den fiskal. Erfolg; ausgesprochene L.-Steuern haben sich in der Praxis nicht bewährt.

Lɪᴛ. W. Sombart: L. und Kapitalismus (²1922; neu 1967).

Luxuszug, Abk. L, bequem ausgestatteter, schneller, zuschlagpflichtiger Zug, dient bes. dem zwischenstaatl. Verkehr; bekannte L.: *Golden Arrow* (London–Paris), *Train bleu* (London–Calais–San Remo).

Luzán [luθ'an], Ignacio de, span. Schriftsteller, ✶ Saragossa 28. 3. 1702, † Madrid 19. 5. 1754, beeinflußte durch seine ›Poética‹ (1737) die span. Dichtung entscheidend in klassizistischer Richtung.

Luz'ern, 1) Kanton der Schweiz, 1494 qkm mit (1972) 293 700 Ew., gehört teils zum Mittelland, teils zum Voralpenland mit dem Brienzer Rothorn (2353 m) und dem Pilatus (Tomlishorn 2129 m). Erwerbszweige: Landbau, im Gebirge als Alpenwirtschaft, Textil-, Maschinen-, Metallwaren-, Holz- und Papierindustrie; reger Fremdenverkehr.

Bezirke (Ämter)	qkm	Ew.[1] 1960[2]	1970[2]
Entlebuch ..	410	18,2	18,0
Hochdorf ..	184	37,5	45,2
Luzern	260	121,2	144,1
Sursee	302	39,1	43,0
Willisau	338	37,4	39,3
Kanton L...	1494	253,4	289,6

[1] in 1000. [2] am 1. Dez.

2) Hauptstadt von 1), mit (1972) 70 200 Ew., 439 m ü. M., am Ausfluß der Reuß aus dem Vierwaldstätter See. Wappen: Tᴀꜰᴇʟ Städtewappen III. Dank ihrem milden Klima und ihrer reizvollen Lage Mittelpunkt des schweizer. Fremdenverkehrs, Eisenbahnknotenpunkt; lebhafter Handel, Maschinen-, Apparate-, Metall-, Textil-, Nahrungsmittel- und Getränkeindustrie. L. hat Priesterseminar, Technikum, Konservatorium, Hotelfachschule u. a. Fachschulen. Die Internat. Musikfestwochen üben eine starke Anziehung aus. Auf dem linken Ufer der Reuß liegen die gotische Franziskanerkirche, die Jesuitenkirche (1666–67), der Rittersche Palast (Renaissance), das Kunst- und Kongreßhaus, auf dem rechten Ufer das Rathaus (1602–06), die Hofkirche (17. Jh.), der Kursaal, das Löwendenkmal (1821).

Gᴇꜱᴄʜɪᴄʜᴛᴇ. L. entstand neben einem im 8. Jh. gegr. Benediktinerkloster, erhielt wahrscheinlich 1178 Stadtrecht, gewann seit der Eröffnung des St.-Gotthard-Passes um 1230 an Bedeutung. 1291 wurde L. von den Äbten an die Habsburger verkauft, schloß aber gegen sie 1332 den Ewigen Bund mit den andern drei Waldstätten. Nach dem Sieg über die Habsburger bei Sempach (1386) gewann L. bis 1415 durch Vertrag, Gewalt und Kauf sein Landgebiet. In der Reformationszeit blieb es streng katholisch, berief 1574 die Jesuiten und war 1579–1874 der Sitz des päpstl. Nuntius bei der Eidgenossenschaft. 1831–41 herrschten die Liberalen, die eine demokrat. Verfassung durchsetzten; doch gehörte L. 1845–47 zum Sonderbund, und seit 1871 hat die katholisch-konservative Partei hier stets das Übergewicht behauptet, während in der Stadtgemeinde die Liberalen die stärkste Partei bilden.

Lɪᴛ. Gesch. des Kantons L., Bde. 1, 2 (1932 ff.); F. Schaffer: Gesch. der luzern. Territorialpolitik bis 1500 (Diss. Zürich 1941); L., ein Stadtbuch, hg. vom Stadtrat (1960); L. (1960).

Luz'erne [franz.] die, *Medicago sativa*, Futterstaude der Schmetterlingsblütergattung Schneckenklee, auch *ewiger, blauer, spanischer, türkischer Klee, Dauer-, Spargel-, Rosmarin-, Monatsklee, burgundisches Gras* oder *Heu* genannt, bis 0,9 m hoch, mit violetten oder blauen Blüten, kräftiger, sehr langer Pfahlwurzel, hitze- und winterfest, ergiebig (in Südeuropa bei Bewässerung bis zu 6 Schnitten); das am häufigsten angebaute Futterkraut des Orients, von dort ins Mittelmeergebiet, nach Deutschland, Amerika *(Alfalfa)* eingeführt. Ferner werden angebaut: die gelb blühende *deutsche* oder *schwedische L. (Sichelklee, Sichelluzerne)*, die gelb, grüngelb, blau oder violett blühende *Sandluzerne* (bunte L., *Bastardluzerne)*, die gelb blühende, ebenfalls in Dtl. einheimische *Hopfenluzerne (Gelbklee, Schneckenklee)*.

luz'id [lat.], **1)** hell, licht. **2)** klar, scharf umrissen. Luzidität, Helligkeit.

L'uzifer [lat. ›Lichtbringer‹], **1)** *Astronomie:* Morgenstern, →Abendstern.

2) *christl. Volksglaube:* ein Name des Teufels. Der Name geht zurück auf Jes. 14, 12, wo die Höllenfahrt des Königs von Babel mit dem Sturz des Morgensterns L. vom Himmel verglichen wird. Weil nach Luk. 10, 18 auch der Satan wie ein Blitz vom Himmel fällt, wurde der Name L. von den Kirchenvätern auf ihn übertragen.

Luzk, poln. **Luck,** Hauptstadt des Gebiets Wolhynien, Ukrainische SSR, am mittleren

Styr, mit (1972) 103000 Ew., hat Maschinen-, Tuch- u. a. Industrie.

Lužnice [lˈuʒnitse], tschech. Name des Flusses Lainsitz.

Luzʼon, span. **Luzón** [luθˈɔn], Hauptinsel der Philippinen, 108172 qkm mit (1970) 18,001 Mill. Ew., von mehreren, bis 2924 m hohen Gebirgsketten durchzogen, vulkanisch und erdbebenreich, Tropenklima; im O dichter Wald, im W Savannen. Urbewohner sind die an Zahl geringen Negrito, neben denen eingewanderte Malaien vorherrschen. Anbau von Reis, Zuckerrohr, Manilahanf, Tabak, Kokospalmen. Hauptstadt: Manila.

Luzzʼatto, 1) Moses Chajim, Mystiker, * Padua 1707, † Akko (Palästina) 16. 5. 1746 an der Pest, hebr. Dichter und Moralschriftsteller. Sein Werk ›Mesillat Jescharim‹ (Der Weg der Frommen, Amsterdam 1740; dt. v. J. Wolfgemuth, ²1925) ist als Mussarbuch (→Mussar) ein jüd. Gegenstück zu Bunyans ›The Pilgrims Progress‹. 2) Samuel David, Gelehrter, * Triest 22. 8. 1800, † Padua 30. 9. 1865, wurde 1829 Prof. am Collegio Rabbinico in Padua, veröffentlichte in hebr. und ital. Sprache Arbeiten zur Bibelexegese, jüd. Geschichte und Literatur.

Lw, chem. Zeichen für Lawrencium.

Lw., Abk. für Lehnwort.

Lwoff, André, franz. Mikrobiologe, * Allier (Hautes-Pyrénées) 8. 5. 1902, Prof. für Mikrobiologie an der Sorbonne; erhielt für Arbeiten über genetische Steuerung und Zellphysiologie den Nobelpreis 1965 zus. mit F. Jacob und J. Monod.

Lwow, russ. für →Lemberg.

Lwow [λwɔf], Georgij, Fürst, russ. Politiker, * Gouv. Tula 21. 10. 1861, † Boulogne 8. 3. 1925, Vorsitzender des →Semstwo, in der 1. Reichsduma Mitglied der →Kadetten; war März bis Juli 1917 Präs. des bürgerl.-liberalen Kabinetts.

Lx, Abk. für →Lux.

LX, Abk. für Schmuckblatt-Telegramm.

Lyallpur [lˈaiəl-], Stadt im Pandschab, Pakistan, mit (1961) 426000 Ew.; Baumwollind., Weizenmühlen.

Lyautey [liote], Hubert, franz. Marschall (1921), * Nancy 17. 11. 1854, † Schloß Thorey (Dep. Meurthe-et-Moselle) 27. 7. 1934, war Kolonialoffizier in Madagaskar und Indochina, 1912–25 Generalresident von Marokko.

Lyautey, Port L., →Kenitra.

Lʼychen, Stadt im Kr. Templin, Bez. Neubrandenburg, in der Uckermark, Luftkurort im seenreichen Havelquellgebiet, mit (1961) 3600 Ew., Heilanstalten im Stadtteil Hohenlychen; frühgot. St.-Johannis-Kirche, z. T. erneuert.

Lyck, Kreisstadt im südl. Ostpreußen, 132 m ü. M., an der Mündung des Lyck in den Lycksee, hatte (1939) 16500 Ew.; Landwirtschaft und Viehhandel. Die Burg wurde um 1400 vom Deutschen Orden auf einer Insel im See angelegt. Nach 1466 wurde von L. aus Masuren besiedelt. Vom 7. bis 21. 2. 1915 stand L. im Mittelpunkt der

Winterschlacht in Masuren. Seit 1945 unter poln. Verwaltung (*Elk*; 1971: 27900 Ew.).

Lycopʼodium [griech.-lat. Kw.], Pflanzengattung, →Bärlapp.

Lydda, Lod, Stadt in Israel, in der Nähe von Tel Aviv, (1970) 29300 Ew.; Flugplatz und Bahnknotenpunkt. L. erlangte bereits in hellenist. Zeit unter dem Namen *Diospolis* Bedeutung; nach der Kreuzzugszeit geriet es in Verfall.

Lydgate [lˈidgət], John, engl. Dichter, * Lydgate (Suffolk) um 1375, † 1449, schrieb im Anschluß an Chaucer formgewandte lehrhafte Verserzählungen über die Belagerung von Theben, den Fall Trojas und den Sturz der Großen.

Lydia [lat. ›die Lyderin‹, Purpurhändlerin aus Thyatira, jüd. Proselytin, wurde nach Apostelgesch. 16, 14 von Paulus in Philippi getauft. Heilige; Tag: 3. 8.

Lʼydien, in früherer Zeit **Mäonien,** alte goldreiche Landschaft im westl. Kleinasien mit der Hauptstadt Sardes, war seit dem 7. Jh. v. Chr. von den Mermnaden (Nachfolger des →Gyges) beherrscht, deren letzter Herrscher, Krösus, 546 v. Chr. von Kyros besiegt und entthront wurde. Unter pers. Herrschaft bildete L. eine Satrapie, seit Alexander d. Gr. teilte es die Schicksale Kleinasiens. – Die alten *Lydier* sprachen eine noch unvollkommen erschlossene, stark entstellte indogerman. Sprache. Von ihrer der phönizischen nahestehenden Kunst vom 8.–6. Jh. v. Chr. gibt das Gräberfeld von Sardes mit dem Grab des Alyattes Aufschluß. Wollweberei, Erzschmelze und Töpferei waren hoch entwickelt.

lydische Tonart, eine Tonart der altgriech. Musik (→griechische Musik) sowie eine →Kirchentonart.

Lydʼit [Kw.] *der,* →Kieselschiefer.

Lydtin, August, Tierarzt, * Bühl (Baden) 11. 7. 1834, † Baden-Baden 21. 8. 1917. Sein *Lydtinscher Meßstab* dient dem Feststellen der Körpermaße von Nutztieren.

Lykʼaon, myth. König von Arkadien, setzte dem Zeus einen geschlachteten Knaben zum Mahle vor und wurde mit seinen Söhnen von dem Gott mit dem Blitz erschlagen, nach anderer Überlieferung in einen Wolf verwandelt. Dem Mythos liegen die Menschenopfer für Zeus →Lykäus und der Werwolfglaube zugrunde.

Lykaʼonien, antike Landschaft im mittleren Kleinasien mit der Hauptstadt Ikonion, wurde 25 v. Chr. röm. Provinz.

Lykʼäus, griech. *Lykaios,* Beiname des auf dem arkad. Berg Lykaion verehrten Zeus.

Lʼykeion [griech.] *das,* dem Apollon Lykeios geheiligter Hain in Athen; danach das Gymnasium, in dem Aristoteles und die Peripatetiker lehrten (→Lyzeum).

Lʼykien, im Altertum Landschaft an der Südküste Kleinasiens. Die Lykier, die sich selbst Tramilen (Tremilen) nannten, behaupteten sich ihre Eigenart. Ihre Sprache wird für indogermanisch gehalten. Die Lykier wurden von Kyros unterworfen, kamen dann unter makedonische und syrische Oberhoheit und bildeten seit 190 v.Chr. einen unabhängigen Städtebund. Unter Kaiser Claudius wurde L. römische Provinz. – Die *lykische Kunst* ist reich an monumentalen Grabbauten, die stilistisch von der ionisch-kleinasiat. Kunst beeinflußt sind.

L'ykios, griech. Bildhauer der 2. Hälfte des 5. Jhs. v. Chr., Sohn und Schüler des Myron.

Lyk'ophron, griech. Grammatiker und Tragiker des 3. Jhs. v. Chr. aus Chalkis in Euböa. Unter seinem Namen ist ein Monodrama in Jamben, ›Alexandra‹ (= Kassandra), erhalten, in dem der Untergang Trojas und die Schicksale seiner Helden geweissagt werden.

Lyk'urgos, lat. *Lycurgus,* **1)** der sagenhafte Gesetzgeber Spartas, auf den die meisten der zwischen dem 9. und 6. Jh. entstandenen staatl. und sozialen Einrichtungen Spartas zurückgeführt wurden. Plutarch schrieb auf Grund der L.-Legende eine Biographie.
2) athen. Staatsmann und Redner, † 324 v. Chr., wirkte als Feind Makedoniens gegen König Philipp. Vor der Schlacht bei Chäronea (338) wurde er Leiter der athen. Finanzen (bis 326). Damals wurden große Bauten (Seezeughaus, Schiffshäuser, Theater, Stadion) errichtet. Von seinen Reden ist nur eine (gegen Leokrates, 331/30) erhalten (Ausg. von Blass, 1902).

Lyly, Lilly [l'ili], **John,** engl. Dichter, * Canterbury 1554, † (begraben) London 30. 11. 1606, schrieb den ersten engl. Bildungsroman (›Euphues or the anatomy of wit‹, 1, 1578, 2, 1580) in gekünstelter Sprache (→Euphuismus). Er ist auch Schöpfer des engl. höfischen Lustspiels mit Stoffen aus der antiken Mythologie.

lymph'atisch, auf die Lymphe bezüglich.
lymphatische Diathese, Lymphatismus, eine konstitutionelle Besonderheit des frühen Kindesalters, mit Neigung zu Wasserspeicherung in den Geweben, aufgequollenem, blassem Aussehen, Vergrößerung der tastbaren Lymphknoten und des *lymphatischen Rachenringes* (→Mandel). **lymphatisches Gewebe,** →Lymphknoten.

Lymphdrüsen, † die →Lymphknoten.
L'ymphe [lat. lympha ›Quellwasser‹], **1)** *Gewebs- oder Gewebeflüssigkeit,* bei den Wirbeltieren und beim Menschen eine aus Plasma und freien Zellen bestehende Flüssigkeit, die durch die *Lymphgefäße* dem Blutkreislauf zugeführt wird. Sie vermittelt den Stoffaustausch zwischen Blut und den Zellen, die von den Blutkapillaren nicht unmittelbar erreicht werden. **2)** Impfstoff für die Pockenschutzimpfung (→Impfung).

Lymphgefäße, den Venen ähnliche feine Röhren, die die Lymphe sammeln und dem Blutkreislauf wieder zuführen.
Lymphgefäßentzündung, griech. *Lymphangitis,* Entzündung der Lymphgefäße, als roter Streifen von der Infektionsstelle zu dem Lymphknoten sichtbar. L. wird meist durch Eiterkokken verursacht. Die er-

krankten Glieder und ihre Lymphknoten sind oft geschwollen und schmerzhaft; außerdem tritt Fieber auf. L. kann zu Sepsis führen.

Lymphknoten, früher fälschlich *Lymphdrüsen* genannt, plattrundliche, linsen- bis haselnußgroße Kapseln, die in die Lymphgefäße eingeschaltet sind. Sie setzen sich nach einwärts in Bälkchen fort, innerhalb deren die *Lymphfollikel* (Rindenfollikel, Ansammlungen von *Lymphzellen*) liegen; diese gehen in die Markstränge über. Rinden- und Marksubstanz bestehen aus einem Netzwerk sternförmiger Zellen (*lymphatisches Gewebe*), dessen Maschen mit weißen Blutkörperchen (bes. *Lymphozyten*) gefüllt sind. In den L. werden gröbere Körperchen (Staub) aus der Lymphe abgeschieden (gefiltert) und Krankheitserreger (z. B. Eiterkokken) unschädlich gemacht. Dabei können die L. schmerzhaft werden und anschwellen (*Lymphknotenentzündung,* griech. *Lymphadenitis*), auch vereitern; sie bilden einen Wall gegen eine allgemeine Vergiftung (→Sepsis). An vielen Körperstellen sind deshalb Anhäufungen von L. zu finden, z. B. in der Leistengegend, der Achselhöhle.

Lymphknoten (schematisch)

Lymphödem, Lymphstauung, bes. an den Beinen, »Stauungswassersucht«.
Lymphogranul'oma inguin'ale [lat.] *das,* venerische Lymphknotenentzündung, eine hauptsächl. beim Geschlechtsverkehr (»vierte Geschlechtskrankheit«) übertragene, durch ein Virus hervorgerufene Krankheit, die häufiger bei Männern auftritt.
Lymphogranulomat'ose [lat.] *die, Hodgkinsche Krankheit,* langwierige Erkrankung der Lymphknoten und des lymphatischen Gewebes in Milz und Leber, deren Ursache noch unbekannt ist.
Lymphoz'yten, Art der weißen Blutkörperchen, →Blut.

lynchen [amerikan.], ursprüngl. eine Selbsthilfe der amerikan. Siedler gegen Verbrecher; nach dem Bürgerkrieg in den Südstaaten die Tötung von Negern ohne Gerichtsspruch, meist durch gewalttätige Gruppen (**Lynchjustiz**). Der Ursprung des Namens ist zweifelhaft; ein Charles Lynch (* 1736, † 1796) war ein als willkürlich und grausam bekannter Friedensrichter in Virginia.

Lynd, Robert Staughton, amerikan. Soziologe, * New Albany (Indiana) 26. 9. 1892, Prof. a. d. Columbia-Universität, bekannt wegen seiner Mittelstadtuntersuchungen, gilt als Pionier der Gemeindesoziologie. WERKE. Middletown (1929), Middletown in Transition (1937, beide Werke mit seiner Frau), Knowledge for What (1939).

Lynen, Feodor, Biochemiker, * München 6. 4. 1911, arbeitete über den Cholesterinstoffwechsel; Nobelpreis für Medizin 1964 (zusammen mit K. Bloch).

Lyngby-Jepsen [lˈøŋby-], Hans, dän. Schriftsteller, * Aalborg 1. 4. 1920, schreibt Romane und dbs. Novellen.

L'yngby-Kultur, nach dem Fundort Nörre Lyngby (Jütland) benannte Kulturstufe der Mittelsteinzeit in Nordeuropa, gekennzeichnet durch Hacken aus Rentierknochen und dreieckige Feuerstein-Pfeilspitzen.

L'ynkeus, 1) griech. *Mythologie:* der einzige der 50 Söhne des Ägyptus, der von seiner Braut verschont wurde, Nachfolger des Danaos als König von Argos (→Danaiden).

2) einer der beiden Söhne des Aphareus, Gegner der →Dioskuren, wegen seiner Scharfsichtigkeit bekannt; daher in Goethes ›Faust‹ (II., 5) der Türmer.

Lynn [lin], Stadt in Massachusetts, USA, Hafenstadt in der Bucht von Boston, mit (1970) 90 300 Ew.; Elektro-, Schuh- und Maschinenindustrie.

Lynx [lat.] *der,* der Luchs, →Luchse.

Lyon [ljõ], Hauptstadt des franz. Dep. Rhône, mit (1968) 527 800 Ew. (mit Vororten 1,075 Mill.), zweitgrößtes Wirtschaftszentrum Frankreichs am Zusammenfluß von Rhône und Saône, Verkehrsknotenpunkt, Flughafen (Bron, 6 km östl. der Stadt); Wappen: TAFEL Städtewappen III. Rechts der Saône liegt der älteste Siedlungskern (Fourvière) mit der Kathedrale St-Jean (12.–15. Jh.), dem erzbischöfl. Palast und Justizpalast (1835) und der Wallfahrtskirche Notre-Dame auf dem Mont Fourvière; zwischen Rhône und Saône die eigentliche Geschäftsstadt mit Rathaus, den Kirchen St-Martin d'Ainay (6.–13. Jh.) und St-Bonaventure (14./15. Jh.), der Börse und dem alten Hospital (6. Jh.). Im N am linken Rhoneufer liegt der berühmte Parc de la Tête-d'Or mit zoolog. und botan. Garten; an seinem Rand der Messepalast. L. ist Sitz eines Erzbischofs und hat eine staatl. und eine freie kathol. Universität, Techn. Hochschule, zahlreiche wissenschaftl. Institute, darunter ein Laboratorium für Textilindustrie; Fachschulen, Bibliotheken, Museen, darunter Textilmuseum, mehrere Theater; Rennbahn. Fast alle Industriezweige sind in L. vertreten; der wichtigste ist die alteingesessene Textilindustrie, deren Schwergewicht jetzt stärker auf der Kunstfaserherstellung als auf der Seidengewinnung liegt. Der Groß- und Zwischenhandel ist bedeutend (Lyoner Messe).

GESCHICHTE. L., das gallisch-röm. *Lugdunum,* wurde unter Augustus die Hauptstadt

Galliens und schon im 2. Jh. n. Chr. Bischofssitz. 1033 kam es mit dem Kgr. Burgund (Arelat) zum Deutschen Reich. Die Stadt und die Gfsch. Lyonnais standen seit 1173 unter der Landesherrschaft der Erzbischöfe von L.; 1312 fielen sie an Frankreich. In L. wurden 1245 und 1274 das 13. und 14. ökumenische Konzil abgehalten. Im Herbst 1793 wurde ein Aufstand gegen die Jakobiner blutig niedergeworfen und die Stadt großenteils zerstört.

Lyons, J. L. & Co. Ltd. [lˈaiənz], London, engl. Konzern des Gaststättengewerbes, gegr. 1894, betreibt Lebensmittel- und Teegroßhandel, ferner Teestuben, Restaurants und Hotels.

Lyophilisation, →Gefriertrocknung.

Lyot [ljo], Bernard, franz. Astrophysiker, * Paris 27. 2. 1897, † Kairo 2. 4. 1952, wies als Konstrukteur neuer optischer Apparate bes. der Sonnenphysik neue Wege. Von größter Bedeutung ist sein →Koronograph.

L'yra [griech.], 1) Leier, das bei Homer Phorminx, altgriech. Saiteninstrument thrak. Herkunft, bestand aus einer hautüberspannten Schildkrötenschale mit eingelassenen Tierhörnern oder Holzarmen, die oben durch ein Querjoch verbunden waren, und sieben diatonisch gestimmten Darmsaiten, die mit den Fingern der linken Hand gezupft und mit einem Plektron in der rechten Hand angerissen wurden.

2) im MA. eine birnenförmige Geige mit nur einer Saite; mit mehreren Saiten kommt sie heute noch auf dem Balkan vor.

3) ein aus der Fiedel als Vorläufer der Viola hervorgegangenes Streichinstrument, von dem im 16. und 17. Jh. noch drei Größen gebräuchlich waren: *Lira da braccio* (Alt), *Lira da gamba* (Tenor-Baß) und *Lirone perfetto* (Baß). Sie hatten 5, 9–13 oder 12–14 Spiel- und 2 Bordunsaiten, einen kurzen Hals mit Darmbünden sowie eine Wirbelplatte.

4) in Militärkapellen im lyraförmiger Messing- oder Neusilberrahmen mit abgestimmten Stahlplättchen, mit einem Hämmerchen geschlagen (→Glockenspiel).

5) das Sternbild Leier.

Lyrik, lyrische Dichtung, ursprüngl. von der Lyra begleitete Gesänge, wobei die Griechen *monodische L.* (von einzelnen vorgetragen) und *Chor-L.* unterschieden. Die Bezeichnung Lyriker war bei den Griechen lange den neun größten Meistern (darunter Alkäus, Pindar) vorbehalten. Viel später erweiterte sich der Begriff dahin, daß L. als die dritte Hauptgatt. der Poesie neben Epik und Dramatik trat. L. als poetische Gattung bedient sich der Stilmittel von →Rhythmus, Metrum (→Metrik), →Vers, →Reim, Bild usw. und gelangt als wandlungs- und entwicklungsfähigste der poetischen Gattungen zu verschiedenartigen, z. T. gegensätzlichen Ausprägungen. Darüber hinaus stellt das *Lyrische* eine poetisch-stilist. Grundhaltung dar, die auch in epischer und dramat. Gestalt auftreten kann: es gibt überwiegend lyrisch getönte Dramen (Hölderlin: ›Empedokles‹; Grillparzer: ›Des Meeres und der Liebe Wellen‹) und ebenso wesenhaft lyrisch gerichtete epische Dichtungen (Klopstock: ›Messias‹; Hölderlin: ›Hyperion‹). Dennoch findet die lyr. Aussage ihren angemessensten Ausdruck innerhalb der Formen des »Gedichts«, die insgesamt die L. als poetische Gattung ausmachen. Über die episch-lyrischen Mischformen →Ballade, →Idylle, →Lehrgedicht.

Lɪᴛ. E. Ermatinger: Die dt. L. seit Herder, 3 Bde. (²1925); R. Petsch: Die lyr. Dichtkunst (1939); Die dt. L., hg. v. B. v. Wiese, 2 Bde. (1956); J. Klein: Gesch. der dt. L. (²1960); H. Friedrich: Die Struktur der modernen L. (⁶1962); C. Heselhaus: Dt. L. der Moderne (²1962); G. Benn: Probleme der L. (⁸1964); B. Brecht: Über L. (1964); W. Höllerer: Theorie der modernen L. I (1965); O. Loerke: Essays über L. (1965).

Lys [lis], franz. Name des Flusses Leie.

Lys, Jan, Maler, →Liss, Johann.

Lysa G'ora, poln. Lysa Góra [l'ysa g'u:ra, ›kahler Berg‹], Höhenzug in Polen, im Heil. Kreuzberg 611 m hoch.

Lys'ander, spartan. Feldherr und Staatsmann, † 395 v. Chr., vernichtete 405 bei Aigospotamoi die athen. Flotte und beendete mit der Eroberung Athens 404 v. Chr. den Peloponnes. Krieg.

Lys'enko, Mykola, russ. Nikolai Witaljewitsch **Lissenko,** ukrain. Musiker und Musikforscher, * Grinki 22. 3. 1842, † Kiew 11. 11. 1912, Schüler des Konservatoriums in Leipzig, seit 1868 Musiklehrer in Kiew, wo er 1905 die erste ukrainische musikalisch-dramat. Hochschule gründete. L. ist der Schöpfer der ukrain. Nationaloper.

Lys'ergsäure, organ. Säure, Baustein der Mutterkornalkaloide. L.-Diäthylamid, LSD, ruft bereits in äußerst geringen Mengen manisch-depressive Zustände mit psychomotor. Erregung und Halluzinationen hervor.

L'ysias, attischer Redner, * Athen um 445 v. Chr. Unter seinem Namen sind 33 Reden erhalten. Sie sind Muster einfacher, klarer Sprache. Am wichtigsten ist die Rede gegen Eratosthenes, einen der dreißig Tyrannen.

Lys'imachos, Feldherr Alexanders d. Gr., * 361, † 281 v. Chr., erhielt nach Alexanders Tod 323 Thrakien. Seit 305 König, erwarb er nach der Schlacht bei Ipsos (301) Kleinasien diesseits des Taurus, 287 auch Makedonien, zunächst (bis 284?) gemeinsam mit Pyrrhos. L. fiel bei Kurupedion im Kampf gegen Seleukos I. Nach L. sind mehrere Städte *Lysimachia* genannt, bes. die 309 gegr. Hauptstadt seines Reiches auf der Halbinsel Gallipoli. →Diadochen.

Lys'ine [griech.], Stoffe des Blutserums (Antikörper), die körperfremde Zellen auflösen.

Lys'ipp, Lysippos von Sikyon, griech. Bronzebildner des 4. Jhs. v. Chr., Hofbildhauer Alexanders d. Gr. Von seinen Götter-

und Menschenstandbildern geben kaiserzeitl. Marmorkopien vor allem des Apoxyomenos (um 320; Vatikan), auch des Farnesischen Herakles (Neapel), eine Vorstellung, von seinen Alexander-Bildnissen eine Marmorkopie im Louvre. Mit dem neuen Stil des L., der durch schlanke Proportionen, kleine Köpfe und Geschmeidigkeit der Bewegungen gekennzeichnet ist, beginnt die hellenist. Zeit der griech. Plastik.

L'ysis [griech.] *die,* Lösung. *Medizin:* langsames Absinken des →Fiebers. Gegensatz: Krisis.

Lys'istrata, Titel und Heldin einer Komödie von Aristophanes (411 v. Chr.): Ehestreik der Frauen gegen den Krieg.

Lys'istratos, griech. Bildhauer der 2. Hälfte des 4. Jhs. v. Chr., Bruder des Lysippos. Er soll als erster Gipsabgüsse von Skulpturen und Masken von Lebenden angefertigt haben.

L'yskamm, vergletscherter Gipfel der Monte-Rosa-Gruppe in den Walliser Alpen, 4478 m hoch.

Lysof'orm [griech. Kw.] *das,* formaldehydhaltige Kaliseifenlösung, in 1–2prozentiger wäßriger Lösung als keimtötendes Mittel verwendet.

Lysogenie [griech.] *die,* die latente Infektion von Bakterien mit Bakteriophagen.

Lys'ol [griech. Kw.] *das,* Kresolseifenlösung, in ¹/₂–5prozentiger Lösung als keimtötendes Mittel verwendet. Unverdünntes L. ruft äußerlich Verätzungen hervor. Anzeichen einer **Lysolvergiftung** sind: bei äußerlicher Verwendung schmerzhafte Hautentzündungen und -verätzungen; bei Aufnahme durch den Mund Verschorfung der Magenschleimhaut, Nierenschädigung. Tödlich können schon etwa 17 g L. wirken.

Erste Hilfe bei Lysolvergiftung:
Trinken von pflanzlichem Öl, reichliche Flüssigkeitszufuhr, Abführmittel

---

Lysosomen, fermentreiche Einschlüsse des Zytoplasma, die zelleigene und zellfremde Stoffe abbauen.

L'yssa [grch.] *die,* →Tollwut.

Lyss'enko, Trofim, sowjet. Botaniker, * Karlowka bei Poltawa 29. 9. 1898, entwickelte eine dialektisch-materialist. Vererbungslehre, die annimmt, daß neue Erbeigenschaften durch Umweltbedingungen gelenkt werden können.

L'yswa, Stadt im Ural, Sowjetunion, (1972) 73000 Ew.; Hütten- und Stahlwerke; Medizin. Lehranstalt.

Lytham Saint Anne's [l'iðəm sint ænz], Stadt und Seebad in der Gfsch. Lancashire, England, mit (1971) 40100 Ew.

Lyttelton [l'itltən], Hafen von →Christchurch.

Lytton [litn], engl. Politiker und Schriftsteller, →Bulwer-Lytton.

Lyz'eum [lat. aus griech. →Lykeion], höhere Bildungsstätte, in Dtl. früher höhere Mädchenschule.

M

m, das M [em], der 13. Buchstabe im Alphabet; bezeichnet den bilabialen Nasallaut, ist über griech. My aus dem semit. Buchstaben Mim entstanden.

ᴟ Semitisch	ᛖ ᛗTextur
ᛗ Griechisch	Mm Renaissance-Antiqua
M Römische Antiqua	ᛗ ᛗFraktur
ᛖ Unziale	Mm Klassizist. Antiqua
ᛗ Karol. Minuskel	

Entwicklung des Buchstaben M

m, Zeichen für Meter. m², Quadratmeter. m³, Kubikmeter. ml, Milliliter. mm, Millimeter. μ [*mü*; der griech Buchstabe für m], $^1/_{1000}$ mm = 1 Mikron. mμ, $^1/_{1\,000\,000}$ mm = 1 Millimikron.

m (hochgestellt), Zeichen für Minute, (z. B. 8^m).

m., Abk. für männlich.

M, 1) Abk. für Mark. 2) röm. Zahlzeichen für 1000 (= Mille).

M., Abk. 1) für den lat. Namen Marcus. 2) franz. Monsieur. 3) engl. Master.

M', Kurzschreibung für →Mac.

ma [ital.], aber; häufig in musikal. Vortragsbezeichnungen.

Ma, vorderasiat. Mutter- und Kriegsgöttin.

MA., Abk. für Mittelalter.

M. A., Abk. für 1) Magister artium. 2) engl. Master of Arts, →Magister.

mA, Abk. für Milliampere ($^1/_{1000}$ Ampere).

Mä′ander *der,* 1) im Altertum Name des vielgewundenen Flusses →Menderes in W-Anatolien. 2) Flußwindung. 3) ein Ornamentband aus einer regelmäßig rechtwinklig gebrochenen Linie (in Frankreich *Grecque* genannt) oder auch einer fortlaufenden Wellenlinie *(laufender Hund, Wellenband).* Der M. begegnet bereits in der Steinzeit, dann in der →geometrischen Kunst und wurde später vielfach bereichert und abgewandelt.

Mäander: a *rechtwinklig gebrochene Form,* b *laufender Hund*

Mä′anderurnen, german. Tongefäße des 1. und 2. Jh. n. Chr. mit mäanderartigen Ornamenten, gefunden im Gebiet der Elbe.

M′aanselkä [finn. ›Landrücken‹], 350 bis 450 m hoher Landrücken in Finnland, Wasserscheide zwischen Eismeer und Bottn. Meerbusen.

Maar, trichterförmige, durch vulkan. Gasexplosionen entstandene Eintiefung der Erdoberfläche, meist von einem See erfüllt, oft von einem Wall vulkan. Auswurfmassen umgeben (→Eifel).

Maar′ib, Arbit [hebr.], das Abendgebet der Juden.

M′aarianhamina, finn. Name für →Mariehamn.

Ma′arri, Al M., →Abul Ala al Maarri.

Maartens, Maarten, Schriftstellername des niederländ. Juristen Joost Willem van der *Poorten-Schwartz,* * Amsterdam 15. 8. 1858, † Schloß Zonheuvel unter Doorn bei Utrecht 3. 8. 1915, schrieb Romane und Erzählungen in engl. Sprache.

Maas, franz. **Meuse,** Fluß in Nordwesteuropa, mündet in die Nordsee; 925 km lang. Die M. entspringt auf dem Plateau von Langres (Ostfrankreich), fließt nordwärts durch Lothringen und die Ardennen, erreicht bei Givet Belgien, zwischen Lüttich und Maastricht die Niederlande; südlich von Nimwegen biegt sie nach W um und läuft längs dem südl. Rheinarm Waal, mehrfach mit ihm verbunden, in die tiefe Trichtermündung »Hollandsch Diep«. Die nördlich davon gelegenen Mündungsarme des Rheins (Waal-Merwede und Lek) heißen *Oude M.* und *Nieuwe M.* mit *Brielsche M.* Wichtigster Nebenfluß ist die Sambre. Große Strecken der M. sind kanalisiert, mehrere Kanäle verbinden sie mit anderen Flüssen. Die Mündung der M. wurde im Rahmen der Arbeiten des Deltaplans mit einem Abflußdamm versehen. Die Brielsche M. wurde im Zuge der Arbeiten am →Europoort gegen die Nordsee abgedämmt und heißt jetzt Brielsches Meer.

Maaseidechse, →Mosasaurus.

Maass, 1) Edgar, Schriftsteller, * Hamburg 4. 10. 1896, † Paterson (New Jersey) 6. 1. 1964; lebte seit 1928 in den USA, schrieb dokumentarische und biograph. Romane.

WERKE. Verdun (1936), Kaiserl. Venus (1952), Don Pedro und der Teufel (1954), Der Traum Philipps II. (1954), Eine Dame von Rang (1966).

2) Joachim, Schriftsteller, * Hamburg 11. 9. 1901, † New York 15. 10. 1972, Bruder von 1), schrieb historische Romane.

WERKE. Bohème ohne Mimi (1930), Das große Feuer (1938), Ein Testament (1939), Der Fall Gouffé (1952), Der Schnee von Nebraska (1966); ferner die Biographien: Der unermüdliche Rebell (Carl Schurz, 1949), Kleist, die Fackel Preußens (1957).

Maas

Maaßen, 1) Friedrich, Kirchenrechtler, * Wismar 24. 9. 1823, † Innsbruck 9. 4. 1900, Prof. des röm. und kanon. Rechts in Innsbruck, Graz und Wien. M., der 1851 kath. wurde, ist der Begründer der modernen Erforschung der Kirchenrechtsquellen. 2) Karl Georg, preuß. Minister, * Kleve 23. 8. 1769, † Berlin 2. 11. 1834, wurde 1816 Direktor der Generalverwaltung für Gewerbe und Handel, später Generalsteuerdirektor. Ihm kommt das Hauptverdienst am Zollgesetz von 1818 zu, das aus den preuß. Provinzen ein einheitl. Zollgebiet machte. Er wurde 1830 Finanzminister.

Maastricht, Maestricht, Hauptstadt der Prov. Limburg, Niederlande, an der Maas, mit (1971) 112500 Ew., hat St.-Servatius-Kirche, die älteste Kirche der Niederlande (seit dem 6. Jh.; Um- und Neubauten aus dem 9.–15. Jh.), die romanische Liebfrauenkirche (11. Jh., Chor Anfang 13. Jh.), Reste der Stadtmauer, vor allem die Helpoort. Industrie: Zement, Glas, Keramik, Seife, Textilien. – M., das röm. *Trajectum ad Mosam,* stand im MA. unter der gemeinsamen Herrschaft der Herzöge von Brabant und der Bischöfe von Lüttich. 1632 eroberte es Friedrich Heinrich von Oranien für die nördl. Niederlande.

Ma'at, ägypt. Göttin der Wahrheit und des Rechts, wurde mit einer Straußenfeder (dem Schriftzeichen für das Wort ma'at »Wahrheit«) auf dem Kopf dargestellt.

Maat [niederd., von Mat ›Essen‹, also ›Tischgenosse‹, **1)** *Seemannssprache:* Kamerad. **2)** Unteroffizier der dt. Marine (ÜBERSICHT Dienstgrade).

Maatschappij [ma:tsxap'ɛi, niederländ.] *die,* **1)** Gesellschaft, Handelsgesellschaft. **2)** Schiffsmannschaft.

M'aba, Pflanzengatt., →Ebenholz.

Mabel'estoffe, in plüschart. Technik bestickte afrikan. Gewebe aus Raphiafasern.

Mabillon [mabijõ], Jean, franz. Historiker, * St-Pierremont (Champagne) 23. 11. 1632, † Paris 27. 12. 1707, gehörte zu den führenden Gelehrten der Mauriner und ist der Begründer der wissenschaftl. Urkundenlehre (Paläographie).

Mabin'ogion, richtiger **Mabinogi,** Name von vier walisischen mythischen Erzählungen aus Handschriften des 14. Jhs., die vermutlich im 11. Jh. entstanden sind; ungenau wird der Name auch auf sieben andere mittelkymrische Sagentexte ausgedehnt. Deutsch von M. Buber (²1922).

Mably [mabli], Gabriel Bonnot de, franz. Schriftsteller, * Grenoble 14. 3. 1709, † Paris 23. 4. 1785, Bruder des →Condillac. M., Sozialist, verwarf das Privateigentum, forderte polit., rechtl. und wirtschaftl. Gleichheit und suchte den Staat auf den ursprüngl. Zustand im Sinne einer kommunist. Gesellschaftsordnung zurückzuführen.

Mabuchi [-t∫i], meist **Kamo M.** genannt, japan. Philologe, * Kamo (Prov. Totomi) 1697, † Edo (jetzt Tokio) 1769, lehrte das. seit 1738 und sammelte die bedeutendsten Gelehrten um sich. M. kommentierte die meisten klass. Werke der japan. Literatur.

Mabuse [mab'y:z], Jan, eigentl. **Gossaert,** niederländ. Maler, * Maubeuge (Mabuse) um 1478, † Middelburg zwischen 1533 und 1536, begründete den →Romanismus in den Niederlanden.

Mac [mæk, gälisch ›Sohn‹], geschrieben auch **Mc** und **M',** unbetonte Vorsilbe schottischer Familiennamen, die ursprünglich »Sohn des . . .« bedeutete.

Mac'ao, 1) ehemal. portugies. Kolonie (seit 1557), seit 1951 Überseeprovinz, an der Mündung des Kantonflusses in S-China, 16 qkm, mit (1971) 320000 Ew.
2) Hauptstadt von 1), (1970) 226700 Ew.

Macapagal, Diosdado, philippin. Politiker (Liberale Partei), * Lubao (auf Luzon) 28. 9. 1910, war Diplomat (u. a. in Washington), war von Dez. 1961 bis Nov. 1965 Staatspräsident.

MacArthur [mək'α:θə], Douglas, amerik. General, * Little Rock 26. 1. 1880, † Washington 5. 4. 1964, führte im 2. Weltkrieg die amerikan. Streitkräfte im Pazifik, war nach der Kapitulation Japans (2. 9. 1945) Befehlshaber der dortigen amerikan. Besatzungstruppen und wurde 1950 Oberbefehlshaber der UN-Streitkräfte im Korea-Krieg; auf M.s Veranlassung erfolgten im Korea-Krieg auf die Bombardierung der Mandschurei, die Blockade Chinas und den Angriff Nationalchinas auf China auszuweiten, wurde er von Präs. Truman entlassen. Seit 1952 Präs. der Remington-Gesellschaft.

Macaulay [mək'ɔli], **1)** Rose, engl. Erzählerin, * Cambridge 1. 8. 1887, † London 30. 10. 1958, schrieb satirische Romane.
2) Thomas, Lord *M. of Rothley* (seit 1857), Politiker und Historiograph, * Rothley-Temple (Leicestershire) 25. 10. 1800, † Kensington (London) 28. 12. 1859, seit 1830 liberales Mitgl. des Unterhauses, 1834–38 hoher Beamter in Indien, 1839–41 Kriegsminister. Er schrieb: History of England (5 Bde., 1849–61; dt. 8 Bde., ⁴1868).

Macbeth [mæk'eθ], König von Schottland (1040–57), besiegte und tötete seinen Vorgänger Duncan I.; fiel im Kampf gegen Duncans Sohn Malcolm III. – Tragödie von Shakespeare (1605), Oper von Verdi (1847).

Maccal'uba, Le Maccalube, nur wenige Meter hohe Schlammvulkane im mittleren Sizilien, aus denen explosionsartig Sumpfgase ausbrechen.

Macchiaiuoli [makiaiu'ɔli, von ital. macchia ›Fleck‹], eine seit etwa 1855 in Florenz hervortretende Gruppe von Vorkämpfern der naturalist. Malerei (G. Fattori, T. Signorini, S. Lega), die nach ihrer Technik so genannt wurden.

Macchiav'elli, falsch für →Machiavelli.

Macchie [m'ækiə,ital. macchia] *die,* **Maccie,** aus immergrünen (Hartlaub-)Gewächsen gebildeter Buschwald der Mittelmeerländer.

MacClintock [mək'lintək], Sir Francis Leopold, brit. Nordpolfahrer, * Dundalk 8. 7. 1819, † London 17. 11. 1907, führte

1848–59 vier Reisen auf der Suche nach der Franklin-Expedition aus.

Mac Clure [məklˈurə], Sir Robert John Le Mesurier, brit. Nordpolfahrer, * Wexford (Irland) 28. 1. 1807, † Portsmouth 17. 10. 1873. erschloß von der Beaufort-See aus die Nordwest-Durchfahrt.

Macdonald [makdɔnɑld], Alexandre, Herzog von *Tarent* (seit 1809), franzö́s. Marschall, * Sancerre bei Sedan 17. 11. 1765, † Schloß Courcelles (Dep. Loiret) 25. 9. 1840, wurde 1799 von Suworow an der Trebbia, 1813 von Blücher an der Katzbach geschlagen.

MacDonald [məkdˈɔnəld], 1) Malcolm, brit. Politiker (Labour Party), Sohn von 2), * Lossiemouth 17. 8. 1901, 1929–45 Abg., 1935–41 mehrmals Minister, dann Oberkommissar in Kanada, 1948–55 GenKommissar für SO-Asien, 1955-60 in Indien, 1966 Sonderbotschafter für Afrika.

2) Ramsay, brit. Staatsmann, * Lossiemouth 12. 10. 1866, † (auf der Fahrt nach Südamerika) 10. 11. 1937, Mitgründer der unabhängigen Labour Party (1893), wurde 1906 Abg. und 1911 Führer der umgebildeten Labour Party. Er bekämpfte den Eintritt Englands in den 1. Weltkrieg und den Versailler Vertrag. Vorübergehend wurde er 1924 MinPräs. der ersten engl. Labour-Regierung, dann wieder 1929. Als Friedensfreund bemühte er sich um die Abrüstung. Als die Weltwirtschaftskrise zu finanzpolit. Maßnahmen zwang, trennte sich M. Herbst 1931 von der großen Mehrheit der Partei und trat an die Spitze einer bürgerl. »National-

regierung«; Juni 1935 wurde er Lordpräsident des Geheimen Rats.

Macdonnell-Kette [məkdˈɔnl-], Gebirge in Zentralaustralien, 250 km lang, bis 1519 m hoch.

Macdowell [məkdˈauəl], Edward, amerikan. Komponist, * New York 18. 12. 1861, † das. 24. 1. 1908, schrieb Kompositionen für Orchester (Indian Suite), Klavierkonzerte, Sonaten, Lieder.

Macedo [masˈedo], Joaquim Manuel de, brasilian. Erzähler * Itaboraí 24. 6. 1820, † Rio de Janeiro 11. 4. 1882, gilt als einer der Begründer des brasilian. Romans.

Maceió [masɛjˈo], Hauptstadt des Staates Alagôas, Brasilien, mit (1970) 269400 Ew., Hafen, Erzbischofssitz.

M´acek [mˈatʃɛk], Vladimir, jugoslaw. Politiker, Kroate, * Jastrebarsko 20. 7. 1879, † New York 1964, Rechtsanwalt; wurde 1928 Nachfolger Radićs in der kroat. Bauernpartei, 1929/30 und 1933/34 in Haft; Aug. 1939 bis April 1941 stellvertr. Min.-Präs., unter Pavelić wieder verhaftet, emigrierte im Mai 1945.

Maec´enas, Gajus, römischer Ritter, † 8 v. Chr., hochgebildet, aus vornehmem etrusk. Geschlecht, war der Vertraute des Kaisers Augustus, der Gönner von Vergil, Properz und vor allem von Horaz. Sein Name wurde zum Begriff *(Mäzen)*.

Macer´ata [matʃɛ-], **1)** Prov. der mittelital. Region Marken, 2774 qkm, mit (1971) 286200 Ew. **2)** Hauptstadt von 1), mit (1971) 43500 Ew., 311 m ü. M.; jurist. Fakultät, Bibliothek, Pinakothek.

Suzanne Ratié

HATSCHEPSUT

Die Frau auf dem Thron der Pharaonen

Ca. 225 Seiten Text und ca. 20 Abbildungen.

Sie ist eine der geheimnisvollsten Persönlichkeiten der ägyptischen Geschichte: nie vorher und nie wieder saß eine Frau auf dem Thron der Pharaonen. In dem von allen Touristen bestaunten Terrassentempel von Der el-bahari liegt sie mit ihrem Günstling Senenmut begraben.

F. A. BROCKHAUS · WIESBADEN

Neue Anthropologie

Neue Anthropologie
Herausgegeben von
Hans-Georg Gadamer
und Paul Vogler
7 Bände
dtv-Thieme
Originalausgabe
4069–4074 und 4148

Psychologen und Sozio-
logen haben zu dem in
seiner Art einmaligen
Versuch auch namhafte
Techniker, Physiker,
Juristen, Theologen,
Historiker, Linguisten und
Ökonomen aus dem In-
und Ausland beigetragen.

Anthropologie ist Wissen-
schaft vom Menschen, sie
will eine Antwort geben
auf Kants Grundfrage der
Philosophie: Was ist der
Mensch?
Die moderne Anthropo-
logie geht im Sinne eines
echten studium universale
über die biologischen und
philosophischen Ansätze
und Entwürfe weit hinaus:
sie versteht sich als Programm aller Wissenschaft
überhaupt.

In dem von einem Medi-
ziner und einem Philoso-
phen edierten Werk sind
neue Erkenntnisse und
Forschungsergebnisse
aus den verschiedensten
Disziplinen zu einem
Gesamtbild des heutigen
Wissens vom Menschen
zusammengefaßt. Neben
bekannten Philosophen,
Biologen, Medizinern,

Band 1 und 2
Biologische Anthropologie
Band 3
Sozialanthropologie
Band 4
Kulturanthropologie
Band 5
Psychologische
Anthropologie
Band 6 und 7
Philosophische
Anthropologie

 **Wörterbücher**

**dtv-Wörterbuch der
deutschen Alltags-
sprache**
Von Heinz Küpper
2 Bände
3034, 3035

**dtv-Wörterbuch
englischer und
amerikanischer Aus-
drücke in der
deutschen Sprache**
Von Fritz und Inge-
borg Neske
3033

**dtv-Wörterbuch
zur Psychologie**
Von James Drever und
Werner D. Fröhlich
3031

**dtv-Wörterbuch
zur Publizistik**
Von Kurt Koszyk und
Karl Hugo Pruys
3032

**dtv-Wörterbuch
zur Geschichte**
Von Konrad Fuchs
und Heribert Raab
2 Bände
3036, 3037

**Zetkin / Schaldach:
dtv-Wörterbuch
der Medizin**
Hrsg. von
Herbert Schaldach
3 Bände
dtv-Thieme
3028–3030

**Geologisches
Wörterbuch**
Von Hans Murawski
Mit 65 Abbildungen
und einer Falttafel
dtv-Enke
3038